le Robert
& Collins

anglais

français-anglais
anglais-français

HarperCollins Publishers
Westerhill Road
Bishopbriggs
Glasgow
G64 2QT
Great Britain

Douzième édition/Twelfth edition
2018

www.collins.co.uk
www.collinsdictionary.com

A catalogue record for this book is
available from the British Library

Dictionnaires Le Robert
25, avenue Pierre-de-Coubertin,
75211 Paris cedex 13, France

www.lerobert.fr

ISBN Mini+ 978-2-32101-142-2
ISBN Mini 978-2-32101-138-5

Dépôt légal janvier 2018
Achevé d'imprimer en décembre 2017
N éditeur 10230512/10230516
Photocomposition/Typeset by
Davidson Publishing Solutions,
Glasgow

Imprimé en Italie par/
Printed in Italy by
La Tipografica Varese

DIRECTION ÉDITORIALE/
PUBLISHING DIRECTOR
Helen Newstead

CHEF DE PROJET/EDITORIAL
MANAGEMENT
Teresa Álvarez
Janice McNeillie

COLLABORATEURS/CONTRIBUTORS
Lola Busuttil
Laurence Larroche
Persephone Lock
Christian Salzédo

POUR LA MAISON D'ÉDITION/FOR THE
PUBLISHER
Gerry Breslin
Kerry Ferguson

Based on the 'rst edition of the
Collins Gem French Dictionary under
the direction of Pierre-Henri Cousin.

TABLE DES MATIÈRES		CONTENTS	

INTRODUCTION

Nous sommes très heureux que vous ayez choisi ce dictionnaire. Nous espérons que vous aimerez l'utiliser et que vous en tirerez profit au lycée, à la maison, en vacances ou au travail.

Nous vous donnons dans cette introduction quelques conseils sur la façon d'utiliser au mieux votre dictionnaire, en vous référant non seulement à son importante nomenclature mais aussi aux informations contenues dans chaque entrée. Vous aurez ainsi plus de facilité à lire et à comprendre, mais aussi à communiquer et vous exprimer en anglais contemporain.

Au début du dictionnaire, vous trouverez la liste des abréviations utilisées dans le texte et celle de la transcription des sons par des symboles phonétiques.

COMMENT UTILISER VOTRE DICTIONNAIRE
Ce dictionnaire contient une foule d'informations représentées par diverses formes et tailles de caractères, symboles, abréviations, parenthèses et crochets. Les conventions et symboles utilisés sont expliqués ci-dessous.

ENTRÉES
Les mots que vous cherchez dans le dictionnaire – les entrées – sont classés par ordre alphabétique. Ils sont imprimés en couleur pour pouvoir être repérés rapidement. Les entrées figurant en haut de page correspondent au premier (sur la page de gauche) ou au dernier mot (sur la page de droite) de chaque page.

Des informations sur l'usage ou sur la forme de certaines entrées sont données entre parenthèses, après la transcription phonétique. Ces indications apparaissent sous forme abrégée et en italique, par exemple (*fam*), (*Comm*).

Pour plus de facilité, les mots de la même famille sont regroupés sous la même entrée (ronger, rongeur ; accept, acceptance) et apparaissent également en couleur.

Les expressions courantes dans lesquelles figure l'entrée sont indiquées par des caractères romains gras (par exemple retard [...] **avoir du ~**).

TRANSCRIPTION PHONÉTIQUE

La transcription phonétique de chaque entrée (indiquant sa prononciation) est présentée entre crochets immédiatement après l'entrée (par ex. fumer [fyme] ; knee [niː]). La liste des symboles phonétiques figure aux pages xi et xii.

TRADUCTIONS

Vous trouverez avant les traductions, en italique et entre parenthèses, des synonymes de l'entrée (par ex. poser (*déposer, installer : moquette, carrelage*) to lay) ou des mots suggérant le contexte dans lequel l'entrée est susceptible d'intervenir (par ex. poser (*question*) to ask).

MOTS-CLÉS

Une importance particulière est accordée à certains mots français et anglais qui sont considérés comme des « mots-clés » dans chacune des langues parce qu'ils sont employés très fréquemment ou de façons très diverses (par ex. vouloir, plus ; get, that). Des petits triangles et des chiffres aident à distinguer les différentes catégories grammaticales et les différents sens. D'autres renseignements utiles apparaissent en italique et entre parenthèses dans la langue de l'utilisateur.

Les catégories grammaticales sont données sous forme abrégée et en italique après la transcription phonétique (par ex. *vt, adv, conj*). Le genre des noms français est indiqué de la manière suivante : *nm* pour un nom masculin et *nf* pour un nom féminin. Le féminin et le pluriel de certains noms sont également indiqués lorsqu'ils présentent une irrégularité (par ex. **directeur, -trice** ; **cheval, -aux**).

Le masculin et le féminin des adjectifs sont donnés s'ils sont différents (par ex. **noir, e**). Lorsque l'adjectif a un féminin ou un pluriel irrégulier, ceux-ci sont clairement indiqués (par ex. **net, nette**). Les pluriels irréguliers des noms et les formes irrégulières des verbes anglais apparaissent entre parenthèses, avant la catégorie grammaticale (par ex. **man** (*pl* **men**) *n* ; **give** (*pt* **gave**; *pp* **given**) *vt*).

INTRODUCTION

We are delighted that you have chosen this dictionary and hope you will enjoy and benefit from using it at school, at home, on holiday or at work.

This introduction gives you a few tips on how to get the most out of your dictionary – not simply from its comprehensive wordlist but also from the information provided in each entry. This will help you to read and understand modern French, as well as communicate and express yourself in the language.

This dictionary begins by listing the abbreviations used in the text and illustrating the sounds shown by the phonetic symbols.

USING YOUR DICTIONARY
A wealth of information is presented in the dictionary, using various typefaces, sizes of type, symbols, abbreviations and brackets. The various conventions and symbols used are explained in the following sections.

HEADWORDS
The words you look up in a dictionary – 'headwords' – are listed alphabetically. They are printed in **colour** for rapid identification. The headwords appearing at the top of each page indicate the first (if it appears on a left-hand page) and last word (if it appears on a right-hand page) dealt with on the page in question.

Information about the usage or form of certain headwords is given in brackets after the phonetic spelling. This usually appears in abbreviated form and in italics (e.g. (*inf*), (*Comm*)).

Where appropriate, words related to headwords are grouped in the same entry (**ronger, rongeur; accept, acceptance**) and are also in colour.

Common expressions in which the headword appears are shown in a bold roman type (e.g. **inquire** [...] **to ~ about**).

PHONETIC SPELLINGS

The phonetic spelling of each headword (indicating its pronunciation) is given in square brackets immediately after the headword (e.g. fumer [fyme]; knee [niː]). A list of these symbols is given on pages xi and xii.

TRANSLATIONS

Headword translations are given in ordinary type and, where more than one meaning or usage exists, these are separated by a semi-colon. You will often find other words in italics in brackets before the translations. These offer suggested contexts in which the headword might appear (e.g. rough (*voice*) [...] (*plan*)) or provide synonyms (e.g. rough (*manner: coarse*)). The gender of the translation also appears in italics immediately following the key element of the translation.

KEYWORDS

Special status is given to certain French and English words which are considered as 'keywords' in each language. They may, for example, occur very frequently or have several types of usage (e.g. vouloir, plus; get, that). A combination of triangles and numbers helps you to distinguish different parts of speech and different meanings. Further helpful information is provided in brackets and italics.

GRAMMATICAL INFORMATION

Parts of speech are given in abbreviated form in italics after the phonetic spellings of headwords (e.g. *vt, adv, conj*). Genders of French nouns are indicated as follows: *nm* for a masculine noun and *nf* for a feminine noun. Feminine and irregular plural forms of nouns are also shown (directeur, -trice; cheval, -aux).

Adjectives are given in both masculine and feminine forms where these forms are different (e.g. noir, e). Clear information is provided where adjectives have an irregular feminine or plural form (e.g. net, nette).

ABRÉVIATIONS

ABBREVIATIONS

abréviation	ab(b)r	abbreviation
adjectif, locution adjectivale	adj	adjective, adjectival phrase
administration	Admin	administration
adverbe, locution adverbiale	adv	adverb, adverbial phrase
agriculture	Agr	agriculture
anatomie	Anat	anatomy
architecture	Archit	architecture
article défini	art déf	definite article
article indéfini	art indéf	indefinite article
automobile	Aut(o)	automobiles
aviation, voyages aériens	Aviat	flying, air travel
biologie	Bio(l)	biology
botanique	Bot	botany
anglais britannique	BRIT	British English
chimie	Chem	chemistry
commerce, finance, banque	Comm	commerce, finance, banking
informatique	Comput	computing
conjonction	conj	conjunction
construction	Constr	building
nom utilisé comme adjectif	cpd	compound element
cuisine	Culin	cookery
article défini	def art	definite article
économie	Écon, Econ	economics
électricité, électronique	Élec, Elec	electricity, electronics
en particulier	esp	especially
exclamation, interjection	excl	exclamation, interjection
féminin	f	feminine
langue familière	fam(!)	colloquial usage
(! emploi vulgaire)		(! particularly offensive)
emploi figuré	fig	figurative use
(verbe anglais) dont la particule est inséparable	fus	(phrasal verb) where the particle is inseparable
généralement	gén, gen	generally
géographie, géologie	Géo, Geo	geography, geology
géométrie	Géom, Geom	geometry
article indéfini	indef art	indefinite article
langue familière	inf(!)	colloquial usage
(! emploi vulgaire)		(! particularly offensive)
infinitif	infin	infinitive
informatique	Inform	computing
invariable	inv	invariable
irrégulier	irreg	irregular
domaine juridique	Jur	law

ABRÉVIATIONS

ABBREVIATIONS

grammaire, linguistique	*Ling*	grammar, linguistics
masculin	m	masculine
mathématiques, algèbre	*Math*	mathematics, calculus
médecine	*Méd, Med*	medical term, medicine
masculin ou féminin	m/f	masculine or feminine
domaine militaire, armée	*Mil*	military matters
musique	*Mus*	music
nom	n	noun
navigation, nautisme	*Navig, Naut*	sailing, navigation
nom ou adjectif numéral	*num*	numeral noun or adjective
	o.s.	oneself
péjoratif	*péj, pej*	derogatory, pejorative
photographie	*Phot(o)*	photography
physiologie	*Physiol*	physiology
pluriel	*pl*	plural
politique	*Pol*	politics
participe passé	*pp*	past participle
préposition	*prép, prep*	preposition
pronom	*pron*	pronoun
psychologie, psychiatrie	*Psych*	psychology, psychiatry
temps du passé	*pt*	past tense
quelque chose	*qch*	
quelqu'un	*qn*	
religion	*Rel*	religion
	sb	somebody
enseignement, système scolaire et universitaire	*Scol*	schooling, schools and universities
singulier	*sg*	singular
	sth	something
subjonctif	*sub*	subjunctive
sujet (grammatical)	*subj*	(grammatical) subject
techniques, technologie	*Tech*	technical term, technology
télécommunications	*Tél, Tel*	telecommunications
télévision	*TV*	television
typographie	*Typ(o)*	typography, printing
anglais des États-Unis	US	American English
verbe (auxiliaire)	*vb (aux)*	(auxiliary) verb
verbe intransitif	*vi*	intransitive verb
verbe transitif	*vt*	transitive verb
zoologie	*Zool*	zoology
marque déposée	®	registered trademark
vulgar ou injurieux	(!)	offensive
indique une équivalence culturelle	≈	indicates a cultural equivalent

TRANSCRIPTION PHONÉTIQUE

CONSONNES		CONSONANTS
NB. les sons **p, b, t, d, k, g** sont 'soufflés' en anglais.		NB. **p, b, t, d, k, g** are not aspirated in French.
pou**p**ée	p	**p**uppy
bom**b**e	b	**b**a**b**y
ten**t**e **th**ermal	t	**t**en**t**
din**d**e	d	**d**a**dd**y
coq qui **k**épi	k	**c**ork **k**iss **ch**ord
ga**g**e ba**gu**e	g	**g**a**g g**uess
sale **c**e na**t**ion	s	**s**o ri**c**e ki**ss**
zéro ro**s**e	z	cou**s**in bu**zz**
ta**ch**e **ch**at	ʃ	**sh**eep **s**ugar
gilet **j**uge	ʒ	plea**s**ure bei**g**e
	tʃ	**ch**ur**ch**
	dʒ	**j**udge **g**eneral
fer **ph**are	f	**f**arm ra**ff**le
ver**v**eine	v	**v**ery re**v**el
	θ	**th**in ma**th**s
	ð	**th**at o**th**er
lent sa**ll**e	l	**l**ittle ba**ll**
rare **r**ent**r**er	R	
	r	**r**at **r**are
ma**m**an fe**mm**e	m	**m**u**mm**y co**mb**
non bo**nn**e	n	**n**o ra**n**
a**gn**eau vi**gn**e	ɲ	
	ŋ	si**ng**ing ba**n**k
hop !	h	**h**at re**h**earse
yeux pa**i**lle p**i**ed	j	**y**et
n**ou**er **ou**i	w	**w**all **w**ail
h**ui**le l**ui**	ɥ	
	x	lo**ch**
DIVERS		**MISCELLANEOUS**
pour l'anglais : le r final se prononce en liaison devant une voyelle	r	in English transcription: final r can be pronounced before a vowel
pour l'anglais : précède la syllabe accentuée	'	in French wordlist: no liaison before aspirate h and y

En règle générale, la prononciation est donnée entre crochets après chaque entrée. Toutefois, du côté anglais-français, dans le cas des expressions composées de deux ou plusieurs mots non réunis par un trait d'union et faisant l'objet d'une entrée séparée, la prononciation doit être cherchée sous chacun des mots constitutifs de l'expression en question.

PHONETIC TRANSCRIPTION

VOYELLES

NB. Dans certains cas, la mise en équivalence de deux sons n'indique qu'une ressemblance approximative.

VOWELS

NB. The pairing of some vowel sounds only indicates approximate equivalence.

ici vie lyrique	i iː	heel bead
	ɪ	hit pity
jouer été	e	
lait jouet merci	ɛ	set tent
plat amour	a æ	bat apple
bas pâte	ɑ ɑː	after car calm
	ʌ	fun cousin
le premier	ə	over above
beurre peur	œ	
peu deux	ø əː	urgent fern work
or homme	ɔ	wash pot
mot eau gauche	o ɔː	born cork
genou roue	u	full hook
	uː	boom shoe
rue urne	y	

DIPHTONGUES

DIPHTHONGS

	ɪə	beer tier
	ɛə	tear fair there
	eɪ	date plaice day
	aɪ	life buy cry
	au	owl foul now
	əu	low no
	ɔɪ	boil boy oily
	uə	poor tour

NASALES

NASAL VOWELS

matin plein	ɛ̃	
brun	œ̃	
sang an dans	ɑ̃	
non pont	ɔ̃	

In general, we give the pronunciation of each entry in square brackets after the word in question. However, on the English-French side, where the entry is composed of two or more unhyphenated words, each of which is given elsewhere in this dictionary, you will find the pronunciation of each word in its alphabetical position.

xii

a

a [a] *vb voir* **avoir**

à [a]

(*à* + *le* = **au**, *à* + *les* = **aux**) *prép*

1 (*endroit, situation*) at, in; **être à Paris/au Portugal** to be in Paris/Portugal; **être à la maison/à l'école** to be at home/at school; **à la campagne** in the country; **c'est à 10 m/km/à 20 minutes (d'ici)** it's 10 m/km/20 minutes away

2 (*direction*) to; **aller à Paris/au Portugal** to go to Paris/Portugal; **aller à la maison/à l'école** to go home/to school; **à la campagne** to the country

3 (*temps*): **à 3 heures/minuit** at 3 o'clock/midnight; **au printemps** in the spring; **au mois de juin** in June; **à Noël/Pâques** at Christmas/Easter; **à demain/la semaine prochaine!** see you tomorrow/next week!

4 (*attribution, appartenance*) to; **le livre est à Paul/à lui/à nous** this book is Paul's/his/ours;

donner qch à qn to give sth to sb; **un ami à moi** a friend of mine

5 (*moyen*) with; **se chauffer au gaz** to have gas heating; **à bicyclette** on a *ou* by bicycle; **à pied** on foot; **à la main/machine** by hand/machine

6 (*provenance*) from; **boire à la bouteille** to drink from the bottle

7 (*caractérisation, manière*): **l'homme aux yeux bleus** the man with the blue eyes; **à la russe** the Russian way

8 (*but, destination*): **tasse à café** coffee cup; **maison à vendre** house for sale; **je n'ai rien à lire** I don't have anything to read; **à bien réfléchir …** thinking about it …, on reflection …

9 (*rapport, évaluation, distribution*): **100 km/unités à l'heure** 100 km/units per *ou* an hour; **payé à l'heure** paid by the hour; **cinq à six** five to six

10 (*conséquence, résultat*): **à ce qu'il prétend** according to him; **à leur grande surprise** much to their surprise; **à nous trois nous n'avons pas su le faire** we couldn't do it even between the three of us; **ils sont arrivés à quatre** four of them arrived (together)

abaisser [abese] /1/ *vt* to lower, bring down; (*manette*) to pull down; **s'abaisser** *vi* to go down; (*fig*) to demean o.s.

abandon [abɑ̃dɔ̃] *nm* abandoning; giving up; withdrawal; **être à l'~** to be in a state of neglect; **laisser à l'~** to abandon

abandonner [abɑ̃dɔne] /1/ vt (personne) to leave, abandon, desert; (projet, activité) to abandon, give up; (Sport) to retire ou withdraw from; (céder) to surrender; **s'~ à** (paresse, plaisirs) to give o.s. up to

abat-jour [abaʒuʀ] nm inv lampshade

abats [aba] nmpl (de bœuf, porc) offal sg; (de volaille) giblets

abattement [abatmɑ̃] nm: **~ fiscal** ≈ tax allowance

abattoir [abatwaʀ] nm slaughterhouse

abattre [abatʀ] /41/ vt (arbre) to cut down, fell; (mur, maison) to pull down; (avion, personne) to shoot down; (animal) to shoot, kill; (fig) to wear out, tire out; to demoralize; **s'abattre** vi to crash down; **ne pas se laisser ~** to keep one's spirits up, not to let things get one down; **s'~ sur** to beat down on; (coups, injures) to rain down on; **~ du travail** ou **de la besogne** to get through a lot of work

abbaye [abei] nf abbey

abbé [abe] nm priest; (d'abbaye) abbot

abcès [apsɛ] nm abscess

abdiquer [abdike] /1/ vi to abdicate

abdominal, e, -aux [abdɔminal, -o] adj abdominal; **abdominaux** nmpl: **faire des abdominaux** to do sit-ups

abeille [abɛj] nf bee

aberrant, e [abeʀɑ̃, -ɑ̃t] adj absurd

aberration [abeʀasjɔ̃] nf aberration

abîme [abim] nm abyss, gulf

abîmer [abime] /1/ vt to spoil, damage; **s'abîmer** vi to get spoilt ou damaged

aboiement [abwamɑ̃] nm bark, barking no pl

abolir [abɔliʀ] /2/ vt to abolish

abominable [abɔminabl] adj abominable

abondance [abɔ̃dɑ̃s] nf abundance

abondant, e [abɔ̃dɑ̃, -ɑ̃t] adj plentiful, abundant, copious
• **abonder** /1/ vi to abound, be plentiful; **abonder dans le sens de qn** to concur with sb

abonné, e [abɔne] nm/f subscriber; season ticket holder

abonnement [abɔnmɑ̃] nm subscription; (pour transports en commun, concerts) season ticket

abonner [abɔne] /1/ vt: **s'abonner à** to subscribe to, take out a subscription to; **s'~ aux tweets de qn sur Twitter** to follow sb on Twitter

abord [abɔʀ] nm: **abords** nmpl (environs) surroundings; **d'~** first; **au premier ~** at first sight, initially

abordable [abɔʀdabl] adj (personne) approachable; (prix) reasonable

aborder [abɔʀde] /1/ vi to land ▶ vt (sujet, difficulté) to tackle; (personne) to approach; (rivage etc) to reach

aboutir [abutiʀ] /2/ vi (négociations etc) to succeed; **~ à/dans/sur** to end up at/in/on; **n'~ à rien** to come to nothing

aboyer [abwaje] /8/ vi to bark

abréger [abʀeʒe] /3, 6/ vt to shorten

abreuver [abʀœve] /1/: **s'abreuver** vi to drink
• **abreuvoir** nm watering place

abréviation [abʀevjasjɔ̃] nf abbreviation

abri [abʀi] nm shelter; **être à l'~** to be under cover; **se mettre à l'~** to shelter; **à l'~ de** sheltered from; (danger) safe from

abricot [abʀiko] nm apricot

abriter [abʀite] /1/ vt to shelter; **s'abriter** vi to shelter, take cover

abrupt, e [abʀypt] adj sheer, steep; (ton) abrupt

abruti, e [abʀyti] adj stunned, dazed ▶ nm/f (fam) idiot; **~ de travail** overworked

absence [apsɑ̃s] nf absence; (Méd) blackout; **en l'~ de** in the absence of; **avoir des ~s** to have mental blanks

absent, e [apsɑ̃, -ɑ̃t] adj absent ▶ nm/f absentee • **absenter** /1/: **s'absenter** vi to take time off work; (sortir) to leave, go out

absolu, e [apsɔly] adj absolute • **absolument** adv absolutely

absorbant, e [apsɔʀbɑ̃, -ɑ̃t] adj absorbent

absorber [apsɔʀbe] /1/ vt to absorb; (gén, Méd: manger, boire) to take

abstenir [apstəniʀ] /22/: **s'abstenir** vi: **~ de qch/de faire** to refrain from sth/from doing

abstrait, e [apstʀɛ, -ɛt] adj abstract

absurde [apsyʀd] adj absurd

abus [aby] nm abuse; **~ de confiance** breach of trust; **~ de pouvoir** abuse of power; **~ sexuels** sexual abuse no pl; • **abuser** /1/ vi to go too far, overstep the mark; **s'abuser** vi

(se méprendre) to be mistaken; **abuser de** (violer, duper) to take advantage of • **abusif, -ive** adj exorbitant; (punition) excessive

académie [akademi] nf academy; (Scol: circonscription) ≈ regional education authority; see note **"Académie française"**

The **Académie française** was founded by Cardinal Richelieu in 1635, during the reign of Louis XIII. It is made up of forty elected scholars and writers who are known as 'les Quarante' or 'les Immortels'. One of the Académie's functions is to keep an eye on the development of the French language, and its recommendations are frequently the subject of lively public debate. It has produced several editions of its famous dictionary and also awards various literary prizes.

acajou [akaʒu] nm mahogany

acariâtre [akaʀjɑtʀ] adj cantankerous

accablant, e [akablɑ̃, -ɑ̃t] adj (chaleur) oppressive; (témoignage, preuve) overwhelming

accabler [akable] /1/ vt to overwhelm, overcome; **~ qn d'injures** to heap ou shower abuse on sb; **~ qn de travail** to overwork sb

accalmie [akalmi] nf lull

accaparer [akapaʀe] /1/ vt to monopolize; (travail etc) to take up (all) the time ou attention of

accéder [aksede] /6/: **~ à** vt (lieu) to reach; (accorder: requête) to grant, accede to

accélérateur [akseleʀatœʀ] nm accelerator

accélérer [akselere] /6/ vt to speed up ▶ vi to accelerate

accent [aksɑ̃] nm accent; (*Phonétique, fig*) stress; **mettre l'~ sur** (*fig*) to stress; **~ aigu/grave/circonflexe** acute/grave/circumflex accent ▪ **accentuer** /1/ vt (*Ling*) to accent; (*fig*) to accentuate, emphasize; **s'accentuer** vi to become more marked *ou* pronounced

acceptation [aksɛptasjɔ̃] nf acceptance

accepter [aksɛpte] /1/ vt to accept; **~ de faire** to agree to do

accès [aksɛ] nm (*à un lieu*) access; (*Méd: de toux*) fit; (: *de fièvre*) bout; **d'~ facile/malaisé** easily/not easily accessible; **facile d'~** easy to get to; **~ de colère** fit of anger ▪ **accessible** adj accessible; (*livre, sujet*): **accessible à qn** within the reach of sb

accessoire [akseswaʀ] adj secondary; (*frais*) incidental ▶ nm accessory; (*Théât*) prop

accident [aksidɑ̃] nm accident; **par ~** by chance; **~ de la route** road accident ▪ **accidenté, e** adj damaged *ou* injured (in an accident); (*relief, terrain*) uneven; hilly ▪ **accidentel, le** adj accidental

acclamer [aklame] /1/ vt to cheer, acclaim

acclimater [aklimate] /1/: **s'acclimater** vi to become acclimatized

accolade [akɔlad] nf (*amicale*) embrace; (*signe*) brace

accommoder [akɔmɔde] /1/ vt (*Culin*) to prepare; **s'accommoder de** to put up with; (*se contenter de*) to make do with

accompagnateur, -trice [akɔ̃paɲatœʀ, -tʀis] nm/f (*Mus*) accompanist; (*de voyage*) guide; (*de voyage organisé*) courier

accompagner [akɔ̃paɲe] /1/ vt to accompany, be *ou* go *ou* come with; (*Mus*) to accompany

accompli, e [akɔ̃pli] adj accomplished

accomplir [akɔ̃pliʀ] /2/ vt (*tâche, projet*) to carry out; (*souhait*) to fulfil; **s'accomplir** vi to be fulfilled

accord [akɔʀ] nm agreement; (*entre des styles, tons etc*) harmony; (*Mus*) chord; **se mettre d'~** to come to an agreement (with each other); **être d'~** to agree; **d'~!** OK!

accordéon [akɔʀdeɔ̃] nm (*Mus*) accordion

accorder [akɔʀde] /1/ vt (*faveur, délai*) to grant; **~ de l'importance/de la valeur à qch** to attach importance/value to sth; (*harmoniser*) to match; (*Mus*) to tune

accoster [akɔste] /1/ vt (*Navig*) to draw alongside ▶ vi to berth

accouchement [akuʃmɑ̃] nm delivery, (child)birth; labour

accoucher [akuʃe] /1/ vi to give birth, have a baby; **~ d'un garçon** to give birth to a boy

accouder [akude] /1/: **s'accouder** vi: **s'~ à/contre/sur** to rest one's elbows on/against/on ▪ **accoudoir** nm armrest

accoupler [akuple] /1/ vt to couple; (*pour la reproduction*) to mate; **s'accoupler** vi to mate

accourir [akuʀiʀ] /11/ vi to rush *ou* run up

accoutumance [akutymɑ̃s] nf (*gén*) adaptation; (*Méd*) addiction

accoutumé, e [akutyme] adj (*habituel*) customary, usual

accoutumer [akutyme] /1/ vt: **s'accoutumer à** to get accustomed ou used to

accroc [akʀo] nm (déchirure) tear; (fig) hitch, snag

accrochage [akʀɔʃaʒ] nm (Auto) (minor) collision; (dispute) clash, brush

accrocher [akʀɔʃe] /1/ vt (suspendre) to hang; (fig) to catch, attract; **s'accrocher** (se disputer) to have a clash ou brush; **~ qch à** (suspendre) to hang sth (up) on; (attacher: remorque) to hitch sth (up) to; (déchirer) to catch sth (on); **il a accroché ma voiture** he bumped into my car; **s'~ à** (rester pris à) to catch on; (agripper, fig) to hang on ou cling to

accroissement [akʀwasmɑ̃] nm increase

accroître [akʀwatʀ] /55/ vt: **s'accroître** vi to increase

accroupir [akʀupiʀ] /2/: **s'accroupir** vi to squat, crouch (down)

accru, e [akʀy] pp de **accroître**

accueil [akœj] nm welcome; **comité/centre d'~** reception committee/centre • **accueillir** /12/ vt to welcome; (aller chercher) to meet, collect

accumuler [akymyle] /1/ vt to accumulate, amass; **s'accumuler** vi to accumulate; to pile up

accusation [akyzasjɔ̃] nf (gén) accusation; (Jur) charge; (partie): **l'~** the prosecution

accusé, e [akyze] nm/f accused; (prévenu(e)) defendant ▶ nm: **~ de réception** acknowledgement of receipt

accuser [akyze] /1/ vt to accuse; (fig) to emphasize, bring out; (: montrer) to show; **~ qn de** to accuse sb of; (Jur) to charge sb with; **~ réception de** to acknowledge receipt of

acéré, e [aseʀe] adj sharp

acharné, e [aʃaʀne] adj (lutte, adversaire) fierce, bitter; (travail) relentless

acharner [aʃaʀne] /1/: **s'acharner** vi: **s'~ sur** to go at fiercely; **s'~ contre** to set o.s. against; (malchance) to hound; **s'~ à faire** to try doggedly to do; to persist in doing

achat [aʃa] nm purchase; **faire l'~ de** to buy; **faire des ~s** to do some shopping

acheter [aʃte] /5/ vt to buy, purchase; (soudoyer) to buy; **~ qch à** (marchand) to buy ou purchase sth from; (ami etc: offrir) to buy sth for • **acheteur, -euse** nm/f buyer; shopper; (Comm) buyer

achever [aʃ(ə)ve] /5/ vt to complete, finish; (blessé) to finish off; **s'achever** vi to end

acide [asid] adj sour, sharp; (Chimie) acid(ic) ▶ nm acid • **acidulé, e** adj slightly acid; **bonbons acidulés** acid drops

acier [asje] nm steel • **aciérie** nf steelworks sg

acné [akne] nf acne

acompte [akɔ̃t] nm deposit

à-côté [akote] nm side-issue; (argent) extra

à-coup [aku] nm: **par ~s** by fits and starts

acoustique [akustik] nf (d'une salle) acoustics pl

acquéreur [akeʀœʀ] nm buyer, purchaser

acquérir [akeʀiʀ] /21/ vt to acquire

acquis

acquis, e [aki, -iz] *pp de* **acquérir**
▶ *nm* (accumulated) experience;
son aide nous est ~e we can
count on *ou* be sure of his help

acquitter [akite] /1/ *vt* (*Jur*) to
acquit; (*facture*) to pay, settle;
s'~ de to discharge; (*promesse,
tâche*) to fulfil

âcre [ɑkʀ] *adj* acrid, pungent

acrobate [akʀɔbat] *nm/f* acrobat
• **acrobatie** [akʀɔbasi] *nf* acrobatics *sg*

acte [akt] *nm* act, action; (*Théât*) act;
prendre ~ de to note, take note of;
faire ~ de présence to put in an
appearance; **faire ~ de
candidature** to submit an
application; **~ de mariage/
naissance** marriage/birth
certificate

acteur [aktœʀ] *nm* actor

actif, -ive [aktif, -iv] *adj* active ▶ *nm*
(*Comm*) assets *pl*; (*fig*): **avoir à son ~**
to have to one's credit; **population
active** working population

action [aksjɔ̃] *nf* (*gén*) action;
(*Comm*) share; **une bonne/
mauvaise ~** a good/an unkind
deed • **actionnaire** *nm/f*
shareholder • **actionner** /1/ *vt*
(*mécanisme*) to activate; (*machine*)
to operate

activer [aktive] /1/ *vt* to speed
up; **s'activer** *vi* to bustle about;
(*se hâter*) to hurry up

activité [aktivite] *nf* activity;
en ~ (*volcan*) active; (*fonctionnaire*)
in active life

actrice [aktʀis] *nf* actress

actualité [aktɥalite] *nf* (*d'un
problème*) topicality; (*événements*):
l'~ current events; **les ~s** (*Ciné, TV*)
the news; **d'~** topical

actuel, le [aktɥɛl] *adj* (*présent*)
present; (*d'actualité*) topical;

à l'heure ~le at this moment in
time • **actuellement** [aktɥɛlmɑ̃]
adv at present, at the present time

⚠ Attention à ne pas traduire
actuellement par *actually*.

acuponcture [akypɔ̃ktyʀ] *nf*
acupuncture

adaptateur, -trice
[adaptatœʀ, -tʀis] *nm/f* adapter

adapter [adapte] /1/ *vt* to adapt;
s'~ (à) (*personne*) to adapt (to);
~ qch à (*approprier*) to adapt sth to
(fit); **~ qch sur/dans/à** (*fixer*) to
fit sth on/into/to

addition [adisjɔ̃] *nf* addition;
(*au café*) bill • **additionner** /1/ *vt*
to add (up)

adepte [adɛpt] *nm/f* follower

adéquat, e [adekwa(t), -at] *adj*
appropriate, suitable

adhérent, e [adeʀɑ̃, -ɑ̃t] *nm/f*
member

adhérer [adeʀe] /6/: **~ à** (*coller*)
to adhere *ou* stick to; (*se rallier à:
parti, club*) to join • **adhésif, -ive**
adj adhesive, sticky; **ruban
adhésif** sticky *ou* adhesive tape

adieu, x [adjø] *excl* goodbye ▶ *nm*
farewell

adjectif [adʒɛktif] *nm* adjective

adjoint, e [adʒwɛ̃, -wɛ̃t] *nm/f*
assistant; **~ au maire** deputy
mayor; **directeur ~** assistant
manager

admettre [admɛtʀ] /56/ *vt*
(*visiteur*) to admit; (*candidat: Scol*)
to pass; (*tolérer*) to allow, accept;
(*reconnaître*) to admit,
acknowledge

administrateur, -trice
[administʀatœʀ, -tʀis] *nm/f*
(*Comm*) director; (*Admin*)
administrator

administration [administʀasjɔ̃] nf administration; **l'A~** = the Civil Service

administrer [administʀe] /1/ vt (firme) to manage, run; (biens, remède, sacrement etc) to administer

admirable [admiʀabl] adj admirable, wonderful

admirateur, -trice [admiʀatœʀ, -tʀis] nm/f admirer

admiration [admiʀasjɔ̃] nf admiration

admirer [admiʀe] /1/ vt to admire

admis, e [admi, -iz] pp de **admettre**

admissible [admisibl] adj (candidat) eligible; (comportement) admissible, acceptable

ADN sigle m (= acide désoxyribonucléique) DNA

ado [ado] (fam) nm/f teen

adolescence [adɔlesɑ̃s] nf adolescence

adolescent, e [adɔlesɑ̃, -ɑ̃t] nm/f adolescent, teenager

adopter [adɔpte] /1/ vt to adopt • **adoptif, -ive** adj (parents) adoptive; (fils, patrie) adopted

adorable [adɔʀabl] adj adorable

adorer [adɔʀe] /1/ vt to adore; (Rel) to worship

adosser [adose] /1/ vt: **~ qch à** ou **contre** to stand sth against; **s'~ à** ou **contre** to lean with one's back against

adoucir [adusiʀ] /2/ vt (goût, température) to make milder; (avec du sucre) to sweeten; (peau, voix, eau) to soften; **s'adoucir** vi (caractère) to mellow

adresse [adʀɛs] nf skill, dexterity; (domicile) address; **~ électronique** email address

adresser [adʀese] /1/ vt (lettre: expédier) to send; (: écrire l'adresse sur) to address; (injure, compliments) to address; **s'adresser à** (parler à) to speak to, address; (s'informer auprès de) to go and see; (: bureau) to apply to; (livre, conseil) to be aimed at; **~ la parole à qn** to speak to ou address sb

adroit, e [adʀwa, -wat] adj skilled

ADSL sigle m (= asymmetrical digital subscriber line) ADSL, broadband

adulte [adylt] nm/f adult, grown-up ▶ adj (personne, attitude) adult, grown-up; (chien, arbre) fully-grown; mature

adverbe [advɛʀb] nm adverb

adversaire [advɛʀsɛʀ] nm/f (Sport, gén) opponent, adversary

aération [aeʀasjɔ̃] nf airing; (circulation de l'air) ventilation

aérer [aeʀe] /6/ vt to air; (fig) to lighten

aérien, ne [aeʀjɛ̃, -ɛn] adj (Aviat) air cpd, aerial; (câble, métro) overhead; (fig) light; **compagnie ~ne** airline (company)

aéro- • aérobic nf aerobics sg • **aérogare** nf airport (buildings); (en ville) air terminal • **aéroglisseur** nm hovercraft • **aérophagie** nf (Méd) wind, aerophagia (Méd) • **aéroport** nm airport • **aérosol** nm aerosol

affaiblir [afeɓliʀ] /2/: **s'affaiblir** vi to weaken

affaire [afɛʀ] nf (problème, question) matter; (criminelle, judiciaire) case; (scandaleuse etc) affair; (entreprise) business; (marché, transaction) (business) deal, (piece of) business no pl;

(*occasion intéressante*) good deal; **affaires** *nfpl* affairs; (*activité commerciale*) business *sg*; (*effets personnels*) things, belongings; **~s de sport** sports gear; **tirer qn/se tirer d'~** to get sb/o.s. out of trouble; **ceci fera l'~** this will do (nicely); **avoir ~ à** (*en contact*) to be dealing with; **ce sont mes ~s** (*cela me concerne*) that's my business; **occupe-toi de tes ~s!** mind your own business!; **les ~s étrangères** (*Pol*) foreign affairs
• **affairer** /1/: **s'affairer** *vi* to busy o.s., bustle about

affamé, e [afame] *adj* starving

affecter [afɛkte] /1/ *vt* to affect; **~ qch à** to allocate *ou* allot sth to; **~ qn à** to appoint sb to; (*diplomate*) to post sb to

affectif, -ive [afɛktif, -iv] *adj* emotional

affection [afɛksjɔ̃] *nf* affection; (*mal*) ailment • **affectionner** /1/ *vt* to be fond of • **affectueux, -euse** affectionate

affichage [afiʃaʒ] *nm* billposting; (*électronique*) display; **"~ interdit**" "stick no bills"; **~ à cristaux liquides** liquid crystal display, LCD

affiche [afiʃ] *nf* poster; (*officielle*) (public) notice; (*Théât*) bill; **être à l'~** to be on

afficher [afiʃe] /1/ *vt* (*affiche*) to put up; (*réunion*) to put up a notice about; (*électroniquement*) to display; (*fig*) to exhibit, display; **s'afficher** *vi* (*péj*) to flaunt o.s.; (*électroniquement*) to be displayed; **"défense d'~"** "no bill posters"

affilée [afile]: **d'~** *adv* at a stretch

affirmatif, -ive [afiʀmatif, -iv] *adj* affirmative

affirmer [afiʀme] /1/ *vt* to assert

affligé, e [afliʒe] *adj* distressed, grieved; **~ de** (*maladie*, *tare*) afflicted with

affliger [afliʒe] /3/ *vt* (*peiner*) to distress, grieve

affluence [aflyɑ̃s] *nf* crowds *pl*; **heures d'~** rush hour *sg*; **jours d'~** busiest days

affluent [aflyɑ̃] *nm* tributary

affolement [afɔlmɑ̃] *nm* panic

affoler [afɔle] /1/ *vt* to throw into a panic; **s'affoler** *vi* to panic

affranchir [afʀɑ̃ʃiʀ] /2/ *vt* to put a stamp *ou* stamps on; (*à la machine*) to frank (BRIT), meter (US); (*fig*) to free, liberate
• **affranchissement** *nm* postage

affreux, -euse [afʀø, -øz] *adj* dreadful, awful

affront [afʀɔ̃] *nm* affront
• **affrontement** *nm* clash, confrontation

affronter [afʀɔ̃te] /1/ *vt* to confront, face

affût [afy] *nm*: **à l'~ (de)** (*gibier*) lying in wait (for); (*fig*) on the look-out (for)

Afghanistan [afganistɑ̃] *nm*: **l'~** Afghanistan

afin [afɛ̃]: **~ que** *conj* so that, in order that; **~ de faire** in order to do, so as to do

africain, e [afʀikɛ̃, -ɛn] *adj* African ▶ *nm/f*: **A~, e** African

Afrique [afʀik] *nf*: **l'~** Africa; **l'~ australe/du Nord/du Sud** southern/North/South Africa

agacer [agase] /3/ *vt* to irritate

âge [aʒ] *nm* age; **quel ~ as-tu?** how old are you?; **prendre de l'~** to be getting on (in years); **le troisième ~** (*personnes âgées*) senior citizens; (*période*) retirement • **âgé, e** *adj* old, elderly; **âgé de 10 ans** 10 years old

agence [aʒɑ̃s] nf agency, office; (succursale) branch; **~ immobilière** estate agent's (office) (BRIT), real estate office (US); **~ de voyages** travel agency

agenda [aʒɛ̃da] nm diary; **~ électronique** PDA

⚠ Attention à ne pas traduire le mot français agenda par le mot anglais agenda.

agenouiller [aʒ(ə)nuje] /1/: **s'agenouiller** vi to kneel (down)

agent, e [aʒɑ̃, -ɑ̃t] nm/f (aussi: **~(e) de police**) policeman (policewoman); (Admin) official, officer; **~ immobilier** estate agent (BRIT), realtor (US)

agglomération [aglɔmerasjɔ̃] nf town; (Auto) built-up area; **l'~ parisienne** the urban area of Paris

aggraver [agrave] /1/: **s'aggraver** vi to worsen

agile [aʒil] adj agile, nimble

agir [aʒir] /2/ vi to act; **il s'agit de** it's a matter (ou question) of; (ça traite de) it is about; **il s'agit de faire** we (ou you etc) must do; **de quoi s'agit-il?** what is it about?

agitation [aʒitasjɔ̃] nf (hustle and) bustle; (trouble) agitation, excitement; (politique) unrest, agitation

agité, e [aʒite] adj fidgety, restless; (troublé) agitated, perturbed; (mer) rough

agiter [aʒite] /1/ vt (bouteille, chiffon) to shake; (bras, mains) to wave; (préoccuper, exciter) to trouble

agneau, x [aɲo] nm lamb

agonie [agɔni] nf mortal agony, death pangs pl; (fig) death throes pl

agrafe [agraf] nf (de vêtement) hook, fastener; (de bureau) staple • **agrafer** /1/ vt to fasten; to staple • **agrafeuse** [agraføz] nf stapler

agrandir [agrɑ̃dir] /2/ vt to extend; **s'agrandir** vi (ville, famille) to grow, expand; (trou, écart) to get bigger • **agrandissement** nm (photographie) enlargement

agréable [agreabl] adj pleasant, nice

agréé, e [agree] adj: **concessionnaire ~** registered dealer

agréer [agree] /1/ vt (requête) to accept; **~ à** to please, suit; **veuillez ~, Monsieur/Madame, mes salutations distinguées** (personne nommée) yours sincerely; (personne non nommée) yours faithfully

agrégation [agregasjɔ̃] nf highest teaching diploma in France; • **agrégé, e** nm/f holder of the agrégation

agrément [agremɑ̃] nm (accord) consent, approval; (attraits) charm, attractiveness; (plaisir) pleasure

agresser [agrese] /1/ vt to attack • **agresseur** nm aggressor, attacker; (Pol, Mil) aggressor • **agressif, -ive** adj aggressive

agricole [agrikɔl] adj agricultural • **agriculteur, -trice** nm/f farmer • **agriculture** nf agriculture; farming

agripper [agripe] /1/ vt to grab, clutch; **s'~ à** to cling (on) to, clutch, grip

agroalimentaire [agʀoalimɑ̃tɛʀ] *nm* farm-produce industry

agrumes [agʀym] *nmpl* citrus fruit(s)

aguets [age]: **aux ~** *adv*; **être aux ~** to be on the look-out

ai [ε] *vb voir* **avoir**

aide [εd] *nm/f* assistant ▶ *nf* assistance, help; (*secours financier*) aid; **à l'~ de** with the help *ou* aid of; **appeler (qn) à l'~** to call for help (from sb); **à l'~!** help!; **~ judiciaire** legal aid; **~ ménagère** *nf* ≈ home help (BRIT) *ou* helper (US) ◆ **aide-mémoire** *nm inv* memoranda pages *pl*; (key facts) handbook

aider [ede] /1/ *vt* to help; **~ à qch** to help (towards) sth; **~ qn à faire qch** to help sb to do sth; **s'~ de** (*se servir de*) to use, make use of

aide-soignant, e [εdswaɲɑ̃, -ɑ̃t] *nm/f* auxiliary nurse

aie *etc* [ε] *vb voir* **avoir**

aïe [aj] *excl* ouch!

aigle [εgl] *nm* eagle

aigre [εgʀ] *adj* sour, sharp; (*fig*) sharp, cutting ◆ **aigre-doux, -douce** *adj* (*sauce*) sweet and sour ◆ **aigreur** *nf* sourness; sharpness

aigu, ë [egy] *adj* (*objet, arête*) sharp; (*son, voix*) high-pitched, shrill; (*note*) high(-pitched)

aiguille [eguij] *nf* needle; (*de montre*) hand; **~ à tricoter** knitting needle

aiguiser [egize] /1/ *vt* to sharpen; (*fig*) to stimulate; (: *sens*) to excite

ail [aj] *nm* garlic

aile [εl] *nf* wing ◆ **aileron** *nm* (*de requin*) fin ◆ **ailier** *nm* winger

aille *etc* [aj] *vb voir* **aller**

ailleurs [ajœʀ] *adv* elsewhere, somewhere else; **partout/nulle**

part ~ everywhere/nowhere else; **d'~** (*du reste*) moreover, besides; **par ~** (*d'autre part*) moreover, furthermore

aimable [εmabl] *adj* kind, nice

aimant [εmɑ̃] *nm* magnet

aimer [eme] /1/ *vt* to love; (*d'amitié, affection, par goût*) to like; **j'aimerais …** (*souhait*) I would like …; **j'aime faire du ski** I like skiing; **je t'aime** I love you; **bien ~ qn/qch** to like sb/sth; **j'aime mieux Paul (que Pierre)** I prefer Paul (to Pierre); **j'aimerais autant** *ou* **mieux y aller maintenant** I'd sooner *ou* rather go now

aine [εn] *nf* groin

aîné, e [ene] *adj* elder, older; (*le plus âgé*) eldest, oldest ▶ *nm/f* oldest child *ou* one, oldest boy *ou* son/girl *ou* daughter

ainsi [ε̃si] *adv* de cette façon) like this, in this way, thus; (*ce faisant*) thus ▶ *conj* thus, so; **~ que** (*comme*) (just) as; (*et aussi*) as well as; **pour ~ dire** so to speak; **et ~ de suite** and so on (and so forth)

air [εʀ] *nm* air; (*mélodie*) tune; (*expression*) look, air; **paroles/ menaces en l'~** empty words/ threats; **prendre l'~** to get some (fresh) air; **avoir l'~** (*sembler*) to look, appear; **avoir l'~ triste** to look *ou* seem sad; **avoir l'~ de qch** to look like sth; **avoir l'~ de faire** to look as though one is doing

airbag [εʀbag] *nm* airbag

aisance [εzɑ̃s] *nf* ease; (*richesse*) affluence

aise [εz] *nf* comfort; **être à l'~** *ou* **à son ~** to be comfortable; (*pas embarrassé*) to be at ease; (*financièrement*) to be comfortably

off; **se mettre à l'~** to make o.s.
comfortable; **être mal à l'~ ou à
son ~** to be uncomfortable; **en
faire à son ~** to be ill at ease; *(gêné)*
to do as one likes • **aisé, e** *adj* easy;
(assez riche) well-to-do, well-off

aisselle [esɛl] *nf* armpit

ait [ɛ] *vb voir* **avoir**

ajonc [aʒɔ̃] *nm* gorse *no pl*

ajourner [aʒuʀne] /1/ *vt (réunion)*
to adjourn; *(décision)* to defer,
postpone

ajouter [aʒute] /1/ *vt* to add

alarme [alaʀm] *nf* alarm;
donner l'~ to give ou raise the
alarm • **alarmer** /1/ *vt* to alarm;
s'alarmer *vi* to become alarmed

Albanie [albani] *nf:* **l'~** Albania

album [albɔm] *nm* album

alcool [alkɔl] *nm:* **l'~** alcohol; **un ~**
a spirit, a brandy; **bière sans ~**
non-alcoholic ou alcohol-free
beer; **~ à brûler** methylated
spirits (BRIT), wood alcohol (US);
~ à 90° surgical spirit
• **alcoolique** *adj, nm/f* alcoholic
• **alcoolisé, e** *adj* alcoholic; **une
boisson non alcoolisée** a soft
drink • **alcoolisme** *nm* alcoholism
• **alco(o)test®** *nm* Breathalyser®;
(test) breath-test

aléatoire [aleatwaʀ] *adj*
uncertain; *(Inform, Statistique)*
random

alentour [alɑ̃tuʀ] *adv* around
(about); **alentours** *nmpl*
surroundings; **aux ~s de** in the
vicinity ou neighbourhood of,
around about; *(temps)* around
about

alerte [alɛʀt] *adj* agile, nimble;
(style) brisk, lively ▶ *nf* alert;
warning; **~ à la bombe** bomb
scare • **alerter** /1/ *vt* to alert

algèbre [alʒɛbʀ] *nf* algebra

Alger [alʒe] *n* Algiers

Algérie [alʒeʀi] *nf:* **l'~** Algeria
• **algérien, ne** *adj* Algerian
▶ *nm/f:* **Algérien, ne** Algerian

algue [alg] *nf* seaweed *no pl*; *(Bot)*
alga

alibi [alibi] *nm* alibi

aligner [aliɲe] /1/ *vt* to align, line
up; *(idées, chiffres)* to string
together; *(adapter):* **~ qch sur** to
bring sth into alignment with;
s'aligner *(soldats etc)* to line up;
s'~ sur *(Pol)* to align o.s. with

aliment [alimɑ̃] *nm* food
• **alimentation** *nf (en eau etc, de
moteur)* supplying; *(commerce)*
food trade; *(régime)* diet; *(Inform)*
feed; **alimentation (générale)**
(general) grocer's • **alimenter** /1/
vt to feed; *(Tech)*: **alimenter (en)**
to supply (with), feed (with); *(fig)*
to sustain, keep going

allaiter [alete] /1/ *vt* to
(breast-)feed, nurse; *(animal)* to
suckle

allécher [aleʃe] /6/ *vt:* **~ qn** to
make sb's mouth water; to tempt
sb, entice sb

allée [ale] *nf (de jardin)* path; *(en
ville)* avenue, drive; **~s et venues**
comings and goings

allégé, e [aleʒe] *adj (yaourt etc)*
low-fat

alléger [aleʒe] /6, 3/ *vt (voiture)* to
make lighter; *(chargement)* to
lighten; *(souffrance)* to alleviate,
soothe

Allemagne [alman] *nf:* **l'~**
Germany • **allemand, e** *adj*
German ▶ *nm (Ling)* German
▶ *nm/f:* **Allemand, e** German

aller [ale] /9/ *nm (trajet)* outward
journey; *(billet)* single (BRIT) ou

one-way ticket (US) ▶ vi (gén) to go); ~ **simple** (billet) single (BRIT) ou one-way ticket; ~ **(et) retour (AR)** return trip ou journey (BRIT), round trip (US); (billet) return (BRIT) ou round-trip (US) ticket; ~ **à** (convenir) to suit; (forme, pointure etc) to fit; ~ **avec** (couleurs, style etc) to go (well) with; **je vais le faire/me fâcher** I'm going to do it/to get angry; ~ **voir/chercher qn** to go and see/look for sb; **comment allez-vous?** how are you?; **comment ça va?** how are you?; (affaires etc) how are things?; **il va bien/mal** he's well/ not well, he's fine/ill; **ça va bien/mal** (affaires etc) it's going well/not going well; ~ **mieux** to be better; **allez!** come on!; **allons!** come now!

allergie [alɛrʒi] nf allergy

allergique [alɛrʒik] adj: ~ **à** allergic to

alliance [aljɑ̃s] nf (Mil, Pol) alliance; (bague) wedding ring

allier [alje] /7/ vt (Pol, gén) to ally; (fig) to combine; **s'allier** to become allies; (éléments, caractéristiques) to combine

allô [alo] excl hullo, hallo

allocation [alɔkasjɔ̃] nf allowance; ~ **(de) chômage** unemployment benefit; ~**s familiales** ≈ child benefit

allonger [alɔ̃ʒe] /3/ vt to lengthen, make longer; (étendre: bras, jambe) to stretch (out); **s'allonger** vi to get longer; (se coucher) to lie down, stretch out; ~ **le pas** to hasten one's step(s)

allumage [alymaʒ] nm (Auto) ignition

allume-cigare [alymsigar] nm inv cigar lighter

allumer [alyme] /1/ vt (lampe, phare, radio) to put ou switch on; (pièce) to put ou switch the light(s) on in; (feu, bougie, cigare, pipe, gaz) to light; **s'allumer** vi (lumière, lampe) to come ou go on

allumette [alymɛt] nf match

allure [alyr] nf (vitesse) speed; (: à pied) pace; (démarche) walk; (aspect, air) look; **avoir de l'~** to have style; **à toute ~** at full speed

allusion [a(l)lyzjɔ̃] nf allusion; (sous-entendu) hint; **faire ~ à** to allude ou refer to; to hint at

---

alors [alɔr]

▶ adv 1 (à ce moment-là) then, at that time; **il habitait alors à Paris** he lived in Paris at that time

2 (par conséquent) then; **tu as fini? alors je m'en vais** have you finished? I'm going then

3: **et alors?** so (what)?

▶ conj: **alors que** (au moment où) when, as; **il est arrivé alors que je partais** he arrived as I was leaving; (tandis que) whereas, while; **alors que son frère travaillait dur, lui se reposait** while his brother was working hard, HE would rest; (bien que) even though; **il a été puni alors qu'il n'a rien fait** he was punished, even though he had done nothing

---

alourdir [alurdir] /2/ vt to weigh down, make heavy

Alpes [alp] nfpl: **les ~** the Alps

alphabet [alfabɛ] nm alphabet; (livre) ABC (book)

alpinisme [alpinism] nm mountaineering, climbing

Alsace [alzas] nf Alsace
• **alsacien, ne** adj Alsatian
▶ nm/f: **Alsacien, ne** Alsatian

altermondialisme
[altɛʀmɔ̃djalism] nm
anti-globalism • **altermondialiste**
adj, nm/f anti-globalist

alternatif, -ive [altɛʀnatif, -iv]
adj alternating ▶ nf alternative
• **alternative** nf (choix)
alternative • **alterner** /1/ vt to
alternate

altitude [altityd] nf altitude,
height

alto [alto] nm (instrument) viola

aluminium [alyminjɔm] nm
aluminium (BRIT), aluminum (US)

amabilité [amabilite] nf
kindness

amaigrissant, e [amegʀisɑ̃, -ɑ̃t]
adj: **régime ~** slimming (BRIT) ou
weight-reduction (US) diet

amande [amɑ̃d] nf (de l'amandier)
almond • **amandier** nm almond
(tree)

amant [amɑ̃] nm lover

amas [ama] nm heap, pile
• **amasser** /1/ vt to amass

amateur [amatœʀ] nm amateur;
en ~ (péj) amateurishly; **~ de
musique/sport** etc music/sport
etc lover

ambassade [ɑ̃basad] nf
embassy; **l'~ de France** the
French Embassy • **ambassadeur,
-drice** nm/f ambassador/
ambassadress

ambiance [ɑ̃bjɑ̃s] nf
atmosphere; **il y a de l'~**
everyone's having a good time

ambigu, ë [ɑ̃bigy] adj ambiguous

ambitieux, -euse [ɑ̃bisjø, -jøz]
adj ambitious

ambition [ɑ̃bisjɔ̃] nf ambition

ambulance [ɑ̃bylɑ̃s] nf
ambulance • **ambulancier, -ière**
nm/f ambulanceman/woman
(BRIT), paramedic (US)

âme [am] nf soul; **~ sœur** kindred
spirit

amélioration [ameljɔʀasjɔ̃] nf
improvement

améliorer [ameljɔʀe] /1/ vt to
improve; **s'améliorer** vi to
improve, get better

aménager [amenaʒe] /3/ vt
(agencer) to fit out; (: terrain) to lay
out; (: quartier, territoire) to develop;
(installer) to fix up, put in; **ferme
aménagée** converted farmhouse

amende [amɑ̃d] nf fine; **faire
~ honorable** to make amends

amener [am(ə)ne] /5/ vt to
bring; (causer) to bring about;
s'amener vi (fam) to show up,
turn up; **~ qn à qch/à faire** to
lead sb to sth/to do

amer, amère [amɛʀ] adj bitter

américain, e [ameʀikɛ̃, -ɛn] adj
American ▶ nm/f: **A~, e** American

Amérique [ameʀik] nf America;
l'~ centrale Central America;
l'~ latine Latin America; **l'~ du
Nord** North America; **l'~ du Sud**
South America

amertume [amɛʀtym] nf
bitterness

ameublement [amœbləmɑ̃]
nm furnishing; (meubles) furniture

ami, e [ami] nm/f friend; (amant/
maîtresse) boyfriend/girlfriend;
petit ~/petite ~e boyfriend/
girlfriend; **ajouter qn à sa liste
d'~s** (réseaux sociaux) to friend sb;
supprimer qn de sa liste d'~s
(réseaux sociaux) to unfriend sb
▶ adj: **pays/groupe ~** friendly
country/group

amiable [amjabl]: **à l'~** adv (Jur) out of court; (gén) amicably

amiante [amjãt] nm asbestos

amical, e, -aux [amikal, -o] adj friendly • **amicalement** adv in a friendly way; (formule épistolaire) regards

amincir [amɛ̃siʀ] /2/ vt: **~ qn** make sb thinner ou slimmer; (vêtement) to make sb look slimmer

amincissant, e [amɛ̃sisã, -ãt] adj slimming; **régime ~** diet; **crème ~e** slimming cream

amiral, -aux [amiʀal, -o] nm admiral

amitié [amitje] nf friendship; **prendre en ~** to take a liking to; **faire** ou **présenter ses ~s à qn** to send sb one's best wishes; **~s** (formule épistolaire) (with) best wishes

amonceler [amɔ̃s(ə)le] /4/ vt to pile ou heap up; **s'amonceler** to pile ou heap up; (fig) to accumulate

amont [amɔ̃]: **en ~** adv upstream

amorce [amɔʀs] nf (sur un hameçon) bait; (explosif) cap; (tube) primer; (: contenu) priming; (fig: début) beginning(s), start

amortir [amɔʀtiʀ] /2/ vt (atténuer: choc) to absorb, cushion; (: bruit, douleur) to deaden; (Comm: dette) to pay off; **~ un abonnement** to make a season ticket pay (for itself) • **amortisseur** nm shock absorber

amour [amuʀ] nm love; **faire l'~** to make love; **amoureux, -euse** adj (regard, tempérament) amorous; (vie, problèmes) love cpd; (personne): **être amoureux (de qn)** to be in love (with sb) ▶ nmpl courting couple(s) • **amour-propre** nm self-esteem, pride

ampère [ãpɛʀ] nm amp(ere)

amphithéâtre [ãfiteatʀ] nm amphitheatre; (d'université) lecture hall ou theatre

ample [ãpl] adj (vêtement) roomy, ample; (gestes, mouvement) broad; (ressources) ample • **amplement** adv: **amplement suffisant** more than enough • **ampleur** nf (de dégâts, problème) extent

amplificateur [ãplifikatœʀ] nm amplifier

amplifier [ãplifje] /7/ vt (fig) to expand, increase

ampoule [ãpul] nf (électrique) bulb; (de médicament) phial; (aux mains, pieds) blister

amusant, e [amyzã, -ãt] adj (divertissant, spirituel) entertaining, amusing; (comique) funny, amusing

amuse-gueule [amyzgœl] nm inv appetizer, snack

amusement [amyzmã] nm (voir amusé) amusement; (jeu etc) pastime, diversion

amuser [amyze] /1/ vt (divertir) to entertain, amuse; (égayer, faire rire) to amuse; **s'amuser** vi (jouer) to amuse o.s.; (se divertir) to enjoy o.s., have fun; (fig) to mess around

amygdale [amidal] nf tonsil

an [ã] nm year; **être âgé de** ou **avoir 3 ans** to be 3 (years old); **le jour de l'an, le premier de l'an, le nouvel an** New Year's Day

analphabète [analfabɛt] nm/f illiterate

analyse [analiz] nf analysis; (Méd) test • **analyser** /1/ vt to analyse; (Méd) to test

ananas [anana(s)] *nm* pineapple
anatomie [anatɔmi] *nf* anatomy
ancêtre [ɑ̃sɛtʀ] *nm/f* ancestor
anchois [ɑ̃ʃwa] *nm* anchovy
ancien, ne [ɑ̃sjɛ̃, -jɛn] *adj* old; (*de jadis, de l'antiquité*) ancient; (*précédent, ex-*) former, old; (*par l'expérience*) senior ▸ *nm/f* (*dans une tribu etc*) elder • **ancienneté** *nf* (*Admin*) (length of) service; (*privilèges obtenus*) seniority
ancre [ɑ̃kʀ] *nf* anchor; **jeter/ lever l'~** to cast/weigh anchor • **ancrer** /1/ *vt* (*Constr: câble etc*) to anchor; (*fig*) to fix firmly
Andorre [ɑ̃dɔʀ] *nf* Andorra
andouille [ɑ̃duj] *nf* (*Culin*) sausage made of chitterlings; (*fam*) clot, nit
âne [ɑn] *nm* donkey, ass; (*péj*) dunce
anéantir [aneɑ̃tiʀ] /2/ *vt* to annihilate, wipe out; (*fig*) to obliterate, destroy
anémie [anemi] *nf* anaemia • **anémique** *adj* anaemic
anesthésie [anɛstezi] *nf* anaesthesia; **~ générale/locale** general/local anaesthetic; **faire une ~ locale à qn** to give sb a local anaesthetic
ange [ɑ̃ʒ] *nm* angel; **être aux ~s** to be over the moon
angine [ɑ̃ʒin] *nf* throat infection; **~ de poitrine** angina (pectoris)
anglais, e [ɑ̃glɛ, -ɛz] *adj* English ▸ *nm* (*Ling*) English ▸ *nm/f*: **A~, e** Englishman/woman; **les A~** the English; **filer à l'~e** to take French leave
angle [ɑ̃gl] *nm* angle; (*coin*) corner
Angleterre [ɑ̃glətɛʀ] *nf*: **l'~** England

anglo... [ɑ̃glɔ] *préfixe* Anglo-, anglo(-) • **anglophone** *adj* English-speaking
angoisse [ɑ̃gwas] *nf*: **l'~** anguish *no pl* • **angoissé, e** *adj* (*personne*) distressed
anguille [ɑ̃gij] *nf* eel
animal, e, -aux [animal, -o] *adj, nm* animal
animateur, -trice [animatœʀ, -tʀis] *nm/f* (*de télévision*) host; (*de groupe*) leader, organizer
animation [animasjɔ̃] *nf* (*voir animé*) busyness; liveliness; (*Ciné: technique*) animation
animé, e [anime] *adj* (*rue, lieu*) busy, lively; (*conversation, réunion*) lively, animated
animer [anime] /1/ *vt* (*ville, soirée*) to liven up; (*mettre en mouvement*) to drive
anis [ani(s)] *nm* (*Culin*) aniseed; (*Bot*) anise
ankyloser [ɑ̃kiloze] /1/: **s'ankyloser** *vi* to get stiff
anneau, x [ano] *nm* (*de rideau, bague*) ring; (*de chaîne*) link
année [ane] *nf* year
annexe [anɛks] *adj* (*problème*) related; (*document*) appended; (*salle*) adjoining ▸ *nf* (*bâtiment*) annex(e); (*jointe à une lettre, un dossier*) enclosure
anniversaire [anivɛʀsɛʀ] *nm* birthday; (*d'un événement, bâtiment*) anniversary
annonce [anɔ̃s] *nf* announcement; (*signe, indice*) sign; (*aussi*: **~ publicitaire**) advertisement; **les petites ~s** the small ads classified ads
annoncer [anɔ̃se] /3/ *vt* to announce; (*être le signe de*) to herald; **s'annoncer bien/difficile** to look promising/difficult

annuaire [anɥɛʀ] nm yearbook, annual; **~ téléphonique** (telephone) directory, phone book

annuel, le [anɥɛl] adj annual, yearly

annulation [anylasjɔ̃] nf cancellation

annuler [anyle] /1/ vt (rendez-vous, voyage) to cancel, call off; (jugement) to quash (BRIT), repeal (US); (Math, Physique) to cancel out

anonymat [anɔnima] nm anonymity; **garder l'~** to remain anonymous

anonyme [anɔnim] adj anonymous; (fig) impersonal

anorak [anɔʀak] nm anorak

anorexie [anɔʀɛksi] nf anorexia

anormal, e, -aux [anɔʀmal, -o] adj abnormal

ANPE sigle f (= Agence nationale pour l'emploi) national employment agency (functions include job creation)

antarctique [ɑ̃taʀktik] adj Antarctic ▶ nm: **l'A~** the Antarctic

antenne [ɑ̃tɛn] nf (de radio, télévision) aerial; (d'insecte) antenna, feeler; (poste avancé) outpost; (petite succursale) sub-branch; **passer à/avoir l'~** to go/be on the air; **~ parabolique** satellite dish

antérieur, e [ɑ̃teʀjœʀ] adj (d'avant) previous, earlier; (de devant) front

anti... [ɑ̃ti] préfixe anti...
• **antialcoolique** adj anti-alcohol
• **antibiotique** nm antibiotic
• **antibrouillard** adj: **phare antibrouillard** fog lamp

anticipation [ɑ̃tisipasjɔ̃] nf: **livre/film d'~** science fiction book/film

anticipé, e [ɑ̃tisipe] adj: **avec mes remerciements ~s** thanking you in advance ou anticipation

anticiper [ɑ̃tisipe] /1/ vt (événement, coup) to anticipate, foresee

anti-: • **anticorps** nm antibody
• **antidote** nm antidote • **antigel** nm antifreeze
• **antihistaminique** nm antihistamine

antillais, e [ɑ̃tijɛ, -ɛz] adj West Indian, Caribbean ▶ nm/f: **A~, e** West Indian, Caribbean

Antilles [ɑ̃tij] nfpl: **les ~** the West Indies; **les Grandes/Petites ~** the Greater/Lesser Antilles

antilope [ɑ̃tilɔp] nf antelope

anti-: • **antimite(s)** adj, nm: **(produit) antimite(s)** mothproofer, moth repellent
• **antimondialisation** nf anti-globalization
• **antipathique** adj unpleasant, disagreeable • **antipelliculaire** adj anti-dandruff

antiquaire [ɑ̃tikɛʀ] nm/f antique dealer

antique [ɑ̃tik] adj antique; (très vieux) ancient, antiquated
• **antiquité** nf (objet) antique; **l'Antiquité** Antiquity; **magasin/ marchand d'antiquités** antique shop/dealer

anti-: • **antirabique** adj rabies cpd
• **antirouille** adj inv anti-rust cpd
• **antisémite** adj anti-Semitic
• **antiseptique** adj, nm antiseptic
• **antivirus** nm (Inform) antivirus (program) • **antivol** adj, nm: **(dispositif) antivol** antitheft device

anxieux, -euse [ɑ̃ksjø, -jøz] adj anxious, worried

AOC sigle f (= Appellation d'origine contrôlée) guarantee of quality of wine

août [u(t)] nm August

apaiser [apeze] /1/ vt (colère) to calm; (douleur) to soothe; (personne) to calm (down), pacify; **s'apaiser** vi (tempête, bruit) to die down, subside; (personne) to calm down

apercevoir [apɛʀsəvwaʀ] /28/ vt to see; **s'apercevoir de** vt to notice; **s'~ que** to notice that

aperçu [apɛʀsy] nm (vue d'ensemble) general survey

apéritif, -ive [apeʀitif, -iv] adj which stimulates the appetite ▶ nm (boisson) aperitif; (réunion) (pre-lunch ou -dinner) drinks pl

à-peu-près [apøpʀɛ] nm inv (péj) vague approximation

apeuré, e [apœʀe] adj frightened, scared

aphte [aft] nm mouth ulcer

apitoyer [apitwaje] /8/ vt to move to pity; **s'~ (sur qn/qch)** to feel pity ou compassion (for sb/ over sth)

aplatir [aplatiʀ] /2/ vt to flatten; **s'aplatir** vi to become flatter; (écrasé) to be flattened

aplomb [aplɔ̃] nm (équilibre) balance, equilibrium; (fig) self-assurance nerve; **d'~** steady

apostrophe [apɔstʀɔf] nf (signe) apostrophe

apparaître [apaʀetʀ] /57/ vi to appear

appareil [apaʀɛj] nm (outil, machine) piece of apparatus, device; (électrique etc) appliance; (avion) (aero)plane, aircraft inv; (téléphonique) telephone; (dentier) brace (BRIT), braces (US); **qui est à l'~?** who's speaking?; **dans le**

plus simple ~ in one's birthday suit; **~ (photo)** camera; **~ numérique** digital camera • **appareiller** /1/ vi (Navig) to cast off, get under way ▶ vt (assortir) to match up

apparemment [apaʀamɑ̃] adv apparently

apparence [apaʀɑ̃s] nf appearance; **en ~** apparently

apparent, e [apaʀɑ̃, -ɑ̃t] adj visible; (évident) obvious; (superficiel) apparent

apparenté, e [apaʀɑ̃te] adj: **~ à** related to; (fig) similar to

apparition [apaʀisjɔ̃] nf appearance; (surnaturelle) apparition

appartement [apaʀtəmɑ̃] nm flat (BRIT), apartment (US)

appartenir [apaʀtəniʀ] /22/: **~ à** vt to belong to; **il lui appartient de** it is up to him to

apparu, e [apaʀy] pp de **apparaître**

appât [apɑ] nm (Pêche) bait; (fig) lure, bait

appel [apɛl] nm call; (nominal) roll call; (: Scol) register; (Mil: recrutement) call-up; **faire ~ à** (invoquer) to appeal to; (avoir recours à) to call on; (nécessiter) to call for; require; **faire ou interjeter ~** (Jur) to appeal; **faire l'~** to call the roll; (Scol) to call the register; **sans ~** (fig) final, irrevocable; **~ d'offres** (Comm) invitation to tender; **faire un ~ de phares** to flash one's headlights; **~ (téléphonique)** (tele)phone call

appelé [ap(ə)le] nm (Mil) conscript

appeler [ap(ə)le] /4/ vt to call; (faire venir: médecin etc) to call, send for; **s'appeler** vi: **elle s'appelle**

Gabrielle her name is Gabrielle, she's called Gabrielle; **comment vous appelez-vous?** what's your name?; **comment ça s'appelle?** what is it *ou* that called?

appendicite [apɑ̃disit] *nf* appendicitis

appesantir [apəzɑ̃tiʀ] /2/: **s'appesantir** *vi* to grow heavier; **s'~ sur** (*fig*) to dwell at length on

appétissant, e [apetisã, -ɑ̃t] *adj* appetizing, mouth-watering

appétit [apeti] *nm* appetite; **bon ~!** enjoy your meal!

applaudir [aplodiʀ] /2/ *vt* to applaud ▶ *vi* to applaud, clap • **applaudissements** *nmpl* applause *sg*, clapping *sg*

appli [apli] *nf* app

application [aplikasjɔ̃] *nf* application

appliquer [aplike] /1/ *vt* to apply; (*loi*) to enforce; **s'appliquer** *vi* (*élève etc*) to apply o.s.; **s'~ à** to apply to

appoint [apwɛ̃] *nm* (extra) contribution *ou* help; **avoir/faire l'~** to have/give the right change *ou* money; **chauffage d'~** extra heating

apporter [apɔʀte] /1/ *vt* to bring

appréciable [apʀesjabl] *adj* appreciable

apprécier [apʀesje] /7/ *vt* to appreciate; (*évaluer*) to estimate, assess

appréhender [apʀeɑ̃de] /1/ *vt* (*craindre*) to dread; (*arrêter*) to apprehend

apprendre [apʀɑ̃dʀ] /58/ *vt* to learn; (*événement, résultats*) to learn of, hear of; **~ qch à qn** (*informer*) to tell sb (of) sth; (*enseigner*) to teach sb sth; **~ à**

faire qch to learn to do sth; **~ à qn à faire qch** to teach sb to do sth • **apprenti, e** *nm/f* apprentice • **apprentissage** *nm* learning; (*Comm, Scol: période*) apprenticeship

apprêter [apʀɛte] /1/: **s'apprêter** *vi*: **s'~ à qch/à faire qch** to prepare for sth/for doing sth

appris, e [apʀi, -iz] *pp de* **apprendre**

apprivoiser [apʀivwaze] /1/ *vt* to tame

approbation [apʀɔbasjɔ̃] *nf* approval

approcher [apʀɔʃe] /1/ *vi* to approach, come near ▶ *vt* to approach; (*rapprocher*): **~ qch (de qch)** to bring *ou* put *ou* move sth near (to sth); **s'approcher de** to approach, go *ou* come *ou* move near to; **~ de** (*lieu, but*) to draw near to; (*quantité, moment*) to approach

approfondir [apʀɔfɔ̃diʀ] /2/ *vt* to deepen; (*question*) to go further into

approprié, e [apʀɔpʀije] *adj*: **~ (à)** appropriate (to), suited (to)

approprier [apʀɔpʀije] /7/: **s'approprier** *vt* to appropriate, take over; **s'~ en** to stock up with

approuver [apʀuve] /1/ *vt* to agree with; (*trouver louable*) to approve of

approvisionner [apʀɔvizjɔne] /1/ *vt* to supply; (*compte bancaire*) to pay funds into; **s'~ en** to stock up with

approximatif, -ive [apʀɔksimatif, -iv] *adj* approximate, rough; (*imprécis*) vague

appt *abr* = **appartement**

appui [apɥi] *nm* support;
prendre ~ sur to lean on; (*objet*)
to rest on; **l'~ de la fenêtre** the
windowsill, the window ledge

appuyer [apɥije] /8/ *vt* (*poser,
soutenir: personne, demande*) to
support, back (up) ▶ *vi*: **~ sur**
(*bouton*) to press, push; (*mot,
détail*) to stress, emphasize;
s'appuyer sur *vt* to lean on; (*:
compter sur*) to rely on; **~ qch sur/
contre/à** to lean ou rest sth on/
against/on; **~ sur le frein** to
brake, to apply the brakes

après [apʀɛ] *prép* after ▶ *adv*
afterwards; **deux heures ~** two
hours later; **~ qu'il est parti/
avoir fait** after he left/having
done; **courir ~ qn** to run after sb;
crier ~ qn to shout at sb; **être
toujours ~ qn** (*critiquer etc*) to be
always on at sb; **~ quoi** after
which; **d'~** (*selon*) according to;
~ coup after the event,
afterwards; **~ tout** (*au fond*) after
all; **et (puis) ~?** so what?
• **après-demain** *adv* the day after
tomorrow • **après-midi**
[apʀɛmidi] *nm ou f inv* afternoon
• **après-rasage** *nm inv*
after-shave • **après-shampooing**
nm inv conditioner • **après-ski**
nm inv snow boot

après-soleil [apʀɛsɔlɛj] *adj inv*
after-sun *cpd* ▶ *nm* after-sun
cream *ou* lotion

apte [apt] *adj*: **~ à qch/faire qch**
capable of sth/doing sth; **~ (au
service)** (*Mil*) fit (for service)

aquarelle [akwaʀɛl] *nf*
watercolour

aquarium [akwaʀjɔm] *nm*
aquarium

arabe [aʀab] *adj* Arabic; (*désert,
cheval*) Arabian; (*nation, peuple*)

Arab ▶ *nm* (*Ling*) Arabic ▶ *nm/f*:
A~ Arab

Arabie [aʀabi] *nf*: **l'~ Saoudite**
ou **Séoudite** Saudi Arabia

arachide [aʀaʃid] *nf* groundnut
(plant); (*graine*) peanut,
groundnut

araignée [aʀɛɲe] *nf* spider

arbitraire [aʀbitʀɛʀ] *adj*
arbitrary

arbitre [aʀbitʀ] *nm* (*Sport*)
referee; (: *Tennis, Cricket*) umpire;
(*fig*) arbiter, judge; (*Jur*) arbitrator
• **arbitrer** /1/ *vt* to referee; to
umpire; to arbitrate

arbre [aʀbʀ] *nm* tree; (*Tech*) shaft

arbuste [aʀbyst] *nm* small shrub

arc [aʀk] *nm* (*arme*) bow; (*Géom*)
arc; (*Archit*) arch; **en ~ de cercle**
semi-circular

arcade [aʀkad] *nf* arch(way); **~s**
arcade *sg*, arches

arc-en-ciel [aʀkɑ̃sjɛl] *nm*
rainbow

arche [aʀʃ] *nf* arch; **~ de Noé**
Noah's Ark

archéologie [aʀkeɔlɔʒi] *nf*
arch(a)eology • **archéologue**
nm/f arch(a)eologist

archet [aʀʃɛ] *nm* bow

archipel [aʀʃipɛl] *nm* archipelago

architecte [aʀʃitɛkt] *nm*
architect

architecture [aʀʃitɛktyʀ] *nf*
architecture

archives [aʀʃiv] *nfpl* (*collection*)
archives

arctique [aʀktik] *adj* Arctic ▶ *nm*:
l'A~ the Arctic

ardent, e [aʀdɑ̃, -ɑ̃t] *adj* (*soleil*)
blazing; (*amour*) ardent,
passionate; (*prière*) fervent

ardoise [aʀdwaz] *nf* slate

ardu, e [aRdy] *adj (travail)*
arduous; *(problème)* difficult

arène [aREn] *nf* arena; **arènes** *nfpl*
bull-ring *sg*

arête [aREt] *nf (de poisson)* bone;
(d'une montagne) ridge

argent [aRʒɑ̃] *nm (métal)* silver;
(monnaie) money; **~ de poche**
pocket money; **~ liquide** ready
money, (ready) cash • **argenterie**
nf silverware

argentin, e [aRʒɑ̃tɛ̃, -in] *adj*
Argentinian ▸ *nm/f:* **A~, e**
Argentinian

Argentine [aRʒɑ̃tin] *nf:* **l'~**
Argentina

argentique [aRʒɑ̃tik] *adj*
(appareil photo) film *cpd*

argile [aRʒil] *nf* clay

argot [aRgo] *nm* slang
• **argotique** *adj* slang *cpd*; *(très
familier)* slangy

argument [aRgymɑ̃] *nm*
argument

argumenter [aRgymɑ̃te] */1/ vi*
to argue

aride [aRid] *adj* arid

aristocratie [aRistɔkRasi] *nf*
aristocracy • **aristocratique** *adj*
aristocratic

arithmétique [aRitmetik] *adj*
arithmetic(al) ▸ *nf* arithmetic

arme [aRm] *nf* weapon; **armes**
nfpl weapons, arms; *(blason)* (coat
of) arms; **~ à feu** firearm; **~s de
destruction massive** weapons
of mass destruction

armée [aRme] *nf* army; **~ de l'air**
Air Force; **~ de terre** Army

armer [aRme] */1/ vt* to arm;
(arme à feu) to cock; *(appareil photo)*
to wind on; **s'armer** *vi:* **s'~ de**
to arm o.s. with; **~ qch de**
to reinforce sth with

armistice [aRmistis] *nm*
armistice; **l'A~** ≈ Remembrance
(BRIT) *ou* Veterans (US) Day

armoire [aRmwaR] *nf (tall)*
cupboard; *(penderie)* wardrobe
(BRIT), closet (US)

armure [aRmyR] *nf* armour *no pl*,
suit of armour • **armurier** *nm*
gunsmith

arnaque [aRnak] *(fam) nf*
swindling; **c'est de l'~** it's
daylight robbery • **arnaquer** */1/
(fam) vt* to do *(fam)*

arobase [aRobaz] */1/ nf (Inform)* 'at'
symbol; **"paul ~ société point
fr"** "paul at société dot fr"

aromates [aRomat] *nmpl*
seasoning *sg*, herbs (and spices)

aromathérapie [aRomateRapi]
nf aromatherapy

aromatisé, e [aRomatize] *adj*
flavoured

arôme [aRom] *nm* aroma

arracher [aRaʃe] */1/ vt* to pull
out; *(page etc)* to tear off, tear
out; *(légume, herbe, souche)* to pull
up; *(bras etc)* to tear off;
s'arracher *vt (article très recherché)*
to fight over; **~ qch à qn** to snatch
sth from sb; *(fig)* to wring sth out
of sb

arrangement [aRɑ̃ʒmɑ̃] *nm*
arrangement

arranger [aRɑ̃ʒe] */3/ vt* to
arrange; *(réparer)* to fix, put right;
(régler) to settle, sort out; *(convenir
à)* to suit, be convenient for; **cela
m'arrange** that suits me (fine);
s'arranger *vi (se mettre d'accord)* to
come to an agreement *ou*
arrangement; **je vais m'~** I'll
manage; **ça va s'~** it'll sort itself
out

arrestation [aRestasjɔ̃] *nf* arrest

arrêt [aʀɛ] *nm* stopping; (*de bus etc*) stop; (*Jur*) judgment, decision; **être à l'~** to be stopped; **rester** *ou* **tomber en ~ devant** to stop short in front of; **sans ~** non-stop; (*fréquemment*) continually; **~ de travail** stoppage (of work)

arrêter [aʀete] /1/ *vt* to stop; (*chauffage etc*) to turn off, switch off; (*fixer: date etc*) to appoint, decide on; (*criminel, suspect*) to arrest; **s'arrêter** *vi* to stop; **~ de faire** to stop doing

arrhes [aʀ] *nfpl* deposit *sg*

arrière [aʀjɛʀ] *nm* back; (*Sport*) fullback ▶ *adj inv*: **siège/roue ~** back *ou* rear seat/wheel; **à l'~** behind, at the back; **en ~** behind; (*regarder*) back, behind; (*tomber, aller*) backwards • **arrière-goût** *nm* aftertaste • **arrière-grand-mère** *nf* great-grandmother • **arrière-grand-père** *nm* great-grandfather • **arrière-pays** *nm inv* hinterland • **arrière-pensée** *nf* ulterior motive; (*doute*) mental reservation • **arrière-plan** *nm* background; **à l'arrière-plan** in the background • **arrière-saison** *nf* late autumn

arrimer [aʀime] /1/ *vt* (*cargaison*) to stow; (*fixer*) to secure

arrivage [aʀivaʒ] *nm* consignment

arrivée [aʀive] *nf* arrival; (*ligne d'arrivée*) finish

arriver [aʀive] /1/ *vi* to arrive; (*survenir*) to happen, occur; **il arrive à Paris à 8 h** he gets to *ou* arrives in Paris at 8 ~; **il arrive à Paris à 8 h** he gets to *ou* arrives in Paris at 8 ~; **il arrive à Paris à 8 h** ~ **à** (*atteindre*) to reach; **~ à (faire) qch** to manage (to do) sth; **en ~ à faire ...** to end up doing ...; **il arrive que ...** it happens that ...; **il lui**

arrive de faire ... he sometimes does ...

arrobase [aʀɔbaz] *nf* (*Inform*) 'at' symbol

arrogance [aʀɔgɑ̃s] *nf* arrogance

arrogant, e [aʀɔgɑ̃, -ɑ̃t] *adj* arrogant

arrondissement [aʀɔ̃dismɑ̃] *nm* (*Admin*) ≈ district

arroser [aʀoze] /1/ *vt* to water; (*victoire etc*) to celebrate (over a drink); (*Culin*) to baste • **arrosoir** *nm* watering can

arsenal, -aux [aʀsənal, -o] *nm* (*Navig*) naval dockyard; (*Mil*) arsenal; (*fig*) gear, paraphernalia

art [aʀ] *nm* art

artère [aʀtɛʀ] *nf* (*Anat*) artery; (*rue*) main road

arthrite [aʀtʀit] *nf* arthritis

artichaut [aʀtiʃo] *nm* artichoke

article [aʀtikl] *nm* article; (*Comm*) item, article; **à l'~ de la mort** at the point of death

articulation [aʀtikylasjɔ̃] *nf* articulation; (*Anat*) joint

articuler [aʀtikyle] /1/ *vt* to articulate

artificiel, le [aʀtifisjɛl] *adj* artificial

artisan [aʀtizɑ̃] *nm* artisan, (self-employed) craftsman • **artisanal, e, -aux** [aʀtizanal, -o] *adj* of *ou* made by craftsmen; (*péj*) cottage industry *cpd*; **de fabrication artisanale** home-made • **artisanat** [aʀtizana] *nm* arts and crafts *pl*

artiste [aʀtist] *nm/f* artist; (*Théât, Mus*) performer; (*de variétés*) entertainer • **artistique** *adj* artistic

as *vb* [a]; *voir* **avoir** ▶ *nm* [ɑs] ace

ascenseur [asɑ̃sœʀ] *nm* lift (BRIT), elevator (US)

ascension [asɑ̃sjɔ̃] *nf* ascent; (*de montagne*) climb; **l'A~** (*Rel*) the Ascension

> The **fête de l'Ascension** is a public holiday in France. It always falls on a Thursday, usually in May. Many French people take the following Friday off work too and enjoy a long weekend, a practice known as 'faire le pont'.

asiatique [azjatik] *adj* Asian, Asiatic ▸ *nm/f*: **A~** Asian

Asie [azi] *nf*: **l'~** Asia

asile [azil] *nm* (*refuge*) refuge, sanctuary; **droit d'~** (*Pol*) (political) asylum

aspect [aspɛ] *nm* appearance, look; (*fig*) aspect, side; **à l'~ de** at the sight of

asperge [aspɛʀʒ] *nf* asparagus *no pl*

asperger [aspɛʀʒe] /3/ *vt* to spray, sprinkle

asphalte [asfalt] *nm* asphalt

asphyxier [asfiksje] /7/ *vt* to suffocate, asphyxiate; (*fig*) to stifle

aspirateur [aspiʀatœʀ] *nm* vacuum cleaner; **passer l'~** to vacuum

aspirer [aspiʀe] /1/ *vt* (*air*) to inhale; (*liquide*) to suck up; (*appareil*) to suck ou draw up; **~ à** to aspire to

aspirine [aspiʀin] *nf* aspirin

assagir [asaʒiʀ] /2/ *vt*, **s'assagir** *vi* to quieten down, settle down

assaillir [asajiʀ] /13/ *vt* to assail, attack

assainissement [asenismɑ̃] *nm* seasoning

assaisonner [asɛzɔne] /1/ *vt* to season

assassin [asasɛ̃] *nm* murderer; assassin • **assassiner** /1/ *vt* to murder; (*Pol*) to assassinate

assaut [aso] *nm* assault, attack; **prendre d'~** to (take by) storm, assault; **donner l'~ (à)** to attack

assécher [aseʃe] /6/ *vt* to drain

assemblage [asɑ̃blaʒ] *nm* (*action*) assembling; **un ~ de** (*fig*) a collection of

assemblée [asɑ̃ble] *nf* (*réunion*) meeting; (*public, assistance*) gathering; (*Pol*) assembly; **l'A~ nationale (AN)** the (French) National Assembly

assembler [asɑ̃ble] /1/ *vt* (*joindre, monter*) to assemble, put together; (*amasser*) to gather (together), collect (together); **s'assembler** *vi* to gather

asseoir [aswaʀ] /26/ *vt* (*malade, bébé*) to sit up; (*personne debout*) to sit down; (*autorité, réputation*) to establish; **s'asseoir** *vi* to sit (o.s.) down

assez [ase] *adv* (*suffisamment*) enough, sufficiently; (*passablement*) rather, quite, fairly; **~ de pain/livres** enough ou sufficient bread/books; **vous en avez ~?** have you got enough?; **j'en ai ~!** I've had enough!

assidu, e [asidy] *adj* assiduous, painstaking; (*régulier*) regular

assied *etc* [asje] *vb voir* **asseoir**

assiérai *etc* [asjeʀe] *vb voir* **asseoir**

assiette [asjɛt] *nf* plate; (*contenu*) plate(ful); **il n'est pas dans son ~** he's not feeling quite himself; **~ à dessert** dessert ou side plate; **~ anglaise** assorted cold meats;

assuré

~ creuse (soup) dish, soup plate;
~ plate (dinner) plate

assimiler [asimile] /1/ vt to
assimilate, absorb; (comparer):
~ qch/qn à to liken ou compare
sth/sb to; **s'assimiler** vi (s'intégrer)
to be assimilated ou absorbed

assis, e [asi, -iz] pp de **asseoir**
▶ adj sitting (down), seated

assistance [asistɑ̃s] nf (public)
audience; (aide) assistance;
enfant de l'A~ (publique) child
in care

assistant, e [asistɑ̃, -ɑ̃t] nm/f
assistant; (d'université)
probationary lecturer; **~e sociale**
social worker

assisté, e [asiste] adj (Auto)
power-assisted; **~ par**
ordinateur computer-assisted;
direction ~e power steering

assister [asiste] /1/ vt to assist;
~ à (scène, événement) to witness;
(conférence) to attend, be (present)
at; (spectacle, match) to be at, see

association [asɔsjasjɔ̃] nf
association

associé, e [asɔsje] nm/f
associate; (Comm) partner

associer [asɔsje] /7/ vt to
associate; **~ qn à** (profits) to give
sb a share of; (affaire) to make sb a
partner in; (joie, triomphe) to
include sb in; **~ qch à** (joindre,
allier) to combine sth with;
s'associer vi to join together;
s'~ à (couleurs, qualités) to be
combined with; (opinions, joie de
qn) to share in; **s'~ à** ou **avec qn**
pour faire to join (in forces) ou join
together with sb to do

assoiffé, e [aswafe] adj thirsty

assommer [asɔme] /1/ vt (étourdir,
abrutir) to knock out, stun

Assomption [asɔ̃psjɔ̃] nf: **l'~** the
Assumption

> The **fête de l'Assomption**,
> more commonly known as
> 'le 15 août' is a national holiday in
> France. Traditionally, large
> numbers of people either set off
> on or return from their holidays
> on 15 August, frequently causing
> chaos on the roads.

assorti, e [asɔʀti] adj matched,
matching; **fromages/légumes**
~s assorted cheeses/vegetables;
~ à matching • **assortiment** nm
assortment, selection

assortir [asɔʀtiʀ] /2/ vt to
match; **~ qch à** to match sth
with; **~ qch de** to accompany sth
with

assouplir [asuplir] /2/ vt to
make supple; (fig) to relax
• **assouplissant** nm (fabric)
softener

assumer [asyme] /1/ vt (fonction,
emploi) to assume, take on

assurance [asyʀɑ̃s] nf (certitude)
assurance; (confiance en soi)
(self-)confidence; (contrat)
insurance (policy); (secteur
commercial) insurance; **~ au**
tiers third party insurance;
~ maladie (AM) health
insurance; **~ tous risques** (Auto)
comprehensive insurance; **~s**
sociales (AS) ≈ National
Insurance (BRIT), ≈ Social Security
(US) • **assurance-vie** nf life
assurance ou insurance

assuré, e [asyʀe] adj (réussite,
échec, victoire etc) certain, sure;
(démarche, voix) assured; (pas)
steady ▶ nm/f insured (person)
• **assurément** adv assuredly,
most certainly

assurer [asyʀe] /1/ vt (Comm) to insure; (victoire etc) to ensure; (frontières, pouvoir) to make secure; (service, garde) to provide, operate; **s'assurer (contre)** (Comm) to insure o.s. (against); **~ à qn que** to assure sb that; **~ qn de** to assure sb of; **s'~ de/que** (vérifier) to make sure of/that; **s'~ (de)** (aide de qn) to secure

asthmatique [asmatik] adj, nm/f asthmatic

asthme [asm] nm asthma

asticot [astiko] nm maggot

astre [astʀ] nm star

astrologie [astʀɔlɔʒi] nf astrology

astronaute [astʀonot] nm/f astronaut

astronomie [astʀonɔmi] nf astronomy

astuce [astys] nf shrewdness, astuteness; (truc) trick, clever way • **astucieux, -euse** adj clever

atelier [atəlje] nm workshop; (de peintre) studio

athée [ate] adj atheistic ▸ nm/f atheist

Athènes [atɛn] n Athens

athlète [atlɛt] nm/f (Sport) athlete • **athlétisme** nm athletics sg

atlantique [atlɑ̃tik] adj Atlantic ▸ nm: **l'(océan) A~** the Atlantic (Ocean)

atlas [atlas] nm atlas

atmosphère [atmɔsfɛʀ] nf atmosphere

atome [atom] nm atom • **atomique** adj atomic; nuclear

atomiseur [atɔmizœʀ] nm atomizer

atout [atu] nm trump; (fig) asset

atroce [atʀɔs] adj atrocious

attachant, e [ataʃɑ̃, -ɑ̃t] adj engaging, likeable

attache [ataʃ] nf clip, fastener; (fig) tie

attacher [ataʃe] /1/ vt to tie up; (étiquette) to attach, tie on; (ceinture) to fasten; (souliers) to do up ▸ vi (poêle, riz) to stick; **s'~ à** (par affection) to become attached to; **~ qch à** to tie ou fasten ou attach sth to

attaque [atak] nf attack; (cérébrale) stroke; (d'épilepsie) fit

attaquer [atake] /1/ vt to attack; (en justice) to sue ▸ vi to attack; **s'attaquer à** vt (personne) to attack; (épidémie, misère) to tackle

attarder [ataʀde] /1/: **s'attarder** vi to linger

atteindre [atɛ̃dʀ] /49/ vt to reach; (blesser) to hit; (émouvoir) to affect • **atteint, e** adj (Méd): **être atteint de** to be suffering from ▸ nf attack; **hors d'atteinte** out of reach; **porter atteinte à** to strike a blow at

attendant [atɑ̃dɑ̃]: **en ~** adv meanwhile, in the meantime

attendre [atɑ̃dʀ] /41/ vt to wait for; (être destiné ou réservé à) to await, be in store for ▸ vi to wait; **s'~ à (ce que)** to expect (that); **attendez-moi, s'il vous plaît** wait for me, please; **~ un enfant** to be expecting a baby; **~ de faire/d'être** to wait until one does/is; **attendez qu'il vienne** wait until he comes; **~ qch de** to expect sth of

⚠ Attention à ne pas traduire *attendre* par *to attend*.

attendrir [atɑ̃dʀiʀ] /2/ vt to move (to pity); (viande) to tenderize

attendu, e [atɑ̃dy] *adj* (*événement*) long-awaited; (*prévu*) expected; **~ que** considering that, since

attentat [atɑ̃ta] *nm* assassination attempt; **~ à la pudeur** indecent assault *no pl*; **~ suicide** suicide bombing

attente [atɑ̃t] *nf* wait; (*espérance*) expectation

attenter [atɑ̃te] /1/: **~ à** *vt* (*liberté*) to violate; **~ à la vie de qn** to make an attempt on sb's life

attentif, -ive [atɑ̃tif, -iv] *adj* (*auditeur*) attentive; (*travail*) careful; **~ à** paying attention to

attention [atɑ̃sjɔ̃] *nf* attention; (*prévenance*) thoughtfulness *no pl*; **à l'~ de** for the attention of; **faire ~ (à)** to be careful (of); **faire ~ (à ce) que** to be *ou* make sure that; **~!** careful!, watch out!; **~ à la voiture!** watch out for that car! • **attentionné, e** [atɑ̃sjɔne] *adj* thoughtful, considerate

atténuer [atenɥe] /1/ *vt* (*douleur*) to alleviate, ease; (*couleurs*) to soften; **s'atténuer** *vi* to ease; (*violence etc*) to abate

atterrir [ateʀiʀ] /2/ *vi* to land • **atterrissage** *nm* landing

attestation *nf* certificate

attirant, e [atiʀɑ̃, -ɑ̃t] *adj* attractive, appealing

attirer [atiʀe] /1/ *vt* to attract; (*appâter*) to lure, entice; **~ qn dans un coin/vers soi** to draw sb into a corner/towards one; **~ l'attention de qn** to attract sb's attention; **~ l'attention de qn sur qch** to draw sb's attention to sth; **s'~ des ennuis** to bring trouble upon o.s., run into trouble

attitude [atityd] *nf* attitude; (*position du corps*) bearing

attraction [atʀaksjɔ̃] *nf* attraction; (*de cabaret, cirque*) number

attrait [atʀɛ] *nm* appeal, attraction

attraper [atʀape] /1/ *vt* to catch; (*habitude, amende*) to get, pick up; (*fam: duper*) to con; **se faire ~** (*fam*) to be told off

attrayant, e [atʀɛjɑ̃, -ɑ̃t] *adj* attractive

attribuer [atʀibɥe] /1/ *vt* (*prix*) to award; (*rôle, tâche*) to allocate, assign; (*imputer*): **~ qch à** to attribute sth to; **s'attribuer** *vt* (*s'approprier*) to claim for o.s.

attrister [atʀiste] /1/ *vt* to sadden

attroupement [atʀupmɑ̃] *nm* crowd

attrouper [atʀupe] /1/: **s'attrouper** *vi* to gather

au [o] *prép* voir **à**

aubaine [obɛn] *nf* godsend

aube [ob] *nf* dawn, daybreak; **à l'~** at dawn *ou* daybreak

aubépine [obepin] *nf* hawthorn

auberge [obɛʀʒ] *nf* inn; **~ de jeunesse** youth hostel

aubergine [obɛʀʒin] *nf* aubergine

aucun, e [okœ̃, -yn] *adj, pron* no; (*positif*) any ▸ *pron* none; (*positif*) any(one); **sans ~ doute** without any doubt; **plus qu'~ autre** more than any other; **il le fera mieux qu'~ de nous** he'll do it better than any of us; **~ des deux** neither of the two; **~ d'entre eux** none of them

audace [odas] *nf* daring, boldness; (*péj*) audacity • **audacieux, -euse** *adj* daring, bold

au-delà [od(ə)la] *adv* beyond
  ▶ *nm*: **l'~** the hereafter; **~ de** beyond

au-dessous [odsu] *adv* underneath; below; **~ de** under(neath), below; (*limite, somme etc*) below, under; (*dignité, condition*) below

au-dessus [odsy] *adv* above; **~ de** above

au-devant [od(ə)vɑ̃]: **~ de** *prép*: **aller ~ de** (*personne, danger*) to go (out) and meet; (*souhaits de qn*) to anticipate

audience [odjɑ̃s] *nf* audience; (*Jur: séance*) hearing

audio-visuel, le [odjovizɥɛl] *adj* audio-visual

audition [odisjɔ̃] *nf* (*ouïe, écoute*) hearing; (*Jur: de témoins*) examination; (*Mus, Théât: épreuve*) audition

auditoire [oditwar] *nm* audience

augmentation [ɔgmɑ̃tasjɔ̃] *nf* increase; **~ (de salaire)** rise (in salary) (BRIT), (pay) raise (US)

augmenter [ɔgmɑ̃te] /1/ *vt* to increase; (*salaire, prix*) to increase, raise, put up; (*employé*) to increase the salary of ▶ *vi* to increase

augure [ogyr] *nm*: **de bon/ mauvais ~** of good/ill omen

aujourd'hui [oʒurdɥi] *adv* today

aumône [omon] *nf* alms *sg* (*pl inv*) • **aumônier** *nm* chaplain

auparavant [oparavɑ̃] *adv* before(hand)

auprès [oprɛ]: **~ de** *prép* next to, close to; (*recourir, s'adresser*) to; (*en comparaison de*) compared with

auquel [okɛl] *pron voir* **lequel**

aurai *etc* [ɔre] *vb voir* **avoir**

aurons *etc* [orɔ̃] *vb voir* **avoir**

aurore [ɔrɔr] *nf* dawn, daybreak

ausculter [oskylte] /1/ *vt* to sound

aussi [osi] *adv* (*également*) also, too; (*de comparaison*) as ▶ *conj* therefore, consequently; **~ fort que** as strong as; **moi ~** me too

aussitôt [osito] *adv* straight away, immediately; **~ que** as soon as

austère [ɔstɛr] *adj* austere

austral, e [ɔstral] *adj* southern

Australie [ɔstrali] *nf*: **l'~** Australia • **australien, ne** *adj* Australian ▶ *nm/f*: **Australien, ne** Australian

autant [otɑ̃] *adv* so much; **je ne savais pas que tu la détestais ~** I didn't know you hated her so much; (*comparatif*): **~ (que)** as much (as); (*nombre*) as many (as); **~ (de)** so much (*ou* many); as much (*ou* many); **~ partir** we (*ou* you *etc*) may as well leave; **~ dire que ...** one might as well say that ...; **pour ~** for all that; **d'~ plus/ mieux (que)** all the more/the better (since)

autel [otɛl] *nm* altar

auteur [otœr] *nm* author

authentique [otɑ̃tik] *adj* authentic, genuine

auto [oto] *nf* car • **autobiographie** *nf* autobiography • **autobronzant** *nm* self-tanning cream (*or lotion etc*) • **autobus** *nm* bus • **autocar** *nm* coach

autochtone [ɔtɔktɔn] *nm/f* native

auto: • **autocollant, e** *adj* self-adhesive; (*enveloppe*) self-seal ▶ *nm* sticker • **autocuiseur** *nm* pressure cooker • **autodéfense** *nf* self-defence • **autodidacte** *nm/f* self-taught person

- **auto-école** nf driving school
- **autographe** nm autograph
automate [ɔtɔmat] nm (machine) (automatic) machine
automatique [ɔtɔmatik] adj automatic ▶ nm: **l'~** = direct dialling
automne [ɔtɔn] nm autumn (BRIT), fall (US)
automobile [ɔtɔmɔbil] adj motor cpd ▶ nf (motor) car
- **automobiliste** nm/f motorist
automutiler [ɔtɔmytile] /1/:
- **s'automutiler** vi to self-harm
autonome [ɔtɔnɔm] adj autonomous • **autonomie** nf autonomy; (Pol) self-government
autopsie [ɔtɔpsi] nf post-mortem (examination), autopsy
autoradio [ɔtɔradjo] nf car radio
autorisation [ɔtɔrizasjɔ̃] nf authorization; (papiers) permit
autorisé, e [ɔtɔrize] adj (opinion, sources) authoritative
autoriser [ɔtɔrize] /1/ vt to give permission for, authorize; (fig) to allow (of)
autoritaire [ɔtɔritɛr] adj authoritarian
autorité [ɔtɔrite] nf authority; **faire ~** to be authoritative
autoroute [ɔtɔrut] nf motorway (BRIT), expressway (US); **~ de l'information** (Inform) information superhighway

French **autoroutes**, indicated by blue road signs with the letter A followed by a number, are toll roads. The speed limit is 130 km/h (110 km/h when it is raining). At the tollgate, the lanes marked 'réservé' and with

an orange 't' are reserved for people who subscribe to 'télépéage', an electronic payment system.

auto-stop [ɔtostɔp] nm: **faire de l'~** to hitch-hike; **prendre qn en ~** to give sb a lift • **auto-stoppeur, -euse** nm/f hitch-hiker
autour [otur] adv around; **~ de** around; **tout ~** all around

autre [otr]

▶ adj 1 (différent) other, different; **je préférerais un autre verre** I'd prefer another ou a different glass
2 (supplémentaire) other; **je voudrais un autre verre d'eau** I'd like another glass of water
3: **autre chose** something else; **autre part** somewhere else; **d'autre part** on the other hand
▶ pron: **un autre** another (one); **nous/vous autres** us/you; **d'autres** others; **l'autre** the other (one); **les autres** the others; (autrui) others; **l'un et l'autre** both of them; **se détester l'un l'autre/les uns les autres** to hate each other ou one another; **d'une semaine/minute à l'autre** from one week/minute ou moment to the next; (incessamment) any week/minute ou moment now; **entre autres** (personnes) among others; (choses) among other things

autrefois [otrəfwa] adv in the past
autrement [otrəmã] adv differently; (d'une manière différente) in another way; (sinon) otherwise; **~ dit** in other words

Autriche [otriʃ] nf: **l'~** Austria
• **autrichien, ne** adj Austrian
▶ nm/f: **Autrichien, ne** Austrian

autruche [otryʃ] nf ostrich

aux [o] prép voir à

auxiliaire [ɔksiljɛr] adj, nm/f
auxiliary

auxquels, auxquelles [okɛl]
pron voir **lequel**

avalanche [avalɑ̃ʃ] nf avalanche

avaler [avale] /1/ vt to swallow

avance [avɑ̃s] nf (de troupes etc)
advance; (progrès) progress;
(d'argent) advance; (opposé à retard)
lead; **avances** nfpl (amoureuses)
advances; **(être) en ~** (to be) early;
(sur un programme) to be ahead of
schedule; **d'~, à l'~** in advance

avancé, e [avɑ̃se] adj advanced;
(travail etc) well on, well under way

avancement [avɑ̃smɑ̃] nm
(professionnel) promotion

avancer [avɑ̃se] /3/ vi to move
forward, advance; (projet, travail)
to make progress; (montre, réveil)
to be fast to gain ▶ vt to move
forward, advance; (argent) to
advance; (montre, pendule) to put
forward; **s'avancer** vi to move
forward, advance; (fig) to
commit o.s.

avant [avɑ̃] prép before ▶ adj inv:
siège/roue ~ front seat/wheel
▶ nm (d'un véhicule, bâtiment) front;
(Sport: joueur) forward; **~ qu'il**
parte/de partir before he leaves/
leaving; **~ tout** (surtout) above all;
à l'~ (dans un véhicule) in (the)
front; **en ~** (se pencher, tomber)
forward(s); **partir en ~** to go on
ahead; **en ~ de** in front of

avantage [avɑ̃taʒ] nm advantage;
~s sociaux fringe benefits
• **avantager** /3/ vt (favoriser) to

favour; (embellir) to flatter
• **avantageux, -euse** adj (prix)
attractive

avant-: • **avant-bras** nm inv
forearm • **avant-coureur** adj inv:
signe avant-coureur advance
indication ou sign • **avant-**
dernier, -ière adj, nm/f next to
last, last but one • **avant-goût**
nm foretaste • **avant-hier** adv the
day before yesterday
• **avant-première** nf (de film)
preview • **avant-veille** nf:
l'avant-veille two days before

avare [avar] adj miserly,
avaricious ▶ nm/f miser; **~ de**
compliments stingy ou sparing
with one's compliments

avec [avɛk] prép with; (à l'égard de)
to(wards), with; **et ~ ceci?** (dans
un magasin) anything else ou
something else?

avenir [avniʀ] nm: **l'~** the future;
à l'~ in future; **carrière/**
politicien d'~ career/politician
with prospects ou a future

aventure [avɑ̃tyʀ] nf: **l'~**
adventure; **une ~** (amoureuse) an
affair • **aventureux, -euse** adj
adventurous, venturesome;
(projet) risky, chancy

avenue [avny] nf avenue

avérer [avere] /6/: **s'~** vi: **s'avérer** vi:
s'~ faux/coûteux to prove (to be)
wrong/expensive

averse [avɛʀs] nf shower

averti, e [avɛʀti] adj
(well-)informed

avertir [avɛʀtiʀ] /2/ vt: **~ qn**
(de qch/que) to warn sb (of sth/
that); (renseigner) to inform sb
(of sth/that) • **avertissement**
nm warning • **avertisseur**
nm horn, siren

aveu, x [avø] *nm* confession

aveugle [avœgl] *adj* blind ▸ *nm/f* blind person

aviation [avjasjɔ̃] *nf* aviation; *(sport, métier de pilote)* flying; *(Mil)* air force

avide [avid] *adj* eager; *(péj)* greedy, grasping

avion [avjɔ̃] *nm* (aero)plane (BRIT), (air)plane (US); **aller (quelque part) en ~** to go (somewhere) by plane, fly (somewhere); **par ~** by airmail; **~ à réaction** jet (plane)

aviron [avirɔ̃] *nm* oar; *(sport):* **l'~** rowing

avis [avi] *nm* opinion; *(notification)* notice; **à mon ~** in my opinion; **changer d'~** to change one's mind; **jusqu'à nouvel ~** until further notice

aviser [avize] /1/ *vt (informer):* **~ qn de/que** to advise *ou* inform *ou* notify sb of/that ▸ *vi* to think about things, assess the situation; **nous aviserons sur place** we'll work something out once we're there; **s'~ de qch/que** to become suddenly aware of sth/that; **s'~ de faire** to take it into one's head to do

avocat, e [avɔka, -at] *nm/f (Jur)* ≈ barrister (BRIT), lawyer ▸ *nm (Culin)* avocado (pear); **l'~ de la défense/partie civile** the counsel for the defence/plaintiff; **~ général** assistant public prosecutor

avoine [avwan] *nf* oats *pl*

---

avoir [avwar] /34/

▸ *vt* 1 *(posséder)* to have; **elle a deux enfants/une belle maison** she has (got) two

children/a lovely house; **il a les yeux bleus** he has (got) blue eyes; **vous avez du sel?** do you have any salt?; **avoir du courage/de la patience** to be brave/patient

2 *(éprouver):* **avoir de la peine** to be *ou* feel sad; *voir aussi* **faim, peur**

3 *(âge, dimensions)* to be; **il a 3 ans** he is 3 (years old); **le mur a 3 mètres de haut** the wall is 3 metres high

4 *(fam: duper)* to do, have; **on vous a eu!** you've been done *ou* had!; *(fait une plaisanterie)* we *ou* they had you there

5: **en avoir contre qn** to have a grudge against sb; **en avoir assez** to be fed up; **j'en ai pour une demi-heure** it'll take me half an hour

6 *(obtenir, attraper)* to get; **j'ai réussi à avoir mon train** I managed to get *ou* catch my train; **j'ai réussi à avoir le renseignement qu'il me fallait** I managed to get (hold of) the information I needed

▸ *vb aux* 1 to have; **avoir mangé/dormi** to have eaten/slept

2 *(avoir à +infinitif):* **avoir à faire qch** to have to do sth; **vous n'avez qu'à lui demander** you only have to ask him

▸ *vb impers* 1: **il y a** *(+ singulier)* there is; *(+ pluriel)* there are; **il y avait du café/des gâteaux** there was coffee/there were cakes; **qu'y a-t-il?, qu'est-ce qu'il y a?** what's the matter?, what is it?; **il doit y avoir une explication** there must be an explanation; **il n'y a qu'à ...**

we (ou *etc*) will just have to ...; **il ne peut y en avoir qu'un** there can only be one **2**: **il y a** (*temporel*): **il y a 10 ans** 10 years ago; **il y a 10 ans/ longtemps que je le connais** I've known him for 10 years/a long time; **il y a 10 ans qu'il est arrivé** it's 10 years since he arrived
▶ *nm* assets *pl*, resources *pl*; (*Comm*) credit

avortement [avɔʀtəmã] *nm* abortion

avouer [avwe] /1/ *vt* (*crime, défaut*) to confess (to); **~ avoir fait/que** to admit *ou* confess to having done/that

avril [avʀil] *nm* April

axe [aks] *nm* axis (*pl* axes); (*de roue etc*) axle; (*fig*) main line; **~ routier** trunk road (BRIT), main road, highway (US)

ayons *etc* [ɛjɔ̃] *vb voir* **avoir**

bâbord [babɔʀ] *nm*: **à** *ou* **par ~** to port, on the port side

baby-foot [babifut] *nm inv* table football

baby-sitting [babisitiŋ] *nm* baby-sitting; **faire du ~** to baby-sit

bac [bak] *nm* (*Scol*) = **baccalauréat**; (*récipient*) tub

baccalauréat [bakalɔʀea] *nm* ≈ high school diploma

bâcler [bakle] /1/ *vt* to botch (up)

baffe [baf] *nf* (*fam*) slap, clout

bafouiller [bafuje] /1/ *vi*, *vt* to stammer

bagage [bagaʒ] *nm*: **~s** luggage *sg*; (*connaissances*) background, knowledge; **~ à main** hand-luggage

bagarre [bagaʀ] *nf* fight, brawl
• **bagarrer** /1/: **se bagarrer** *vi* to (have a) fight

bagnole [baɲɔl] *nf* (*fam*) car

bague [bag] *nf* ring; **~ de fiançailles** engagement ring

baguette [baget] *nf* stick; (*cuisine chinoise*) chopstick; (*de chef d'orchestre*) baton; (*pain*) stick of (French) bread; **~ magique** magic wand

bambou

baie [bɛ] nf (Géo) bay; (fruit) berry; **~ (vitrée)** picture window

baignade [bɛɲad] nf bathing; **"~ interdite"** "no bathing"

baigner [beɲe] /1/ vt (bébé) to bath; **se baigner** vi to go swimming ou bathing
  • **baignoire** nf bath(tub)

bail (pl **baux**) [baj, bo] nm lease

bâiller [baje] /1/ vi to yawn; (être ouvert) to gape

bain [bɛ̃] nm bath; **prendre un ~** to have a bath; **se mettre dans le ~** (fig) to get into (the way of) it ou things; **~ de bouche** mouthwash; **~ moussant** bubble bath; **~ de soleil; prendre un ~ de soleil** to sunbathe
  • **bain-marie** nm: **faire chauffer au bain-marie** (boîte etc) to immerse in boiling water

baiser [beze] /1/ nm kiss ▶ vt (main, front) to kiss; (fam!) to screw (!)

baisse [bɛs] nf fall, drop; **en ~** falling

baisser [bese] /1/ vt to lower; (radio, chauffage) to turn down ▶ vi to fall, drop, go down; (vue, santé) to fail, dwindle; **se baisser** vi to bend down

bal [bal] nm dance; (grande soirée) ball; **~ costumé/masqué** fancy-dress/masked ball

balade [balad] nf (à pied) walk, stroll; (en voiture) drive
  • **balader** /1/ (fam): **se balader** vi to go for a walk ou stroll; to go for a drive • **baladeur** [baladœr] nm personal stereo, Walkman®

balai [balɛ] nm broom, brush

balance [balɑ̃s] nf scales pl; (signe): **la B~** Libra; **~ commerciale** balance of trade

balancer [balɑ̃se] /3/ vt to swing; (lancer) to fling, chuck; (renvoyer, jeter) to chuck out; **se balancer** vi to swing; to rock; **se ~ de qch** (fam) not to give a toss about sth
  • **balançoire** nf swing; (sur pivot) seesaw

balayer [baleje] /8/ vt (feuilles ou cour) to sweep up, brush up; (pièce, cour) to sweep; (chasser) to sweep away ou aside; (radar) to scan
  • **balayeur, -euse** [balɛjœr, -øz] nm/f road sweeper ▶ nf (engin) road sweeper

balbutier [balbysje] /7/ vi, vt to stammer

balcon [balkɔ̃] nm balcony; (Théât) dress circle

Bâle [bɑl] n Basle ou Basel

Baléares [baleaʁ] nfpl: **les ~** the Balearic Islands, the Balearics

baleine [balɛn] nf whale

balise [baliz] nf (Navig) beacon, (marker) buoy; (Aviat) runway light, beacon; (Auto, Ski) sign, marker • **baliser** /1/ vt to mark out (with beacons ou lights etc)

balle [bal] nf (de fusil) bullet; (de sport) ball; (fam: franc) franc

ballerine [bal(ə)ʁin] nf (danseuse) ballet dancer; (chaussure) pump, ballet shoe

ballet [balɛ] nm ballet

ballon [balɔ̃] nm (de sport) ball; (jouet, Aviat) balloon; **~ de football** football; **~ d'oxygène** oxygen bottle

balnéaire [balneɛʁ] adj seaside cpd; **station ~** seaside resort

balustrade [balystʁad] nf railings pl, handrail

bambin [bɑ̃bɛ̃] nm little child

bambou [bɑ̃bu] nm bamboo

banal, e [banal] *adj* banal,
commonplace; *(péj)* trite
• **banalité** *nf* banality

banane [banan] *nf* banana; *(sac)*
waist-bag, bum-bag

banc [bɑ̃] *nm* seat, bench; *(de
poissons)* shoal; **~ d'essai** *(fig)*
testing ground

bancaire [bɑ̃kɛʀ] *adj* banking;
(chèque, carte) bank *cpd*

bancal, e [bɑ̃kal] *adj* wobbly

bandage [bɑ̃daʒ] *nm* bandage

bande [bɑ̃d] *nf (de tissu etc)* strip;
(Méd) bandage; *(motif, dessin)*
stripe; *(groupe)* band; *(péj)*: **une
~ de** a bunch ou crowd of; **faire
~ à part** to keep to o.s.;
~ dessinée (BD) comic strip;
~ magnétique magnetic tape;
~ sonore sound track

bande-annonce [bɑ̃danɔ̃s] *nf*
trailer

bandeau, x [bɑ̃do] *nm*
headband; *(sur les yeux)* blindfold

bander [bɑ̃de] */1/ vt (blessure)* to
bandage; **~ les yeux à qn** to
blindfold sb

bandit [bɑ̃di] *nm* bandit

bandoulière [bɑ̃duljɛʀ] *nf*:
en ~ (slung ou worn) across the
shoulder

Bangladesh [bɑ̃ɡladɛʃ] *nm*:
le ~ Bangladesh

banlieue [bɑ̃ljø] *nf* suburbs *pl*;
quartiers de ~ suburban areas;
trains de ~ commuter trains

bannir [baniʀ] */2/ vt* to banish

banque [bɑ̃k] *nf* bank; *(activités)*
banking; **~ de données** data
bank

banquet [bɑ̃kɛ] *nm* dinner;
(d'apparat) banquet

banquette [bɑ̃kɛt] *nf* seat

banquier [bɑ̃kje] *nm* banker

banquise [bɑ̃kiz] *nf* ice field

baptême [batɛm] *nm*
christening; baptism; **~ de l'air**
first flight

baptiser [batize] */1/ vt* to
christen; to baptize

bar [baʀ] *nm* bar

baraque [baʀak] *nf* shed; *(fam)*
house; **~ foraine** fairground
stand • **baraqué, e** *(fam) adj*
well-built, hefty

barbant, e [baʀbɑ̃, -ɑ̃t] *adj (fam)*
deadly (boring)

barbare [baʀbaʀ] *adj* barbaric

barbe [baʀb] *nf* beard; **(au nez
et) à la ~ de qn** *(fig)* under sb's
very nose; **la ~!** *(fam)* damn it!;
quelle ~! *(fam)* what a drag ou
bore!; **~ à papa** candy-floss
(BRIT), cotton candy (US)

barbelé [baʀbəle] *adj, nm*: **(fil de
fer) ~** barbed wire *no pl*

barbiturique [baʀbityʀik] *nm*
barbiturate

barbouiller [baʀbuje] */1/ vt* to
daub; **avoir l'estomac
barbouillé** to feel queasy ou sick

barbu, e [baʀby] *adj* bearded

barder [baʀde] */1/ vi (fam)*: **ça va ~**
sparks will fly

barème [baʀɛm] *nm (Scol)* scale;
(liste) table

baril [baʀi(l)] *nm* barrel; *(de
poudre)* keg

bariolé, e [baʀjɔle] *adj*
many-coloured, rainbow-
coloured

baromètre [baʀɔmɛtʀ] *nm*
barometer

baron [baʀɔ̃] *nm* baron

baronne [baʀɔn] *nf* baroness

baroque [baʀɔk] *adj (Art)*
baroque; *(fig)* weird

bâton

barque [baʀk] nf small boat

barquette [baʀkɛt] nf small boat-shaped tart; (récipient: en aluminium) tub; (: en bois) basket; (pour repas) tray; (pour fruits) punnet

barrage [baʀaʒ] nm dam; (sur route) roadblock, barricade

barre [baʀ] nf (de fer etc) rod; (Navig) helm; (écrite) line, stroke

barreau, x [baʀo] nm bar; (Jur): **le ~** the Bar

barrer [baʀe] /1/ vt (route etc) to block; (mot) to cross out; (chèque) to cross (BRIT); (Navig) to steer; **se barrer** vi (fam) to clear off

barrette [baʀɛt] nf (pour cheveux) (hair) slide (BRIT) ou clip (US)

barricader [baʀikade] /1/: **se barricader** vi: **se ~ chez soi** to lock o.s. in

barrière [baʀjɛʀ] nf fence; (obstacle) barrier; (porte) gate

barrique [baʀik] nf barrel, cask

bar-tabac [baʀtaba] nm bar (which sells tobacco and stamps)

bas, basse [bɑ, bɑs] adj low ▶ nm (vêtement) stocking; (partie inférieure): **le ~ de** the lower part ou foot ou bottom of ▶ adv low; (parler) softly; **au ~ mot** at the lowest estimate; **enfant en ~ âge** young child; **en ~** down below; (d'une liste, d'un mur etc) at (ou to) the bottom; (dans une maison) downstairs; **en ~ de** at the bottom of; **à ~ la dictature!** down with dictatorship!

bas-côté [bakote] nm (de route) verge (BRIT), shoulder (US)

basculer [baskyle] /1/ vi to fall over, topple (over); (benne) to tip up ▶ vt (contenu) to tip out; (benne) tip up

base [bɑz] nf base; (fondement, principe) basis (pl bases); **la ~** (Pol) the rank and file; **de ~** basic; **à ~ de café** etc coffee etc -based; **~ de données** database • **baser** /1/ vt: **baser qch sur** to base sth on; **se baser sur** (données, preuves) to base one's argument on

bas-fond [bafɔ̃] nm (Navig) shallow; **bas-fonds** nmpl (fig) dregs

basilic [bazilik] nm (Culin) basil

basket [baskɛt] nm basketball

baskets [baskɛt] nfpl trainers (BRIT), sneakers (US)

basque [bask] adj Basque ▶ nm/f: **B~** Basque; **le Pays ~** the Basque country

basse [bɑs] adj voir **bas** ▶ nf (Mus) bass • **basse-cour** nf farmyard

bassin [basɛ̃] nm (pièce d'eau) pond, pool; (de fontaine, Géo) basin; (Anat) pelvis; (portuaire) dock

bassine [basin] nf basin; (contenu) bowl, bowlful

basson [basɔ̃] nm bassoon

bat [ba] vb voir **battre**

bataille [bataj] nf battle; (rixe) fight; **elle avait les cheveux en ~** her hair was a mess

bateau, x [bato] nm boat; ship • **bateau-mouche** nm (passenger) pleasure boat (on the Seine)

bâti, e [bɑti] adj (terrain) developed; **bien ~** well-built

bâtiment [bɑtimɑ̃] nm building; (Navig) ship, vessel; (industrie): **le ~** the building trade

bâtir [bɑtiʀ] /2/ vt to build

bâtisse [bɑtis] nf building

bâton [bɑtɔ̃] nm stick; **parler à ~s rompus** to chat about this and that

bats [ba] *vb voir* **battre**

battement [batmɑ̃] *nm* (*de cœur*) beat; (*intervalle*) interval (*between classes, trains etc*); **10 minutes de ~** 10 minutes to spare

batterie [batʀi] *nf* (*Mil, Élec*) battery; (*Mus*) drums *pl*, drum kit; **~ de cuisine** kitchen utensils *pl*; (*casseroles etc*) pots and pans *pl*

batteur [batœʀ] *nm* (*Mus*) drummer; (*appareil*) whisk

battre [batʀ] /41/ *vt* to beat; (*blé*) to thresh; (*cartes*) to shuffle; (*passer au peigne fin*) to scour ▸ *vi* (*cœur*) to beat; (*volets etc*) to bang, rattle; **se battre** *vi* to fight; **~ la mesure** to beat time; **~ son plein** to be at its height, be going full swing; **~ des mains** to clap one's hands

baume [bom] *nm* balm

bavard, e [bavaʀ, -aʀd] *adj* (very) talkative; gossipy • **bavarder** /1/ *vi* to chatter; (*indiscrètement*) to gossip (*révéler un secret*) to blab

baver [bave] /1/ *vi* to dribble; (*chien*) to slobber, slaver; **en ~** (*fam*) to have a hard time (of it)

bavoir [bavwaʀ] *nm* bib

bavure [bavyʀ] *nf* smudge; (*fig*) hitch; (*policière etc*) blunder

bazar [bazaʀ] *nm* general store; (*fam*) jumble • **bazarder** /1/ *vt* (*fam*) to chuck out

BCBG *sigle adj* (= *bon chic bon genre*) smart and trendy, ≈ preppy

BD *sigle f* = **bande dessinée**

bd *abr* = **boulevard**

béant, e [beɑ̃, -ɑ̃t] *adj* gaping

beau (bel), belle, beaux [bo, bɛl] *adj* beautiful, lovely; (*homme*) handsome ▸ *adv*: **il fait ~** the weather's fine ▸ *nm*: **un ~ jour** one (fine) day; **de plus belle** more

than ever, even more; **bel et bien** well and truly; **le plus ~, c'est que …**: the best of it is that …; **on a ~ essayer** however hard *ou* no matter how hard we try; **faire le ~** (*chien*) to sit up and beg

---

beaucoup [boku]

adv **1** a lot; **il boit beaucoup** he drinks a lot; **il ne boit pas beaucoup** he doesn't drink much *ou* a lot

2 (*suivi de plus, trop etc*) much, a lot; **il est beaucoup plus grand** he is much *ou* a lot *ou* far taller; **c'est beaucoup plus cher** it's a lot *ou* much more expensive; **il a beaucoup plus de temps que moi** he has much *ou* a lot more time than me; **il y a beaucoup plus de touristes ici** there are a lot *ou* many more tourists here; **beaucoup trop vite** much too fast; **il fume beaucoup trop** he smokes far too much

3: **beaucoup de** (*nombre*) many, a lot of; (*quantité*) a lot of; **beaucoup d'étudiants/de touristes** a lot of *ou* many students/tourists; **beaucoup de courage** a lot of courage; **il n'a pas beaucoup d'argent** he hasn't got much *ou* a lot of money

4: **de beaucoup** by far

---

beau: • **beau-fils** *nm* son-in-law; (*remariage*) stepson • **beau-frère** *nm* brother-in-law • **beau-père** *nm* father-in-law; (*remariage*) stepfather

beauté [bote] *nf* beauty; **de toute ~** beautiful; **finir qch en ~** to complete sth brilliantly

beaux-arts [bozar] *nmpl* fine arts

beaux-parents [boparã] *nmpl* wife's/husband's parents, in-laws

bébé [bebe] *nm* baby

bec [bɛk] *nm* beak, bill; (de cafetière etc) spout; (de casserole etc) lip; (fam) mouth; **~ de gaz** (street) gaslamp

bêche [bɛʃ] *nf* spade • **bêcher** /1/ *vt* to dig

bedaine [bədɛn] *nf* paunch

bedonnant, e [bədɔnã, -ãt] *adj* potbellied

bée [be] *adj:* **bouche ~** gaping

bégayer [begeje] /8/ *vt, vi* to stammer

beige [bɛʒ] *adj* beige

beignet [bɛɲɛ] *nm* fritter

bel [bɛl] *adj m voir* **beau**

bêler [bele] /1/ *vi* to bleat

belette [bəlɛt] *nf* weasel

belge [bɛlʒ] *adj* Belgian ▸ *nm/f:* **B~** Belgian

Belgique [bɛlʒik] *nf:* **la ~** Belgium

bélier [belje] *nm* ram; (signe): **le B~** Aries

belle [bɛl] *adj voir* **beau** ▸ *nf* (Sport): **la ~** the decider
• **belle-fille** *nf* daughter-in-law; (remariage) stepdaughter
• **belle-mère** *nf* mother-in-law; (remariage) stepmother
• **belle-sœur** *nf* sister-in-law

belvédère [belvedɛʀ] *nm* panoramic viewpoint (or small building there)

bémol [bemɔl] *nm* (Mus) flat

bénédiction [benediksjɔ̃] *nf* blessing

bénéfice [benefis] *nm* (Comm) profit; (avantage) benefit

• **bénéficier** /7/ *vi:* **bénéficier de** to enjoy; (profiter) to benefit by ou from • **bénéfique** *adj* beneficial

Benelux [benelyks] *nm:* **le ~** Benelux, the Benelux countries

bénévole [benevɔl] *adj* voluntary, unpaid

bénin, -igne [benɛ̃, -iɲ] *adj* minor, mild; (tumeur) benign

bénir [benir] /2/ *vt* to bless • **bénit, e** *adj* consecrated; **eau bénite** holy water

benne [bɛn] *nf* skip; (de téléphérique) (cable) car; **~ à ordures** (amovible) skip

béquille [bekij] *nf* crutch; (de bicyclette) stand

berceau, x [bɛʀso] *nm* cradle, crib

bercer [bɛʀse] /3/ *vt* to rock, cradle; (musique etc) to lull; **~ qn de** (promesses etc) to delude sb with • **berceuse** *nf* lullaby

béret [beʀɛ] *nm* (aussi: **~ basque**) beret

berge [bɛʀʒ] *nf* bank

berger, -ère [bɛʀʒe, -ɛʀ] *nm/f* shepherd/shepherdess;
~ allemand alsatian (dog) (BRIT), German shepherd (dog) (US)

Berlin [bɛʀlɛ̃] *n* Berlin

Bermudes [bɛʀmyd] *nfpl:* **les (îles) ~** Bermuda

Berne [bɛʀn] *n* Bern

berner [bɛʀne] /1/ *vt* to fool

besogne [bəzɔɲ] *nf* work no pl, job

besoin [bəzwɛ̃] *nm* need; (pauvreté): **le ~** need, want; **faire ses ~s** to relieve o.s.; **avoir ~ de qch/faire qch** to need sth/to do sth; **au ~** if need be; **être dans le ~** to be in need ou want

bestiole [bɛstjɔl] *nf* (tiny) creature

bétail [betaj] *nm* livestock, cattle *pl*

bête [bɛt] *nf* animal; (*bestiole*) insect, creature ▸ *adj* stupid, silly; **chercher la petite ~** to nit-pick; **~ noire** pet hate; **~ sauvage** wild beast

bêtise [betiz] *nf* stupidity; (*action, remarque*) stupid thing (to say *ou* do)

béton [betɔ̃] *nm* concrete; **(en) ~** (*fig: alibi, argument*) cast iron; **~ armé** reinforced concrete

betterave [bɛtʀav] *nf* beetroot (*BRIT*), beet (*US*); **~ sucrière** sugar beet

Beur [bœʀ] *nm/f see note* **"Beur"**

> **Beur** is a term used to refer to a person born in France of North African immigrant parents. It is not racist and is often used by the media, anti-racist groups and second-generation North Africans themselves. The word itself comes from back slang or 'verlan.'

beurre [bœʀ] *nm* butter
• **beurrer** /1/ *vt* to butter
• **beurrier** *nm* butter dish

biais [bjɛ] *nm* (*moyen*) device, expedient; (*aspect*) angle; **en ~, de ~** (*obliquement*) at an angle; **par le ~ de** by means of

bibelot [biblo] *nm* trinket, curio

biberon [bibʀɔ̃] *nm* (feeding) bottle; **nourrir au ~** to bottle-feed

bible [bibl] *nf* bible

bibliobus *nm* mobile library van

bibliothécaire *nm/f* librarian

bibliothèque *nf* library; (*meuble*) bookcase

bic® [bik] *nm* Biro®

bicarbonate [bikaʀbɔnat] *nm*: **~ (de soude)** bicarbonate of soda

biceps [bisɛps] *nm* biceps

biche [biʃ] *nf* doe

bicolore [bikɔlɔʀ] *adj* two-coloured

bicoque [bikɔk] *nf* (*péj*) shack

bicyclette [bisiklɛt] *nf* bicycle

bidet [bidɛ] *nm* bidet

bidon [bidɔ̃] *nm* can ▸ *adj inv* (*fam*) phoney

bidonville [bidɔ̃vil] *nm* shanty town

bidule [bidyl] *nm* (*fam*) thingamajig

bien [bjɛ̃]

▸ *nm* 1 (*avantage, profit*): **faire du bien à qn** to do sb good; **dire du bien de** to speak well of; **c'est pour son bien** it's for his own good
2 (*possession, patrimoine*) possession, property; **son bien le plus précieux** his most treasured possession; **avoir du bien** to have property; **biens (de consommation etc)** (consumer *etc*) goods
3 (*moral*): **le bien** good; **distinguer le bien du mal** to tell good from evil
▸ *adv* 1 (*de façon satisfaisante*) well; **elle travaille/mange bien** she works/eats well; **croyant bien faire, je/il …** thinking I/he was doing the right thing, I/he …; **tiens-toi bien!** (*assieds-toi correctement*) sit up straight!; (*debout*) stand up straight!; (*sois sage*) behave yourself!; (*prépare-toi*) wait for it!

2 (*valeur intensive*) quite; **bien jeune** quite young; **bien assez** quite enough; **bien mieux** (very) much better; **bien du temps/des gens** quite a time/a number of people; **j'espère bien y aller** I do hope to go; **je veux bien le faire** (*concession*) I'm quite willing to do it; **il faut bien le faire** it has to be done; **cela fait bien deux ans que je ne l'ai pas vu** I haven't seen him for at least *ou* a good two years; **Paul est bien venu, n'est-ce pas?** Paul HAS come, hasn't he?; **où peut-il bien être passé?** where on earth can he have got to?
▶ *excl* right!, OK!, fine!; **(c'est) bien fait!** it serves you (*ou* him *etc*) right!; **bien sûr!** certainly!
▶ *adj inv* **1** (*en bonne forme, à l'aise*) **je me sens bien** I feel fine; **je ne me sens pas bien** I don't feel well; **on est bien dans ce fauteuil** this chair is very comfortable

2 (*joli, beau*) good-looking; **tu es bien dans cette robe** you look good in that dress

3 (*satisfaisant*) good; **elle est bien, cette maison/secrétaire** it's a good house/she's a good secretary; **c'est très bien (comme ça)** it's fine (like that); **c'est bien?** is that all right?

4 (*moralement*) right; (*: personne*) good, nice; (*respectable*) respectable; **ce n'est pas bien de ...** it's not right to ...; **elle est bien, cette femme** she's a nice woman, she's a good sort; **des gens bien** respectable people

5 (*en bons termes*): **être bien avec qn** to be on good terms

with sb
• **bien-aimé, e** *adj, nm/f* beloved
• **bien-être** *nm* well-being
• **bienfaisance** *nf* charity
• **bienfait** *nm* act of generosity, benefaction; (*de la science etc*) benefit • **bienfaiteur, -trice** *nm/f* benefactor/benefactress
• **bien-fondé** *nm* soundness
• **bien que** *conj* although

bientôt [bjɛ̃to] *adv* soon; **à ~** see you soon
bienveillant, e [bjɛ̃vejɑ̃, -ɑ̃t] *adj* kindly
bienvenu, e [bjɛ̃vny] *adj* welcome ▶ *nf*: **souhaiter la ~e à** to welcome; **~e à** welcome to
bière [bjɛʀ] *nf* (*boisson*) beer; (*cercueil*) bier; • **blonde** lager; **~ brune** brown ale (BRIT), dark beer (US); **~ (à la) pression** draught beer
bifteck [biftɛk] *nm* steak
bigoudi [bigudi] *nm* curler
bijou, x [biʒu] *nm* jewel
• **bijouterie** *nf* jeweller's (shop)
• **bijoutier, -ière** *nm/f* jeweller
bikini [bikini] *nm* bikini
bilan [bilɑ̃] *nm* (*Comm*) balance sheet(s); (*fig*) (net) outcome; (*: de victimes*) toll; **faire le ~ de** to assess; to review; **déposer son ~** to file a bankruptcy statement; **~ de santé** check-up
bile [bil] *nf* bile; **se faire de la ~** (*fam*) to worry o.s. sick
bilieux, -euse [biljø, -øz] *adj* bilious; (*fig: colérique*) testy
bilingue [bilɛ̃g] *adj* bilingual
billard [bijaʀ] *nm* billiards *sg*; (*table*) billiard table
bille [bij] *nf* ball; (*du jeu de billes*) marble

billet [bijɛ] nm (aussi: **~ de banque**) (bank)note; (de cinéma, de bus etc) ticket; (courte lettre) note; **~ électronique** e-ticket • **billetterie** nf ticket office; (distributeur) ticket dispenser; (Banque) cash dispenser

billion [biljɔ̃] nm billion (BRIT), trillion (US)

bimensuel, le [bimɑ̃sɥɛl] adj bimonthly

bio [bjo] adj organic

bio... [bjo] préfixe bio... • **biocarburant** [bjokaʀbyʀɑ̃] nm biofuel • **biochimie** nf biochemistry • **biographie** nf biography • **biologie** nf biology • **biologique** adj biological • **biométrie** nf biometrics • **biotechnologie** nf biotechnology • **bioterrorisme** nm bioterrorism

bipolaire [bipɔlɛʀ] adj bipolar

Birmanie [biʀmani] nf Burma

bis¹, e [bi, biz] adj (couleur) greyish brown ▶ nf (baiser) kiss; (vent) North wind; **faire une** ou **la ~e à qn** to kiss sb; **grosses ~es (de)** (sur lettre) love and kisses (from)

bis² [bis] adv: **12 ~** 12a ou A ▶ excl, nm encore

biscotte [biskɔt] nf toasted bread (sold in packets)

biscuit [biskɥi] nm biscuit (BRIT), cookie (US)

bise [biz] nf voir **bis²**

bisexuel, le [bisɛksɥɛl] adj bisexual

bisou [bizu] nm (fam) kiss

bissextile [bisɛkstil] adj: **année ~** leap year

bistro(t) [bistʀo] nm bistro, café

bitume [bitym] nm asphalt

bizarre [bizaʀ] adj strange, odd

blague [blag] nf (propos) joke; (farce) trick; **sans ~!** no kidding! • **blaguer** /1/ vi to joke

blaireau, x [blɛʀo] nm (Zool) badger; (brosse) shaving brush

blâme [blɑm] nm blame; (sanction) reprimand • **blâmer** /1/ vt to blame

blanc, blanche [blɑ̃, blɑ̃ʃ] adj white; (non imprimé) blank ▶ nm/f white, white man/woman ▶ nm (couleur) white; (espace non écrit) blank; (aussi: **~ d'œuf**) (egg-)white; (aussi: **~ de poulet**) breast, white meat; (aussi: **vin ~**) white wine ▶ nf (Mus) minim, half-note (US); **chèque en ~** blank cheque; **à ~** (chauffer) white-hot; (tirer, charger) with blanks; **~ cassé** off-white • **blancheur** nf whiteness

blanchiment [blɑ̃ʃimɑ̃] nm: **le ~ d'argent sale/de capitaux** money laundering

blanchir [blɑ̃ʃiʀ] /2/ vt (gén) to whiten; (linge) to launder; (Culin) to blanch; (fig: disculper) to clear ▶ vi (cheveux) to go white • **blanchisserie** nf laundry

blason [blazɔ̃] nm coat of arms

blasphème [blasfɛm] nm blasphemy

blazer [blazɛʀ] nm blazer

blé [ble] nm wheat

bled [blɛd] nm (péj) hole

blême [blɛm] adj pale

blessé, e [blese] adj injured ▶ nm/f injured person, casualty

blesser [blese] /1/ vt to injure; (délibérément) to wound; (offenser) to hurt; **se blesser** to injure o.s.; **se ~ au pied** etc to injure one's foot etc • **blessure** nf (accidentelle) injury; (intentionnelle) wound

bleu, e [blø] *adj* blue; *(bifteck)* very rare ▸ *nm (couleur)* blue; *(contusion)* bruise; *(vêtement: aussi:* **~s)** overalls *pl*; **fromage ~** blue cheese; **~ marine/nuit/roi** navy/midnight/royal blue • **bleuet** *nm* cornflower

bloc [blɔk] *nm (de pierre etc)* block; *(de papier à lettres)* pad; *(ensemble)* group, block; **serré à ~** tightened right down; **en ~** as a whole; **~ opératoire** operating *ou* theatre block • **blocage** *nm (des prix)* freezing; *(Psych)* hang-up • **bloc-notes** *nm* note pad

blog [blɔg] *nm* blog • **blogosphère** *nf* blogosphere • **bloguer** /1/ *vi* to blog

blond, e [blɔ̃, -ɔ̃d] *adj* fair; blond; *(sable, blés)* golden

bloquer [blɔke] /1/ *vt (passage)* to block; *(pièce mobile)* to jam; *(crédits, compte)* to freeze

blottir [blɔtiʀ] /2/: **se blottir** *vi* to huddle up

blouse [bluz] *nf* overall

blouson [bluzɔ̃] *nm* blouson (jacket); **~ noir** *(fig)* ≈ rocker

bluff [blœf] *nm* bluff

bobine [bɔbin] *nf* reel; *(Élec)* coil

bobo [bɔbo] *sigle m/f (= bourgeois bohème)* boho • **boboïser** /1/: **se boboïser** *vi (quartier, ville)* to become more boho

bocal, -aux [bɔkal, -o] *nm* jar

bock [bɔk] *nm* glass of beer

bœuf *(pl* **bœufs)** [bœf, bø] *nm* ox; *(Culin)* beef

bof [bɔf] *excl (fam: indifférence)* don't care!; *(pas terrible)* nothing special

bohémien, ne [bɔemjɛ̃, -ɛn] *nm/f* gipsy

boire [bwaʀ] /53/ *vt* to drink; *(s'imprégner de)* to soak up; **~ un coup** to have a drink

bois [bwa] *nm* wood; **de ~, en ~** wooden • **boisé, e** *adj* woody, wooded

boisson [bwasɔ̃] *nf* drink

boîte [bwat] *nf* box; *(fam: entreprise)* firm; **aliments en ~** canned *ou* tinned (BRIT) foods; **~ à gants** glove compartment; **~ à ordures** dustbin (BRIT), trash can (US); **~ aux lettres** letter box; **~ d'allumettes** box of matches; *(vide)* matchbox; **~ de conserve** can *ou* tin (BRIT) (of food); **~ de nuit** night club; **~ de vitesses** gear box; **~ postale (BP)** PO box; **~ vocale** voice mail

boiter [bwate] /1/ *vi* to limp; *(fig: raisonnement)* to be shaky

boîtier [bwatje] *nm* case

boive *etc* [bwav] *vb voir* **boire**

bol [bɔl] *nm* bowl; **un ~ d'air** a breath of fresh air; **en avoir ras le ~** *(fam)* to have had a bellyful; **avoir du ~** *(fam)* to be lucky

bolos, bolosse, bolos [bɔlɔs] *(péj, fam) adj* lame ▸ *nm/f* loser

bombarder [bɔ̃baʀde] /1/ *vt* to bomb; **~ qn de** *(cailloux, lettres)* to bombard sb with

bombe [bɔ̃b] *nf* bomb; *(atomiseur)* (aerosol) spray

---

bon, bonne [bɔ̃, bɔn]

▸ *adj* **1** *(agréable, satisfaisant)* good; **un bon repas/restaurant** a good meal/restaurant; **être bon en maths** to be good at maths
2 *(charitable)*: **être bon (envers)** to be good (to)
3 *(correct)* right; **le bon**

numéro/moment the right number/moment

4 (*souhaits*): **bon anniversaire!** happy birthday!; **bon courage!** good luck!; **bon séjour!** enjoy your stay!; **bon voyage!** have a good trip!; **bonne année!** happy New Year!; **bonne chance!** good luck!; **bonne fête!** happy holiday!; **bonne nuit!** good night!

5 (*approprié*): **bon à/pour** fit to/for; **à quoi bon (...)?** what's the point *ou* use (of ...)?

6: **bon enfant** *adj inv* accommodating, easy-going; **bon marché** cheap; **bon mot** witticism; **bon sens** common sense; **bon vivant** jovial chap; **bonne femme** (*péj*) woman; **de bonne heure** early; **bonnes œuvres** charitable works, charities

▸ *nm* 1 (*billet*) voucher; (*aussi*: **bon cadeau**) gift voucher; **bon d'essence** petrol coupon; **bon du Trésor** Treasury bond

2: **avoir du bon** to have its good points; **pour de bon** for good

▸ *adv*: **il fait bon** it's *ou* the weather is fine; **sentir bon** to smell good; **tenir bon** to stand firm

▸ *excl* good!; **ah bon?** really?; **bon, je reste** right, I'll stay; *voir aussi* **bonne**

bonbon [bɔ̃bɔ̃] *nm* (boiled) sweet

bond [bɔ̃] *nm* leap; **faire un ~** to leap in the air

bondé, e [bɔ̃de] *adj* packed (full)

bondir [bɔ̃diʁ] /2/ *vi* to leap

bonheur [bɔnœʁ] *nm* happiness; **porter ~ (à qn)** to bring (sb) luck;

au petit ~ haphazardly; **par ~** fortunately

bonhomme [bɔnɔm] (*pl* **bonshommes**) *nm* fellow; **~ de neige** snowman

bonjour [bɔ̃ʒuʁ] *excl, nm* hello; (*selon l'heure*) good morning (*ou* afternoon); **c'est simple comme ~!** it's easy as pie!

bonne [bɔn] *adj f voir* **bon** ▸ *nf* (*domestique*) maid

bonnet [bɔnɛ] *nm* hat; (*de soutien-gorge*) cup; **~ de bain** bathing cap

bonsoir [bɔ̃swaʁ] *excl* good evening

bonté [bɔ̃te] *nf* kindness *no pl*

bonus [bɔnys] *nm* (*Assurances*) no-claims bonus; (*de DVD*) extras *pl*

bord [bɔʁ] *nm* (*de table, verre, falaise*) edge; (*de rivière, lac*) bank; (*de route*) side; **(monter) à ~** (to go) on board; **jeter par-dessus ~** to throw overboard; **le commandant de ~/les hommes du ~** the master's master/crew; **au ~ de la mer/route** at the seaside/roadside; **être au ~ des larmes** to be on the verge of tears

bordeaux [bɔʁdo] *nm* Bordeaux ▸ *adj inv* maroon

bordel [bɔʁdɛl] *nm* brothel; (*fam!*) bloody (*BRIT*) *ou* goddamn (*US*) mess (!)

border [bɔʁde] /1/ *vt* (*être le long de*) to line, border; (*qn dans son lit*) to tuck up; **~ qch de** (*garnir*) to trim sth with

bordure [bɔʁdyʁ] *nf* border; **en ~ de** on the edge of

borne [bɔʁn] *nf* boundary stone; (*aussi*: **~ kilométrique**) kilometre-marker; ≈ milestone; **bornes** *nfpl* (fig) limits; **dépasser les ~s** to go too far

borné, e [bɔʁne] adj (personne) narrow-minded

borner [bɔʁne] /1/ vt: **se ~ à faire** (se contenter de) to content o.s. with doing; (se limiter à) to limit o.s. to doing

bosniaque [bɔznjak] adj Bosnian ▶ nm/f: **B~** Bosniak

Bosnie-Herzégovine [bɔsniɛʁzegɔvin] nf Bosnia-Herzegovina

bosquet [bɔske] nm grove

bosse [bos] nf (de terrain etc) bump; (enflure) lump; (du bossu, du chameau) hump; **avoir la ~ des maths** etc (fam) to have a gift for maths etc; **il a roulé sa ~** (fam) he's been around

bosser [bose] /1/ vi (fam) to work; (: dur) to slave (away)

bossu, e [bɔsy] nm/f hunchback

botanique [bɔtanik] nf botany ▶ adj botanic(al)

botte [bɔt] nf (soulier) (high) boot; (gerbe): **~ de paille** bundle of straw; **~ de radis/d'asperges** bunch of radishes/asparagus; **~s de caoutchouc** wellington boots

bottine [bɔtin] nf ankle boot

bouc [buk] nm goat; (barbe) goatee; **~ émissaire** scapegoat

boucan [bukɑ̃] nm din, racket

bouche [buʃ] nf mouth; **faire du bouche-à-~ à qn** to give sb the kiss of life (BRIT), give sb mouth-to-mouth resuscitation; **rester ~ bée** to stand open-mouthed; **~ d'égout** manhole; **~ d'incendie** fire hydrant; **~ de métro** métro entrance

bouché, e [buʃe] adj (flacon etc) stoppered; (temps, ciel) overcast;

(péj: personne) thick; **avoir le nez ~** to have a blocked(-up) nose; **c'est un secteur ~** there's no future in that area; **l'évier est ~** the sink's blocked

bouchée [buʃe] nf mouthful; **~s à la reine** chicken vol-au-vents

boucher [buʃe] /1/ nm butcher ▶ vt (pour colmater) to stop up; (trou) to fill up; (obstruer) to block (up); **se boucher** vi (tuyau etc) to block up, get blocked up; **j'ai le nez bouché** my nose is blocked; **se ~ le nez** to hold one's nose

bouchère [buʃɛʁ] nf butcher

boucherie nf butcher's (shop); (fig) slaughter

bouchon [buʃɔ̃] nm (en liège) cork; (autre matière) stopper; (de tube) top; (fig: embouteillage) holdup; (Pêche) float

boucle [bukl] nf (forme, figure) loop; (objet) buckle; **~ (de cheveux)** curl; **~ d'oreille** earring

bouclé, e [bukle] adj (cheveux) curly

boucler [bukle] /1/ vt (fermer: ceinture etc) to fasten; (terminer) to finish off; (enfermer) to shut away; (quartier) to seal off ▶ vi to curl

bouder [bude] /1/ vi to sulk ▶ vt (personne) to refuse to have anything to do with

boudin [budɛ̃] nm: **~ (noir)** black pudding; **~ blanc** white pudding

boue [bu] nf mud

bouée [bwe] nf buoy; **~ (de sauvetage)** lifebuoy

boueux, -euse [bwø, -øz] adj muddy

bouffe [buf] nf (fam) grub, food

bouffée [bufe] nf (de cigarette) puff; **~ d'air pur** a breath of fresh air; **~ de chaleur** hot flush (BRIT) ou flash (US)

bouffer [bufe] /1/ vi (fam) to eat

bouffi, e [bufi] adj swollen

bouger [buʒe] /3/ vi to move; (dent etc) to be loose; (s'activer) to get moving ▶ vt to move; **les prix/les couleurs n'ont pas bougé** prices/colours haven't changed

bougie [buʒi] nf candle; (Auto) spark(ing) plug

bouillabaisse [bujabɛs] nf type of fish soup

bouillant, e [bujɑ̃, -ɑ̃t] adj (qui bout) boiling; (très chaud) boiling (hot)

bouillie [buji] nf (de bébé) cereal; **en ~** (fig) crushed

bouillir [bujiʀ] /15/ vi to boil ▶ vt to boil; **~ de colère** etc to seethe with anger etc

bouilloire [bujwaʀ] nf kettle

bouillon [bujɔ̃] nm (Culin) stock no pl • **bouillonner** /1/ vi to bubble; (fig: idées) to bubble up

bouillotte [bujɔt] nf hot-water bottle

boulanger, -ère [bulɑ̃ʒe, -ɛʀ] nm/f baker • **boulangerie** nf bakery

boule [bul] nf (gén) ball; (de pétanque) bowl; **~ de neige** snowball

boulette [bulɛt] nf (de viande) meatball

boulevard [bulvaʀ] nm boulevard

bouleversement [bulvɛʀsəmɑ̃] nm upheaval

bouleverser [bulvɛʀse] /1/ vt (émouvoir) to overwhelm; (causer du chagrin à) to distress; (pays, vie) to disrupt; (papiers, objets) to turn upside down

boulimie [bulimi] nf bulimia

boulimique [bulimik] adj bulimic

boulon [bulɔ̃] nm bolt

boulot¹ [bulo] nm (fam: travail) work

boulot², te [bulo, -ɔt] adj plump, tubby

boum [bum] nm bang ▶ nf (fam) party

bouquet [bukɛ] nm (de fleurs) bunch (of flowers), bouquet; (de persil etc) bunch; **c'est le ~!** that's the last straw!

bouquin [bukɛ̃] nm (fam) book • **bouquiner** /1/ vi (fam) to read

bourdon [buʀdɔ̃] nm bumblebee

bourg [buʀ] nm small market town (ou village)

bourgeois, e [buʀʒwa, -waz] adj ≈ (upper) middle class • **bourgeoisie** nf ≈ upper middle classes pl

bourgeon [buʀʒɔ̃] nm bud

Bourgogne [buʀgɔɲ] nf: **la ~** Burgundy ▶ nm: **b~** Burgundy (wine)

bourguignon, ne [buʀgiɲɔ̃, -ɔn] adj of ou from Burgundy, Burgundian

bourrasque [buʀask] nf squall

bourratif, -ive [buʀatif, -iv] (fam) adj filling, stodgy

bourré, e [buʀe] adj (rempli): **~ de** crammed full of; (fam: ivre) pickled, plastered

bourrer [buʀe] /1/ vt (pipe) to fill; (poêle) to pack; (valise) to cram (full)

bourru, e [buʀy] adj surly, gruff

bourse [buʀs] nf (subvention) grant; (porte-monnaie) purse; **la B~** the Stock Exchange

bous [bu] *vb voir* **bouillir**

bousculade [buskylad] *nf* (*hâte*) rush; (*poussée*) crush • **bousculer** /1/ *vt* (*heurter*) to knock into; (*fig*) to push, rush

boussole [busɔl] *nf* compass

bout [bu] *vb voir* **bouillir** ▶ *nm* bit; (*d'un bâton etc*) tip; (*d'une ficelle, table, rue, période*) end; **au ~ de** at the end of, after; **pousser qn à ~** to push sb to the limit (of his patience); **venir à ~ de** to manage to finish (off) *ou* overcome; **à ~ portant** at point-blank range

bouteille [butɛj] *nf* bottle; (*de gaz butane*) cylinder

boutique [butik] *nf* shop

bouton [butɔ̃] *nm* button; (*Bot*) bud; (*sur la peau*) spot • **boutonner** /1/ *vt* to button up • **boutonnière** *nf* buttonhole • **bouton-pression** *nm* press stud

bovin, e [bɔvɛ̃, -in] *adj* bovine ▶ *nm*: **~s** cattle *pl*

bowling [boliŋ] *nm* (*tenpin*) bowling; (*salle*) bowling alley

boxe [bɔks] *nf* boxing

BP *sigle f* = **boîte postale**

bracelet [brasle] *nm* bracelet

braconnier [brakɔnje] *nm* poacher

brader [brade] /1/ *vt* to sell off • **braderie** *nf* cut-price (BRIT) *ou* cut-rate (US) stall

braguette [bragɛt] *nf* fly, flies *pl* (BRIT), zipper (US)

braise [brez] *nf* embers *pl*

brancard [brɑ̃kar] *nm* (*civière*) stretcher • **brancardier** *nm* stretcher-bearer

branche [brɑ̃ʃ] *nf* branch

branché, e [brɑ̃ʃe] *adj* (*fam*) trendy

brancher [brɑ̃ʃe] /1/ *vt* to connect (up); (*en mettant la prise*) to plug in

brandir [brɑ̃dir] /2/ *vt* to brandish

braquer [brake] /1/ *vi* (*Auto*) to turn (the wheel) ▶ *vt* (*revolver etc*): **~ qch sur** to aim sth at, point sth at; (*mettre en colère*): **~ qn** to antagonize sb

bras [bra] *nm* arm; **~ dessus ~ dessous** arm in arm; **se retrouver avec qch sur les ~** (*fam*) to be landed with sth; **~ droit** (*fig*) right hand man

brassard [brasar] *nm* armband

brasse [bras] *nf* (*nage*) breast-stroke; **~ papillon** butterfly(-stroke)

brassée [brase] *nf* armful

brasser [brase] /1/ *vt* to mix; **~ l'argent/les affaires** to handle a lot of money/business

brasserie [brasri] *nf* (*restaurant*) bar (*selling food*); (*usine*) brewery

brave [brav] *adj* (*courageux*) brave; (*bon, gentil*) good, kind

braver [brave] /1/ *vt* to defy

bravo [bravo] *excl* bravo! ▶ *nm* cheer

bravoure [bravur] *nf* bravery

break [brɛk] *nm* (*Auto*) estate car

brebis [brəbi] *nf* ewe; **~ galeuse** black sheep

bredouiller [brəduje] /1/ *vi*, *vt* to mumble, stammer

bref, brève [brɛf, brɛv] *adj* short, brief ▶ *adv* in short; **d'un ton ~** sharply, curtly; **en ~** in short, in brief

Brésil [brezil] *nm*: **le ~** Brazil

Bretagne [brətaɲ] *nf*: **la ~** Brittany

bretelle [bʁətɛl] nf (de vêtement)
strap; (d'autoroute) slip road (BRIT),
entrance ou exit ramp (US);
bretelles nfpl (pour pantalon)
braces (BRIT), suspenders (US)

breton, ne [bʁətɔ̃, -ɔn] adj
Breton ▶ nm/f: **B~, ne** Breton

brève [bʁɛv] adj f voir **bref**

brevet [bʁəvɛ] nm diploma,
certificate; **~ (des collèges)**
school certificate, taken at approx. 16
years; **~ (d'invention)** patent
• **breveté, e** (d'invention) patented

bricolage [bʁikɔlaʒ] nm: **le ~**
do-it-yourself (jobs)

bricoler [bʁikɔle] /1/ vi (en
amateur) to do DIY jobs;
(passe-temps) to potter about ▶ vt
(réparer) to fix up • **bricoleur,
-euse** nm/f handyman/woman,
DIY enthusiast

bridge [bʁidʒ] nm (Cartes)
bridge

brièvement [bʁijɛvmɑ̃] adv
briefly

brigade [bʁigad] nf (Police)
squad; (Mil) brigade • **brigadier**
nm ≈ sergeant

brillamment [bʁijamɑ̃] adv
brilliantly

brillant, e [bʁijɑ̃, -ɑ̃t] adj
(remarquable) bright; (luisant)
shiny, shining

briller [bʁije] /1/ vi to shine

brin [bʁɛ̃] nm (de laine, ficelle etc)
strand; (fig): **un ~ de** a bit of

brindille [bʁɛ̃dij] nf twig

brioche [bʁijɔʃ] nf brioche (bun);
(fam: ventre) paunch

brique [bʁik] nf brick; (de lait)
carton

briquet [bʁikɛ] nm (cigarette)
lighter

brise [bʁiz] nf breeze

briser [bʁize] /1/ vt to break; **se
briser** vi to break

britannique [bʁitanik] adj
British ▶ nm/f: **B~** Briton, British
person; **les B~s** the British

brocante [bʁɔkɑ̃t] nf (objets)
secondhand goods pl, junk
• **brocanteur, -euse** nm/f junk
shop owner; junk dealer

broche [bʁɔʃ] nf brooch; (Culin)
spit; (Méd) pin; **à la ~** spit-roasted

broché, e [bʁɔʃe] adj (livre)
paper-backed

brochet [bʁɔʃɛ] nm pike inv

brochette [bʁɔʃɛt] nf (ustensile)
skewer; (plat) kebab

brochure [bʁɔʃyʁ] nf pamphlet,
brochure, booklet

broder [bʁɔde] /1/ vt to
embroider ▶ vi: **~ (sur des faits
ou une histoire)** to embroider the
facts • **broderie** nf embroidery

bronches [bʁɔ̃ʃ] nfpl bronchial
tubes • **bronchite** nf bronchitis

bronze [bʁɔ̃z] nm bronze

bronzer [bʁɔ̃ze] /1/ vi to get a
tan; **se bronzer** to sunbathe

brosse [bʁɔs] nf brush; **coiffé
en ~** with a crewcut; **~ à cheveux**
hairbrush; **~ à dents** toothbrush;
~ à habits clothesbrush
• **brosser** /1/ vt (nettoyer) to
brush; (fig: tableau etc) to paint;
se brosser les dents to brush
one's teeth

brouette [bʁuɛt] nf
wheelbarrow

brouillard [bʁujaʁ] nm fog

brouiller [bʁuje] /1/ vt (œufs,
message) to scramble; (idées) to
mix up; (rendre trouble) to cloud;
(désunir: amis) to set at odds; **se
brouiller** vi (ciel, vue) to cloud
over; **se ~ (avec)** to fall out (with)

brouillon, ne [bʀujɔ̃, -ɔn] *adj* (*sans soin*) untidy; (*qui manque d'organisation*) disorganized ▸ **b** (first) draft; **(papier)** ~ rough paper

broussailles [bʀusaj] *nfpl* undergrowth *sg* • **broussailleux, -euse** *adj* bushy

brousse [bʀus] *nf*: **la** ~ the bush

brouter [bʀute] /1/ *vi* to graze

brugnon [bʀyɲɔ̃] *nm* nectarine

bruiner [bʀɥine] /1/ *vi* impers: **il bruine** it's drizzling, there's a drizzle

bruit [bʀɥi] *nm*: **un** ~ a noise, a sound; (*fig: rumeur*) a rumour; **le** ~ noise; **sans** ~ without a sound, noiselessly; ~ **de fond** background noise

brûlant, e [bʀylɑ̃, -ɑ̃t] *adj* burning (hot); (*liquide*) boiling (hot)

brûlé, e [bʀyle] *adj* (*fig: démasqué*) blown ▸ *nm*: **odeur de** ~ smell of burning

brûler [bʀyle] /1/ *vt* to burn; (*eau bouillante*) to scald; (*consommer: électricité, essence*) to use; (*: feu rouge, signal*) to go through (without stopping) ▸ *vi* to burn; **se brûler** to burn o.s.; (*s'ébouillanter*) to scald o.s.; **tu brûles** (*jeu*) you're getting warm *ou* hot

brûlure [bʀylyʀ] *nf* (*lésion*) burn; ~**s d'estomac** heartburn *sg*

brume [bʀym] *nf* mist

brumeux, -euse [bʀymø, -øz] *adj* misty

brun, e [bʀœ̃, -yn] *adj* (*gén, bière*) brown; (*cheveux, personne, tabac*) dark; **elle est ~e** she's got dark hair

brunch [bʀœntʃ] *nm* brunch

brushing [bʀœʃiŋ] *nm* blow-dry

brusque [bʀysk] *adj* abrupt

brut, e [bʀyt] *adj* (*diamant*) uncut; (*soie, minéral*) raw; (*Comm*) gross; **(pétrole)** ~ crude (oil)

brutal, e, -aux [bʀytal, -o] *adj* brutal

Bruxelles [bʀysɛl] *n* Brussels

bruyamment [bʀɥijamɑ̃] *adv* noisily

bruyant, e [bʀɥijɑ̃, -ɑ̃t] *adj* noisy

bruyère [bʀɥijɛʀ] *nf* heather

BTS *sigle m* (= *Brevet de technicien supérieur*) vocational training certificate taken at end of second year higher education course

bu, e [by] *pp de* **boire**

buccal, e, -aux [bykal, -o] *adj*: **par voie ~e** orally

bûche [byʃ] *nf* log; **prendre une** ~ (*fig*) to come a cropper (BRIT), fall flat on one's face; ~ **de Noël** Yule log

bûcher [byʃe] /1/ *nm* (*funéraire*) pyre; (*supplice*) stake ▸ *vi* (*fam*) to swot, slave (away) ▸ *vt* to swot up, slave away at

budget [bydʒɛ] *nm* budget

buée [bɥe] *nf* (*sur une vitre*) mist

buffet [byfɛ] *nm* (*meuble*) sideboard; (*de réception*) buffet; ~ **(de gare)** (station) buffet, snack bar

buis [bɥi] *nm* box tree; (*bois*) box(wood)

buisson [bɥisɔ̃] *nm* bush

bulbe [bylb] *nm* (*Bot, Anat*) bulb

Bulgarie [bylgaʀi] *nf*: **la** ~ Bulgaria

bulle [byl] *nf* bubble

bulletin [byltɛ̃] *nm* (*communiqué, journal*) bulletin; (*Scol*) report; ~ **d'informations** news bulletin;

~ (de vote) ballot paper; **~ météorologique** weather report

bureau, x [byʀo] *nm* (*meuble*) desk; (*pièce, service*) office; **~ de change** (foreign) exchange office *ou* bureau; **~ de poste** post office; **~ de tabac** tobacconist's (shop) • **bureaucratie** [byʀokʀasi] *nf* bureaucracy

bus¹ *vb* [by] *voir* **boire**

bus² *nm* [bys] (*véhicule*) bus

buste [byst] *nm* (*Anat*) chest; (: *de femme*) bust

but [by] *vb voir* **boire** ▶ *nm* (*cible*) target; (*fig*) goal, aim; (*Football etc*) goal; **~ en blanc** point-blank; **avoir pour ~ de faire** to aim to do; **dans le ~ de** with the intention of

butane [bytan] *nm* butane; (*domestique*) calor gas® (BRIT), butane

butiner [bytine] /1/ *vi* (*abeilles*) to gather nectar

buvais *etc* [byvɛ] *vb voir* **boire**

buvard [byvaʀ] *nm* blotter

buvette [byvɛt] *nf* bar

C

c' [s] *pron voir* **ce**

ça [sa] *pron* (*pour désigner*) this; (: *plus loin*) that; (*comme sujet indéfini*) it; **ça m'étonne que** it surprises me that; **ça va?** how are you?; how are things?; (*d'accord?*) OK?, all right?; **où ça?** where's that?; **pourquoi ça?** why's that?; **qui ça?** who's that?; **ça alors!** (*désapprobation*) welll, really!; **c'est ça** that's right; **ça y est** that's it

cabane [kaban] *nf* hut, cabin

cabaret [kabaʀɛ] *nm* night club

cabillaud [kabijo] *nm* cod *inv*

cabine [kabin] *nf* (*de bateau*) cabin; (*de piscine etc*) cubicle; (*de camion, train*) cab; (*d'avion*) cockpit; **~ d'essayage** fitting room; **~ (téléphonique)** call *ou* (tele)phone box

cabinet [kabinɛ] *nm* (*petite pièce*) closet; (*de médecin*) surgery (BRIT), office (US); (*de notaire etc*) office; (: *clientèle*) practice; (*Pol*) cabinet; **cabinets** *nmpl* (w.-c.) toilet *sg*; **~ de toilette** toilet

câble [kabl] *nm* cable; **le ~** (TV) cable television, cablevision (US)

cacahuète [kakaɥɛt] nf peanut

cacao [kakao] nm cocoa

cache [kaʃ] nm mask, card (for masking)

cache-cache [kaʃkaʃ] nm: **jouer à ~** to play hide-and-seek

cachemire [kaʃmiʀ] nm cashmere

cacher [kaʃe] /1/ vt to hide, conceal; **~ qch à qn** to hide ou conceal sth from sb; **se ~** (volontairement) to hide; (être caché) to be hidden ou concealed

cachet [kaʃɛ] nm (comprimé) tablet; (de la poste) postmark; (rétribution) fee; (fig) style, character

cachette [kaʃɛt] nf hiding place; **en ~** on the sly, secretly

cactus [kaktys] nm cactus

cadavre [kadavʀ] nm corpse, (dead) body

Caddie® [kadi] nm (supermarket) trolley (BRIT), (grocery) cart (US)

cadeau, x [kado] nm present, gift; **faire un ~ à qn** to give sb a present ou gift; **faire ~ de qch à qn** to make a present of sth to sb, give sb sth as a present

cadenas [kadna] nm padlock

cadet, te [kadɛ, -ɛt] adj younger; (le plus jeune) youngest ▶ nm/f youngest child ou one

cadran [kadʀɑ̃] nm dial; **~ solaire** sundial

cadre [kadʀ] nm frame; (environnement) surroundings pl ▶ nm/f (Admin) managerial employee, executive; **dans le ~ de** (fig) within the framework ou context of

cafard [kafaʀ] nm cockroach; **avoir le ~** to be down in the dumps

café [kafe] nm coffee; (bistro) café ▶ adj inv coffee cpd; **~ au lait** white coffee; **~ noir** black coffee • **café-tabac** nm tobacconist's or newsagent's also serving coffee and spirits • **cafétéria** [kafeteʀja] nf cafeteria • **cafetière** nf (pot) coffee-pot

cage [kaʒ] nf cage; **~ d'escalier** (stair)well; **~ thoracique** rib cage

cageot [kaʒo] nm crate

cagoule [kagul] nf (passe-montagne) balaclava

cahier [kaje] nm notebook; **~ de brouillons** rough book, jotter; **~ d'exercices** exercise book

caille [kaj] nf quail

caillou, x [kaju] nm (little) stone • **caillouteux, -euse** adj stony

Caire [kɛʀ] nm: **le ~** Cairo

caisse [kɛs] nf box; (où l'on met la recette) till; (où l'on paye) cash desk (BRIT), checkout counter; (: au supermarché) checkout; (de banque) cashier's desk; **~ enregistreuse** cash register; **~ d'épargne (CE)** savings bank; **~ de retraite** pension fund • **caissier, -ière** nm/f cashier

cake [kɛk] nm fruit cake

calandre [kalɑ̃dʀ] nf radiator grill

calcaire [kalkɛʀ] nm limestone ▶ adj (eau) hard; (Géo) limestone cpd

calcul [kalkyl] nm calculation; **le ~** (Scol) arithmetic; **~ (biliaire)** (gall)stone • **calculateur** nm • **calculatrice** nf calculator • **calculer** /1/ vt to calculate, work out • **calculette** nf (pocket) calculator

cale [kal] nf (de bateau) hold; (en bois) wedge

calé, e [kale] *(fam)* clever, bright

caleçon [kalsɔ̃] *nm (d'homme)* boxer shorts; *(de femme)* leggings

calendrier [kalɑ̃dʀije] *nm* calendar; *(fig)* timetable

calepin [kalpɛ̃] *nm* notebook

caler [kale] */1/ vt* to wedge ▶ *vi (moteur, véhicule)* to stall

calibre [kalibʀ] *nm* calibre

câlin, e [kalɛ̃, -in] *adj* cuddly, cuddlesome; *(regard, voix)* tender

calmant [kalmɑ̃] *nm* tranquillizer, sedative; *(contre la douleur)* painkiller

calme [kalm] *adj* calm, quiet ▶ *nm* calm(-ness), quietness; **sans perdre son** — without losing one's cool *ou* calmness • **calmer** */1/ vt* to calm (down); *(douleur, inquiétude)* to ease, soothe; **se calmer** *vi* to calm down

calorie [kalɔʀi] *nf* calorie

camarade [kamaʀad] *nm/f* friend, pal; *(Pol)* comrade

Cambodge [kɑ̃bɔdʒ] *nm*: **le** — Cambodia

cambriolage [kɑ̃bʀijɔlaʒ] *nm* burglary • **cambrioler** */1/ vt* to burgle *(BRIT)*, burglarize *(US)* • **cambrioleur, -euse** *nm/f* burglar

camelote [kamlɔt] *(fam) nf* rubbish, trash, junk

caméra [kameʀa] *nf (Ciné, TV)* camera; *(d'amateur)* cine-camera

Cameroun [kamʀun] *nm*: **le** — Cameroon

caméscope® [kameskɔp] *nm* camcorder

camion [kamjɔ̃] *nm* lorry *(BRIT)*, truck; **~ de dépannage** breakdown *(BRIT) ou* tow *(US)* truck • **camionnette** *nf (small)*

van • **camionneur** *nm (entrepreneur)* haulage contractor *(BRIT)*, trucker *(US)*; *(chauffeur)* lorry *(BRIT) ou* truck driver

camomille [kamɔmij] *nf* camomile; *(boisson)* camomile tea

camp [kɑ̃] *nm* camp; *(fig)* side

campagnard, e [kɑ̃paɲaʀ, -aʀd] *adj* country cpd

campagne [kɑ̃paɲ] *nf* country, countryside; *(Mil, Pol, Comm)* campaign; **à la** — in/to the country

camper [kɑ̃pe] */1/ vi* to camp ▶ *vt* to sketch; **se** — **devant** to plant o.s. in front of • **campeur, -euse** *nm/f* camper

camping [kɑ̃piŋ] *nm* camping; **(terrain de)** ~ campsite, camping site; **faire du** ~ to go camping • **camping-car** *nm* camper, motorhome *(US)* • **camping-gaz®** *nm inv* camp(ing) stove

Canada [kanada] *nm*: **le** ~ Canada • **canadien, ne** *adj* Canadian ▶ *nm/f*: **Canadien, ne** Canadian ▶ *nf (veste)* fur-lined jacket

canal, -aux [kanal, -o] *nm* canal; *(naturel, TV)* channel • **canalisation** *nf (tuyau)* pipe

canapé [kanape] *nm* settee, sofa

canard [kanaʀ] *nm* duck; *(fam: journal)* rag

cancer [kɑ̃sɛʀ] *nm* cancer; *(signe)*: **le C~** Cancer

cancre [kɑ̃kʀ] *nm* dunce

candidat, e [kɑ̃dida, -at] *nm/f* candidate; *(à un poste)* applicant, candidate • **candidature** *nf (Pol)* candidature; *(à poste)* application; **poser sa candidature à un poste** to apply for a job

cane [kan] *nf (female)* duck

canette [kanεt] *nf* (*de bière*) (flip-top) bottle

canevas [kanva] *nm* (*Couture*) canvas (*for tapestry work*)

caniche [kaniʃ] *nm* poodle

canicule [kanikyl] *nf* scorching heat

canif [kanif] *nm* penknife, pocket knife

canne [kan] *nf* (walking) stick; **~ à pêche** fishing rod; **~ à sucre** sugar cane

cannelle [kanεl] *nf* cinnamon

canoë [kanɔe] *nm* canoe; (*sport*) canoeing; **~ (kayak)** kayak

canot [kano] *nm* ding(h)y; **~ pneumatique** rubber *ou* inflatable ding(h)y; **~ de sauvetage** lifeboat

cantatrice [kɑ̃tatris] *nf* (opera) singer

cantine [kɑ̃tin] *nf* canteen

canton [kɑ̃tɔ̃] *nm* district (consisting of several communes); (*en Suisse*) canton

caoutchouc [kautʃu] *nm* rubber; **~ mousse** foam rubber; **en ~** rubber *cpd*

CAP *sigle m* (= Certificat d'aptitude professionnelle) vocational training certificate taken at secondary school

cap [kap] *nm* (*Géo*) cape; (*promontoire*) headland; (*fig: tournant*) watershed; (*Navig*): **changer de ~** to change course; **mettre le ~ sur** to head for

capable [kapabl] *adj* able, capable; **~ de qch/faire** capable of sth/doing

capacité [kapasite] *nf* ability; (*Jur, Inform, d'un récipient*) capacity

cape [kap] *nf* cape, cloak; **rire sous ~** to laugh up one's sleeve

CAPES *sigle m* (= Certificat d'aptitude au professorat de l'enseignement du second degré) secondary teaching diploma

capitaine [kapitεn] *nm* captain

capital, e, -aux [kapital, -o] *adj* (œuvre) major; (question, rôle) fundamental ▶ *nm* capital; (fig) stock ▶ *nf* (ville) capital; (lettre) capital (letter); **d'une importance ~e** of capital importance; **capitaux** *nmpl* (fonds) capital *sg*; **~ (social)** authorized capital; **~ d'exploitation** working capital • **capitalisme** *nm* capitalism • **capitaliste** *adj, nm/f* capitalist

caporal, -aux [kapɔral, -o] *nm* lance corporal

capot [kapo] *nm* (*Auto*) bonnet (BRIT), hood (US)

câpre [kɑpr] *nf* caper

caprice [kapris] *nm* whim, caprice; **faire des ~s** to be temperamental • **capricieux, -euse** *adj* (fantasque) capricious; whimsical; (enfant) temperamental

Capricorne [kaprikɔrn] *nm*: **le ~** Capricorn

capsule [kapsyl] *nf* (de bouteille) cap; cap; (Bot etc, spatiale) capsule

capter [kapte] /1/ *vt* (ondes radio) to pick up; (fig) to win, capture

captivant, e [kaptivɑ̃, -ɑ̃t] *adj* captivating

capture [kaptyr] *nf* (action) capture; **~ d'écran** (Inform) screenshot

capturer [kaptyre] /1/ *vt* to capture

capuche [kapyʃ] *nf* hood

capuchon [kapyʃɔ̃] *nm* hood; (de stylo) cap, top

car [kar] *nm* coach (BRIT), bus ▶ *conj* because, for

carabine [karabin] nf rifle

caractère [karakter] nm (gén) character; **en ~s gras** in bold type; **en petits ~s** in small print; **en ~s d'imprimerie** in block capitals; **avoir bon/mauvais ~** to be good-/ill-natured ou tempered

caractériser [karakterize] /1/ vt to characterize; **se ~ par** to be characterized ou distinguished by

caractéristique [karakteristik] adj, nf characteristic

carafe [karaf] nf decanter; (pour eau, vin ordinaire) carafe

caraïbe [karaib] adj Caribbean; **les Caraïbes** nfpl the Caribbean (Islands)

carambolage [karãbɔlaʒ] nm multiple crash, pileup

caramel [karamɛl] nm (bonbon) caramel, toffee; (substance) caramel

caravane [karavan] nf caravan • **caravaning** nm caravanning

carbone [karbɔn] nm carbon; (double) carbon (copy)

carbonique [karbɔnik] adj: **gaz ~** carbon dioxide; **neige ~** dry ice

carbonisé, e [karbɔnize] adj charred

carburant [karbyrã] nm (motor) fuel

carburateur [karbyratœr] nm carburettor

cardiaque [kardjak] adj cardiac, heart cpd ▶ nm/f heart patient; **être ~** to have a heart condition

cardigan [kardigã] nm cardigan

cardiologue [kardjɔlɔg] nm/f cardiologist, heart specialist

Carême [karɛm] nm: **le ~** Lent

carence [karãs] nf (manque) deficiency

caresse [karɛs] nf caress

caresser [karese] /1/ vt to caress; (animal) to stroke

cargaison [kargɛzõ] nf cargo, freight

cargo [kargo] nm freighter

caricature [karikatyr] nf caricature

carie [kari] nf: **la ~ (dentaire)** tooth decay; **une ~** a bad tooth

carnaval [karnaval] nm carnival

carnet [karnɛ] nm (calepin) notebook; (de tickets, timbres etc) book; **~ de chèques** cheque book

carotte [karɔt] nf carrot

carré, e [kare] adj square; (fig: franc) straightforward ▶ nm (Math) square; **kilomètre ~** square kilometre

carreau, x [karo] nm (en faïence etc) (floor) tile; (au mur) (wall) tile; (de fenêtre) (window) pane; (motif) check, square; (Cartes: couleur) diamonds pl; **tissu à ~x** checked fabric

carrefour [karfur] nm crossroads sg

carrelage [karlaʒ] nm (sol) (tiled) floor

carrelet [karlɛ] nm (poisson) plaice

carrément [karemã] adv (franchement) straight out, bluntly; (sans détours, sans hésiter) straight; (intensif) completely; **c'est ~ impossible** it's completely impossible

carrière [karjɛr] nf (de roches) quarry; (métier) career; **militaire de ~** professional soldier

carrosserie [karɔsri] nf body, bodywork no pl (BRIT)

carrure [karyr] nf build; (fig) calibre

cartable [kartabl] *nm* satchel, (school)bag

carte [kart] *nf* (*de géographie*) map; (*marine, du ciel*) chart; (*de fichier, d'abonnement etc, à jouer*) card; (*au restaurant*) menu; (*aussi*: ~ **postale**) (post)card; (*aussi*: ~ **de visite**) (visiting) card; **avoir/donner ~ blanche** to have/give sb a free hand; **à la ~** (*au restaurant*) à la carte; (*télévision*) on demand; ~ **à puce** smartcard; ~ **bancaire** cash card; **C~ Bleue®** debit card; ~ **de crédit** credit card; ~ **de fidélité** loyalty card; ~ **d'identité** identity card; **la ~ grise** (*Auto*) ≈ the (car) registration document; ~ **mémoire** (*d'appareil photo numérique*) memory card; ~ **routière** road map; ~ **de séjour** residence permit; ~ **SIM** SIM card; ~ **téléphonique** phonecard

carter [karter] *nm* sump

carton [kartɔ̃] *nm* (*matériau*) cardboard; (*boîte*) (cardboard) box; **faire un ~** to score a hit; ~ **(à dessin)** portfolio

cartouche [kartuʃ] *nf* cartridge; (*de cigarettes*) carton

cas [kɑ] *nm* case; **ne faire aucun ~ de** to take no notice of; **en aucun ~** on no account; **au ~ où** in case; **en ~ de** in case of, in the event of; **en ~ de besoin** if need be; **en tout ~** in any case, at any rate

cascade [kaskad] *nf* waterfall, cascade

case [kaz] *nf* (*hutte*) hut; (*compartiment*) compartment; (*sur un formulaire, de mots croisés*) box

caser [kaze] /1/ (*fam*) *vt* (*mettre*) to put; (*loger*) to put up; **se caser** *vi* (*se marier*) to settle down; (*trouver un emploi*) to find a (steady) job

caserne [kazɛrn] *nf* barracks

casier [kazje] *nm* (*case*) compartment; (*pour courrier*) pigeonhole; (: *à clef*) locker; ~ **judiciaire** police record

casino [kazino] *nm* casino

casque [kask] *nm* helmet; (*chez le coiffeur*) (hair-)dryer; (*pour audition*) (head-)phones *pl*, headset

casquette [kaskɛt] *nf* cap

casse-croûte [kaskrut] *nm inv* snack

casse-noisettes, casse-noix *nm inv* nutcrackers *pl*

casse-pieds *nm/f inv* (*fam*): **il est ~, c'est un** ~ he's a pain (in the neck)

casser [kɑse] /1/ *vt* to break; (*Jur*) to quash; **se casser** *vi*, *vt* to break; **se ~ la tête** (*fam*) to get on sb's nerves; **se ~ la tête** (*fam*) to go to a lot of trouble

casserole [kasrɔl] *nf* saucepan

casse-tête [kastɛt] *nm inv* (*difficultés*) headache (*fig*)

cassette [kasɛt] *nf* (*bande magnétique*) cassette; (*coffret*) casket

cassis [kasis] *nm* blackcurrant

cassoulet [kasulɛ] *nm* sausage and bean hotpot

catalogue [katalɔg] *nm* catalogue

catalytique [katalitik] *adj*: **pot ~** catalytic converter

catastrophe [katastrɔf] *nf* catastrophe, disaster

catéchisme [kateʃism] *nm* catechism

catégorie [kategɔri] *nf* category • **catégorique** *adj* categorical

cathédrale [katedral] *nf* cathedral

catholique [katɔlik] *adj, nm/f* (Roman) Catholic; **pas très ~** a bit shady *ou* fishy

cauchemar [koʃmaʀ] *nm* nightmare

cause [koz] *nf* cause; (Jur) lawsuit, case; **à ~ de** because of, owing to; **pour ~ de** on account of; **(et) pour ~** and for (a very) good reason; **être en ~** (*intérêts*) to be at stake; **remettre en ~** to challenge ▶ **causer** /1/ *vt* to cause ▶ *vi* to chat, talk

caution [kosjɔ̃] *nf* guarantee, security; (Jur) bail (bond); (*fig*) backing, support; **libéré sous ~** released on bail

cavalier, -ière [kavalje, -jɛʀ] *adj* (*désinvolte*) offhand ▶ *nm/f* rider; (*au bal*) partner ▶ *nm* (*Échecs*) knight

cave [kav] *nf* cellar • **caviste** *nm/f* wine merchant; (*dans un restaurant*) sommelier

caverne [kavɛʀn] *nf* cave

CD *sigle m* (= compact disc) CD

CDD *sigle m* (= contrat à durée déterminée) fixed-term contract

CDI *sigle m* (= centre de documentation et d'information) school library; (= contrat à durée indéterminée) permanent *ou* open-ended contract

CD-ROM [sedeʀɔm] *nm inv* CD-Rom

---

ce, cette [sə, sɛt]

(*devant nm* **cet** + *voyelle ou h aspiré*; *pl* **ces**)
▶ *adj dém* (*proximité*) this; these *pl*; (*non-proximité*) that; those *pl*; **cette maison-ci(-là)** this/that house; **cette nuit** (*qui vient*) tonight; (*passée*) last night

---

▶ *pron* 1: **c'est** it's, it is; **c'est un peintre** he *ou* she is a painter; **ce sont des peintres** they're *ou* they are painters; **c'est le facteur** *etc* (*à la porte*) it's the postman *etc*; **qui est-ce?** who is it?; (*en désignant*) who is he/she?; **qu'est-ce?** what is it?; **c'est toi qui lui as parlé** it was you who spoke to him

2: **c'est ça** (*correct*) that's right

3: **ce qui, ce que** what; **ce qui me plaît, c'est sa franchise** what I like about him *ou* her is his *ou* her frankness; **il est bête, ce qui me chagrine** he's stupid, which saddens me; **tout ce qui bouge** everything that *ou* which moves; **tout ce que je sais** all I know; **ce dont j'ai parlé** what I talked about; **ce que c'est grand!** it's so big!; *voir aussi* **c'est-à-dire**; **-ci**; **est-ce que**; **n'est-ce pas**

---

ceci [səsi] *pron* this

céder [sede] /6/ *vt* to give up ▶ *vi* (*pont, barrage*) to give way; (*personne*) to give in; **~ à** to yield to, give in to

cédérom [sedeʀɔm] *nm* CD-ROM

CEDEX *sigle m* (= courrier d'entreprise à distribution exceptionnelle) accelerated postal service for bulk users

cédille [sedij] *nf* cedilla

ceinture [sɛ̃tyʀ] *nf* belt; (*taille*) waist; **~ de sécurité** safety *ou* seat belt

cela [s(ə)la] *pron* (*comme sujet indéfini*) it; **~ m'étonne que** it surprises me that; **quand/où ~?** when/where (was that)?

célèbre [selɛbʀ] *adj* famous • **célébrer** /6/ *vt* to celebrate

céleri [sɛlʀi] *nm*: **~(-rave)**
celeriac; **~** stem cell celery
célibataire [selibatɛʀ] *adj* single,
unmarried ▶ *nm/f* bachelor/
unmarried *ou* single woman;
mère ~ single *ou* unmarried
mother
celle, celles [sɛl] *pron voir* **celui**
cellule [selyl] *nf* (*gén*) cell;
~ souche stem cell
cellulite [selylit] *nf* cellulite

---
celui, celle [səlɥi, sɛl]

(*mpl* **ceux**, *fpl* **celles**) *pron* 1 :
celui-ci/là, celle-ci/là this
one/that one; **ceux-ci,
celles-ci** these (ones); **ceux-là,
celles-là** those (ones); **celui de
mon frère** my brother's; **celui
du salon/du dessous** the one
in (*ou* from) the lounge/below
2 (+ *relatif*) : **celui qui bouge** the
one which *ou* that moves;
(*personne*) the one who moves;
celui que je vois the one (which
ou that) I see; (*personne*) the one
(whom) I see; **celui dont je
parle** the one I'm talking about
3 (*valeur indéfinie*) : **celui qui
veut** whoever wants

cendre [sɑ̃dʀ] *nf* ash; **~s** (*d'un
défunt*) ashes; **sous la ~** (*Culin*) in
(the) embers • **cendrier** *nm*
ashtray
censé, e [sɑ̃se] *adj*: **être ~ faire** to
be supposed to do
censeur [sɑ̃sœʀ] *nm* (*Scol*) deputy
head (*BRIT*), vice-principal (*US*)
censure [sɑ̃syʀ] *nf* censorship
• **censurer** /1/ *vt* (*Ciné, Presse*) to
censor; (*Pol*) to censure
cent [sɑ̃] *num* a hundred, one
hundred ▶ *nm* (*US, Canada, partie*

de l'euro etc) cent • **centaine** *nf*:
une centaine (de) about a
hundred, a hundred *ou* so; **des
centaines (de)** hundreds (of)
• **centenaire** *adj* hundred-year-
old ▶ *nm* (*anniversaire*) centenary;
(*monnaie*) cent • **centième** *num*
hundredth • **centigrade** *nm*
centigrade • **centilitre** *nm*
centilitre • **centime** *nm* centime;
centime d'euro euro cent
• **centimètre** *nm* centimetre;
(*ruban*) tape measure, measuring
tape
central, e, -aux [sɑ̃tʀal, -o] *adj*
central ▶ *nm*: **~ (téléphonique)**
(telephone) exchange ▶ *nf* power
station; **~e électrique/nucléaire**
electric/nuclear power station
centre [sɑ̃tʀ] *nm* centre;
~ commercial/sportif/culturel
shopping/sports/arts centre;
~ d'appels call centre
• **centre-ville** *nm* town centre
(*BRIT*) *ou* center (*US*)
cèpe [sɛp] *nm* (edible) boletus
cependant [s(ə)pɑ̃dɑ̃] *adv*
however, nevertheless
céramique [seʀamik] *nf*
ceramics *sg*
cercle [sɛʀkl] *nm* circle; **~ vicieux**
vicious circle
cercueil [sɛʀkœj] *nm* coffin
céréale [seʀeal] *nf* cereal
cérémonie [seʀemɔni] *nf*
ceremony; **sans ~** (*inviter, manger*)
informally
cerf [sɛʀ] *nm* stag
cerf-volant [sɛʀvɔlɑ̃] *nm* kite
cerise [s(ə)ʀiz] *nf* cherry • **cerisier**
nm cherry (tree)
cerner [sɛʀne] /1/ *vt* (*Mil etc*) to
surround; (*fig: problème*) to
delimit, define

C

certain, e [sɛʀtɛ̃, -ɛn] *adj* certain; **= (de/que)** certain ou sure (of/ that); **d'un ~ âge** past one's prime, not so young; **un ~ temps** (quite) some time; **sûr et ~** absolutely sure; **un ~ Georges** someone called Georges; **~s** *pron* some • **certainement** *adv* (*probablement*) most probably ou likely; (*bien sûr*) certainly, of course

certes [sɛʀt] *adv* (*sans doute*) admittedly; (*bien sûr*) of course; indeed (yes)

certificat [sɛʀtifika] *nm* certificate

certifier [sɛʀtifje] /7/ *vt*: **~ qch à qn** to guarantee sth to sb

certitude [sɛʀtityd] *nf* certainty

cerveau, x [sɛʀvo] *nm* brain

cervelas [sɛʀvəla] *nm* saveloy

cervelle [sɛʀvɛl] *nf* (*Anat*) brain; (*Culin*) brain(s)

CES *sigle m* (= *Collège d'enseignement secondaire*) ≈ (junior) secondary school

ces [se] *adj dém voir* **ce**

cesse [sɛs]: **sans ~** *adv* (*tout le temps*) continually, constantly; (*sans interruption*) continuously; **il n'avait de ~ que** he would not rest until • **cesser** /1/ *vt* to stop ► *vi* to stop, cease; **cesser de faire** to stop doing • **cessez-le-feu** *nm inv* ceasefire

c'est-à-dire [sɛtadiʀ] *adv* that is (to say)

cet [sɛt] *adj dém voir* **ce**

ceux [sø] *pron voir* **celui**

chacun, e [ʃakœ̃, -yn] *pron* each; (*indéfini*) everyone, everybody

chagrin, e [ʃagʀɛ̃, -in] *adj* morose ► *nm* grief, sorrow; **avoir du ~** to be grieved ou sorrowful

chahut [ʃay] *nm* uproar • **chahuter** /1/ *vt* to rag, bait ► *vi* to make an uproar

chaîne [ʃɛn] *nf* chain; (*Radio, TV*: *stations*) channel; **travail à la ~** production line work; **réactions en ~** chain reactions; **~ (haute-fidélité** ou **hi-fi)** hi-fi system; **~ (de montagnes)** (mountain) range

chair [ʃɛʀ] *nf* flesh; **avoir la ~ de poule** to have goose pimples ou goose flesh; **bien en ~** plump, well-padded; **en ~ et en os** in the flesh; **~ à saucisse** sausage meat

chaise [ʃɛz] *nf* chair; **~ longue** deckchair

châle [ʃɑl] *nm* shawl

chaleur [ʃalœʀ] *nf* heat; (*fig*: *d'accueil*) warmth • **chaleureux, -euse** *adj* warm

chamailler [ʃamaje] /1/: **se chamailler** *vi* to squabble, bicker

chambre [ʃɑbʀ] *nf* bedroom; (*Pol*) chamber; (*Comm*) chamber; **faire ~ à part** to sleep in separate rooms; **~ à un lit/deux lits** single/twin-bedded room; **~ à air** (*de pneu*) (inner) tube; **~ d'amis** spare ou guest room; **~ à coucher** bedroom; **~ d'hôte** ≈ bed and breakfast (*in private home*); **~ meublée** bedsit(ter) (BRIT), furnished room; **~ noire** (*Photo*) dark room

chameau, x [ʃamo] *nm* camel

chamois [ʃamwa] *nm* chamois

champ [ʃɑ̃] *nm* field; **~ de bataille** battlefield; **~ de courses** racecourse

champagne [ʃɑ̃paɲ] *nm* champagne

champignon [ʃɑ̃piɲɔ̃] *nm* mushroom; (*terme générique*) fungus; **~ de couche** ou **de Paris** button mushroom

champion, ne [ʃɑ̃pjɔ̃, -ɔn] adj, nm/f champion • **championnat** nm championship

chance [ʃɑ̃s] nf: **la ~** luck; **chances** nfpl (probabilités) chances; **avoir de la ~** to be lucky; **il a des ~s de gagner** he has a chance of winning; **bonne ~!** good luck!

change [ʃɑ̃ʒ] nm (Comm) exchange

changement [ʃɑ̃ʒmɑ̃] nm change; **~ climatique** climate change; **~ de vitesse** gears pl; (action) gear change

changer [ʃɑ̃ʒe] /3/ vt (modifier) to change, alter; (remplacer, Comm) to change ▸ vi to change, alter; **se changer** vi to change (o.s.); **~ de** (remplacer: adresse, nom, voiture etc) to change one's; **~ de train** to change trains; **~ d'avis, ~ d'idée** to change one's mind; **~ de vitesse** to change gear; **~ qn/qch de place** to move sb/sth to another place

chanson [ʃɑ̃sɔ̃] nf song

chant [ʃɑ̃] nm song; (art vocal) singing; (d'église) hymn

chantage [ʃɑ̃taʒ] nm blackmail; **faire du ~** to use blackmail

chanter [ʃɑ̃te] /1/ vt, vi to sing; **si cela lui chante** (fam) if he feels like it ou fancies it • **chanteur, -euse** nm/f singer

chantier [ʃɑ̃tje] nm (building) site; (sur une route) roadworks pl; **mettre en ~** to start work on; **~ naval** shipyard

chantilly [ʃɑ̃tiji] nf voir **crème**

chantonner [ʃɑ̃tɔne] /1/ vi, vt to sing to oneself, hum

chapeau, x [ʃapo] nm hat; **~!** well done!

chapelle [ʃapɛl] nf chapel

chapitre [ʃapitʀ] nm chapter

chaque [ʃak] adj each, every; (indéfini) every

char [ʃaʀ] nm: **~ (d'assaut)** tank; **~ à voile** sand yacht

charbon [ʃaʀbɔ̃] nm coal; **~ de bois** charcoal

charcuterie [ʃaʀkytʀi] nf (magasin) pork butcher's shop and delicatessen; (produits) cooked pork meats pl • **charcutier, -ière** nm/f pork butcher

chardon [ʃaʀdɔ̃] nm thistle

charge [ʃaʀʒ] nf (fardeau) load; (Élec, Mil, Jur) charge; (rôle, mission) responsibility; **charges** nfpl (du loyer) service charges; **à la ~ de** (dépendant de) dependent upon; (aux frais de) chargeable to; **prendre en ~** to take charge of; (véhicule) to take care of; (dépenses) to take care of; **~s sociales** social security contributions

chargement [ʃaʀʒəmɑ̃] nm (objets) load

charger [ʃaʀʒe] /3/ vt (voiture, fusil, caméra) to load; (batterie) to charge ▸ vi (Mil etc) to charge; **se ~ de** to see to, take care of

chargeur [ʃaʀʒœʀ] nm (de batterie) charger

chariot [ʃaʀjo] nm trolley; (charrette) waggon

charité [ʃaʀite] nf charity; **faire la ~ à** to give (something) to

charmant, e [ʃaʀmɑ̃, -ɑ̃t] adj charming

charme [ʃaʀm] nm charm • **charmer** /1/ vt to charm

charpente [ʃaʀpɑ̃t] nf frame(work) • **charpentier** nm carpenter

charrette [ʃaʀɛt] nf cart

charter [tʃaʀtœʀ] nm (vol) charter flight

chasse [ʃas] nf hunting; (au fusil) shooting; (poursuite) chase; (aussi: **~ d'eau**) flush; **prendre en ~** to give chase to; **tirer la ~ (d'eau)** to flush the toilet, pull the chain; **~ à courre** hunting • **chasse-neige** nm inv snowplough (BRIT), snowplow (US) • **chasser** /1/ vt to hunt; (expulser) to chase away ou out, drive away ou out • **chasseur, -euse** nm/f hunter ▶ nm (avion) fighter

chat¹ [ʃa] nm cat

chat² [tʃat] nm (Internet: salon) chat room; (: conversation) chat

châtaigne [ʃatɛɲ] nf chestnut

châtain [ʃatɛ̃] adj inv chestnut (brown); (personne) chestnut-haired

château, x [ʃato] nm (forteresse) castle; (résidence royale) palace; (manoir) mansion; **~ d'eau** water tower; **~ fort** stronghold, fortified castle

châtiment [ʃatimɑ̃] nm punishment

chaton [ʃatɔ̃] nm (Zool) kitten

chatouiller [ʃatuje] /1/ vt to tickle • **chatouilleux, -euse** [ʃatujø, -øz] adj ticklish; (fig) touchy, over-sensitive

chatte [ʃat] nf (she-)cat

chatter [tʃate] /1/ vi (Internet) to chat

chaud, e [ʃo, -od] adj (gén) warm; (très chaud) hot ▶ nm: **il fait ~** it's warm; it's hot; **avoir ~** to be warm; to be hot; **ça me tient ~** it keeps me warm; **rester au ~** to stay in the warm

chaudière [ʃodjɛʀ] nf boiler

chauffage [ʃofaʒ] nm heating; **~ central** central heating

chauffe-eau [ʃofo] nm inv water heater

chauffer [ʃofe] /1/ vt to heat ▶ vi to heat up, warm up; (trop chauffer: moteur) to overheat; **se chauffer** vi (au soleil) to warm o.s.

chauffeur [ʃofœʀ] nm driver; (privé) chauffeur

chaumière [ʃomjɛʀ] nf (thatched) cottage

chaussée [ʃose] nf road(way)

chausser [ʃose] /1/ vt (bottes, skis) to put on; (enfant) to put shoes on; **~ du 38/42** to take size 38/42

chaussette [ʃosɛt] nf sock

chausson [ʃosɔ̃] nm slipper; (de bébé) bootee; **~ (aux pommes)** (apple) turnover

chaussure [ʃosyʀ] nf shoe; **~s basses** flat shoes; **~s montantes** ankle boots; **~s de ski** ski boots

chauve [ʃov] adj bald • **chauve-souris** nf bat

chauvin, e [ʃovɛ̃, -in] adj chauvinistic

chaux [ʃo] nf lime; **blanchi à la ~** whitewashed

chef [ʃɛf] nm head, leader; (de cuisine) chef; **général/commandant en ~** general-/commander-in-chief; **~ d'accusation** charge; **~ d'entreprise** company head; **~ d'état** head of state; **~ de famille** head of the family; **~ de file** (de parti etc) leader; **~ de gare** station master; **~ d'orchestre** conductor • **chef-d'œuvre** nm masterpiece • **chef-lieu** nm county town

chelou, e [ʃəlu] (fam) adj sketchy, dodgy

chemin [ʃəmɛ̃] nm path; (itinéraire, direction, trajet) way; **en ~** on the way; **~ de fer** railway (BRIT), railroad (US)

cheminée [ʃəmine] nf chimney; (à l'intérieur) chimney piece, fireplace; (de bateau) funnel

chemise [ʃəmiz] nf shirt; (dossier) folder; **~ de nuit** nightdress

chemisier [ʃəmizje] nm blouse

chêne [ʃɛn] nm oak (tree); (bois) oak

chenil [ʃənil] nm kennels pl

chenille [ʃənij] nf (Zool) caterpillar

chèque [ʃɛk] nm cheque (BRIT), check (US); **faire/toucher un ~** to write/cash a cheque; **par ~** by cheque; **~ barré/sans provision** crossed (BRIT)/bad cheque; **~ de voyage** traveller's cheque • **chéquier** [ʃekje] nm cheque book

cher, -ère [ʃɛr] adj (aimé) dear; (coûteux) expensive, dear ▶ adv: **cela coûte ~** it's expensive

chercher [ʃɛrʃe] /1/ vt to look for; (gloire etc) to seek; **aller ~** to go for, go and fetch; **à faire** to try to do • **chercheur, -euse** nm/f researcher

chéri, e [ʃeri] adj beloved, dear; **(mon) ~** darling

cheval, -aux [ʃəval, -o] nm horse; (Auto): **~ (vapeur)** horsepower no pl; **faire du ~** to ride; **à ~** on horseback; **à ~ sur** astride; (fig) overlapping; **~ de course** race horse

chevalier [ʃəvalje] nm knight

chevaux [ʃəvo] nmpl voir **cheval**

chevet [ʃəvɛ] nm: **au ~ de qn** at sb's bedside; **lampe de ~** bedside lamp

cheveu, x [ʃəvø] nm hair ▶ nmpl (chevelure) hair sg; **avoir les ~x courts/en brosse** to have short hair/a crew cut

cheville [ʃəvij] nf (Anat) ankle; (de bois) peg; (pour enfoncer une vis) plug

chèvre [ʃɛvr] nf (she-)goat

chèvrefeuille [ʃɛvrəfœj] nm honeysuckle

chevreuil [ʃəvrœj] nm roe deer inv; (Culin) venison

---

chez [ʃe]

prép 1 (à la demeure de) at; (: direction) to; **chez qn** at/to sb's house ou place; **je suis chez moi** I'm at home; **je rentre chez moi** I'm going home; **allons chez Nathalie** let's go to Nathalie's

2 (+profession) at; (: direction) to; **chez le boulanger/dentiste** at ou to the baker's/dentist's

3 (dans le caractère, l'œuvre de) in; **chez ce poète** in this poet's work; **c'est ce que je préfère chez lui** that's what I like best about him

---

chic [ʃik] adj inv chic, smart; (généreux) nice, decent ▶ nm stylishness; **avoir le ~ pour** to have the knack of ou for; **~!** great!

chicorée [ʃikɔre] nf (café) chicory; (salade) endive

chien [ʃjɛ̃] nm dog; (de pistolet) hammer; **~ d'aveugle** guide dog; **~ de garde** guard dog

chienne [ʃjɛn] nf (she-)dog, bitch

chiffon [ʃifɔ̃] nm (piece of) rag • **chiffonner** /1/ vt to crumple; (tracasser) to concern

chiffre [ʃifʀ] nm (représentant un nombre) figure; numeral; (montant, total) total, sum; **en ~s ronds** in round figures; **~ d'affaires (CA)** turnover • **chiffrer** /1/ vt (dépense) to put a figure to, assess; (message) to (en)code, cipher ▶ vi: **chiffrer à, se chiffrer à** to add up to

chignon [ʃiɲ5] nm chignon, bun

Chili [ʃili] nm: **le ~** Chile • **chilien, ne** adj Chilean ▶ nm/f: **Chilien, ne** Chilean

chimie [ʃimi] nf chemistry • **chimiothérapie** [ʃimjoteʀapi] nf chemotherapy • **chimique** adj chemical; **produits chimiques** chemicals

chimpanzé [ʃɛ̃pɑ̃ze] nm chimpanzee

Chine [ʃin] nf: **la ~** China • **chinois, e** adj Chinese ▶ nm (Ling) Chinese ▶ nm/f: **Chinois, e** Chinese

chiot [ʃjo] nm pup(py)

chips [ʃips] nfpl crisps (BRIT), (potato) chips (US)

chirurgie [ʃiʀyʀʒi] nf surgery; **~ esthétique** cosmetic ou plastic surgery • **chirurgien, ne** nm/f surgeon

chlore [klɔʀ] nm chlorine

choc [ʃɔk] nm (heurt) impact; shock; (collision) crash; (moral) shock; (affrontement) clash

chocolat [ʃɔkɔla] nm chocolate; **~ au lait** milk chocolate

chœur [kœʀ] nm (chorale) choir; (Opéra, Théât) chorus; **en ~** in chorus

choisir [ʃwaziʀ] /2/ vt to choose, select

choix [ʃwa] nm choice; selection; **avoir le ~** to have the choice; **de premier ~** (Comm) class ou grade

one; **de ~** choice cpd, selected; **au ~** as you wish ou prefer

chômage [ʃomaʒ] nm unemployment; **mettre au ~** to make redundant, put out of work; **être au ~** to be unemployed ou out of work • **chômeur, -euse** nm/f unemployed person

chope [ʃɔp] nf tankard

choquer [ʃɔke] /1/ vt (offenser) to shock; (commotionner) to shake (up)

chorale [kɔʀal] nf choir

chose [ʃoz] nf thing; **c'est peu de ~** it's nothing much

chou, x [ʃu] nm cabbage; **mon petit ~** (my) sweetheart; **~ à la crème** cream bun (made of choux pastry); **~ de Bruxelles** Brussels sprout • **choucroute** nf sauerkraut

chouette [ʃwɛt] nf owl ▶ adj (fam) great, smashing

chou-fleur [ʃuflœʀ] nm cauliflower

chrétien, ne [kʀetjɛ̃, -ɛn] adj, nm/f Christian

Christ [kʀist] nm: **le ~** Christ • **christianisme** nm Christianity

chronique [kʀɔnik] adj chronic ▶ nf (de journal) column, page; (historique) chronicle; (Radio, TV): **la ~ sportive/théâtrale** the sports/theatre review

chronologique [kʀɔnɔlɔʒik] adj chronological

chronomètre [kʀɔnɔmɛtʀ] nm stopwatch • **chronométrer** /6/ vt to time

chrysanthème [kʀizɑ̃tɛm] nm chrysanthemum

Chrysanthemums (les **chrysanthèmes**) are strongly associated with funerals in France, and therefore should not be given as gifts.

chuchotement [ʃyʃɔtmã] nm whisper

chuchoter [ʃyʃɔte] /1/ vt, vi to whisper

chut excl [ʃyt] sh!

chute [ʃyt] nf fall; (déchet) scrap; **faire une ~ (de 10 m)** to fall (10 m); **~ de pluie/neige** rain/snowfalls; **~ (d'eau)** waterfall; **~ libre** free fall

Chypre [ʃipʀ] nm/f Cyprus

-ci [si] adv voir **par** ▶ adj dém: **ce garçon~/-là** this/that boy; **ces femmes~/-là** these/those women

cible [sibl] nf target

cicatrice [sikatʀis] nf scar
• **cicatriser** /1/ vt to heal

ci-contre [sikɔ̃tʀ] adv opposite

ci-dessous [sidəsu] adv below

ci-dessus [sidəsy] adv above

cidre [sidʀ] nm cider

Cie abr (= compagnie) Co

ciel [sjɛl] nm sky; (Rel) heaven

cieux [sjø] nmpl voir **ciel**

cigale [sigal] nf cicada

cigare [sigaʀ] nm cigar

cigarette [sigaʀɛt] nf cigarette; **~ électronique** e-cigarette

ci-inclus, e [siɛ̃kly, -yz] adj, adv enclosed

ci-joint, e [siʒwɛ̃, -ɛ̃t] adj, adv enclosed

cil [sil] nm (eye)lash

cime [sim] nf top; (montagne) peak

ciment [simã] nm cement

cimetière [simtjɛʀ] nm cemetery; (d'église) churchyard

cinéaste [sineast] nm/f film-maker

cinéma [sinema] nm cinema

cinq [sɛ̃k] num five • **cinquantaine** nf: **une cinquantaine (de)** about

fifty; **avoir la cinquantaine** (âge) to be around fifty • **cinquante** num fifty • **cinquantenaire** adj, nm/f fifty-year-old • **cinquième** num fifth ▶ nf (Scol) year 8 (BRIT), seventh grade (US)

cintre [sɛ̃tʀ] nm coat-hanger

cintré, e [sɛ̃tʀe] adj (chemise) fitted

cirage [siʀaʒ] nm (shoe) polish

circonflexe [siʀkɔ̃flɛks] adj: **accent ~** circumflex accent

circonstance [siʀkɔ̃stãs] nf circumstance; (occasion) occasion; **~s atténuantes** mitigating circumstances

circuit [siʀkɥi] nm (trajet) tour, (round) trip; (Élec, Tech) circuit

circulaire [siʀkyleʀ] adj, nf circular

circulation [siʀkylasjɔ̃] nf circulation; (Auto) traffic; **la ~** (the) traffic

circuler [siʀkyle] /1/ vi (véhicules) to drive (along); (passants) to walk along; (train etc) to run; (sang, devises) to circulate; **faire ~** (nouvelle) to spread (about), circulate; (badauds) to move on

cire [siʀ] nf wax; • **ciré** nm oilskin
• **cirer** [siʀe] /1/ vt to wax, polish

cirque [siʀk] nm circus; (fig) chaos, bedlam; **quel ~!** what a carry-on!

ciseau, x [sizo] nm: **~ (à bois)** chisel ▶ nmpl (paire de ciseaux) (pair of) scissors

citadin, e [sitadɛ̃, -in] nm/f city dweller

citation [sitasjɔ̃] nf (d'auteur) quotation; (Jur) summons sg

cité [site] nf town; (plus grande) city; **~ universitaire** students' residences pl

citer [site] /1/ vt (un auteur) to quote (from); (nommer) to name; (Jur) to summon

citoyen, ne [sitwajɛ̃, -ɛn] nm/f citizen ▶ adj (mouvement, rencontre, projet) citizen adj
• **citoyenneté** nf citizenship

citron [sitʀɔ̃] nm lemon; ~ **pressé** (fresh) lemon juice; ~ **vert** lime
• **citronnade** nf still lemonade

citrouille [sitʀuj] nf pumpkin

civet [sivɛ] nm: ~ **de lapin** rabbit stew

civière [sivjɛʀ] nf stretcher

civil, e [sivil] adj (Jur, Admin, poli) civil; (non militaire) civilian; **en ~** in civilian clothes; **dans le ~** in civilian life
• **civilisation** [sivilizasjɔ̃] nf civilization

clair, e [klɛʀ] adj light; (chambre) light, bright; (eau, son, fig) clear ▶ adv: **voir ~** to see clearly ▶ nm: **mettre au ~** (notes etc) to tidy up; **tirer qch au ~** to clear sth up, clarify sth; ~ **de lune** moonlight
• **clairement** adv clearly

clairière [klɛʀjɛʀ] nf clearing

clandestin, e [klɑ̃dɛstɛ̃, -in] adj clandestine, covert; (Pol) underground, clandestine; (travailleur, immigration) illegal; **passager ~** stowaway

claque [klak] nf (gifle) slap
• **claquer** /1/ vi (porte) to bang, slam; (fam: mourir) to snuff it ▶ vt (porte) to slam, bang; (doigts) to snap; (fam: dépenser) to blow; **elle claquait des dents** her teeth were chattering; **être claqué** (fam) to be dead tired; **se claquer un muscle** to pull ou strain a muscle
• **claquettes** nfpl tap-dancing sg; (chaussures) flip-flops

clarinette [klaʀinɛt] nf clarinet

classe [klas] nf class; (Scol: local) class(room); (: leçon) class; (: élèves) class; **aller en ~** to go to school • **classement** nm (rang: Scol) place; (: Sport) placing; (liste: Scol) class list (in order of merit); (: Sport) placings pl

classer [klase] /1/ vt (idées, livres) to classify; (papiers) to file; (candidat, concurrent) to grade; (Jur: affaire) to close; **se ~ premier/dernier** to come first/ last; (Sport) to finish first/last
• **classeur** nm (cahier) file

classique [klasik] adj (sobre, coupe etc) classic(al), classical; (habituel) standard, classic

clavicule [klavikyl] nf collarbone

clavier [klavje] nm keyboard

clé [kle] nf key; (Mus) clef; (de mécanicien) spanner (BRIT), wrench (US); **prix ~s en main** (d'une voiture) on-the-road price; ~ **de contact** ignition key; ~ **USB** USB key

clergé [klɛʀʒe] nm clergy

clic [klik] nm (Inform) click

cliché [kliʃe] nm (fig) cliché; (Photo) negative; print; (Typo) (printing) plate; (Ling) cliché

client, e [klijɑ̃, -ɑ̃t] nm/f (acheteur) customer, client; (d'hôtel) guest, patron; (du docteur) patient; (de l'avocat) client
• **clientèle** nf (du magasin) customers pl, clientèle; (du docteur, de l'avocat) practice

cligner [kliɲe] /1/ vi: ~ **des yeux** to blink (one's eyes); ~ **de l'œil** to wink • **clignotant** nm (Auto) indicator • **clignoter** /1/ vi (étoiles etc) to twinkle; (lumière) to flicker

climat [klima] nm climate

climatisation [klimatizasjɔ̃] nf
air conditioning • **climatisé, e** adj
air-conditioned

clin d'œil [klɛ̃dœj] nm wink; **en
un ~** in a flash

clinique [klinik] nf (private)
clinic

clip [klip] nm (pince) clip; (boucle
d'oreille) clip-on; (vidéo) ~ pop (ou
promotional) video

cliquer [klike] /1/ vi (Inform) to
click; **~ deux fois** to double-click
▶ vt to click; **~ sur** to click on

clochard, e [klɔʃaʀ, -aʀd] nm/f
tramp

cloche [klɔʃ] nf (d'église) bell; (fam)
clot • **clocher**/1/ nm (d'église)
church tower; (en pointe) steeple ▶ vi (fam)
to be ou go wrong; **de clocher**
(péj) parochial

cloison [klwazɔ̃] nf partition
(wall)

clonage [klonaʒ] nm cloning

cloner [klone] /1/ vt to clone

cloque [klɔk] nf blister

clore [klɔʀ] /45/ vt to close

clôture [klotyʀ] nf closure;
(barrière) enclosure

clou [klu] nm nail; **clous** nmpl
= **passage clouté; pneus à ~s**
studded tyres; **le ~ du spectacle**
the highlight of the show; **~ de
girofle** clove

clown [klun] nm clown

club [klœb] nm club

CNRS sigle m (= Centre national de la
recherche scientifique) ≈ SERC
(BRIT), ≈ NSF (US)

coaguler [kɔagyle] /1/ vi, vt, **se
coaguler** vi (sang) to coagulate

cobaye [kɔbaj] nm guinea-pig

coca® [kɔka] nm Coke®

cocaïne [kɔkain] nf cocaine

coccinelle [kɔksinɛl] nf ladybird
(BRIT), ladybug (US)

cocher [kɔʃe] /1/ vt to tick off

cochon, ne [kɔʃɔ̃, -ɔn] nm pig
▶ d'Inde
guinea-pig • **cochonnerie** nf
(fam: saleté) filth; (marchandises)
rubbish, trash

cocktail [kɔktɛl] nm cocktail;
(réception) cocktail party

cocorico [kɔkɔʀiko] excl, nm
cock-a-doodle-do

cocotte [kɔkɔt] nf (en fonte)
casserole; **ma ~** (fam) sweetie (pie);
~ (minute)® pressure cooker

code [kɔd] nm code ▶ adj: **phares
~s** dipped lights; **se mettre en
~(s)** to dip (BRIT) ou dim (US) one's
(head)lights; **~ à barres** bar code;
~ civil Common Law; **~ pénal**
penal code; **~ postal** (numéro)
postcode (BRIT), zip code (US);
~ de la route highway code;
~ secret cipher

cœur [kœʀ] nm heart; (Cartes:
couleur) hearts pl; (: carte) heart;
avoir bon ~ to be kind-hearted;
avoir mal au ~ to feel sick; **par ~**
by heart; **de bon ~** willingly; **cela
lui tient à ~** that's (very) close to
his heart

coffre [kɔfʀ] nm (meuble) chest;
(d'auto) boot (BRIT), trunk (US)
• **coffre-fort** nm safe • **coffret**
nm casket

cognac [kɔɲak] nm brandy, cognac

cogner [kɔɲe] /1/ vi to knock; **se
~ contre** to knock ou bump into;
se ~ la tête to bang one's head

cohérent, e [kɔeʀã, -ãt] adj
coherent, consistent

coiffé, e [kwafe] adj: **bien/mal ~**
with tidy/untidy hair; **~ d'un
béret** wearing a beret

coiffer [kwafe] /1/ vt (fig: surmonter) to cover, top; **~ qn** to do sb's hair; **se coiffer** vi to do one's hair • **coiffeur, -euse** nm/f hairdresser • **coiffeuse** nf (table) dressing table • **coiffure** nf (cheveux) hairstyle, hairdo; (art): **la coiffure** hairdressing

coin [kwɛ̃] nm corner; (pour coincer) wedge; **l'épicerie du ~** the local grocer; **dans le ~** (aux alentours) in the area, around about; (habiter) locally; **je ne suis pas du ~** I'm not from here; **au ~ du feu** by the fireside; **regard en ~** side(ways) glance

coincé, e [kwɛ̃se] adj stuck, jammed; (fig: inhibé) inhibited, with hang-ups

coïncidence [kɔɛ̃sidɑ̃s] nf coincidence

coing [kwɛ̃] nm quince

col [kɔl] nm (de chemise) collar; (encolure, cou) neck; (de montagne) pass; **~ roulé** polo-neck; **~ de l'utérus** cervix

colère [kɔlɛʀ] nf anger; **une ~** a fit of anger; **être en ~ (contre qn)** to be angry (with sb); **mettre qn en ~** to make sb angry; **se mettre en ~** to get angry; **se mettre en ~ contre qn** to get angry with sb; **se mettre en ~** to get angry • **coléreux, -euse, colérique** adj quick-tempered, irascible

colin [kɔlɛ̃] nm hake

colique [kɔlik] nf diarrhoea

colis [kɔli] nm parcel

collaborer [kɔ(l)labɔʀe] /1/ vi to collaborate; **~ à** to collaborate on; (revue) to contribute to

collant, e [kɔlɑ̃, -ɑ̃t] adj sticky; (robe etc) clinging, skintight; (péj) clinging ▶ nm (bas) tights pl; (de danseur) leotard

colle [kɔl] nf glue; (à papiers peints) (wallpaper) paste; (devinette) teaser, riddle; (Scol: fam) detention

collecte [kɔlɛkt] nf collection • **collectif, -ive** adj collective; (visite, billet etc) group cpd

collection [kɔlɛksjɔ̃] nf collection; (Édition) series • **collectionner** /1/ vt (tableaux, timbres) to collect • **collectionneur, -euse** [kɔlɛksjɔnœʀ, -øz] nm/f collector

collectivité [kɔlɛktivite] nf group; **les ~s locales** local authorities

collège [kɔlɛʒ] nm (école) (secondary) school; (assemblée) body • **collégien, ne** nm/f secondary school pupil (BRIT), high school student (US)

collègue [kɔ(l)lɛg] nm/f colleague

coller [kɔle] /1/ vt (papier, timbre) to stick (on); (affiche) to stick up; (enveloppe) to stick down; (morceaux) to stick ou glue together; (Inform) to paste; (fam: mettre, fourrer) to stick, shove; (Scol: fam) to keep in ▶ vi (être collant) to stick; (adhérer) to stick; **~ à** to stick to; **être collé à un examen** (fam) to fail an exam

collier [kɔlje] nm (bijou) necklace; (de chien, Tech) collar

colline [kɔlin] nf hill

collision [kɔlizjɔ̃] nf collision, crash; **entrer en ~ (avec)** to collide (with)

collyre [kɔliʀ] nm eye lotion

colombe [kɔlɔ̃b] nf dove

Colombie [kɔlɔ̃bi] nf: **la ~** Colombia

colonie [kɔlɔni] nf colony; **~ (de vacances)** holiday camp (for children)

colonne [kɔlɔn] nf column; **se mettre en ~ par deux/quatre** to get into twos/fours; **~ (vertébrale)** spine, spinal column

colorant [kɔlɔʀɑ̃] nm colouring

colorer [kɔlɔʀe] /1/ vt to colour

colorier [kɔlɔʀje] /7/ vt to colour (in)

coloris [kɔlɔʀi] nm colour, shade

colza [kɔlza] nm rape(seed)

coma [kɔma] nm coma; **être dans le ~** to be in a coma

combat [kɔ̃ba] nm fight; fighting no pl; **~ de boxe** boxing match
• **combattant** nm: **ancien combattant** war veteran
• **combattre** /41/ vt to fight, (épidémie, ignorance) to combat, fight against

combien [kɔ̃bjɛ̃] adv (quantité) how much; (nombre) how many; **~ de** how much; (nombre) how many; **~ de temps** how long; **~ coûte/pèse ceci?** how much does this cost/weigh?; **on est le ~ aujourd'hui?** (fam) what's the date today?

combinaison [kɔ̃binɛzɔ̃] nf combination; (astuce) scheme; (de femme) slip; (de plongée) wetsuit; (bleu de travail) boilersuit (BRIT), coveralls pl (US)

combiné [kɔ̃bine] nm (aussi: **~ téléphonique**) receiver

comble [kɔ̃bl] adj (salle) packed (full) ▶ nm (du bonheur, plaisir) height; **combles** nmpl (Constr) attic sg, loft sg; **c'est le ~!** that beats everything!

combler [kɔ̃ble] /1/ vt (trou) to fill in; (besoin, lacune) to fill; (déficit) to make good; (satisfaire) fulfil

comédie [kɔmedi] nf comedy; (fig) playacting no pl; **faire une ~**

(fig) to make a fuss; **~ musicale** musical ▶ **comédien, ne** nm/f actor/actress

comestible [kɔmɛstibl] adj edible

comique [kɔmik] adj (drôle) comical; (Théât) comic ▶ nm (artiste) comic, comedian

commandant [kɔmɑ̃dɑ̃] nm (gén) commander, commandant; (Navig) captain

commande [kɔmɑ̃d] nf (Comm) order; **commandes** nfpl (Aviat etc) controls; **sur ~** to order
• **commander** /1/ vt (Comm) to order; (diriger, ordonner) to command; **commander à qn de faire** to command ou order sb to do

comme [kɔm]

▶ prép 1 (comparaison) like; **tout comme son père** just like his father; **fort comme un bœuf** as strong as an ox; **joli comme tout** ever so pretty
2 (manière) like; **faites-le comme ça** do it like this, do it this way; **comme ci, comme ça** so-so, middling
3 (en tant que) as a; **donner comme prix** to give as a prize; **travailler comme secrétaire** to work as a secretary
4: **comme il faut** adv properly ▶ conj 1 (ainsi que) as; **elle écrit comme elle parle** she writes as she talks; **comme si** as if
2 (au moment où, alors que) as; **il est parti comme j'arrivais** as I arrived
3 (parce que, puisque) as; **comme il était en retard, il ...** as he was late, he ...
▶ adv: **comme il est fort/c'est bon!** he's so strong/it's so good!

commencement [kɔmɑ̃smɑ̃]
nm beginning, start

commencer [kɔmɑ̃se] /3/ *vt, vi*
to begin, start; **~ à** *ou* **de faire** to
begin *ou* start doing

comment [kɔmɑ̃] *adv* how; **~?**
(*que dites-vous*) (I beg your)
pardon?; **et ~!** and how!

commentaire [kɔmɑ̃tɛʀ] *nm*
comment; remark; **~ (de texte)**
commentary

commerçant, e [kɔmɛʀsɑ̃, -ɑ̃t]
nm/f shopkeeper, trader

commerce [kɔmɛʀs] *nm* (*activité*)
trade, commerce; (*boutique*)
business; **~ électronique**
e-commerce; **~ équitable**
fair trade; **~s de proximité**
neighbourhood shops
• **commercial, e, -aux** *adj*
commercial, trading; (*péj*)
commercial • **commercialiser**
/1/ *vt* to market

commettre [kɔmɛtʀ] /56/ *vt* to
commit

commissaire [kɔmisɛʀ] *nm* (*de.
police*) ≈ (police) superintendent;
~ aux comptes (*Admin*) auditor
• **commissariat** *nm* police station

commission [kɔmisjɔ̃] *nf*
(*comité, pourcentage*) commission;
(*message*) message; (*course*)
errand; **commissions** *nfpl* (*achats*)
shopping *sg*

commode [kɔmɔd] *adj* (*pratique*)
convenient, handy; (*facile*) easy;
(*personne*): **pas ~** awkward (to deal
with) ▶ *nf* chest of drawers

commun, e [kɔmœ̃, -yn] *adj*
common; (*pièce*) communal,
shared; (*réunion, effort*) joint ▶ *nf*
(*Admin*) commune, ≈ district;
(: *urbaine*) ≈ borough; **communs**
nmpl (*bâtiments*) outbuildings;

cela sort du ~ it's out of the
ordinary; **le ~ des mortels** the
common run of people; **en ~**
(*faire*) jointly; **mettre en ~** to
pool, share; **d'un ~ accord** of one
accord

communauté [kɔmynote] *nf*
community

commune [kɔmyn] *adj f, nf voir*
commun

communication [kɔmynikasjɔ̃]
nf communication

communier [kɔmynje] /7/ *vi*
(*Rel*) to receive communion

communion [kɔmynjɔ̃] *nf*
communion

communiquer [kɔmynike] /1/
vt (*nouvelle, dossier*) to pass on,
convey; (*peur etc*) to communicate
▶ *vi* to communicate; **se ~ à** (*se
propager*) to spread to

communisme [kɔmynism] *nm*
communism • **communiste** *adj,
nm/f* communist

commutateur [kɔmytatœʀ]
nm (*Élec*) (change-over) switch,
commutator

compact, e [kɔ̃pakt] *adj* (*dense*)
dense; (*appareil*) compact

compagne [kɔ̃paɲ] *nf* companion

compagnie [kɔ̃paɲi] *nf* (*firme,
Mil*) company; **tenir ~ à qn** to
keep sb company; **fausser ~ à qn**
to give sb the slip, slip *ou* sneak
away from sb; **~ aérienne** airline
(company)

compagnon [kɔ̃paɲɔ̃] *nm*
companion

comparable [kɔ̃paʀabl] *adj*:
~ (à) comparable (to)

comparaison [kɔ̃paʀɛzɔ̃] *nf*
comparison

comparer [kɔ̃paʀe] /1/ *vt* to
compare; **~ qch/qn à** *ou* **et** (*pour*

choisir) to compare sth/sb with **ou** and; (*pour établir une similitude*) to compare sth/sb to **ou** and

compartiment [kɔ̃paʀtimɑ̃] *nm* compartment

compas [kɔ̃pa] *nm* (*Géom*) (pair of) compasses *pl*; (*Navig*) compass

compatible [kɔ̃patibl] *adj* compatible

compatriote [kɔ̃patʀijɔt] *nm/f* compatriot

compensation [kɔ̃pɑ̃sasjɔ̃] *nf* compensation

compenser [kɔ̃pɑ̃se] /1/ *vt* to compensate for, make up for

compétence [kɔ̃petɑ̃s] *nf* competence

compétent, e [kɔ̃petɑ̃, -ɑ̃t] *adj* (*apte*) competent, capable

compétition [kɔ̃petisjɔ̃] *nf* (*gén*) competition; (*Sport: épreuve*) event; **la ~ automobile** motor racing

complément [kɔ̃plemɑ̃] *nm* complement; (*reste*) remainder; **~ d'information** (*Admin*) supplementary *ou* further information • **complémentaire** *adj* complementary; (*additionnel*) supplementary

complet, -ète [kɔ̃plɛ, -ɛt] *adj* complete; (*plein: hôtel etc*) full ▶*nm* (*aussi*: **~-veston**) suit; **pain ~** wholemeal bread • **complètement** *adv* completely • **compléter** /6/ *vt* (*porter à la quantité voulue*) to complete; (*augmenter: connaissances, études*) to complement, supplement; (: *garde-robe*) to add to

complexe [kɔ̃plɛks] *adj* complex ▶*nm*: **~ hospitalier/industriel** hospital/industrial complex • **complexé, e** *adj* mixed-up, hung-up

complication [kɔ̃plikasjɔ̃] *nf* complexity, intricacy; (*difficulté, ennui*) complication; **complications** *nfpl* (*Méd*) complications

complice [kɔ̃plis] *nm* accomplice

compliment [kɔ̃plimɑ̃] *nm* (*louange*) compliment; **compliments** *nmpl* (*félicitations*) congratulations

compliqué, e [kɔ̃plike] *adj* complicated, complex; (*personne*) complicated

comportement [kɔ̃pɔʀtəmɑ̃] *nm* behaviour

comporter [kɔ̃pɔʀte] /1/ *vt* (*consister en*) to consist of, comprise; (*être équipé de*) to have; **se comporter** *vi* to behave

composer [kɔ̃poze] /1/ *vt* (*musique, texte*) to compose; (*mélange, équipe*) to make up; (*faire partie de*) to make up, form ▶ *vi* (*transiger*) to come to terms; **se ~ de** to be composed of, be made up of; **~ un numéro** (*au téléphone*) to dial a number • **compositeur, -trice** *nm/f* (*Mus*) composer • **composition** *nf* composition; (*Scol*) test

composter [kɔ̃pɔste] /1/ *vt* (*billet*) to punch

> In France you have to punch (**composter**) your ticket on the platform to validate it before getting onto the train. Travellers who fail to do so may be asked to pay a supplementary fare once on board, although tickets bought online and printed out at home are not subject to this rule.

compote [kɔ̃pɔt] *nf* stewed fruit *no pl*; **~ de pommes** stewed apples

compréhensible [kɔ̃preɑ̃sibl]
adj comprehensible; (*attitude*)
understandable

compréhensif, -ive [kɔ̃preɑ̃sif,
-iv] *adj* understanding

⚠ Attention à ne pas traduire
compréhensif par *comprehensive*.

comprendre [kɔ̃prɑ̃dR] /58/ *vt*
to understand; (*se composer de*) to
comprise, consist of

compresse [kɔ̃prɛs] *nf*
compress

comprimé [kɔ̃prime] *nm* tablet

compris, e [kɔ̃pri, -iz] *pp de*
comprendre ▸ *adj* (*inclus*)
included; **~ entre** (*situé*)
contained between; **la maison
~e/non ~e, y/non ~ la maison**
including/excluding the house;
100 euros tout ~ 100 euros all
inclusive *ou* all-in

comptabilité [kɔ̃tabilite] *nf*
(*activité, technique*) accounting,
accountancy; accounts *pl*, books
pl; (*service*) accounts office *ou*
department

comptable [kɔ̃tabl] *nm/f*
accountant

comptant [kɔ̃tɑ̃] *adv*: **payer ~**
to pay cash; **acheter ~** to buy for
cash

compte [kɔ̃t] *nm* count; (*total,
montant*) count, (right) number;
(*bancaire, facture*) account;
comptes *nmpl* accounts, books;
(*fig*) explanation *sg*; **en fin de ~**
all things considered; **s'en tirer à
bon ~** to get off lightly; **pour le
~ de** on behalf of; **pour son
propre ~** for one's own benefit;
travailler à son ~ to work for
oneself; **régler un ~** (*s'acquitter de
qch*) to settle an account; (*se
venger*) to get one's own back;

rendre des ~s à qn (*fig*) to be
answerable to sb; **tenir ~ de qch**
to take sth into account;
~ courant (CC) current account;
~ à rebours countdown; **~ rendu**
account, report; (*de film, livre*)
review; *voir aussi* **rendre**
• **compte-gouttes** *nm inv*
dropper

compter [kɔ̃te] /1/ *vt* to count;
(*facturer*) to charge for; (*avoir à son
actif, comporter*) to have; (*prévoir*)
to allow, reckon; (*penser, espérer*):
~ réussir/revenir to expect to
succeed/return ▸ *vi* to count; (*être
économe*) to economize; (*figurer*):
~ parmi to be *ou* rank among;
~ sur to count (up)on; **~ avec
qch/qn** to reckon with *ou* take
account of sth/sb; **sans ~ que**
besides which

compteur [kɔ̃tœR] *nm* meter;
~ de vitesse speedometer

comptine [kɔ̃tin] *nf* nursery
rhyme

comptoir [kɔ̃twaR] *nm* (*de
magasin*) counter; (*de café*)
counter, bar

con, ne [kɔ̃, kɔn] *adj* (*fam!*) bloody
(BRIT !) *ou* damned stupid

concentrer [kɔ̃sɑ̃tRe] /1/ *vt* to
concentrate; **se concentrer** *vi* to
concentrate

concerner [kɔ̃sɛRne] /1/ *vt* to
concern; **en ce qui me concerne**
as far as I am concerned

concert [kɔ̃sɛR] *nm* concert; **de ~**
(*décider*) unanimously

concessionnaire [kɔ̃sesjɔnɛR]
nm/f agent, dealer

concevoir [kɔ̃s(ə)vwaR] /28/ *vt*
(*idée, projet*) to conceive (of);
(*comprendre*) to understand; (*enfant*)
to conceive; **maison bien/mal**

conçue well-/badly-designed ou -planned house

concierge [kɔ̃sjɛrʒ] nm/f caretaker

concis, e [kɔ̃si, -iz] adj concise

conclure [kɔ̃klyr] /35/ vt to conclude • **conclusion** nf conclusion

conçois [kɔ̃swa] vb voir **concevoir**

concombre [kɔ̃kɔ̃br] nm cucumber

concours [kɔ̃kur] nm competition; (Scol) competitive examination; (assistance) aid, help; **~ de circonstances** combination of circumstances; **~ hippique** horse show; voir **'hors-concours'**

concret, -ète [kɔ̃krɛ, -ɛt] adj concrete

conçu, e [kɔ̃sy] pp de **concevoir**

concubinage [kɔ̃kybinaʒ] nm (Jur) cohabitation

concurrence [kɔ̃kyrɑ̃s] nf competition; **jusqu'à ~ de** up to; **faire ~ à** to be in competition with

concurrent, e [kɔ̃kyrɑ̃, -ɑ̃t] nm/f (Sport, Écon etc) competitor; (Scol) candidate

condamner [kɔ̃dane] /1/ vt (blâmer) to condemn; (Jur) to sentence; (porte, ouverture) to fill in, block up; **~ qn à deux ans de prison** to sentence sb to two years' imprisonment

condensation [kɔ̃dɑ̃sasjɔ̃] nf condensation

condition [kɔ̃disjɔ̃] nf condition; **conditions** nfpl (tarif, prix) terms; (circonstances) conditions; **sans ~** unconditionally; **à ~ de** ou **que** provided that • **conditionnel, le** nm conditional (tense)

conditionnement [kɔ̃disjɔnmɑ̃] nm (emballage) packaging

condoléances [kɔ̃dɔleɑ̃s] nfpl condolences

conducteur, -trice [kɔ̃dyktœr, -tris] nm/f driver ▶ nm (Élec etc) conductor

conduire [kɔ̃dɥir] /38/ vt to drive; (délégation, troupeau) to lead; **se conduire** vi to behave; **~ vers/à** to lead towards/to; **~ qn quelque part** to take sb somewhere; to drive sb somewhere

conduite [kɔ̃dɥit] nf (comportement) behaviour; (d'eau, de gaz) pipe; **sous la ~ de** led by

confection [kɔ̃fɛksjɔ̃] nf (fabrication) making; (Couture): **la ~** the clothing industry

conférence [kɔ̃ferɑ̃s] nf (exposé) lecture; (pourparlers) conference; **~ de presse** press conference

confesser [kɔ̃fese] /1/ vt to confess • **confession** nf confession; (culte: catholique etc) denomination

confetti [kɔ̃feti] nm confetti no pl

confiance [kɔ̃fjɑ̃s] nf (en l'honnêteté de qn) confidence, trust; (en la valeur de qch) faith; **avoir ~ en** to have confidence ou faith in, trust; **faire ~ à** to trust; **mettre qn en ~** to win sb's trust; **~ en soi** self-confidence; voir **question**

confiant, e [kɔ̃fjɑ̃, -ɑ̃t] adj confident; trusting

confidence [kɔ̃fidɑ̃s] nf confidence • **confidentiel, le** adj confidential

confier [kɔ̃fje] /7/ vt: **~ à qn** (objet en dépôt, travail etc) to entrust to sb;

(secret, pensée) to confide to sb; **se ~ à qn** to confide in sb

confirmation [kɔ̃firmasjɔ̃] *nf* confirmation

confirmé, e [kɔ̃firme] *adj (travailleur)* experienced

confirmer [kɔ̃firme] /1/ *vt* to confirm

confiserie [kɔ̃fizri] *nf (magasin)* confectioner's *ou* sweet shop; **confiseries** *nfpl (bonbons)* confectionery *sg*

confisquer [kɔ̃fiske] /1/ *vt* to confiscate

confit, e [kɔ̃fi, -it] *adj*: **fruits ~s** crystallized fruits ▶ *nm*: **~ d'oie** potted goose

confiture [kɔ̃fityr] *nf* jam

conflit [kɔ̃fli] *nm* conflict; **~ d'intérêts** conflict of interests

confondre [kɔ̃fɔ̃dr] /41/ *vt (jumeaux, faits)* to confuse, mix up; *(témoin, menteur)* to confound; **se confondre** *vi* to merge; **se ~ en excuses** to offer profuse apologies

conforme [kɔ̃fɔrm] *adj*: **~ à** *(en accord avec: loi, règle)* in accordance with • **conformément** *adv*: **conformément à** in accordance with • **conformer** /1/ *vt*: **se conformer à** to conform to

confort [kɔ̃fɔr] *nm* comfort; **tout ~** *(Comm)* with all mod cons *(BRIT) ou* modern conveniences • **confortable** *adj* comfortable

confronter [kɔ̃frɔ̃te] /1/ *vt* to confront

confus, e [kɔ̃fy, -yz] *adj (vague)* confused; *(embarrassé)* embarrassed • **confusion** *nf (voir confus)* confusion; *(embarrassment; (voir confondre)* confusion; mixing up

congé [kɔ̃ʒe] *nm (vacances)* holiday; **en ~** on holiday; **semaine/jour de ~** week/day off; **prendre ~ de qn** to take one's leave of sb; **donner son ~ à** to hand *ou* give in one's notice to; **~ de maladie** sick leave; **~ de maternité** maternity leave; **~s payés** paid holiday *ou* leave

congédier [kɔ̃ʒedje] /7/ *vt* to dismiss

congélateur [kɔ̃ʒelatœr] *nm* freezer

congeler [kɔ̃ʒ(ə)le] /5/ *vt* to freeze; **les produits congelés** frozen foods; **se congeler** *vi* to freeze

congestion [kɔ̃ʒɛstjɔ̃] *nf* congestion

Congo [kɔ̃go] *nm*: **le ~** the Congo

congrès [kɔ̃grɛ] *nm* congress

conifère [kɔnifɛr] *nm* conifer

conjoint, e [kɔ̃ʒwɛ̃, -wɛ̃t] *adj* joint ▶ *nm/f* spouse

conjonctivite [kɔ̃ʒɔ̃ktivit] *nf* conjunctivitis

conjoncture [kɔ̃ʒɔ̃ktyr] *nf* circumstances *pl*; **la ~ (économique)** the economic climate *ou* situation

conjugaison [kɔ̃ʒygɛzɔ̃] *nf (Ling)* conjugation

connaissance [kɔnɛsɑ̃s] *nf (savoir)* knowledge *no pl*; *(personne connue)* acquaintance; **être sans ~** to be unconscious; **perdre/ reprendre ~** to lose/regain consciousness; **à ma/sa ~** to (the best of) my/his knowledge; **faire ~ avec qn ou la ~ de qn** to meet sb

connaisseur, -euse [kɔnɛsœr, -øz] *nm/f* connoisseur

connaître [kɔnɛtr] /57/ *vt* to know; *(éprouver)* to experience;

(avoir: succès) to have; to enjoy; **~ de nom/vue** to know by name/sight; **ils se sont connus à Genève** they (first) met in Geneva; **s'y ~ en qch** to know about sth

connecté, e [kɔnɛkte] adj (Inform) online

connecter [kɔnɛkte] /1/ vt to connect; **se ~ à Internet** to log onto the Internet

connerie [kɔnʀi] nf (fam) (bloody) stupid (BRIT) ou damn-fool (us) thing to do ou say

connexion [kɔnɛksjɔ̃] nf connection

connu, e [kɔny] adj (célèbre) well-known

conquérir [kɔ̃keʀiʀ] /21/ vt to conquer • **conquête** nf conquest

consacrer [kɔ̃sakʀe] /1/ vt (Rel) to consecrate; **~ qch à** (employer) to devote ou dedicate sth to; **se ~ à qch/faire** to dedicate ou devote o.s. to sth/to doing

conscience [kɔ̃sjɑ̃s] nf conscience; **avoir/prendre ~ de** to be/become aware of; **perdre/ reprendre ~** to lose/regain consciousness; **avoir bonne/ mauvaise ~** to have a clear/guilty conscience • **consciencieux, -euse** adj conscientious • **conscient, e** adj conscious

consécutif, -ive [kɔ̃sekytif, -iv] adj consecutive; **~ à** following upon

conseil [kɔ̃sɛj] nm (avis) piece of advice; (assemblée) council; **donner un ~ ou des ~s à qn** to give sb (a piece of) advice; **prendre ~ (auprès de qn)** to take advice (from sb); **~ d'administration (CA)** board (of directors);

~ général regional council; **le ~ des ministres** ≈ the Cabinet; **~ municipal (CM)** town council

conseiller¹ [kɔ̃seje] vt (personne) to advise; (méthode, action) to recommend, advise; **~ à qn de faire qch** to advise sb to do sth

conseiller², -ière [kɔ̃seje, -ɛʀ] nm/f adviser; **~ d'orientation** (Scol) careers adviser (BRIT), (school) counselor (us)

consentement [kɔ̃sɑ̃tmɑ̃] nm consent

consentir [kɔ̃sɑ̃tiʀ] /16/ vt: **~ (à qch/faire)** to agree ou consent (to sth/to doing)

conséquence [kɔ̃sekɑ̃s] nf consequence; **en ~** (donc) consequently; (de façon appropriée) accordingly • **conséquent, e** adj logical, rational; (fam: important) substantial; **par conséquent** consequently

conservateur, -trice [kɔ̃sɛʀvatœʀ, -tʀis] nm/f (Pol) conservative; (de musée) curator ▶ nm (pour aliments) preservative

conservatoire [kɔ̃sɛʀvatwaʀ] nm academy

conserve [kɔ̃sɛʀv] nf (gén pl) canned ou tinned (BRIT) food; **en ~** canned, tinned (BRIT)

conserver [kɔ̃sɛʀve] /1/ vt (faculté) to retain, keep; (amis, livres) to keep; (préserver, Culin) to preserve

considérable [kɔ̃sideʀabl] adj considerable, significant, extensive

considération [kɔ̃sideʀasjɔ̃] nf consideration; (estime) esteem

considérer [kɔ̃sideʀe] /6/ vt to consider; **~ qch comme** to regard sth as

consigne [kɔ̃siɲ] nf (de gare) left luggage (office) (BRIT), checkroom (US); (ordre, instruction) instructions pl; **~ automatique** left-luggage locker

consister [kɔ̃siste] /1/ vi: **~ en/dans/à faire** to consist of/in/in doing

consoler [kɔ̃sɔle] /1/ vt to console

consommateur, -trice [kɔ̃sɔmatœʀ, -tʀis] nm/f (Écon) consumer; (dans un café) customer

consommation [kɔ̃sɔmasjɔ̃] nf (Écon) consumption; (boisson) drink; **de ~** (biens, société) consumer cpd

consommer [kɔ̃sɔme] /1/ vt (personne) to eat ou drink, consume; (voiture, usine, poêle) to use, consume; (Jur: mariage) to consummate ▶ vi (dans un café) to (have a) drink

consonne [kɔ̃sɔn] nf consonant

constamment [kɔ̃stamɑ̃] adv constantly

constant, e [kɔ̃stɑ̃, -ɑ̃t] adj constant; (personne) steadfast

constat [kɔ̃sta] nm (de police) report; **~ à l'amiable** (jointly agreed) statement for insurance purposes; **~ d'échec** acknowledgement of failure

constatation [kɔ̃statasjɔ̃] nf (remarque) observation

constater [kɔ̃state] /1/ vt (remarquer) to note; (Admin, Jur: attester) to certify

consterner [kɔ̃stɛʀne] /1/ vt to dismay

constipé, e [kɔ̃stipe] adj constipated

constitué, e [kɔ̃stitɥe] adj: **~ de** made up ou composed of

constituer [kɔ̃stitɥe] /1/ vt (comité, équipe) to set up; (dossier, collection) to put together; (éléments, parties: composer) to make up, constitute; (: représenter, être) to constitute; **se ~ prisonnier** to give o.s. up

constructeur [kɔ̃stʀyktœʀ] nm/f manufacturer, builder

constructif, -ive [kɔ̃stʀyktif, -iv] adj constructive

construction [kɔ̃stʀyksjɔ̃] nf construction, building

construire [kɔ̃stʀɥiʀ] /38/ vt to build, construct

consul [kɔ̃syl] nm consul
• **consulate** nm consulate

consultant, e adj, nm consultant

consultation [kɔ̃syltasjɔ̃] nf consultation; **heures de ~** (Méd) surgery (BRIT) ou office (US) hours

consulter [kɔ̃sylte] /1/ vt to consult ▶ vi (médecin) to hold surgery (BRIT), be in (the office) (US)

contact [kɔ̃takt] nm contact; **au ~ de** (air, peau) on contact with; (gens) through contact with; **mettre/couper le ~** (Auto) to switch on/off the ignition; **entrer en ~** to come into contact; **prendre ~ avec** to get in touch ou contact with • **contacter** /1/ vt to contact, get in touch with

contagieux, -euse [kɔ̃taʒjø, -øz] adj infectious; (par le contact) contagious

contaminer [kɔ̃tamine] /1/ vt to contaminate

conte [kɔ̃t] nm tale; **~ de fées** fairy tale

contempler [kɔ̃tɑ̃ple] /1/ vt to contemplate, gaze at

contrebasse

contemporain, e [kɔ̃tɑ̃pɔʀɛ̃, -ɛn] *adj, nm/f* contemporary

contenir [kɔ̃t(ə)niʀ] /22/ *vt* to contain; *(avoir une capacité de)* to hold

content, e [kɔ̃tɑ̃, -ɑ̃t] *adj* pleased, glad; **~ de** pleased with • **contenter** /1/ *vt* to satisfy, please; **se contenter de** to content o.s. with

contenu, e [kɔ̃t(ə)ny] *nm (d'un bol)* contents *pl; (d'un texte)* content

conter [kɔ̃te] /1/ *vt* to recount, relate

conteste [kɔ̃tɛst]: **sans ~** *adv* unquestionably, indisputably • **contester** /1/ *vt* to question ▶ *vi (Pol, gén)* to rebel (against established authority)

contexte [kɔ̃tɛkst] *nm* context

continent [kɔ̃tinɑ̃] *nm* continent

continu, e [kɔ̃tiny] *adj* continuous; **faire la journée ~e** to work without taking a full lunch break; **(courant) ~** direct current, DC

continuel, le [kɔ̃tinɥɛl] *adj (qui se répète)* constant, continual; *(continu)* continuous

continuer [kɔ̃tinɥe] /1/ *vt (travail, voyage etc)* to continue (with), carry on (with), go on with; *(prolonger: alignement, rue)* to continue ▶ *vi (pluie, vie, bruit)* to continue, go on; **~ à ou de faire** to go on ou continue doing

contourner [kɔ̃tuʀne] /1/ *vt* to bypass, walk ou drive round; *(difficulté)* to get round

contraceptif, -ive [kɔ̃tʀasɛptif, -iv] *adj, nm* contraceptive • **contraception** *nf* contraception

contracté, e [kɔ̃tʀakte] *adj* tense

contracter [kɔ̃tʀakte] /1/ *vt (muscle etc)* to tense, contract; *(maladie, dette, obligation)* to contract; *(assurance)* to take out; **se contracter** *vi (métal, muscles)* to contract

contractuel, le [kɔ̃tʀaktɥɛl] *nm/f (agent)* traffic warden

contradiction [kɔ̃tʀadiksjɔ̃] *nf* contradiction • **contradictoire** *adj* contradictory, conflicting

contraignant, e [kɔ̃tʀɛɲɑ̃, -ɑ̃t] *adj* restricting

contraindre [kɔ̃tʀɛ̃dʀ] /52/ *vt*: **~ qn à faire** to force ou compel sb to do

contraint, e *pp de* **contraindre** ▶ *nf* constraint

contraire [kɔ̃tʀɛʀ] *adj, nm* opposite; **~ à** contrary to; **au ~** on the contrary

contrarier [kɔ̃tʀaʀje] /7/ *vt (personne)* to annoy; *(projets)* to thwart, frustrate • **contrariété** [kɔ̃tʀaʀjete] *nf* annoyance

contraste [kɔ̃tʀast] *nm* contrast

contrat [kɔ̃tʀa] *nm* contract

contravention [kɔ̃tʀavɑ̃sjɔ̃] *nf* parking ticket

contre [kɔ̃tʀ] *prép* against; *(en échange)* for; **par ~** on the other hand

contrebande [kɔ̃tʀəbɑ̃d] *nf (trafic)* contraband, smuggling; *(marchandise)* contraband, smuggled goods *pl;* **faire la ~ de** to smuggle

contrebas [kɔ̃tʀəba]: **en ~** *adv* (down) below

contrebasse [kɔ̃tʀəbas] *nf* (double) bass

contrecoup nm repercussions pl

contredire /37/ vt (personne) to contradict; (témoignage, assertion, faits) to refute

contrefaçon [kɔ̃trəfasɔ̃] nf forgery

contre-indication (pl **contre-indications**) nf (Méd) contra-indication; **"contre-indication en cas d'eczéma"** "should not be used by people with eczema" • **contre-indiqué, e** adj (Méd) contraindicated; (déconseillé) unadvisable, ill-advised

contremaître [kɔ̃trəmɛtr] nm foreman

contre-plaqué [kɔ̃trəplake] nm plywood

contresens [kɔ̃trəsɑ̃s] nm (erreur) misinterpretation; (mauvaise traduction) mistranslation; **à ~** the wrong way

contretemps [kɔ̃trətɑ̃] nm hitch; **à ~** (fig) at an inopportune moment

contribuer [kɔ̃tribɥe] /1/: **~ à** vt to contribute towards • **contribution** nf contribution; **mettre à contribution** to call upon; **contributions directes/ indirectes** direct/indirect taxation

contrôle [kɔ̃trol] nm checking no pl, check; monitoring; (test) test, examination; **perdre le ~ de son véhicule** to lose control of one's vehicle; **~ continu** (Scol) continuous assessment; **~ d'identité** identity check

contrôler [kɔ̃trole] /1/ vt (vérifier) to check; (surveiller: opérations) to supervise;

(: prix) to monitor, control; (maîtriser, Comm: firme) to control • **contrôleur, -euse** nm/f (de train) (ticket) inspector; (de bus) (bus) conductor/tress

controversé, e [kɔ̃trɔvɛrse] adj (personnage, question) controversial

contusion [kɔ̃tyzjɔ̃] nf bruise, contusion

convaincre [kɔ̃vɛ̃kr] /42/ vt: **~ qn (de qch)** to convince sb (of sth); **~ qn (de faire)** to persuade sb (to do)

convalescence [kɔ̃valesɑ̃s] nf convalescence

convenable [kɔ̃vnabl] adj suitable; (assez bon) decent

convenir [kɔ̃vnir] /22/ vi to be suitable; **~ à** to suit; **~ de** (bien-fondé de qch) to admit (to), acknowledge; (date, somme etc) to agree upon; **~ que** (admettre) to admit that; **~ de faire qch** to agree to do sth

convention [kɔ̃vɑ̃sjɔ̃] nf convention; **conventions** nfpl (convenances) convention sg; **~ collective** (Écon) collective agreement • **conventionné, e** adj (Admin) applying charges laid down by the state

convenu, e [kɔ̃vny] pp de **convenir** ◊ adj agreed

conversation [kɔ̃vɛrsasjɔ̃] nf conversation

convertir [kɔ̃vɛrtir] /2/ vt: **~ qn (à)** to convert sb (to); **~ qch en** to convert sth into; **se ~ (à)** to be converted (to)

conviction [kɔ̃viksjɔ̃] nf conviction

convienne etc [kɔ̃vjɛn] vb voir **convenir**

convivial, e [kɔ̃vivjal] *adj* (*Inform*) user-friendly

convocation [kɔ̃vɔkasjɔ̃] *nf* (*document*) notification to attend; (*Jur*) summons *sg*

convoquer [kɔ̃vɔke] /1/ *vt* (*assemblée*) to convene; (*subordonné, témoin*) to summon; (*candidat*) to ask to attend

coopération [kɔɔperasjɔ̃] *nf* co-operation; (*Admin*): **la** **C~** ≈ Voluntary Service Overseas (BRIT) *ou* the Peace Corps (US: *done as alternative to military service*)

coopérer [kɔɔpere] /6/ *vi*: **~ (à)** to co-operate (in)

coordonné, e [kɔɔrdɔne] *adj* coordinated; **coordonnées** *nfpl* (*détails personnels*) address, phone number, schedule *etc*

coordonner [kɔɔrdɔne] /1/ *vt* to coordinate

copain, copine *nm/f* pal; (*petit ami*) boyfriend; (*petite amie*) girlfriend

copie [kɔpi] *nf* copy; (*Scol*) script, paper • **copier** /7/ *vt, vi* to copy; **copier coller** (*Inform*) copy and paste; **copier sur** to copy from • **copieur** *nm* (photo)copier

copieux, -euse [kɔpjø, -øz] *adj* copious

copine [kɔpin] *nf voir* **copain**

coq [kɔk] *nm* cockerel

coque [kɔk] *nf* (*de noix, mollusque*) shell; (*de bateau*) hull; **à la ~** (*Culin*) (soft-)boiled

coquelicot [kɔkliko] *nm* poppy

coqueluche [kɔklyʃ] *nf* whooping-cough

coquet, te [kɔkɛ, -ɛt] *adj* appearance-conscious; (*logement*) smart, charming

coquetier [kɔk(ə)tje] *nm* eggcup

coquillage [kɔkijaʒ] *nm* (*mollusque*) shellfish *inv*; (*coquille*) shell

coquille [kɔkij] *nf* shell; (*Typo*) misprint; **~ St Jacques** scallop

coquin, e [kɔkɛ̃, -in] *adj* mischievous, roguish; (*polisson*) naughty

cor [kɔr] *nm* (*Mus*) horn; (*Méd*): **~ (au pied)** corn

corail, -aux [kɔraj, -o] *nm* coral *no pl*

Coran [kɔrɑ̃] *nm*: **le ~** the Koran

corbeau, x [kɔrbo] *nm* crow

corbeille [kɔrbɛj] *nf* basket; (*Inform*) recycle bin; **~ à papier** waste paper basket *ou* bin

corde [kɔrd] *nf* rope; (*de violon, raquette, d'arc*) string; **usé jusqu'à la ~** threadbare; **~ à linge** washing *ou* clothes line; **~ à sauter** skipping rope; **~s vocales** vocal cords

cordée [kɔrde] *nf* (*d'alpinistes*) rope, roped party

cordialement [kɔrdjalmɑ̃] *adv* (*formule épistolaire*) (kind) regards

cordon [kɔrdɔ̃] *nm* cord, string; **~ sanitaire/de police** sanitary/ police cordon; **~ ombilical** umbilical cord

cordonnerie [kɔrdɔnri] *nf* shoe repairer's *ou* mender's (shop) • **cordonnier** *nm* shoe repairer *ou* mender

Corée [kɔre] *nf*: **la ~ du Sud/du Nord** South/North Korea

coriace [kɔrjas] *adj* tough

corne [kɔrn] *nf* horn; (*de cerf*) antler

cornée [kɔrne] *nf* cornea

corneille [kɔrnɛj] *nf* crow

cornemuse [kɔrnəmyz] *nf* bagpipes *pl*

cornet [kɔʀnɛ] nm (paper) cone; (de glace) cornet, cone

corniche [kɔʀniʃ] nf (route) coast road

cornichon [kɔʀniʃɔ̃] nm gherkin

Cornouailles [kɔʀnwaj] fpl Cornwall

corporel, le [kɔʀpɔʀɛl] adj bodily; (punition) corporal

corps [kɔʀ] nm body; **à ~ perdu** headlong; **prendre ~** to take shape; **le ~ électoral** the electorate; **le ~ enseignant** the teaching profession

correct, e [kɔʀɛkt] adj correct • **correcteur, -trice** nm/f (Scol) examiner ▸ nm (voir **corriger**) correction • **correction** nf (voir **corriger**) correction; (voir **correct**) correctness; (coups) thrashing

correspondance [kɔʀɛspɔ̃dɑ̃s] nf correspondence; (de train, d'avion) connection; **cours par ~** correspondence course; **vente par ~** mail-order business

correspondant, e [kɔʀɛspɔ̃dɑ̃, -ɑ̃t] nm/f correspondent; (Tél) person phoning (ou being phoned)

correspondre [kɔʀɛspɔ̃dʀ] /41/ vi to correspond, tally; **~ à** to correspond to; **~ avec qn** to correspond with sb

corrida [kɔʀida] nf bullfight

corridor [kɔʀidɔʀ] nm corridor

corrigé [kɔʀiʒe] nm (Scol: d'exercice) correct version

corriger [kɔʀiʒe] /3/ vt (devoir) to correct; (punir) to thrash; **~ qn de** (défaut) to cure sb of

corrompre [kɔʀɔ̃pʀ] /41/ vt to corrupt; (acheter: témoin etc) to bribe

corruption [kɔʀypsjɔ̃] nf corruption; (de témoins) bribery

corse [kɔʀs] adj Corsican ▸ nm/f: **C~** Corsican ▸ nf: **la C~** Corsica

corsé, e [kɔʀse] adj (café etc) full-flavoured (BRIT) ou -flavored (US); (sauce) spicy; (problème) tough

cortège [kɔʀtɛʒ] nm procession

cortisone [kɔʀtizɔn] nf cortisone

corvée [kɔʀve] nf chore, drudgery no pl

cosmétique [kɔsmetik] nm beauty care product

cosmopolite [kɔsmɔpɔlit] adj cosmopolitan

costaud, e [kɔsto, -od] adj strong, sturdy

costume [kɔstym] nm (d'homme) suit; (de théâtre) costume • **costumé, e** adj dressed up

cote [kɔt] nf (en Bourse etc) quotation; **~ d'alerte** danger ou flood level; **~ de popularité** popularity rating

côte [kot] nf (rivage) coast(line); (pente) hill; (Anat) rib; (d'un tricot, tissu) rib, ribbing no pl; **~ à ~** side by side; **la C~ (d'Azur)** the (French) Riviera

côté [kote] nm (gén) side; (direction) way, direction; **de chaque ~** on each side of; **de tous les ~s** from all directions; **de quel ~ est-il parti?** which way ou in which direction did he go?; **de ce/de l'autre ~** this/the other way; **du ~ de** (provenance) from; (direction) towards; **du ~ de Lyon** (proximité) near Lyons; **de ~** (regarder) sideways; **mettre de ~** to put aside, put on one side; **mettre de l'argent de ~** to save some money; **à ~** (right) nearby; (voisins) next door; **à ~ de** beside;

next to; (fig) in comparison to;
être aux ~s de to be by the side of

Côte d'Ivoire [kotdivwaʀ] nf: **la
~ Côte d'Ivoire**, the Ivory Coast

côtelette [kotlɛt] nf chop

côtier, -ière [kotje, -jɛʀ] adj
coastal

cotisation [kotizasjɔ̃] nf
subscription, dues pl; (pour une
pension) contributions pl

cotiser [kotize] /1/ vi: **~ (à)** to pay
contributions (to); **se cotiser** vi to
club together

coton [kotɔ̃] nm cotton;
~ hydrophile cotton wool (BRIT),
absorbent cotton (US)

Coton-Tige® nm cotton bud

cou [ku] nm neck

couchant [kuʃɑ̃] adj: **soleil ~**
setting sun

couche [kuʃ] nf layer; (de peinture,
vernis) coat; (de bébé) nappy (BRIT),
diaper (US); **~s sociales** social
levels ou strata

couché, e [kuʃe] adj lying down;
(au lit) in bed

coucher [kuʃe] /1/ vt (personne) to
put to bed; (: loger) to put up;
(objet) to lay on its side ▶ vi to
sleep; **~ avec qn** to sleep with sb;
se coucher vi (pour dormir) to go
to bed; (pour se reposer) to lie
down; (soleil) to set; **~ de soleil**
sunset

couchette [kuʃɛt] nf couchette;
(pour voyageur, sur bateau) berth

coucou [kuku] nm cuckoo

coude [kud] nm (Anat) elbow; (de
tuyau, de la route) bend; **~ à ~**
shoulder to shoulder, side by side

coudre [kudʀ] /48/ vt (bouton) to
sew on ▶ vi to sew

couette [kwɛt] nf duvet;
couettes nfpl (cheveux) bunches

couffin [kufɛ̃] nm Moses basket

couler [kule] /1/ vi to flow, run;
(fuir: stylo, récipient) to leak; (: nez)
to run; (sombrer: bateau) to sink
▶ vt (cloche, sculpture) to cast;
(bateau) to sink; (faire échouer:
personne) to bring down, ruin

couleur [kulœʀ] nf colour (BRIT),
color (US); (Cartes) suit; **en ~s**
(film) in colo(u)r; **télévision en ~s**
colo(u)r television; **de ~** (homme,
femme: vieilli) colo(u)red

couleuvre [kulœvʀ] nf grass snake

coulisse [kulis] nf (Tech) runner;
coulisses nfpl (Théât) wings; (fig):
dans les ~s behind the scenes

couloir [kulwaʀ] nm corridor,
passage; (d'avion) aisle; (de bus)
gangway; **~ aérien** air corridor ou
lane; **~ de navigation** shipping
lane

coup [ku] nm (heurt, choc) knock;
(affectif) blow, shock; (agressif)
blow; (avec arme à feu) shot; (de
l'horloge) stroke; (Sport: golf)
stroke; (: tennis) shot; (fam: fois)
time; **~ de coude/genou** nudge
(with the elbow)/with the knee;
donner un ~ de balai to give the
floor a sweep; **être dans le/hors
du ~** to be/not to be in on it; (à la
page) to be hip ou trendy; **du ~** as a
result; **d'un seul ~** (subitement)
suddenly; (à la fois) at one go; **du
premier ~** first time ou go; **du
même ~** at the same time; **à ~ sûr**
definitely, without fail; **après ~**
afterwards; **~ sur ~** in quick
succession; **sur le ~** outright;
sous le ~ de (surprise etc) under
the influence of; **à tous les ~**
every time; **tenir le ~** to hold out;
~ de chance stroke of luck; **~ de
couteau** stab (of a knife);
~ d'envoi kick-off; **~ d'essai** first

attempt; **~ d'état** coup d'état;
~ de feu shot; **~ de filet** (*Police*)
haul; **~ de foudre** love at first
sight; **~ franc** free kick; **~ de frein**
(sharp) braking *no pl*; **~ de grâce**
coup de grâce; **~ de main:**
donner un ~ de main à qn to give
sb a (helping) hand; **~ d'œil**
glance; **~ de pied** kick; **~ de**
poing punch; **~ de soleil** sunburn
no pl; **~ de sonnette** ring of the
bell; **~ de téléphone** phone call;
~ de tête (*fig*) (sudden) impulse;
~ de théâtre (*fig*) dramatic turn of
events; **~ de tonnerre** clap of
thunder; **~ de vent** gust of wind;
en ~ de vent (*rapidement*) in a
tearing hurry

coupable [kupabl] *adj* guilty
▶ *nm/f* (*gén*) culprit; (*Jur*) guilty
party

coupe [kup] *nf* (*verre*) goblet;
(*à fruits*) dish; (*Sport*) cup; (*de*
cheveux, de vêtement) cut;
(*graphique, plan*) (cross) section

couper [kupe] /1/ *vt* to cut;
(*retrancher*) to cut (out); (*route,*
courant) to cut off; (*appétit*) to take
away; (*vin, cidre: à table*) to dilute
(with water) ▶ *vi* to cut; (*prendre*
un raccourci) to take a short-cut;
se couper *vi* (*se blesser*) to cut o.s.;
~ la parole à qn to cut sb short;
nous avons été coupés we've
been cut off

couple [kupl] *nm* couple

couplet [kuple] *nm* verse

coupole [kupɔl] *nf* dome

coupon [kupɔ̃] *nm* (*ticket*)
coupon; (*de tissu*) remnant

coupure [kupyr] *nf* cut; (*billet de*
banque) note; (*de journal*) cutting;
~ de courant power cut

cour [kur] *nf* (*de ferme, jardin*)
(court)yard; (*d'immeuble*) back

yard; (*Jur, royale*) court; **faire la**
~ à qn to court sb; **~ d'assises**
court of assizes; **~ de récréation**
playground

courage [kuraʒ] *nm* courage,
bravery • **courageux, -euse** *adj*
brave, courageous

couramment [kuramã] *adv*
commonly; (*parler*) fluently

courant, e [kurã, -ãt] *adj*
(*fréquent*) common; (*Comm, gén:*
normal) standard; (*en cours*)
current ▶ *nm* current; (*fig*)
movement; (: *d'opinion*) trend;
être au ~ (de) (*fait, nouvelle*) to
know (about); **mettre qn au**
~ (de) to tell sb (about); (*nouveau*
travail etc) to teach sb the basics
(of); **se tenir au ~ (de)** (*techniques*
etc) to keep o.s. up-to-date (on);
dans le ~ de (*pendant*) in the
course of; **le 10 ~** (*Comm*) the 10th
inst.; **~ d'air** draught;
~ électrique (electric) current,
power

courbature [kurbatyr] *nf* ache

courbe [kurb] *adj* curved ▶ *nf*
curve

coureur, -euse [kurœr, -øz]
nm/f (*Sport*) runner (*ou* driver);
(*péj*) womanizer/manhunter

courge [kurʒ] *nf* (*Culin*) marrow
• **courgette** *nf* courgette (*BRIT*),
zucchini (*US*)

courir [kurir] /11/ *vi* to run ▶ *vt*
(*Sport: épreuve*) to compete in;
(: *risque*) to run; (: *danger*) to face;
~ les cafés/bals to do the rounds
of the cafés/dances; **le bruit**
court que the rumour is going
round that

couronne [kurɔn] *nf* crown; (*de*
fleurs) wreath, circlet

courons [kurɔ̃] *vb voir* **courir**

courriel [kuʀjɛl] *nm* email

courrier [kuʀje] *nm* mail, post; (*lettres à écrire*) letters *pl*; **est-ce que j'ai du ~?** are there any letters for me?; **~ électronique** email

> ⚠ Attention à ne pas traduire *courrier* par le mot anglais *courier*.

courroie [kuʀwa] *nf* strap; (*Tech*) belt

courrons *etc* [kuʀɔ̃] *vb voir* **courir**

cours [kuʀ] *nm* (*leçon*) class; (: *particulier*) lesson; (*série de leçons*) course; (*écoulement*) flow; (*Comm: de devises*) rate; (: *de denrées*) price; **donner libre ~ à** to give free expression to; **avoir ~** (*Scol*) to have a class *ou* lecture; **en ~** (*année*) current; (*travaux*) in progress; **en ~ de route** on the way; **au ~ de** in the course of, during; **le ~ du change** the exchange rate; **~ d'eau** waterway; **~ du soir** night school

course [kuʀs] *nf* running; (*Sport: épreuve*) race; (*d'un taxi, autocar*) journey, trip; (*petite mission*) errand; **courses** *nfpl* (*achats*) shopping *sg*; **faire les** *ou* **ses ~s** to go shopping

court, e [kuʀ, kuʀt] *adj* short ▸ *adv* short ▸ *nm*: **~ (de tennis)** (tennis) court; **à ~ de** short of; **prendre qn de ~** to catch sb unawares • **court-circuit** *nm* short-circuit

courtoisie [kuʀtwazi] *nf* courtesy

couru, e [kuʀy] *pp de* **courir**

cousais *etc* [kuze] *vb voir* **coudre**

couscous [kuskus] *nm* couscous

cousin, e [kuzɛ̃, -in] *nm/f* cousin

coussin [kusɛ̃] *nm* cushion

cousu, e [kuzy] *pp de* **coudre**

coût [ku] *nm* cost; **le ~ de la vie** the cost of living

couteau, x [kuto] *nm* knife

coûter [kute] /1/ *vt* to cost ▸ *vi* to cost; **~ cher** to be expensive; **combien ça coûte?** how much is it?, what does it cost?; **coûte que coûte** at all costs • **coûteux, -euse** *adj* costly, expensive

coutume [kutym] *nf* custom

couture [kutyʀ] *nf* sewing; (*profession*) dress-making; (*points*) seam • **couturier** *nm* fashion designer • **couturière** *nf* dressmaker

couvent [kuvɑ̃] *nm* (*de sœurs*) convent; (*de frères*) monastery

couver [kuve] /1/ *vt* to hatch; (*maladie*) to be sickening for ▸ *vi* (*feu*) to smoulder; (*révolte*) to be brewing

couvercle [kuvɛʀkl] *nm* lid; (*de bombe aérosol etc, qui se visse*) cap, top

couvert, e [kuvɛʀ, -ɛʀt] *pp de* **couvrir** ▸ *adj* (*ciel*) overcast ▸ *nm* place setting; (*place à table*) place; **couverts** *nmpl* (*ustensiles*) cutlery *sg*; **~ de** covered with *ou* in; **mettre le ~** to lay the table

couverture [kuvɛʀtyʀ] *nf* blanket; (*de livre, fig, Assurances*) cover; (*Presse*) coverage

couvre-lit [kuvʀəli] *nm* bedspread

couvrir [kuvʀiʀ] /18/ *vt* to cover; **se couvrir** *vi* (*ciel*) to cloud over; (*s'habiller*) to cover up; (*se coiffer*) to put on one's hat

covoiturage [kovwatyʀaʒ] *nm* car sharing

cow-boy [koboj] *nm* cowboy

crabe [kʀab] *nm* crab

cracher [kʁaʃe] /1/ vi to spit ▶ vt to spit out

crachin [kʁaʃɛ̃] nm drizzle

craie [kʁɛ] nf chalk

craindre [kʁɛ̃dʁ] /52/ vt to fear, be afraid of; (être sensible à: chaleur, froid) to be easily damaged by

crainte [kʁɛ̃t] nf fear; **de ~ de/ que** for fear of/that • **craintif, -ive** adj timid

crampe [kʁɑ̃p] nf cramp; **j'ai une ~ à la jambe** I've got cramp in my leg

cramponner [kʁɑ̃pɔne] /1/: **se cramponner** vi: **se ~ (à)** to hang ou cling on (to)

cran [kʁɑ̃] nm (entaille) notch; (de courroie) hole; (fig: courage) guts pl

crâne [kʁɑn] nm skull

crapaud [kʁapo] nm toad

craquement [kʁakmɑ̃] nm crack, snap; (du plancher) creak, creaking no pl

craquer [kʁake] /1/ vi (bois, plancher) to creak; (fil, branche) to snap; (couture) to come apart; (fig: accusé) to break down, fall apart ▶ vt: **~ une allumette** to strike a match; **j'ai craqué** (fam) I couldn't resist it

crasse [kʁas] nf grime, filth • **crasseux, -euse** adj filthy

cravache [kʁavaʃ] nf (riding) crop

cravate [kʁavat] nf tie

crawl [kʁol] nm crawl; **dos ~é** backstroke

crayon [kʁɛjɔ̃] nm pencil; **~ à bille** ball-point pen; **~ de couleur** crayon • **crayon-feutre** (pl **crayons-feutres**) nm felt(-tip) pen

création [kʁeasjɔ̃] nf creation

crèche [kʁɛʃ] nf (de Noël) crib;

(garderie) crèche, day nursery

crédit [kʁedi] nm (gén) credit; **crédits** nmpl funds; **acheter à ~** to buy on credit ou on easy terms; **faire ~ à qn** to give sb credit • **créditer** /1/ vt: **créditer un compte (de)** to credit an account (with)

créer [kʁee] /1/ vt to create

crémaillère [kʁemajɛʁ] nf: **pendre la ~** to have a house-warming party

crème [kʁɛm] nf cream; (entremets) cream dessert ▶ adj inv cream; **un (café) ~** ≈ a white coffee; **~ anglaise** (egg) custard; **~ chantilly** whipped cream; **~ à raser** shaving cream; **~ solaire** sun cream

créneau, x [kʁeno] nm (de fortification) crenel(le); (fig, aussi Comm) gap, slot; (Auto): **faire un ~** to reverse into a parking space (between cars alongside the kerb)

crêpe [kʁɛp] nf (galette) pancake ▶ nm (tissu) crêpe • **crêperie** nf pancake shop ou restaurant

crépuscule [kʁepyskyl] nm twilight, dusk

cresson [kʁesɔ̃] nm watercress

creuser [kʁøze] /1/ vt (trou, tunnel) to dig; (sol) to dig a hole in; (fig) to go (deeply) into; **ça creuse** that gives you a real appetite; **se ~ (la cervelle)** to rack one's brains

creux, -euse [kʁø, -øz] adj hollow ▶ nm hollow; **heures creuses** slack periods; (électricité, téléphone) off-peak periods; **avoir un ~** (fam) to be hungry

crevaison [kʁəvɛzɔ̃] nf puncture

crevé, e [kʁəve] adj (fam: fatigué) shattered (BRIT), exhausted

croquer

crever [kRəve] /5/ vt (tambour, ballon) to burst ▶ vi (pneu) to burst; (automobiliste) to have a puncture (BRIT) ou a flat (tire) (US); (fam) to die

crevette [kRəvɛt] nf: ~ (rose) prawn; ~ grise shrimp

cri [kRi] nm cry, shout; (d'animal: spécifique) cry, call; **c'est le dernier ~** (fig) it's the latest fashion

criard, e [kRijaR, -aRd] adj (couleur) garish, loud; (voix) yelling

cric [kRik] nm (Auto) jack

crier [kRije] /7/ vi (pour appeler) to shout, cry (out); (de peur, de douleur etc) to scream, yell ▶ vt (ordre, injure) to shout (out), yell (out)

crime [kRim] nm crime; (meurtre) murder • **criminel, le** nm/f criminal; murderer

crin [kRɛ̃] nm (de cheval) hair no pl

crinière [kRinjɛR] nf mane

crique [kRik] nf creek, inlet

criquet [kRikɛ] nm grasshopper

crise [kRiz] nf crisis (pl crises); (Méd) attack; (: d'épilepsie) fit; ~ **cardiaque** heart attack; **avoir une ~ de foie** to have really bad indigestion; **piquer une ~ de nerfs** to go hysterical

cristal, -aux [kRistal, -o] nm crystal

critère [kRitɛR] nm criterion (pl criteria)

critiquable [kRitikabl] adj open to criticism

critique [kRitik] adj critical ▶ nm/f (de théâtre, musique) critic ▶ nf criticism; (Théât etc article) review

critiquer [kRitike] /1/ vt (dénigrer) to criticize; (évaluer, juger) to assess, examine (critically)

croate [kRɔat] adj Croatian ▶ nm (Ling) Croat, Croatian ▶ nm/f: **C-** Croat, Croatian

Croatie [kRɔasi] nf: **la ~** Croatia

crochet [kRɔʃɛ] nm hook; (détour) detour; (Tricot: aiguille) crochet hook; (: technique) crochet; **vivre aux ~s de qn** to live ou sponge off sb

crochu, e [kRɔʃy] adj hooked; clawlike

crocodile [kRɔkɔdil] nm crocodile

croire [kRwaR] /44/ vt to believe; **se ~ fort** to think one is strong; ~ **que** to believe ou think that; ~ **à, ~ en** to believe in

croisade [kRwazad] nf crusade

croisement [kRwazmɑ̃] nm (carrefour) crossroads sg; (Bio) crossing; (: résultat) crossbreed

croiser [kRwaze] /1/ vt (personne, voiture) to pass; (route) to cross, cut across; (Bio) to cross; **se croiser** vi (personnes, véhicules) to pass each other; (routes) to cross; (regards) to meet; **se ~ les bras** (fig) to fold one's arms, to twiddle one's thumbs

croisière [kRwazjɛR] nf cruise

croissance [kRwasɑ̃s] nf growth

croissant, e [kRwasɑ̃, -ɑ̃t] adj growing ▶ nm (à manger) croissant; (motif) crescent

croître [kRwatR] /55/ vi to grow

croix [kRwa] nf cross; **la C- Rouge** the Red Cross

croque-madame [kRɔkmadam] nm inv toasted cheese sandwich with a fried egg on top

croque-monsieur [kRɔkməsjø] nm inv toasted ham and cheese sandwich

croquer [kRɔke] /1/ vt (manger) to crunch; (: fruit) to munch; (dessiner) to sketch; **chocolat à ~** plain dessert chocolate

croquis [kʀɔki] nm sketch

crotte [kʀɔt] nf droppings pl
• **crottin** [kʀɔtɛ̃] nm dung,
manure; (fromage) (small round)
cheese (bout de goat's milk)

croustillant, e [kʀustijɑ̃, -ɑ̃t]
adj crisp

croûte [kʀut] nf crust; (du
fromage) rind; (Méd) scab; **en ~**
(Culin) in pastry

croûton [kʀutɔ̃] nm (Culin)
crouton; (bout du pain) crust, heel

croyant, e [kʀwajɑ̃, -ɑ̃t] nm/f
believer

CRS sigle fpl (= Compagnies
républicaines de sécurité) state
security police force ▶ sigle m
member of the CRS

cru, e [kʀy] pp de **croire** ▶ adj (non
cuit) raw; (lumière, couleur) harsh;
(paroles, langage) crude ▶ nm
(vignoble) vineyard; (vin) wine;
un grand ~ a great vintage;
jambon ~ cured ham

crû [kʀy] pp de **croître**

cruauté [kʀyote] nf cruelty

cruche [kʀyʃ] nf pitcher,
(earthenware) jug

crucifix [kʀysifi] nm crucifix

crudité [kʀydite] nf crudeness no
pl; **crudités** nfpl (Culin) selection
of raw vegetables

crue [kʀy] nf (inondation) flood;
voir aussi **cru**

cruel, le [kʀyɛl] adj cruel

crus, crûs etc [kʀy] vb voir **croire**;
croître

crustacés [kʀystase] nmpl
shellfish

Cuba [kyba] nm Cuba • **cubain, e**
adj Cuban ▶ nm/f: **Cubain, e** Cuban

cube [kyb] nm cube; (jouet) brick;
mètre ~ cubic metre; **2 au ~ = 8**
2 cubed is 8

cueillette [kœjɛt] nf picking;
(quantité) crop, harvest

cueillir [kœjiʀ] /12/ vt (fruits,
fleurs) to pick, gather; (fig) to
catch

cuiller, cuillère [kɥijɛʀ] nf
spoon; **~ à café** coffee spoon;
(Culin) ≈ teaspoonful; **~ à soupe**
soup spoon; (Culin) ≈
tablespoonful • **cuillerée** nf
spoonful

cuir [kɥiʀ] nm leather; (avant
tannage) hide; **~ chevelu** scalp

cuire [kɥiʀ] /38/ vt: (aliments) to
cook; (au four) to bake ▶ vi to cook;
bien cuit (viande) well done; **trop
cuit** overdone

cuisine [kɥizin] nf (pièce) kitchen;
(art culinaire) cookery, cooking;
(nourriture) cooking, food; **faire la
~** to cook • **cuisiné, e** adj: **plat
cuisiné** ready-made meal ou dish
• **cuisiner** /1/ vt to cook; (fam)
to grill ▶ vi to cook • **cuisinier, -ière**
nm/f cook ▶ nf (poêle) cooker

cuisse [kɥis] nf thigh; (Culin) leg

cuisson [kɥisɔ̃] nf cooking

cuit, e [kɥi, -it] pp de **cuire**

cuivre [kɥivʀ] nm copper; **les ~s**
(Mus) the brass

cul [ky] nm (fam!) arse (!)

culminant, e [kylminɑ̃, -ɑ̃t] adj:
point ~ highest point

culot [kylo] (fam) nm (effronterie)
cheek

culotte [kylɔt] nf (de femme)
panties pl, knickers pl (BRIT)

culte [kylt] nm (religion) religion;
(hommage, vénération) worship;
(protestant) service

cultivateur, -trice [kyltivatœʀ,
-tʀis] nm/f farmer

cultivé, e [kyltive] adj (personne)
cultured, cultivated

cultiver [kyltive] /1/ vt to cultivate; (légumes) to grow, cultivate

culture [kyltyʀ] nf cultivation; (connaissances etc) culture; **les ~s intensives** intensive farming; **~ OGM** GM crop; **~ physique** physical training • **culturel, le** adj cultural

cumin [kymɛ̃] nm cumin

cure [kyʀ] nf (Méd) course of treatment; **~ d'amaigrissement** slimming course; **~ de repos** rest cure

curé [kyʀe] nm parish priest

cure-dent [kyʀdɑ̃] nm toothpick

curieux, -euse [kyʀjø, -øz] adj (étrange) strange, curious; (indiscret) curious, inquisitive ▸ nmpl (badauds) onlookers • **curiosité** nf curiosity; (site) unusual feature ou sight

curriculum vitae [kyʀikylɔmvite] nm inv curriculum vitae

curseur [kyʀsœʀ] nm (Inform) cursor; (de règle) slide; (de fermeture-éclair) slider

cutané, e [kytane] adj skin cpd

cuve [kyv] nf vat; (à mazout etc) tank

cuvée [kyve] nf vintage

cuvette [kyvɛt] nf (récipient) bowl, basin; (Géo) basin

CV sigle m (Auto); = **cheval (vapeur)**; (Admin) = **curriculum vitae**

cyberattaque [siberatak] nf cyberattack

cybercafé [siberkafe] nm Internet café

cyberespace [siberɛspas] nm cyberspace

cyberfraude [siberfrod] nf cyber fraud

cyberharcèlement [siberarselmɑ̃] nm cyberbullying, cyberstalking

cybernaute [sibernot] nm/f Internet user

cybersécurité [sibersekyrite] nf cybersecurity

cyclable [siklabl] adj: **piste ~** cycle track

cycle [sikl] nm cycle • **cyclisme** [siklism] nm cycling • **cycliste** [siklist] nm/f cyclist ▸ adj cycle cpd; **coureur cycliste** racing cyclist

cyclomoteur [siklomɔtœʀ] nm moped

cyclone [siklon] nm hurricane

cygne [siɲ] nm swan

cylindre [silɛ̃dʀ] nm cylinder • **cylindrée** nf (Auto) (cubic) capacity; **une (voiture de) grosse cylindrée** a big-engined car

cymbale [sɛ̃bal] nf cymbal

cynique [sinik] adj cynical

cystite [sistit] nf cystitis

C

d

d' *prép, art voir* **de**

dactylo [daktilo] *nf* (*aussi:* ~**graphe**) typist; (*aussi:* ~**graphie**) typing

dada [dada] *nm* hobby-horse

daim [dɛ̃] *nm* (fallow) deer *inv*; (*cuir suédé*) suede

daltonien, ne [daltɔnjɛ̃, -ɛn] *adj* colour-blind

dame [dam] *nf* lady; (*Cartes, Échecs*) queen; **dames** *nfpl* (*jeu*) draughts *sg* (BRIT), checkers *sg* (US)

Danemark [danmark] *nm*: **le ~** Denmark

danger [dɑ̃ʒe] *nm* danger; **mettre en ~** (*personne*) to put in danger; (*projet, carrière*) to jeopardize; **être en ~** (*personne*) to be in danger; **être en ~ de mort** to be in peril of one's life; **être hors de ~** to be out of danger • **dangereux, -euse** *adj* dangerous

danois, e [danwa, -waz] *adj* Danish ▶ *nm* (*Ling*) Danish ▶ *nm/f*: **D~, e** Dane

dans [dɑ̃]

prép **1** (*position*) in; (: *à l'intérieur de*) inside; **c'est dans le tiroir/**
le salon it's in the drawer/lounge; **dans la boîte** in *ou* inside the box; **marcher dans la ville/la rue** to walk about the town/along the street; **je l'ai lu dans le journal** I read it in the newspaper

2 (*direction*) into; **elle a couru dans le salon** she ran into the lounge; **monter dans une voiture/le bus** to get into a car/on to the bus

3 (*provenance*) out of, from; **je l'ai pris dans le tiroir/salon** I took it out of *ou* from the drawer/lounge; **boire dans un verre** to drink out of *ou* from a glass

4 (*temps*) in; **dans deux mois** in two months, in two months' time

5 (*approximation*) about; **dans les 20 euros** about 20 euros

danse [dɑ̃s] *nf*: **la ~** dancing; (*classique*) (ballet) dancing; **une ~** a dance • **danser** /1/ *vi, vt* to dance • **danseur, -euse** *nm/f* ballet dancer; (*au bal etc*) dancer; (: *cavalier*) partner

date [dat] *nf* date; **de longue ~** longstanding; **~ de naissance** date of birth; **~ limite** deadline • **dater** /1/ *vt, vi* to date; **dater de** to date from; **à dater de** (as) from

datte [dat] *nf* date

dauphin [dofɛ̃] *nm* (*Zool*) dolphin

davantage [davɑ̃taʒ] *adv* more; (*plus longtemps*) longer; **~ de** more

de, d' [də, d]

(*de + le = du, de + les = des*)
▶ *prép* **1** (*appartenance*) of; **le toit de la maison** the roof of the

house; **la voiture d'Elisabeth/ de mes parents** Elizabeth's/my parents' car
2 (*provenance*) from; **il vient de Londres** he comes from London; **elle est sortie du cinéma** she came out of the cinema
3 (*moyen*) with; **je l'ai fait de mes propres mains** I did it with my own two hands
4 (*caractérisation, mesure*): **un mur de brique/bureau d'acajou** a brick wall/ mahogany desk; **un billet de 10 euros** a 10 euro note; **une pièce de 2 m de large** ou **large de 2 m** a room 2 m wide, a 2m-wide room; **un bébé de 10 mois** a 10-month-old baby; **12 mois de crédit/travail** 12 months' credit/work; **elle est payée 20 euros de l'heure** she's paid 20 euros an hour ou per hour; **augmenter de 10 euros** to increase by 10 euros
5 (*rapport*) from; **de quatre à six** from four to six
6 (*cause*): **mourir de faim** to die of hunger; **rouge de colère** red with fury
7 (*vb +de +infin*) to; **il m'a dit de rester** he told me to stay
▸ **art 1** (*phrases affirmatives*) some (*souvent omis*); **du vin, de l'eau, des pommes** (some) wine, (some) water, (some) apples; **des enfants sont venus** some children came; **pendant des mois** for months
2 (*phrases interrogatives et négatives*) any; **a-t-il du vin?** has he got any wine? **il n'a pas de pommes/d'enfants** he hasn't (got) any apples/children, he has no apples/children

dé [de] *nm* (*à jouer*) die ou dice; (*aussi*: **dé à coudre**) thimble
déballer [debale] /1/ *vt* to unpack
débarcadère [debaʀkadɛʀ] *nm* wharf
débardeur [debaʀdœʀ] *nm* (*pour femme*) vest top; (*pour homme*) sleeveless top
débarquer [debaʀke] /1/ *vt* to unload, land ▸ *vi* to disembark; (*fig*) to turn up
débarras [debaʀɑ] *nm* (*pièce*) lumber room; (*placard*) junk cupboard; **bon ~!** good riddance! • **débarrasser** /1/ *vt* to clear ▸ *vi* (*enlever le couvert*) to clear away; **se débarrasser de** *vt* to get rid of; **débarrasser qn de** (*vêtements, paquets*) to relieve sb of
débat [deba] *nm* discussion, debate • **débattre** /41/ *vt* to discuss, debate; **se débattre** *vi* to struggle
débit [debi] *nm* (*d'un liquide, fleuve*) (rate of) flow; (*d'un magasin*) turnover (of goods); (*élocution*) delivery; (*bancaire*) debit; **~ de boissons** drinking establishment; **~ de tabac** tobacconist's (shop)
déblayer [debleje] /8/ *vt* to clear
débloquer [debloke] /1/ *vt* (*frein, fonds*) to release; (*prix, crédits*) to free ▸ *vi* (*fam*) to talk rubbish
déboîter [debwate] /1/ *vt* (*Auto*) to pull out; **se ~ le genou** *etc* to dislocate one's knee *etc*
débordé, e [debɔʀde] *adj*: **être ~** (*travail, demandes*) to be snowed under with
déborder [debɔʀde] /1/ *vi* to overflow; (*lait etc*) to boil over; **~ (de) qch** (*dépasser*) to extend

débouché

beyond sth; **~ de** (joie, zèle) to be brimming over with ou bursting with

débouché [debuʃe] nm (pour vendre) outlet; (perspective d'emploi) opening

déboucher [debuʃe] /1/ vt (évier, tuyau etc) to unblock; (bouteille) to uncork ▸ vi: **~ de** to emerge from; **~ sur** (études) to lead on to

debout [dəbu] adv: **être ~** (personne) to be standing, stand; (levé, éveillé) to be up (and about); **se mettre ~** to get up (on one's feet); **se tenir ~** to stand; **~!** stand up!; (du lit) get up!; **cette histoire ne tient pas ~** this story doesn't hold water

déboutonner [debutɔne] /1/ vt to undo, unbutton

débraillé, e [debʀɑje] adj slovenly, untidy

débrancher [debʀɑ̃ʃe] /1/ vt (appareil électrique) to unplug; (téléphone, courant électrique) to disconnect

débrayage [debʀɛjaʒ] nm (Auto) clutch • **débrayer** /8/ vi (Auto) to declutch; (cesser le travail) to stop work

débris [debʀi] nm fragment ▸ nmpl: **des ~ de verre** bits of glass

débrouillard, e [debʀujaʀ, -aʀd] adj smart, resourceful

débrouiller [debʀuje] /1/ vt to disentangle, untangle; **se débrouiller** vi to manage; **débrouillez-vous** you'll have to sort things out yourself

début [deby] nm beginning, start; **débuts** nmpl (de carrière) début sg; **~ juin** in early June

• **débutant, e** nm/f beginner, novice • **débuter** /1/ vi to begin, start; (faire ses débuts) to start out

décaféiné, e [dekafeine] adj decaffeinated

décalage [dekalaʒ] nm gap; **~ horaire** time difference (between time zones), time-lag

décaler [dekale] /1/ vt to shift forward ou back

décapotable [dekapɔtabl] adj convertible

décapsuleur [dekapsylœʀ] nm bottle-opener

décédé, e [desede] adj deceased • **décéder** [desede] /6/ vi to die

décembre [desɑ̃bʀ] nm December

décennie [deseni] nf decade

décent, e [desɑ̃, -ɑ̃t] adj decent

déception [desɛpsjɔ̃] nf disappointment

décès [desɛ] nm death

décevoir [des(ə)vwaʀ] /28/ vt to disappoint

décharge [deʃaʀʒ] nf (dépôt d'ordures) rubbish tip ou dump; (électrique) electrical discharge • **décharger** /3/ vt (marchandise, véhicule) to unload; (faire feu) to discharge, fire; **décharger qn de** (responsabilité) to relieve sb of, release sb from

déchausser [deʃose] /1/ vt (skis) to take off; **se déchausser** vi to take off one's shoes; (dent) to come ou work loose

déchet [deʃɛ] nm (de bois, tissu etc) scrap; **déchets** nmpl (ordures) refuse sg, rubbish sg; **~s nucléaires** nuclear waste

déchiffrer [deʃifʀe] /1/ vt to decipher

déchirant, e [deʃiʀɑ̃, -ɑ̃t] *adj* heart-rending

déchirement [deʃiʀmɑ̃] *nm* (*chagrin*) wrench, heartbreak; (*gén pl: conflit*) rift, split

déchirer [deʃiʀe] /1/ *vt* to tear; (*mettre en morceaux*) to tear up; (*arracher*) to tear out; (*fig*) to tear apart; **se déchirer** *vi* to tear, rip; **se ~ un muscle/tendon** to tear a muscle/tendon

déchirure [deʃiʀyʀ] *nf* (*accroc*) tear, rip; **~ musculaire** torn muscle

décidé, e [deside] *adj* (*personne, air*) determined; **c'est ~** it's decided • **décidément** *adv* really

décider [deside] /1/ *vt*: **~ qch** to decide on sth; **~ de faire/que** to decide to do/that; **~ qn (à faire qch)** to persuade *ou* induce sb (to do sth); **se ~ à faire** to decide *ou* make up one's mind to do; **se ~ pour qch** to decide on *ou* in favour of sth

décimal, e, -aux [desimal, -o] *adj* decimal

décimètre [desimɛtʀ] *nm* decimetre

décisif, -ive [desizif, -iv] *adj* decisive

décision [desizjɔ̃] *nf* decision

déclaration [deklaʀasjɔ̃] *nf* declaration; (*discours: Pol etc*) statement; (*d'impôts*) ≈ tax return; **~ de revenus** statement of income; **faire une ~ de vol** to report a theft

déclarer [deklaʀe] /1/ *vt* to declare; (*décès, naissance*) to register; **se déclarer** *vi* (*feu, maladie*) to break out

déclencher [deklɑ̃ʃe] /1/ *vt* (*mécanisme etc*) to release;

(*sonnerie*) to set off; (*attaque, grève*) to launch; (*provoquer*) to trigger off; **se déclencher** *vi* (*sonnerie*) to go off

décliner [dekline] /1/ *vi* to decline ▶ *vt* (*invitation*) to decline; (*nom, adresse*) to state

décoiffer [dekwafe] /1/ *vt*: **~ qn** to mess up sb's hair; **je suis toute décoiffée** my hair is in a real mess

décois *etc* [deswa] *vb voir* **décevoir**

décollage [dekɔlaʒ] *nm* (*Aviat, Écon*) takeoff

décoller [dekɔle] /1/ *vt* to unstick ▶ *vi* (*avion*) to take off; **se décoller** *vi* to come unstuck

décolleté, e [dekɔlte] *adj* low-cut ▶ *nm* low neck(line); (*plongeant*) cleavage

décolorer [dekɔlɔʀe] /1/: **se décolorer** *vi* to fade; **se faire ~ les cheveux** to have one's hair bleached

décommander [dekɔmɑ̃de] /1/ *vt* to cancel; **se décommander** *vi* to cancel

décomplexé, e [dekɔplɛkse] *adj* self-assured

déconcerter [dekɔ̃sɛʀte] /1/ *vt* to disconcert, confound

décongeler [dekɔ̃ʒ(ə)le] /5/ *vt* to thaw (out)

déconner [dekɔne] /1/ *vi* (*fam!*) to talk (a load of) rubbish (*BRIT*) *ou* garbage (*US*)

déconnexion [dekɔnɛksjɔ̃] *nf* disconnection; **droit à la ~** *law which gives employees the right to avoid work emails outside working hours*

déconseiller [dekɔ̃seje] /1/ *vt*: **~ qch (à qn)** to advise (sb) against

décontracté

sth; **c'est déconseillé** it's not advised ou advisable

décontracté, e [dekɔ̃trakte] adj relaxed, laid-back (fam)

décontracter [dekɔ̃trakte] /1/: **se décontracter** vi to relax

décor [dekɔr] nm décor; (paysage) scenery • **décorateur, -trice** nm/f (interior) decorator
• **décoration** nf decoration
• **décorer** /1/ vt to decorate

décortiquer [dekɔrtike] /1/ vt to shell; (fig: texte) to dissect

découdre /48/: **se découdre** vi to come unstitched

découper [dekupe] /1/ vt (papier, tissu etc) to cut up; (volaille, viande) to carve; (manche, article) to cut out

décourager [dekuraʒe] /3/ vt to discourage; **se décourager** vi to lose heart, become discouraged

décousu, e [dekuzy] adj unstitched; (fig) disjointed, disconnected

découvert, e [dekuvɛr, -ɛrt] adj (tête) bare, uncovered; (lieu) open, exposed ▶ nm (bancaire) overdraft ▶ nf discovery; **faire la ~e de** to discover

découvrir [dekuvrir] /18/ vt to discover; (enlever ce qui couvre ou protège) to uncover; (montrer, dévoiler) to reveal; **se découvrir** vi (chapeau) to take off one's hat; (se déshabiller) to take something off; (ciel) to clear

décrire [dekrir] /39/ vt to describe

décrocher [dekrɔʃe] /1/ vt (dépendre) to take down; (téléphone) to take off the hook; (fig: pour répondre): **~ (le téléphone)** to pick up ou lift the receiver; (fig: contrat etc) to

get, land ▶ vi (fam: abandonner) to drop out; (: cesser d'écouter) to switch off

décroissance [dekrwasɑ̃s] nf (diminution) decline, decrease; (Écon) degrowth

déçu, e [desy] pp de **décevoir**

dédaigner [dedɛɲe] /1/ vt to despise, scorn; (négliger) to disregard, spurn • **dédaigneux, -euse** adj scornful, disdainful
• **dédain** nm scorn, disdain

dedans [dədɑ̃] adv inside; (pas en plein air) indoors, inside ▶ nm inside; **au ~** inside

dédicacer [dedikase] /3/ vt: **~ (à qn)** to sign (for sb), autograph (for sb)

dédier [dedje] /7/ vt: **~ à** to dedicate to

dédommagement [dedɔmaʒmɑ̃] nm compensation

dédommager [dedɔmaʒe] /3/ vt: **~ qn (de)** to compensate sb (for)

dédouaner [dedwane] /1/ vt to clear through customs

déduire [deduir] /38/ vt: **~ qch (de)** (ôter) to deduct sth (from); (conclure) to deduce ou infer sth (from)

défaillance [defajɑ̃s] nf (syncope) blackout; (fatigue) (sudden) weakness no pl; (technique) fault, failure; **~ cardiaque** heart failure

défaire [defɛr] /60/ vt (installation, échafaudage) to take down, dismantle; (paquet etc, nœud, vêtement) to undo; **se défaire** vi to come undone; **se ~ de** to get rid of

défait, e [defɛ, -ɛt] adj (visage) haggard, ravaged ▶ nf defeat

défaut [defo] nm (moral) fault, failing, defect; (d'étoffe, métal) fault, flaw; (manque, carence): ~ **de** shortage of; **prendre qn en** ~ to catch sb out; **faire** ~ (manquer) to be lacking; **à** ~ **de** for lack ou want of

défavorable [defavɔʀabl] adj unfavourable (BRIT), unfavorable (US)

défavoriser [defavɔʀize] /1/ vt to put at a disadvantage

défectueux, -euse [defɛktɥø, -øz] adj faulty, defective

défendre [defɑ̃dʀ] /41/ vt to defend; (interdire) to forbid; **se défendre** vi to defend o.s.; ~ **à qn qch/de faire** to forbid sb sth/to do; **il se défend** (fig) he can hold his own; **se** ~ **de/contre** (se protéger) to protect o.s. from/ against; **se** ~ **de** (se garder de) to refrain from

défense [defɑ̃s] nf defence; (d'éléphant etc) tusk; **ministre de la** ~ Minister of Defence (BRIT), Defence Secretary; **"~ de fumer/ cracher"** "no smoking/spitting"

défi [defi] nm challenge; **lancer un** ~ **à qn** to challenge sb; **sur un ton de** ~ defiantly

déficit [defisit] nm (Comm) deficit

défier [defje] /7/ vt (provoquer) to challenge; (fig) to defy; ~ **qn de faire** to challenge ou defy sb to do

défigurer [defigyʀe] /1/ vt to disfigure

défilé [defile] nm (Géo) (narrow) gorge ou pass; (soldats) parade; (manifestants) procession, march

défiler [defile] /1/ vi (troupes) to march past; (sportifs) to parade; (manifestants) to march; (visiteurs) to pour, stream; **faire** ~ **un**

document (Inform) to scroll a document; **se défiler** vi: **il s'est défilé** (fam) he wriggled out of it

définir [definiʀ] /2/ vt to define

définitif, -ive [definitif, -iv] adj (final) final, definitive; (pour longtemps) permanent, definitive; (sans appel) permanent, definitive ▶ nf: **en définitive** eventually; (somme toute) when all is said and done • **définitivement** adv permanently

déforestation [defɔʀɛstasjɔ̃] nf deforestation

déformer [defɔʀme] /1/ vt to put out of shape; (pensée, fait) to distort; **se déformer** vi to lose its shape

défouler [defule] /1/: **se défouler** vi to unwind, let off steam

défunt, e [defœ̃, -œ̃t] adj: **son** ~ **père** his late father ▶ nm/f deceased

dégagé, e [degaʒe] adj (route, ciel) clear; **sur un ton** ~ casually

dégager [degaʒe] /3/ vt (exhaler) to give off; (délivrer) to free, extricate; (désencombrer) to clear; (isoler, mettre en valeur) to bring out; **se dégager** vi (passage, ciel) to clear; ~ **qn de** (engagement, parole etc) to release ou free sb from

dégâts [dega] nmpl damage sg; **faire des** ~ to damage

dégel [deʒɛl] nm thaw • **dégeler** /5/ vt to thaw (out)

dégivrer [deʒivʀe] /1/ vt (frigo) to defrost; (vitres) to de-ice

dégonflé, e [degɔ̃fle] adj (pneu) flat

dégonfler [degɔ̃fle] /1/ vt (pneu, ballon) to let down, deflate; **se dégonfler** vi (fam) to chicken out

dégouliner [deguline] /1/ *vi* to trickle, drip

dégourdi, e [degurdi] *adj* smart, resourceful

dégourdir [degurdir] /2/ *vt*: **se ~ (les jambes)** to stretch one's legs

dégoût [degu] *nm* disgust, distaste • **dégoûtant, e** *adj* disgusting • **dégoûté, e** *adj* disgusted; **dégoûté de** sick of • **dégoûter** /1/ *vt* to disgust; **dégoûter qn de qch** to put sb off sth

dégrader [degrade] /1/ *vt* (*Mil: officier*) to degrade; (*abîmer*) to damage, deface; **se dégrader** *vi* (*relations, situation*) to deteriorate

degré [dəgre] *nm* degree

dégressif, -ive [degresif, -iv] *adj* on a decreasing scale

dégringoler [degrɛ̃gɔle] /1/ *vi* to tumble (down)

déguisement [degizmɑ̃] *nm* (*pour s'amuser*) fancy dress

déguiser [degize] /1/: **se déguiser** (*se costumer*) *vi* to dress up (as); (*pour tromper*) to disguise o.s. (as)

dégustation [degystasjɔ̃] *nf* (*de fromages etc*) sampling; **~ de vin(s)** wine-tasting

déguster [degyste] /1/ *vt* (*vins*) to taste; (*fromages etc*) to sample; (*savourer*) to enjoy

dehors [dəɔr] *adv* outside; (*en plein air*) outdoors ▶ *nmpl* (*apparences*) appearances; **mettre** *ou* **jeter ~** to throw out; **au ~** outside; **au ~ de** outside; **en ~** apart from

déjà [deʒa] *adv* already; (*auparavant*) before, already

déjeuner [deʒœne] /1/ *vi* to (have) lunch; (*le matin*) to have breakfast ▶ *nm* lunch

delà [dəla] *adv*: **en ~ (de), au ~ (de)** beyond

délacer [delase] /3/ *vt* (*chaussures*) to undo, unlace

délai [dele] *nm* (*attente*) waiting period; (*sursis*) extension (of time); (*temps accordé*) time limit; **sans ~** without delay; **dans les ~s** within the time limit

délaisser [delese] /1/ *vt* to abandon, desert

délasser [delase] /1/ *vt* to relax; **se délasser** *vi* to relax

délavé, e [delave] *adj* faded

délayer [deleje] /8/ *vt* (*Culin*) to mix (with water etc); (*peinture*) to thin down

delco® [dɛlko] *nm* (*Auto*) distributor

délégué, e [delege] *nm/f* representative

déléguer [delege] /6/ *vt* to delegate

délibéré, e [delibere] *adj* (*conscient*) deliberate

délicat, e [delika, -at] *adj* delicate; (*plein de tact*) tactful; (*attentionné*) thoughtful • **délicatement** *adv* delicately; (*avec douceur*) gently

délice [delis] *nm* delight

délicieux, -euse [delisjø, -øz] *adj* (*au goût*) delicious; (*sensation, impression*) delightful

délimiter [delimite] /1/ *vt* (*terrain*) to delimit, demarcate

délinquant, e [delɛ̃kɑ̃, -ɑ̃t] *adj, nm/f* delinquent

délirer [delire] /1/ *vi* to be delirious; **tu délires!** (*fam*) you're crazy!

délit [deli] *nm* (criminal) offence

délivrer [delivʀe] /1/ *vt* (*prisonnier*) to (set) free, release; (*passeport, certificat*) to issue

deltaplane® [dɛltaplan] *nm* hang-glider

déluge [delyʒ] *nm* (*biblique*) Flood; (*grosse pluie*) downpour

demain [d(ə)mɛ̃] *adv* tomorrow; **~ matin/soir** tomorrow morning/evening

demande [d(ə)mɑ̃d] *nf* (*requête*) request; (*revendication*) demand; (*formulaire*) application; (*Écon*): **la ~** demand; **"~s d'emploi"** "situations wanted"

demandé, e [d(ə)mɑ̃de] *adj* (*article etc*): **très ~** (very) much in demand

demander [d(ə)mɑ̃de] /1/ *vt* to ask for; (*date, heure, chemin*) to ask; (*requérir, nécessiter*) to require, demand; **~ qch à qn** to ask sb for sth; **~ à qn de faire** to ask sb to do; **se ~ si/pourquoi** *etc* to wonder if/why *etc*; **je ne demande pas mieux** I'm asking nothing more • **demandeur, -euse** *nm/f*: **demandeur d'asile** asylum-seeker; **demandeur d'emploi** job-seeker

démangeaison [demɑ̃ʒɛzɔ̃] *nf* itching; **avoir des ~** to be itching

démanger [demɑ̃ʒe] /3/ *vi* to itch

démaquillant [demakijɑ̃] *nm* make-up remover

démaquiller [demakije] /1/ *vt*: **se démaquiller** to remove one's make-up

démarche [demaʀʃ] *nf* (*allure*) gait, walk; (*intervention*) step; (*fig: intellectuelle*) thought processes *pl*; **faire les ~s nécessaires**

(pour obtenir qch) to take the necessary steps (to obtain sth)

démarrage [demaʀaʒ] *nm* start

démarrer [demaʀe] /1/ *vi* (*conducteur*) to start (up); (*véhicule*) to move off; (*travaux, affaire*) to get moving • **démarreur** *nm* (*Auto*) starter

démêlant, e [demelɑ̃, -ɑ̃t] *adj*: **crème ~e** (hair) conditioner ▶ *nm* conditioner

démêler [demele] /1/ *vt* to untangle • **démêlés** *nmpl* problems

déménagement [demenaʒmɑ̃] *nm* move; **entreprise/camion de ~** removal (BRIT) *ou* moving (US) company/van

déménager [demenaʒe] /3/ *vt* (*meubles*) to (re)move ▶ *vi* to move (house) • **déménageur** *nm* removal man

démerder [demɛʀde] /1/: **se démerder** *vi* (*fam!*) to bloody well manage for o.s.

démettre [demɛtʀ] /56/ *vt*: **~ qn de** (*fonction, poste*) to dismiss sb from; **se ~ l'épaule** *etc* to dislocate one's shoulder *etc*

demeurer [d(ə)mœʀe] /1/ *vi* (*habiter*) to live; (*rester*) to remain

demi, e [dəmi] *adj* half; **et ~: trois heures/bouteilles et ~es** three and a half hours/bottles ▶ *nm* (*bière*: = 0.25 litre) = half-pint; **il est 2 heures et ~e** it's half past 2; **il est midi et ~** it's half past 12; **à ~** half-; **à la ~e** (*heure*) on the half-hour • **demi-douzaine** *nf* half-dozen, half a dozen • **demi-finale** *nf* semifinal • **demi-frère** *nm* half-brother • **demi-heure** *nf*: **une demi-heure** a half-hour, half an hour • **demi-journée** nf half-day, half a day • **demi-litre** nm half-litre (BRIT), half-liter (US), half a litre ou liter • **demi-livre** nf half-pound, half a pound • **demi-pension** nf half-board • **demi-pensionnaire** nm/f: **être demi-pensionnaire** to take school lunches • **demi-sœur** nf half-sister

démis, e adj (épaule etc) dislocated

démission [demisjɔ̃] nf resignation; **donner sa ~** to give ou hand in one's notice • **démissionner** /1/ vi to resign

demi-tarif [dəmitarif] nm half-price; (Transports) half-fare; **voyager à ~** to travel half-fare

demi-tour [dəmitur] nm about-turn; **faire ~** to turn (and go) back

démocratie [demɔkrasi] nf democracy • **démocratique** adj democratic

démodé, e [demɔde] adj old-fashioned

demoiselle [d(ə)mwazɛl] nf (jeune fille) young lady; (célibataire) single lady, maiden lady; **~ d'honneur** bridesmaid

démolir [demɔlir] /2/ vt to demolish

démon [demɔ̃] nm (enfant turbulent) devil, demon; **le D~** the Devil

démonstration [demɔ̃strasjɔ̃] nf demonstration

démonter [demɔ̃te] /1/ vt (machine etc) to take down, dismantle; **se démonter** vi (meuble) to be dismantled, be taken to pieces; (personne) to lose countenance

démontrer [demɔ̃tre] /1/ vt to demonstrate

démouler [demule] /1/ vt to turn out

démuni, e [demyni] adj (sans argent) impoverished; **~ de** without

dénicher [deniʃe] /1/ vt (fam: objet) to unearth; (: restaurant etc) to discover

dénier [denje] /7/ vt to deny

dénivellation [denivelasjɔ̃] nf (pente) ramp

dénombrer [denɔ̃bre] /1/ vt to count

dénomination [denɔminasjɔ̃] nf designation, appellation

dénoncer [denɔ̃se] /3/ vt to denounce; **se dénoncer** to give o.s. up, come forward

dénouement [denumã] nm outcome

dénouer [denwe] /1/ vt to unknot, undo

denrée [dɑ̃re] nf (aussi: **~ alimentaire**) food(stuff)

dense [dɑ̃s] adj dense • **densité** nf density

dent [dɑ̃] nf tooth; **~ de lait/ sagesse** milk/wisdom tooth • **dentaire** adj dental; **cabinet dentaire** dental surgery

dentelle [dɑ̃tɛl] nf lace no pl

dentier [dɑ̃tje] nm denture

dentifrice [dɑ̃tifris] nm: **(pâte) ~** toothpaste

dentiste nm/f dentist

dentition [dɑ̃tisjɔ̃] nf teeth pl

dénué, e [denɥe] adj: **~ de** devoid of

déodorant [deɔdɔrɑ̃] nm deodorant

déontologie [deɔ̃tɔlɔʒi] *nf* (professional) code of practice

dépannage [depanaʒ] *nm*: **service/camion de ~** (*Auto*) breakdown service/truck

dépanner [depane] /1/ *vt* (*voiture, télévision*) to fix, repair; (*fig*) to bail out, help out • **dépanneuse** *nf* breakdown lorry (BRIT), tow truck (US)

dépareillé, e [depareje] *adj* (*collection, service*) incomplete; (*gant, volume, objet*) odd

départ [depar] *nm* departure; (*Sport*) start; **au ~** at the start; **la veille de son ~** the day before he leaves/left

département [departəmɑ̃] *nm* department

> France is divided into administrative units called **départements**. There are 96 of these in metropolitan France and a further five overseas. These local government divisions are headed by a state-appointed 'préfet', and administered by an elected 'conseil départemental'. *Départements* are usually named after prominent geographical features such as rivers or mountain ranges.

dépassé, e [depase] *adj* superseded, outmoded; (*fig*) out of one's depth

dépasser [depase] /1/ *vt* (*véhicule, concurrent*) to overtake; (*endroit*) to pass, go past; (*somme, limite*) to exceed; (*fig: en beauté etc*) to surpass, outshine ► *vi* (*jupon*) to show; **se dépasser** to excel o.s.

dépaysé, e [depeize] *adj* disoriented

dépaysement [depeizmɑ̃] *nm* change of scenery

dépêcher [depeʃe] /1/: **se dépêcher** *vi* to hurry

dépendance [depɑ̃dɑ̃s] *nf* dependence *no pl*; (*bâtiment*) outbuilding

dépendre [depɑ̃dR] /41/ *vt*: **~ de** *vt* to depend on, to be dependent on; **ça dépend** it depends

dépens [depɑ̃] *nmpl*: **aux ~ de** at the expense of

dépense [depɑ̃s] *nf* spending *no pl*, expense, expenditure *no pl* • **dépenser** /1/ *vt* to spend; (*fig*) to expend, use up; **se dépenser** *vi* to exert o.s.

dépeupler [depœple] /1/: **se dépeupler** *vi* to become depopulated

dépilatoire [depilatwaR] *adj*: **crème ~** hair-removing *ou* depilatory cream

dépister [depiste] /1/ *vt* to detect; (*voleur*) to track down

dépit [depi] *nm* vexation, frustration; **en ~ de** in spite of; **en ~ du bon sens** contrary to all good sense • **dépité, e** *adj* vexed, frustrated

déplacé, e [deplase] *adj* (*propos*) out of place, uncalled-for

déplacement [deplasmɑ̃] *nm* (*voyage*) trip, travelling *no pl*; **en ~** away (on a trip)

déplacer [deplase] /3/ *vt* (*table, voiture*) to move, shift; **se déplacer** *vi* to move; (*voyager*) to travel; **se ~ une vertèbre** to slip a disc

déplaire [depleR] /54/ *vi*: **ceci me déplaît** I don't like this, I dislike this; **se ~ quelque part** to dislike

dépliant

it ou be unhappy somewhere
• **déplaisant, e** adj disagreeable
dépliant [deplijɑ̃] nm leaflet
déplier [deplije] /7/ vt to unfold
déposer [depoze] /1/ vt (gén:
mettre, poser) to lay down, put
down; (à la banque, à la consigne) to
deposit; (passager) to drop (off),
set down; (roi) to depose; (marque)
to register; (plainte) to lodge; **se
déposer** vi to settle • **dépositaire**
nm/f (Comm) agent • **déposition**
nf statement
dépôt [depo] nm (à la banque,
sédiment) deposit; (entrepôt,
réserve) warehouse, store
dépourvu, e [depuʁvy] adj:
~ de lacking in, without;
prendre qn au ~ to catch sb
unawares
dépression nf depression;
~ (nerveuse) (nervous)
breakdown
déprimant, e [depʁimɑ̃, -ɑ̃t] adj
depressing
déprimer [depʁime] /1/ vt to
depress

---

depuis [dəpɥi]

▸ prép 1 (point de départ dans le
temps) since; **il habite Paris
depuis 1983/l'an dernier** he
has been living in Paris since
1983/last year; **depuis quand?**
since when?; **depuis quand le
connaissez-vous?** how long
have you known him?
2 (temps écoulé) for; **il habite
Paris depuis cinq ans** he has
been living in Paris for five years;
je le connais depuis trois ans
I've known him for three years
3 (lieu): **il a plu depuis Metz** it's
been raining since Metz; **elle a**

---

téléphoné depuis Valence she
rang from Valence
4 (quantité, rang) from; **depuis
les plus petits jusqu'aux plus
grands** from the youngest to
the oldest
▸ adv (temps) since (then); **je ne
lui ai pas parlé depuis** I haven't
spoken to him since (then);
depuis que conj (ever) since;
depuis qu'il m'a dit ça (ever)
since he said that to me

---

député, e [depyte] nm/f (Pol)
≈ Member of Parliament (BRIT),
≈ Congressman/woman (US)
dérangement [deʁɑ̃ʒmɑ̃] nm
(gêne, déplacement) trouble;
(gastrique etc) disorder; **en ~**
(téléphone) out of order
déranger [deʁɑ̃ʒe] /3/ vt
(personne) to trouble, bother;
(projets) to disrupt, upset; (objets,
vêtements) to disarrange; **se
déranger**; vi: **surtout ne vous
dérangez pas pour moi** please
don't put yourself out on my
account; **est-ce que cela vous
dérange si …?** do you mind if …?
déraper [deʁape] /1/ vi (voiture)
to skid; (personne, semelles,
couteau) to slip
dérégler [deʁegle] /6/ vt
(mécanisme) to put out of order;
(estomac) to upset
dérisoire [deʁizwaʁ] adj derisory
dérive [deʁiv] nf: **aller à la ~**
(Navig, fig) to drift
dérivé, e [deʁive] nm (Tech)
by-product
dermatologue [dɛʁmatɔlɔg]
nm/f dermatologist
dernier, -ière [dɛʁnje, -jɛʁ] adj
last; (le plus récent: gén avant n)

latest, last; **lundi/le mois ~** last Monday/month; **le ~ cri** the last word (in fashion); **en ~** last; **ce ~, cette dernière** the latter • **dernièrement** adv recently

dérogation [derɔgasjɔ̃] nf (special) dispensation

dérouiller [deruje] /1/ vt: **se ~ les jambes** to stretch one's legs (fig)

déroulement [derulmɑ̃] nm (d'une opération etc) progress

dérouler [derule] /1/ vt (ficelle) to unwind; **se dérouler** vi (avoir lieu) to take place; (se passer) to go; **tout s'est déroulé comme prévu** everything went as planned

dérouter [derute] /1/ vt (avion, train) to reroute, divert; (étonner) to disconcert, throw (out)

derrière [dɛʀjɛʀ] adv, prép behind ▶ nm (d'une maison) back; (postérieur) behind, bottom; **les pattes de ~** the back legs, the hind legs; **par ~** from behind; (fig) behind one's back

des [de] art voir **de**

dès [dɛ] prép from; **~ que** as soon as; **~ son retour** as soon as he was (ou is) back

désaccord [dezakɔʀ] nm disagreement

désagréable [dezagʀeabl] adj unpleasant

désagrément [dezagʀemɑ̃] nm annoyance, trouble no pl

désaltérer [dezalteʀe] /6/ vt: **se désaltérer** to quench; one's thirst

désapprobateur, -trice [dezapʀɔbatœʀ, -tʀis] adj disapproving

désapprouver [dezapʀuve] /1/ vt to disapprove of

désarmant, e [dezaʀmɑ̃, -ɑ̃t] adj disarming

désastre [dezastʀ] nm disaster • **désastreux, -euse** adj disastrous

désavantage [dezavɑ̃taʒ] nm disadvantage • **désavantager** /3/ vt to put at a disadvantage

descendre [desɑ̃dʀ] /41/ vt (escalier, montagne) to go (ou come) down; (valise, paquet) to take ou get down; (étagère etc) to lower; (fam: abattre) to shoot down ▶ vi to go (ou come) down; (passager: s'arrêter) to get out, alight; **~ à pied/en voiture** to walk/drive down; **~ de (famille)** to be descended from; **~ du train** to get out of ou off the train; **~ d'un arbre** to climb down from a tree; **~ de cheval** to dismount; **~ à l'hôtel** to stay at a hotel

descente [desɑ̃t] nf descent, going down; (chemin) way down; (Ski) downhill (race); **au milieu de la ~** halfway down; **~ de lit** bedside rug; **~ (de police)** (police) raid

description [dɛskʀipsjɔ̃] nf description

déséquilibre [dezekilibʀ] nm (position): **être en ~** to be unsteady; (fig: des forces, du budget) imbalance

désert, e [dezɛʀ, -ɛʀt] adj deserted ▶ nm desert • **désertique** adj desert cpd

désespéré, e [dezɛspeʀe] adj desperate

désespérer [dezɛspeʀe] /6/ vi: **~ de** to despair of • **désespoir** nm despair; **en désespoir de cause** in desperation

d

déshabiller [dezabije] /1/ vt to undress; **se déshabiller** vi to undress (o.s.)

déshydraté, e [dezidrate] adj dehydrated

désigner [dezine] /1/ vt (montrer) to point out, indicate; (dénommer) to denote; (candidat etc) to name

désinfectant, e [dezɛ̃fɛktɑ̃, -ɑ̃t] adj, nm disinfectant

désinfecter [dezɛ̃fɛkte] /1/ vt to disinfect

désinscrire [dezɛ̃skriʀ] /39/ vt, **se désinscrire** vi to unsubscribe

désinstaller [dezɛ̃stale] /1/ vt uninstall

désintéressé, e [dezɛ̃terese] adj disinterested, unselfish

désintéresser [dezɛ̃terese] /1/ vt: **se désintéresser (de)** to lose interest (in)

désintoxication [dezɛ̃tɔksikasjɔ̃] nf: **faire une cure de ~** to have ou undergo treatment for alcoholism (ou drug addiction)

désinvolte [dezɛ̃vɔlt] adj casual, off-hand

désir [deziʀ] nm wish; (fort, sensuel) desire • **désirer** /1/ vt to want, wish for; (sexuellement) to desire; **je désire ...** (formule de politesse) I would like ...

désister [deziste] /1/: **se désister** vi to stand down, withdraw

désobéir [dezɔbeiʀ] /2/ vi: **~ (à qn/qch)** to disobey (sb/sth) • **désobéissant, e** adj disobedient

désodorisant [dezɔdɔʀizɑ̃] nm air freshener, deodorizer

désolé, e [dezɔle] adj (paysage) desolate; **je suis ~** I'm sorry

désordonné, e [dezɔʀdɔne] adj untidy

désordre [dezɔʀdʀ] nm disorder(liness), untidiness; (anarchie) disorder; **en ~** in a mess, untidy

désormais [dezɔʀmɛ] adv from now on

desquels, desquelles [dekɛl] voir **lequel**

dessécher [deseʃe] /6/: **se dessécher** vi to dry out

desserrer [deseʀe] /1/ vt to loosen; (frein) to release

dessert [deseʀ] nm dessert, pudding

desservir [deseʀviʀ] /14/ vt (ville, quartier) to serve; (débarrasser): **~ (la table)** to clear the table

dessin [desɛ̃] nm (œuvre, art) drawing; (motif) pattern, design; **~ animé** cartoon (film); **~ humoristique** cartoon • **dessinateur, -trice** nm/f drawer; (de bandes dessinées) cartoonist; (industriel) draughtsman (BRIT), draftsman (US) • **dessiner** /1/ vt to draw; (concevoir) to design; **se dessiner** vi (forme) to be outlined; (fig: solution) to emerge

dessous [d(ə)su] adv underneath, beneath ▸ nm underside; **les voisins du ~** the downstairs neighbours ▸ nmpl (sous-vêtements) underwear sg; **en ~** underneath; below; **par ~** underneath; below; **avoir le ~** to get the worst of it • **dessous-de-plat** nm inv tablemat

dessus [d(ə)sy] adv on top; (collé, écrit) on it ▸ nm top; **les voisins/l'appartement du ~**

the upstairs neighbours/flat; **en ~** above; **par ~** adv over it; prép over; **au-~** above; **avoir/prendre le ~** to have/get the upper hand; **sens ~ dessous** upside down • **dessus-de-lit** nm inv bedspread

destin [dɛstɛ̃] nm fate; (avenir) destiny

destinataire [dɛstinatɛʀ] nm/f (Postes) addressee; (d'un colis) consignee

destination [dɛstinasjɔ̃] nf (lieu) destination; (usage) purpose; **à ~ de** bound for; travelling to

destiner [dɛstine] /1/ vt: **~ qch à qn** (envisager de donner) to intend sb to have sth; (adresser) to intend sth for sb; **se ~ à l'enseignement** to intend to become a teacher; **être destiné à** (usage) to be intended ou meant for

détachant [detaʃɑ̃] nm stain remover

détacher [detaʃe] /1/ vt (enlever) to detach, remove; (délier) to untie; (Admin): **~ qn (auprès de ou à)** to post sb (to); **se détacher** vi (se séparer) to come off; (page) to come out; (se défaire) to come undone; **se ~ sur** to stand out against; **se ~ de** (se désintéresser) to grow away from

détail [detaj] nm detail; (Comm): **le ~** retail; **au ~** (Comm) retail; **en ~** in detail • **détaillant, e** nm/f retailer • **détaillé, e** adj (récit, plan, explications) detailed; (facture) itemized • **détailler** /1/ vt (expliquer) to explain in detail

détecter [detɛkte] /1/ vt to detect

détective [detɛktiv] nm detective; **~ (privé)** private detective ou investigator

déteindre [detɛ̃dʀ] /52/ vi to fade; (au lavage) to run; **~ sur** (vêtement) to run into; (fig) to rub off on

détendre [detɑ̃dʀ] /41/ vt (personne, atmosphère, corps, esprit) to relax; **se détendre** vi (ressort) to lose its tension; (personne) to relax

détenir [det(ə)niʀ] /22/ vt (fortune, objet, secret) to be in possession of; (prisonnier) to detain; (record) to hold; **~ le pouvoir** to be in power

détente [detɑ̃t] nf relaxation

détention [detɑ̃sjɔ̃] nf (de fortune, objet, secret) possession; (captivité) detention; **~ préventive** (pre-trial) custody

détenu, e [det(ə)ny] pp de **détenir** ▶ nm/f prisoner

détergent [detɛʀʒɑ̃] nm detergent

détériorer [deteʀjɔʀe] /1/ vt to damage; **se détériorer** vi to deteriorate

déterminé, e [detɛʀmine] adj (résolu) determined; (précis) specific, definite

déterminer [detɛʀmine] /1/ vt (fixer) to determine; **~ qn à faire** to decide sb to do; **se ~ à faire** to make up one's mind to do

détester [detɛste] /1/ vt to hate, detest

détour [detuʀ] nm detour; (tournant) bend, curve; **ça vaut le ~** it's worth the trip; **sans ~** (fig) plainly

détourné, e [detuʀne] adj (sentier, chemin, moyen) roundabout

détourner [detuʀne] /1/ vt to divert; (par la force) to hijack;

(*yeux*, *tête*) to turn away; (*de l'argent*) to embezzle; **se détourner** *vi* to turn away

détraquer [detʀake] /1/ *vt* to put out of order; (*estomac*) to upset; **se détraquer** *vi* to go wrong

détriment [detʀimɑ̃] *nm*: **au ~ de** to the detriment of

détroit [detʀwa] *nm* strait

détruire [detʀɥiʀ] /38/ *vt* to destroy

dette [dɛt] *nf* debt

DEUG *sigle m* = **Diplôme d'études universitaires générales**

> French students sit their **DEUG** ('diplôme d'études universitaires générales') after two years at university. They can then choose to leave university altogether, or go on to study for their 'licence'. The certificate specifies the student's major subject and may be awarded with distinction.

deuil [dœj] *nm* (*perte*) bereavement; (*période*) mourning; **prendre le/être en ~** to go into/be in mourning

deux [dø] *num* two; **les ~** both; **ses ~ mains** both his hands, his two hands; **~ fois** twice
• **deuxième** *num* second
• **deuxièmement** *adv* secondly
• **deux-pièces** *nm inv* (*tailleur*) two-piece (suit); (*de bain*) two-piece (swimsuit); (*appartement*) two-roomed flat (BRIT) *ou* apartment (US)
• **deux-points** *nm inv* colon *sg*
• **deux-roues** *nm inv* two-wheeled vehicle

devais *etc* [dəvɛ] *vb voir* **devoir**

dévaluation [devalɥasjɔ̃] *nf* devaluation

devancer [dəvɑ̃se] /3/ *vt* to get ahead of; (*arriver avant*) to arrive before; (*prévenir*) to anticipate

devant [d(ə)vɑ̃] *adv* in front; (*à distance: en avant*) ahead ▸ *prép* in front of; (*en avant de*) ahead of; (*avec mouvement: passer*) past; (*fig*) before, in front of; (*: vu*) in view of ▸ *nm* front; **prendre les ~s** to make the first move; **les pattes de ~** the front legs, the forelegs; **par ~** (*boutonner*) at the front; (*entrer*) the front way; **aller au-~ de qn** to go out to meet sb; **aller au-~ de** (*désirs de qn*) to anticipate

devanture [d(ə)vɑ̃tyʀ] *nf* (*étalage*) display; (*vitrine*) (shop) window

développement [dev(ə)lɔpmɑ̃] *nm* development; **pays en voie de ~** developing countries; **~ durable** sustainable development

développer [dev(ə)lɔpe] /1/ *vt* to develop; **se développer** *vi* to develop

devenir [dəv(ə)niʀ] /22/ *vi* to become; **que sont-ils devenus?** what has become of them?

devez [dəve] *vb voir* **devoir**

déviation [devjasjɔ̃] *nf* (*Auto*) diversion (BRIT), detour (US)

devienne *etc* [dəvjɛn] *vb voir* **devenir**

deviner [d(ə)vine] /1/ *vt* to guess; (*apercevoir*) to distinguish
• **devinette** *nf* riddle

devis [d(ə)vi] *nm* estimate, quotation

devise [dəviz] *nf* (*formule*) motto, watchword; **devises** *nfpl* (*argent*) currency *sg*

dévisser [devise] /1/ vt to unscrew, undo; **se dévisser** vi to come unscrewed

devoir [d(ə)vwaʀ] /28/ nm duty; (Scol) homework no pl; (: en classe) exercise ▸ vt (argent, respect): **~ qch (à qn)** to owe (sb) sth; **combien est-ce que je vous dois?** how much do I owe you?; **il doit le faire** (obligation) he has to do it, he must do it; **cela devait arriver un jour** it was bound to happen; **il doit partir demain** (intention) he is due to leave tomorrow; **il doit être tard** (probabilité) it must be late

dévorer [devɔʀe] /1/ vt to devour; (feu, soucis) to consume; **~ qn/qch des yeux** ou **du regard** (convoitise) to eye sb/sth greedily

dévoué, e [devwe] adj devoted

dévouer [devwe] /1/: **se dévouer** vi (se sacrifier): **se ~ (pour)** to sacrifice o.s. (for); (se consacrer): **se ~ à** to devote ou dedicate o.s. to

devrai etc [dəvʀe] vb voir **devoir**

dézipper [dezipe] /1/ vt to unzip

diabète [djabɛt] nm diabetes sg • **diabétique** nm/f diabetic

diable [djabl] nm devil

diabolo [djabolo] nm (boisson) lemonade and fruit cordial

diagnostic [djagnɔstik] nm diagnosis sg • **diagnostiquer** /1/ vt to diagnose

diagonal, e, -aux [djagonal, -o] adj, nf diagonal; **en ~e** diagonally

diagramme [djagʀam] nm chart, graph

dialecte [djalɛkt] nm dialect

dialogue [djalɔg] nm dialogue

diamant [djamɑ̃] nm diamond

diamètre [djamɛtʀ] nm diameter

diapo [djapo], **diapositive** [djapozitiv] nf transparency, slide

diarrhée [djaʀe] nf diarrhoea

dictateur [diktatœʀ] nm dictator • **dictature** [diktatyʀ] nf dictatorship

dictée [dikte] nf dictation

dicter [dikte] /1/ vt to dictate

dictionnaire [diksjɔnɛʀ] nm dictionary

dièse [djɛz] nm sharp

diesel [djezɛl] nm, adj inv diesel

diète [djɛt] nf (jeûne) starvation diet; (régime) diet • **diététique** adj: **magasin diététique** health food shop (BRIT) ou store (US)

dieu, x [djø] nm god; **D~** God; **mon D~!** good heavens!

différemment [difeʀamɑ̃] adv differently

différence [difeʀɑ̃s] nf difference; **à la ~ de** unlike • **différencier** /7/ vt to differentiate

différent, e [difeʀɑ̃, -ɑ̃t] adj (dissemblable) different; **~ de** different from; **~s objets** different ou various objects

différer [difeʀe] /6/ vt to postpone, put off ▸ vi: **~ (de)** to differ (from)

difficile [difisil] adj difficult; (exigeant) hard to please • **difficilement** adv with difficulty

difficulté [difikylte] nf difficulty; **en ~** (bateau, alpiniste) in trouble ou difficulties

diffuser [difyze] /1/ vt (chaleur, bruit, lumière) to diffuse; (émission, musique) to broadcast; (nouvelle, idée) to circulate; (Comm) to distribute

d

digérer [diʒeʀe] /6/ vt to digest; (fig: accepter) to stomach, put up with • **digestif, -ive** nm (after-dinner) liqueur • **digestion** nf digestion

digne [diɲ] adj dignified; **~ de** worthy of; **~ de foi** trustworthy • **dignité** nf dignity

digue [dig] nf dike, dyke

dilemme [dilɛm] nm dilemma

diligence [diliʒɑ̃s] nf stagecoach

diluer [dilɥe] /1/ vt to dilute

dimanche [dimɑ̃ʃ] nm Sunday

dimension [dimɑ̃sjɔ̃] nf (grandeur) size; (dimensions) dimensions

diminuer [diminɥe] /1/ vt to reduce, decrease; (ardeur etc) to lessen; (dénigrer) to belittle ▶ vi to decrease, diminish • **diminutif** nm (surnom) pet name

dinde [dɛ̃d] nf turkey

dindon [dɛ̃dɔ̃] nm turkey

dîner [dine] /1/ nm dinner ▶ vi to have dinner

dingue [dɛ̃g] adj (fam) crazy

dinosaure [dinozɔʀ] nm dinosaur

diplomate [diplomat] adj diplomatic ▶ nm diplomat; (fig) diplomatist • **diplomatie** nf diplomacy

diplôme [diplom] nm diploma certificate; **avoir des ~s** to have qualifications • **diplômé, e** adj qualified

dire [diʀ] /37/ vt to say; (secret, mensonge) to tell; **se dire** (à soi-même) to say to oneself ▶ nm: **au ~ de** according to; **~ qch à qn** to tell sb sth; **~ à qn qu'il fasse** ou **de faire** to tell sb to do; **on dit que** they say that; **on dirait que** it looks (ou sounds etc) as though; **que dites-vous de** (penser) what do you think of; **si cela lui dit** if he fancies it; **dis donc!, dites donc!** (pour attirer l'attention) hey!; (au fait) by the way; **ceci** ou **cela dit** that being said; **ça ne se dit pas** (impoli) you shouldn't say that; (pas en usage) you don't say that

direct, e [diʀɛkt] adj direct ▶ nm: **en ~** (émission) live • **directement** adv directly

directeur, -trice [diʀɛktœʀ, -tʀis] nm/f (d'entreprise) director; (de service) manager/eress; (d'école) head(teacher) (BRIT), principal (US)

direction [diʀɛksjɔ̃] nf (d'entreprise) management; (Auto) steering; (sens) direction; **"toutes ~s"** "all routes"

dirent [diʀ] vb voir **dire**

dirigeant, e [diʀiʒɑ̃, -ɑ̃t] adj (classes) ruling ▶ nm/f (d'un parti etc) leader

diriger [diʀiʒe] /3/ vt (entreprise) to manage, run; (véhicule) to steer; (orchestre) to conduct; (recherches, travaux) to supervise; (arme): **~ sur** to point ou level ou aim at; **se diriger** vi (s'orienter) to find one's way; **~ son regard sur** to look in the direction of; **se ~ vers** ou **sur** to make ou head for

dis [di] vb voir **dire**

discerner [disɛʀne] /1/ vt to discern, make out

discipline [disiplin] nf discipline • **discipliner** /1/ vt to discipline

discontinu, e [diskɔ̃tiny] adj intermittent

discontinuer [diskɔ̃tinɥe] /1/ vi: **sans ~** without stopping, without a break

discothèque [diskɔtɛk] *nf* (*boîte de nuit*) disco(thèque)

discours [diskuʀ] *nm* speech

discret, -ète [diskʀɛ, -ɛt] *adj* discreet; (*fig: musique, style, maquillage*) unobtrusive
• **discrétion** *nf* discretion; **à discrétion** as much as one wants

discrimination *nf* discrimination; **sans ~** indiscriminately

discussion [diskysjɔ̃] *nf* discussion

discutable [diskytabl] *adj* debatable

discuter [diskyte] /1/ *vt* (*contester*) to question, dispute; (*débattre: prix*) to discuss ▶ *vi* to talk; (*protester*) to argue; **~ de** to discuss

dise *etc* [diz] *vb voir* **dire**

disjoncteur [disʒɔ̃ktœʀ] *nm* (*Élec*) circuit breaker

disloquer [dislɔke] /1/: **se disloquer** *vi* (*parti, empire*) to break up; (*meuble*) to come apart; **se ~ l'épaule** to dislocate one's shoulder

disons *etc* [dizɔ̃] *vb voir* **dire**

disparaître [dispaʀɛtʀ] /57/ *vi* to disappear; (*se perdre: traditions etc*) to die out; (*personne: mourir*) to die; **faire ~** (*objet, tache, trace*) to remove; (*personne, douleur*) to get rid of

disparition [dispaʀisjɔ̃] *nf* disappearance; **espèce en voie de ~** endangered species

disparu, e [dispaʀy] *nm/f* missing person; **être porté ~** to be reported missing

dispensaire [dispɑ̃sɛʀ] *nm* community clinic

dispenser [dispɑ̃se] /1/ *vt*: **~ qn de** to exempt sb from

disperser [dispɛʀse] /1/ *vt* to scatter; **se disperser** *vi* to scatter

disponible [dispɔnibl] *adj* available

disposé, e [dispoze] *adj*: **bien/mal ~** (*humeur*) in a good/bad mood; **~ à** (*prêt à*) willing *ou* prepared to

disposer [dispoze] /1/ *vt* to arrange ▶ *vi*: **vous pouvez ~** you may leave; **~ de** to have (at one's disposal); **se ~ à faire** to prepare to do, be about to do

dispositif [dispozitif] *nm* device; (*fig*) system, plan of action

disposition [dispozisjɔ̃] *nf* (*arrangement*) arrangement, layout; (*humeur*) mood; **prendre ses ~s** to make arrangements; **avoir des ~s pour la musique** *etc* to have a special aptitude for music *etc*; **à la ~ de qn** at sb's disposal; **je suis à votre ~** I am at your service

disproportionné, e [dispʀɔpɔʀsjɔne] *adj* disproportionate, out of all proportion

dispute [dispyt] *nf* quarrel, argument • **disputer** /1/ *vt* (*match*) to play; (*combat*) to fight; **se disputer** *vi* to quarrel

disqualifier [diskalifje] /7/ *vt* to disqualify

disque [disk] *nm* (*Mus*) record; (*forme, pièce*) disc; (*Sport*) discus; **~ compact** compact disc; **~ dur** hard disk • **disquette** *nf* floppy (disk), diskette

dissertation [disɛʀtasjɔ̃] *nf* (*Scol*) essay

dissimuler [disimyle] /1/ vt to conceal

dissipé, e [disipe] adj (indiscipliné) unruly

dissolvant [disɔlvɑ̃] nm nail polish remover

dissuader [disɥade] /1/ vt: **~ qn de faire/de qch** to dissuade sb from doing/from sth

distance [distɑ̃s] nf distance; (fig: écart) gap; **à ~** at ou from a distance • **distancer** /3/ vt to outdistance

distant, e [distɑ̃, -ɑ̃t] adj (réservé) distant; **~ de** (lieu) far away ou a long way from

distillerie [distilʀi] nf distillery

distinct, e [distɛ̃(kt), distɛ̃kt] adj distinct • **distinctement** [distɛ̃ktəmɑ̃] adv distinctly • **distinctif, -ive** adj distinctive

distingué, e [distɛ̃ge] adj distinguished

distinguer [distɛ̃ge] /1/ vt to distinguish; **se distinguer** vi: **se ~ (de)** to distinguish o.s. ou be distinguished (from)

distraction [distʀaksjɔ̃] nf (manque d'attention) absent-mindedness; (passe-temps) distraction, entertainment

distraire [distʀɛʀ] /50/ vt (déranger) to distract; (divertir) to entertain, divert; **se distraire** vi to amuse ou enjoy o.s. • **distrait, e** [distʀɛ, -ɛt] pp de **distraire** ▶ adj absent-minded

distrayant, e [distʀɛjɑ̃, -ɑ̃t] adj entertaining

distribuer [distʀibɥe] /1/ vt to distribute; to hand out; (Cartes) to deal (out); (courrier) to deliver • **distributeur** nm (Auto, Comm) distributor; (automatique)

(vending) machine; **distributeur de billets** cash dispenser

dit, e [di, dit] pp de **dire** ▶ adj (fixé): **le jour ~** the arranged day; (surnommé): **X, ~ Pierrot** X, known as ou called Pierrot

dites [dit] vb voir **dire**

divan [divɑ̃] nm divan

divers, e [divɛʀ, -ɛʀs] adj (varié) diverse, varied; (différent) different, various; **~es personnes** various ou several people

diversité [divɛʀsite] nf diversity, variety

divertir [divɛʀtiʀ] /2/: **se divertir** vi to amuse ou enjoy o.s. • **divertissement** nm entertainment

diviser [divize] /1/ vt to divide • **division** nf division

divorce [divɔʀs] nm divorce • **divorcé, e** nm/f divorcee • **divorcer** /3/ vi to get a divorce, get divorced; **divorcer de** ou **d'avec qn** to divorce sb

divulguer [divylge] /1/ vt to disclose

dix [di, dis, diz] num ten • **dix-huit** num eighteen • **dix-huitième** num eighteenth • **dixième** num tenth • **dix-neuf** num nineteen • **dix-neuvième** num nineteenth • **dix-sept** num seventeen • **dix-septième** num seventeenth

dizaine [dizɛn] nf: **une ~ (de)** about ten, ten or so

do [do] nm (note) C; (en chantant la gamme) do(h)

docile [dɔsil] adj docile

dock [dɔk] nm dock • **docker** nm docker

docteur, e [dɔktœʀ] nm/f doctor • **doctorat** nm: **doctorat (d'Université)** ≈ doctorate

doctrine [dɔktʀin] nf doctrine

document [dɔkymɑ̃] nm
document • **documentaire** adj, nm
documentary • **documentation**
nf documentation, literature
• **documenter** /1/ vt: **se
documenter (sur)** to gather
information ou material (on ou
about)

dodo [dodo] nm: **aller faire ~** to
go to beddy-byes

dogue [dɔg] nm mastiff

doigt [dwa] nm finger; **à deux ~s
de** within an ace (BRIT) ou an inch
of; **un ~ de lait/whisky** a drop of
milk/whisky; **~ de pied** toe

doit etc [dwa] vb voir **devoir**

dollar [dɔlaʀ] nm dollar

domaine [dɔmɛn] nm estate,
property; (fig) domain, field

domestique [dɔmɛstik] adj
domestic ▶ nm/f servant,
domestic

domicile [dɔmisil] nm home,
place of residence; **à ~** at home;
livrer à ~ to deliver • **domicilié, e**
adj: **être domicilié à** to have one's
home in ou at

dominant, e [dɔminɑ̃, -ɑ̃t] adj
(opinion) predominant

dominer [dɔmine] /1/ vt to
dominate; (sujet) to master;
(surpasser) to outclass, surpass;
(surplomber) to tower above,
dominate ▶ vi to be in the
dominant position; **se dominer** vi
to control o.s.

domino [dɔmino] nm domino;
dominos nmpl (jeu) dominoes sg

dommage [dɔmaʒ] nm: **~s**
(dégâts, pertes) damage no pl;
c'est ~ de faire/que it's a shame
ou pity to do/that; **quel ~!, c'est ~!**
what a pity ou shame!

dompter [dɔ̃(p)te] /1/ vt to tame
• **dompteur, -euse** nm/f trainer

DOM-ROM sigle m(pl)
(= Département(s) et Régions/
Territoire(s) d'outre-mer) French
overseas departments and regions

don [dɔ̃] nm gift; (charité)
donation; **avoir des ~s pour** to
have a gift ou talent for; **elle a le
~ de m'énerver** she's got a knack
of getting on my nerves

donc [dɔ̃k] conj therefore, so;
(après une digression) so, then

dongle [dɔ̃gl] nm dongle

donné, e [dɔne] adj (convenu: lieu,
heure) given; (pas cher) very cheap;
données nfpl data; **c'est ~** it's a
gift; **étant ~ que ...** given that ...

donner [dɔne] /1/ vt to give; (vieux
habits etc) to give away; (spectacle)
to put on; **~ qch à qn** to give sb
sth, give sth to sb; **~ sur** (fenêtre,
chambre) to look (out) onto; **ça
donne soif/faim** it makes you
(feel) thirsty/hungry; **se ~ à fond
(à son travail)** to give one's all
(to one's work); **se ~ du mal
ou de la peine (pour faire qch)** to
go to a lot of trouble (to do sth);
s'en ~ à cœur joie (fam) to have a
great time (of it)

---

dont [dɔ̃]

pron relatif 1 (appartenance:
objets) whose, of which; (: êtres
animés) whose; **la maison dont
le toit est rouge** the house the
roof of which is red, the house
whose roof is red; **l'homme
dont je connais la sœur** the
man whose sister I know
2 (parmi lesquel(le)s): **deux
livres, dont l'un est ...** two
books, one of which is ...; **il y**

---

avait plusieurs personnes, dont Gabrielle there were several people, among them Gabrielle; **10 blessés, dont 2 grièvement** 10 injured, 2 of them seriously

3 *(complément d'adjectif, de verbe)*: **le fils dont il est si fier** the son he's so proud of; **le pays dont il est originaire** the country he's from; **ce dont je parle** what I'm talking about; **la façon dont il l'a fait** the way (in which) he did it

dopage [dɔpaʒ] *nm (Sport)* drug use; *(de cheval)* doping

doré, e [dɔʁe] *adj* golden; *(avec dorure)* gilt, gilded

dorénavant [dɔʁenavɑ̃] *adv* henceforth

dorer [dɔʁe] /1/ *vt* to gild; **(faire) ~** *(Culin)* to brown

dorloter [dɔʁlɔte] /1/ *vt* to pamper

dormir [dɔʁmiʁ] /16/ *vi* to sleep; *(être endormi)* to be asleep

dortoir [dɔʁtwaʁ] *nm* dormitory

dos [do] *nm* back; *(de livre)* spine; **"voir au ~"** "see over"; **de ~** from the back

dosage [dozaʒ] *nm* mixture

dose [doz] *nf* dose • **doser** /1/ *vt* to measure out; **il faut savoir doser ses efforts** you have to be able to pace yourself

dossier [dosje] *nm (renseignements, fichier)* file; *(de chaise)* back; *(Presse)* feature; *(Inform)* folder; **un ~ scolaire** a school report

douane [dwan] *nf* customs pl • **douanier, -ière** *adj* customs cpd ▶ *nm* customs officer

double [dubl] *adj, adv* double ▶ *nm (autre exemplaire)* duplicate, copy; *(sosie)* double; *(Tennis)* **doubles** sg; *(2 fois plus)*: **le ~ (de)** twice as much *(ou many)* (as); **en ~ (exemplaire)** in duplicate; **faire ~ emploi** to be redundant • **double-clic** *(pl* **doubles-clics**) *nm* double-click • **double-cliquer** /1/ *vi (Inform)* to double-click

doubler [duble] /1/ *vt (multiplier par 2)* to double; *(vêtement)* to line; *(dépasser)* to overtake, pass; *(film)* to dub; *(acteur)* to stand in for ▶ *vi* to double

doublure [dublyʁ] *nf* lining; *(Ciné)* stand-in

douce [dus] *adj f voir* **doux** • **douceâtre** *adj* sickly sweet • **doucement** *adv* gently; *(lentement)* slowly • **douceur** *nf* softness; *(de climat)* mildness; *(de quelqu'un)* gentleness

douche [duʃ] *nf* shower; **prendre une ~** to have *ou* take a shower • **doucher** /1/: **se doucher** *vi* to have *ou* take a shower

doudou [dudu] *(fam) nm (morceau de tissu)* comfort blanket; *(peluche)* cuddly toy

doué, e [dwe] *adj* gifted, talented; **être ~ pour** to have a gift for

douille [duj] *nf (Élec)* socket

douillet, te [duje, -ɛt] *adj* cosy; *(péj: à la douleur)* soft

douleur [dulœʁ] *nf* pain; *(chagrin)* grief, distress • **douloureux, -euse** *adj* painful

doute [dut] *nm* doubt; **sans ~** no doubt; *(probablement)* probably; **sans nul** *ou* **aucun ~** without (a) doubt • **douter** /1/ *vt* to doubt; **douter de** *(allié, sincérité de qn)* to have (one's) doubts about, doubt;

(résultat, réussite) to be doubtful of; **douter que** to doubt whether ou if; **se douter de qch/que** to suspect sth/that; **je m'en doutais** I suspected as much • **douteux, -euse** adj (incertain) doubtful; (péj) dubious-looking

Douvres [duvʀ] n Dover

doux, douce [du, dus] adj soft; (sucré, agréable) sweet; (peu fort: moutarde etc, clément: climat) mild; (pas brusque) gentle

douzaine [duzɛn] nf (12) dozen; (environ 12): **une ~ (de)** a dozen or so

douze [duz] num twelve
• **douzième** num twelfth

dragée [dʀaʒe] nf sugared almond

draguer [dʀage] /1/ vt (rivière) to dredge; (fam) to try and pick up

dramatique [dʀamatik] adj dramatic; (tragique) tragic ▸ nf (TV) (television) drama

drame [dʀam] nm drama

drap [dʀa] nm (de lit) sheet; (tissu) woollen fabric

drapeau, x [dʀapo] nm flag

drap-housse [dʀaus] nm fitted sheet

dresser [dʀese] /1/ vt (mettre vertical, monter) to put up, erect; (liste, bilan, contrat) to draw up; (animal) to train; **se dresser** vi (falaise, obstacle) to stand; (personne) to draw o.s. up; **~ l'oreille** to prick up one's ears; **~ qn contre qn d'autre** to set sb against sb else

drogue [dʀɔg] nf drug; **la ~** drugs pl • **drogué, e** nm/f drug addict
• **droguer** /1/ vt (victime) to drug; **se droguer** vi (aux stupéfiants) to take drugs; (péj: de médicaments) to dose o.s. up • **droguerie** nf ≈

hardware shop (BRIT) ou store (US) • **droguiste** nm ≈ keeper (ou owner) of a hardware shop ou store

droit, e [dʀwa, dʀwat] adj (non courbe) straight; (vertical) upright, straight; (fig: loyal, franc) upright, straight(forward); (opposé à gauche) right, right-hand ▸ adv straight ▸ nm (prérogative) right; (taxe) duty, tax; (: d'inscription) fee; (lois, branche): **le ~** law ▸ nf (Pol) right (wing); **avoir le ~ de** to be allowed to; **avoir ~ à** to be entitled to; **être dans son ~** to be within one's rights; **à ~e** on the right; (direction) (to the) right; **~s d'auteur** royalties; **~s d'inscription** enrolment ou registration fees • **droitier, -ière** adj right-handed

drôle [dʀol] adj (amusant) funny, amusing; (bizarre) funny, peculiar; **un ~ de ...** (bizarre) a strange ou funny ...; (intensif) an incredible ..., a terrific ...

dromadaire [dʀɔmadɛʀ] nm dromedary

du [dy] art voir **de**

dû, due [dy] pp de **devoir** ▸ adj (somme) owing, owed; (causé par): **dû à** due to ▸ nm due

dune [dyn] nf dune

duplex [dyplɛks] nm (appartement) split-level apartment, duplex

duquel [dykɛl] voir **lequel**

dur, e [dyʀ] adj (pierre, siège, travail, problème) hard; (lumière, voix, climat) harsh; (sévère) hard, harsh; (cruel) hard(-hearted); (porte, col) stiff; (viande) tough ▸ adv hard ▸ nm (fam: meneur) tough nut; **~ d'oreille** hard of hearing

durant [dyʀɑ̃] *prép (au cours de)* during; *(pendant)* for; **des mois ~** for months

durcir [dyʀsiʀ] /2/ *vt, vi* to harden; **se durcir** *vi* to harden

durée [dyʀe] *nf* length; *(d'une pile etc)* life; **de courte ~** *(séjour, répit)* brief

durement [dyʀmɑ̃] *adv* harshly

durer [dyʀe] /1/ *vi* to last

dureté [dyʀte] *nf* hardness; harshness; stiffness; toughness

durit® [dyʀit] *nf (car radiator)* hose

duvet [dyvɛ] *nm* down

DVD *sigle m* (= digital versatile disc) DVD

dynamique [dinamik] *adj* dynamic • **dynamisme** *nm* dynamism

dynamo [dinamo] *nf* dynamo

dysfonctionnement [disfɔ̃ksjɔnmɑ̃] *nm* malfunctioning

dyslexie [dislɛksi] *nf* dyslexia, word blindness

e

eau, x [o] *nf* water ► *nfpl (Méd)* waters; **prendre l'~** to leak, let in water; **tomber à l'~** *(fig)* to fall through; **~ de Cologne** eau de Cologne; **~ courante** running water; **~ douce** fresh water; **~ gazeuse** sparkling (mineral) water; **~ de Javel** bleach; **~ minérale** mineral water; **~ plate** still water; **~ salée** salt water; **~ de toilette** toilet water • **eau-de-vie** *nf* brandy

ébène [ebɛn] *nf* ebony • **ébéniste** [ebenist] *nm* cabinetmaker

éblouir [ebluiʀ] /2/ *vt* to dazzle

éboueur [ebwœʀ] *nm* dustman (BRIT), garbage man (US)

ébouillanter [ebujɑ̃te] /1/ *vt* to scald; *(Culin)* to blanch

éboulement [ebulmɑ̃] *nm* rockfall

ébranler [ebʀɑ̃le] /1/ *vt* to shake; *(rendre instable)* to weaken; **s'ébranler** *vi (partir)* to move off

ébullition [ebylisjɔ̃] *nf* boiling point; **en ~** boiling

écaille [ekaj] *nf (de poisson)* scale; *(matière)* tortoiseshell • **écailler** /1/ *vt (poisson)* to scale; **s'écailler** *vi* to flake *ou* peel (off)

écart [ekar] *nm* gap; **à l'~ de** out of the way; **à l'~ de** away from; **faire un ~** (*voiture*) to swerve

écarté, e [ekarte] *adj* (*lieu*) out-of-the-way, remote; (*ouvert*): **les jambes ~es** legs apart; **les bras ~s** arms outstretched

écarter [ekarte] /1/ *vt* (*séparer*) to move apart, separate; (*éloigner*) to push back, move away; (*ouvrir*: *bras, jambes*) to open; (: *rideau*) to draw (back); (*éliminer*: *candidat, possibilité*) to dismiss; **s'écarter** *vi* to part; (*personne*) to move away; **s'~ de** to wander from

échafaudage [eʃafodaʒ] *nm* scaffolding

échalote [eʃalɔt] *nf* shallot

échange [eʃãʒ] *nm* exchange; **en ~ de** in exchange *ou* return for • **échanger** /3/ *vt*: **échanger qch (contre)** to exchange sth (for)

échantillon [eʃãtijɔ̃] *nm* sample

échapper [eʃape] /1/ *vt*: **~ à** (*gardien*) to escape (from); (*punition, péril*) to escape; **~ à qn** (*détail, sens*) to escape sb; (*objet qu'on tient*) to slip out of sb's hands; **laisser ~** (*cri etc*) to let out; **l'~ belle** to have a narrow escape; **s'échapper** *vi* to escape

écharde [eʃard] *nf* splinter (of wood)

écharpe [eʃarp] *nf* scarf; **avoir le bras en ~** to have one's arm in a sling

échauffer [eʃofe] /1/ *vt* (*métal, moteur*) to overheat; **s'échauffer** *vi* (*Sport*) to warm up; (*discussion*) to become heated

échéance [eʃeãs] *nf* (*d'un paiement: date*) settlement date; (*fig*) deadline; **à brève/longue ~** in the short/long term

échéant [eʃeã]: **le cas ~** *adv* if the case arises

échec [eʃɛk] *nm* failure; (*Échecs*): **~ et mat/au roi** checkmate/ check; **échecs** *nmpl* (*jeu*) chess *sg*; **tenir en ~** to hold in check

échelle [eʃɛl] *nf* ladder; (*fig, d'une carte*) scale

échelon [eʃ(ə)lɔ̃] *nm* (*d'échelle*) rung; (*Admin*) grade • **échelonner** /1/ *vt* to space out, spread out

échiquier [eʃikje] *nm* chessboard

écho [eko] *nm* echo
• **échographie** *nf*: **passer une échographie** to have a scan

échouer [eʃwe] /1/ *vi* to fail; **s'échouer** *vi* to run aground

éclabousser [eklabuse] /1/ *vt* to splash

éclair [eklɛʀ] *nm* (*d'orage*) flash of lightning, lightning *no pl*; (*gâteau*) éclair

éclairage [eklɛʀaʒ] *nm* lighting

éclaircie [eklɛʀsi] *nf* bright *ou* sunny interval

éclaircir [eklɛʀsiʀ] /2/ *vt* to lighten; (*fig: mystère*) to clear up; (*point*) to clarify; **s'éclaircir** *vi* (*ciel*) to brighten up; **s'~ la voix** to clear one's throat • **éclaircissement** *nm* clarification

éclairer [eklɛʀe] /1/ *vt* (*lieu*) to light (up); (*personne: avec une lampe de poche etc*) to light the way for; (*fig: rendre compréhensible*) to shed light on ▶ *vi*: **~ mal/bien** to give a poor/good light; **s'~ à la bougie/l'électricité** to use candlelight/have electric lighting

éclat [ekla] *nm* (*de bombe, de verre*) fragment; (*du soleil, d'une couleur etc*) brightness, brilliance; (*d'une cérémonie*) splendour; (*scandale*):

faire un ~ to cause a commotion; **~ de rire** burst ou roar of laughter; **~ de voix** shout

éclatant, e [eklatɑ̃, -ɑ̃t] adj brilliant

éclater [eklate] /1/ vi (pneu) to burst; (bombe) to explode; (guerre, épidémie) to break out; (groupe, parti) to break up; **~ de rire/en sanglots** to burst out laughing/ sobbing

écluse [eklyz] nf lock

écœurant, e [ekœRɑ̃, -ɑ̃t] adj sickening; (gâteau etc) sickly

écœurer [ekœRe] vt: **~ qn** (nourriture) to make sb feel sick; (fig: conduite, personne) to disgust sb

école [ekɔl] nf school; **aller à l'~** to go to school; **~ maternelle** nursery school; **~ primaire** primary (BRIT) ou grade (US) school; **~ secondaire** secondary (BRIT) ou high (US) school • **écolier, -ière** nm/f schoolboy/ girl

écologie [ekɔlɔʒi] nf ecology • **écologique** adj environment-friendly • **écologiste** nm/f ecologist

économe [ekɔnɔm] adj thrifty ► nm/f (de lycée etc) bursar (BRIT), treasurer (US)

économie [ekɔnɔmi] nf economy; (gain: d'argent, de temps etc) saving; (science) economics sg; **~ collaborative** sharing economy; **économies** nfpl (pécule) savings • **économique** adj (avantageux) economical; (Écon) economic • **économiser** /1/ vt, vi to save

écorce [ekɔRs] nf bark; (de fruit) peel

écorcher [ekɔRʃe] /1/ vt: **s'~ le genou** etc to scrape ou graze one's knee etc • **écorchure** nf graze

écossais, e [ekɔsɛ, -ɛz] adj Scottish ► nm/f: **É~, e** Scot

Écosse [ekɔs] nf: **l'~** Scotland

écotaxe [ekotaks] nf green tax

écouter [ekute] /1/ vt to listen to; **s'écouter** (malade) to be a bit of a hypochondriac; **si je m'écoutais** if I followed my instincts • **écouteur** nm (Tél) receiver; **écouteurs** nmpl (casque) headphones, headset sg

écran [ekRɑ̃] nm screen; **le petit ~** television; **~ tactile** touchscreen; **~ total** sunblock

écrasant, e [ekRazɑ̃, -ɑ̃t] adj overwhelming

écraser [ekRaze] /1/ vt to crush; (piéton) to run over; **s'~ (au sol)** vi to crash; **s'~ contre** to crash into

écrémé, e [ekReme] adj (lait) skimmed

écrevisse [ekRəvis] nf crayfish inv

écrire [ekRiR] /39/ vt, vi to write; **s'écrire** vi to write to one another; **ça s'écrit comment?** how is it spelt? • **écrit** nm (examen) written paper; **par écrit** in writing

écriteau, x [ekRito] nm notice, sign

écriture [ekRityR] nf writing; **écritures** nfpl (Comm) accounts, books; **l'É~ (sainte), les É~s** the Scriptures

écrivain [ekRivɛ̃] nm writer

écrou [ekRu] nm nut

écrouler [ekRule] /1/: **s'écrouler** vi to collapse

écru, e [ekRy] adj off-white, écru

écume [ekym] nf foam

écureuil [ekyRœj] nm squirrel

écurie [ekyʀi] nf stable

eczéma [ɛgzema] nm eczema

EDF sigle f (= Électricité de France) national electricity company

Édimbourg [edɛ̃buʀ] n Edinburgh

éditer [edite] /1/ vt (publier) to publish; (annoter) to edit
• **éditeur, -trice** nm/f publisher
• **édition** nf edition; **l'édition** publishing

édredon [edʀədɔ̃] nm eiderdown

éducateur, -trice [edykatœʀ, -tʀis] nm/f teacher; (en école spécialisée) instructor

éducatif, -ive [edykatif, -iv] adj educational

éducation [edykasjɔ̃] nf education; (familiale) upbringing; (manières) (good) manners pl

édulcorant [edylkɔʀɑ̃] nm sweetener

éduquer [edyke] /1/ vt to educate; (élever) to bring up

effacer [efase] /3/ vt to erase, rub out; **s'effacer** vi (inscription etc) to wear off; (pour laisser passer) to step aside

effarant, e [efaʀɑ̃, -ɑ̃t] adj alarming

effectif, -ive [efɛktif, -iv] adj real ▶ nm (Scol) total number of pupils; (Comm) manpower sg
• **effectivement** adv (réellement) actually, really; (en effet) indeed

effectuer [efɛktɥe] /1/ vt (opération, mission) to carry out; (déplacement, trajet) to make

effervescent, e [efɛʀvesɑ̃, -ɑ̃t] adj effervescent

effet [efɛ] nm effect; (impression) impression; **effets** nmpl (vêtements etc) things; **faire ~** (médicament) to take effect; **faire de l'~**

(impressionner) to make an impression; **faire bon/mauvais ~ sur qn** to make a good/bad impression on sb; **en ~** indeed; **~ de serre** greenhouse effect

efficace [efikas] adj (personne) efficient; (action, médicament) effective • **efficacité** nf efficiency; effectiveness

effondrer [efɔ̃dʀe] /1/: **s'effondrer** vi to collapse

efforcer [efɔʀse] /3/: **s'efforcer de** vt: **s'~ de faire** to try hard to do

effort [efɔʀ] nm effort

effrayant, e [efʀɛjɑ̃, -ɑ̃t] adj frightening

effrayer [efʀeje] /8/ vt to frighten, scare; **s'effrayer (de)** to be frightened ou scared (by)

effréné, e [efʀene] adj wild

effronté, e [efʀɔ̃te] adj insolent

effroyable [efʀwajabl] adj horrifying, appalling

égal, e, -aux [egal, -o] adj equal; (constant: vitesse) steady ▶ nm/f equal; **être ~ à** (prix, nombre) to be equal to; **ça m'est ~** it's all the same to me, I don't mind; **sans ~** matchless, unequalled; **d'~ à ~** as equals • **également** adv equally; (aussi) too, as well • **égaler** /1/ vt to equal • **égaliser** /1/ vt (sol, salaires) to level (out); (chances) to equalize ▶ vi (Sport) to equalize • **égalité** nf equality; **être à égalité (de points)** to be level

égard [egaʀ] nm: **égards** nmpl consideration sg; **à cet ~** in this respect; **par ~ pour** out of consideration for; **à l'~ de** towards

égarer [egaʀe] /1/ vt to mislay; **s'égarer** vi to get lost, lose one's way; (objet) to go astray

églefin [eglafɛ̃] nm haddock

église [egliz] nf church; **aller à l'~** to go to church

égoïsme [egɔism] nm selfishness • **égoïste** adj selfish

égout [egu] nm sewer

égoutter [egute] /1/ vi to drip; **s'égoutter** vi to drip • **égouttoir** nm draining board; (mobile) draining rack

égratignure [egratiɲyr] nf scratch

Égypte [eʒipt] nf: **l'~** Egypt • **égyptien, ne** adj Egyptian ▶ nm/f: Egyptian

eh [e] excl hey!; **eh bien** well

élaborer [elabɔre] /1/ vt to elaborate; (projet, stratégie) to work out; (rapport) to draft

élan [elɑ̃] nm (Zool) elk, moose; (Sport) run up; (fig: de tendresse etc) surge; **prendre son ~/de l'~** to take a run up/gather speed

élancer [elɑ̃se] /3/: **s'élancer** vi to dash, hurl o.s.

élargir [elarʒir] /2/ vt to widen; **s'élargir** vi to widen; (vêtement) to stretch

élastique [elastik] adj elastic ▶ nm (de bureau) rubber band; (pour la couture) elastic no pl

élection [elɛksjɔ̃] nf election

électricien, ne [elɛktrisjɛ̃, -ɛn] nm/f electrician

électricité [elɛktrisite] nf electricity; **allumer/éteindre l'~** to put on/off the light

électrique [elɛktrik] adj electric(al)

électrocuter [elɛktrɔkyte] /1/ vt to electrocute

électroménager [elɛktrɔmenaʒe] adj: **appareils ~s** domestic (electrical)

appliances ▶ nm: **l'~** household appliances

électronique [elɛktrɔnik] adj electronic ▶ nf electronics sg

élégance [elegɑ̃s] nf elegance

élégant, e [elegɑ̃, -ɑ̃t] adj elegant

élément [elemɑ̃] nm element; (pièce) component, part • **élémentaire** adj elementary

éléphant [elefɑ̃] nm elephant

élevage [el(ə)vaʒ] nm breeding; (de bovins) cattle breeding or rearing; **truite d'~** farmed trout

élevé, e [el(ə)ve] adj high; **bien/mal ~** well-/ill-mannered

élève [elɛv] nm/f pupil

élever [el(ə)ve] /5/ vt (enfant) to bring up, raise; (bétail, volaille) to breed; (hausser: taux, niveau) to raise; (édifier: monument) to put up, erect; **s'élever** vi (avion, alpiniste) to go up; (niveau, température, aussi) to rise; **s'~ à** (frais, dégâts) to amount to, add up to; **s'~ contre** to rise up against; **~ la voix** to raise one's voice • **éleveur, -euse** nm/f stock breeder

éliminatoire [eliminatwar] nf (Sport) heat

éliminer [elimine] /1/ vt to eliminate

élire [elir] /43/ vt to elect

elle [ɛl] pron (sujet) she; (: chose) it; (complément) her; it; **~s** (sujet) they; (complément) her; them; **~-même** herself; itself; **~s-mêmes** themselves; voir **il**

éloigné, e [elwaɲe] adj distant, far-off; (parent) distant

éloigner [elwaɲe] /1/ vt (échéance) to put off, postpone; (soupçons, danger) to ward off; **~ qch (de)** to move ou take sth away (from); **s'éloigner (de)** (personne) to go away (from); (véhicule) to move away (from); (affectivement) to become estranged (from); **~ qn (de)** to take sb away ou remove sb (from)

élu, e [ely] pp de **élire ▶** nm/f(Pol) elected representative

Élysée [elize] nm: **(le palais de) l'~** the Élysée palace

émail, -aux [emaj, -o] nm enamel

e-mail [imɛl] nm email; **envoyer qch par ~** to email sth

émanciper [emɑ̃sipe] /1/: **s'émanciper** vi (fig) to become emancipated ou liberated

emballage [ɑ̃balaʒ] nm (papier) wrapping; (carton) packaging

emballer [ɑ̃ˈbale] /1/ vt to wrap (up); (dans un carton) to pack (up); (fig: fam) to thrill (to bits); **s'emballer** vi (moteur) to race; (cheval) to bolt; (fig: personne) to get carried away

embarcadère [ɑ̃baʀkadɛʀ] nm landing stage (BRIT), pier

embarquement [ɑ̃baʀkəmɑ̃] nm embarkation; (de marchandises) loading; (de passagers) boarding

embarquer [ɑ̃baʀke] /1/ vt (personne) to embark; (marchandise) to load; (fam) to cart off ▶ vi (passager) to board; **s'embarquer** vi to board; **s'~ dans** (affaire, aventure) to embark upon

embarras [ɑ̃baʀa] nm (confusion) embarrassment; **être dans l'~** to be in a predicament ou an awkward position; **vous n'avez que l'~ du choix** the only problem is choosing

embarrassant, e [ɑ̃baʀasɑ̃, -ɑ̃t] adj embarrassing

embarrasser [ɑ̃baʀase] /1/ vt (encombrer) to clutter (up); (gêner) to hinder, hamper; to put in an awkward position; **s'embarrasser de** to burden o.s. with

embaucher [ɑ̃boʃe] /1/ vt to take on, hire

embêtant, e [ɑ̃bɛtɑ̃, -ɑ̃t] adj annoying

embêter [ɑ̃bete] /1/ vt to bother; **s'embêter** vi (s'ennuyer) to be bored

emblée [ɑ̃ble]: **d'~** adv straightaway

embouchure [ɑ̃buʃyʀ] nf (Géo) mouth

embourber [ɑ̃buʀbe] /1/: **s'embourber** vi to get stuck in the mud

embouteillage [ɑ̃butɛjaʒ] nm traffic jam, (traffic) holdup (BRIT)

embranchement [ɑ̃bʀɑ̃ʃmɑ̃] nm (routier) junction

embrasser [ɑ̃bʀase] /1/ vt to kiss; (sujet, période) to embrace, encompass

embrayage [ɑ̃bʀɛjaʒ] nm clutch

embrouiller [ɑ̃bʀuje] /1/ vt (fils) to tangle (up); (fiches, idées, personne) to muddle up; **s'embrouiller** vi to get in a muddle

embruns [ɑ̃bʀœ̃] nmpl sea spray sg

embué, e [ɑ̃bɥe] adj misted up

émeraude [em(ə)ʀod] nf emerald

émerger [emɛʀʒe] /3/ vi to emerge; (faire saillie, aussi fig) to stand out

émeri [em(ə)ʀi] nm: **toile** ou **papier** ~ emery paper

émerveiller [emɛʀveje] /1/ vt to fill with wonder; **s'émerveiller de** to marvel at

émettre [emɛtʀ] /56/ vt (son, lumière) to give out, emit; (message etc: Radio) to transmit; (billet, timbre, emprunt, chèque) to issue; (hypothèse, avis) to voice, put forward ▶ vi to broadcast

émeus etc [emø] vb voir **émouvoir**

émeute [emøt] nf riot

émigrer [emigʀe] /1/ vi to emigrate

émincer [emɛ̃se] /3/ vt to slice thinly

émission [emisjɔ̃] nf (voir émettre) emission; (d'un message) transmission; (de billet, timbre, emprunt, chèque) issue; (Radio, TV) programme, broadcast

emmêler [ɑ̃mele] /1/ vt to tangle (up); (fig) to muddle up; **s'emmêler** vi to get into a tangle

emménager [ɑ̃menaʒe] /3/ vi to move in; ~ **dans** to move into

emmener [ɑ̃m(ə)ne] /5/ vt to take (with one); (comme otage, capture) to take away; ~ **qn au cinéma** to take sb to the cinema

emmerder [ɑ̃mɛʀde] /1/ (fam!) vt to bug, bother; **s'emmerder** vi to be bored stiff

émoticone [emɔticon] nm smiley

émotif, -ive [emɔtif, -iv] adj emotional

émotion [emosjɔ̃] nf emotion

émouvoir [emuvwaʀ] /27/ vt to move; **s'émouvoir** vi to be moved; to be roused

empaqueter [ɑ̃pakte] /4/ vt to pack up

emparer [ɑ̃paʀe] /1/: **s'emparer de** vt (objet) to seize, grab; (comme otage, Mil) to seize; (peur etc) to take hold of

empêchement [ɑ̃pɛʃmɑ̃] nm (unexpected) obstacle, hitch

empêcher [ɑ̃peʃe] /1/ vt to prevent; ~ **qn de faire** to prevent ou stop sb (from) doing; **il n'empêche que** nevertheless; **il n'a pas pu s'~ de rire** he couldn't help laughing

empereur [ɑ̃pʀœʀ] nm emperor

empiffrer [ɑ̃pifʀe] /1/: **s'empiffrer** vi (péj) to stuff o.s.

empiler [ɑ̃pile] /1/ vt to pile (up)

empire [ɑ̃piʀ] nm empire; (fig) influence

empirer [ɑ̃piʀe] /1/ vi to worsen, deteriorate

emplacement [ɑ̃plasmɑ̃] nm site

emploi [ɑ̃plwa] nm use; (poste) job, situation; (Comm, Écon) employment; **mode d'~** directions for use; ~ **du temps** timetable, schedule

employé, e [ɑ̃plwaje] nm/f employee; ~ **de bureau/banque** office/bank employee ou clerk

employer [ɑ̃plwaje] /8/ vt to use; (ouvrier, main-d'œuvre) to employ; **s'~ à qch/à faire** to apply ou devote o.s. to sth/to doing • **employeur, -euse** nm/f employer

empoigner [ɑ̃pwaɲe] /1/ vt to grab

empoisonner [ɑ̃pwazɔne] /1/ vt to poison; (empester: air, pièce) to stink out; (fam): ~ **qn** to drive sb mad

emporter [ɑ̃pɔʀte] /1/ vt to take (with one); (en dérobant ou enlevant, emmener: blessés, *voyageurs*) to take away; (*entraîner*) to carry away ou along; (*rivière, vent*) to carry away; **s'emporter** vi (*de colère*) to fly into a rage; **l'~ (sur)** to get the upper hand (of); **plats à ~** take-away meals

empreint, e [ɑ̃prɛ̃, -ɛt] *adj*: **s'~ de** marked with ▸ *nf* (*de pied, main*) print; **~e (digitale)** fingerprint; **~e écologique** carbon footprint

empressé, e [ɑ̃prese] *adj* attentive

empresser [ɑ̃prese] /1/: **s'empresser** vi: **s'~ auprès de qn** to surround sb with attentions; **s'~ de faire** to hasten to do

emprisonner [ɑ̃prizɔne] /1/ vt to imprison

emprunt [ɑ̃prœ̃] *nm* loan (*from debtor's point of view*)

emprunter [ɑ̃prœ̃te] /1/ vt to borrow; (*itinéraire*) to take, follow

ému, e [emy] *pp de* **émouvoir** ▸ *adj* (*gratitude*) touched; (*compassion*) moved

---

en [ɑ̃]

▸ *prép* **1** (*endroit, pays*) in; (: *direction*) to; **habiter en France/ville** to live in France/town; **aller en France/ville** to go to France/town **2** (*moment, temps*) in; **en été/juin** in summer/June; **en 3 jours/ 20 ans** in 3 days/20 years **3** (*moyen*) by; **en avion/taxi** by plane/taxi **4** (*composition*) made of; **c'est en verre/coton/laine** it's (made of) glass/cotton/wool; **un collier en argent** a silver necklace **5** (*description, état*): **une femme (habillée) en rouge** a woman

(dressed) in red; **peindre qch en rouge** to paint sth red; **en T/ étoile** T-/star-shaped; **en chemise/chaussettes** in one's shirt sleeves/socks; **en soldat** as a soldier; **cassé en plusieurs morceaux** broken into several pieces; **en réparation** being repaired, under repair; **en vacances** on holiday; **en deuil** in mourning; **le même en plus grand** the same but ou only bigger **6** (*avec gérondif*) while; on; **en dormant** while sleeping, as one sleeps; **en sortant** on going out, as he *etc* went out; **sortir en courant** to run out **7**: **en tant que** as; **je te parle en ami** I'm talking to you as a friend

▸ *pron* **1** (*indéfini*): **j'en ai/veux** I have/want some; **en as-tu?** have you got any?; **je n'en veux pas** I don't want any; **j'en ai deux** I've got two; **combien y en a-t-il?** how many (of them) are there?; **j'en ai assez** I've got enough (of it ou them); (*j'en ai marre*) I've had enough **2** (*provenance*) from there; **j'en viens** I've come from there **3** (*cause*): **il en est malade/ perd le sommeil** he is ill/can't sleep because of it **4** (*complément de nom, d'adjectif, de verbe*): **j'en connais les dangers** I know its ou the dangers; **j'en suis fier/ai besoin** I am proud of it/need it

encadrer [ɑ̃kadre] /1/ vt (*tableau, image*) to frame; (*fig: entourer*) to surround; (*personnel, soldats etc*) to train

encaisser [ɑ̃kese] /1/ vt (chèque) to cash; (argent) to collect; (fig: coup, défaite) to take

en-cas [ɑ̃ka] nm inv snack

enceinte [ɑ̃sɛ̃t] adj f: ~ **(de six mois)** (six months) pregnant ▶ nf (mur) wall; (clôture) enclosure; ~ **(acoustique)** speaker

encens [ɑ̃sɑ̃] nm incense

encercler [ɑ̃sɛrkle] /1/ vt to surround

enchaîner [ɑ̃ʃene] /1/ vt to chain up; (mouvements, séquences) to link (together) ▶ vi to carry on

enchanté, e [ɑ̃ʃɑ̃te] adj (ravi) delighted; (ensorcelé) enchanted; ~ **(de faire votre connaissance)** pleased to meet you

enchère [ɑ̃ʃɛr] nf bid; **mettre/vendre aux ~s** to put up for (sale by)/sell by auction

enclencher [ɑ̃klɑ̃ʃe] /1/ vt (mécanisme) to engage; **s'enclencher** vi to engage

encombrant, e [ɑ̃kɔ̃brɑ̃, -ɑ̃t] adj cumbersome, bulky

encombrement [ɑ̃kɔ̃brəmɑ̃] nm: **être pris dans un ~** to be stuck in a traffic jam

encombrer [ɑ̃kɔ̃bre] /1/ vt to clutter (up); (gêner) to hamper; **s'encombrer de** (bagages etc) to load ou burden o.s. with

encore [ɑ̃kɔr]

adv 1 (continuation) still; **il y travaille encore** he's still working on it; **pas encore** not yet
2 (de nouveau) again; **j'irai encore demain** I'll go again tomorrow; **encore une fois** (once) again

3 (en plus) more; **encore un peu de viande?** a little more meat?; **encore deux jours** two more days
4 (intensif) even, still; **encore plus fort/mieux** even louder/better, louder/better still; **quoi encore?** what now?
5 (restriction) even so ou then, only; **encore pourrais-je le faire si ...** even so, I might be able to do it if ...; **si encore** if only

encourager [ɑ̃kuraʒe] /3/ vt to encourage; ~ **qn à faire qch** to encourage sb to do sth

encourir [ɑ̃kurir] /11/ vt to incur

encre [ɑ̃kr] nf ink; ~ **de Chine** Indian ink

encyclopédie [ɑ̃siklɔpedi] nf encyclopaedia

endetter [ɑ̃dete] /1/: **s'endetter** vi to get into debt

endive [ɑ̃div] nf chicory no pl

endormi, e [ɑ̃dɔrmi] adj asleep

endormir [ɑ̃dɔrmir] /16/ vt to put to sleep; (chaleur etc) to send to sleep; (Méd: dent, nerf) to anaesthetize; (fig: soupçons) to allay; **s'endormir** vi to fall asleep, go to sleep

endroit [ɑ̃drwa] nm place; (opposé à l'envers) right side; **à l'~** (vêtement) the right way out; (objet posé) the right way round

endurance [ɑ̃dyrɑ̃s] nf endurance

endurant, e [ɑ̃dyrɑ̃, -ɑ̃t] adj tough, hardy

endurcir [ɑ̃dyrsir] /2/: **s'endurcir** vi (physiquement) to become tougher; (moralement) to become hardened

endurer [ɑ̃dyʀe] /1/ vt to endure, bear

énergétique [enɛʀʒetik] adj (aliment) energizing

énergie [enɛʀʒi] nf (Physique) energy; (Tech) power; (morale) vigour, spirit • **énergique** adj energetic; vigorous; (mesures) drastic, stringent

énerver [enɛʀve] /1/ vt to irritate, annoy; **s'énerver** vi to get excited, get worked up

enfance [ɑ̃fɑ̃s] nf childhood

enfant [ɑ̃fɑ̃] nm/f child • **enfantin, e** adj childlike; (langage) children's cpd

enfer [ɑ̃fɛʀ] nm hell

enfermer [ɑ̃fɛʀme] /1/ vt to shut up; (à clef, interner) to lock up; **s'enfermer** to shut o.s. away

enfiler [ɑ̃file] /1/ vt (vêtement) to slip on; (perles) to string; (aiguille) to thread; **~ un tee-shirt** to slip into a T-shirt

enfin [ɑ̃fɛ̃] adv at last; (en énumérant) lastly; (de restriction, résignation) still; (pour conclure) in a word; (somme toute) after all

enflammer [ɑ̃flame] /1/: **s'enflammer** vi to catch fire; (Méd) to become inflamed

enflé, e [ɑ̃fle] adj swollen

enfler [ɑ̃fle] /1/ vi to swell (up)

enfoncer [ɑ̃fɔ̃se] /3/ vt (clou) to drive in; (faire pénétrer): **~ qch dans** to push (ou drive) sth into; (forcer: porte) to break open; **s'enfoncer** vi to sink; **s'~ dans** to sink into; (forêt, ville) to disappear into

enfouir [ɑ̃fwiʀ] /2/ vt (dans le sol) to bury; (dans un tiroir etc) to tuck away

enfuir [ɑ̃fɥiʀ] /17/: **s'enfuir** vi to run away ou off

engagement [ɑ̃ɡaʒmɑ̃] nm commitment; **sans ~** without obligation

engager [ɑ̃ɡaʒe] /3/ vt (embaucher) to take on; (: artiste) to engage; (commencer) to start; (lier) to bind, commit; (impliquer, entraîner) to involve; (investir) to invest, lay out; (introduire, clé) to insert; (inciter): **~ qn à faire** to urge sb to do; **s'engager** vi (Mil) to enlist; (promettre) to commit o.s.; (débuter: conversation etc) to start (up); **s'~ à faire** to undertake to do; **s'~ dans** (rue, passage) to turn into; (fig: affaire, discussion) to enter into, embark on

engelures [ɑ̃ʒlyʀ] nfpl chilblains

engin [ɑ̃ʒɛ̃] nm machine; (outil) instrument; (Auto) vehicle; (Aviat) aircraft inv

⚠ Attention à ne pas traduire *engin* par le mot anglais *engine*.

engloutir [ɑ̃ɡlutiʀ] /2/ vt to swallow up

engouement [ɑ̃ɡumɑ̃] nm (sudden) passion

engouffrer [ɑ̃ɡufʀe] /1/ vt to swallow up, devour; **s'engouffrer dans** to rush into

engourdir [ɑ̃ɡuʀdiʀ] /2/ vt to numb; (fig) to dull, blunt; **s'engourdir** vi to go numb

engrais [ɑ̃ɡʀɛ] nm manure; **~ (chimique)** (chemical) fertilizer

engraisser [ɑ̃ɡʀese] /1/ vt to fatten (up)

engrenage [ɑ̃ɡʀənaʒ] nm gears pl, gearing; (fig) chain

engueuler [ɑ̃ɡœle] /1/ vt (fam) to bawl at ou out

e

enhardir [ɑ̃aʀdiʀ] /2/: **s'enhardir** vi to grow bolder

énigme [enigm] nf riddle

enivrer [ɑ̃nivʀe] /1/ vt: **s'enivrer** to get drunk

enjamber [ɑ̃ʒɑ̃be] /1/ vt to stride over

enjeu, x [ɑ̃ʒø] nm stakes pl

enjoué, e [ɑ̃ʒwe] adj playful

enlaidir [ɑ̃lediʀ] /2/ vt to make ugly ▸ vi to become ugly

enlèvement [ɑ̃levmɑ̃] nm (rapt) abduction, kidnapping

enlever [ɑ̃l(ə)ve] /5/ vt (ôter: gén) to remove; (: vêtement, lunettes) to take off; (emporter: ordures etc) to collect; (kidnapper) to abduct, kidnap; (obtenir: place, contrat) to win; (prendre): **~ qch à qn** to take sth (away) from sb

enliser [ɑ̃lize] /1/: **s'enliser** vi to sink, get stuck

enneigé, e [ɑ̃neʒe] adj snowy

ennemi, e [enmi] adj hostile; (Mil) enemy cpd ▸ nm/f enemy

ennui [ɑ̃nɥi] nm (lassitude) boredom; (difficulté) trouble no pl; **avoir des ~s** to have problems • **ennuyer** /8/ vt to bother; (lasser) to bore; **s'ennuyer** vi to be bored; **si cela ne vous ennuie pas** if it's no trouble to you • **ennuyeux, -euse** adj boring, tedious; (agaçant) annoying

énorme [enɔʀm] adj enormous, huge • **énormément** adv enormously; **énormément de neige/gens** an enormous amount of snow/number of people

enquête [ɑ̃kɛt] nf (de journaliste, de police) investigation; (judiciaire, administrative) inquiry; (sondage d'opinion) survey • **enquêter** /1/

vi: **enquêter (sur)** to investigate, look into

enragé, e [ɑ̃ʀaʒe] adj (Méd) rabid, with rabies; (fig) fanatical

enrageant, e [ɑ̃ʀaʒɑ̃, -ɑ̃t] adj infuriating

enrager [ɑ̃ʀaʒe] /3/ vi to be furious

enregistrement [ɑ̃ʀ(ə)ʒistʀəmɑ̃] nm recording; **~ des bagages** baggage check-in

enregistrer [ɑ̃ʀ(ə)ʒistʀe] /1/ vt (Mus) to record; (fig: mémoriser) to make a mental note of; (bagages: à l'aéroport) to check in

enrhumer [ɑ̃ʀyme] /1/: **s'enrhumer** vi to catch a cold

enrichir [ɑ̃ʀiʃiʀ] /2/ vt to make rich(er); (fig) to enrich; **s'enrichir** vi to get rich(er)

enrouer [ɑ̃ʀwe] /1/: **s'enrouer** vi to go hoarse

enrouler [ɑ̃ʀule] /1/ vt (fil, corde) to wind (up); **s'enrouler** to coil up; **~ qch autour de** to wind sth (a)round

enseignant, e [ɑ̃sɛɲɑ̃, -ɑ̃t] nm/f teacher

enseignement [ɑ̃sɛɲ(ə)mɑ̃] nm teaching; (Admin) education

enseigner [ɑ̃seɲe] /1/ vt, vi to teach; **~ qch à qn/à qn que** to teach sb sth/sb that

ensemble [ɑ̃sɑ̃bl] adv together ▸ nm (assemblage) set; (vêtements) outfit; (unité, harmonie) unity; **l'~ du/de la** (totalité) the whole ou entire; **impression/idée d'~** overall ou general impression/ idea; **dans l'~** (en gros) on the whole

ensoleillé, e [ɑ̃sɔleje] adj sunny

ensuite [ɑ̃sɥit] adv then, next; (plus tard) afterwards, later

ENT *sigle m* (Scol, Université: = *espace numérique de travail*) VLE (= *virtual learning environment*)

entamer [ãtame] /1/ *vt* (pain, bouteille) to start; (hostilités, pourparlers) to open

entasser [ãtase] /1/ *vt* (empiler) to pile up, heap up; **s'entasser** *vi* (s'amonceler) to pile up; **s'~ dans** to cram into

entendre [ãtãdʀ] /41/ *vt* to hear; (comprendre) to understand; (vouloir dire) to mean; **s'entendre** *vi* (sympathiser) to agree; (se mettre d'accord) to agree; **j'ai entendu dire que** I've heard (it said) that; **~ parler de** to hear of

entendu, e [ãtãdy] *adj* (réglé) agreed; (au courant) knowing; **(c'est) ~** all right, agreed; **bien ~** of course

entente [ãtãt] *nf* understanding; (accord, traité) agreement; **à double ~** (sens) with a double meaning

enterrement [ãtɛʀmã] *nm* (cérémonie) funeral, burial

enterrer [ãtɛʀe] /1/ *vt* to bury

entêtant, e [ãtɛtã, -ãt] *adj* heady

en-tête [ãtɛt] *nm* heading; **papier à ~** headed notepaper

entêté, e [ãtɛte] *adj* stubborn

entêter [ãtɛte] /1/: **s'entêter** *vi*: **s'~ (à faire)** to persist (in doing)

enthousiasme [ãtuzjasm] *nm* enthusiasm • **enthousiasmer** /1/ *vt* to fill with enthusiasm; **s'enthousiasmer (pour qch)** to get enthusiastic (about sth) • **enthousiaste** *adj* enthusiastic

entier, -ière [ãtje, -jɛʀ] *adj* whole; (total, complet: satisfaction etc) complete; (fig: caractère) unbending ▶ *nm* (Math) whole;

en ~ totally; **lait ~** full-cream milk • **entièrement** *adv* entirely, wholly

entonnoir [ãtɔnwaʀ] *nm* funnel

entorse [ãtɔʀs] *nf* (Méd) sprain; (fig): **~ à la loi/au règlement** infringement of the law/rule

entourage [ãtuʀaʒ] *nm* circle; (famille) family (circle); (ce qui enclôt) surround

entourer [ãtuʀe] /1/ *vt* to surround; (apporter son soutien à) to rally round; **~ de** to surround with; **s'entourer de** *vt* to surround o.s. with

entracte [ãtʀakt] *nm* interval

entraide [ãtʀɛd] *nf* mutual aid *ou* assistance

entrain [ãtʀɛ̃] *nm* spirit; **avec ~** energetically; **faire qch sans ~** to do sth half-heartedly *ou* without enthusiasm

entraînement [ãtʀɛnmã] *nm* training

entraîner [ãtʀene] /1/ *vt* (charrier) to carry *ou* drag along; (Tech) to drive; (emmener: personne) to take (off); (mener à l'assaut, influencer) to lead; (Sport) to train; (impliquer) to entail; **~ qn à faire** (inciter) to lead sb to do; **s'entraîner** *vi* (Sport) to train; **s'~ à qch/à faire** to train o.s. for sth/to do sth • **entraîneur, -euse** *nm/f* (Sport) coach, trainer ▶ *nm* (Hippisme) trainer

entre [ãtʀ] *prép* between; (parmi) among(st); **l'un d'~ eux/nous** one of them/us; **~ autres (choses)** among other things; **ils se battent ~ eux** they are fighting among(st) themselves • **entrecôte** *nf* entrecôte *ou* rib steak

entrée [ātre] nf entrance; (accès: au cinéma etc) admission; (billet) (admission) ticket; (Culin) first course

entre-: • **entrefilet** nm (article) paragraph, short report • **entremets** nm (cream) dessert

entrepôt [ātrəpo] nm warehouse

entreprendre [ātrəprādr] /58/ vt (se lancer dans) to undertake; (commencer) to begin ou start (upon)

entrepreneur, -euse [ātrəprənœr, -øz] nm/f: **~ (en bâtiment)** (building) contractor

entrepris, e [ātrəpri, -iz] pp de **entreprendre** ▶ nf (société) company, business; (action) undertaking, venture

entrer [ātre] /1/ vi to go (ou come) in, enter; (Inform) to input, enter; **~ dans** (gén) to enter; (pièce) to go (ou come) into, enter; (club) to join; (heurter) to run into; **(faire) ~ qch dans** to get sth into; **~ à l'hôpital** to go into hospital; **faire ~** (visiteur) to show in

entre-temps [ātrətā] adv meanwhile

entretenir [ātrət(ə)nir] /22/ vt to maintain; (famille, maîtresse) to support, keep; **~ qn (de)** to speak to sb (about)

entretien [ātrətjē] nm maintenance; (discussion) discussion, talk; (pour un emploi) interview

entrevoir [ātrəvwar] /30/ vt (à peine) to make out; (brièvement) to catch a glimpse of

entrevu, e [ātrəvy] pp de **entrevoir** ▶ nf (audience) interview

entrouvert, e [ātruver, -ert] adj half-open

énumérer [enymere] /6/ vt to list

envahir [āvair] /2/ vt to invade; (inquiétude, peur) to come over • **envahissant, e** adj (péj: personne) intrusive

enveloppe [āv(ə)lɔp] nf (de lettre) envelope; (crédits) budget • **envelopper** /1/ vt to wrap; (fig) to envelop, shroud

enverrai etc [āvere] vb voir **envoyer**

envers [āver] prép towards, to ▶ nm other side; (d'une étoffe) wrong side; **à l'~** (verticalement) upside down; (pull) back to front; (vêtement) inside out

envie [āvi] nf (sentiment) envy; (souhait) desire, wish; **avoir ~ de** to feel like; (désir plus fort) to want; **avoir ~ de faire** to feel like doing; to want to do; **avoir ~ que** to wish that; **cette glace me fait ~** I fancy some of that ice cream • **envier** /7/ vt to envy • **envieux, -euse** adj envious

environ [āvirɔ̃] adv: **~ 3 h/2 km** (around) about 3 o'clock/2 km; voir aussi **environs**

environnant, e [āvirɔnā, -āt] adj surrounding

environnement [āvirɔnmā] nm environment

environs [āvirɔ̃] nmpl surroundings; **aux ~ de** around

envisager [āvizaʒe] /3/ vt to contemplate; (avoir en vue) to envisage; **~ de faire** to consider doing

envoler [āvɔle] /1/: **s'envoler** vi (oiseau) to fly away ou off; (avion) to take off; (papier, feuille) to blow away; (fig) to vanish (into thin air)

envoyé, e [ɑ̃vwaje] nm/f (Pol) envoy; (Presse) correspondent; **~ spécial** special correspondent

envoyer [ɑ̃vwaje] /8/ vt to send; (lancer) to hurl, throw; **~ chercher** to send for; **~ promener qn** (fam) to send sb packing

éolien, ne [eɔljɛ̃, -ɛn] adj wind ▶ nf wind turbine

épagneul, e [epaɲœl] nm/f spaniel

épais, se [epɛ, -ɛs] adj thick • **épaisseur** nf thickness

épanouir [epanwir] /2/: **s'épanouir** vi to bloom, open out; (visage) to light up; (se développer) to blossom (out)

épargne [eparɲ] nf saving

épargner [eparɲe] /1/ vt to save; (ne pas tuer ou endommager) to spare ▶ vi to save; **~ qch à qn** to spare sb sth

éparpiller [eparpije] /1/ vt to scatter; **s'éparpiller** vi to scatter; (fig) to dissipate one's efforts

épatant, e [epatɑ̃, -ɑ̃t] adj (fam) super

épater [epate] /1/ vt (fam) to amaze; (: impressionner) to impress

épaule [epol] nf shoulder

épave [epav] nf wreck

épée [epe] nf sword

épeler [ep(ə)le] /4/ vt to spell

éperon [eprɔ̃] nm spur

épervier [epɛrvje] nm sparrowhawk

épi [epi] nm (de blé, d'orge) ear; (de maïs) cob

épice [epis] nf spice

épicé, e [epise] adj spicy

épicer [epise] /3/ vt to spice

épicerie [episri] nf grocer's shop; (denrées) groceries pl; **~ fine**

delicatessen (shop) • **épicier, -ière** nm/f grocer

épidémie [epidemi] nf epidemic

épiderme [epidɛrm] nm skin

épier [epje] /7/ vt to spy on, watch closely

épilepsie [epilɛpsi] nf epilepsy

épiler [epile] /1/ vt (jambes) to remove the hair from; (sourcils) to pluck

épinards [epinar] nmpl spinach sg

épine [epin] nf thorn, prickle; (d'oursin etc) spine

épingle [epɛ̃gl] nf pin; **~ de nourrice** ou **de sûreté** ou **double** safety pin

épisode [epizɔd] nm episode; **film/roman à ~s** serial • **épisodique** adj occasional

épluche-légumes [eplyʃlegym] nm inv potato peeler

éplucher [eplyʃe] /1/ vt (fruit, légumes) to peel; (comptes, dossier) to go over with a fine-tooth comb • **épluchures** nfpl peelings

éponge [epɔ̃ʒ] nf sponge • **éponger** /3/ vt (liquide) to mop ou sponge up; (surface) to sponge; (fig: déficit) to soak up

époque [epɔk] nf (de l'histoire) age, era; (de l'année, la vie) time; **d'~** (meuble) period cpd

épouse [epuz] nf wife • **épouser** /1/ vt to marry

épousseter [epuste] /4/ vt to dust

épouvantable [epuvɑ̃tabl] adj appalling, dreadful

épouvantail [epuvɑ̃taj] nm scarecrow

épouvante [epuvɑ̃t] nf terror; **film d'~** horror film • **épouvanter** /1/ vt to terrify

époux [epu] *nm* husband ▸ *nmpl*: **les ~** the (married) couple

épreuve [epʀœv] *nf* (*d'examen*) test; (*malheur, difficulté*) trial, ordeal; (*Photo*) print; (*Typo*) proof; (*Sport*) event; **à toute ~** unfailing; **mettre à l'~** to put to the test

éprouver [epʀuve] /1/ *vt* (*tester*) to test; to afflict, distress; (*ressentir*) to experience

EPS *sigle f* (= *Éducation physique et sportive*) ≈ PE

épuisé, e [epɥize] *adj* exhausted; (*livre*) out of print ▪ **épuisement** *nm* exhaustion

épuiser [epɥize] /1/ *vt* (*fatiguer*) to exhaust, wear ou tire out; (*stock, sujet*) to exhaust; **s'épuiser** *vi* to wear ou tire o.s. out, exhaust o.s.

épuisette [epɥizet] *nf* shrimping net

équateur [ekwatœʀ] *nm* equator; **(la république de) l'É~** Ecuador

équation [ekwasjɔ̃] *nf* equation

équerre [ekeʀ] *nf* (*à dessin*) (set) square

équilibre [ekilibʀ] *nm* balance; **garder/perdre l'~** to keep/lose one's balance; **être en ~** to be balanced ▪ **équilibré, e** *adj* well-balanced ▪ **équilibrer** /1/ *vt* to balance; **s'équilibrer** *vi* to balance

équipage [ekipaʒ] *nm* crew

équipe [ekip] *nf* team; **travailler en ~** to work as a team

équipé, e [ekipe] *adj*: **bien/mal ~** well-/poorly-equipped

équipement [ekipmɑ̃] *nm* equipment

équiper [ekipe] /1/ *vt* to equip; **~ qn/qch de** to equip sb/sth with

équipier, -ière [ekipje, -jɛʀ] *nm/f* team member

équitation [ekitasjɔ̃] *nf* (horse-)riding; **faire de l'~** to go (horse-)riding

équivalent, e [ekivalɑ̃, -ɑ̃t] *adj, nm* equivalent

équivaloir [ekivalwaʀ] /29/: **~ à** *vt* to be equivalent to

érable [eʀabl] *nm* maple

érafler [eʀafle] /1/ *vt* to scratch ▪ **éraflure** *nf* scratch

ère [ɛʀ] *nf* era; **en l'an 1050 de notre ~** in the year 1050 A.D.

érection [eʀɛksjɔ̃] *nf* erection

éroder [eʀɔde] /1/ *vt* to erode

érotique [eʀɔtik] *adj* erotic

errer [eʀe] /1/ *vi* to wander

erreur [eʀœʀ] *nf* mistake, error; **par ~** by mistake; **faire ~** to be mistaken

éruption [eʀypsjɔ̃] *nf* eruption; (*boutons*) rash

es [ɛ] *vb voir* **être**

ès [ɛs] *prép*: **licencié ès lettres/ sciences** ≈ Bachelor of Arts/ Science

ESB *sigle f* (= *encéphalopathie spongiforme bovine*) BSE

escabeau, x [ɛskabo] *nm* (*tabouret*) stool; (*échelle*) stepladder

escalade [ɛskalad] *nf* climbing *no pl*; (*Pol etc*) escalation ▪ **escalader** /1/ *vt* to climb

escale [ɛskal] *nf* (*Navig: durée*) call; (: *port*) port of call; (*Aviat*) stop(over); **faire ~ à** (*Navig*) to put in at; (*Aviat*) to stop over at; **vol sans ~** nonstop flight

escalier [ɛskalje] *nm* stairs *pl*; **dans l'~** ou **les ~s** on the stairs; **~ mécanique** ou **roulant** escalator

escapade [ɛskapad] *nf*: **faire une ~** to go on a jaunt; (*s'enfuir*) to run away *ou* off

escargot [ɛskaʁɡo] *nm* snail

escarpé, e [ɛskaʁpe] *adj* steep

esclavage [ɛsklavaʒ] *nm* slavery

esclave [ɛsklav] *nm/f* slave

escompte [ɛskɔ̃t] *nm* discount

escrime [ɛskʁim] *nf* fencing

escroc [ɛskʁo] *nm* swindler, con-man • **escroquer** /1/ *vt*: **escroquer qn (de qch)/qch à qn** to swindle sb (out of sth)/sth out of sb • **escroquerie** [ɛskʁɔkʁi] *nf* swindle

espace [ɛspas] *nm* space • **espacer** /3/ *vt* to space out; **s'espacer** *vi* (*visites etc*) to become less frequent

espadon [ɛspadɔ̃] *nm* swordfish *inv*

espadrille [ɛspadʁij] *nf* rope-soled sandal

Espagne [ɛspaɲ] *nf*: **l'~** Spain • **espagnol, e** *adj* Spanish ▶ *nm* (*Ling*) Spanish ▶ *nm/f*: **Espagnol, e** Spaniard

espèce [ɛspɛs] *nf* (*Bio, Bot, Zool*) species *inv*; (*gén*: *sorte*) sort, kind, type; (*péj*): **~ de maladroit/de brute!** you clumsy oaf/you brute!; **espèces** *nfpl* (*Comm*) cash *sg*; **payer en ~s** to pay (in) cash

espérance [ɛspeʁɑ̃s] *nf* hope; **~ de vie** life expectancy

espérer [ɛspeʁe] /6/ *vt* to hope for; **j'espère (bien)** I hope so; **~ que/faire** to hope that/to do

espiègle [ɛspjɛɡl] *adj* mischievous

espion, ne [ɛspjɔ̃, -ɔn] *nm/f* spy • **espionnage** *nm* espionage, spying • **espionner** /1/ *vt* to spy (up)on

espoir [ɛspwaʁ] *nm* hope; **dans l'~ de/que** in the hope of/that; **reprendre ~** not to lose hope

esprit [ɛspʁi] *nm* (*pensée, intellect*) mind; (*humour, ironie*) wit; (*mentalité, d'une loi etc, fantôme etc*) spirit; **faire de l'~** to try to be witty; **reprendre ses ~s** to come to; **perdre l'~** to lose one's mind

esquimau, de, x [ɛskimo, -od] *adj* Eskimo (*souvent !*) ▶ *nm*: **E-®** ice lolly (*BRIT*), popsicle (*US*) ▶ *nm/f*: **E-, de** Eskimo (*souvent !*)

essai [ɛsɛ] *nm* (*tentative*) attempt, try; (*de produit*) testing; (*Rugby*) try; (*Littérature*) essay; **à l'~** on a trial basis; **mettre à l'~** to put to the test

essaim [ɛsɛ̃] *nm* swarm

essayer [eseje] /8/ *vt* to try; (*vêtement, chaussures*) to try (on); (*restaurant, méthode, voiture*) to try (out) ▶ *vi* to try; **~ de faire** to try *ou* attempt to do

essence [ɛsɑ̃s] *nf* (*de voiture*) petrol (*BRIT*), gas(oline) (*US*); (*extrait de plante*) essence; (*espèce: d'arbre*) species *inv*

essentiel, le [ɛsɑ̃sjɛl] *adj* essential; **c'est l'~** (*ce qui importe*) that's the main thing; **l'~ de** the main part of

essieu, x [ɛsjø] *nm* axle

essor [ɛsɔʁ] *nm* (*de l'économie etc*) rapid expansion

essorer [ɛsɔʁe] /1/ *vt* (*en tordant*) to wring (out); (*par la force centrifuge*) to spin-dry • **essoreuse** *nf* spin-dryer

essouffler [esufle] /1/: **s'essouffler** *vi* to get out of breath

essuie-glace [esɥiɡlas] *nm* windscreen (*BRIT*) *ou* windshield (*US*) wiper

essuyer 120

essuyer [esɥije] /8/ vt to wipe; (fig: subir) to suffer; **s'essuyer** vi (après le bain) to dry o.s.; **~ la vaisselle** to dry up

est vb [ɛ] voir **être** ▸ nm [ɛst]: **l'~** the east ▸ adj inv [ɛst] east; (région) east(ern); **à l'~** in the east; (direction) to the east, east(wards); **à l'~ de** (to the) east of

est-ce que [ɛskə] adv: **~ c'est cher/c'était bon?** is it expensive/ was it good?; **quand est-ce qu'il part?** when does he leave?, when is he leaving?; voir aussi **que**

esthéticienne [estetisjɛn] nf beautician

esthétique [estetik] adj attractive

estimation [estimasjɔ̃] nf valuation; (chiffre) estimate

estime [estim] nf esteem, regard ● **estimer** /1/ vt (respecter) to esteem; (expertiser: bijou) to value; (évaluer: coût etc) to assess, estimate; (penser): **estimer que/ être** to consider that/o.s. to be

estival, e, -aux [estival, -o] adj summer cpd

estivant, e [estivɑ̃, -ɑ̃t] nm/f (summer) holiday-maker

estomac [estoma] nm stomach

estragon [estʁagɔ̃] nm tarragon

estuaire [estɥɛʁ] nm estuary

et [e] conj and; **et lui?** what about him?; **et alors?** so what?

étable [etabl] nf cowshed

établi, e [etabli] nm (work)bench

établir [etabliʁ] /2/ vt (papiers d'identité, facture) to make out; (liste, programme) to draw up; (gouvernement, artisan etc) to set up; (réputation, usage, fait, culpabilité, relations) to establish;

s'établir vi to be established; **s'~ (à son compte)** to set up in business; **s'~ à/près de** to settle in/near

établissement [etablismɑ̃] nm (entreprise, institution) establishment; **~ scolaire** school, educational establishment

étage [etaʒ] nm (d'immeuble) storey, floor; **au 2ème ~** on the 2nd (BRIT) ou 3rd (US) floor; **à l'~** upstairs; **c'est à quel ~?** what floor is it on?

étagère [etaʒɛʁ] nf (rayon) shelf; (meuble) shelves pl

étai [etɛ] nm stay, prop

étain [etɛ̃] nm pewter no pl

étais etc [etɛ] vb voir **être**

étaler [etale] /1/ vt (carte, nappe) to spread (out); (peinture, liquide) to spread; (échelonner: paiements, dates, vacances) to spread, stagger; (marchandises) to display; (richesses, connaissances) to parade; **s'étaler** vi (liquide) to spread out; (fam) to fall flat on one's face; **s'~ sur** (paiements etc) to be spread over

étalon [etalɔ̃] nm (cheval) stallion

étanche [etɑ̃ʃ] adj (récipient) watertight; (montre, vêtement) waterproof

étang [etɑ̃] nm pond

étant [etɑ̃] vb voir **être**, **donné**

étape [etap] nf stage; (lieu d'arrivée) stopping place; (: Cyclisme) staging point

état [eta] nm (Pol, condition) state; **en bon/mauvais ~** in good/poor condition; **en ~ (de marche)** in (working) order; **remettre en ~** to repair; **hors d'~** out of order; **être en ~/hors d'~ de faire** to be in a state/in no fit state to do; **être dans tous ses ~s** to be in a state; **faire ~ de** (alléguer) to put forward; **l'É~** the State; **~ civil** civil status; **~ des lieux** inventory of fixtures • **États-Unis** nmpl: **les États-Unis (d'Amérique)** the United States (of America)

et cætera, et cetera, etc. [ɛtsetera] adv etc

été [ete] pp de **être** ▶ nm summer

éteindre [etɛ̃dʀ]/52/ vt (lampe, lumière, radio, chauffage) to turn ou switch off; (cigarette, incendie, bougie) to put out, extinguish; **s'éteindre** vi (feu, lumière) to go out; (mourir) to pass away • **éteint, e** adj (fig) lacklustre, dull; (volcan) extinct

étendre [etɑ̃dʀ]/41/ vt (pâte, liquide) to spread; (carte etc) to spread out; (lessive, linge) to hang up ou out; (bras, jambes) to stretch out; (fig: agrandir) to extend; **s'étendre** vi (augmenter, se propager) to spread; (terrain, forêt etc): **s'~ jusqu'à/de ... à** to stretch as far as/from ... to; **s'~ sur** (se coucher) to lie down (on); (fig: expliquer) to elaborate ou enlarge (upon)

étendu, e [etɑ̃dy] adj extensive

éternel, le [etɛʀnɛl] adj eternal

éternité [etɛʀnite] nf eternity; **ça a duré une ~** it lasted for ages

éternuement [etɛʀnymɑ̃] nm sneeze

éternuer [etɛʀnɥe]/1/ vi to sneeze

êtes [ɛt(z)] vb voir **être**

Éthiopie [etjɔpi] nf: **l'~** Ethiopia

étiez [etje] vb voir **être**

étinceler [etɛ̃s(ə)le]/4/ vi to sparkle

étincelle [etɛ̃sɛl] nf spark

étiquette [etikɛt] nf label; (protocole): **l'~** etiquette

étirer [etiʀe]/1/ vt to stretch out; **s'étirer** vi (personne) to stretch; (convoi, route): **s'~ sur** to stretch out over

étoile [etwal] nf star; **à la belle ~** (out) in the open; **~ filante** shooting star; **~ de mer** starfish • **étoilé, e** adj starry

étonnant, e [etɔnɑ̃, -ɑ̃t] adj surprising

étonnement [etɔnmɑ̃] nm surprise, amazing

étonner [etɔne]/1/ vt to surprise, amaze; **s'étonner que/de** vt to be surprised that/at; **cela m'~ait (que)** (j'en doute) I'd be (very) surprised (if)

étouffer [etufe]/1/ vt to suffocate; (bruit) to muffle; (scandale) to hush up ▶ vi to suffocate; **s'étouffer** vi (en mangeant, etc) to choke; **on étouffe** it's stifling

étourderie [etuʀdəʀi] nf (caractère) absent-mindedness no pl; (faute) thoughtless blunder

étourdi, e [etuʀdi] adj (distrait) scatterbrained, heedless

étourdir [etuʀdiʀ]/2/ vt (assommer) to stun, daze; (griser) to make dizzy ou giddy • **étourdissement** nm dizzy spell

étrange [etʀɑ̃ʒ] adj strange

étranger, -ère [etʀɑ̃ʒe, -ɛʀ] adj foreign; (pas de la famille, non familier) strange ▶ nm/f foreigner; stranger ▶ nm: **à l'~** abroad

étrangler [etʀɑ̃gle]/1/ vt to strangle; **s'étrangler** vi (en mangeant etc) to choke

être [ɛtʀ] /61/

▶ nm being; **être humain** human being

▶ vb copule 1 (état, description) to be; **il est instituteur** he is ou he's a teacher; **vous êtes grand/intelligent/fatigué** you are ou you're tall/clever/tired 2 (+à: appartenir) to be; **le livre est à Paul** the book is Paul's ou belongs to Paul; **c'est à moi/eux** it is ou it's mine/theirs 3 (+de: provenance): **il est de Paris** he is from Paris; (: appartenance): **il est des nôtres** he is one of us 4 (date): **nous sommes le 10 janvier** it's the 10th of January (today)

▶ vi to be; **je ne serai pas ici demain** I won't be here tomorrow

▶ vb aux 1 to have; to be; **être arrivé/allé** to have arrived/gone; **il est parti** he has left, he has gone 2 (forme passive) to be; **être fait par** to be made by; **il a été promu** he has been promoted 3 (+à +inf, obligation, but): **c'est à réparer** it needs repairing; **c'est à essayer** it should be tried; **il est à espérer que …** it is ou it's to be hoped that …

▶ vb impers 1: **il est** (+ adj) it is; **il est impossible de le faire** it's impossible to do it 2: **il est** (heure, date): **il est 10 heures** it's ou it's 10 o'clock 3 (emphatique): **c'est moi** it's me; **c'est à lui de le faire** it's up to him to do it

étrennes [etʀɛn] nfpl ≈ Christmas box sg

étrier [etʀije] nm stirrup

étroit, e [etʀwa, -wat] adj narrow; (vêtement) tight; (fig: liens, collaboration) close; **à l'~** cramped; **~ d'esprit** narrow-minded

étude [etyd] nf studying; (ouvrage, rapport) study; (Scol: salle de travail) study room; **études** nfpl (Scol) studies; **être à l'~** (projet etc) to be under consideration; **faire des ~s (de droit/médecine)** to study (law/medicine)

étudiant, e [etydjɑ̃, -ɑ̃t] nm/f student

étudier [etydje] /7/ vt, vi to study

étui [etɥi] nm case

eu, eue [y] pp de **avoir**

euh [ø] excl er

euro [øʀo] nm euro

Europe [øʀɔp] nf: **l'~** Europe
• **européen, ne** adj European
▶ nm/f: **Européen, ne** European

eus etc [y] vb voir **avoir**

eux [ø] pron (sujet) they; (objet) them

évacuer [evakɥe] /1/ vt to evacuate

évader [evade] /1/: **s'évader** vi to escape

évaluer [evalɥe] /1/ vt (expertiser) to assess, evaluate; (juger approximativement) to estimate

évangile [evɑ̃ʒil] nm gospel; **É~** Gospel

évanouir [evanwiʀ] /2/: **s'évanouir** vi to faint; (disparaître) to vanish, disappear
• **évanouissement** nm (syncope) fainting fit

évaporer [evapɔʀe] /1/: **s'évaporer** vi to evaporate

évasion [evazjɔ̃] nf escape

éveillé, e [eveje] adj awake; (vif) alert, sharp • **éveiller** /1/ vt to (a)waken; (*soupçons etc*) to arouse; **s'éveiller** *vi* to (a)waken; (*fig*) to be aroused

événement [evɛnmɑ̃] *nm* event
• **événementiel, le** *adj* factual
▶ *nm* (*spectacles, grandes manifestations*) events

éventail [evɑ̃taj] *nm* fan; (*choix*) range

éventualité [evɑ̃tɥalite] *nf* eventuality; possibility; **dans l'~ de** in the event of

éventuel, le [evɑ̃tɥɛl] *adj* possible

> ⚠ Attention à ne pas traduire *éventuel* par *eventual*.

éventuellement [evɑ̃tɥɛlmɑ̃] *adv* possibly

> ⚠ Attention à ne pas traduire *éventuellement* par *eventually*.

évêque [evɛk] *nm* bishop

évidemment [evidamɑ̃] *adv* (*bien sûr*) of course; (*certainement*) obviously

évidence [evidɑ̃s] *nf* obviousness; (*fait*) obvious fact; **de toute ~** quite obviously *ou* evidently; **être en ~** to be clearly visible; **mettre en ~** (*fait*) to highlight • **évident, e** *adj* obvious, evident; **ce n'est pas évident** it's not as simple as all that

évier [evje] *nm* (kitchen) sink

éviter [evite] /1/ *vt* to avoid; **~ de faire/que qch ne se passe** to avoid doing/sth happening; **~ qch à qn** to spare sb sth

évoluer [evɔlɥe] /1/ *vi* (*enfant, maladie*) to develop; (*situation, moralement*) to evolve, develop; (*aller et venir*) to move about

• **évolution** *nf* development; evolution

évoquer [evɔke] /1/ *vt* to call to mind, evoke; (*mentionner*) to mention

ex- [ɛks] *préfixe* ex-; **son ~mari** her ex-husband; **son ~femme** his ex-wife

exact, e [ɛgza(kt), ɛgzakt] *adj* exact; (*correct*) correct; (*ponctuel*) punctual; **l'heure ~e** the right *ou* exact time • **exactement** *adv* exactly

ex aequo [ɛgzeko] *adj* equally placed; **arriver ~** to finish neck and neck

exagéré, e [ɛgzaʒere] *adj* (*prix etc*) excessive

exagérer [ɛgzaʒere] /6/ *vt* to exaggerate ▶ *vi* (*abuser*) to go too far; (*déformer les faits*) to exaggerate

examen [ɛgzamɛ̃] *nm* examination; (*Scol*) exam, examination; **à l'~** under consideration; **~ médical** (medical) examination; (*analyse*) test

examinateur, -trice [ɛgzaminatœʀ, -tʀis] *nm/f* examiner

examiner [ɛgzamine] /1/ *vt* to examine

exaspérant, e [ɛgzasperɑ̃, -ɑ̃t] *adj* exasperating

exaspérer [ɛgzaspere] /6/ *vt* to exasperate

exaucer [ɛgzose] /3/ *vt* (*vœu*) to grant

excéder [ɛksede] /6/ *vt* (*dépasser*) to exceed; (*agacer*) to exasperate

excellent, e [ɛkselɑ̃, -ɑ̃t] *adj* excellent

excentrique [ɛksɑ̃trik] adj
eccentric

excepté, e [ɛksɛpte] adj, prép:
les élèves ~s, ~ les élèves except
for ou apart from the pupils

exception [ɛksɛpsjɔ̃] nf
exception; **à l'~ de** except for,
with the exception of; **d'~** (mesure,
loi) special, exceptional
• **exceptionnel, le** adj exceptional
• **exceptionnellement** adv
exceptionally

excès [ɛksɛ] nm surplus ▶ nmpl
excesses; **faire des ~** to
overindulge; **~ de vitesse**
speeding no pl • **excessif, -ive** adj
excessive

excitant, e [ɛksitɑ̃, -ɑ̃t] adj
exciting ▶ nm stimulant
• **excitation** nf (état) excitement

exciter [ɛksite] /1/ vt to excite;
(café etc) to stimulate; **s'exciter** vi
to get excited

exclamer [ɛksklame] /1/:
s'exclamer vi to exclaim

exclu, e [ɛkskly] adj: **il est/n'est
pas ~ que ...** it's out of the
question/not impossible that ...

exclure [ɛksklyr] /35/ vt (faire
sortir) to expel; (ne pas compter) to
exclude, leave out; (rendre
impossible) to exclude, rule out
• **exclusif, -ive** adj exclusive
• **exclusion** nf expulsion; **à
l'exclusion de** with the exclusion
ou exception of • **exclusivité** nf
(Comm) exclusive rights pl; **film
passant en exclusivité** a film
showing only at

excursion [ɛkskyrsjɔ̃] nf (en
autocar) excursion, trip; (à pied)
walk, hike

excuse [ɛkskyz] nf excuse;
excuses nfpl (regret) apology sg,

apologies • **excuser** /1/ vt to
excuse; **s'excuser (de)** to
apologize (for); **"excusez-moi"**
"I'm sorry"; (pour attirer l'attention)
"excuse me"

exécuter [ɛgzekyte] /1/ vt
(prisonnier) to execute; (tâche etc)
to execute, carry out; (Mus: jouer)
to perform, execute; **s'exécuter**
vi to comply

exemplaire [ɛgzɑ̃plɛr] nm copy

exemple [ɛgzɑ̃pl] nm example;
par ~ for instance, for example;
donner l'~ to set an example

exercer [ɛgzɛrse] /3/ vt
(pratiquer) to exercise, practise;
(influence, contrôle, pression) to
exert; (former) to exercise, train;
s'exercer vi (médecin) to be in
practice; (sportif, musicien) to
practise

exercice [ɛgzɛrsis] nm exercise

exhiber [ɛgzibe] /1/ vt (montrer:
papiers, certificat) to present,
produce; (péj) to display, flaunt;
s'exhiber vi to parade;
(exhibitionniste) to expose o.s.
• **exhibitionniste** nm/f
exhibitionist

exigeant, e [ɛgziʒɑ̃, -ɑ̃t] adj
demanding; (péj) hard to please

exiger [ɛgziʒe] /3/ vt to demand,
require

exil [ɛgzil] nm exile • **exiler** /1/ vt
to exile; **s'exiler** vi to go into exile

existence [ɛgzistɑ̃s] nf existence

exister [ɛgziste] /1/ vi to exist;
il existe un/des there is a/are
(some)

exorbitant, e [ɛgzɔrbitɑ̃, -ɑ̃t]
adj exorbitant

exotique [ɛgzɔtik] adj exotic;
yaourt aux fruits ~s tropical
fruit yoghurt

expédier [ɛkspedje] /7/ vt (lettre, paquet) to send; (troupes, renfort) to dispatch; (péj: travail etc) to dispose of, dispatch • **expéditeur, -trice** nm/f sender • **expédition** nf sending; (scientifique, sportive, Mil) expedition

expérience [ɛksperjɑ̃s] nf (de la vie, des choses) experience; (scientifique) experiment

expérimenté, e [ɛksperimɑ̃te] adj experienced

expérimenter [ɛksperimɑ̃te] /1/ vt to test out, experiment with

expert, e [ɛkspɛr, -ɛrt] adj ► nm expert; **~ en assurances** insurance valuer • **expert- comptable** nm ≈ chartered (BRIT) ou certified public (US) accountant

expirer [ɛkspire] /1/ vi (prendre fin, lit: mourir) to expire; (respirer) to breathe out

explication [ɛksplikasjɔ̃] nf explanation; (discussion) discussion; (dispute) argument

explicite [ɛksplisit] adj explicit

expliquer [ɛksplike] /1/ vt to explain; **s'expliquer** vi to explain o.s.; **s'~ avec qn** (discuter) to explain o.s. to sb

exploit [ɛksplwa] nm exploit, feat • **exploitant** nm/f: **exploitant (agricole)** farmer • **exploitation** nf exploitation; (d'une entreprise) running; **exploitation agricole** farming concern • **exploiter** /1/ vt (personne, don) to exploit; (entreprise, ferme) to run, operate; (mine) to exploit, work

explorer [ɛksplɔre] /1/ vt to explore

exploser [ɛksploze] /1/ vi to explode, blow up; (engin explosif) to go off; (personne: de colère) to explode • **explosif, -ive** adj, nm explosive • **explosion** nf explosion; **explosion de joie/ colère** outburst of joy/rage

exportateur, -trice [ɛksportatœr, -tris] adj export cpd, exporting ► nm exporter

exportation [ɛksportasjɔ̃] nf (action) exportation; (produit) export

exporter [ɛksporte] /1/ vt to export

exposant [ɛkspozɑ̃] nm exhibitor

exposé, e [ɛkspoze] nm talk ► adj: **~ au sud** facing south

exposer [ɛkspoze] /1/ vt (marchandise) to display; (peinture) to exhibit, show; (parler de) to explain, set out; (mettre en danger, orienter, Photo) to expose; **s'exposer à** vt (soleil, danger) to expose o.s. to • **exposition** nf (manifestation) exhibition; (Photo) exposure

exprès¹ [ɛksprɛ] adv (délibérément) on purpose; (spécialement) specially; **faire ~ de faire qch** to do sth on purpose

exprès², -esse [ɛkspres] adj inv (Postes: lettre, colis) express

express [ɛkspres] adj, nm: **(café) ~** espresso; **(train) ~** fast train

expressif, -ive [ɛkspresif, -iv] adj expressive

expression [ɛkspresjɔ̃] nf expression

exprimer [ɛksprime] /1/ vt (sentiment, idée) to express; (jus, liquide) to press out; **s'exprimer** vi (personne) to express o.s.

expulser [ɛkspylse] /1/ *vt* to expel; (*locataire*) to evict; (*Football*) to send off

exquis, e [ɛkski, -iz] *adj* exquisite

extasier [ɛkstɑzje] /7/: **s'extasier** *vi*: **s'~ sur** to go into raptures over

exténuer [ɛkstenɥe] /1/ *vt* to exhaust

extérieur, e [ɛksterjœr] *adj* (*porte, mur etc*) outer, outside; (*commerce, politique*) foreign; (*influences, pressions*) external; (*apparent: calme, gaieté etc*) outer ▸ *nm* (*d'une maison, d'un récipient etc*) outside, exterior; (*apparence*) exterior; **à l'~** outside; (*à l'étranger*) abroad

externat [ɛksterna] *nm* day school

externe [ɛkstern] *adj* external, outer ▸ *nm/f* (*Méd*) non-resident medical student, extern (*us*); (*Scol*) day pupil

extincteur [ɛkstɛ̃ktœr] *nm* (fire) extinguisher

extinction [ɛkstɛ̃ksjɔ̃] *nf*: **~ de voix** loss of voice

extra [ɛkstra] *adj inv* first-rate; (*fam*) fantastic ▸ *nm inv* extra help

extraire [ɛkstrer] /50/ *vt* to extract; **~ qch de** to extract sth from • **extrait** *nm* extract; **extrait de naissance** birth certificate

extraordinaire [ɛkstraɔrdinɛr] *adj* extraordinary; (*Pol, Admin: mesures etc*) special

extravagant, e [ɛkstravagɑ̃, -ɑ̃t] *adj* extravagant

extraverti, e [ɛkstraverti] *adj* extrovert

extrême [ɛkstrɛm] *adj, nm* extreme; **d'un ~ à l'autre** from one extreme to another
• **extrêmement** *adv* extremely
• **Extrême-Orient** *nm*: **l'Extrême-Orient** the Far East

extrémité [ɛkstremite] *nf* end; (*situation*) straits *pl*, plight; (*geste désespéré*) extreme action; **extrémités** *nfpl* (*pieds et mains*) extremities

exubérant, e [ɛgzyberɑ̃, -ɑ̃t] *adj* exuberant

f

F abr (= franc) fr.; (appartement): **un F2/F3** a 2-/3-roomed flat (BRIT) ou apartment (US)

fa [fɑ] nm inv (Mus) F; (en chantant la gamme) fa

fabricant, e [fabʀikɑ̃, -ɑ̃t] nm/f manufacturer

fabrication [fabʀikasjɔ̃] nf manufacture

fabrique [fabʀik] nf factory • **fabriquer** [fabʀike] /1/ vt to make; (industriellement) to manufacture; (fam): **qu'est-ce qu'il fabrique?** what is he up to?

fac [fak] nf (fam: Scol) (= faculté) Uni (BRIT fam), ≈ college (US)

façade [fasad] nf front, façade

face [fas] nf face; (fig: aspect) side ▸ adj: **le côté ~** heads; **en ~ de** opposite; (fig) in front of; **de ~** face on; **~ à** facing; (fig) faced with, in the face of; **faire ~ à** to face; **~ à ~** adv to face • **face-à-face** nm inv encounter

fâché, e [fɑʃe] adj angry; (désolé) sorry

fâcher [fɑʃe] /1/ vt to anger; **se fâcher** vi to get angry; **se ~ avec** (se brouiller) to fall out with

facile [fasil] adj easy; (caractère) easy-going • **facilement** adv easily • **facilité** nf easiness; (disposition, don) aptitude; **facilités** nfpl (possibilités) facilities; (Comm) terms • **faciliter** /1/ vt to make easier

façon [fasɔ̃] nf (manière) way; (d'une robe etc) making-up; cut; **façons** nfpl (péj) fuss sg; **sans ~** adv without fuss; **non merci, sans ~** no thanks, honestly; **de ~ à** so as to; **de ~ à ce que** so that; **de toute ~** anyway, in any case

facteur, -trice [faktœʀ, -tʀis] nm/f postman/woman (BRIT), mailman/woman (US) ▸ nm (Math, gén: élément) factor

facture [faktyʀ] nf (à payer: gén) bill; (: Comm) invoice

facultatif, -ive [fakyltatif, -iv] adj optional

faculté [fakylte] nf (intellectuelle, d'université) faculty; (pouvoir, possibilité) power

fade [fad] adj insipid

FAI sigle m (= fournisseur d'accès à Internet) ISP (= Internet service provider)

faible [fɛbl] adj weak; (voix, lumière, vent) faint; (rendement, intensité, revenu etc) low ▸ nm (pour quelqu'un) weakness, soft spot • **faiblesse** nf weakness • **faiblir** [fɛbliʀ] /2/ vi to weaken; (lumière) to dim; (vent) to drop

faïence [fajɑ̃s] nf earthenware no pl

faillir [fajiʀ] /2/ vi: **j'ai failli tomber/lui dire** I almost ou nearly fell/told him

faillite [fajit] nf bankruptcy; **faire ~** to go bankrupt

faim [fɛ̃] *nf* hunger; **avoir ~** to be hungry; **rester sur sa ~** (*aussi fig*) to be left wanting more
fainéant, e [fɛneɑ̃, -ɑ̃t] *nm/f* idler, loafer

faire [fɛʀ] /60/

▶ *vt* **1** (*fabriquer, être l'auteur de*) to make; **faire du vin/une offre/un film** to make wine/an offer/a film; **faire du bruit** to make a noise
2 (*effectuer: travail, opération*) to do; **que faites-vous?** (*quel métier etc*) what do you do?; (*quelle activité: au moment de la question*) what are you doing?; **faire la lessive/le ménage** to do the washing/the housework
3 (*études*) to do; (*sport, musique*) to play; **faire du droit/du français** to do law/French; **faire du rugby/piano** to play rugby/the piano
4 (*visiter*): **faire les magasins** to go shopping; **faire l'Europe** to tour ou do Europe
5 (*distance*): **faire du 50 (à l'heure)** to do 50 (km an hour); **nous avons fait 1000 km en 2 jours** we did ou covered 1000 km in 2 days
6 (*simuler*): **faire le malade/l'ignorant** to act the invalid/the fool
7 (*transformer, avoir un effet sur*): **faire de qn un frustré/avocat** to make sb frustrated/a lawyer; **ça ne me fait rien** (*m'est égal*) I don't care ou mind; (*me laisse froid*) it has no effect on me; **ça ne fait rien** it doesn't matter; **faire que** (*impliquer*) to mean that
8 (*calculs, prix, mesures*): **deux et

deux font quatre** two and two are ou make four; **ça fait 10 m/15 euros** it's 10 m/15 euros; **je vous le fais 10 euros** I'll let you have it for 10 euros; **je fais du 40** I take a size 40
9: **qu'a-t-il fait de sa valise/de sa sœur?** what has he done with his case/his sister?
10: **ne faire que**: **il ne fait que critiquer** (*sans cesse*) all he (ever) does is criticize; (*seulement*) he's only criticizing
11 (*dire*) to say; **vraiment? fit-il** really? he said
12 (*maladie*) to have; **faire du diabète/de la tension** to have diabetes *sg*/high blood pressure
▶ *vi* **1** (*agir, s'y prendre*) to act, do; **il faut faire vite** (*ou vous etc*) must act quickly; **comment a-t-il fait pour?** how did he manage to?; **faites comme chez vous** make yourself at home
2 (*paraître*) to look; **faire vieux/démodé** to look old/old-fashioned; **ça fait bien** it looks good
3 (*remplaçant un autre verbe*) to do; **ne le casse pas comme je l'ai fait** don't break it as I did; **je peux le voir? — faites!** can I see it? — please do!
▶ *vb impers* **1**: **il fait beau** *etc* the weather is fine *etc*; *voir aussi* **froid; jour** *etc*
2 (*temps écoulé, durée*): **ça fait deux ans qu'il est parti** it's two years since he left; **ça fait deux ans qu'il y est** he's been there for two years
▶ *vb aux* **1**: **faire** (+*infinitif: action directe*) to make; **faire tomber/bouger qch** to make sth fall/

                            falloir

move; **faire démarrer un moteur/chauffer de l'eau** to start up an engine/heat some water; **cela fait dormir** it makes you sleep; **faire travailler les enfants** to make the children work *ou* get the children to work; **il m'a fait traverser la rue** he helped me to cross the road
2: **faire** (+*infinitif*: *indirectement, par un intermédiaire*): **faire réparer qch** to get *ou* have sth repaired; **faire punir les enfants** to have the children punished
se faire *vr***1** (*vin, fromage*) to mature
2 (*être convenable*): **cela se fait beaucoup/ne se fait pas** it's done a lot/not done
3 (+*nom ou pron*): **se faire une jupe** to make o.s. a skirt; **se faire des amis** to make friends; **se faire du souci** to worry; **il s'en fait pas** he doesn't worry
4 (+*adj*: *devenir*): **se faire vieux** to be getting old; (: *délibérément*): **se faire beau** to do o.s. up
5: **se faire** (*s'habituer*) to get used to; **je n'arrive pas à me faire à la nourriture/au climat** I can't get used to the food/climate
6 (: +*infinitif*): **se faire examiner la vue/opérer** to have one's eyes tested/have an operation; **se faire couper les cheveux** to get one's hair cut; **il va se faire tuer/punir** he's going to get himself killed/get (himself) punished; **il s'est fait aider** he got somebody to help him; **il s'est fait aider par Simon** he got Simon to help him; **se faire**

faire un vêtement to get a garment made for o.s.
7 (*impersonnel*): **comment se fait-il/faisait-il que?** how is it/was it that?

faire-part [fɛʀpaʀ] *nm inv* announcement (*of birth, marriage etc*)

faisan, e [fəzɑ̃, -an] *nm/f* pheasant

faisons *etc* [fəzɔ̃] *vb voir* **faire**

fait[1] [fɛ] *nm* (*événement*) event, occurrence; (*réalité, donnée*) fact; **être au ~ (de)** to be informed (of); **au ~** (*à propos*) by the way; **en venir au ~** to get to the point; **du ~ de ceci/qu'il a menti** because of *ou* on account of this/his having lied; **de ce ~** for this reason; **en ~** in fact; **prendre qn sur le ~** to catch sb in the act; **~ divers** (*short*) news item

fait[2], e [fɛ, fɛt] *adj* (*mûr: fromage, melon*) ripe; **c'est bien ~ (pour lui** *ou* **eux** *etc*) it serves him (*ou* them *etc*) right

faites [fɛt] *vb voir* **faire**

falaise [falɛz] *nf* cliff

falloir [falwaʀ] /29/ *vb impers*: **il faut faire les lits** we (*ou* you *etc*) have to *ou* must make the beds; **il faut que je fasse les lits** I have to *ou* must make the beds; **il a fallu qu'il parte** he had to leave; **il faudrait qu'elle rentre** she should come *ou* go back, she ought to come *ou* go back; **il faut faire attention** you have to be careful; **il me faudrait 100 euros** I would need 100 euros; **il vous faut tourner à gauche après l'église** you have to turn left past the church; **nous avons ce qu'il (nous) faut** we have what we

need; **il ne fallait pas** you
shouldn't have (done); **s'en falloir**
vi: **il s'en faut de beaucoup qu'il
soit ...** he is far from being ...;
**il s'en est fallu de peu que cela
n'arrive** it very nearly happened;
comme il faut adj proper; adv
properly

famé, e [fame] adj: **mal ~**
disreputable, of ill repute

fameux, -euse [famø, -øz] adj
(illustre) famous; (bon: repas, plat
etc) first-rate, first-class; (intensif):
un ~ problème etc a real
problem etc

familial, e, -aux [familjal, -o]
adj family cpd

familiarité [familjarite] nf
familiarity

familier, -ière [familje, -jɛʀ] adj
(connu, impertinent) familiar;
(atmosphère) informal, friendly;
(Ling) informal, colloquial ▶ nm
regular (visitor)

famille [famij] nf family; **il a de
la ~ à Paris** he has relatives in
Paris

famine [famin] nf famine

fana [fana] adj, nm/f(fam)
= **fanatique**

fanatique [fanatik] adj: **~ (de)**
fanatical (about) ▶ nm/ffanatic

faner [fane] /1/: **se faner** vi to
fade

fanfare [fɑ̃faʀ] nf (orchestre) brass
band; (musique) fanfare

fantaisie [fɑ̃tezi] nf (spontanéité)
fancy, imagination; (caprice) whim
▶ adj: **bijou (de) ~** (piece of)
costume jewellery (BRIT) ou
jewelry (US)

fantasme [fɑ̃tasm] nm fantasy

fantastique [fɑ̃tastik] adj
fantastic

fantôme [fɑ̃tom] nm ghost,
phantom

faon [fɑ̃] nm fawn (deer)

FAQ sigle f (= foire aux questions)
FAQ pl

farce [faʀs] nf (viande) stuffing;
(blague) (practical) joke; (Théât)
farce • **farcir** /2/ vt (viande) to
stuff

farder [faʀde] /1/: **se farder** vi
to make o.s. up

farine [faʀin] nf flour

farouche [faʀuʃ] adj shy, timid

fart [faʀt] nm (ski) wax

fascination [fasinasjɔ̃] nf
fascination

fasciner [fasine] /1/ vt to
fascinate

fascisme [faʃism] nm fascism

fasse etc [fas] vb voir **faire**

fastidieux, -euse [fastidjø, -øz]
adj tedious, tiresome

fatal, e [fatal] adj fatal;
(inévitable) inevitable • **fatalité** nf
(destin) fate; (coïncidence) fateful
coincidence

fatidique [fatidik] adj fateful

fatigant, e [fatigɑ̃, -ɑ̃t] adj
tiring; (agaçant) tiresome

fatigue [fatig] nf tiredness,
fatigue • **fatigué, e** adj tired
• **fatiguer** /1/ vt to tire, make
tired; (fig: agacer) to annoy ▶ vi
(moteur) to labour, strain; **se
fatiguer** vi to get tired

fauché, e [foʃe] adj (fam) broke

faucher [foʃe] /1/ vt (herbe)
to cut; (champs, blés) to reap;
(véhicule) to mow down; (fam:
voler) to pinch

faucon [fokɔ̃] nm falcon,
hawk

faudra etc [fodʀa] vb voir **falloir**

faufiler [fofile] /1/: **se faufiler** vi:
se ~ dans to edge one's way into;
se ~ parmi/entre to thread one's
way among/between

faune [fon] nf (Zool) wildlife,
fauna

fausse [fos] adj f voir **faux²**
• **faussement** adv (accuser)
wrongly, wrongfully; (croire)
falsely

fausser [fose] /1/ vt (objet) to
bend, buckle; (fig) to distort;
~ compagnie à qn to give sb the
slip

faut [fo] vb voir **falloir**

faute [fot] nf (erreur) mistake,
error; (péché, manquement)
misdemeanour; (Football etc)
offence; (Tennis) fault; **c'est de
sa/ma ~** it's his/my fault; **être
en ~** to be in the wrong; **~ de**
(temps, argent) for ou through
lack of; **sans ~** without fail;
~ de frappe typing error;
~ professionnelle professional
misconduct no pl

fauteuil [fotœj] nm armchair;
~ d'orchestre seat in the front
stalls (BRIT) ou the orchestra (US);
~ roulant wheelchair

fautif, -ive [fotif, -iv] adj
(incorrect) incorrect, inaccurate;
(responsable) at fault, in the
wrong; **il se sentait ~** he felt he
was at fault

fauve [fov] nm wildcat ▶ adj
(couleur) fawn

faux¹ [fo] nf scythe

faux², fausse [fo, fos] adj
(inexact) wrong; (piano, voix) out
of tune; (billet) fake, forged;
(sournois, postiche) false ▶ adv
(Mus) out of tune ▶ nm (copie)
fake, forgery; **faire ~ bond à qn**

to let sb down; **~ frais** nm pl
extras, incidental expenses;
~ mouvement awkward
movement; **faire un ~ pas**
to trip; (fig) to make a faux pas;
~ témoignage (délit) perjury;
fausse alerte false alarm;
fausse couche miscarriage;
fausse note wrong note
• **faux-filet** nm sirloin

faveur [favœʀ] nf favour;
traitement de ~ preferential
treatment; **en ~ de** in favo(u)r of

favorable [favoʀabl] adj
favo(u)rable

favori, te [favoʀi, -it] adj, nm/f
favo(u)rite

favoriser [favoʀize] /1/ vt to
favour

fax [faks] nm fax

fécond, e [fekɔ̃, -ɔ̃d] adj fertile
• **féconder** /1/ vt to fertilize

féculent [fekylɑ̃] nm starchy food

fédéral, e, -aux [fedeʀal, -o] adj
federal

fée [fe] nf fairy

feignant, e [fɛɲɑ̃, -ɑ̃t] nm/f
= **fainéant**

feindre [fɛ̃dʀ] /52/ vt to feign;
~ de faire to pretend to do

fêler [fele] /1/ vt to crack

félicitations [felisitasjɔ̃] nfpl
congratulations

féliciter [felisite] /1/ vt: **~ qn
(de)** to congratulate sb (on)

félin, e [felɛ̃, -in] nm (big) cat

femelle [fəmɛl] adj, nf female

féminin, e [feminɛ̃, -in] adj
feminine; (sexe) female; (équipe,
vêtements etc) women's ▶ nm (Ling)
feminine • **féministe** adj feminist

femme [fam] nf woman; (épouse)
wife; **~ de chambre**
chambermaid; **~ au foyer**

housewife; **~ de ménage**
cleaning lady

fémur [femyʀ] nm femur,
thighbone

fendre [fɑ̃dʀ] /41/ vt (couper en
deux) to split; (fissurer) to crack;
(traverser) to cut through; **se
fendre** vt to crack

fenêtre [f(ə)nɛtʀ] nf window

fenouil [fənuj] nm fennel

fente [fɑ̃t] nf (fissure) crack; (de
boîte à lettres etc) slit

fer [fɛʀ] nm iron; **~ à cheval**
horseshoe; **~ forgé** wrought iron;
~ à friser curling tongs; **~ (à
repasser)** iron

ferai etc [fəʀe] vb voir **faire**

fer-blanc [fɛʀblɑ̃] nm tin(plate)

férié, e [feʀje] adj: **jour ~** public
holiday

ferions etc [fəʀjɔ̃] vb voir **faire**

ferme [fɛʀm] adj firm ▸ adv
(travailler etc) hard ▸ nf (exploitation)
farm; (maison) farmhouse

fermé, e [fɛʀme] adj closed, shut;
(gaz, eau etc) off; (fig: milieu)
exclusive

fermenter [fɛʀmɑ̃te] /1/ vi to
ferment

fermer [fɛʀme] /1/ vt to close,
shut; (cesser l'exploitation de) to
close down, shut down; (eau,
lumière, électricité, robinet) to turn
off; (aéroport, route) to close ▸ vi
to close, shut; (magasin:
définitivement) to close down, shut
down; **se fermer** vi to close, shut;
~ à clef to lock

fermeté [fɛʀməte] nf firmness

fermeture [fɛʀmətyʀ] nf
closing; (dispositif) catch; **heure
de ~** closing time; **~ éclair®** ou
à glissière zip (fastener) (BRIT),
zipper (US)

fermier, -ière [fɛʀmje, -jɛʀ]
nm/f farmer

féroce [feʀɔs] adj ferocious, fierce

ferons etc [fəʀɔ̃] vb voir **faire**

ferrer [feʀe] /1/ vt (cheval) to shoe

ferroviaire [feʀɔvjɛʀ] adj rail cpd,
railway cpd (BRIT), railroad cpd (US)

ferry-(boat) [feʀe(bot)] nm ferry

fertile [fɛʀtil] adj fertile; **~ en
incidents** eventful, packed with
incidents

fervent, e [fɛʀvɑ̃, -ɑ̃t] adj fervent

fesse [fɛs] nf buttock • **fessée** nf
spanking

festin [fɛstɛ̃] nm feast

festival [fɛstival] nm festival

festivités [fɛstivite] nfpl
festivities

fêtard, e [fɛtaʀ, -aʀd] (fam) nm/f
(péj) high liver, merrymaker

fête [fɛt] nf (religieuse) feast;
(publique) holiday; (réception)
party; (kermesse) fête, fair; (du
nom) feast day, name day; **faire
la ~** to live it up; **faire ~ à qn** to
give sb a warm welcome; **les ~s
(de fin d'année)** the festive
season; **la salle, le comité des
~s** the village hall/festival
committee; **la ~ des Mères/
Pères** Mother's/Father's Day;
~ foraine (fun)fair; **la F~ de la
Musique**, see note **"Fête de la
Musique"** • fêter /1/ vt to
celebrate; (personne) to have a
celebration for

The **Fête de la Musique** is a
music festival which has taken
place every year since 1981.
On 21 June throughout France
thousands of musicians, both
amateur and professional,
perform free of charge in parks,
streets and squares.

feu, x [fø] *nm (gén)* fire; *(signal lumineux)* light; *(de cuisinière)* ring; **feux** *nmpl (Auto)* (traffic) lights; **au ~!** *(incendie)* fire!; **à ~ doux/vif** over a slow/brisk heat; **à petit ~** *(Culin)* over a gentle heat; *(fig)* slowly; **faire ~** to fire; **ne pas faire long ~** not to last long; **prendre ~** to catch fire; **mettre le ~ à** to set fire to; **faire du ~** to make a fire; **avez-vous du ~?** *(pour cigarette)* have you (got) a light?; **~ rouge/vert/orange** red/green/amber *(BRIT)* ou yellow *(US)* light; **~ arrière** rear light; **~ d'artifice** firework; *(spectacle)* fireworks pl; **~ de joie** bonfire; **~x de brouillard** fog lights ou lamps; **~x de croisement** dipped *(BRIT)* ou dimmed *(US)* headlights; **~x de position** sidelights; **~x de route** *(Auto)* headlights (on full *(BRIT)* ou high *(US)* beam)

feuillage [fœjaʒ] *nm* foliage, leaves pl

feuille [fœj] *nf (d'arbre)* leaf; **~ (de papier)** sheet (of paper); **~ de calcul** spreadsheet; **~ d'impôts** tax form; **~ de maladie** medical expenses claim form; **~ de paye** pay slip

feuillet [fœjɛ] *nm* leaf

feuilleté, e [fœjte] *adj*: **pâte ~e** flaky pastry

feuilleter [fœjte] /4/ *vt (livre)* to leaf through

feuilleton [fœjtɔ̃] *nm* serial

feutre [føtʀ] *nm* felt; *(chapeau)* felt hat; *(stylo)* felt-tip(ped)pen
• **feutré, e** *adj (pas, voix, atmosphère)* muffled

fève [fɛv] *nf* broad bean

février [fevʀije] *nm* February

fiable [fjabl] *adj* reliable

fiançailles [fjɑ̃sɑj] *nfpl* engagement sg

fiancé, e [fjɑ̃se] *nm/f* fiancé (fiancée) ► *adj*: **être ~ (à)** to be engaged (to)

fibre [fibʀ] *nf* fibre; **~ de verre** fibreglass

ficeler [fis(ə)le] /4/ *vt* to tie up

ficelle [fisɛl] *nf string no pl; (morceau)* piece ou length of string

fiche [fiʃ] *nf (carte)* (index) card; *(formulaire)* form; *(Élec)* plug; **~ de paye** pay slip

ficher [fiʃe] /1/ *vt (dans un fichier)* to file; (: *Police)* to put on file; *(fam: faire)* to do; (: *donner)* to give; (: *mettre)* to stick ou shove; **fiche(-moi) le camp** *(fam)* clear off; **fiche-moi la paix** *(fam)* leave me alone; **se ~ de** *(fam: rire de)* to make fun of; (: *être indifférent à)* not to care about

fichier [fiʃje] *nm* file; **~ joint** *(Inform)* attachment

fichu, e [fiʃy] *pp de* **ficher** ► *adj (fam: fini, inutilisable)* bust, done for; (: *intensif)* wretched, darned ► *nm (foulard)* (head)scarf; **mal ~** feeling lousy

fictif, -ive [fiktif, -iv] *adj* fictitious

fiction [fiksjɔ̃] *nf* fiction; *(fait imaginé)* invention

fidèle [fidɛl] *adj*: **~ (à)** faithful (to) ► *nm/f (Rel)*: **les ~s** *(à l'église)* the congregation • **fidéliser** /1/ *vt (clientèle)* to gain the loyalty of • **fidélité** *nf (d'un conjoint)* fidelity, faithfulness; *(d'un ami, client)* loyalty

fier¹ [fje]: **se ~ à** *vt* to trust

fier², fière [fjɛʀ] *adj* proud; **~ de** proud of • **fierté** *nf* pride

fièvre [fjɛvʀ] nf fever; **avoir de la ~/39 de ~** to have a high temperature/a temperature of 39°C • **fiévreux, -euse** adj feverish

figer [fiʒe] /3/: **se figer** vi to congeal; (*personne*) to freeze

fignoler [fiɲɔle] /1/ vt to put the finishing touches to

figue [fig] nf fig • **figuier** nm fig tree

figurant, e [figyʀɑ̃, -ɑ̃t] nm/f (*Théât*) walk-on; (*Ciné*) extra

figure [figyʀ] nf (*visage*) face; (*image, tracé, forme, personnage*) figure; (*illustration*) picture, diagram

figuré, e [figyʀe] adj (*sens*) figurative

figurer [figyʀe] /1/ vi to appear ▶ vt to represent; **se ~ que** to imagine that

fil [fil] nm (*brin, fig: d'une histoire*) thread; (*d'un couteau*) edge; **au ~ des années** with the passing of the years; **au ~ de l'eau** with the stream ou current; **coup de ~** (*fam*) phone call; **donner/recevoir un coup de ~** to make/get a phone call; **~ électrique** electric wire; **~ de fer** wire; **~ de fer barbelé** barbed wire

file [fil] nf line; (*Auto*) lane; **~ (d'attente)** queue (BRIT), line (US); **à la ~** (*d'affilée*) in succession; **à la** ou **en ~ indienne** in single file

filer [file] /1/ vt (*tissu, toile, verre*) to spin; (*prendre en filature*) to shadow, tail; (*fam: donner*): **~ qch à qn** to slip sb sth ▶ vi (*bas, maille, liquide, pâte*) to run; (*aller vite*) to fly past ou by; (*fam: partir*) to make off; **~ doux** to behave o.s.

filet [filɛ] nm net; (*Culin*) fillet; (*d'eau, de sang*) trickle; **~ (à provisions)** string bag

filial, e, -aux [filjal, -o] adj filial ▶ nf (*Comm*) subsidiary

filière [filjɛʀ] nf (*carrière*) path; **suivre la ~** to work one's way up (through the hierarchy)

fille [fij] nf girl; (*opposé à fils*) daughter; **vieille ~** old maid • **fillette** nf (little) girl

filleul, e [fijœl] nm/f godchild, godson (goddaughter)

film [film] nm (*pour photo*) (roll of) film; (*œuvre*) film, picture, movie

filtre [filtʀ] nm filter • **filtrer** /1/ vt to filter; (*fig: candidats, visiteurs*) to screen

fin¹ [fɛ̃] nf end; **fins** nfpl (*but*) ends; **~ mai** at the end of May; **prendre ~** to come to an end; **mettre ~ à** to put an end to; **à la ~** in the end, eventually; **en ~ de compte** in the end; **sans ~** endless

fin², e [fɛ̃, fin] adj (*papier, couche, fil*) thin; (*cheveux, poudre, pointe, visage*) fine; (*taille*) neat, slim; (*esprit, remarque*) subtle ▶ adv (*moudre, couper*) finely; **~ prêt/soûl** quite ready/drunk; **avoir la vue/l'ouïe ~e** to have keen eyesight/hearing; **or/linge/vin ~** fine gold/linen/wine; **~es herbes** mixed herbs

final, e [final] adj, nf final ▶ nm (*Mus*) finale; **quarts de ~e** quarter finals • **finalement** adv finally, in the end; (*après tout*) after all

flâner

finance [finɑ̃s] nf finance;
finances nfpl (situation financière)
finances; (activités financières)
finance sg; **moyennant** ~ for a fee
ou consideration • **financer** /3/ vt
to finance • **financier, -ière** adj
financial

finesse [finɛs] nf thinness;
(raffinement) finesse; (subtilité)
subtlety

fini, e [fini] adj finished; (Math)
finite ▶ nm (d'un objet manufacturé)
finish

finir [finiʀ] /2/ vt to finish ▶ vi to
finish, end; ~ **de faire** to finish
doing; (cesser) to stop doing;
~ **par faire** to end ou finish up
doing; **il finit par m'agacer** he's
beginning to get on my nerves;
en ~ avec to be ou have done
with; **il va mal** ~ he will come to
a bad end

finition [finisjɔ̃] nf (résultat)
finish

finlandais, e [fɛ̃lɑ̃dɛ, -ez] adj
Finnish ▶ nm/f: **F~, e** Finn

Finlande [fɛ̃lɑ̃d] nf: **la ~**
Finland

finnois, e [finwa, -waz] adj
Finnish ▶ nm (Ling) Finnish

fioul [fjul] nm fuel oil

firme [fiʀm] nf firm

fis [fi] vb voir **faire**

fisc [fisk] nm tax authorities pl
• **fiscal, e, -aux** adj tax cpd, fiscal
• **fiscalité** nf tax system

fissure [fisyʀ] nf crack • **fissurer**
/1/ vt to crack; **se fissurer** vi to
crack

fit [fi] vb voir **faire**

fixation [fiksasjɔ̃] nf (attache)
fastening; (Psych) fixation

fixe [fiks] adj fixed; (emploi) steady,
regular ▶ nm (salaire) basic salary;

(téléphone) landline; **à heure** ~
at a set time; **menu à prix** ~ set
menu

fixé, e [fikse] adj: **être** ~ **(sur)**
(savoir à quoi s'en tenir) to have
made up one's mind (about)

fixer [fikse] /1/ vt (attacher): ~ **qch
(à/sur)** to fix ou fasten sth (to/
onto); (déterminer) to fix, set; (poser
son regard sur) to stare at; **se fixer**
vi (s'établir) to settle down; **se**
~ **sur** (attention) to focus on

flacon [flakɔ̃] nm bottle

flageolet [flaʒɔlɛ] nm (Culin)
dwarf kidney bean

flagrant, e [flagʀɑ̃, -ɑ̃t] adj
flagrant, blatant; **en ~ délit** in the
act

flair [flɛʀ] nm sense of smell; (fig)
intuition • **flairer** /1/ vt (humer) to
sniff (at); (détecter) to scent

flamand, e [flamɑ̃, -ɑ̃d] adj
Flemish ▶ nm (Ling) Flemish
▶ nm/f: **F~, e** Fleming

flamant [flamɑ̃] nm flamingo

flambant [flɑ̃bɑ̃] adv: ~ **neuf**
brand new

flambé, e [flɑ̃be] adj (Culin)
flambé

flambée [flɑ̃be] nf blaze; ~ **des
prix** (sudden) shooting up of
prices

flamber [flɑ̃be] /1/ vi to blaze (up)

flamboyer [flɑ̃bwaje] /8/ vi to
blaze (up)

flamme [flam] nf flame; (fig) fire,
fervour; **en ~s** on fire, ablaze

flan [flɑ̃] nm (Culin) custard tart ou
pie

flanc [flɑ̃] nm side; (Mil) flank

flancher [flɑ̃ʃe] /1/ vi to fail,
pack up

flanelle [flanɛl] nf flannel

flâner [flɑne] /1/ vi to stroll

flanquer [flɑ̃ke] /1/ vt to flank;
(fam: mettre) to chuck, shove;
~ par terre/à la porte (jeter)
to fling to the ground/chuck out

flaque [flak] nf (d'eau) puddle;
(d'huile, de sang etc) pool

flash [flaʃ] (pl **flashes**) nm (Photo)
flash; **~ (d'information)**
newsflash

flatter [flate] /1/ vt to flatter; **se
~ de qch** to pride o.s. on sth
• **flatteur, -euse** adj flattering

flèche [flɛʃ] nf arrow; (de clocher)
spire; **monter en ~** (fig) to soar,
rocket; **partir en ~** to be off like a
shot • **fléchette** nf dart

flétrir [fletʁiʁ] /1/: **se flétrir** vi to
wither

fleur [flœʁ] nf flower; (d'un arbre)
blossom; **être en ~** (arbre) to be in
blossom; **tissu à ~s** flowered ou
flowery fabric

fleuri, e [flœʁi] adj (jardin) in
flower ou bloom; (style, tissu,
papier) flowery; (teint) glowing

fleurir [flœʁiʁ] /2/ vi (rose) to
flower; (arbre) to blossom; (fig)
to flourish ▶ vt (tombe) to put
flowers on; (chambre) to decorate
with flowers

fleuriste [flœʁist] nm/f florist

fleuve [flœv] nm river

flexible [flɛksibl] adj flexible

flic [flik] nm (fam: péj) cop

flipper [flipœʁ] nm pinball
(machine)

flirter [flœʁte] /1/ vi to flirt

flocon [flɔkɔ̃] nm flake

flore [flɔʁ] nf flora

florissant, e [flɔʁisɑ̃, -ɑ̃t] adj
(économie) flourishing

flot [flo] nm flood, stream; **flots**
nmpl (de la mer) waves; **être à ~**

(Navig) to be afloat; **entrer à ~s**
to stream ou pour in

flottant, e [flɔtɑ̃, -ɑ̃t] adj
(vêtement) loose(-fitting)

flotte [flɔt] nf (Navig) fleet; (fam:
eau) water; (: pluie) rain

flotter [flɔte] /1/ vi to float;
(nuage, odeur) to drift; (drapeau) to
fly; (vêtements) to hang loose ▶ vb
impers (fam: pleuvoir): **il flotte** it's
raining; **faire ~** to float • **flotteur**
nm float

flou, e [flu] adj fuzzy, blurred; (fig)
woolly (BRIT), vague

fluide [flɥid] adj fluid; (circulation
etc) flowing freely ▶ nm fluid

fluor [flyɔʁ] nm: **dentifrice au ~**
fluoride toothpaste

fluorescent, e [flyɔʁesɑ̃, -ɑ̃t] adj
fluorescent

flûte [flyt] nf (aussi:
~ traversière) flute; (verre) flute
glass; (pain) (thin) baguette; **~!**
drat it!; **~ (à bec)** recorder

flux [fly] nm incoming tide;
(écoulement) flow; **le ~ et le re~**
the ebb and flow

foc [fɔk] nm jib

foi [fwa] nf faith; **digne de ~**
reliable; **être de bonne/
mauvaise ~** to be in good faith/
not to be in good faith

foie [fwa] nm liver; **crise de ~**
stomach upset

foin [fwɛ̃] nm hay; **faire du ~** (fam)
to kick up a row

foire [fwaʁ] nf fair; (fête foraine)
(fun)fair; **~ aux questions**
(Internet) frequently asked
questions; **faire la ~** to whoop it
up; **~ (exposition)** trade fair

fois [fwa] nf time; **une/deux ~**
once/twice; **deux ~ deux** twice
two; **une ~** (passé) once; (futur)

sometime; **une (bonne) ~ pour toutes** once and for all; **une ~ que c'est fait** once it's done; **des ~ (parfois)** sometimes; **à la ~ (ensemble)** (all) at once

fol [fɔl] *adj m voir* **fou**

folie [fɔli] *nf (d'une décision, d'un acte)* madness, folly; *(état)* madness, insanity; **la ~ des grandeurs** delusions of grandeur; **faire des ~s** *(en dépenses)* to be extravagant

folklorique [fɔlklɔʀik] *adj* folk *cpd*; *(fam)* weird

folle [fɔl] *adj f, nf voir* **fou**
• **follement** *adv (très)* madly, wildly

foncé, e [fɔse] *adj* dark

foncer [fɔse] /3/ *vi* to go darker; *(fam: aller vite)* to tear ou belt along; **~ sur** to charge at

fonction [fɔksjɔ̃] *nf* function; *(emploi, poste)* post, position; **fonctions** *nfpl (professionnelles)* duties; **voiture de ~** company car; **en ~ de** *(par rapport à)* according to; **faire ~ de** to serve as; **la ~ publique** the state *ou* (BRIT) service • **fonctionnaire** *nm/f* state employee *ou* official; *(dans l'administration)* ≈ civil servant • **fonctionner** /1/ *vi* to work, function

fond [fɔ̃] *nm voir aussi* **fonds**; *(d'un récipient, trou)* bottom; *(d'une salle, scène)* back; *(d'un tableau, décor)* background; *(opposé à la forme)* content; *(Sport)*: **le ~** long distance (running); **au ~ de** at the bottom of; at the back of; **à ~** *(connaître, soutenir)* thoroughly; *(appuyer, visser)* right down *ou* home; **à ~ (de train)** *(fam)* full tilt; **dans le ~, au ~** *(en somme)* basically, really; **de ~ en comble**

from top to bottom; **~ de teint** foundation

fondamental, e, -aux [fɔdamɑ̃tal, -o] *adj* fundamental

fondant, e [fɔdɑ̃, -ɑ̃t] *adj (neige)* melting; *(poire)* that melts in the mouth

fondation [fɔdasjɔ̃] *nf* founding; *(établissement)* foundation; **fondations** *nfpl (d'une maison)* foundations

fondé, e [fɔde] *adj (accusation etc)* well-founded; **être ~ à croire** to have grounds for believing *ou* good reason to believe

fondement [fɔdmɑ̃] *nm*: **sans ~** *(rumeur etc)* groundless, unfounded

fonder [fɔde] /1/ *vt* to found; *(fig)*: **~ qch sur** to base sth on; **se ~ sur** *(personne)* to base o.s. on

fonderie [fɔdʀi] *nf* smelting works *sg*

fondre [fɔdʀ] /41/ *vt (aussi: **faire ~**)* to melt; *(dans l'eau)* to dissolve; *(fig: mélanger)* to merge, blend ▶ *vi (à la chaleur)* to melt; to dissolve; *(fig)* to melt away; *(se précipiter)*: **~ sur** to swoop down on; **en larmes** to dissolve into tears

fonds [fɔ̃] *nm (Comm)*: **~ (de commerce)** business ▶ *nmpl (argent)* funds

fondu, e [fɔdy] *adj (beurre, neige)* melted; *(métal)* molten ▶ *nf (Culin)* fondue

font [fɔ̃] *vb voir* **faire**

fontaine [fɔ̃tɛn] *nf* fountain; *(source)* spring

fonte [fɔ̃t] *nf* melting; *(métal)* cast iron; **la ~ des neiges** the (spring) thaw

foot [fut], **football** [futbol] *nm* football, soccer • **footballeur,**

-euse nm/f footballer (BRIT), football ou soccer player

footing [futiŋ] nm jogging; **faire du ~** to go jogging

forain, e [fɔRɛ̃, -ɛn] adj fairground cpd ▶ nm (marchand) stallholder; (acteur etc) fairground entertainer

forçat [fɔRsa] nm convict

force [fɔRs] nf strength; (Physique, Mécanique) force; **forces** nfpl (physiques) strength sg; (Mil) forces; **de ~** forcibly, by force; **à ~ de faire** by dint of doing; **dans la ~ de l'âge** in the prime of life; **les ~s de l'ordre** the police

forcé, e [fɔRse] adj forced; **c'est ~!** it's inevitable! • **forcément** adv inevitably; **pas forcément** not necessarily

forcer [fɔRse] /3/ vt to force; (moteur, voix) to strain ▶ vi (Sport) to overtax o.s.; **se ~ à faire qch** to force o.s. to do sth; **~ la dose/l'allure** to overdo it/ increase the pace

forestier, -ière [fɔRɛstje, -jɛR] adj forest cpd

forêt [fɔRɛ] nf forest

forfait [fɔRfɛ] nm (Comm) all-in deal ou price; **~ de (téléphone) portable** phone plan, cell plan; **déclarer ~** to withdraw • **forfaitaire** adj inclusive

forge [fɔRʒ] nf forge, smithy • **forgeron** nm (black)smith

formaliser [fɔRmalize] /1/: **se formaliser** vi: **se ~ (de)** to take offence (at)

formalité [fɔRmalite] nf formality; **simple ~** mere formality

format [fɔRma] nm size • **formater** /1/ vt (disque) to format

formation [fɔRmasjɔ̃] nf forming; training; **la ~ permanente** ou **continue** continuing education; **la ~ professionnelle** vocational training

forme [fɔRm] nf (gén) form; (d'un objet) shape, form; **formes** nfpl (bonnes manières) proprieties; (d'une femme) figure sg; **en ~ de poire** pear-shaped, in the shape of a pear; **être en (bonne ou pleine) ~** (Sport etc) to be on form; **en bonne et due ~** in due form

formel, le [fɔRmɛl] adj (preuve, décision) definite, positive • **formellement** adv (interdit) strictly; (absolument) positively

former [fɔRme] /1/ vt to form; (éduquer) to train; **se former** vi to form

formidable [fɔRmidabl] adj tremendous

formulaire [fɔRmylɛR] nm form

formule [fɔRmyl] nf (gén) formula; (expression) phrase; **~ de politesse** polite phrase; (en fin de lettre) letter ending

fort, e [fɔR, fɔRt] adj strong; (intensité, rendement) high, great; (corpulent) large; (doué): **être ~ (en)** to be good (at) ▶ adv (serrer, frapper) hard; (sonner) loud(ly); (beaucoup) greatly, very much; (très) very ▶ nm (édifice) fort; (point fort) strong point, forte; **~e tête** rebel • **forteresse** nf fortress

fortifiant [fɔRtifjɑ̃] nm tonic

fortune [fɔRtyn] nf fortune; **faire ~** to make one's fortune; **de ~** makeshift • **fortuné, e** adj wealthy

forum [fɔRɔm] nm forum; **~ de discussion** (Internet) message board

fosse [fos] *nf* (*grand trou*) pit; (*tombe*) grave

fossé [fose] *nm* ditch; (*fig*) gulf, gap

fossette [fosɛt] *nf* dimple

fossile [fɔsil] *nm* fossil ▶ *adj* fossilized, fossil *cpd*

fou (fol), folle [fu, fɔl] *adj* mad; (*déréglé etc*) wild, erratic; (*fam: extrême, très grand*) terrific, tremendous ▶ *nm/f* madman/ woman ▶ *nm* (*du roi*) jester; **être ~ de** to be mad *ou* crazy about; **avoir le ~ rire** to have the giggles

foudre [fudʀ] *nf*: **la ~** lightning

foudroyant, e [fudʀwajɑ̃, -ɑ̃t] *adj* (*progrès*) lightning *cpd*; (*succès*) stunning; (*maladie, poison*) violent

fouet [fwɛ] *nm* whip; (*Culin*) whisk; **de plein ~** *adv* (*se heurter*) head on • **fouetter** /1/ *vt* to whip; (*crème*) to whisk

fougère [fuʒɛʀ] *nf* fern

fougue [fug] *nf* ardour, spirit • **fougueux, -euse** *adj* fiery

fouille [fuj] *nf* search; **fouilles** *nfpl* (*archéologiques*) excavations • **fouiller** /1/ *vt* to search; (*creuser*) to dig ▶ *vi*: **fouiller dans/parmi** to rummage in/among • **fouillis** *nm* jumble, muddle

foulard [fulaʀ] *nm* scarf

foule [ful] *nf* crowd; **la ~** crowds *pl*; **une ~ de** masses of

foulée [fule] *nf* stride

fouler [fule] /1/ *vt* to press; (*sol*) to tread upon; **se ~ la cheville** to sprain one's ankle; **ne pas se ~** not to overexert o.s.; **il ne se foule pas** he doesn't put himself out • **foulure** *nf* sprain

four [fuʀ] *nm* oven; (*de potier*) kiln; (*Théât: échec*) flop

fourche [fuʀʃ] *nf* pitchfork

fourchette [fuʀʃɛt] *nf* fork; (*Statistique*) bracket, margin

fourgon [fuʀgɔ̃] *nm* van; (*Rail*) wag(g)on • **fourgonnette** *nf* (*delivery*) van

fourmi [fuʀmi] *nf* ant; **avoir des ~s dans les jambes/mains** to have pins and needles in one's legs/hands • **fourmilière** *nf* ant-hill • **fourmiller** /1/ *vi* to swarm

fourneau, x [fuʀno] *nm* stove

fourni, e [fuʀni] *adj* (*barbe, cheveux*) thick; (*magasin*): **bien ~ (en)** well stocked (with)

fournir [fuʀniʀ] /2/ *vt* to supply; (*preuve, exemple*) to provide, supply; (*effort*) to put in; **~ qch à qn** to supply sth to sb, supply *ou* provide sb with sth • **fournisseur, -euse** *nm/f* supplier; **fournisseur d'accès à Internet** (*Internet*) service provider, ISP • **fourniture** *nf* supply(ing); **fournitures scolaires** school stationery

fourrage [fuʀaʒ] *nm* fodder

fourré, e [fuʀe] *adj* (*bonbon, chocolat*) filled; (*manteau, botte*) fur-lined ▶ *nm* thicket

fourrer [fuʀe] /1/ *vt* (*fam*) to stick, shove; **se ~ dans/sous** to get into/under

fourrière [fuʀjɛʀ] *nf* pound

fourrure [fuʀyʀ] *nf* fur; (*pelage*) coat

foutre [futʀ] *vt* (*fam!*) = **fichu**; • **foutu, e** *adj* (*fam!*) = **fichu**

foyer [fwaje] *nm* (*de cheminée*) hearth; (*famille*) family; (*domicile*) home; (*local de réunion*) (social) club; (*résidence*) hostel; (*salon*) foyer; **lunettes à double ~** bi-focal glasses

fracassant, e [fʀakasɑ̃, -ɑ̃t] *adj*
(*succès*) staggering

fraction [fʀaksjɔ̃] *nf* fraction

fracturation [fʀaktyʀasjɔ̃] *nf*:
~ **hydraulique** fracking

fracture [fʀaktyʀ] *nf* fracture:
~ **du crâne** fractured skull;
~ **numérique** digital gap;
~ **sociale** social chasm
• **fracturer** /1/ *vt* (*coffre, serrure*)
to break open; (*os, membre*) to
fracture; **se fracturer le crâne** to
fracture one's skull

fragile [fʀaʒil] *adj* fragile,
delicate; (*fig*) frail • **fragilité** *nf*
fragility

fragment [fʀagmɑ̃] *nm* (*d'un
objet*) fragment, piece

fraîche [fʀɛʃ] *adj f voir* **frais**
• **fraîcheur** *nf* coolness; (*d'un
aliment*) freshness; *voir* **frais**
• **fraîchir** /2/ *vi* to get cooler; (*vent*) to freshen

frais, fraîche [fʀɛ, fʀɛʃ] *adj*
(*air, eau, accueil*) cool; (*petit pois,
œufs, nouvelles, couleur, troupes*)
fresh ▶ *adv* (*récemment*) newly,
fresh(ly) ▶ *nm*: **mettre au** ~ to
put in a cool place; **prendre le** ~
to take a breath of cool air
▶ *nmpl* (*débours*) expenses;
(*Comm*) costs; **il fait** ~ it's cool;
servir ~ serve chilled; **faire des** ~
to go to a lot of expense;
~ **généraux** overheads; ~ **de
scolarité** school fees (*BRIT*),
tuition (*US*)

fraise [fʀɛz] *nf* strawberry; ~ **des
bois** wild strawberry

framboise [fʀɑ̃bwaz] *nf*
raspberry

franc, franche [fʀɑ̃, fʀɑ̃ʃ] *adj*
(*personne*) frank, straightforward;
(*visage*) open; (*net: refus, couleur*)

clear; (: *coupure*) clean; (*intensif*)
downright ▶ *nm* franc

français, e [fʀɑ̃sɛ, -ɛz] *adj* French
▶ *nm* (*Ling*) French ▶ *nm/f*: **F~, e**
Frenchman/woman

France [fʀɑ̃s] *nf*: **la** ~ France; ~ **2,
~ 3** *public-sector television channels*

> **France 2** and **France 3** are
> public-sector television
> channels. *France 2* is a national
> general interest and
> entertainment channel; *France 3*
> provides regional news and
> information as well as
> programmes for the national
> network.

franche [fʀɑ̃ʃ] *adj f voir* **franc**
• **franchement** *adv* frankly;
clearly; (*nettement*) definitely;
(*tout à fait*) downright

franchir /2/ *vt* (*obstacle*)
to clear, get over; (*seuil, ligne,
rivière*) to cross; (*distance*) to cover

franchise [fʀɑ̃ʃiz] *nf* frankness;
(*douanière*) exemption;
(*Assurances*) excess

franc-maçon [fʀɑ̃masɔ̃] *nm*
Freemason

franco [fʀɑ̃ko] *adv* (*Comm*): ~ (**de
port**) postage paid

francophone [fʀɑ̃kɔfɔn] *adj*
French-speaking

franc-parler [fʀɑ̃paʀle] *nm inv*
outspokenness; **avoir son** ~ to
speak one's mind

frange [fʀɑ̃ʒ] *nf* fringe

frangipane [fʀɑ̃ʒipan] *nf*
almond paste

frappant, e [fʀapɑ̃, -ɑ̃t] *adj*
striking

frappé, e [fʀape] *adj* iced

frapper [fʀape] /1/ *vt* to hit,
strike; (*étonner*) to strike; ~ **dans**

ses mains to clap one's hands; **frappé de stupeur** dumbfounded

fraternel, le [fʀatɛʀnɛl] adj brotherly, fraternal • **fraternité** nf brotherhood

fraude [fʀod] nf fraud; (Scol) cheating; **passer qch en ~** to smuggle sth in (ou out); **~ fiscale** tax evasion

frayeur [fʀɛjœʀ] nf fright

freezer [fʀizœʀ] nm freezing compartment

frein [fʀɛ̃] nm brake; **mettre un ~ à** (fig) to put a brake on, check; **~ à main** handbrake • **freiner** /1/ vi to brake ▸ vt (progrès etc) to check

frêle [fʀɛl] adj frail, fragile

frelon [fʀəlɔ̃] nm hornet

frémir [fʀemiʀ] /2/ vi (de froid, de peur) to shudder; (de colère) to shake; (de joie, feuillage) to quiver

frêne [fʀɛn] nm ash (tree)

fréquemment [fʀekamɑ̃] adv frequently

fréquent, e [fʀekɑ̃, -ɑ̃t] adj frequent

fréquentation [fʀekɑ̃tasjɔ̃] nf frequenting; **fréquentations** nfpl (relations) company sg; **avoir de mauvaises ~s** to be in with the wrong crowd, keep bad company

fréquenté, e [fʀekɑ̃te] adj: **très ~** (very) busy; **mal ~** patronized by disreputable elements

fréquenter [fʀekɑ̃te] /1/ vt (lieu) to frequent; (personne) to see; **se fréquenter** vi to see a lot of each other

frère [fʀɛʀ] nm brother

fresque [fʀɛsk] nf (Art) fresco

fret [fʀɛ(t)] nm freight

friand, e [fʀijɑ̃, -ɑ̃d] adj: **~ de** very fond of ▸ nm: **~ au fromage** cheese puff

friandise [fʀijɑ̃diz] nf sweet

fric [fʀik] nm (fam) cash, bread

friche [fʀiʃ]: **en ~** adj, adv (lying) fallow

friction [fʀiksjɔ̃] nf (massage) rub, rub-down; (Tech, fig) friction

frigidaire® [fʀiʒidɛʀ] nm refrigerator

frigo [fʀigo] nm fridge

frigorifique [fʀigɔʀifik] adj refrigerating

frileux, -euse [fʀilø, -øz] adj sensitive to (the) cold

frimer [fʀime] /1/ vi (fam) to show off

fringale [fʀɛ̃gal] nf (fam): **avoir la ~** to be ravenous

fringues [fʀɛ̃g] nfpl (fam) clothes

fripé, e [fʀipe] adj crumpled

frire [fʀiʀ] vt to fry ▸ vi to fry

frisé, e [fʀize] adj (cheveux) curly; (personne) curly-haired

frisson [fʀisɔ̃] nm (de froid) shiver; (de peur) shudder • **frissonner** /1/ vi (de fièvre, froid) to shiver; (d'horreur) to shudder

frit, e [fʀi, fʀit] pp de **frire** ▸ nf: **(pommes) ~es** chips (BRIT), French fries • **friteuse** nf deep fryer, chip pan (BRIT) • **friture** nf (huile) (deep) fat; (plat) **friture (de poissons)** fried fish

froid, e [fʀwa, fʀwad] adj ▸ nm cold; **il fait ~** it's cold; **avoir ~** to be cold; **prendre ~** to catch a chill ou cold; **être en ~ avec** to be on bad terms with • **froidement** adv (accueillir) coldly; (décider) coolly

froisser [fʀwase] /1/ vt to crumple (up), crease; (fig) to hurt, offend; **se froisser** vi to crumple,

crease; (*personne*) to take offence
(BRIT) ou offense (US); **se ~ un**
muscle to strain a muscle

frôler [fʀole] /1/ vt to brush
against; (*projectile*) to skim past;
(*fig*) to come very close to, come
within a hair's breadth of

fromage [fʀɔmaʒ] nm cheese;
~ blanc soft white cheese

froment [fʀɔmɑ̃] nm wheat

froncer [fʀɔ̃se] /3/ vt to gather;
~ les sourcils to frown

front [fʀɔ̃] nm forehead, brow;
(*Mil, Météorologie, Pol*) front; **de ~**
(*se heurter*) head-on; (*rouler*)
together (*2 or 3 abreast*);
(*simultanément*) at once; **faire ~ à**
to face up to

frontalier, -ière [fʀɔ̃talje, -jɛʀ]
adj border cpd, frontier cpd
▶ **(travailleurs) ~s** commuters
from across the border

frontière [fʀɔ̃tjɛʀ] nf frontier,
border

frotter [fʀɔte] /1/ vi to rub,
scrape ▶ vt to rub; (*pommes de
terre, plancher*) to scrub; **~ une**
allumette to strike a match

fruit [fʀɥi] nm fruit no pl; **~s de**
mer seafood(s); **~s secs** dried
fruit sg • **fruité, e** [fʀɥite] adj
fruity • **fruitier, -ière** adj: **arbre**
fruitier fruit tree

frustrer [fʀystʀe] /1/ vt to
frustrate

fuel(-oil) [fjul(ɔjl)] nm fuel oil;
(*pour chauffer*) heating oil

fugace [fygas] adj fleeting

fugitif, -ive [fyʒitif, -iv] adj
(*lueur, amour*) fleeting ▶ nm/f
fugitive

fugue [fyg] nf: **faire une ~** to run
away, abscond

fuir [fɥiʀ] /17/ vt to flee from;
(*éviter*) to shun ▶ vi to run away;
(*gaz, robinet*) to leak

fuite [fɥit] nf flight; (*divulgation*)
leak; **être en ~** to be on the run;
mettre en ~ to put to flight

fulgurant, e [fylgyʀɑ̃, -ɑ̃t] adj
lightning cpd, dazzling

fumé, e [fyme] adj (*Culin*)
smoked; (*verre*) tinted ▶ nf smoke

fumer [fyme] /1/ vi to smoke;
(*liquide*) to steam ▶ vt to smoke

fûmes [fym] vb voir **être**

fumeur, -euse [fymœʀ, -øz]
nm/f smoker

fumier [fymje] nm manure

funérailles [fyneʀaj] nfpl
funeral sg

fur [fyʀ]: **au ~ et à mesure** adv as
one goes along; **au ~ et à mesure**
que as

furet [fyʀɛ] nm ferret

fureter [fyʀ(ə)te] /5/ vi (*péj*) to
nose about

fureur [fyʀœʀ] nf fury; **être en ~**
to be infuriated; **faire ~** to be all
the rage

furie [fyʀi] nf fury; (*femme*) shrew,
vixen; **en ~** (*mer*) raging • **furieux,**
-euse adj furious

furoncle [fyʀɔ̃kl] nm boil

furtif, -ive [fyʀtif, -iv] adj furtive

fus [fy] vb voir **être**

fusain [fyzɛ̃] nm (*Art*) charcoal

fuseau, x [fyzo] nm (*pantalon*)
(ski-)pants pl; (*pour filer*) spindle;
~ horaire time zone

fusée [fyze] nf rocket

fusible [fyzibl] nm (*Élec: fil*) fuse
wire; (: *fiche*) fuse

fusil [fyzi] nm (*de guerre, à canon
rayé*) rifle, gun; (*de chasse, à canon
lisse*) shotgun, gun • **fusillade** nf

gunfire *no pl*, shooting *no pl*
• **fusiller** /1/ *vt* to shoot; **fusiller qn du regard** to look daggers at sb
fusionner [fyzjɔne] /1/ *vi* to merge
fût [fy] *vb voir* **être** ▸ *nm* (*tonneau*) barrel, cask
futé, e [fyte] *adj* crafty; **Bison ~®** TV and radio traffic monitoring service
futile [fytil] *adj* futile; (*frivole*) frivolous
futur, e [fytyʀ] *adj, nm* future
fuyard, e [fɥijaʀ, -aʀd] *nm/f* runaway

g

Gabon [gabɔ̃] *nm*: **le ~** Gabon
gâcher [gaʃe] /1/ *vt* (*gâter*) to spoil; (*gaspiller*) to waste • **gâchis** *nm* waste *no pl*
gaffe [gaf] *nf* blunder; **faire ~** (*fam*) to watch out
gage [gaʒ] *nm* (*dans un jeu*) forfeit; (*fig: de fidélité*) token; **gages** *nmpl* (*salaire*) wages; **mettre en ~** to pawn
gagnant, e [gaɲɑ̃, -ɑ̃t] *adj*: **billet/numéro ~** winning ticket/number ▸ *nm/f* winner
gagne-pain [gaɲpɛ̃] *nm inv* job
gagner [gaɲe] /1/ *vt* to win; (*somme d'argent, revenu*) to earn; (*aller vers, atteindre*) to reach; (*s'emparer de*) to overcome; (*envahir*) to spread to ▸ *vi* to win; (*fig*) to gain; **~ du temps/de la place** to gain time/save space; **~ sa vie** to earn one's living
gai, e [ge] *adj* cheerful; (*un peu ivre*) merry • **gaiement** *adv* cheerfully • **gaieté** *nf* cheerfulness; **de gaieté de cœur** with a light heart
gain [gɛ̃] *nm* (*revenu*) earnings *pl*; (*bénéfice: gén pl*) profits *pl*

gala [gala] *nm* official reception; **soirée de ~** gala evening

galant, e [galɑ̃, -ɑ̃t] *adj* (*courtois*) courteous, gentlemanly; (*entrepreneur*) flirtatious, gallant; (*scène, rendez-vous*) romantic

galerie [galʀi] *nf* gallery; (*Théât*) circle; (*de voiture*) roof rack; (*fig: spectateurs*) audience; **~ marchande** shopping mall; **~ de peinture** (private) art gallery

galet [galɛ] *nm* pebble

galette [galɛt] *nf* flat pastry cake; **la ~ des Rois** cake traditionally eaten on Twelfth Night

A **galette des Rois** is a cake eaten on Twelfth Night containing a figurine. The person who finds it is the king (or queen) and gets a paper crown. They then choose someone else to be their queen (or king).

galipette [galipɛt] *nf* somersault

Galles [gal] *nfpl*: **le pays de ~** Wales • **gallois, e** *adj* Welsh ▶ *nm* (*Ling*) Welsh ▶ *nm/f*: **Gallois, e** Welshman(-woman)

galocher [galɔʃe] (*fam*) *vt* to French kiss

galon [galɔ̃] *nm* (*Mil*) stripe; (*décoratif*) piece of braid

galop [galo] *nm* gallop • **galoper** /1/ *vi* to gallop

gambader [gɑ̃bade] /1/ *vi* (*animal, enfant*) to leap about

gamin, e [gamɛ̃, -in] *nm/f* kid ▶ *adj* mischievous

gamme [gam] *nf* (*Mus*) scale; (*fig*) range

gang [gɑ̃g] *nm* (*de criminels*) gang

gant [gɑ̃] *nm* glove; **~ de toilette** (face) flannel, (BRIT) face cloth

garage [gaʀaʒ] *nm* garage • **garagiste** *nm/f* garage owner; (*mécanicien*) garage mechanic

garantie [gaʀɑ̃ti] *nf* guarantee; **(bon de) ~** guarantee ou warranty slip

garantir [gaʀɑ̃tiʀ] /2/ *vt* to guarantee; **je vous garantis que** I can assure you that

garçon [gaʀsɔ̃] *nm* boy; (*aussi*: **~ de café**) waiter; **vieux ~** (*célibataire*) bachelor; **~ de courses** messenger

garde [gaʀd] *nm* (*de prisonnier*) guard; (*de domaine etc*) warden; (*soldat, sentinelle*) guardsman ▶ *nf* (*soldats*) guard; **de ~** on duty; **monter la ~** to stand guard; **mettre en ~** to warn; **prendre ~ (à)** to be careful (of); **~ champêtre** *nm* rural policeman; **~ du corps** *nm* bodyguard; **~ à vue** *nf* (*Jur*) ≈ police custody • **garde-boue** *nm inv* mudguard • **garde-chasse** *nm* gamekeeper

garder [gaʀde] /1/ *vt* (*conserver*) to keep; (*surveiller: enfants*) to look after; (*: immeuble, lieu, prisonnier*) to guard; **se garder** *vi* (*aliment: se conserver*) to keep; **se ~ de faire** to be careful not to do; **~ le lit/la chambre** to stay in bed/indoors; **pêche/chasse gardée** private fishing/hunting (ground)

garderie [gaʀdəʀi] *nf* day nursery, crèche

garde-robe [gaʀdəʀɔb] *nf* wardrobe

gardien, ne [gaʀdjɛ̃, -ɛn] *nm/f* (*garde*) guard; (*de prison*) warder; (*de domaine, réserve*) warden; (*de musée etc*) attendant; (*de phare, cimetière*) keeper; (*d'immeuble*) caretaker; (*fig*) guardian; **~ de but**

goalkeeper; **~ de nuit** night watchman; **~ de la paix** policeman

gare [gaʀ] nf (railway) station ▸ excl: **~ à ...** mind ...!; **~ à toi!** watch out!; **~ routière** bus station

garer [gaʀe] /1/ vt to park; **se garer** vi to park

garni, e [gaʀni] adj (plat) served with vegetables (and chips, pasta or rice)

garniture [gaʀnityʀ] nf (Culin) vegetables pl; **~ de frein** brake lining

gars [gɑ] nm guy

Gascogne [gaskɔɲ] nf: **la ~** Gascony; **le golfe de ~** the Bay of Biscay

gas-oil [gazɔjl] nm diesel oil

gaspiller [gaspije] /1/ vt to waste

gastronome [gastʀɔnɔm] nm/f gourmet • **gastronomique** adj gastronomic

gâteau, x [gɑto] nm cake; **~ sec** biscuit

gâter [gɑte] /1/ vt to spoil; **se gâter** vi (dent, fruit) to go bad; (temps, situation) to change for the worse

gâteux, -euse [gɑtø, -øz] adj senile

gauche [goʃ] adj left, left-hand; (maladroit) awkward, clumsy ▸ nf (Pol) left (wing); **le bras ~** the left arm; **le côté ~** the left-hand side; **à ~** on the left; (direction) (to the) left • **gaucher, -ère** adj left-handed • **gauchiste** nm/f leftist

gaufre [gofʀ] nf waffle

gaufrette [gofʀɛt] nf wafer

gaulois, e [golwa, -waz] adj Gallic ▸ nm/f: **G~, e** Gaul

gaz [gɑz] nm inv gas; **ça sent le ~** I can smell gas, there's a smell of gas

gaze [gɑz] nf gauze

gazette [gazɛt] nf news sheet

gazeux, -euse [gazø, -øz] adj (eau) sparkling; (boisson) fizzy

gazoduc [gazɔdyk] nm gas pipeline

gazon [gɑzɔ̃] nm (herbe) grass; (pelouse) lawn

géant, e [ʒeɑ̃, -ɑ̃t] adj gigantic; (Comm) giant-size ▸ nm/f giant

geindre [ʒɛ̃dʀ] /52/ vi to groan, moan

gel [ʒɛl] nm frost; **~ douche** shower gel

gélatine [ʒelatin] nf gelatine

gelé, e [ʒ(ə)le] adj frozen ▸ nf jelly; (gel) frost

geler [ʒ(ə)le] /5/ vt, vi to freeze; **il gèle** it's freezing

gélule [ʒelyl] nf (Méd) capsule

Gémeaux [ʒemo] nmpl: **les ~** Gemini

gémir [ʒemiʀ] /2/ vi to groan, moan

gênant, e [ʒɛnɑ̃, -ɑ̃t] adj (objet) in the way; (histoire, personne) embarrassing

gencive [ʒɑ̃siv] nf gum

gendarme [ʒɑ̃daʀm] nm gendarme • **gendarmerie** nf military police force in countryside and small towns; their police station or barracks

gendre [ʒɑ̃dʀ] nm son-in-law

gêné, e [ʒene] adj embarrassed

gêner [ʒene] /1/ vt (incommoder) to bother; (encombrer) to be in the way of; (embarrasser): **~ qn** to make sb feel ill-at-ease;

se **gêner** vi to put o.s. out; **ne vous gênez pas!** don't mind me!

général, e, -aux [ʒeneʀal, -o] adj, nm general; **en ~** usually, in general • **généralement** adv generally • **généraliser** /1/ vt, vi to generalize; **se généraliser** vi to become widespread • **généraliste** nm/f general practitioner, GP

génération [ʒeneʀasjɔ̃] nf generation

généreux, -euse [ʒeneʀø, -øz] adj generous

générique [ʒeneʀik] nm (Ciné, TV) credits pl

générosité [ʒeneʀozite] nf generosity

genêt [ʒ(ə)nɛ] nm (Bot) broom no pl

génétique [ʒenetik] adj genetic

Genève [ʒ(ə)nɛv] n Geneva

génial, e, -aux [ʒenjal, -o] adj of genius; (fam: formidable) fantastic, brilliant

génie [ʒeni] nm genius; (Mil): **le ~** ≈ the Engineers pl; **~ civil** civil engineering

genièvre [ʒ(ə)njɛvʀ] nm juniper (tree)

génisse [ʒenis] nf heifer

génital, e, -aux [ʒenital, -o] adj genital; **les parties ~es** the genitals

génois, e [ʒenwa, -waz] adj Genoese ▸ nf (gâteau) ≈ sponge cake

génome [ʒenom] nm genome

genou, x [ʒ(ə)nu] nm knee; **à ~x** on one's knees; **se mettre à ~x** to kneel down

genre [ʒɑ̃ʀ] nm kind, type, sort; (Ling) gender; **avoir bon ~** to look

a nice sort; **avoir mauvais ~** to be coarse-looking; **ce n'est pas son ~** it's not like him

gens [ʒɑ̃] nmpl (f in some phrases) people pl

gentil, le [ʒɑ̃ti, -ij] adj kind; (enfant: sage) good; (sympathique: endroit etc) nice • **gentillesse** nf kindness • **gentiment** adv kindly

géographie [ʒeɔgʀafi] nf geography

géolocalisation [ʒeɔlɔkalizasjɔ̃] nf geolocation

géolocaliser [ʒeɔlɔkalize] /1/ vt to geolocate

géologie [ʒeɔlɔʒi] nf geology

géomètre [ʒeɔmɛtʀ] nm: **(arpenteur-)~** (land) surveyor

géométrie [ʒeɔmetʀi] nf geometry • **géométrique** adj geometric

géranium [ʒeʀanjɔm] nm geranium

gérant, e [ʒeʀɑ̃, -ɑ̃t] nm/f manager/manageress; **~ d'immeuble** managing agent

gerbe [ʒɛʀb] nf (de fleurs, d'eau) spray; (de blé) sheaf

gercé, e [ʒɛʀse] adj chapped

gerçure [ʒɛʀsyʀ] nf crack

gérer [ʒeʀe] /6/ vt to manage

germain, e [ʒɛʀmɛ̃, -ɛn] adj: **cousin ~** first cousin

germe [ʒɛʀm] nm germ • **germer** /1/ vi to sprout; (semence) to germinate

GES sigle m (= gaz à effet de serre) GHG (= greenhouse gas)

geste [ʒɛst] nm gesture

gestion [ʒɛstjɔ̃] nf management

Ghana [gana] nm: **le ~** Ghana

gibier [ʒibje] nm (animaux) game

gicler [ʒikle] /1/ vi to spurt, squirt

gifle [ʒifl] nf slap (in the face)
• **gifler** /1/ vt to slap (in the face)

gigantesque [ʒigɑ̃tɛsk] adj gigantic

gigot [ʒigo] nm leg (of mutton ou lamb)

gigoter [ʒigɔte] /1/ vi to wriggle (about)

gilet [ʒile] nm waistcoat; (pull) cardigan; **~ de sauvetage** life jacket

gin [dʒin] nm gin; **~-tonic** gin and tonic

gingembre [ʒɛ̃ʒɑ̃bʀ] nm ginger

girafe [ʒiʀaf] nf giraffe

giratoire [ʒiʀatwaʀ] adj: **sens ~** roundabout

girofle [ʒiʀɔfl] nm: **clou de ~** clove

girouette [ʒiʀwɛt] nf weather vane ou cock

gitan, e [ʒitɑ̃, -an] nm/f gipsy

gîte [ʒit] nm (maison) home; (abri) shelter; **~ (rural)** (country holiday cottage ou apartment, gîte (self-catering accommodation in the country)

givre [ʒivʀ] nm (hoar) frost
• **givré, e** adj covered in frost; (fam: fou) nuts; **citron givré/orange givrée** lemon/orange sorbet (served in fruit skin)

glace [glas] nf ice; (crème glacée) ice cream; (miroir) mirror; (de voiture) window

glacé, e [glase] adj (mains, vent, pluie) freezing; (lac) frozen; (boisson) iced

glacer [glase] /3/ vt to freeze; (gâteau) to ice; **~ qn** (intimider) to chill sb; (fig) to make sb's blood run cold

glacial, e [glasjal] adj icy

glacier [glasje] nm (Géo) glacier; (marchand) ice-cream maker

glacière [glasjɛʀ] nf icebox

glaçon [glasɔ̃] nm icicle; (pour boisson) ice cube

glaïeul [glajœl] nm gladiola

glaise [glɛz] nf clay

gland [glɑ̃] nm acorn; (décoration) tassel

glande [glɑ̃d] nf gland

glissade [glisad] nf (par jeu) slide; (chute) slip; **faire des ~** to slide

glissant, e [glisɑ̃, -ɑ̃t] adj slippery

glissement [glismɑ̃] nm: **~ de terrain** landslide

glisser [glise] /1/ vi (avancer) to glide ou slide along; (coulisser, tomber) to slide; (déraper) to slip; (être glissant) to be slippery ▶ vt to slip; **se ~ dans/entre** to slip into/between

global, e, -aux [glɔbal, -o] adj overall

globe [glɔb] nm globe

globule [glɔbyl] nm (du sang): **~ blanc/rouge** white/red corpuscle

gloire [glwaʀ] nf glory

glousser [gluse] /1/ vi to cluck; (rire) to chuckle

glouton, ne [glutɔ̃, -ɔn] adj gluttonous

gluant, e [glyɑ̃, -ɑ̃t] adj sticky, gummy

glucose [glykoz] nm glucose

glycine [glisin] nf wisteria

GO sigle fpl (= grandes ondes) LW

goal [gol] nm goalkeeper

gobelet [gɔblɛ] nm (en métal) tumbler; (en plastique) beaker; (à dés) cup

goéland [gɔelɑ̃] nm (sea)gull

goélette [gɔelɛt] nf schooner

goinfre [gwɛ̃fʀ] nm glutton

golf [gɔlf] nm golf; (terrain) golf course; **~ miniature** crazy ou miniature golf

golfe [gɔlf] nm gulf; (petit) bay

gomme [gɔm] nf (à effacer) rubber (BRIT), eraser • **gommer** /1/ vt to rub out (BRIT), erase

gonflé, e [gɔ̃fle] adj swollen; **il est ~** (fam: courageux) he's got some nerve; (: impertinent) he's got a nerve

gonfler [gɔ̃fle] /1/ vt (pneu, ballon) to inflate, blow up; (nombre, importance) to inflate ▶ vi to swell (up); (Culin: pâte) to rise

gonzesse [gɔ̃zɛs] nf (fam) chick, bird (BRIT)

googler [gugle] /1/ vt to google

gorge [gɔʀʒ] nf (Anat) throat; (Géo) gorge

gorgé, e [gɔʀʒe] adj: **~ de** filled with ▶ nf (petite) sip; (grande) gulp

gorille [gɔʀij] nm gorilla; (fam) bodyguard

gosse [gɔs] nm/f kid

goudron [gudʀɔ̃] nm tar • **goudronner** /1/ vt to tar(mac) (BRIT), asphalt (US)

gouffre [gufʀ] nm abyss, gulf

goulot [gulo] nm neck; **boire au ~** to drink from the bottle

goulu, e [guly] adj greedy

gourde [guʀd] nf (récipient) flask; (fam) (clumsy) clot ou oaf ▶ adj oafish

gourdin [guʀdɛ̃] nm club, bludgeon

gourmand, e [guʀmɑ̃, -ɑ̃d] adj greedy • **gourmandise** nf greed; (bonbon) sweet

gousse [gus] nf: **~ d'ail** clove of garlic

goût [gu] nm taste; **de bon ~** tasteful; **de mauvais ~** tasteless; **avoir bon/mauvais ~** to taste nice/nasty; **prendre ~ à** to develop a taste ou a liking for

goûter [gute] /1/ vt (essayer) to taste; (apprécier) to enjoy ▶ vi to have (afternoon) tea ▶ nm (afternoon) tea; **je peux ~?** can I have a taste?

goutte [gut] nf drop; (Méd) gout; (alcool) nip (BRIT), drop (US); **tomber ~ à ~** to drip • **goutte-à-goutte** nm inv (Méd) drip

gouttière [gutjɛʀ] nf gutter

gouvernail [guvɛʀnaj] nm rudder; (barre) helm, tiller

gouvernement [guvɛʀnəmɑ̃] nm government

gouverner [guvɛʀne] /1/ vt to govern

GPA sigle f (= gestation pour autrui) gestational surrogacy

grâce [gʀɑs] nf (charme, Rel) grace; (faveur) favour; (Jur) pardon; **faire ~ à qn de qch** to spare sb sth; **demander ~** to beg for mercy; **~ à** thanks to • **gracieux, -euse** adj graceful

grade [gʀad] nm rank; **monter en ~** to be promoted

gradin [gʀadɛ̃] nm tier; (de stade) step; **gradins** nmpl (de stade) terracing no pl

gradué, e [gʀadɥe] adj: **verre ~** measuring jug

graduel, le [gʀadɥɛl] adj gradual

graduer [gʀadɥe] /1/ vt (effort etc) to increase gradually; (règle, verre) to graduate

graffiti [gʀafiti] nm graffiti

grain [grɛ̃] *nm* (*gén*) grain; (*Navig*) squall; **~ de beauté** beauty spot; **~ de café** coffee bean; **~ de poivre** peppercorn

graine [grɛn] *nf* seed

graissage [grɛsaʒ] *nm* lubrication, greasing

graisse [grɛs] *nf* fat; (*lubrifiant*) grease • **graisser** /1/ *vt* to lubricate, grease; (*tacher*) to make greasy • **graisseux, -euse** *adj* greasy

grammaire [gramɛr] *nf* grammar

gramme [gram] *nm* gramme

grand, e [grɑ̃, grɑ̃d] *adj* (*haut*) tall; (*gros, vaste, large*) big, large; (*long*) long; (*plus âgé*) big; (*adulte*) grown-up; (*important, brillant*) great ▶ *adv*: **~ ouvert** wide open; **au ~ air** in the open (air); **les ~s blessés/brûlés** the severely injured/burned; **~ ensemble** housing scheme; **~ magasin** department store; **~e personne** grown-up; **~e surface** hypermarket; **~es écoles** prestige university-level colleges with competitive entrance examinations; **~es lignes** (*Rail*) main lines; **~es vacances** summer holidays (*BRIT*) *ou* vacation (*US*) • **grand-chose** *nm/f inv*: **pas grand-chose** not much • **Grande-Bretagne** *nf*: **la Grande-Bretagne** (Great) Britain • **grandeur** *nf* (*dimension*) size; **grandeur nature** life-size • **grandiose** *adj* imposing • **grandir** /2/ *vi* to grow; grow ▶ *vt*: **grandir qn** (*vêtement, chaussure*) to make sb look taller • **grand-mère** *nf* grandmother • **grand-peine: à grand-peine** *adv* with (great) difficulty • **grand-père** *nm* grandfather

• **grands-parents** *nmpl* grandparents

grange [grɑ̃ʒ] *nf* barn

granit [granit] *nm* granite

graphique [grafik] *adj* graphic ▶ *nm* graph

grappe [grap] *nf* cluster; **~ de raisin** bunch of grapes

gras, se [grɑ, grɑs] *adj* (*viande, soupe*) fatty; (*personne*) fat; (*surface, main, cheveux*) greasy; (*plaisanterie*) coarse; (*Typo*) bold ▶ *nm* (*Culin*) fat; **faire la ~se matinée** to have a lie-in (*BRIT*), sleep late • **grassement** *adv*: **grassement payé** handsomely paid

gratifiant, e [gratifjɑ̃, -ɑ̃t] *adj* gratifying, rewarding

gratin [gratɛ̃] *nm* (*Culin*) cheese- (*ou* crumb-)topped dish; (*: croûte*) topping; **tout le ~ parisien** all the best people of Paris • **gratiné, e** *adj* (*Culin*) au gratin

gratis [gratis] *adv* free

gratitude [gratityd] *nf* gratitude

gratte-ciel [gratsjɛl] *nm inv* skyscraper

gratter [grate] /1/ *vt* (*frotter*) to scrape; (*avec un ongle*) to scratch; (*enlever: avec un outil*) to scrape off; (*: avec un ongle*) to scratch off ▶ *vi* (*irriter*) to be scratchy; (*démanger*) to itch; **se gratter** *vi* to scratch o.s.

gratuit, e [gratɥi, -ɥit] *adj* (*entrée*) free; (*fig*) gratuitous

grave [grav] *adj* (*maladie, accident*) serious, bad; (*sujet, problème*) serious, grave; (*personne, air*) grave, solemn; (*voix, son*) deep, low-pitched • **gravement** *adv* seriously; (*parler, regarder*) gravely

graver [grave] /1/ *vt* (*plaque, nom*) to engrave; (*CD, DVD*) to burn

graveur [gʀavœʀ] nm engraver; **~ de CD/DVD** CD/DVD burner or writer

gravier [gʀavje] nm (loose) gravel no pl • **gravillons** nmpl gravel sg

gravir [gʀaviʀ] /2/ vt to climb (up)

gravité [gʀavite] nf (de maladie, d'accident) seriousness; (de sujet, problème) gravity

graviter [gʀavite] /1/ vi to revolve

gravure [gʀavyʀ] nf engraving; (reproduction) print

gré [gʀe] nm: **à son ~** to his liking; **contre le ~ de qn** against sb's will; **de son (plein) ~** of one's own free will; **de ~ ou de force** whether one likes it or not; **de bon ~** willingly; **bon ~ mal ~** like it or not; **savoir (bien) ~ à qn de qch** to be (most) grateful to sb for sth

grec, grecque [gʀɛk] adj Greek; (classique: vase etc) Grecian ▶ nm (Ling) Greek ▶ nm/f: **Grec, Grecque** Greek

Grèce [gʀɛs] nf: **la ~** Greece

greffe [gʀɛf] nf (Bot, Méd: de tissu) graft; (Méd: d'organe) transplant • **greffer** /1/ vt (Bot, Méd: tissu) to graft; (Méd: organe) to transplant

grêle [gʀɛl] adj (very) thin ▶ nf hail • **grêler** /1/ vb impers: **il grêle** it's hailing • **grêlon** nm hailstone

grelot [gʀəlo] nm little bell

grelotter [gʀəlɔte] /1/ vi to shiver

grenade [gʀənad] nf (explosive) grenade; (Bot) pomegranate • **grenadine** nf grenadine

grenier [gʀənje] nm attic; (de ferme) loft

grenouille [gʀənuj] nf frog

grès [gʀɛ] nm sandstone; (poterie) stoneware

grève [gʀɛv] nf (d'ouvriers) strike; (plage) shore; **se mettre en/faire ~** to go on/be on strike; **~ de la faim** hunger strike; **~ sauvage** wildcat strike

gréviste [gʀevist] nm/f striker

grièvement [gʀijɛvmɑ̃] adv seriously

griffe [gʀif] nf claw; (d'un couturier, parfumeur) label • **griffer** /1/ vt to scratch

grignoter [gʀiɲɔte] /1/ vt (personne) to nibble at; (souris) to gnaw at ▶ vi to nibble

gril [gʀil] nm steak ou grill pan • **grillade** nf grill

grillage [gʀijaʒ] nm (treillis) wire netting; (clôture) wire fencing

grille [gʀij] nf (portail) (metal) gate; (clôture) railings pl; (d'égout) (metal) grate; grid

grille-pain [gʀijpɛ̃] nm inv toaster

griller [gʀije] /1/ vt (aussi: **faire ~**) (pain) to toast; (viande) to grill; (châtaignes) to roast; (fig: ampoule etc) to burn out; **~ un feu rouge** to jump the lights

grillon [gʀijɔ̃] nm cricket

grimace [gʀimas] nf grimace; (pour faire rire): **faire des ~s** to pull ou make faces

grimper [gʀɛ̃pe] /1/ vi, vt to climb

grincer [gʀɛ̃se] /3/ vi (porte, roue) to grate; (plancher) to creak; **~ des dents** to grind one's teeth

grincheux, -euse [gʀɛ̃ʃø, -øz] adj grumpy

grippe [gʀip] nf flu, influenza; **~ A** swine flu; **~ aviaire** bird flu • **grippé, e** adj: **être grippé** to have (the) flu

gris, e [gʀi, gʀiz] *adj* grey; (*ivre*) tipsy

grisaille [gʀizaj] *nf* greyness, dullness

griser [gʀize] /1/ *vt* to intoxicate

grive [gʀiv] *nf* thrush

Groenland [gʀɔɛnlɑ̃d] *nm:* **le ~** Greenland

grogner [gʀɔɲe] /1/ *vi* to growl; (*fig*) to grumble • **grognon, ne** *adj* grumpy

grommeler [gʀɔmle] /4/ *vi* to mutter to o.s.

gronder [gʀɔ̃de] /1/ *vi* to rumble; (*fig: révolte*) to be brewing ▶ *vt* to scold; **se faire ~** to get a telling-off

gros, se [gʀo, gʀos] *adj* big, large; (*obèse*) fat; (*travaux, dégâts*) extensive; (*large*) thick; (*rhume, averse*) heavy ▶ *adv*: **risquer/ gagner ~** to risk/win a lot ▶ *nm/f* fat man/woman ▶ *nm* (*Comm*): **le ~** the wholesale business; **prix de ~** wholesale price; **par ~ temps/~se mer** in rough weather/heavy seas; **le ~ de** the bulk of; **en ~** roughly; (*Comm*) wholesale; **~ lot** jackpot; **~ mot** swearword; **~ plan** (*Photo*) close-up; **~ sel** cooking salt; **~ titre** headline; **~se caisse** big drum

groseille [gʀozɛj] *nf:* **~ (rouge)/ (blanche)** red/white currant; **~ à maquereau** gooseberry

grosse [gʀos] *adj f voir* **gros**
• **grossesse** *nf* pregnancy
• **grosseur** *nf* size; (*tumeur*) lump

grossier, -ière [gʀosje, -jɛʀ] *adj* coarse; (*insolent*) rude; (*dessin*) rough; (*travail*) roughly done; (*imitation, instrument*) crude; (*évident: erreur*) gross
• **grossièrement** *adv* (*vulgairement*)

coarsely; (*sommairement*) roughly, crudely; (*en gros*) roughly
• **grossièreté** *nf* rudeness; (*mot*): **dire des grossièretés** to use coarse language

grossir [gʀosiʀ] /2/ *vi* (*personne*) to put on weight ▶ *vt* (*exagérer*) to exaggerate; (*au microscope*) to magnify; (*vêtement*): **~ qn** to make sb look fatter

grossiste [gʀosist] *nm/f* wholesaler

grotesque [gʀotɛsk] *adj* (*extravagant*) grotesque; (*ridicule*) ludicrous

grotte [gʀot] *nf* cave

groupe [gʀup] *nm* group; **~ de parole** support group; **~ sanguin** blood group; **~ scolaire** school complex • **grouper** /1/ *vt* to group; **se grouper** *vi* to get together

grue [gʀy] *nf* crane

GSM [ʒeɛsɛm] *nm, adj* GSM

guenon [gənɔ̃] *nf* female monkey

guépard [gepaʀ] *nm* cheetah

guêpe [gɛp] *nf* wasp

guère [gɛʀ] *adv* (*avec adjectif, adverbe*): **ne ... ~** hardly; (*avec verbe: pas beaucoup*): **ne ... ~** (*tournure négative*) much; (*pas souvent*) hardly ever; (*tournure négative*) (very) long; **il n'y a ~ que/de** there's hardly anybody (*ou* anything) but/hardly any; **ce n'est ~ difficile** it's hardly difficult; **nous n'avons ~ de temps** we have hardly any time

guérilla [geʀija] *nf* guerrilla warfare

guérillero [geʀijeʀo] *nm* guerrilla

guérir [geʀiʀ] /2/ *vt* (*personne, maladie*) to cure; (*membre, plaie*) to heal ▶ *vi* (*personne, malade*) to recover, be cured; (*maladie*) to be cured; (*plaie, chagrin, blessure*) to heal • **guérison** *nf* (*de maladie*) curing; (*de membre, plaie*) healing, (*de malade*) recovery • **guérisseur, -euse** *nm/f* healer

guerre [gɛʀ] *nf* war; **en ~** at war; **faire la ~ à** to wage war against; **~ civile/mondiale** civil/world war • **guerrier, -ière** *adj* warlike ▸ *nm/f* warrior

guet [ɡɛ] *nm*: **faire le ~** to be on the watch *ou* look-out • **guet-apens** [ɡɛtapɑ̃] *nm* ambush • **guetter** /1/ *vt* (*épier*) to watch (intently); (*attendre*) to watch (out) for; (*: pour surprendre*) to be lying in wait for

gueule [ɡœl] *nf* (*d'animal*) mouth; (*fam: visage*) mug; (*: bouche*) gob (!), mouth; **ta ~!** (*fam*) shut up!; **avoir la ~ de bois** (*fam*) to have a hangover, be hung over • **gueuler** /1/ *vi* to bawl

gui [ɡi] *nm* mistletoe

guichet [ɡiʃɛ] *nm* (*de bureau, banque*) counter; **les ~s** (*à la gare, au théâtre*) the ticket office

guide [ɡid] *nm* (*personne*) guide; (*livre*) guide(book) ▸ *nf* (*fille scout*) (girl) guide • **guider** /1/ *vt* to guide

guidon [ɡidɔ̃] *nm* handlebars *pl*

guignol [ɡiɲɔl] *nm* ≈ Punch and Judy show; (*fig*) clown

guillemets [ɡijmɛ] *nmpl*: **entre ~** in inverted commas *ou* quotation marks

guindé, e [ɡɛ̃de] *adj* (*personne, air*) stiff, starchy; (*style*) stilted

Guinée [ɡine] *nf*: **la (République de) ~** (the Republic of) Guinea

guirlande [ɡiʀlɑ̃d] *nf* (*fleurs*) garland; **~ de Noël** tinsel *no pl*

guise [ɡiz] *nf*: **à votre ~** as you wish *ou* please; **en ~ de** by way of

guitare [ɡitaʀ] *nf* guitar

Guyane [ɡɥijan] *nf*: **la ~ (française)** (French) Guiana

gym [ʒim] *nf* (*exercices*) gym
• **gymnase** *nm* gym(nasium)
• **gymnaste** *nm/f* gymnast
• **gymnastique** *nf* gymnastics *sg*; (*au réveil etc*) keep-fit exercises *pl*

gynécologie [ʒinekɔlɔʒi] *nf* gynaecology • **gynécologique** *adj* gynaecological
• **gynécologue** *nm/f* gynaecologist

h

habile [abil] *adj* skilful; (*malin*) clever • **habileté** [abilte] *nf* skill, skilfulness; cleverness

habillé, e [abije] *adj* dressed; (*chic*) dressy

habiller [abije] /1/ *vt* to dress; (*fournir en vêtements*) to clothe; (*couvrir*) to cover; **s'habiller** *vi* to dress (o.s.); (*se déguiser, mettre des vêtements chic*) to dress up

habit [abi] *nm* outfit; **habits** *nmpl* (*vêtements*) clothes; **~ (de soirée)** evening dress; (*pour homme*) tails *pl*

habitant, e [abitã, -ãt] *nm/f* inhabitant; (*d'une maison*) occupant; **loger chez l'~** to stay with the locals

habitation [abitasjɔ̃] *nf* house; **~ à loyer modéré (HLM)** ≈ council flats

habiter [abite] /1/ *vt* to live in ▶ *vi*: **~ à/dans** to live in *ou* at/in

habitude [abityd] *nf* habit; **avoir l'~ de faire** to be in the habit of doing; (*expérience*) to be used to doing; **avoir l'~ des enfants** to be used to children; **d'~** usually; **comme d'~** as usual

habitué, e [abitɥe] *nm/f* (*de maison*) regular visitor; (*client*) regular (customer)

habituel, le [abitɥel] *adj* usual

habituer [abitɥe] /1/ *vt*: **~ qn à** to get sb used to; **s'habituer à** to get used to

'hache [aʃ] *nf* axe

'hacher ['aʃe] /1/ *vt* (*viande*) to mince; (*persil*) to chop • **'hachis** *nm* mince *no pl*; **hachis Parmentier** ≈ shepherd's pie

'haie ['ɛ] *nf* hedge; (*Sport*) hurdle

'haillons ['ajɔ̃] *nmpl* rags

'haine ['ɛn] *nf* hatred

'haïr ['aiʀ] /10/ *vt* to detest, hate

'hâlé, e ['ale] *adj* (sun)tanned, sunburnt

haleine [alɛn] *nf* breath; **hors d'~** out of breath; **tenir en ~** (*attention*) to hold spellbound; (*en attente*) to keep in suspense; **de longue ~** long-term

'haleter ['alte] /5/ *vi* to pant

'hall ['ol] *nm* hall

'halle ['al] *nf* (covered) market • **'halles** *nfpl* (*d'une grande ville*) central food market *sg*

hallucination [alysinasjɔ̃] *nf* hallucination

'halte ['alt] *nf* stop, break; (*escale*) stopping place ▶ *excl* stop!; **faire ~** to stop

haltère [altɛʀ] *nm* dumbbell, barbell; **(poids et) ~s** (*activité*) weightlifting *sg* • **haltérophilie** *nf* weightlifting

'hamac ['amak] *nm* hammock

'hamburger ['ãbuʀgœʀ] *nm* hamburger

'hameau, x ['amo] *nm* hamlet

hameçon [amsɔ̃] *nm* (fish) hook

hameçonnage

hameçonnage [amsɔnaʒ] *nm* (Internet) phishing

hamster ['amstɛʀ] *nm* hamster

hanche ['ɑ̃ʃ] *nf* hip

hand-ball ['ɑ̃dbal] *nm* handball

handicapé, e [ɑ̃dikape] *adj* disabled ▶ *nm/f* person with a disability; **~ mental/physique** person with learning difficulties/ a disability; **~ moteur** person with a motor disability

hangar ['ɑ̃gaʀ] *nm* shed; (Aviat) hangar

hanneton ['antɔ̃] *nm* cockchafer

hanter ['ɑ̃te] /1/ *vt* to haunt

hantise ['ɑ̃tiz] *nf* obsessive fear

harceler ['aʀsəle] /5/ *vt* to harass; **~ qn de questions** to plague sb with questions

hardi, e ['aʀdi] *adj* bold, daring

hareng ['aʀɑ̃] *nm* herring; **~ saur** kipper, smoked herring

hargne ['aʀɲ] *nf* aggressivity, aggressiveness • **hargneux, -euse** *adj* aggressive

haricot ['aʀiko] *nm* bean; **~ blanc/rouge** haricot/kidney bean; **~ vert** French (BRIT) ou green bean

harmonica [aʀmɔnika] *nm* mouth organ

harmonie [aʀmɔni] *nf* harmony • **harmonieux, -euse** *adj* harmonious; (couleurs, couple) well-matched

harpe ['aʀp] *nf* harp

hasard ['azaʀ] *nm*: **le ~** chance, fate; **un ~** a coincidence; **au ~** (sans but) aimlessly; (à l'aveuglette) at random; **par ~** by chance; **à tout ~** (en espérant trouver ce qu'on cherche) on the off chance; (en cas de besoin) just in case

hâte ['ɑt] *nf* haste; **à la ~** hurriedly, hastily; **en ~** posthaste, with all possible speed; **avoir ~ de** to be eager ou anxious to • **hâter** /1/ *vt* to hasten; **se • hâter** to hurry • **hâtif, -ive** *adj* (travail) hurried; (décision) hasty

hausse ['os] *nf* rise, increase; **être en ~** to be going up • **hausser** /1/ *vt* to raise; **hausser les épaules** to shrug (one's shoulders)

haut, e ['o, 'ot] *adj* high; (grand) tall ▶ *adv* high ▶ *nm* top (part); **de 3 m de ~** = 3 m high, 3 m in height; **en ~ lieu** in high places; **à ~e voix, (tout) ~** aloud, out loud; **des ~s et des bas** ups and downs; **du ~ de** from the top of; **de ~ en bas** from top to bottom; **plus ~** higher up, further up; (dans un texte) above; (parler) louder; **en ~** (être/aller) at (ou to) the top; (dans une maison) upstairs; **en ~ de** at the top of; **~ débit** broadband

hautain, e ['otɛ̃, -ɛn] *adj* haughty

hautbois ['obwa] *nm* oboe

hauteur ['otœʀ] *nf* height; **à ~ de** (sur la même ligne) level with; (fig: tâche, situation) equal to; **à la ~** (fig) up to it

haut-parleur ['opaʀlœʀ] *nm* (loud)speaker

Hawaï [awai] *n* Hawaii; **les îles ~** the Hawaiian Islands

Haye ['ɛ] *n*: **la ~** the Hague

hebdomadaire [ɛbdɔmadɛʀ] *adj, nm* weekly

hébergement [ebɛʀʒəmɑ̃] *nm* accommodation

héberger [ebɛʀʒe] /3/ *vt* (touristes) to accommodate,

heurt

lodge; (amis) to put up; (réfugiés) to take in
hébergeur [ebɛRʒœR] nm (Internet) host
hébreu, x [ebRø] adj m, nm Hebrew
Hébrides [ebRid] nf: **les ~** the Hebrides
hectare [ɛktaR] nm hectare
hein ['ɛ̃] excl eh?
'hélas ['elɑs] excl alas! ▶ adv unfortunately
'héler ['ele] /6/ vt to hail
hélice [elis] nf propeller
hélicoptère [elikɔptɛR] nm helicopter
helvétique [ɛlvetik] adj Swiss
hématome [ematom] nm haematoma
hémisphère [emisfɛR] nm: **~ nord/sud** northern/southern hemisphere
hémorragie [emɔRaʒi] nf bleeding no pl, haemorrhage
hémorroïdes [emɔRɔid] nfpl piles, haemorrhoids
'hennir ['eniR] /2/ vi to neigh, whinny
hépatite [epatit] nf hepatitis
herbe [ɛRb] nf grass; (Culin, Méd) herb; **~s de Provence** mixed herbs; **en ~** unripe; (fig) budding
• **herbicide** nm weed-killer
• **herboriste** nm/f herbalist
héréditaire [eReditɛR] adj hereditary
'hérisson ['eRisɔ̃] nm hedgehog
héritage [eRitaʒ] nm inheritance; (coutumes, système) heritage; legacy
hériter [eRite] /1/ vi: **~ de qch (de qn)** to inherit sth (from sb)
• **héritier, -ière** nm/f heir/heiress

hermétique [ɛRmetik] adj airtight; (à l'eau) watertight; (fig: écrivain, style) abstruse; (: visage) impenetrable
hermine [ɛRmin] nf ermine
'hernie ['ɛRni] nf hernia
héroïne [eRɔin] nf heroine; (drogue) heroin
héroïque [eRɔik] adj heroic
'héron ['eRɔ̃] nm heron
'héros ['eRo] nm hero
hésitant, e [ezitɑ̃, -ɑ̃t] adj hesitant
hésitation [ezitasjɔ̃] nf hesitation
hésiter [ezite] /1/ vi: **~ (à faire)** to hesitate (to do)
hétérosexuel, le [eteRɔsɛkɥɛl] adj heterosexual
'hêtre ['ɛtR] nm beech
heure [œR] nf hour; (Scol) period; (moment, moment fixé) time; **c'est l'~** it's time; **quelle ~ est-il?** what time is it?; **2 ~s (du matin)** 2 o'clock (in the morning); **être à l'~** to be on time; (montre) to be right; **mettre à l'~** to set right; **à toute ~** at any time; **24 ~s sur 24** round the clock, 24 hours a day; **à l'~ qu'il est** at this time (of day); (fig) now; **à l'~ actuelle** at the present time; **sur l'~** at once; **à une ~ avancée (de la nuit)** at a late hour (of the night); **de bonne ~** early; **~ de pointe** rush hour; (téléphone) peak period; **~s de bureau** office hours; **~s supplémentaires** overtime sg
heureusement [œRøzmɑ̃] adv (par bonheur) fortunately, luckily
heureux, -euse [œRø, -øz] adj happy; (chanceux) lucky, fortunate
'heurt ['œR] nm (choc) collision

h

heurter ['œʀte] /1/ vt (mur) to strike, hit; (personne) to collide with

hexagone [ɛgzagɔn] nm hexagon; **l'H~** (la France) France (because of its roughly hexagonal shape)

hiberner [ibɛʀne] /1/ vi to hibernate

hibou, x ['ibu] nm owl

hideux, -euse ['idø, -øz] adj hideous

hier [jɛʀ] adv yesterday; **~ matin/soir/midi** yesterday morning/evening/lunchtime; **toute la journée d'~** all day yesterday; **toute la matinée d'~** all yesterday morning

hiérarchie ['jeʀaʀʃi] nf hierarchy

hindou, e [ɛ̃du] adj Hindu ▶ nm/f: **H~, e** Hindu; (Indien) Indian

hippique [ipik] adj equestrian, horse cpd; **un club ~** a riding centre; **un concours ~** a horse show; **hippisme** [ipism] nm (horse-)riding

hippodrome [ipɔdʀom] nm racecourse

hippopotame [ipɔpɔtam] nm hippopotamus

hirondelle [iʀɔ̃dɛl] nf swallow

hisser ['ise] /1/ vt to hoist, haul up

histoire [istwaʀ] nf (science, événements) history; (anecdote, récit, mensonge) story; (affaire) business no pl; (chichis: gén pl) fuss no pl; **histoires** nfpl (ennuis) trouble sg; **~ géo** humanities pl • **historique** adj historical; (important) historic ▶ nm: **faire l'historique de** to give the background to

hit-parade ['itpaʀad] nm: **le ~** the charts

hiver [ivɛʀ] nm winter • **hivernal, e, -aux** adj winter cpd; (comme en hiver) wintry • **hiverner** /1/ vi to winter

HLM sigle m ou f (= habitations à loyer modéré) low-rent, state-owned housing; **un(e) ~** = a council flat (ou house)

hobby ['ɔbi] nm hobby

hocher ['ɔʃe] /1/ vt: **~ la tête** to nod; (signe négatif ou dubitatif) to shake one's head

hockey ['ɔkɛ] nm: **~ (sur glace/gazon)** (ice/field) hockey

hold-up ['ɔldœp] nm inv hold-up

hollandais, e ['ɔlɑ̃dɛ, -ɛz] adj Dutch ▶ nm (Ling) Dutch ▶ nm/f: **H~, e** Dutchman/woman

Hollande ['ɔlɑ̃d] nf: **la ~** Holland

homard ['ɔmaʀ] nm lobster

homéopathique [ɔmeɔpatik] adj homoeopathic

homicide [ɔmisid] nm murder; **~ involontaire** manslaughter

hommage [ɔmaʒ] nm tribute; **rendre ~ à** to pay tribute to

homme [ɔm] nm man; **~ d'affaires** businessman; **~ d'État** statesman; **~ de main** hired man; **~ de paille** stooge; **~ politique** politician; **l'~ de la rue** the man in the street

homogène adj homogeneous

homologue nm/f counterpart

homologué, e adj (Sport) ratified; (tarif) authorized

homonyme nm (Ling) homonym; (d'une personne) namesake

homoparental, e, -aux [ɔmopaʀɑ̃tal, o] adj (famille) same-sex

homosexuel, le adj homosexual

hôtel

'Hong-Kong ['ɔ̃gkɔ̃g] *n* Hong Kong

'Hongrie ['ɔ̃gʀi] *nf*: **la ~** Hungary • **'hongrois, e** *adj* Hungarian ▶ *nm* (*Ling*) Hungarian ▶ *nm/f*: **Hongrois, e** Hungarian

honnête [ɔnɛt] *adj* (*intègre*) honest; (*juste, satisfaisant*) fair • **honnêtement** *adv* honestly • **honnêteté** *nf* honesty

honneur [ɔnœʀ] *nm* honour; (*mérite*): **l'~ lui revient** the credit is his; **en l'~ de** (*personne*) in honour of; (*événement*) on the occasion of; **faire ~ à** (*engagements*) to honour; (*famille, professeur*) to be a credit to; (*fig: repas etc*) to do justice to

honorable [ɔnɔʀabl] *adj* worthy, honourable; (*suffisant*) decent

honoraire [ɔnɔʀɛʀ] *adj* honorary; **honoraires** *nmpl* fees; **professeur ~** professor emeritus

honorer [ɔnɔʀe] /1/ *vt* to honour; (*estimer*) to hold in high regard; (*faire honneur à*) to be a credit to

honte ['ɔ̃t] *nf* shame; **avoir ~ de** to be ashamed of; **faire ~ à qn** to make sb (feel) ashamed • **honteux, -euse** *adj* ashamed; (*conduite, acte*) shameful, disgraceful

hôpital, -aux [ɔpital, -o] *nm* hospital; **où est l'~ le plus proche?** where is the nearest hospital?

'hoquet ['ɔkɛ] *nm*: **avoir le ~** to have (the) hiccups

horaire [ɔʀɛʀ] *adj* hourly ▶ *nm* timetable, schedule; **horaires** *nmpl* (*heures de travail*) hours; **~ flexible** *ou* **mobile** *ou* **à la carte** *ou* **souple** flex(i)time

horizon [ɔʀizɔ̃] *nm* horizon

horizontal, e, -aux *adj* horizontal

horloge [ɔʀlɔʒ] *nf* clock; **l'~ parlante** the speaking clock • **horloger, -ère** *nm/f* watchmaker; clockmaker

'hormis ['ɔʀmi] *prép* save

horoscope [ɔʀɔskɔp] *nm* horoscope

horreur [ɔʀœʀ] *nf* horror; **quelle ~!** how awful!; **avoir ~ de** to loathe *ou* detest • **horrible** *adj* horrible • **horrifier** /7/ *vt* to horrify

'hors ['ɔʀ] *prép*: **~ de** out of; **~ pair** outstanding; **~ de propos** inopportune; **~ service (HS)**, **~ d'usage** out of service; **être ~ de soi** to be beside o.s. • **'hors-bord** *nm inv* speedboat (with outboard motor) • **'hors-d'œuvre** *nm inv* hors d'œuvre • **'hors-la-loi** *nm inv* outlaw • **'hors-taxe** *adj* duty-free

hortensia [ɔʀtɑ̃sja] *nm* hydrangea

hospice [ɔspis] *nm* (*de vieillards*) home

hospitalier, -ière [ɔspitalje, -jɛʀ] *adj* (*accueillant*) hospitable; (*Méd: service, centre*) hospital *cpd*

hospitaliser [ɔspitalize] /1/ *vt* to take (*ou* send) to hospital, hospitalize

hospitalité [ɔspitalite] *nf* hospitality

hostie [ɔsti] *nf* host

hostile [ɔstil] *adj* hostile • **hostilité** *nf* hostility

hôte [ot] *nm* (*maître de maison*) host ▶ *nm/f* (*invité*) guest

hôtel [otɛl] *nm* hotel; **aller à l'~** to stay in a hotel; **~ (particulier)** (private) mansion; **~ de ville**

town hall; *see note* **"hôtels"**;
• **hôtellerie** [otɛlʀi] *nf* hotel
business

There are five categories of
hôtel in France, from 1 star to 5
stars. Prices quoted include VAT
but not breakfast. In some towns,
guests pay a small additional
tourist tax, the *'taxe de séjour'*,
used to offset tourism-related
costs incurred by the town.

hôtesse [otɛs] *nf* hostess; **~ de
l'air** flight attendant
houblon [ublɔ̃] *nm (Bot)* hop;
(pour la bière) hops *pl*
houille ['uj] *nf* coal; **~ blanche**
hydroelectric power
houle ['ul] *nf* swell • **houleux,
-euse** *adj* stormy
hourra ['uʀa] *excl* hurrah!
housse ['us] *nf* cover
houx ['u] *nm* holly
hovercraft [ovœʀkʀaft] *nm*
hovercraft
hublot ['yblo] *nm* porthole
huche ['yʃ] *nf*: **huche à pain**
bread bin
huer ['ɥe] /1/ *vt* to boo
huile [ɥil] *nf* oil
huissier [ɥisje] *nm* usher; *(Jur)*
bailiff
huit ['ɥi(t)] *num* eight; **samedi
en ~** a week on Saturday; **dans
~ jours** in a week('s time)
• **huitaine** ['ɥitɛn] *nf*: **une
huitaine de jours** a week or so
• **huitième** *num* eighth
huître [ɥitʀ] *nf* oyster
humain, e [ymɛ̃, -ɛn] *adj* human;
(compatissant) humane ▶ *nm*
human (being) • **humanitaire** *adj*
humanitarian • **humanité** *nf*
humanity

humble [œ̃bl] *adj* humble
humer ['yme] /1/ *vt (parfum)* to
inhale; *(pour sentir)* to smell
humeur [ymœʀ] *nf* mood; **de
bonne/mauvaise ~** in a good/
bad mood
humide [ymid] *adj* damp; *(main,
yeux)* moist; *(climat, chaleur)*
humid; *(saison, route)* wet
humilier [ymilje] /7/ *vt* to
humiliate
humilité [ymilite] *nf* humility,
humbleness
humoristique [ymɔʀistik] *adj*
humorous
humour [ymuʀ] *nm* humour;
avoir de l'~ to have a sense of
humour; **~ noir** dark *ou* black
humour
huppé, e ['ype] *adj (fam)* posh
hurlement ['yʀləmɑ̃] *nm*
howling *no pl*, howl; yelling *no pl*,
yell
hurler ['yʀle] /1/ *vi* to howl, yell
hutte ['yt] *nf* hut
hydratant, e [idʀatɑ̃, -ɑ̃t] *adj
(crème)* moisturising
hydraulique [idʀolik] *adj*
hydraulic
hydravion [idʀavjɔ̃] *nm*
seaplane
hydrogène [idʀɔʒɛn] *nm*
hydrogen
hydroglisseur [idʀɔglisœʀ] *nm*
hydroplane
hyène [jɛn] *nf* hyena
hygiène [iʒjɛn] *nf* hygiene
hygiénique [iʒenik] *adj*
hygienic
hymne [imn] *nm* hymn
hyperlien [ipɛʀljɛ̃] *nm* hyperlink
hypermarché [ipɛʀmaʀʃe] *nm*
hypermarket

hypermétrope [ipɛʀmetʀɔp] *adj* long-sighted

hypertension [ipɛʀtɑ̃sjɔ̃] *nf* high blood pressure

hypertexte [ipɛʀtɛkst] *nm* hypertext

hypnose [ipnoz] *nf* hypnosis
• **hypnotiser** /1/ *vt* to hypnotize

hypocrisie [ipɔkʀizi] *nf* hypocrisy • **hypocrite** *adj* hypocritical

hypothèque [ipɔtɛk] *nf* mortgage

hypothèse [ipɔtɛz] *nf* hypothesis

hystérique [isteʀik] *adj* hysterical

iceberg [isbɛʀg] *nm* iceberg

ici [isi] *adv* here; **jusqu'~** as far as this; *(temporel)* until now; **d'~ là** by then; **d'~ demain** by tomorrow; in the meantime; **d'~ peu** before long

icône [ikon] *nf* icon

idéal, e, -aux [ideal, -o] *adj* ideal ▶ *nm* ideal • **idéaliste** *adj* idealistic ▶ *nm/f* idealist

idée [ide] *nf* idea; **se faire des ~s** to imagine things, get ideas into one's head; **avoir dans l'~ que** to have an idea that; **~s noires** black *ou* dark thoughts; **~s reçues** accepted ideas *ou* wisdom

identifier [idɑ̃tifje] /7/ *vt* to identify; **s'identifier** *vi*: **s'~ avec** *ou* **à qn/qch** *(héros etc)* to identify with sb/sth

identique [idɑ̃tik] *adj*: **~ (à)** identical (to)

identité [idɑ̃tite] *nf* identity

idiot, e [idjo, idjɔt] *adj* idiotic ▶ *nm/f* idiot

idole [idɔl] *nf* idol

if [if] *nm* yew

ignoble [iɲɔbl] *adj* vile

ignorant, e [iɲɔRɑ̃, -ɑ̃t] *adj* ignorant; ~ **de** ignorant of, not aware of

ignorer [iɲɔRe] /1/ *vt* not to know; (*personne*) to ignore

il [il] *pron* he; (*animal, chose, en tournure impersonnelle*) it; **il neige** it's snowing; **Pierre est-il arrivé?** has Pierre arrived?; **il a gagné** he won; *voir aussi* **avoir**

île [il] *nf* island; **l'~ Maurice** Mauritius; **les ~s anglo-normandes** the Channel Islands; **les ~s Britanniques** the British Isles

illégal, e, -aux [ilegal, -o] *adj* illegal

illettrisme [iletRism] *nm* illiteracy

illimité, e [ilimite] *adj* unlimited

illisible [ilizibl] *adj* illegible; (*roman*) unreadable

illogique [ilɔʒik] *adj* illogical

illuminer [ilymine] /1/ *vt* to light up; (*monument, rue: pour une fête*) to illuminate; (: *au moyen de projecteurs*) floodlight

illusion [ilyzjɔ̃] *nf* illusion; **se faire des ~s** to delude o.s.; **faire ~** to delude ou fool people

illustration [ilystRasjɔ̃] *nf* illustration

illustré, e [ilystRe] *adj* illustrated ▶ *nm* comic

illustrer [ilystRe] /1/ *vt* to illustrate; **s'illustrer** to become famous, win fame

ils [il] *pron* they

image [imaʒ] *nf* (*gén*) picture; (*comparaison, ressemblance*) image; ~ **de marque** brand image; (*d'une personne*) (public) image • **imagé, e** *adj* (*texte*) full of imagery; (*langage*) colourful

imaginaire [imaʒineR] *adj* imaginary

imagination [imaʒinasjɔ̃] *nf* imagination; **avoir de l'~** to be imaginative

imaginer [imaʒine] /1/ *vt* to imagine; (*inventer: expédient, mesure*) to devise, think up; **s'imaginer** *vt* (*se figurer: scène etc*) to imagine, picture; **s'~ que** to imagine that

imam [imam] *nm* imam

imbécile [ɛ̃besil] *adj* idiotic ▶ *nm/f* idiot

imbu, e [ɛ̃by] *adj*: ~ **de** full of

imitateur, -trice [imitatœR, -tRis] *nm/f* (*gén*) imitator; (*Music-Hall*) impersonator

imitation [imitasjɔ̃] *nf* imitation; (*de personalité*) impersonation

imiter [imite] /1/ *vt* to imitate; (*contrefaire*) to forge; (*ressembler à*) to look like

immangeable [ɛ̃mɑ̃ʒabl] *adj* inedible

immatriculation [imatRikylasjɔ̃] *nf* registration

French **plaques d'immatriculation** (licence plates) can bear the number of the 'département' the vehicle is registered in, if the owner of the vehicle so wishes. For example, a car registered in Paris can display the number 75 on its licence plate.

immatriculer [imatRikyle] /1/ *vt* to register; **faire/se faire ~** to register

immédiat, e [imedja, -at] *adj* immediate ▶ *nm*: **dans l'~** for the time being • **immédiatement** *adv* immediately

immense [imɑ̃s] *adj* immense

immerger [imɛʀʒe] /3/ *vt* to immerse, submerge

immeuble [imœbl] *nm* building; **~ locatif** block of rented flats

immigration [imigʀasjɔ̃] *nf* immigration

immigré, e [imigʀe] *nm/f* immigrant

imminent, e [iminɑ̃, -ɑ̃t] *adj* imminent

immobile [imɔbil] *adj* still, motionless

immobilier, -ière [imɔbilje, -jɛʀ] *adj* property *cpd* ▶ *nm*: **l'~** the property ou the real estate business

immobiliser [imɔbilize] /1/ *vt* (*gén*) to immobilize; (*circulation, véhicule, affaires*) to bring to a standstill; **s'immobiliser** *vi* (*personne*) to stand still; (*machine, véhicule*) to come to a halt ou a standstill

immoral, e, -aux [imɔʀal, -o] *adj* immoral

immortel, le [imɔʀtɛl] *adj* immortal

immunisé, e [im(m)ynize] *adj*: **~ contre** immune to

immunité [imynite] *nf* immunity

impact [ɛ̃pakt] *nm* impact • **impacter** /1/ *vi*: **impacter sur** (*résultats, situation*) to impact on, to have an impact on

impair, e [ɛ̃pɛʀ] *adj* odd ▶ *nm* faux pas, blunder

impardonnable [ɛ̃paʀdɔnabl] *adj* unpardonable, unforgivable

imparfait, e [ɛ̃paʀfɛ, -ɛt] *adj* imperfect

impartial, e, -aux [ɛ̃paʀsjal, -o] *adj* impartial, unbiased

impasse [ɛ̃pɑs] *nf* dead-end, cul-de-sac; (*fig*) deadlock

impassible [ɛ̃pasibl] *adj* impassive

impatience [ɛ̃pasjɑ̃s] *nf* impatience

impatient, e [ɛ̃pasjɑ̃, -ɑ̃t] *adj* impatient • **impatienter** /1/: **s'impatienter** *vi* to get impatient

impeccable [ɛ̃pekabl] *adj* faultless; (*propre*) spotlessly clean; (*fam*) smashing

impensable [ɛ̃pɑ̃sabl] *adj* (*événement hypothétique*) unthinkable; (*événement qui a eu lieu*) unbelievable

impératif, -ive [ɛ̃peʀatif, -iv] *adj* imperative ▶ *nm* (*Ling*) imperative; **impératifs** *nmpl* (*exigences: d'une fonction, d'une charge*) requirements; (: *de la mode*) demands

impératrice [ɛ̃peʀatʀis] *nf* empress

imperceptible [ɛ̃pɛʀsɛptibl] *adj* imperceptible

impérial, e, -aux [ɛ̃peʀjal, -o] *adj* imperial

impérieux, -euse [ɛ̃peʀjø, -øz] *adj* (*caractère, ton*) imperious; (*obligation, besoin*) pressing, urgent

impérissable [ɛ̃peʀisabl] *adj* undying

imperméable [ɛ̃pɛʀmeabl] *adj* waterproof; (*fig*): **~ à** impervious to ▶ *nm* raincoat

impertinent, e [ɛ̃pɛʀtinɑ̃, -ɑ̃t] *adj* impertinent

impitoyable [ɛ̃pitwajabl] *adj* pitiless, merciless

implanter [ɛ̃plɑ̃te] /1/: **s'implanter dans** *vt* to be established in

i

impliquer [ɛ̃plike] /1/ vt to imply; **~ qn (dans)** to implicate sb (in)

impoli, e [ɛ̃pɔli] adj impolite, rude

impopulaire [ɛ̃pɔpylɛʀ] adj unpopular

importance [ɛ̃pɔʀtɑ̃s] nf importance; (de somme) size; **sans ~** unimportant

important, e [ɛ̃pɔʀtɑ̃, -ɑ̃t] adj important; (en quantité: somme, retard) considerable, sizeable; (: gamme, dégâts) extensive; (péj: airs, ton) self-important ▸ nm: **l'~** the important thing

importateur, -trice [ɛ̃pɔʀtatœʀ, -tʀis] nm/f importer

importation [ɛ̃pɔʀtasjɔ̃] nf (produit) import

importer [ɛ̃pɔʀte] /1/ vt (Comm) to import; (maladies, plantes) to introduce ▸ vi (être important) to matter; **il importe qu'il fasse** it is important that he should do; **peu m'importe** (je n'ai pas de préférence) I don't mind; (je m'en moque) I don't care; **peu importe (que)** it doesn't matter (if); voir aussi **n'importe**

importun, e [ɛ̃pɔʀtœ̃, -yn] adj irksome, importunate; (arrivée, visite) inopportune, ill-timed ▸ nm intruder • **importuner** /1/ vt to bother

imposant, e [ɛ̃pozɑ̃, -ɑ̃t] adj imposing

imposer [ɛ̃poze] /1/ vt (taxer) to tax; **~ qch à qn** to impose sth on sb; **s'imposer** vi (être nécessaire) to be imperative; **en ~ à** to impress; **s'~ comme** to emerge as; **s'~ par** to win recognition through

impossible [ɛ̃pɔsibl] adj impossible; **il m'est ~ de le faire** it is impossible for me to do it, I can't possibly do it; **faire l'~ (pour que)** to do one's utmost (so that)

imposteur [ɛ̃pɔstœʀ] nm impostor

impôt [ɛ̃po] nm tax; **~ sur le chiffre d'affaires** corporation (BRIT) ou corporate (US) tax; **~ foncier** land tax; **~ sur le revenu** income tax; **~s locaux** rates, local taxes (US), ≈ council tax (BRIT)

impotent, e [ɛ̃pɔtɑ̃, -ɑ̃t] adj disabled

impraticable [ɛ̃pʀatikabl] adj (projet) impracticable, unworkable; (piste) impassable

imprécis, e [ɛ̃pʀesi, -iz] adj imprecise

imprégner [ɛ̃pʀeɲe] /6/ vt: **~ (de)** (tissu, tampon) to soak ou impregnate (with); (lieu, air) to fill (with); **s'imprégner de** (fig) to absorb

imprenable [ɛ̃pʀənabl] adj (forteresse) impregnable; **vue ~** unimpeded outlook

impression [ɛ̃pʀesjɔ̃] nf impression; (d'un ouvrage, tissu) printing; **faire bonne/ mauvaise ~** to make a good/bad impression • **impressionnant, e** adj (imposant) impressive; (bouleversant) upsetting • **impressionner** /1/ vt (frapper) to impress; (troubler) to upset

imprévisible [ɛ̃pʀeviʒibl] adj unforeseeable

imprévu, e [ɛ̃pʀevy] adj unforeseen, unexpected ▸ nm (incident) unexpected incident;

des vacances pleines d'~
holidays full of surprises; **en cas
d'~** if anything unexpected
happens; **sauf ~** unless anything
unexpected crops up

imprimante [ɛ̃pʀimɑ̃t] nf
printer; **~ à laser** laser printer

imprimé [ɛ̃pʀime] nm
(formulaire) printed form; (Postes)
printed matter no pl; (tissu)
printed fabric; **un ~ à fleurs/pois**
(tissu) a floral/polka-dot print

imprimer [ɛ̃pʀime] /1/ vt to
print; (publier) to publish
• **imprimerie** nf printing;
(établissement) printing works sg
• **imprimeur** nm printer

impropre [ɛ̃pʀɔpʀ] adj
inappropriate; **~ à** unsuitable for

improviser [ɛ̃pʀɔvize] /1/ vt, vi
to improvize

improviste [ɛ̃pʀɔvist]: **à l'~** adv
unexpectedly, without warning

imprudence [ɛ̃pʀydɑ̃s] nf (d'une
personne, d'une action) carelessness
no pl; (d'une remarque) imprudence
no pl; **commettre une ~** to do
something foolish

imprudent, e [ɛ̃pʀydɑ̃, -ɑ̃t] adj
(conducteur, geste, action) careless;
(remarque) unwise, imprudent;
(projet) foolhardy

impuissant, e [ɛ̃pɥisɑ̃, -ɑ̃t] adj
helpless; (sans effet) ineffectual;
(sexuellement) impotent

impulsif, -ive [ɛ̃pylsif, -iv] adj
impulsive

impulsion [ɛ̃pylsjɔ̃] nf (Élec,
instinct) impulse; (élan, influence)
impetus

inabordable [inabɔʀdabl] adj
(cher) prohibitive

inacceptable [inaksɛptabl] adj
unacceptable

inaccessible [inaksesibl] adj
inaccessible; **~ à** impervious to

inachevé, e [inaʃve] adj
unfinished

inactif, -ive [inaktif, -iv] adj
inactive; (remède) ineffective;
(Bourse: marché) slack

inadapté, e [inadapte] adj
(Psych) maladjusted; **~ à** not
adapted to, unsuited to

inadéquat, e [inadekwa, -wat]
adj inadequate

inadmissible [inadmisibl] adj
inadmissible

inadvertance [inadvɛʀtɑ̃s]:
par ~ adv inadvertently

inanimé, e [inanime] adj
(matière) inanimate; (évanoui)
unconscious; (sans vie) lifeless

inanition [inanisjɔ̃] nf: **tomber
d'~** to faint with hunger (and
exhaustion)

inaperçu, e [inapɛʀsy] adj:
passer ~ to go unnoticed

inapte [inapt] adj: **~ à** incapable
of; (Mil) unfit for

inattendu, e [inatɑ̃dy] adj
unexpected

inattentif, -ive [inatɑ̃tif, -iv]
adj inattentive; **~ à** (dangers,
détails) heedless of • **inattention**
nf inattention; **faute
d'inattention** careless mistake

inaugurer [inɔgyʀe] /1/ vt
(monument) to unveil; (exposition,
usine) to open; (fig) to inaugurate

inavouable [inavwabl] adj
(bénéfices) undisclosable; (honteux)
shameful

incalculable [ɛ̃kalkylabl] adj
incalculable

incapable [ɛ̃kapabl] adj
incapable; **~ de faire** incapable of
doing; (empêché) unable to do

incapacité [ɛ̃kapasite] *nf* (*incompétence*) incapability; (*impossibilité*) incapacity; **être dans l'~ de faire** to be unable to do

incarcérer [ɛ̃karsere] /6/ *vt* to incarcerate, imprison

incassable [ɛ̃kasabl] *adj* unbreakable

incendie [ɛ̃sɑ̃di] *nm* fire; **~ criminel** arson *no pl*; **~ de forêt** forest fire • **incendier** /7/ *vt* (*mettre le feu à*) to set fire to, set alight; (*brûler complètement*) to burn down

incertain, e [ɛ̃sɛrtɛ̃, -ɛn] *adj* uncertain; (*temps*) unsettled; (*imprécis: contours*) indistinct, blurred • **incertitude** *nf* uncertainty

incessamment [ɛ̃sesamɑ̃] *adv* very shortly

incident [ɛ̃sidɑ̃] *nm* incident; **~ de parcours** minor hitch *ou* setback; **~ technique** technical difficulties *pl*

incinérer [ɛ̃sinere] /6/ *vt* (*ordures*) to incinerate; (*mort*) to cremate

incisif, -ive [ɛ̃sizif, -iv] *adj* incisive ▶ *nf* incisor

incitatif, -ive [ɛ̃sitatif, -iv] *adj:* **mesures incitatives** incentives; **mesures fiscales incitatives** tax incentives

inciter [ɛ̃site] /1/ *vt:* **~ qn à (faire) qch** to prompt *ou* encourage sb to do sth; (*à la révolte etc*) to incite sb to do sth

incivilité [ɛ̃sivilite] *nf* (*grossièreté*) incivility; **incivilités** *nfpl* antisocial behaviour *sg*

inclinable [ɛ̃klinabl] *adj:* **siège à dossier ~** reclining seat

inclination [ɛ̃klinasjɔ̃] *nf* (*penchant*) inclination

incliner [ɛ̃kline] /1/ *vt* (*bouteille*) to tilt ▶ *vi:* **~ à qch/à faire** to incline towards sth/doing; **s'incliner** *vi* (*route*) to slope; **s'~ (devant)** to bow (before)

inclure [ɛ̃klyr] /35/ *vt* to include; (*joindre à un envoi*) to enclose

inclus, e [ɛ̃kly, -yz] *pp de* **inclure** ▶ *adj* included; (*joint à un envoi*) enclosed; (*compris: frais, dépense*) included; **jusqu'au 10 mars ~** until 10th March inclusive

incognito [ɛ̃kɔɲito] *adv* incognito ▶ *nm:* **garder l'~** to remain incognito

incohérent, e [ɛ̃kɔerɑ̃, -ɑ̃t] *adj* (*comportement*) inconsistent; (*geste, langage, texte*) incoherent

incollable [ɛ̃kɔlabl] *adj* (*riz*) that does not stick; (*fam*) **il est ~** he's got all the answers

incolore [ɛ̃kɔlɔr] *adj* colourless

incommoder [ɛ̃kɔmɔde] /1/ *vt:* **~ qn** (*chaleur, odeur*) to bother *ou* inconvenience sb

incomparable [ɛ̃kɔ̃parabl] *adj* incomparable

incompatible [ɛ̃kɔ̃patibl] *adj* incompatible

incompétent, e [ɛ̃kɔ̃petɑ̃, -ɑ̃t] *adj* incompetent

incomplet, -ète [ɛ̃kɔ̃plɛ, -ɛt] *adj* incomplete

incompréhensible [ɛ̃kɔ̃preɑ̃sibl] *adj* incomprehensible

incompris, e [ɛ̃kɔ̃pri, -iz] *adj* misunderstood

inconcevable [ɛ̃kɔ̃svabl] *adj* inconceivable

inconfortable [ɛ̃kɔ̃fɔrtabl] *adj* uncomfortable

incongru, e [ɛ̃kɔ̃gʀy] *adj* unseemly

inconnu, e [ɛ̃kɔny] *adj* unknown ▶ *nm/f* stranger ▶ *nm*: **l'~** the unknown ▶ *nf* unknown factor

inconsciemment [ɛ̃kɔ̃sjamɑ̃] *adv* unconsciously

inconscient, e [ɛ̃kɔ̃sjɑ̃, -ɑ̃t] *adj* unconscious; (*irréfléchi*) thoughtless, reckless; (*sentiment*) subconscious ▶ *nm* (Psych): **l'~** the unconscious; **~ de** unaware of

inconsidéré, e [ɛ̃kɔ̃sideʀe] *adj* ill-considered

inconsistant, e [ɛ̃kɔ̃sistɑ̃, -ɑ̃t] *adj* flimsy, weak

inconsolable [ɛ̃kɔ̃sɔlabl] *adj* inconsolable

incontestable [ɛ̃kɔ̃testabl] *adj* indisputable

incontinent, e [ɛ̃kɔ̃tinɑ̃, -ɑ̃t] *adj* incontinent

incontournable [ɛ̃kɔ̃tuʀnabl] *adj* unavoidable

incontrôlable [ɛ̃kɔ̃tʀolabl] *adj* unverifiable; (*irrépressible*) uncontrollable

inconvénient [ɛ̃kɔ̃venjɑ̃] *nm* disadvantage, drawback; **si vous n'y voyez pas d'~** if you have no objections

incorporer [ɛ̃kɔʀpɔʀe] /1/ *vt*: **~ (à)** to mix in (with); **~ (dans)** (*paragraphe etc*) to incorporate (in); (*Mil: appeler*) to recruit (into); **il a très bien su s'~ à notre groupe** he was very easily incorporated into our group

incorrect, e [ɛ̃kɔʀɛkt] *adj* (*impropre, inconvenant*) improper; (*défectueux*) faulty; (*inexact*) incorrect; (*impoli*) impolite; (*déloyal*) underhand

incorrigible [ɛ̃kɔʀiʒibl] *adj* incorrigible

incrédule [ɛ̃kʀedyl] *adj* incredulous; (*Rel*) unbelieving

incroyable [ɛ̃kʀwajabl] *adj* incredible

incruster [ɛ̃kʀyste] /1/ *vt*: **s'incruster** *vi* (*invité*) to take root; **~ qch dans/qch de** (Art) to inlay sth into/sth with

inculpé, e [ɛ̃kylpe] *nm/f* accused

inculper [ɛ̃kylpe] /1/ *vt*: **~ (de)** to charge (with)

inculquer [ɛ̃kylke] /1/ *vt*: **~ qch à** to inculcate sth in, instil sth into

Inde [ɛ̃d] *nf*: **l'~** India

indécent, e [ɛ̃desɑ̃, -ɑ̃t] *adj* indecent

indécis, e [ɛ̃desi, -iz] *adj* (*par nature*) indecisive; (*perplexe*) undecided

indéfendable [ɛ̃defɑ̃dabl] *adj* indefensible

indéfini, e [ɛ̃defini] *adj* (*imprécis, incertain*) undefined; (*illimité, Ling*) indefinite • **indéfiniment** *adv* indefinitely • **indéfinissable** *adj* indefinable

indélébile [ɛ̃delebil] *adj* indelible

indélicat, e [ɛ̃delika, -at] *adj* tactless

indemne [ɛ̃demn] *adj* unharmed • **indemniser** /1/ *vt*: **indemniser qn (de)** to compensate sb (for)

indemnité [ɛ̃demnite] *nf* (*dédommagement*) compensation *no pl*; (*allocation*) allowance; **~ de licenciement** redundancy payment

indépendamment [ɛ̃depɑ̃damɑ̃] *adv* independently; **~ de** (*abstraction faite de*) irrespective of; (*en plus de*) over and above

indépendance [ɛ̃depɑ̃dɑ̃s] nf
independence

indépendant, e [ɛ̃depɑ̃dɑ̃, -ɑ̃t]
adj independent; **~ de**
independent of; **travailleur ~**
self-employed worker

indescriptible [ɛ̃deskʁiptibl]
adj indescribable

indésirable [ɛ̃deziʁabl] adj
undesirable

indestructible [ɛ̃destʁyktibl]
adj indestructible

indéterminé, e [ɛ̃detɛʁmine]
adj (date, cause, nature)
unspecified; (forme, longueur,
quantité) indeterminate

index [ɛ̃dɛks] nm (doigt) index
finger; (d'un livre etc) index;
mettre à l'~ to blacklist

indicateur [ɛ̃dikatœʁ] nm
(Police) informer; (Tech) gauge;
indicator ▸ adj: **poteau ~**
signpost; **~ des chemins de fer**
railway timetable; **~ de rues**
street directory

indicatif, -ive [ɛ̃dikatif, -iv] adj:
à titre ~ for (your) information
▸ nm (Ling) indicative; (d'une
émission) theme ou signature
tune; (Tél) dialling code (BRIT),
area code (US); **quel est l'~ de ...**
what's the code for ...?

indication [ɛ̃dikasjɔ̃] nf
indication; (renseignement)
information no pl; **indications**
nfpl (directives) instructions

indice [ɛ̃dis] nm (marque, signe)
indication, sign; (Police: lors d'une
enquête) clue; (Jur: présomption)
piece of evidence; (Science, Écon,
Tech) index; **~ de protection**
(sun protection) factor

indicible [ɛ̃disibl] adj
inexpressible

indien, ne [ɛ̃djɛ̃, -ɛn] adj Indian
▸ nm/f: **I~, ne** Indian

indifféremment [ɛ̃diferamɑ̃]
adv (sans distinction) equally

indifférence [ɛ̃difeʁɑ̃s] nf
indifference

indifférent, e [ɛ̃difeʁɑ̃, -ɑ̃t] adj
(peu intéressé) indifferent; **ça
m'est ~ (que ...)** it doesn't matter
to me (whether ...); **elle m'est ~e**
I am indifferent to her

indigène [ɛ̃diʒɛn] adj native,
indigenous; (de la région) local
▸ nm/f native (!)

indigeste [ɛ̃diʒɛst] adj
indigestible

indigestion [ɛ̃diʒɛstjɔ̃] nf
indigestion no pl; **avoir une ~** to
have indigestion

indigne [ɛ̃diɲ] adj: **~ (de)**
unworthy (of)

indigner [ɛ̃diɲe] /1/ vt:
s'indigner (de/contre) to be
(ou become) indignant (at)

indiqué, e [ɛ̃dike] adj (date, lieu)
given; (adéquat) appropriate;
(conseillé) advisable

indiquer [ɛ̃dike] /1/ vt: **~ qch/qn
à qn** to point sth/sb out to sb;
(faire connaître: médecin, lieu,
restaurant) to tell sb of sth/sb;
(pendule, aiguille) to show;
(étiquette, plan) to show, indicate;
(renseigner sur) to point out, tell;
(déterminer: date, lieu) to give,
state; (dénoter) to indicate, point
to; **pourriez-vous m'~ les
toilettes/l'heure?** could you
direct me to the toilets/tell me
the time?

indiscipliné, e [ɛ̃disipline] adj
undisciplined

indiscret, -ète [ɛ̃diskʁɛ, -ɛt] adj
indiscreet

indiscutable [ɛ̃diskytabl] *adj*
indisputable

indispensable [ɛ̃dispɑ̃sabl] *adj*
indispensable, essential

indisposé, e [ɛ̃dispoze] *adj*
indisposed

indistinct, e [ɛ̃distɛ̃, -ɛ̃kt] *adj*
indistinct • **indistinctement** *adv*
(*voir, prononcer*) indistinctly; (*sans
distinction*) indiscriminately

individu [ɛ̃dividy] *nm* individual
• **individuel, le** *adj* (*gén*)
individual; (*opinion, livret, contrôle,
avantages*) personal; **chambre
individuelle** single room;
maison individuelle detached
house; **propriété individuelle**
personal *ou* private property

indolore [ɛ̃dɔlɔʀ] *adj* painless

Indonésie [ɛ̃dɔnezi] *nf*: **l'~**
Indonesia

indu, e [ɛ̃dy] *adj*: **à une heure ~e**
at some ungodly hour

indulgent, e [ɛ̃dylʒɑ̃, -ɑ̃t] *adj*
(*parent, regard*) indulgent; (*juge,
examinateur*) lenient

industrialisé, e [ɛ̃dystʀijalize]
adj industrialized

industrie [ɛ̃dystʀi] *nf* industry
• **industriel, le** *adj* industrial
▸ *nm* industrialist

inébranlable [inebʀɑ̃labl] *adj*
(*masse, colonne*) solid; (*personne,
certitude, foi*) unwavering

inédit, e [inedi, -it] *adj*
(*correspondance etc*) (hitherto)
unpublished; (*spectacle, moyen*)
novel, original; (*film*) unreleased

inefficace [inefikas] *adj* (*remède,
moyen*) ineffective; (*machine,
employé*) inefficient

inégal, e, -aux [inegal, -o] *adj*
unequal; (*irrégulier*) uneven

• **inégalable** *adj* matchless

• **inégalé, e** *adj* (*record*)
unequalled; (*beauté*) unrivalled

• **inégalité** *nf* inequality

inépuisable [inepɥizabl] *adj*
inexhaustible

inerte [inɛʀt] *adj* (*immobile*)
lifeless; (*apathique*) passive

inespéré, e [inɛspeʀe] *adj*
unhoped-for, unexpected

inestimable [inɛstimabl] *adj*
priceless; (*fig: bienfait*) invaluable

inévitable [inevitabl] *adj*
unavoidable; (*fatal, habituel*)
inevitable

inexact, e [inɛgzakt] *adj*
inaccurate

inexcusable [inɛkskyzabl] *adj*
unforgivable

inexplicable [inɛksplikabl] *adj*
inexplicable

in extremis [inɛkstʀemis] *adv*
at the last minute ▸ *adj*
last-minute

infaillible [ɛ̃fajibl] *adj* infallible

infarctus [ɛ̃faʀktys] *nm*: **~ (du
myocarde)** coronary
(thrombosis)

infatigable [ɛ̃fatigabl] *adj*
tireless

infect, e [ɛ̃fɛkt] *adj* revolting;
(*repas, vin*) revolting, foul;
(*personne*) obnoxious; (*temps*) foul

infecter [ɛ̃fɛkte] /1/ *vt*
(*atmosphère, eau*) to contaminate;
(*Méd*) to infect; **s'infecter** to
become infected *ou* septic
• **infection** *nf* infection;
(*puanteur*) stench

inférieur, e [ɛ̃feʀjœʀ] *adj* lower;
(*en qualité, intelligence*) inferior
▸ *nm/f* inferior; **~ à** (*somme,
quantité*) less *ou* smaller than;
(*moins bon que*) inferior to

infernal, e, -aux [ɛ̃fɛʀnal, -o] adj (insupportable: chaleur, rythme) infernal; (: enfant) horrid; (méchanceté, complot) diabolical

infidèle [ɛ̃fidɛl] adj unfaithful

infiltrer [ɛ̃filtʀe] /1/: **s'infiltrer** vi: **s'~ dans** to penetrate into; (liquide) to seep into; (fig: noyauter) to infiltrate

infime [ɛ̃fim] adj minute, tiny

infini, e [ɛ̃fini] adj infinite ▶ nm infinity; **à l'~** endlessly
• **infiniment** adv infinitely
• **infinité** nf: **une infinité de** an infinite number of

infinitif, -ive [ɛ̃finitif, -iv] nm infinitive

infirme [ɛ̃fiʀm] adj disabled ▶ nm/f disabled person

infirmerie [ɛ̃fiʀməʀi] nf sick bay

infirmier, -ière [ɛ̃fiʀmje, -jɛʀ] nm/f nurse; **infirmière chef** sister

infirmité [ɛ̃fiʀmite] nf disability

inflammable [ɛ̃flamabl] adj (in)flammable

inflation [ɛ̃flasjɔ̃] nf inflation

influençable [ɛ̃flyɑ̃sabl] adj easily influenced

influence [ɛ̃flyɑ̃s] nf influence
• **influencer** /3/ vt to influence
• **influent, e** adj influential

informaticien, ne [ɛ̃fɔʀmatisjɛ̃, -ɛn] nm/f computer scientist

information [ɛ̃fɔʀmasjɔ̃] nf (renseignement) piece of information; (Presse, TV: nouvelle) item of news; (diffusion de renseignements, Inform) information; (Jur) inquiry, investigation; **informations** nfpl (TV) news sg

informatique [ɛ̃fɔʀmatik] nf (technique) data processing; (science) computer science ▶ adj computer cpd • **informatiser** /1/ vt to computerize

informer [ɛ̃fɔʀme] /1/ vt: **~ qn (de)** to inform sb (of); **s'informer (sur)** to inform o.s. (about); **s'~ (de qch/si)** to inquire ou find out (about sth/whether ou if)

infos [ɛ̃fo] nfpl (= informations) news

infraction [ɛ̃fʀaksjɔ̃] nf offence; **~ à** violation ou breach of; **être en ~** to be in breach of the law

infranchissable [ɛ̃fʀɑ̃ʃisabl] adj impassable; (fig) insuperable

infrarouge [ɛ̃fʀaʀuʒ] adj infrared

infrastructure [ɛ̃fʀastʀyktyʀ] nf (Aviat, Mil) ground installations pl; (Écon: touristique etc) facilities pl

infuser [ɛ̃fyze] /1/ vt (thé) to brew; (tisane) to infuse ▶ vi to brew; **to infuse • infusion** nf (tisane) herb tea

ingénier [ɛ̃ʒenje] /7/: **s'ingénier** vi: **s'~ à faire** to strive to do

ingénierie [ɛ̃ʒeniʀi] nf engineering

ingénieur [ɛ̃ʒenjœʀ] nm engineer; **~ du son** sound engineer

ingénieux, -euse [ɛ̃ʒenjø, -øz] adj ingenious, clever

ingrat, e [ɛ̃gʀa, -at] adj (personne) ungrateful; (travail, sujet) thankless; (visage) unprepossessing

ingrédient [ɛ̃gʀedjɑ̃] nm ingredient

inhabité, e [inabite] adj uninhabited

inhabituel, le [inabitɥɛl] *adj* unusual

inhibition [inibisjɔ̃] *nf* inhibition

inhumain, e [inymɛ̃, -ɛn] *adj* inhuman

inimaginable [inimaʒinabl] *adj* unimaginable

ininterrompu, e [inɛ̃teʀɔpy] *adj* (*file, série*) unbroken; (*flot, vacarme*) uninterrupted, non-stop; (*effort*) unremitting, continuous; (*suite, ligne*) unbroken

initial, e, -aux [inisjal, -o] *adj* initial; **initiales** *nfpl* initials

initiation [inisjasjɔ̃] *nf*: **~ à** introduction to

initiative [inisjativ] *nf* initiative

initier [inisje] /7/ *vt*: **~ qn à** to initiate sb into; (*faire découvrir: art, jeu*) to introduce sb to

injecter [ɛ̃ʒɛkte] /1/ *vt* to inject • **injection** *nf* injection; **à injection** (*Auto*) fuel injection *cpd*

injure [ɛ̃ʒyʀ] *nf* insult, abuse *no pl* • **injurier** /7/ *vt* to insult, abuse • **injurieux, -euse** *adj* abusive, insulting

injuste [ɛ̃ʒyst] *adj* unjust, unfair • **injustice** [ɛ̃ʒystis] *nf* injustice

inlassable [ɛ̃lasabl] *adj* tireless

inné, e [ine] *adj* innate, inborn

innocent, e [inɔsɑ̃, -ɑ̃t] *adj* innocent • **innocenter** /1/ *vt* to clear, prove innocent

innombrable [inɔ̃bʀabl] *adj* innumerable

innover [inɔve] /1/ *vi*: **~ en matière d'art** to break new ground in the field of art

inoccupé, e [inɔkype] *adj* unoccupied

inodore [inɔdɔʀ] *adj* (*gaz*) odourless; (*fleur*) scentless

inoffensif, -ive [inɔfɑ̃sif, -iv] *adj* harmless, innocuous

inondation [inɔ̃dasjɔ̃] *nf* flood

inonder [inɔ̃de] /1/ *vt* to flood; **~ de** to flood *ou* swamp with

inopportun, e [inɔpɔʀtœ̃, -yn] *adj* ill-timed, untimely

inoubliable [inublijabl] *adj* unforgettable

inouï, e [inwi] *adj* unheard-of, extraordinary

inox [inɔks] *nm* stainless (steel)

inquiet, -ète [ɛ̃kjɛ, -ɛt] *adj* anxious • **inquiétant, e** *adj* worrying, disturbing • **inquiéter** /6/ *vt* to worry; **s'inquiéter** *vi* to worry; **s'inquiéter de** to worry about; (*s'enquérir de*) to inquire about • **inquiétude** *nf* anxiety

insaisissable [ɛ̃sezisabl] *adj* (*fugitif, ennemi*) elusive; (*différence, nuance*) imperceptible

insalubre [ɛ̃salybʀ] *adj* insalubrious

insatisfait, e [ɛ̃satisfɛ, -ɛt] *adj* (*non comblé*) unsatisfied; (*mécontent*) dissatisfied

inscription [ɛ̃skʀipsjɔ̃] *nf* inscription; (*à une institution*) enrolment

inscrire [ɛ̃skʀiʀ] /39/ *vt* (*marquer: sur son calepin etc*) to note ou write down; (: *sur un mur, une affiche etc*) to write; (: *dans la pierre, le métal*) to inscribe; (*mettre: sur une liste, un budget etc*) to put down; **~ qn à** (*club, école etc*) to enrol sb at; **s'inscrire** (*pour une excursion etc*) to put one's name down; **s'~ (à)** (*club, parti*) to join; (*université*) to register ou enrol (at); (*examen, concours*) to register ou enter (for)

insecte [ɛ̃sɛkt] *nm* insect • **insecticide** *nm* insecticide

insensé, e [ɛ̃sɑ̃se] *adj* mad

insensible [ɛ̃sɑ̃sibl] *adj (nerf, membre)* numb; *(dur, indifférent)* insensitive

inséparable [ɛ̃sepaʀabl] *adj*: **~ (de)** inseparable (from) ► *nmpl*: **~s** *(oiseaux)* lovebirds

insigne [ɛ̃siɲ] *nm (d'un parti, club)* badge ► *adj* distinguished; **insignes** *nmpl (d'une fonction)* insignia *pl*

insignifiant, e [ɛ̃siɲifjɑ̃, -ɑ̃t] *adj* insignificant, trivial

insinuer [ɛ̃sinɥe] /1/ *vt* to insinuate; **s'insinuer dans** *(fig)* to worm one's way into

insipide [ɛ̃sipid] *adj* insipid

insister [ɛ̃siste] /1/ *vi* to insist; *(s'obstiner)* to keep on; **~ sur** *(détail, note)* to stress

insolation [ɛ̃sɔlasjɔ̃] *nf (Méd)* sunstroke *no pl*

insolent, e [ɛ̃sɔlɑ̃, -ɑ̃t] *adj* insolent

insolite [ɛ̃sɔlit] *adj* strange, unusual

insomnie [ɛ̃sɔmni] *nf* insomnia *no pl*; **avoir des ~s** to sleep badly

insouciant, e [ɛ̃susjɑ̃, -ɑ̃t] *adj* carefree; **~ du danger** heedless of (the) danger

insoupçonnable [ɛ̃supsɔnabl] *adj* unsuspected; *(personne)* above suspicion

insoupçonné, e [ɛ̃supsɔne] *adj* unsuspected

insoutenable [ɛ̃sutnabl] *adj (argument)* untenable; *(chaleur)* unbearable

inspecter [ɛ̃spɛkte] /1/ *vt* to inspect • **inspecteur, -trice** *nm/f* inspector; **inspecteur d'Académie** (regional) director of education; **inspecteur des**

finances ≈ tax inspector (BRIT), ≈ Internal Revenue Service agent (US); **inspecteur (de police)** (police) inspector • **inspection** *nf* inspection

inspirer [ɛ̃spiʀe] /1/ *vt (gén)* to inspire ► *vi (aspirer)* to breathe in; **s'inspirer de** to be inspired by

instable [ɛ̃stabl] *adj (meuble, équilibre)* unsteady; *(population, temps)* unsettled; *(paix, régime, caractère)* unstable

installation [ɛ̃stalasjɔ̃] *nf (mise en place)* installation; **installations** *nfpl* installations; *(industrielles)* plant *sg*; *(de sport, dans un camping)* facilities; **l'~ électrique** wiring

installer [ɛ̃stale] /1/ *vt* to put; *(meuble)* to put in; *(rideau, étagère, tente)* to put up; *(appartement)* to fit out; **s'installer** *vi (s'établir: artisan, dentiste etc)* to set o.s. up; *(emménager)* to settle in; *(sur un siège, à un emplacement)* to settle (down); *(fig: maladie, grève)* to take a firm hold *ou* grip; **s'~ à l'hôtel/ chez qn** to move into a hotel/in with sb

instance [ɛ̃stɑ̃s] *nf (Admin: autorité)* authority; **affaire en ~** matter pending; **être en ~ de divorce** to be awaiting a divorce

instant [ɛ̃stɑ̃] *nm* moment, instant; **dans un ~** in a moment; **à l'~** this instant; **je l'ai vu à l'~** I've just this minute seen him, I saw him a moment ago; **pour l'~** for the moment, for the time being

instantané, e [ɛ̃stɑ̃tane] *adj (lait, café)* instant; *(explosion, mort)* instantaneous ► *nm* snapshot

instar [ɛ̃staʀ]: **à l'~ de** *prép* following the example of, like

instaurer [ɛ̃stoʀe] /1/ vt to institute; (couvre-feu) to impose; **s'instaurer** vi (collaboration, paix etc) to be established; (doute) to set in

instinct [ɛ̃stɛ̃] nm instinct • **instinctivement** adv instinctively

instituer [ɛ̃stitɥe] /1/ vt to establish

institut [ɛ̃stity] nm institute; ~ **de beauté** beauty salon; **I~ universitaire de technologie (IUT)** ≈ Institute of technology

instituteur, -trice [ɛ̃stitytœʀ, -tʀis] nm/f (primary (BRIT) ou grade (US) school) teacher

institution [ɛ̃stitysjɔ̃] nf institution; (collège) private school; **institutions** nfpl (structures politiques et sociales) institutions

instructif, -ive [ɛ̃stʀyktif, -iv] adj instructive

instruction [ɛ̃stʀyksjɔ̃] nf (enseignement, savoir) education; (Jur) (preliminary) investigation and hearing; **instructions** nfpl (mode d'emploi) instructions; ~ **civique** civics sg

instruire [ɛ̃stʀɥiʀ] /38/ vt (élèves) to teach; (recrues) to train; (Jur: affaire) to conduct the investigation for; **s'instruire** to educate o.s. • **instruit, e** adj educated

instrument [ɛ̃stʀymɑ̃] nm instrument; ~ **à cordes/vent** stringed/wind instrument; ~ **de mesure** measuring instrument; ~ **de musique** musical instrument; ~ **de travail** (working) tool

insu [ɛ̃sy] nm: **à l'~ de qn** without sb knowing

insuffisant, e [ɛ̃syfizɑ̃, -ɑ̃t] adj (en quantité) insufficient; (en qualité) inadequate; (sur une copie) poor

insulaire [ɛ̃sylɛʀ] adj island cpd; (attitude) insular

insuline [ɛ̃sylin] nf insulin

insulte [ɛ̃sylt] nf insult • **insulter** /1/ vt to insult

insupportable [ɛ̃sypɔʀtabl] adj unbearable

insurmontable [ɛ̃syʀmɔ̃tabl] adj (difficulté) insuperable; (aversion) unconquerable

intact, e [ɛ̃takt] adj intact

intarissable [ɛ̃taʀisabl] adj inexhaustible

intégral, e, -aux [ɛ̃tegʀal, -o] adj complete; **texte ~** unabridged version; **bronzage ~** all-over suntan • **intégralement** adv in full • **intégralité** nf whole (ou full) amount; **dans son intégralité** in its entirety • **intégrant, e** adj: **faire partie intégrante de** to be an integral part of

intègre [ɛ̃tegʀ] adj upright

intégrer [ɛ̃tegʀe] /6/: **s'intégrer** vr: **s'~ à** ou **dans** to become integrated into; **bien s'~** to fit in

intégrisme [ɛ̃tegʀism] nm fundamentalism

intellectuel, le [ɛ̃telɛktɥɛl] adj, nm/f intellectual; (péj) highbrow

intelligence [ɛ̃teliʒɑ̃s] nf intelligence; (compréhension): **l'~ de** the understanding of; (complicité): **regard d'~** glance of complicity; (accord): **vivre en bonne ~ avec qn** to be on good terms with sb

intelligent, e [ɛ̃teliʒɑ̃, -ɑ̃t] adj
intelligent

intelligible [ɛ̃teliʒibl] adj
intelligible

intempéries [ɛ̃tɑ̃peʀi] nfpl bad
weather sg

intenable [ɛ̃tnabl] adj
unbearable

intendant, e [ɛ̃tɑ̃dɑ̃, -ɑ̃t] nm/f
(Mil) quartermaster; (Scol) bursar

intense [ɛ̃tɑ̃s] adj intense
• **intensif, -ive** adj intensive;
cours intensif crash course

intenter [ɛ̃tɑ̃te] /1/ vt: ~ **un
procès contre** ou **à qn** to start
proceedings against sb

intention [ɛ̃tɑ̃sjɔ̃] nf intention;
(Jur) intent; **avoir l'~ de faire** to
intend to do; **à l'~ de** for;
(renseignement) for the benefit ou
information of; (film, ouvrage)
aimed at; **à cette ~** with this aim
in view • **intentionné, e** adj:
bien intentionné well-meaning
ou -intentioned; **mal
intentionné** ill-intentioned

interactif, -ive [ɛ̃teʀaktif, -iv]
adj (aussi Inform) interactive

intercepter [ɛ̃teʀsɛpte] /1/ vt to
intercept; (lumière, chaleur) to cut
off

interchangeable [ɛ̃teʀʃɑ̃ʒabl]
adj interchangeable

interdiction [ɛ̃teʀdiksjɔ̃] nf ban;
~ **de fumer** no smoking

interdire [ɛ̃teʀdiʀ] /37/ vt to
forbid; (Admin) to ban, prohibit;
(: journal, livre) to ban; ~ **à qn de
faire** to forbid sb to do;
(empêchement) to prevent ou
preclude sb from doing

interdit, e [ɛ̃teʀdi, -it] pp de
interdire ▸ adj (stupéfait) taken
aback; **film ~ aux moins de**

18/12 ans ≈ 18-/12A-rated film;
stationnement ~ no parking

intéressant, e [ɛ̃teʀesɑ̃, -ɑ̃t] adj
interesting; (avantageux)
attractive

intéressé, e [ɛ̃teʀese] adj
(parties) involved, concerned;
(amitié, motifs) self-interested

intéresser [ɛ̃teʀese] /1/ vt
(captiver) to interest; (toucher) to
be of interest ou concern to;
(Admin: concerner) to affect,
concern; **s'intéresser à** vi to take
an interest in

intérêt [ɛ̃teʀɛ] nm interest;
(égoïsme) self-interest; **tu as ~ à
accepter** it's in your interest to
accept; **tu as ~ à te dépêcher**
you'd better hurry

intérieur, e [ɛ̃teʀjœʀ] adj (mur,
escalier, poche) inside; (commerce,
politique) domestic; (cour, calme,
vie) inner; (navigation) inland ▸ nm
(d'une maison, d'un récipient etc)
inside; (d'un pays, aussi décor,
mobilier) interior; **l'I~** (the
Department of) the Interior, ≈ the
Home Office (BRIT); **à l'~ (de)**
inside • **intérieurement** adv
inwardly

intérim [ɛ̃teʀim] nm interim
period; **assurer l'~ (de)** to
deputize (for); **président par ~**
interim president; **faire de l'~** to
temp

intérimaire [ɛ̃teʀimɛʀ] adj
(directeur, ministre) acting;
(secrétaire, personnel) temporary
▸ nm/f (secrétaire etc) temporary,
temp (BRIT)

interlocuteur, -trice
[ɛ̃teʀlɔkytœʀ, -tʀis] nm/f
speaker; **son ~** the person he ou
she was speaking to

intermédiaire [ɛ̃tɛʀmedjɛʀ] adj intermediate; (solution) temporary ▸ nm/f intermediary; (Comm) middleman; **sans ~** directly; **par l'~ de** through

interminable [ɛ̃tɛʀminabl] adj never-ending

intermittence [ɛ̃tɛʀmitɑ̃s] nf: **par ~** intermittently, sporadically

internat [ɛ̃tɛʀna] nm boarding school

international, e, -aux [ɛ̃tɛʀnasjɔnal, -o] adj, nm/f international

internaute [ɛ̃tɛʀnot] nm/f Internet user

interne [ɛ̃tɛʀn] adj internal ▸ nm/f (Scol) boarder; (Méd) houseman

Internet [ɛ̃tɛʀnɛt] nm: **l'~** the Internet

interpeller [ɛ̃tɛʀpele] /1/ vt (appeler) to call out to; (apostropher) to shout at; (Police) to take in for questioning; (Pol) to question; (concerner) to concern

interphone [ɛ̃tɛʀfɔn] nm intercom; (d'immeuble) entry phone

interposer [ɛ̃tɛʀpoze] /1/ vt; **s'interposer** to intervene; **par personnes interposées** through a third party

interprète [ɛ̃tɛʀpʀɛt] nm/f interpreter; (porte-parole) spokesman

interpréter [ɛ̃tɛʀpʀete] /6/ vt to interpret; (jouer) to play; (chanter) to sing

interrogatif, -ive [ɛ̃tɛʀɔgatif, -iv] adj (Ling) interrogative

interrogation [ɛ̃tɛʀɔgasjɔ̃] nf question; (Scol) (written ou oral) test

interrogatoire [ɛ̃tɛʀɔgatwaʀ]

nm (Police) questioning no pl; (Jur) questioning ▸ **interroger** [ɛ̃tɛʀɔʒe] /3/ vt to question; (Inform) to search; (Scol) to test

interrompre [ɛ̃tɛʀɔ̃pʀ] /41/ vt (gén) to interrupt; (négociations) to break off; (match) to stop; **s'interrompre** to break off
• **interrupteur** nm switch
• **interruption** nf interruption; (pause) break; **sans interruption** without a break; **interruption volontaire de grossesse** abortion

intersection [ɛ̃tɛʀsɛksjɔ̃] nf intersection

intervalle [ɛ̃tɛʀval] nm (espace) space; (de temps) interval; **dans l'~** in the meantime; **à deux jours d'~** two days apart

intervenir [ɛ̃tɛʀvəniʀ] /22/ vi (gén) to intervene; **~ auprès de/ en faveur de qn** to intervene with/on behalf of sb
• **intervention** nf intervention; (discours) speech; **intervention (chirurgicale)** operation

interview [ɛ̃tɛʀvju] nf interview

intestin, e [ɛ̃tɛstɛ̃, -in] adj internal ▸ nm intestine

intime [ɛ̃tim] adj intimate; (vie, journal) private; (hygiène, confidences) personal; (convictions) inmost; (dîner, cérémonie) quiet ▸ nm/f close friend; **un journal ~** a private diary ou journal

intimider [ɛ̃timide] /1/ vt to intimidate

intimité [ɛ̃timite] nf: **dans l'~** in private; (sans formalités) with only a few friends, quietly

intolérable [ɛ̃tɔleʀabl] adj intolerable

intox [ētɔks] (fam) nf
brainwashing

intoxication [ētɔksikasjɔ̃] nf:
~ **alimentaire** food poisoning

intoxiquer [ētɔksike] /1/ vt to
poison; (fig) to brainwash

intraitable [ētretabl] adj
inflexible, uncompromising

intransigeant, e [ētrɑ̃ziʒɑ̃, -ɑ̃t]
adj intransigent

intrépide [ētrepid] adj dauntless

intrigue [ētrig] nf (scénario) plot
• **intriguer** /1/ vt to puzzle,
intrigue

introduction [ētrɔdyksjɔ̃] nf
introduction

introduire [ētrɔduir] /38/ vt to
introduce; (visiteur) to show in;
(aiguille, clef) : ~ **qch dans** to
insert ou introduce sth into;
s'introduire vi (techniques, usages)
to be introduced; **s'~ dans** to gain
entry into; (dans un groupe) to get
o.s. accepted into

introuvable [ētruvabl] adj
which cannot be found; (Comm)
unobtainable

intrus, e [ētry, -yz] nm/f intruder

intuition [ētɥisjɔ̃] nf intuition

inusable [inyzabl] adj
hard-wearing

inutile [inytil] adj useless;
(superflu) unnecessary
• **inutilement** adv needlessly
• **inutilisable** adj unusable

invalide [ēvalid] adj disabled
▶ nm/f: ~ **de guerre** disabled
ex-serviceman

invariable [ēvarjabl] adj
invariable

invasion [ēvazjɔ̃] nf invasion

inventaire [ēvɑ̃ter] nm
inventory; (Comm: liste) stocklist;
(: opération) stocktaking no pl

inventer [ēvɑ̃te] /1/ vt to invent;
(subterfuge) to devise, invent;
(histoire, excuse) to make up,
invent • **inventeur, -trice** nm/f
inventor • **inventif, -ive** adj
inventive • **invention** nf
invention

inverse [ēvers] adj opposite ▶ nm
inverse; **l'~** the opposite; **dans
l'ordre ~** in the reverse order;
**dans le sens ~ des aiguilles
d'une montre** anti-clockwise;
en sens ~ in (ou from) the opposite
direction • **inversement** adv
conversely • **inverser** /1/ vt to
reverse, invert; (Élec) to reverse

investir [ēvestir] /2/ vt to invest;
~ **qn de** (d'une fonction, d'un
pouvoir) to vest ou to invest sb with;
s'investir vi (Psych) to involve o.s.;
s'~ dans to put a lot into
• **investissement** nm
investment

invisible [ēvizibl] adj invisible

invitation [ēvitasjɔ̃] nf
invitation

invité, e [ēvite] nm/f guest

inviter [ēvite] /1/ vt to invite;
~ **qn à faire qch** to invite sb to do
sth

invivable [ēvivabl] adj
unbearable

involontaire [ēvɔlɔ̃ter] adj
(mouvement) involuntary; (insulte)
unintentional; (complice)
unwitting

invoquer [ēvɔke] /1/ vt (Dieu,
muse) to call upon, invoke;
(prétexte) to put forward (as an
excuse); (loi, texte) to refer to

invraisemblable [ēvresɑ̃blabl]
adj (fait, nouvelle) unlikely,
improbable; (bizarre) incredible

iode [jɔd] nm iodine

irai etc [iʀɛ] vb voir **aller**

Irak [iʀak] nm: **l'~** Iraq ou Irak
• **irakien, ne** adj Iraqi ▸ nm/f:
Irakien, ne Iraqi

Iran [iʀɑ̃] nm: **l'~** Iran • **iranien,
ne** adj Iranian ▸ nm/f: **Iranien, ne**
Iranian

irions etc [iʀjɔ̃] vb voir **aller**

iris [iʀis] nm iris

irlandais, e [iʀlɑ̃dɛ, -ɛz] adj Irish
▸ nm/f: **l~, e** Irishman/woman

Irlande [iʀlɑ̃d] nf: **l'~** Ireland; **la
République d'~** the Irish
Republic; **~ du Nord** Northern
Ireland; **la mer d'~** the Irish Sea

IRM [iɛʀɛm] nf (= imagerie par
résonance magnétique) MRI scan

ironie [iʀɔni] nf irony • **ironique**
adj ironical • **ironiser** /1/ vi to be
ironical

irons etc [iʀɔ̃] vb voir **aller**

irradier [iʀadje] /7/ vt to irradiate

irraisonné, e [iʀɛzɔne] adj
irrational

irrationnel, le [iʀasjɔnɛl] adj
irrational

irréalisable [iʀealizabl] adj
unrealizable; (projet)
impracticable

irrécupérable [iʀekypeʀabl] adj
beyond repair; (personne) beyond
redemption or recall

irréel, le [iʀeɛl] adj unreal

irréfléchi, e [iʀefleʃi] adj
thoughtless

irrégularité [iʀegylaʀite] nf
irregularity; (de travail, d'effort, de
qualité) unevenness no pl

irrégulier, -ière [iʀegylje, -jɛʀ]
adj irregular; (travail, effort, qualité)
uneven; (élève, athlète) erratic

irrémédiable [iʀemedjabl] adj
irreparable

irremplaçable [iʀɑ̃plasabl] adj
irreplaceable

irréparable [iʀepaʀabl] adj
beyond repair; (fig) irreparable

irréprochable [iʀepʀɔʃabl] adj
irreproachable, beyond reproach;
(tenue, toilette) impeccable

irrésistible [iʀezistibl] adj
irresistible; (preuve, logique)
compelling; (amusant) hilarious

irrésolu, e [iʀezɔly] adj irresolute

irrespectueux, -euse
[iʀɛspɛktɥø, -øz] adj
disrespectful

irresponsable [iʀɛspɔ̃sabl] adj
irresponsible

irriguer [iʀige] /1/ vt to irrigate

irritable [iʀitabl] adj irritable

irriter [iʀite] /1/ vt to irritate

irruption [iʀypsjɔ̃] nf: **faire
~ chez qn** to burst in on sb

Islam [islam] nm: **l'~** Islam
• **islamique** adj Islamic
• **islamophobie** nf Islamophobia

Islande [islɑ̃d] nf: **l'~** Iceland

isolant, e [izɔlɑ̃, -ɑ̃t] adj
insulating; (insonorisant)
soundproofing

isolation [izɔlasjɔ̃] nf insulation;
~ acoustique soundproofing

isolé, e [izɔle] adj isolated; (contre
le froid) insulated

isoler [izɔle] /1/ vt to isolate;
(prisonnier) to put in solitary
confinement; (ville) to cut off,
isolate; (contre le froid) to insulate;
s'isoler vi to isolate o.s.

Israël [isʀaɛl] nm Israel
• **israélien, ne** adj Israeli ▸ nm/f:
Israélien, ne Israeli • **israélite**
adj Jewish ▸ nm/f: **Israélite** Jew;
(dans l'Ancien Testament) Israelite

issu, e [isy] adj: **~ de** (né de)
descended from; (résultant de)

i

stemming from ▶ *nf* (*ouverture, sortie*) exit; (*solution*) way out, solution; (*dénouement*) outcome; **à l'~e de** at the conclusion *ou* close of; **voie sans ~e** dead end; **~e de secours** emergency exit

Italie [itali] *nf*: **l'~** Italy • **italien, ne** *adj* Italian ▶ *nm* (*Ling*) Italian ▶ *nm/f*: **Italien, ne** Italian

italique [italik] *nm*: **en ~(s)** in italics

itinéraire [itinerɛʀ] *nm* itinerary, route; **~ bis** alternative route

itinérance [itinerɑ̃s] *nf* (*Tél*) roaming

IUT *sigle m* = **Institut universitaire de technologie**

IVG *sigle f* (= *interruption volontaire de grossesse*) abortion

ivoire [ivwaʀ] *nm* ivory

ivre [ivʀ] *adj* drunk; **~ de** (*colère*) wild with • **ivrogne** *nm/f* drunkard

J

j' [ʒ] *pron voir* **je**

jacinthe [ʒasɛ̃t] *nf* hyacinth

jadis [ʒadis] *adv* formerly

jaillir [ʒajiʀ] /2/ *vi* (*liquide*) to spurt out; (*cris, réponses*) to burst out

jais [ʒɛ] *nm* jet; **(d'un noir) de ~** jet-black

jalousie [ʒaluzi] *nf* jealousy; (*store*) (venetian) blind

jaloux, -ouse [ʒalu, -uz] *adj* jealous; **être ~ de qn/qch** to be jealous of sb/sth

jamaïquain, e [ʒamaikɛ̃, -ɛn] *adj* Jamaican ▶ *nm/f*: **J~, e** Jamaican

Jamaïque [ʒamaik] *nf*: **la ~** Jamaica

jamais [ʒamɛ] *adv* never; (*sans négation*) ever; **ne … ~** never; **si ~ …** if ever …; **je ne suis ~ allé en Espagne** I've never been to Spain

jambe [ʒɑ̃b] *nf* leg

jambon [ʒɑ̃bɔ̃] *nm* ham

jante [ʒɑ̃t] *nf* (wheel) rim

janvier [ʒɑ̃vje] *nm* January

Japon [ʒapɔ̃] *nm*: **le ~** Japan • **japonais, e** *adj* Japanese ▶ *nm* (*Ling*) Japanese ▶ *nm/f*: **Japonais, e** Japanese

jardin [ʒaʀdɛ̃] nm garden;
~ d'enfants nursery school
• **jardinage** nm gardening
• **jardiner** /1/ vi to garden
• **jardinier, -ière** nm/f gardener
▶ nf (de fenêtre) window box

jargon [ʒaʀgɔ̃] nm (charabia) gibberish; (publicitaire, scientifique etc) jargon

jarret [ʒaʀɛ] nm back of knee; (Culin) knuckle, shin

jauge [ʒoʒ] nf (instrument) gauge; **~ (de niveau) d'huile** (Auto) dipstick

jaune [ʒon] adj, nm yellow ▶ adv (fam): **rire ~** to laugh on the other side of one's face; **~ d'œuf** (egg) yolk • **jaunir** /2/ vi, vt to turn yellow • **jaunisse** nf jaundice

Javel [ʒavɛl] nf voir **eau**

javelot [ʒavlo] nm javelin

J.-C. sigle m = **Jésus-Christ**

JDC sigle f = **journée défense et citoyenneté**

je, j' [ʒə, ʒ] pron I

jean [dʒin] nm jeans pl

Jésus-Christ [ʒezykʀi(st)] n Jesus Christ; **600 avant/après ~** 600 B.C./A.D.

jet [ʒɛ] nm (lancer: action) throwing no pl; (: résultat) throw; (jaillissement: d'eau) jet; (: de sang) spurt; **~ d'eau** spray

jetable [ʒətabl] adj disposable

jetée [ʒəte] nf jetty; (grande) pier

jeter [ʒəte] /4/ vt (gén) to throw; (se défaire de) to throw away ou out; **~ qch à qn** to throw sth to sb; (de façon agressive) to throw sth at sb; **~ un coup d'œil (à)** to take a look (at); **~ un sort à qn** to cast a spell on sb; **se ~ sur** to throw o.s. onto; **se ~ dans** (fleuve) to flow into

jeton [ʒətɔ̃] nm (au jeu) counter

jette etc [ʒɛt] vb voir **jeter**

jeu, x [ʒø] nm (divertissement, Tech: d'une pièce) play; (Tennis: partie, Football etc: façon de jouer) game; (Théât etc) acting; (série d'objets, jouet) set; (Cartes) hand; (au casino): **le ~** gambling; **en ~** at stake; **remettre en ~** to throw in; **entrer/mettre en ~** to come/ bring into play; **~ de cartes** pack of cards; **~ d'échecs** chess set; **~ de hasard** game of chance; **~ de mots** pun; **~ de société** board game; **~ télévisé** television quiz; **~ vidéo** video game

jeudi [ʒødi] nm Thursday

jeun [ʒœ̃]: **à ~** adv on an empty stomach; **être à ~** to have eaten nothing; **rester à ~** not to eat anything

jeune [ʒœn] adj young; **les ~s** young people; **~ fille** girl; **~ homme** young man; **~s gens** young people

jeûne [ʒøn] nm fast

jeunesse [ʒœnɛs] nf youth; (aspect) youthfulness

joaillier, -ière [ʒɔaje, -jɛʀ] nm/f jeweller

jogging [dʒɔgiŋ] nm jogging; (survêtement) tracksuit; **faire du ~** to go jogging

joie [ʒwa] nf joy

joindre [ʒwɛ̃dʀ] /49/ vt to join; (contacter) to contact, get in touch with; **~ qch à** (à une lettre) to enclose sth with; **~ un fichier à un mail** (Inform) to attach a file to an email; **se ~ à qn** to join sb; **se ~ à qch** to join in sth

joint, e [ʒwɛ̃, -ɛ̃t] adj: **~ (à)** (lettre, paquet) attached (to), enclosed (with) ▶ nm joint; (ligne);

pièce ~e (de lettre) enclosure; (de mail) attachment; **~ de culasse** cylinder head gasket

joli, e [ʒɔli] adj pretty, attractive; **une ~e somme/situation** a nice little sum/situation; **c'est du ~!** (ironique) that's very nice!; **tout ça, c'est bien ~ mais ...** that's all very well but ...

jonc [ʒɔ̃] nm (bul)rush

jonction [ʒɔ̃ksjɔ̃] nf junction

jongleur, -euse [ʒɔ̃glœʀ, -øz] nm/f juggler

jonquille [ʒɔ̃kij] nf daffodil

Jordanie [ʒɔʀdani] nf: **la ~** Jordan

joue [ʒu] nf cheek

jouer [ʒwe] /1/ vt to play; (somme d'argent, réputation) to stake, wager; (simuler: sentiment) to affect, feign ▶ vi to play; (Théât, Ciné) to act; (au casino) to gamble; (bois, porte: se voiler) to warp; (clef, pièce: avoir du jeu) to be loose; **~ au** (miser) to gamble on; **~ de** (Mus) to play; **~ à** (jeu, sport, roulette) to play; **~ un tour à qn** to play a trick on sb; **~ la comédie** to put on an act; **~ serré** to play a close game; **~ à toi/nous de ~** it's your/our go ou turn; **bien joué!** well done!; **on joue Hamlet au théâtre X** Hamlet is on at the X theatre

jouet [ʒwε] nm toy; **être le ~ de** (illusion etc) to be the victim of

joueur, -euse [ʒwœʀ, -øz] nm/f player; **être beau/mauvais ~** to be a good/bad loser

jouir [ʒwiʀ] /2/ vi (sexe: fam) to come ▶ vt: **~ de** to enjoy

jour [ʒuʀ] nm day; (opposé à la nuit) day, daytime; (clarté) daylight; (fig: aspect, ouverture) opening; **sous un ~ favorable/nouveau** in a favourable/new light; **de ~** (crème, service) day cpd; **travailler de ~** to work during the day; **voyager de ~** to travel by day; **au ~ le ~** from day to day; **de nos ~s** these days; **du ~ au lendemain** overnight; **il fait ~** it's daylight; **au grand ~** (fig) in the open; **mettre au ~** to disclose; **mettre à ~** to bring up to date; **donner le ~ à** to give birth to; **voir le ~** to be born; **~ férié** public holiday; **le ~ J** D-day; **~ ouvrable** working day

journal, -aux [ʒuʀnal, -o] nm (news)paper; (personnel) journal; (intime) diary; **~ de bord** log; **~ parlé/télévisé** radio/television news sg

journalier, -ière [ʒuʀnalje, -jεʀ] adj daily; (banal) everyday

journalisme [ʒuʀnalism] nm journalism • **journaliste** nm/f journalist

journée [ʒuʀne] nf day; **la ~ continue** the 9 to 5 working day (with short lunch break)

joyau, x [ʒwajo] nm gem, jewel

joyeux, -euse [ʒwajø, -øz] adj joyful, merry; **~ Noël!** Merry ou Happy Christmas!; **~ anniversaire!** many happy returns!

jubiler [ʒybile] /1/ vi to be jubilant, exult

judas [ʒyda] nm (trou) spy-hole

judiciaire [ʒydisjεʀ] adj judicial

judicieux, -euse [ʒydisjø, -øz] adj judicious

judo [ʒydo] nm judo

juge [ʒyʒ] nm judge; **~ d'instruction** examining (BRIT) ou committing (US) magistrate; **~ de paix** justice of the peace

jugé [ʒyʒe] nm: **au ~** adv by guesswork

juvénile

jugement [ʒyʒmɑ̃] *nm*
judgment; (*Jur: au pénal*) sentence;
(: *au civil*) decision

juger [ʒyʒe] /3/ *vt* to judge;
(*estimer*) to consider; **~ qn/qch
satisfaisant** to consider sb/sth
(to be) satisfactory; **~ bon de
faire** to consider it a good idea to
do

juif, -ive [ʒɥif, -iv] *adj* Jewish
▶ *nm/f*: **J~, -ive** Jew/Jewish
woman

juillet [ʒɥijɛ] *nm* July

> **Le 14 juillet** is a national holiday
> in France and commemorates
> the storming of the Bastille
> during the French Revolution.
> Throughout the country there
> are celebrations, which feature
> parades, music, dancing and
> firework displays. In Paris a
> military parade along the
> Champs-Élysées is attended
> by the President.

juin [ʒɥɛ̃] *nm* June
jumeau, -elle, x [ʒymo, -ɛl] *adj,
nm/f* twin
jumeler [ʒymle] /4/ *vt* to twin
jumelle [ʒymɛl] *adj f, nf voir*
jumeau
jument [ʒymɑ̃] *nf* mare
jungle [ʒɔ̃gl] *nf* jungle
jupe [ʒyp] *nf* skirt
jupon [ʒypɔ̃] *nm* waist slip *ou*
petticoat
juré, e [ʒyʀe] *nm/f* juror ▶ *adj*:
ennemi ~ sworn *ou* avowed
enemy
jurer [ʒyʀe] /1/ *vt* (*obéissance etc*)
to swear, vow ▶ *vi* (*dire des jurons*)
to swear, curse; (*dissoner*):
~ (avec) to clash (with); **~ de
faire/que** to swear *ou* vow to do/

that; **~ de qch** (*s'en porter garant*)
to swear to sth
juridique [ʒyʀidik] *adj* legal
juron [ʒyʀɔ̃] *nm* curse, swearword
jury [ʒyʀi] *nm* jury; (*Art, Sport*)
panel of judges; (*Scol*) board (of
examiners), jury
jus [ʒy] *nm* juice; (*de viande*) gravy,
(meat) juice; **~ de fruits** fruit juice
jusque [ʒysk]: **jusqu'à** *prép*
(*endroit*) as far as, (up) to; (*moment*)
until, till; (*limite*) up to; **~ sur/
dans** up to; (*y compris*) even on/in;
jusqu'à ce que until; **jusqu'à
présent** *ou* **maintenant** so far;
jusqu'où? how far?
justaucorps [ʒystokɔʀ] *nm inv*
leotard
juste [ʒyst] *adj* (*équitable*) just,
fair; (*légitime*) just; (*exact, vrai*)
right; (*pertinent*) apt; (*étroit*) tight;
(*insuffisant*) on the short side ▶ *adv*
right; (*chanter*) in tune; (*seulement*)
just; **~ assez/au-dessus** just
enough/above; **pouvoir tout
~ faire** to be only just able to do;
au ~ exactly; **le ~ milieu** the
happy medium; **c'était ~** it was a
close thing ● **justement** *adv*
justly; (*précisément*) just, precisely
● **justesse** *nf* (*précision*) accuracy;
(*d'une remarque*) aptness; (*d'une
opinion*) soundness; **de justesse**
only just
justice [ʒystis] *nf* (*équité*) fairness,
justice; (*Admin*) justice; **rendre
~ à qn** to do sb justice
justificatif, -ive [ʒystifikatif,
-iv] *adj* (*document etc*) supporting;
pièce justificative written proof
justifier [ʒystifje] /7/ *vt* to justify;
~ de to prove
juteux, -euse [ʒytø, -øz] *adj* juicy
juvénile [ʒyvenil] *adj* youthful

k

K [ka] *nm inv* K

kaki [kaki] *adj inv* khaki

kangourou [kãguʀu] *nm* kangaroo

karaté [kaʀate] *nm* karate

kascher [kaʃɛʀ] *adj inv* kosher

kayak [kajak] *nm* kayak; **faire du ~** to go kayaking

képi [kepi] *nm* kepi

kermesse [kɛʀmɛs] *nf* bazaar, (charity) fête; village fair

kidnapper [kidnape] /1/ *vt* to kidnap

kiffer [kife] /1/ *vt* (*fam*) to like, to be into ▶ *vi*: **ça me fait ~** I like it

kilo [kilo] *nm* kilo • **kilogramme** *nm* kilogramme • **kilométrage** *nm* number of kilometres travelled, ≈ mileage • **kilomètre** *nm* kilometre • **kilométrique** *adj* (*distance*) in kilometres

kinésithérapeute [kineziteʀapøt] *nm/f* physiotherapist

kiosque [kjɔsk] *nm* kiosk, stall

kir [kiʀ] *nm* kir (*white wine with blackcurrant liqueur*)

kit [kit] *nm* kit; **~ piéton** *ou* **mains libres** hands-free kit; **en ~** in kit form

kiwi [kiwi] *nm* kiwi

klaxon [klaksɔn] *nm* horn • **klaxonner** /1/ *vi*, *vt* to hoot (*BRIT*), honk (one's horn) (*US*)

km *abr* (= *kilomètre*) km

km/h *abr* (= *kilomètres/heure*) km/h, kph

K.-O. *adj inv* shattered, knackered

Kosovo [kɔsɔvo] *nm*: **le ~** Kosovo

Koweit, Kuweit [kɔwɛt] *nm*: **le ~** Kuwait

k-way® [kawɛ] *nm* (lightweight nylon) cagoule

kyste [kist] *nm* cyst

l' [l] art déf voir **le**

la [la] art déf voir **le** ▶ nm (Mus) A; (en chantant la gamme) la

là [la] adv there; (ici) here; (dans le temps) then; **elle n'est pas là** she isn't here; **c'est là que** this is where; **là où** where; **de là** (fig) hence; **par là** (fig) by that; voir aussi **-ci; celui • là-bas** adv there

labo [labo] nm (= laboratoire) lab

laboratoire [labɔratwar] nm laboratory; **~ de langues/d'analyses** language/(medical) analysis laboratory

laborieux, -euse [labɔrjø, -øz] adj (tâche) laborious

labourer /1/ vt to plough

labyrinthe [labirɛ̃t] nm labyrinth, maze

lac [lak] nm lake

lacet [lasɛ] nm (de chaussure) lace; (de route) sharp bend; (piège) snare

lâche [laʃ] adj (poltron) cowardly; (desserré) loose, slack ▶ nm/f coward

lâcher [laʃe] /1/ vt to let go of; (ce qui tombe, abandonner) to drop; (oiseau, animal: libérer) to release, set free; (fig: mot, remarque) to let slip, come out with ▶ vi (freins) to fail; **~ les amarres** (Navig) to cast off (the moorings); **~ prise** to let go

lacrymogène [lakrimɔʒɛn] adj: **grenade/gaz ~** tear gas grenade/tear gas

lacune [lakyn] nf gap

là-dedans [ladədã] adv inside (there), in it; (fig) in that

là-dessous [ladsu] adv underneath, under there; (fig) behind that

là-dessus [ladsy] adv on there; (fig: sur ces mots) at that point; (: à ce sujet) about that

ladite [ladit] adj voir **ledit**

lagune [lagyn] nf lagoon

là-haut [lao] adv up there

laïcité [laisite] nf secularity, secularism

laid, e [lɛ, lɛd] adj ugly • **laideur** nf ugliness no pl

lainage [lɛnaʒ] nm (vêtement) woollen garment; (étoffe) woollen material

laine [lɛn] nf wool

laïque [laik] adj lay, civil; (Scol) state cpd (as opposed to private and Roman Catholic) ▶ nm/f layman(-woman)

laisse [lɛs] nf (de chien) lead, leash; **tenir en ~** to keep on a lead ou leash

laisser [lese] /1/ vt to leave ▶ vb aux: **~ qn faire** to let sb do; **se ~ aller** to let o.s. go; **laisse-toi faire** let me (ou him) do it • **laisser-aller** nm carelessness, slovenliness • **laissez-passer** nm inv pass

lait [lɛ] nm milk; **frère/sœur de ~** foster brother/sister; **~ écrémé/entier/concentré/condensé** skimmed/full-fat/concentrated/condensed/

evaporated milk • **laitage** nm dairy product • **laiterie** nf dairy • **laitier, -ière** adj dairy cpd ▶ nm/f milkman (dairywoman)

laiton [lɛtɔ̃] nm brass

laitue [lety] nf lettuce

lambeau, x [lɑ̃bo] nm scrap; **en ~x** in tatters, tattered

lame [lam] nf blade; (vague) wave; (lamelle) strip; **~ de fond** ground swell no pl; **~ de rasoir** razor blade • **lamelle** nf small blade

lamentable [lamɑ̃tabl] adj appalling

lamenter [lamɑ̃te] /1/: **se lamenter** vi: **se ~ (sur)** to moan (over)

lampadaire [lɑ̃padɛʀ] nm (de salon) standard lamp; (dans la rue) street lamp

lampe [lɑ̃p] nf lamp; (Tech) valve; **~ à pétrole** oil lamp; **~ à bronzer** sunlamp; **~ de poche** torch (BRIT), flashlight (US); **~ halogène** halogen lamp

lance [lɑ̃s] nf spear; **~ d'incendie** fire hose

lancée [lɑ̃se] nf: **être/continuer sur sa ~** to be under way/keep going

lancement [lɑ̃smɑ̃] nm launching no pl

lance-pierres [lɑ̃spjɛʀ] nm inv catapult

lancer [lɑ̃se] /3/ nm (Sport) throwing no pl, throw ▶ vt to throw; (émettre, projeter) to throw out, send out; (produit, fusée, bateau, artiste) to launch; (injure) to hurl, fling; **se lancer** vi (prendre de l'élan) to build up speed; (se précipiter): **se ~ sur** ou **contre** to rush at; **se ~ dans** (discussion) to launch into; (aventure) to embark

on; **~ qch à qn** to throw sth to sb; **~ du poids** putting the shot; **~ qch à qn** to throw sth at sb; (de façon agressive) to throw sth at sb; **~ un cri** ou **un appel** to shout ou call out

lanceur, -euse [lɑ̃sœʀ, -øz] nm/f (de poids, de disque) bowler; (Baseball) pitcher; **~ d'alerte** whistleblower ▶ nm (Espace) launcher

landau [lɑ̃do] nm pram (BRIT), baby carriage (US)

lande [lɑ̃d] nf moor

langage [lɑ̃gaʒ] nm language

langouste [lɑ̃gust] nf crayfish inv • **langoustine** nf Dublin Bay prawn

langue [lɑ̃g] nf (Anat, Culin) tongue; (Ling) language; **tirer la ~ (à)** to stick out one's tongue (at); **de ~ française** French-speaking; **~ maternelle** native language, mother tongue; **~s vivantes** modern languages

langueur [lɑ̃gœʀ] nf languidness

languir [lɑ̃giʀ] /2/ vi to languish; (conversation) to flag; **faire ~ qn** to keep sb waiting

lanière [lanjɛʀ] nf (de fouet) lash; (de valise, bretelle) strap

lanterne [lɑ̃tɛʀn] nf (portable) lantern; (électrique) light, lamp; (de voiture) (side)light

laper [lape] /1/ vt to lap up

lapidaire [lapidɛʀ] adj (fig) terse

lapin [lapɛ̃] nm rabbit; (peau) rabbitskin; (fourrure) cony; **poser un ~ à qn** to stand sb up

Laponie [laponi] nf: **la ~** Lapland

laps [laps] nm: **~ de temps** space of time, time no pl

laque [lak] nf (vernis) lacquer; (pour cheveux) hair spray

laquelle [lakɛl] pron voir **lequel**

larcin [laʀsɛ̃] nm theft

lard [laʀ] nm (graisse) fat; (bacon) (streaky) bacon

lardon [laʀdɔ̃] nm piece of chopped bacon

large [laʀʒ] adj wide; broad; (fig) generous ▶ adv: **calculer/voir ~** to allow extra/think big ▶ nm (largeur): **5 m de ~** 5 m wide ou in width; (mer): **le ~** the open sea; **au ~ de** off; **~ d'esprit** broad-minded • **largement** adv widely; (de loin) greatly; (amplement, au minimum) easily; (donner etc) generously; **c'est largement suffisant** that's ample • **largesse** nf generosity; **largesses** nfpl (dons) liberalities • **largeur** nf (qu'on mesure) width; (impression visuelle) wideness, width; (d'esprit) broadness

larguer [laʀge] /1/ vt to drop; **~ les amarres** to cast off (the moorings)

larme [laʀm] nf tear; (fig): **une ~ de** a drop of; **en ~s** in tears • **larmoyer** /8/ vi (yeux) to water; (se plaindre) to whimper

larvé, e [laʀve] adj (fig) latent

laryngite [laʀɛ̃ʒit] nf laryngitis

las, lasse [lɑ, lɑs] adj weary

laser [lazɛʀ] nm: (rayon) **~** laser (beam); **chaîne** ou **platine ~** compact disc (player); **disque ~** compact disc

lasse [lɑs] adj f voir **las**

lasser [lɑse] /1/ vt to weary, tire

latéral, e, -aux [lateʀal, -o] adj side cpd, lateral

latin, e [latɛ̃, -in] adj Latin ▶ nm (Ling) Latin ▶ nm/f: **L~, e** Latin

latitude [latityd] nf latitude

lauréat, e [lɔʀea, -at] nm/f winner

laurier [lɔʀje] nm (Bot) laurel; (Culin) bay leaves sg

lavable [lavabl] adj washable

lavabo [lavabo] nm washbasin; **lavabos** nmpl toilet sg

lavage [lavaʒ] nm washing no pl, wash; **~ de cerveau** brainwashing no pl

lavande [lavɑ̃d] nf lavender

lave [lav] nf lava no pl

lave-linge [lavlɛ̃ʒ] nm inv washing machine

laver [lave] /1/ vt to wash; (tache) to wash off; **se laver** vi to have a wash, wash; **se ~ les mains/dents** to wash one's hands/clean one's teeth; **~ la vaisselle/le linge** to wash the dishes/clothes; **~ qn de** (accusation) to clear sb of • **laverie** nf: **laverie (automatique)** Launderette® (BRIT), Laundromat® (US) • **lavette** nf dish cloth; (fam) drip • **laveur, -euse** nm/f cleaner • **lave-vaisselle** nm inv dishwasher • **lavoir** nm wash house; (évier) sink

laxatif, -ive [laksatif, -iv] adj, nm laxative

layette [lɛjɛt] nf layette

le, la, l' [lə, la, l]

(pl **les**)

▶ art déf 1 the; **le livre/la pomme/l'arbre** the book/the apple/the tree; **les étudiants** the students

2 (noms abstraits): **le courage/l'amour/la jeunesse** courage/love/youth

3 (indiquant la possession): **se casser la jambe** etc to break one's leg etc; **levez la main** put your hand up; **avoir les yeux gris/le nez rouge** to have grey eyes/a red nose

4 (*temps*): **le matin/soir** in the morning/evening; mornings/evenings; **le jeudi** *etc* (*d'habitude*) on Thursdays *etc*; (*ce jeudi-là etc*) on (the) Thursday
5 (*distribution, évaluation*) a, an; **trois euros le mètre/kilo** three euros a ou per metre/kilo; **le tiers/quart de** a third/quarter of
▶ *pron* **1** (*personne: mâle*) him; (: *femelle*) her; (: *pluriel*) them; **je le/la/les vois** I can see him/her/them
2 (*animal, chose: singulier*) it; (: *pluriel*) them; **je le** (ou **la**) **vois** I can see it; **je les vois** I can see them
3 (*remplaçant une phrase*): **je ne le savais pas** I didn't know (about it); **il était riche et ne l'est plus** he was once rich but no longer is

lécher [leʃe] /6/ *vt* to lick; (*laper: lait, eau*) to lick ou lap up; **se ~ les doigts/lèvres** to lick one's fingers/lips • **lèche-vitrines** *nm inv*: **faire du lèche-vitrines** to go window-shopping

leçon [ləsɔ̃] *nf* lesson; **faire la ~** (*fig*) to give a lecture to; **~s de conduite** driving lessons; **~s particulières** private lessons ou tuition (*BRIT*)

lecteur, -trice [lɛktœʀ, -tʀis] *nm/f* reader; (*d'université*) (foreign language) assistant ▶ *nm* (*Tech*): **~ de cassettes** cassette player; **~ de disquette(s)** disk drive; **~ de CD/DVD** CD/DVD player; **~ MP3** MP3 player

lecture [lɛktyʀ] *nf* reading

⚠ Attention à ne pas traduire *lecture* par le mot anglais *lecture*.

ledit, ladite [lədit, ladit] (*mpl* **lesdits**, *fpl* **lesdites**) *adj* the aforesaid

légal, e, -aux [legal, -o] *adj* legal • **légaliser** /1/ *vt* to legalize • **légalité** *nf* legality

légendaire [leʒɑ̃dɛʀ] *adj* legendary

légende [leʒɑ̃d] *nf* (*mythe*) legend; (*de carte, plan*) key; (*de dessin*) caption

léger, -ère [leʒe, -ɛʀ] *adj* light; (*bruit, retard*) slight; (*superficiel*) thoughtless; (*volage*) free and easy; **à la légère** (*parler, agir*) rashly, thoughtlessly • **légèrement** *adv* (*s'habiller, bouger*) lightly; **légèrement plus grand** slightly bigger; **manger légèrement** to eat a light meal • **légèreté** *nf* lightness; (*d'une remarque*) flippancy

législatif, -ive [leʒislatif, -iv] *adj* legislative; **législatives** *nfpl* general election *sg*

légitime [leʒitim] *adj* (*Jur*) lawful, legitimate; (*fig*) rightful, legitimate; **en état de ~ défense** in self-defence

legs [lɛg] *nm* legacy

léguer [lege] /6/ *vt*: **~ qch à qn** (*Jur*) to bequeath sth to sb

légume [legym] *nm* vegetable; **~s verts** green vegetables; **~s secs** pulses

lendemain [lɑ̃dmɛ̃] *nm*: **le ~** the next ou following day; **le ~ matin/soir** the next ou following morning/evening; **le ~ de** the day after

lent, e [lɑ̃, lɑ̃t] *adj* slow • **lentement** *adv* slowly • **lenteur** *nf* slowness *no pl*

lentille [lɑ̃tij] *nf* (*Optique*) lens *sg*; (*Bot*) lentil; **~s de contact** contact lenses

libellule

léopard [leɔpaʀ] *nm* leopard
lèpre [lɛpʀ] *nf* leprosy

---

lequel, laquelle
[ləkɛl, lakɛl]

(*mpl* **lesquels**, *fpl* **lesquelles**)
(*à* + *lequel* = **auquel**, *de* + *lequel* =
duquel *etc*)
▶ *pron* 1 (*interrogatif*) which,
which one; **lequel des deux?**
which one?
2 (*relatif: personne: sujet*) who;
(: *objet, après préposition*) whom;
(: *chose*) which
▶ *adj*: **auquel cas** in which case

---

les [le] *art déf, pron voir* **le**
lesbienne [lɛsbjɛn] *nf* lesbian
lesdits, lesdites [ledi, ledit] *adj*
pl voir **ledit**
léser [leze] /6/ *vt* to wrong
lésiner [lezine] /1/ *vi*: **ne pas**
~ sur les moyens (*pour mariage*
etc) to push the boat out
lésion [lezjɔ̃] *nf* lesion, damage *no*
pl
lessive [lesiv] *nf* (*poudre*) washing
powder; (*linge*) washing *no pl*,
wash • **lessiver** /1/ *vt* to wash;
(*fam: fatiguer*) to tire out, exhaust
lest [lɛst] *nm* ballast
leste [lɛst] *adj* sprightly, nimble
lettre [lɛtʀ] *nf* letter; **lettres** *nfpl*
(*étude, culture*) literature *sg*; (*Scol*)
arts (subjects); **à la ~** literally; **en**
toutes ~s in full; **~ piégée** letter
bomb
leucémie [løsemi] *nf* leukaemia

---

leur [lœʀ]

▶ *adj poss* their; **leur maison**
their house; **leurs amis** their
friends

▶ *pron* 1 (*objet indirect*) (to) them;
je leur ai dit la vérité I told
them the truth; **je le leur ai**
donné I gave it to them, I gave
them it
2 (*possessif*): **le (la) leur, les**
leurs theirs

---

levain [ləvɛ̃] *nm* leaven
levé, e [ləve] *adj*: **être ~** to be up
• **levée** *nf* (*Postes*) collection
lever [ləve] /5/ *vt* (*vitre, bras etc*) to
raise; (*soulever de terre, supprimer:*
interdiction, siège) to lift; (*impôts,*
armée) to levy ▶ *vi* to rise ▶ *nm*:
au ~ on getting up; **se lever** *vi* to
get up; (*soleil*) to rise; (*jour*) to
break; (*brouillard*) to lift; **ça va se ~**
(*temps*) it's going to clear up;
~ du jour daybreak; **~ de soleil**
sunrise
levier [ləvje] *nm* lever
lèvre [lɛvʀ] *nf* lip
lévrier [levʀije] *nm* greyhound
levure [ləvyʀ] *nf* yeast;
~ chimique baking powder
lexique [lɛksik] *nm* vocabulary,
lexicon; (*glossaire*) vocabulary
lézard [lezaʀ] *nm* lizard
lézarde [lezaʀd] *nf* crack
liaison [ljezɔ̃] *nf* (*rapport*)
connection; (*Rail, Aviat etc*) link;
(*amoureuse*) affair; (*Culin,*
Phonétique) liaison; **entrer/être**
en ~ avec to get/be in contact
with
liane [ljan] *nf* creeper
liasse [ljas] *nf* wad, bundle
Liban [libɑ̃] *nm*: **le ~** (the)
Lebanon
libeller [libele] /1/ *vt* (*chèque,*
mandat): **~ (au nom de)** to make
out (to); (*lettre*) to word
libellule [libelyl] *nf* dragonfly

libéral, e, -aux [liberal, -o] *adj, nm/f* liberal; **les professions ~es** liberal professions

libérer [libere] /6/ *vt* (*délivrer*) to free, liberate (*Psych*) to liberate; (*relâcher: prisonnier*) to discharge, release; (*gaz, cran d'arrêt*) to release; **se libérer** *vi* (*de rendez-vous*) to get out of previous engagements

liberté [liberte] *nf* freedom; (*loisir*) free time; **libertés** *nfpl* (*privautés*) liberties; **mettre/être en ~** to set/be free; **en ~ provisoire/ surveillée/conditionnelle** on bail/probation/parole

libraire [librer] *nm/f* bookseller

librairie [libreri] *nf* bookshop

⚠ Attention à ne pas traduire *librairie* par *library*.

libre [libr] *adj* free; (*route*) free; (*place etc*) free; (*ligne*) not engaged; (*Scol*) non-state; **~ de qch/de faire** free from sth/to do; **~ arbitre** free will • **libre-échange** *nm* free trade • **libre-service** *nm inv* self-service store

Libye [libi] *nf*: **la ~** Libya

licence [lisɑ̃s] *nf* (*permis*) permit; (*diplôme*) (first) degree; (*liberté*) liberty • **licencié, e** *nm/f* (*Scol*): **licencié ès lettres/en droit** ≈ Bachelor of Arts/Law

licenciement [lisɑ̃simɑ̃] *nm* redundancy

licencier [lisɑ̃sje] /7/ *vt* (*renvoyer*) to dismiss; (*débaucher*) to make redundant

licite [lisit] *adj* lawful

lie [li] *nf* dregs *pl*, sediment

lié, e [lje] *adj*: **très ~ avec** very friendly with *ou* close to

Liechtenstein [liʃtɛnʃtajn] *nm*: **le ~** Liechtenstein

liège [ljɛʒ] *nm* cork

lien [ljɛ̃] *nm* (*corde, fig: affectif, culturel*) bond; (*rapport*) link, connection; **~ de parenté** family tie; **~ hypertexte** hyperlink

lier [lje] /7/ *vt* (*attacher*) to tie up; (*joindre*) to link up; (*fig: unir, engager*) to bind; **~ conversation (avec)** to strike up a conversation (with); **~ connaissance avec** to get to know

lierre [ljɛr] *nm* ivy

lieu, x [ljø] *nm* place; **lieux** *nmpl* (*locaux*) premises; (*endroit: d'un accident etc*) scene *sg*; **arriver/ être sur les ~x** to arrive/be on the scene; **en premier ~** in the first place; **en dernier ~** lastly; **avoir ~** to take place; **tenir ~ de** to serve as; **donner ~ à** to give rise to; **au ~ de** instead of; **~ commun** commonplace • **lieu-dit** (*pl* **lieux-dits**) *nm* locality

lieutenant [ljøtnɑ̃] *nm* lieutenant

lièvre [ljɛvr] *nm* hare

ligament [ligamɑ̃] *nm* ligament

ligne [liɲ] *nf* (*gén*) line; (*Transports: liaison*) service; (: *trajet*) route; (*silhouette*) figure; **garder la ~** to keep one's figure; **en ~** (*Inform*) online; **entrer en ~ de compte** to be taken into account; **~ fixe** (*Tél*) landline

ligné, e [liɲe] *adj*: **papier ~** ruled paper ▸ *nf* line, lineage

ligoter [ligɔte] /1/ *vt* to tie up

ligue [lig] *nf* league

lilas [lila] *nm* lilac

limace [limas] *nf* slug

limande [limɑ̃d] *nf* dab

lime [lim] *nf* file; **~ à ongles** nail file • **limer** /1/ *vt* to file

limitation [limitasjɔ̃] *nf*: **~ de vitesse** speed limit

limite [limit] *nf* (*de terrain*) boundary; (*partie ou point extrême*) limit; **à la ~** (*au pire*) if the worst comes (*ou* came) to the worst; **vitesse/charge ~** maximum speed/load; **cas ~** borderline case; **date ~** deadline; **date ~ de vente/consommation** sell-by/ best-before date • **limiter** /1/ *vt* (*restreindre*) to limit, restrict; (*délimiter*) to border • **limitrophe** *adj* border *cpd*

limoger [limɔʒe] /3/ *vt* to dismiss

limon [limɔ̃] *nm* silt

limonade [limɔnad] *nf* lemonade

lin [lɛ̃] *nm* (*tissu, toile*) linen

linceul [lɛ̃sœl] *nm* shroud

linge [lɛ̃ʒ] *nm* (*serviettes etc*) linen; (*aussi*: **~ de corps**) underwear; (*lessive*) washing • **lingerie** *nf* lingerie, underwear

lingot [lɛ̃go] *nm* ingot

linguistique [lɛ̃gɥistik] *adj* linguistic ▸ *nf* linguistics *sg*

lion, ne [ljɔ̃, ljɔn] *nm/f* lion (lioness); (*signe*): **le L~** Leo • **lionceau, x** *nm* lion cub

liqueur [likœʀ] *nf* liqueur

liquidation [likidasjɔ̃] *nf* (*vente*) sale, liquidation; (*Comm*) clearance (sale)

liquide [likid] *adj* liquid ▸ *nm* liquid; (*Comm*): **en ~** in ready money *ou* cash; **je n'ai pas de ~** I haven't got any cash • **liquider** /1/ *vt* to liquidate; (*Comm*: *articles*) to clear, sell off

lire [liʀ] /43/ *nf* (*monnaie*) lira ▸ *vt, vi* to read

lis *vb* [li] *voir* **lire** ▸ *nm* [lis] = **lys**

Lisbonne [lizbɔn] *n* Lisbon

liseuse [lizøz] *nf* e-reader

lisible [lizibl] *adj* legible

lisière [lizjɛʀ] *nf* (*de forêt*) edge

lisons [lizɔ̃] *vb voir* **lire**

lisse [lis] *adj* smooth

lisseur [lisœʀ] *nm* straighteners

liste [list] *nf* list; **faire la ~ de** to list; **~ électorale** electoral roll; **~ de mariage** wedding (present) list • **listing** *nm* (*Inform*) printout

lit [li] *nm* bed; **petit ~, ~ à une place** single bed; **grand ~, ~ à deux places** double bed; **faire son ~** to make one's bed; **aller/se mettre au ~** to go to/get into bed; **~ de camp** camp bed; **~ d'enfant** cot (BRIT), crib (US)

literie [litʀi] *nf* bedding, bedclothes *pl*

litige [litiʒ] *nm* dispute

litre [litʀ] *nm* litre

littéraire [liteʀɛʀ] *adj* literary ▸ *nm/f* arts student; **elle est très ~** she's very literary

littéral, e, -aux [liteʀal, -o] *adj* literal

littérature [liteʀatyʀ] *nf* literature

littoral, e, -aux [litɔʀal, -o] *nm* coast

livide [livid] *adj* livid, pallid

livraison [livʀɛzɔ̃] *nf* delivery

livre [livʀ] *nm* book ▸ *nf* (*poids, monnaie*) pound; **~ numérique** e-book; **~ de poche** paperback

livré, e [livʀe] *adj*: **~ à soi-même** left to oneself *ou* one's own devices

livrer [livʀe] /1/ *vt* (*Comm*) to deliver; (*otage, coupable*) to hand over; (*secret, information*) to give away; **se ~ à** (*se rendre*) to give o.s.

up to; (faire: pratiques, actes) to indulge in; (enquête) to carry out

livret [livʀɛ] nm booklet; (d'opéra) libretto; **~ de caisse d'épargne** (savings) bank-book; **~ de famille** (official) family record book; **~ scolaire** (school) report book

livreur, -euse [livʀœʀ, -øz] nm/f delivery boy ou man/girl ou woman

local, e, -aux [lɔkal, -o] adj local ▸ nm (salle) premises pl ▸ nmpl premises • **localité** nf locality

locataire [lɔkatɛʀ] nf/f tenant; (de chambre) lodger

location [lɔkasjɔ̃] nf (par le locataire) renting; (par le propriétaire) renting out, letting; (bureau) booking office; **"~ de voitures"** "car hire (BRIT) ou rental (US)"; **habiter en ~** to live in rented accommodation; **prendre une ~ (pour les vacances)** to rent a house etc (for the holidays)

⚠ Attention à ne pas traduire location par le mot anglais location.

locomotive [lɔkɔmɔtiv] nf locomotive, engine

locution [lɔkysjɔ̃] nf phrase

loge [lɔʒ] nf (Théât: d'artiste) dressing room; (: de spectateurs) box; (de concierge, franc-maçon) lodge

logement [lɔʒmɑ̃] nm flat (BRIT), apartment (US); accommodation no pl (BRIT), accommodations pl (US); (Pol, Admin): **le ~** housing

loger [lɔʒe] /3/ vt to accommodate ▸ vi to live; **se loger** vr: **trouver à se ~** to find accommodation; **se ~ dans** (balle, flèche) to lodge itself in; **être logé, nourri** to have board and lodging • **logeur, -euse** nm/f landlord (landlady)

logiciel [lɔʒisjɛl] nm piece of software

logique [lɔʒik] adj logical ▸ nf logic

logo [lɔgo] nm logo

loi [lwa] nf law; **faire la ~** to lay down the law

loin [lwɛ̃] adv far; (dans le temps: futur) a long way off; (: passé) a long time ago; **plus ~** further; **~ de** far from; **d'ici** a long way from here; **au ~** far off; **de ~** from a distance; (fig: de beaucoup) by far

lointain, e [lwɛ̃tɛ̃, -ɛn] adj faraway, distant; (dans le futur, passé) distant; (cause, parent) remote, distant ▸ nm: **dans le ~** in the distance

loir [lwaʀ] nm dormouse

Loire [lwaʀ] nf: **la ~** the Loire

loisir [lwaziʀ] nm: **heures de ~** spare time; **loisirs** nmpl (temps libre) leisure sg; (activités) leisure activities; **avoir le ~ de faire** to have the time ou opportunity to do; **(tout) à ~** at leisure

londonien, ne [lɔ̃dɔnjɛ̃, -ɛn] adj London cpd, of London ▸ nm/f: **L~, ne** Londoner

Londres [lɔ̃dʀ] n London

long, longue [lɔ̃, lɔ̃g] adj long ▸ adv: **en savoir ~** to know a great deal ▸ nm: **de 3 m de ~** 3 m long, 3 m in length; **ne pas faire ~ feu** not to last long; **(tout) le ~ de** (all along); **tout au ~ de** (année, vie) throughout; **de ~ en large** (marcher) to and fro, up and down

longer [lɔ̃ʒe] /3/ vt to go (ou walk ou drive) along(side); (mur, route) to border

longiligne [lɔ̃ʒiliɲ] adj long-limbed

longitude [lɔ̃ʒityd] nf longitude

longtemps [lɔ̃tɑ̃] adv (for) a long time, (for) long; **avant ~** before long; **pour/pendant ~** for a long time; **mettre ~ à faire** to take a long time to do; **il en a pour ~** he'll be a long time

longue [lɔ̃g] *adj f voir* **long** ▸ *nf:* **à la ~** in the end • **longuement** *adv* (*longtemps*) for a long time; (*en détail*) at length

longueur [lɔ̃gœʀ] *nf* length; **longueurs** *nfpl* (*fig: d'un film etc*) tedious parts; **en ~** lengthwise; **tirer en ~** to drag on; **à ~ de journée** all day long

loquet [lɔkɛ] *nm* latch

lorgner [lɔʀɲe] /1/ *vt* to eye; (*fig*) to have one's eye on

lors [lɔʀ]: **~ de** *prép* (*au moment de*) at the time of; (*pendant*) during; **~ même que** even though

lorsque [lɔʀsk] *conj* when, as

losange [lɔzɑ̃ʒ] *nm* diamond

lot [lo] *nm* (*part*) share; (*de loterie*) prize; (*fig: destin*) fate, lot; (*Comm, Inform*) batch; **le gros ~** the jackpot

loterie [lɔtʀi] *nf* lottery

lotion [losjɔ̃] *nf* lotion; **~ après rasage** after-shave (lotion)

lotissement [lɔtismɑ̃] *nm* housing development; (*parcelle*) (building) plot, lot

loto [lɔto] *nm* lotto

lotte [lɔt] *nf* monkfish

louange [lwɑ̃ʒ] *nf:* **à la ~ de** in praise of; **louanges** *nfpl* praise *sg*

loubar(d) [lubaʀ] *nm* (*fam*) lout

louche [luʃ] *adj* shady, fishy, dubious ▸ *nf* ladle • **loucher** /1/ *vi* to squint

louer [lwe] /1/ *vt* (*maison: propriétaire*) to let, rent (out); (: *locataire etc*) to rent; (*voiture etc: entreprise*) to hire (out) (*BRIT*), rent (out); (: *locataire*) to hire (*BRIT*),

rent; (*réserver*) to book; (*faire l'éloge de*) to praise; **"à ~"** "to let" (*BRIT*), "for rent" (*US*)

loup [lu] *nm* wolf; **jeune ~** young go-getter

loupe [lup] *nf* magnifying glass; **à la ~** in minute detail

louper [lupe] /1/ *vt* (*fam: manquer*) to miss; (*examen*) to flunk

lourd, e [luʀ, luʀd] *adj* heavy; (*chaleur, temps*) sultry; **~ de** (*menaces*) charged with; (*conséquences*) fraught with • **lourdaud, e** *adj* clumsy • **lourdement** *adv* heavily

loutre [lutʀ] *nf* otter

louveteau, x [luvto] *nm* wolf-cub; (*scout*) cub (scout)

louvoyer [luvwaje] /8/ *vi* (*fig*) to hedge, evade the issue

loyal, e, -aux [lwajal, -o] *adj* (*fidèle*) loyal, faithful; (*fair-play*) fair • **loyauté** *nf* loyalty, faithfulness; fairness

loyer [lwaje] *nm* rent

lu, e [ly] *pp de* **lire**

lubie [lybi] *nf* whim, craze

lubrifiant [lybʀifjɑ̃] *nm* lubricant

lubrifier [lybʀifje] /7/ *vt* to lubricate

lubrique [lybʀik] *adj* lecherous

lucarne [lykaʀn] *nf* skylight

lucide [lysid] *adj* lucid; (*accidenté*) conscious

lucratif, -ive [lykʀatif, -iv] *adj* lucrative, profitable; **à but non ~** non profit-making

lueur [lɥœʀ] *nf* (*chatoyante*) glimmer *no pl*; (*pâle*) faint light; (*fig*) glimmer, gleam

luge [lyʒ] *nf* sledge (*BRIT*), sled (*US*)

lugubre [lygybʀ] *adj* gloomy; dismal

lui [lɥi]

pron 1 (*objet indirect: mâle*) (to) him; (*: femelle*) (to) her; (*: chose, animal*) (to) it; **je lui ai parlé** I have spoken to him (*ou* to her); **il lui a offert un cadeau** he gave him (*ou* her) a present
2 (*après préposition, comparatif: personne*) him; (*: chose, animal*) it; **elle est contente de lui** she is pleased with him; **je la connais mieux que lui** I know her better than he does; I know her better than him; **cette voiture est à lui** this car belongs to him, this is HIS car; **c'est à lui de jouer** it's his turn *ou* go
3 (*sujet, forme emphatique*) he; **lui, il est à Paris** HE is in Paris; **c'est lui qui l'a fait** HE did it
4 (*objet, forme emphatique*) him; **c'est lui que j'attends** I'm waiting for HIM
5: lui-même himself; itself

luire [lɥiʀ] /38/ *vi* to shine; (*reflets chauds, cuivrés*) to glow

lumière [lymjɛʀ] *nf* light; **mettre en ~** (*fig*) to highlight; **~ du jour/soleil** day/sunlight

luminaire [lyminɛʀ] *nm* lamp, light

lumineux, -euse [lyminø, -øz] *adj* luminous; (*éclairé*) illuminated; (*ciel, journée, couleur*) bright; (*rayon etc*) of light, light *cpd*; (*fig: regard*) radiant

lunatique [lynatik] *adj* whimsical, temperamental

lundi [lœdi] *nm* Monday; **on est ~** it's Monday; **le(s) ~(s)** on Mondays; **à ~!** see you (on) Monday!; **~ de Pâques** Easter Monday

lune [lyn] *nf* moon; **~ de miel** honeymoon

lunette [lynɛt] *nf*: **~s** glasses, spectacles; (*protectrices*) goggles; **~ arrière** (*Auto*) rear window; **~s noires** dark glasses; **~s de soleil** sunglasses

lustre [lystʀ] *nm* (*de plafond*) chandelier; (*fig: éclat*) lustre • **lustrer** /1/ *vt*: **lustrer qch** to make sth shine

luth [lyt] *nm* lute

lutin [lytɛ̃] *nm* imp, goblin

lutte [lyt] *nf* (*conflit*) struggle; (*Sport*): **la ~** wrestling • **lutter** /1/ *vi* to fight, struggle

luxe [lyks] *nm* luxury; **de ~** luxury *cpd*

Luxembourg [lyksãbuʀ] *nm*: **le ~** Luxembourg

luxer [lykse] /1/ *vt*: **se ~ l'épaule** to dislocate one's shoulder

luxueux, -euse [lyksɥø, -øz] *adj* luxurious

lycée [lise] *nm* (*state*) secondary (*BRIT*) *ou* high (*US*) school • **lycéen, ne** *nm/f* secondary school pupil

Lyon [ljɔ̃] *n* Lyons

lyophilisé, e [ljɔfilize] *adj* (*café*) freeze-dried

lyrique [liʀik] *adj* lyrical; (*Opéra*) lyric; **artiste ~** opera singer

lys [lis] *nm* lily

m

M *abr* = **Monsieur**

m' [m] *pron voir* **me**

ma [ma] *adj poss voir* **mon**

macaron [makarɔ̃] *nm*
(*gâteau*) macaroon; (*insigne*)
(round) badge

macaroni(s) [makarɔni] *nm* (*pl*)
macaroni *sg*; **~ au gratin**
macaroni cheese (*BRIT*), macaroni
and cheese (*US*)

Macédoine [masedwan] *nf*
Macedonia

macédoine [masedwan] *nf*:
~ de fruits fruit salad; **~ de
légumes** mixed vegetables *pl*

macérer [masere] /6/ *vi, vt* to
macerate; (*dans du vinaigre*) to pickle

mâcher [mɑʃe] /1/ *vt* to chew;
ne pas ~ ses mots not to mince
one's words

machin [maʃɛ̃] *nm* (*fam*)
thingamajig; (*personne*): **M~(e)**
what's-his-(*ou* her)-name

machinal, e, -aux [maʃinal, -o]
adj mechanical, automatic

machination [maʃinasjɔ̃] *nf*
frame-up

machine [maʃin] *nf* machine;
(*locomotive*) engine; **~ à laver/
coudre/tricoter** washing/
sewing/knitting machine; **~ à
sous** fruit machine

mâchoire [mɑʃwar] *nf* jaw

mâchonner [mɑʃɔne] /1/ *vt* to
chew (at)

maçon [masɔ̃] *nm* bricklayer;
(*constructeur*) builder
• **maçonnerie** *nf* (*murs*)
brickwork; (: *de pierre*) masonry,
stonework

Madagascar [madagaskar] *nf*
Madagascar

Madame [madam] (*pl* **Mesdames**)
nf: **~ X** Mrs X; **occupez-vous de
~/Monsieur/Mademoiselle**
please serve this lady/
gentleman/(young) lady;
**bonjour ~/Monsieur/
Mademoiselle** good morning
(*ton déférent*) good morning
Madam/Sir/Madam; (*le nom est
connu*) good morning Mrs X/Mr X/
Miss X; **~/Monsieur/
Mademoiselle!** (*pour appeler*)
excuse me!; **~/Monsieur/
Mademoiselle** (*sur lettre*) Dear
Madam/Sir/Madam; **chère ~/
cher Monsieur/chère
Mademoiselle** Dear Mrs X/Mr X/
Miss X; **Mesdames** Ladies;
**mesdames, mesdemoiselles,
messieurs** ladies and gentlemen

madeleine [madlɛn] *nf*
madeleine, ≈ sponge finger cake

Mademoiselle [madmwazɛl]
(*pl* **Mesdemoiselles**) *nf* Miss; *voir
aussi* **Madame**

Madère [madɛʀ] nf Madeira
▶ nm: **madère** Madeira (wine)
Madrid [madʀid] n Madrid
magasin [magazɛ̃] nm (boutique)
shop; (entrepôt) warehouse; **en ~**
(Comm) in stock

In France, **magasins** are usually
open all day in bigger towns and
shopping centres. In smaller
towns, they tend to close for
lunch, normally between noon
and 2pm. Throughout France,
most shops are closed on
Sundays, with some in smaller
towns also closing on Mondays.

magazine [magazin] nm
magazine
Maghreb [magʀɛb] nm: **le ~**
North(-West) Africa
• **maghrébin, e** adj North African
▶ nm/f: **Maghrébin, e** North
African
magicien, ne [maʒisjɛ̃, -ɛn]
nm/f magician
magie [maʒi] nf magic
• **magique** adj magic; (fig)
magical
magistral, e, -aux [maʒistʀal, -o]
adj (œuvre, adresse) masterly; (ton)
authoritative; **cours ~** lecture
magistrat [maʒistʀa] nm
magistrate
magnétique [maɲetik] adj
magnetic
magnétophone [maɲetɔfɔn]
nm tape recorder; **~ à cassettes**
cassette recorder
magnétoscope [maɲetɔskɔp]
nm: **~ (à cassette)** video (recorder)
magnifique [maɲifik] adj
magnificent
magret [magʀɛ] nm: **~ de
canard** duck breast

mai [mɛ] nm May; voir aussi **juillet**

Le premier mai is a public
holiday in France and marks the
achievements of workers and
the labour movement. Sprigs
of lily of the valley are
traditionally exchanged. Le 8
mai is also a public holiday and
commemorates the surrender
of the German army to
Eisenhower on 7 May, 1945.
It is marked by parades of
ex-servicemen and
ex-servicewomen in most
towns. The social upheavals of
May and June 1968, with their
student demonstrations,
workers' strikes and general
rioting, are usually referred to
as 'les événements de mai 68'.
De Gaulle's Government
survived, but reforms in
education and a move towards
decentralization ensued.

maigre [mɛgʀ] adj (very) thin,
skinny; (viande) lean; (fromage)
low-fat; (végétation) thin, sparse;
(fig) poor; **jours ~s** days of
abstinence, fish days • **maigreur**
nf thinness • **maigrir** /2/ vi to get
thinner, lose weight; **maigrir de
2 kilos** to lose 2 kilos
mail [mɛl] nm email
maille [maj] nf stitch; **~ à
l'endroit/à l'envers** plain/purl
stitch
maillet [majɛ] nm mallet
maillon [majɔ̃] nm link
maillot [majo] nm (aussi: **~ de
corps**) vest; (de sportif) jersey;
~ de bain swimming ou bathing
(BRIT) costume, swimsuit;
(d'homme) (swimming ou bathing
(BRIT)) trunks pl

main [mɛ̃] *nf* hand; **à la ~** (*tenir, avoir*) in one's hand; (*faire, tricoter etc*) by hand; **se donner ou tendre la ~** to hold hands; **donner ou tendre la ~ à qn** to hold out one's hand to sb; **se serrer la ~** to shake hands; **serrer la ~ à qn** to shake hands with sb; **sous la ~** to *ou* at hand; **haut les ~s!** hands up!; **attaque à ~ armée** armed attack; **à remettre en ~s propres** to be delivered personally; **mettre la dernière ~ à** to put the finishing touches to; **se faire/perdre la ~** to get one's hand in/lose one's touch; **avoir qch bien en ~** to have got the hang of sth • **main-d'œuvre** *nf* manpower, labour • **mainmise** *nf* (*fig*): **avoir la mainmise sur** to have a grip *ou* stranglehold on

mains-libres [mɛ̃libʀ] *adj inv* (*téléphone, kit*) hands-free

maint, e [mɛ̃, mɛ̃t] *adj* many a; **~s** many; **à ~es reprises** time and (time) again

maintenant [mɛ̃tnɑ̃] *adv* now; (*actuellement*) nowadays

maintenir [mɛ̃tniʀ] /22/ *vt* (*retenir, soutenir*) to support; (*contenir: foule etc*) to keep in check; (*conserver*) to maintain; **se maintenir** *vi* (*prix*) to keep steady; (*préjugé*) to persist

maintien [mɛ̃tjɛ̃] *nm* maintaining; (*attitude*) bearing

maire [mɛʀ] *nm* mayor • **mairie** *nf* (*bâtiment*) town hall; (*administration*) town council

mais [mɛ] *conj* but; **~ non!** of course not!; **~ enfin** but after all; (*indignation*) look here!

maïs [mais] *nm* maize (BRIT), corn (US)

maison [mɛzɔ̃] *nf* house; (*chez-soi*) home; (*Comm*) firm ▸ *adj inv* (*Culin*) home-made; (*Comm*) in-house, own; **à la ~** at home; (*direction*) home; **~ close** brothel; **~ des jeunes** = youth club; **~ mère** parent company; **~ de passe = maison close**; **~ de repos** convalescent home; **~ de retraite** old people's home; **~ de santé** mental home

maître, -esse [mɛtʀ, mɛtʀɛs] *nm/f* master (mistress); (*Scol*) teacher, schoolmaster/-mistress ▸ *nm* (*peintre etc*) master; (*titre*): **M~ (Mᵉ)** Maître (*term of address for lawyers etc*) ▸ *adj* (*principal, essentiel*) main; **être ~ de** (*soi-même, situation*) to be in control of; **une maîtresse femme** a forceful woman; **~ chanteur** blackmailer; **~/maîtresse d'école** schoolmaster/-mistress; **~ d'hôtel** (*domestique*) butler; (*d'hôtel*) head waiter; **~ nageur** lifeguard; **maîtresse de maison** hostess; (*ménagère*) housewife

maîtrise [mɛtʀiz] *nf* (*aussi*: **~ de soi**) self-control, self-possession; (*habileté*) skill, mastery; (*suprématie*) mastery, command; (*Hist: diplôme*) ≈ degree • **maîtriser** /1/ *vt* (*cheval, incendie*) to (bring under) control; (*sujet*) to master; (*émotion*) to control, master; **se maîtriser** to control o.s.

majestueux, -euse [maʒɛstɥø, -øz] *adj* majestic

majeur, e [maʒœʀ] *adj* (*important*) major; (*Jur*) of age ▸ *nm* (*doigt*) middle finger; **en ~e partie** for the most part; **la ~e partie de** most of

majorer [maʒɔʀe] /1/ *vt* to increase

majoritaire [maʒɔʀitɛʀ] *adj* majority *cpd*

majorité [maʒɔʀite] *nf (gén)* majority; *(parti)* party in power; **en ~** *(composé etc)* mainly; **avoir la ~** to have the majority

majuscule [maʒyskyl] *adj*, *nf*: **(lettre) ~** capital (letter)

mal *(pl* **maux)** [mal, mo] *nm (opposé au bien)* evil; *(tort, dommage)* harm; *(douleur physique)* pain, ache; *(maladie)* illness, sickness *no pl* ▶ *adv* badly ▶ *adj*: **être ~ (à l'aise)** to be uncomfortable; **être ~ avec qn** to be on bad terms with sb; **il a ~ compris** he misunderstood; **se sentir** *ou* **se trouver ~** to feel ill *ou* unwell; **dire/penser du ~ de** to speak/think ill of; **avoir du ~ à faire qch** to have trouble doing sth; **se donner du ~ pour faire qch** to go to a lot of trouble to do sth; **ne voir aucun ~ à** to see no harm in, see nothing wrong in; **faire du ~ à qn** to hurt sb; **se faire ~** to hurt o.s.; **ça fait ~** it hurts; **j'ai ~ au dos** my back aches; **avoir ~ à la tête/à la gorge** to have a headache/a sore throat; **avoir ~ aux dents/à l'oreille** to have toothache/ earache; **avoir le ~ du pays** to be homesick; **~ de mer** seasickness; **~ en point** in a bad state; *voir aussi* **cœur**

malade [malad] *adj* ill, sick; *(poitrine, jambe)* bad; *(plante)* diseased ▶ *nm/f* invalid, sick person; *(à l'hôpital etc)* patient; **tomber ~** to fall ill; **être ~ du cœur** to have heart trouble *ou* a bad heart; **~ mental** mentally sick *ou* ill person • **maladie** *nf (spécifique)* disease, illness;

(mauvaise santé) illness, sickness • **maladif, -ive** *adj* sickly; *(curiosité, besoin)* pathological

maladresse [maladʀɛs] *nf* clumsiness *no pl*; *(gaffe)* blunder

maladroit, e [maladʀwa, -wat] *adj* clumsy

malaise [malɛz] *nm (Méd)* feeling of faintness; *(fig)* uneasiness, malaise; **avoir un ~** to feel faint *ou* dizzy

Malaisie [malɛzi] *nf*: **la ~** Malaysia

malaria [malaʀja] *nf* malaria

malaxer [malakse] /1/ *vt (pétrir)* to knead; *(mêler)* to mix

malbouffe [malbuf] *nf (fam)*: **la ~** junk food

malchance [malʃɑ̃s] *nf* misfortune, ill luck *no pl*; **par ~** unfortunately • **malchanceux, -euse** *adj* unlucky

mâle [mɑl] *adj (Élec, Tech)* male; *(viril: voix, traits)* manly ▶ *nm* male

malédiction [malediksjɔ̃] *nf* curse

mal: • **malentendant, e** *nm/f*: **les malentendants** the hard of hearing • **malentendu** *nm* misunderstanding; **il y a eu un malentendu** there's been a misunderstanding • **malfaçon** *nf* fault • **malfaisant, e** *adj* evil, harmful • **malfaiteur** *nm* lawbreaker, criminal; *(voleur)* burglar, thief • **malfamé, e** *adj* disreputable

malgache [malgaʃ] *adj* Malagasy, Madagascan ▶ *nm (Ling)* Malagasy ▶ *nm/f*: **M~** Malagasy, Madagascan

malgré [malgʀe] *prép* in spite of, despite; **~ tout** in spite of everything

mangeable

malheur [malœʀ] nm (situation) adversity, misfortune; (événement) misfortune; (: plus fort) disaster, tragedy; **faire un ~** to be a smash hit • **malheureusement** adv unfortunately • **malheureux, -euse** adj (triste) unhappy, miserable; (infortuné, regrettable) unfortunate; (malchanceux) unlucky; (insignifiant) wretched ▶ nm/f poor soul

malhonnête [malɔnɛt] adj dishonest • **malhonnêteté** nf dishonesty

malice [malis] nf mischievousness; (méchanceté) **par ~** out of malice ou spite; **sans ~** guileless • **malicieux, -euse** adj mischievous

⚠ Attention à ne pas traduire malicieux par malicious.

malin, -igne [malɛ̃, -iɲ] adj (futé) (f gén **maline**) smart, shrewd; (Méd) malignant

malingre [malɛ̃gʀ] adj puny

malle [mal] nf trunk • **mallette** nf (small) suitcase; (pour documents) attaché case

malmener [malməne] /5/ vt to manhandle; (fig) to give a rough ride to

malodorant, e [malɔdɔʀɑ̃, -ɑ̃t] adj foul-smelling

malpoli, e [malpɔli] adj impolite

malsain, e [malsɛ̃, -ɛn] adj unhealthy

malt [malt] nm malt

Malte [malt] nf Malta

maltraiter [maltʀete] /1/ vt to manhandle, ill-treat

malveillance [malvɛjɑ̃s] nf (animosité) ill will; (intention de nuire) malevolence

malversation [malvɛʀsasjɔ̃] nf embezzlement

maman [mamɑ̃] nf mum(my)

mamelle [mamɛl] nf teat

mamelon [mamlɔ̃] nm (Anat) nipple

mamie [mami] nf (fam) granny

mammifère [mamifɛʀ] nm mammal

mammouth [mamut] nm mammoth

manche [mɑ̃ʃ] nf (de vêtement) sleeve; (d'un jeu, tournoi) round; (Géo): **la M~** the (English) Channel ▶ nm (d'outil, casserole) handle; (de pelle, pioche etc) shaft; **à ~s courtes/longues** short-/long-sleeved; **~ à balai** broomstick; (Aviat, Inform) joystick nm

manchette [mɑ̃ʃɛt] nf (de chemise) cuff; (coup) forearm blow; (titre) headline

manchot [mɑ̃ʃo] nm one-armed man; armless man; (Zool) penguin

mandarine [mɑ̃daʀin] nf mandarin (orange), tangerine

mandat [mɑ̃da] nm (postal) postal ou money order; (d'un député etc) mandate; (procuration) power of attorney, proxy; (Police) warrant; **~ d'arrêt** warrant for arrest; **~ de perquisition** search warrant • **mandataire** nm/f (représentant, délégué) representative; (Jur) proxy

manège [manɛʒ] nm riding school; (à la foire) roundabout (BRIT), merry-go-round; (fig) game, ploy

manette [manɛt] nf lever, tap; **~ de jeu** joystick

mangeable [mɑ̃ʒabl] adj edible, eatable

mangeoire [mɑ̃ʒwaʀ] *nf* trough, manger

manger [mɑ̃ʒe] /3/ *vt* to eat; (*ronger: rouille etc*) to eat into ou away ▸ *vi* to eat; **donner à ~ à** (*enfant*) to feed

mangue [mɑ̃g] *nf* mango

maniable [manjabl] *adj* (*outil*) handy; (*voiture, voilier*) easy to handle

maniaque [manjak] *adj* finicky, fussy ▸ *nm/f* (*méticuleux*) fusspot; (*fou*) maniac

manie [mani] *nf* mania; (*tic*) odd habit; **avoir la ~ de** to be obsessive about

manier [manje] /7/ *vt* to handle

maniéré, e [manjere] *adj* affected

manière [manjɛʀ] *nf* (*façon*) way, manner; **manières** *nfpl* (*attitude*) manners; (*chichis*) fuss *sg*; **de ~ à** so as to; **de cette ~** in this way ou manner; **d'une ~ générale** generally speaking, as a general rule; **de toute ~** in any case; **d'une certaine ~** in a (certain) way

manifestant, e [manifɛstɑ̃, -ɑ̃t] *nm/f* demonstrator

manifestation [manifɛstasjɔ̃] *nf* (*de joie, mécontentement*) expression, demonstration; (*symptôme*) outward sign; (*fête etc*) event; (*Pol*) demonstration

manifeste [manifɛst] *adj* obvious, evident ▸ *nm* manifesto • **manifester** /1/ *vt* (*volonté, intentions*) to show, indicate; (*joie, peur*) to express, show ▸ *vi* to demonstrate; **se manifester** *vi* (*émotion*) to show ou express itself; (*difficultés*) to arise; (*symptômes*) to appear

manigancer [manigɑ̃se] /3/ *vt* to plot

manipulation [manipylasjɔ̃] *nf* handling; (*Pol, génétique*) manipulation

manipuler [manipyle] /1/ *vt* to handle; (*fig*) to manipulate

manivelle [manivɛl] *nf* crank

mannequin [mankɛ̃] *nm* (*Couture*) dummy; (*Mode*) model

manœuvre [manœvʀ] *nf* (*gén*) manoeuvre (BRIT), maneuver (US) ▸ *nm* labourer • **manœuvrer** /1/ *vt* to manoeuvre (BRIT), maneuver (US); (*levier, machine*) to operate ▸ *vi* to manoeuvre ou maneuver

manoir [manwaʀ] *nm* manor ou country house

manque [mɑ̃k] *nm* (*insuffisance, vide*) emptiness, gap; (*Méd*) withdrawal; **~ de** lack of; **être en état de ~** to suffer withdrawal symptoms

manqué [mɑ̃ke] *adj* failed; **garçon ~** tomboy

manquer [mɑ̃ke] /1/ *vi* (*faire défaut*) to be lacking; (*être absent*) to be missing; (*échouer*) to fail ▸ *vt* to miss ▸ *vb impers*: **il (nous) manque encore 10 euros** we are still 10 euros short; **il manque des pages (au livre)** there are some pages missing ou some pages are missing (from the book); **~ à qn** (*absent etc*): **il/cela me manque** I miss him/that; **~ à** (*règles etc*) to be in breach of, fail to observe; **~ de** to lack; **ne pas ~ de faire: je ne manquerai pas de le lui dire** I'll be sure to tell him; **il a manqué (de) se tuer** he very nearly got killed

mansarde [mɑ̃saʀd] *nf* attic • **mansardé, e** *adj*: **chambre mansardée** attic room

manteau, x [mɑ̃to] nm coat
manucure [manykyʀ] nf manicurist
manuel, le [manɥɛl] adj manual ▶ nm (ouvrage) manual, handbook
manufacture [manyfaktyʀ] nf factory • **manufacturé, e** adj manufactured
manuscrit, e [manyskʀi, -it] adj handwritten ▶ nm manuscript
manutention [manytɑ̃sjɔ̃] nf (Comm) handling
mappemonde [mapmɔ̃d] nf (plane) map of the world; (sphère) globe
maquereau, x [makʀo] nm (Zool) mackerel inv; (fam) pimp
maquette [makɛt] nf (d'un décor, bâtiment, véhicule) (scale) model
maquillage [makijaʒ] nm making up; (produits) make-up
maquiller [makije] /1/ vt (personne, visage) to make up; (truquer: passeport, statistique) to fake; (: voiture volée) to do over (respray etc); **se maquiller** vi to make o.s. up
maquis [maki] nm (Géo) scrub; (Mil) maquis, underground fighting no pl
maraîcher, ère [maʀeʃe, maʀeʃɛʀ] adj: **cultures maraîchères** market gardening sg ▶ nm/f market gardener
marais [maʀɛ] nm marsh, swamp
marasme [maʀasm] nm stagnation, sluggishness
marathon [maʀatɔ̃] nm marathon
marbre [maʀbʀ] nm marble
marc [maʀ] nm (de raisin, pommes) marc

marchand, e [maʀʃɑ̃, -ɑ̃d] nm/f shopkeeper, tradesman/-woman; (au marché) stallholder; **~ de charbon/vins** coal/wine merchant ▶ adj: **prix/valeur ~(e)** market price/value; **~/e de fruits** fruiterer (BRIT), fruit seller (US); **~/e de journaux** newsagent; **~/e de légumes** greengrocer (BRIT), produce dealer (US); **~/e de poisson** fishmonger (BRIT), fish seller (US) • **marchander** /1/ vi to bargain, haggle • **marchandise** nf goods pl, merchandise no pl
marche [maʀʃ] nf (d'escalier) step; (activité) walking; (promenade, trajet, allure) walk; (démarche) walk, gait; (Mil, Mus) march; (fonctionnement) running; (des événements) course; **dans le sens de la ~** (Rail) facing the engine; **en ~** (monter etc) while the vehicle is moving ou in motion; **mettre en ~** to start; **se mettre en ~** (personne) to get moving; (machine) to start; **être en état de ~** to be in working order; **~ arrière** reverse (gear); **faire ~ arrière** to reverse; (fig) to backtrack, back-pedal; **~ à suivre** (correct) procedure
marché [maʀʃe] nm market; (transaction) bargain, deal; **faire du ~ noir** to buy and sell on the black market; **~ aux puces** flea market
marcher [maʀʃe] /1/ vi to walk; (Mil) to march; (aller: voiture, train, affaires) to go; (prospérer) to go well; (fonctionner) to work, run; (fam: consentir) to go along, agree; (: croire naïvement) to be taken in; **faire ~ qn** (pour rire) to pull sb's leg; (pour tromper) to lead sb up the

garden path • **marcheur, -euse**
nm/f walker

mardi [mardi] nm Tuesday;
M~ gras Shrove Tuesday

mare [mar] nf pond; (flaque) pool

marécage [mareka3] nm marsh,
swamp • **marécageux, -euse** adj
marshy

maréchal, -aux [marefal, -o]
nm marshal

marée [mare] nf tide; (poissons)
fresh (sea) fish; **~ haute/basse**
high/low tide; **~ noire** oil slick

marelle [marɛl] nf: **(jouer à) la ~**
(to play) hopscotch

margarine [margarin] nf
margarine

marge [mar3] nf margin; **en ~ de**
(fig) on the fringe of; **~ bénéficiaire**
profit margin

marginal, e, -aux [mar3inal,
-o] nm/f (original) eccentric;
(déshérité) dropout

marguerite [margərit] nf
marguerite, (oxeye) daisy;
(d'imprimante) daisy-wheel

mari [mari] nm husband

mariage [marja3] nm marriage;
(noce) wedding; **~ civil/religieux**
registry office (BRIT) ou civil/
church wedding

marié, e [marje] adj married
▶ nm/f (bride)groom/bride; **les ~s**
the bride and groom; **les
(jeunes) ~s** the newly-weds

marier [marje] /7/ vt to marry;
(fig) to blend; **se ~ (avec)** to
marry, get married (to)

marin, e [marɛ̃, -in] adj sea cpd,
marine ▶ nm sailor ▶ nf navy;
~e marchande merchant navy

marine [marin] adj f voir
marin ▶ adj inv navy (blue)
▶ nm (Mil) marine

mariner [marine] /1/ vt to
marinate

marionnette [marjɔnɛt] nf
puppet

maritalement [maritalmã]
adv: **vivre ~** to live together (as
husband and wife)

maritime [maritim] adj sea cpd,
maritime

mark [mark] nm mark

marmelade [marmələad] nf
stewed fruit, compote;
~ d'oranges (orange) marmalade

marmite [marmit] nf
(cooking-)pot

marmonner [marmɔne] /1/ vt,
vi to mumble, mutter

marmotter [marmɔte] /1/ vt to
mumble

Maroc [marɔk] nm: **le ~** Morocco
• **marocain, e** [marɔkɛ̃, -ɛn] adj
Moroccan ▶ nm/f: **Marocain, e**
Moroccan

maroquinerie [marɔkinri] nf
(commerce) leather shop; (articles)
fine leather goods pl

marquant, e [markã, -ãt] adj
outstanding

marque [mark] nf mark; (Comm:
de nourriture) brand; (: de voiture,
produits manufacturés) make; (: de
disques) label; **de ~** high-class;
(personnage, hôte) distinguished;
~ déposée registered trademark;
~ de fabrique trademark; **une
grande ~ de vin** a well-known
brand of wine

marquer [marke] /1/ vt to mark;
(inscrire) to write down; (bétail) to
brand; (Sport: but etc) to score;
(: joueur) to mark; (accentuer: taille
etc) to emphasize; (manifester:
refus, intérêt) to show ▶ vi
(événement, personnalité) to stand

out, be outstanding; (Sport) to score; **~ les points** to keep the score

marqueterie [markɛtri] nf inlaid work, marquetry

marquis, e [marki, -iz] nm/f marquis ou marquess (marchioness)

marraine [marɛn] nf godmother

marrant, e [marɑ̃, -ɑ̃t] adj (fam) funny

marre [mar] adv (fam): **en avoir ~ de** to be fed up with

marrer [mare] /1/: **se marrer** vi (fam) to have a (good) laugh

marron, ne [marɔ̃, -ɔn] nm (fruit) chestnut ▸ adj inv brown ▸ adj (péj) crooked; **~s glacés** marrons glacés • **marronnier** nm chestnut (tree)

mars [mars] nm March

Marseille [marsɛj] n Marseilles

marteau, x [marto] nm hammer; **être ~** (fam) to be nuts • **marteau-piqueur** nm pneumatic drill

marteler [martəle] /5/ vt to hammer

martien, ne [marsjɛ̃, -ɛn] adj Martian, of ou from Mars

martyr, e [martir] nm/f martyr ▸ adj martyred; **enfants ~s** battered children • **martyre** nm martyrdom; (fig: sens affaibli) agony, torture • **martyriser** /1/ vt (Rel) to martyr; (fig) to bully; (: enfant) to batter

marxiste [marksist] adj, nm/f Marxist

mascara [maskara] nm mascara

masculin, e [maskylɛ̃, -in] adj masculine; (sexe, population) male; (équipe, vêtements) men's; (viril) manly ▸ nm masculine

masochiste [mazɔʃist] adj masochistic

masque [mask] nm mask; **~ de beauté** face pack; **~ de plongée** diving mask • **masquer** /1/ vt (cacher: porte, goût) to hide, conceal; (dissimuler: vérité, projet) to mask, obscure

massacre [masakr] nm massacre, slaughter • **massacrer** /1/ vt to massacre, slaughter; (texte etc) to murder

massage [masaʒ] nm massage

masse [mas] nf mass; (Élec) earth; (maillet) sledgehammer; **une ~ de** (fam) masses ou loads of; **la ~** (péj) the masses pl; **en ~** (adv: en bloc) in bulk; (en foule) en masse; (adj: exécutions, production) mass cpd

masser [mase] /1/ vt (assembler: gens) to gather; (pétrir) to massage; **se masser** vi (foule) to gather • **masseur, -euse** nm/f masseur(-euse)

massif, -ive [masif, -iv] adj (porte) solid, massive; (visage) heavy, large; (bois, or) solid; (dose) massive; (déportations etc) mass cpd ▸ nm (montagneux) massif; (de fleurs) clump, bank; **le M~ Central** the Massif Central

massue [masy] nf club, bludgeon

master [mastɛr] nm (Univ) Master's (degree)

mastic [mastik] nm (pour vitres) putty; (pour fentes) filler

mastiquer [mastike] /1/ vt (aliment) to chew, masticate

mat, e [mat] adj (couleur, métal) mat(t); (bruit, son) dull ▸ adj inv (Échecs): **être ~** to be checkmate

mât [mɑ] nm (Navig) mast; (poteau) pole, post

match [matʃ] nm match; **faire
~ nul** to draw; **~ aller** first leg;
~ retour second leg, return match

matelas [matla] nm mattress;
~ pneumatique air bed ou
mattress

matelot [matlo] nm sailor,
seaman

mater [mate] /1/ vt (personne) to
bring to heel, subdue; (révolte) to
put down

matérialiser [mateʀjalize] /1/:
se matérialiser vi to materialize

matérialiste [mateʀjalist] adj
materialistic

matériau, x [mateʀjo] nm
material; **matériaux** nmpl
material(s)

matériel, le [mateʀjɛl] adj
material ▸ nm equipment no pl;
(de camping etc) gear no pl; (Inform)
hardware

maternel, le [matɛʀnɛl] adj
(amour, geste) motherly, maternal;
(grand-père, oncle) maternal ▸ nf
(aussi: **école maternelle**) (state)
nursery school

maternité [matɛʀnite] nf
(établissement) maternity hospital;
(état de mère) motherhood,
maternity; (grossesse) pregnancy;
congé de ~ maternity leave

mathématique [matematik]
adj mathematical
• **mathématiques** nfpl
mathematics sg

maths [mat] nfpl maths

matière [matjɛʀ] nf matter;
(Comm, Tech) material; matter no
pl; (fig: d'un livre etc) subject
matter, material; (Scol) subject;
en ~ de as regards; **~s grasses**
fat (content) sg; **~s premières**
raw materials

Matignon [matiɲɔ̃] nm:
(l'hôtel) ~ the French Prime
Minister's residence

matin [matɛ̃] nm, adv morning;
le ~ (pendant le matin) in the
morning; **demain/hier/
dimanche ~** tomorrow/
yesterday/Sunday morning; **tous
les ~s** every morning; **du ~ au
soir** from morning till night; **une
heure du ~** one o'clock in the
morning; **de grand ou bon ~** early
in the morning • **matinal, e, -aux**
[matinal, -o] adj (toilette,
gymnastique) morning cpd; **être
matinal** (personne) to be up early;
(habituellement) to be an early riser
• **matinée** nf morning; (spectacle)
matinée

matou [matu] nm tom(cat)

matraque [matʀak] nf (de
policier) truncheon (BRIT), billy
(US)

matricule [matʀikyl] nm (Mil)
regimental number; (Admin)
reference number

matrimonial, e, -aux
[matʀimɔnjal, -o] adj marital,
marriage cpd

maudit, e [modi, -it] adj (fam:
satané) blasted, confounded

maugréer [mogʀee] /1/ vi to
grumble

maussade [mosad] adj sullen;
(ciel, temps) gloomy

mauvais, e [mɔvɛ, -ɛz] adj bad;
(méchant, malveillant) malicious,
spiteful; (faux): **le ~ numéro** the
wrong number ▸ adv: **il fait ~** the
weather is bad; **sentir ~** to have a
nasty smell, smell bad ou nasty;
la mer est ~e the sea is rough;
~e plaisanterie nasty trick;
~ joueur bad loser; **~e herbe**

weed; **~e langue** gossip, scandalmonger (BRIT)

mauve [mov] *adj* mauve

maux [mo] *nmpl voir* **mal**

maximum [maksimɔm] *adj, nm* maximum; **au ~** *(le plus possible)* as much as one can; *(tout au plus)* at the (very) most *ou* maximum; **faire le ~** to do one's level best

mayonnaise [majɔnɛz] *nf* mayonnaise

mazout [mazut] *nm* (fuel) oil

me, m' [mə, m] *pron (direct: téléphoner, attendre etc)* me; *(indirect: parler, donner etc)* (to) me; *(réfléchi)* myself

mec [mɛk] *nm (fam)* guy, bloke (BRIT)

mécanicien, ne [mekanisjɛ̃, -ɛn] *nm/f* mechanic; *(Rail)* (train *ou* engine) driver

mécanique [mekanik] *adj* mechanical ▸ *nf (science)* mechanics *sg*; *(mécanisme)* mechanism; **ennui ~** engine trouble *no pl*

mécanisme [mekanism] *nm* mechanism

méchamment [meʃamɑ̃] *adv* nastily, maliciously; spitefully

méchanceté [meʃɑ̃ste] *nf* nastiness, maliciousness; **dire des ~s à qn** to say spiteful things to sb

méchant, e [meʃɑ̃, -ɑ̃t] *adj* nasty, malicious, spiteful; *(enfant: pas sage)* naughty; *(animal)* vicious

mèche [mɛʃ] *nf (de lampe, bougie)* wick; *(d'un explosif)* fuse; *(de cheveux)* lock; **se faire faire des ~s** to have highlights put in one's hair; **de ~ avec** in league with

méchoui [meʃwi] *nm whole* sheep barbecue

méconnaissable [mekɔnɛsabl] *adj* unrecognizable

méconnaître [mekɔnɛtR] /57/ *vt (ignorer)* to be unaware of; *(mésestimer)* to misjudge

mécontent, e [mekɔtɑ̃, -ɑ̃t] *adj:* **~ (de)** discontented *ou* dissatisfied *ou* displeased (with); *(contrarié)* annoyed (at) • **mécontentement** *nm* dissatisfaction, discontent, displeasure; *(irritation)* annoyance

Mecque [mɛk] *nf:* **la ~** Mecca

médaille [medaj] *nf* medal

médaillon [medajɔ̃] *nm (bijou)* locket

médecin [medsɛ̃] *nm* doctor

médecine [medsin] *nf* medicine

média [medja] *nmpl:* **les ~** the media • **médiatique** *adj* media *cpd* • **médiatisé, e** *adj* reported in the media; **être médiatisé** to get media attention; **ce procès a été très médiatisé** this trial got a great deal of media attention

médical, e, -aux [medikal, -o] *adj* medical; **passer une visite ~** to have a medical

médicament [medikamɑ̃] *nm* medicine, drug

médiéval, e, -aux [medjeval, -o] *adj* medieval

médiocre [medjɔkR] *adj* mediocre, poor

méditer [medite] /1/ *vi* to meditate

Méditerranée [mediteRane] *nf:* **la (mer) ~** the Mediterranean (Sea) • **méditerranéen, ne** *adj* Mediterranean ▸ *nm/f:* **Méditerranéen, ne** Mediterranean

méduse [medyz] *nf* jellyfish

méfait [mefɛ] nm (faute)
misdemeanour, wrongdoing;
méfaits nmpl (ravages) ravages,
damage sg

méfiance [mefjɑ̃s] nf mistrust,
distrust

méfiant, e [mefjɑ̃, -ɑ̃t] adj
mistrustful, distrustful

méfier [mefje] /7/: **se méfier** vi
to be wary; (faire attention) to be
careful; **se ~ de** to mistrust,
distrust, be wary of

méga-octet [megaɔktɛ] nm
megabyte

mégarde [megaʀd] nf: **par ~**
(accidentellement) accidentally;
(par erreur) by mistake

mégère [meʒɛʀ] nf shrew

mégot [mego] nm cigarette end
ou butt

meilleur, e [mejœʀ] adj, adv better
▶ nm: **le ~** the best; **le ~ des deux**
the better of the two; **il fait
~ qu'hier** it's better weather than
yesterday; **~ marché** cheaper

mél [mɛl] nm email

mélancolie [melɑ̃kɔli] nf
melancholy, gloom
• **mélancolique** adj melancholy

mélange [melɑ̃ʒ] nm mixture
• **mélanger** /3/ vt to mix; (vins,
couleurs) to blend; (mettre en
désordre, confondre) to mix up,
muddle (up)

mêlée [mele] nf mêlée, scramble;
(Rugby) scrum(mage)

mêler [mele] /1/ vt (substances,
odeurs, races) to mix; (embrouiller)
to muddle (up), mix up; **se mêler**
vi to mix; **se ~ à** (personne) to join;
(s'associer à) to mix with; **se ~ de**
(personne) to meddle with, interfere
in; **mêle-toi de tes affaires!**
mind your own business!

mélodie [melɔdi] nf melody
• **mélodieux, -euse** adj
melodious

melon [məlɔ̃] nm (Bot)
(honeydew) melon; (aussi:
chapeau ~) bowler (hat)

membre [mɑ̃bʀ] nm (Anat) limb;
(personne, pays, élément) member
▶ adj member cpd

mémé [meme] nf (fam) granny

même [mɛm]

▶ adj 1 (avant le nom) same; **en
même temps** at the same time;
ils ont les mêmes goûts they
have the same ou similar tastes
2 (après le nom, renforcement):
il est la loyauté même he is
loyalty itself; **ce sont ses
paroles/celles-là même** they
are his very words/the very ones
▶ pron: **le (la) même** the same
one
▶ adv 1 (renforcement): **il n'a
même pas pleuré** he didn't
even cry; **même lui l'a dit** even
HE said it; **ici même** at this very
place; **même si** even if
2: **à même: à même la
bouteille** straight from the
bottle; **à même la peau** next to
the skin; **être à même de faire**
to be in a position to, be able
to do
3: **de même** likewise; **faire de
même** to do likewise ou the
same; **lui de même** so does (ou
did ou is) he; **de même que** just
as; **il en va de même pour** the
same goes for

mémoire [memwaʀ] nf memory
▶ nm (Scol) dissertation, paper;
à la ~ de to the ou in memory of;

de ~ from memory; **~ morte**
read-only memory, ROM; **~ vive**
random access memory, RAM
mémoires [memwaʀ] nmpl
memoirs
mémorable [memɔʀabl] adj
memorable
menace [mənas] nf threat
• **menacer** /3/ vt to threaten
ménage [menaʒ] nm (travail)
housework; (couple) (married)
couple; (famille, admin)
household; **faire le ~** to do the
housework • **ménagement** nm
care and attention
ménager¹ [menaʒe] vt (traiter
avec mesure) to handle with tact;
(utiliser) to use sparingly;
(prendre soin de) to take (great)
care of, look after; (organiser) to
arrange
ménager² • **, -ère** adj household
cpd, domestic ▸ nf housewife
mendiant, e [mãdjã, -ãt] nm/f
beggar
mendier [mãdje] /7/ vi to beg
▸ vt to beg (for)
mener [məne] /5/ vt to lead;
(enquête) to conduct; (affaires) to
manage ▸ vi: **~ à/dans** (emmener)
to take to/into; **~ qch à bonne
fin** ou **à terme** ou **à bien** to see sth
through (to a successful
conclusion), complete sth
successfully
meneur, -euse [mənœʀ, -øz]
nm/f leader; (péj) ringleader
méningite [menɛ̃ʒit] nf
meningitis no pl
ménopause [menopoz] nf
menopause
menotte [mənɔt] nf (langage
enfantin) handie; **menottes** nfpl
handcuffs

mensonge [mãsɔ̃ʒ] nm: **le ~**
lying no pl; **un ~** a lie
• **mensonger, -ère** adj false
mensualité [mãsɥalite] nf
(somme payée) monthly payment
mensuel, le [mãsɥɛl] adj
monthly
mensurations [mãsyʀasjɔ̃] nfpl
measurements
mental, e, -aux [mãtal, -o] adj
mental • **mentalité** nf mentality
menteur, -euse [mãtœʀ, -øz]
nm/f liar
menthe [mãt] nf mint
mention [mãsjɔ̃] nf (note), note,
comment; (Scol): **~ (très) bien/
passable** (very) good/satisfactory
pass; **"rayer la ~ inutile"** "delete
as appropriate" • **mentionner** /1/
vt to mention
mentir [mãtiʀ] /16/ vi to lie
menton [mãtɔ̃] nm chin
menu, e [məny] adj (mince) slim,
slight; (frais, difficulté) minor ▸ adv
(couper, hacher) very fine ▸ nm
menu; **~ touristique** popular ou
tourist menu
menuiserie [mənɥizʀi] nf
(travail) joinery, carpentry;
(d'amateur) woodwork
• **menuisier** nm joiner, carpenter
méprendre [mepʀãdʀ] /58/:
se méprendre vi: **se ~ sur** to be
mistaken about
mépris, e [mepʀi, -iz] pp de
méprendre ▸ nm (dédain)
contempt, scorn; **au ~ de**
regardless of, in defiance of
• **méprisable** adj contemptible,
despicable • **méprisant, e**
adj scornful • **méprise** nf
mistake, error • **mépriser** /1/ vt
to scorn, despise; (gloire, danger)
to scorn, spurn

m

mer [mɛʀ] nf sea; (marée) tide;
en ~ at sea; **en haute** ou **pleine ~**
off shore, on the open sea; **la
~ Morte** the Dead Sea; **la
~ Noire** the Black Sea; **la ~ du Nord** the
North Sea; **la ~ Rouge** the Red
Sea

mercenaire [mɛʀsənɛʀ] nm
mercenary, hired soldier

mercerie [mɛʀsəʀi] nf (boutique)
haberdasher's (shop) (BRIT),
notions store (US)

merci [mɛʀsi] excl thank you ▶ nf:
à ~ de qn/qch at sb's mercy/
the mercy of sth; **~ beaucoup**
thank you very much; **~ de** ou
pour thank you for; **sans ~**
merciless; mercilessly

mercredi [mɛʀkʀədi] nm
Wednesday; **~ des Cendres** Ash
Wednesday; voir aussi **lundi**

mercure [mɛʀkyʀ] nm mercury

merde [mɛʀd] (fam !) nf shit (!)
▶ excl (bloody) hell (!)

mère [mɛʀ] nf mother ▶ adj inv
mother cpd; **~ célibataire** single
parent, unmarried mother; **~ de
famille** housewife, mother

merguez [mɛʀgɛz] nf spicy North
African sausage

méridional, e, -aux
[meʀidjɔnal, -o] adj southern
▶ nm/f Southerner

meringue [məʀɛ̃g] nf meringue

mérite [meʀit] nm merit; **avoir
du ~ (à faire qch)** to deserve
credit (for doing sth) • **mériter** /1/
vt to deserve

merle [mɛʀl] nm blackbird

merveille [mɛʀvɛj] nf marvel,
wonder; **faire** ou **des ~s** to work
wonders; **à ~** perfectly, wonderfully
• **merveilleux, -euse** adj
marvellous, wonderful

mes [me] adj poss voir **mon**

mésange [mezɑ̃ʒ] nf tit(mouse)

mésaventure [mezavɑ̃tyʀ] nf
misadventure, misfortune

Mesdames [medam] nfpl voir
Madame

Mesdemoiselles [medmwazɛl]
nfpl voir **Mademoiselle**

mesquin, e [mɛskɛ̃, -in] adj
mean, petty • **mesquinerie** nf
meanness no pl; (procédé) mean
trick

message [mesaʒ] nm message;
~ SMS text message • **messager,
-ère** nm/f messenger
• **messagerie** nf (Internet):
messagerie électronique email;
messagerie instantanée instant
messenger; **messagerie vocale**
voice mail

messe [mɛs] nf mass; **aller à la ~**
to go to mass

Messieurs [mesjø] nmpl voir
Monsieur

mesure [məzyʀ] nf (évaluation,
dimension) measurement; (étalon,
récipient, contenu) measure;
(Mus: cadence) time, tempo;
(: division) bar; (retenue)
moderation; (disposition)
measure, step; **sur ~** (costume)
made-to-measure; **dans la ~ où**
insofar as, inasmuch as; **dans
une certaine ~** to some ou a
certain extent; **à ~ que** as; **être
en ~ de** to be in a position to

mesurer [məzyʀe] /1/ vt to
measure; (juger) to weigh up,
assess; (modérer: ses paroles etc) to
moderate

métal, -aux [metal, -o] nm
metal • **métallique** adj metallic

météo [meteo] nf (bulletin)
(weather) forecast

météorologie [meteɔʁɔlɔʒi] nf meteorology

méthode [metɔd] nf method; (livre, ouvrage) manual, tutor

méticuleux, -euse [metikylø, -øz] adj meticulous

métier [metje] nm (profession: gén) job; (: manuel) trade; (: artisanal) craft; (technique, expérience) (acquired) skill ou technique; (aussi: ~ à tisser) (weaving) loom

métis, se [metis] adj of mixed race

métrage [metʁaʒ] nm: **long/moyen/court ~** feature ou full-length/medium-length/short film

mètre [mɛtʁ] nm metre; (règle) metre rule; (ruban) tape measure • **métrique** adj metric

métro [metʁo] nm underground (BRIT), subway (US)

métropole [metʁɔpɔl] nf (capitale) metropolis; (pays) home country

mets [mɛ] nm dish

metteur [metœʁ] nm: **~ en scène** (Théât) producer; (Ciné) director

---

mettre [mɛtʁ] /56/

vt **1** (placer) to put; **mettre en bouteille/en sac** to bottle/put in bags ou sacks

2 (vêtements: revêtir) to put on; (: porter) to wear; **mets ton gilet** put your cardigan on; **je ne mets plus mon manteau** I no longer wear my coat

3 (faire fonctionner: chauffage, électricité) to put on; (: réveil, minuteur) to set; (installer: gaz, eau) to put in, lay on; **mettre en**

---

marche to start up

4 (consacrer): **mettre du temps/deux heures à faire qch** to take time/two hours to do sth; **y mettre du sien** to pull one's weight

5 (noter, écrire) to say, put (down); **qu'est-ce qu'il a mis sur la carte?** what did he say ou write on the card?; **mettez au pluriel ...** put ... into the plural

6 (supposer): **mettons que ...** let's suppose ou say that ...

se mettre vr **1** (se placer): **vous pouvez vous mettre là** you can sit (ou stand) there; **où ça se met?** where does it go?; **se mettre au lit** to get into bed; **se mettre au piano** to sit down at the piano; **se mettre de l'encre sur les doigts** to get ink on one's fingers

2 (s'habiller): **se mettre en maillot de bain** to get into ou put on a swimsuit; **n'avoir rien à se mettre** to have nothing to wear

3: **se mettre à** to begin, start; **se mettre à faire** to begin ou start doing ou to do; **se mettre au piano** to start learning the piano; **se mettre au régime** to go on a diet; **se mettre au travail/à l'étude** to get down to work/one's studies

---

meuble [mœbl] nm piece of furniture; (ameublement) furniture no pl • **meublé** nm furnished flat (BRIT) ou apartment (US) • **meubler** /1/ vt to furnish; **se meubler** to furnish one's house

meuf [mœf] nf (fam) woman

meugler [møgle] /1/ vi to low, moo

m

meule

meule [møl] *nf* (*à broyer*) millstone; (*de foin, blé*) stack; (*de fromage*) round

meunier, -ière [mønje, -jɛʀ] *nm* ▸ *nf* miller's wife

meurs *etc* [mœʀ] *vb voir* **mourir**

meurtre [mœʀtʀ] *nm* murder • **meurtrier, -ière** *adj* (*arme, épidémie, combat*) deadly; (*fureur, instincts*) murderous ▸ *nm/f* murderer(-ess)

meurtrir [mœʀtʀiʀ] /2/ *vt* to bruise; (*fig*) to wound

meus *etc* [mœ] *vb voir* **mouvoir**

meute [møt] *nf* pack

mexicain, e [mɛksikɛ̃, -ɛn] *adj* Mexican ▸ *nm/f*: **M~, e** Mexican

Mexico [mɛksiko] *n* Mexico City

Mexique [mɛksik] *nm*: **le ~** Mexico

mi [mi] *nm* (*Mus*) E; (*en chantant la gamme*) mi

mi... [mi] *préfixe* half(-), mid-; **à la mi-janvier** in mid-January; **à mi-jambes/-corps** (*up ou down*) to the knees/waist; **à mi-hauteur/-pente** halfway up (*ou down*)/up (*ou down*) the hill

miauler [mjole] /1/ *vi* to miaow

miche [miʃ] *nf* round *ou* cob loaf

mi-chemin [miʃmɛ̃]: **à ~** *adv* halfway, midway

mi-clos, e [miklo, -kloz] *adj* half-closed

micro [mikʀo] *nm* mike, microphone; (*Inform*) micro

microbe [mikʀɔb] *nm* germ, microbe

micro: • **micro-onde** *nf*: **four à micro-ondes** microwave oven • **micro-ordinateur** *nm* microcomputer • **microscope** *nm* microscope • **microscopique** *adj* microscopic

midi [midi] *nm* midday, noon; (*moment du déjeuner*) lunchtime; (*sud*) south; **le M~** the South (of France), the Midi; **à ~** at 12 (o'clock); **midi ou** midday *ou* noon

mie [mi] *nf* inside (of the loaf)

miel [mjɛl] *nm* honey • **mielleux, -euse** *adj* (*personne*) sugary, syrupy

mien, ne [mjɛ̃, mjɛn] *pron*: **le (la) ~(ne), les ~s** mine; **les ~s** my family

miette [mjɛt] *nf* (*de pain, gâteau*) crumb; (*fig: de la conversation etc*) scrap; **en ~s** in pieces *ou* bits

---

mieux [mjø]

▸ *adv* **1** (*d'une meilleure façon*): **mieux (que)** better (than); **elle travaille/mange mieux** she works/eats better; **aimer mieux** to prefer; **elle va mieux** she is better; **de mieux en mieux** better and better

2 (*de la meilleure façon*) best; **ce que je sais le mieux** what I know best; **les livres les mieux faits** the best made books

▸ *adj inv* **1** (*plus à l'aise, en meilleure forme*) better; **se sentir mieux** to feel better

2 (*plus satisfaisant*) better; **c'est mieux ainsi** it's better like this; **c'est le mieux des deux** it's the better of the two; **le/la mieux, les mieux** the best; **demandez-lui, c'est le mieux** ask him, it's the best thing

3 (*plus joli*) better-looking; **il est mieux que son frère** (*plus beau*) he's better-looking than his brother; (*plus gentil*) he's nicer than his brother; **il est mieux**

sans moustache he looks better without a moustache
4 : **au mieux** at best; **au mieux avec** on the best of terms with; **pour le mieux** for the best ▶ *nm* 1 (*progrès*) improvement
2 : **de mon/ton mieux** as best I/ you can (*ou* could); **faire son mieux** to do one's best

mignon, ne [miɲɔ̃, -ɔn] *adj* sweet, cute

migraine [migʀɛn] *nf* headache; (*Méd*) migraine

mijoter [miʒɔte] /1/ *vt* to simmer; (*préparer avec soin*) to cook lovingly; (*affaire, projet*) to plot, cook up ▶ *vi* to simmer

milieu, x [miljø] *nm* (*centre*) middle; (*aussi*: **juste ~**) happy medium; (*Bio, Géo*) environment; (*entourage social*) milieu; (*familial*) background; (*pègre*): **le ~** the underworld; **au ~ de** in the middle of; **au beau ou en plein ~ (de)** right in the middle (of)

militaire [militɛʀ] *adj* military, army *cpd* ▶ *nm* serviceman

militant, e [militɑ̃, -ɑ̃t] *adj, nm/f* militant

militer [milite] /1/ *vi* to be a militant

mille [mil] *num a ou* one thousand ▶ *nm* (*mesure*): **~ (marin)** nautical mile; **mettre dans le ~** (*fig*) to be bang on (target) • **millefeuille** *nm* cream *ou* vanilla slice • **millénaire** *nm* millennium ▶ *adj* thousand-year-old; (*fig*) ancient • **mille-pattes** *nm inv* centipede

millet [mijɛ] *nm* millet

milliard [miljaʀ] *nm* milliard, thousand million (*BRIT*), billion (*US*) • **milliardaire** *nm/f*

multimillionaire (*BRIT*), billionaire (*US*)

millier [milje] *nm* thousand; **un ~ (de)** a thousand or so, about a thousand; **par ~s** in (their) thousands, by the thousand

milligramme [miligʀam] *nm* milligramme

millimètre [milimɛtʀ] *nm* millimetre

million [miljɔ̃] *nm* million; **deux ~s de** two million • **millionnaire** *nm/f* millionaire

mime [mim] *nm/f* (*acteur*) mime(r) ▶ *nm* (*art*) mime, miming • **mimer** /1/ *vt* to mime; (*singer*) to mimic, take off

minable [minabl] *adj* (*personne*) shabby(-looking); (*travail*) pathetic

mince [mɛ̃s] *adj* thin; (*personne, taille*) slim, slender; (*fig*: *profit, connaissances*) slight, small; (: *prétexte*) weak ▶ *excl*: **~ (alors)!** darn it! • **minceur** *nf* thinness; (*d'une personne*) slimness, slenderness • **mincir** /2/ *vi* to get slimmer *ou* thinner

mine [min] *nf* (*physionomie*) expression, look; (*extérieur*) exterior, appearance; (*de crayon*) lead; (*gisement, exploitation, explosif*) mine; **avoir bonne ~** (*personne*) to look well; (*ironique*) to look an utter idiot; **avoir mauvaise ~** to look unwell; **faire ~ de faire** to make a pretence of doing; **~ de rien** although you wouldn't think so

miner [mine] /1/ *vt* (*saper*) to undermine, erode; (*Mil*) to mine

minerai [minʀɛ] *nm* ore

minéral, e, -aux [mineʀal, -o] *adj* mineral

minéralogique [mineralɔʒik] adj: **plaque ~ number** (BRIT) ou **license** (US) **plate**; **numéro ~ registration** (BRIT) ou **license** (US) **number**

minet, te [mine, -ɛt] nm/f (chat) pussy-cat; (péj) young trendy

mineur, e [minœʀ] adj minor ▶ nm/f (Jur) minor ▶ nm (travailleur) miner

miniature [minjatyʀ] adj, nf miniature

minibus [minibys] nm minibus

minier, -ière [minje, -jɛʀ] adj mining

mini-jupe [miniʒyp] nf mini-skirt

minime [minim] adj minor, minimal

minimiser [minimize] /1/ vt to minimize; (fig) to play down

minimum [minimɔm] adj, nm minimum; **au ~** at the very least

ministère [ministɛʀ] nm (cabinet) government; (département) ministry; (Rel) ministry

ministre [ministʀ] nm minister (BRIT), secretary; (Rel) minister; **~ d'État** senior minister ou secretary

Minitel® [minitɛl] nm videotext terminal and service

minoritaire [minɔʀitɛʀ] adj minority cpd

minorité [minɔʀite] nf minority; **être en ~** to be in the ou a minority

minuit [minɥi] nm midnight

minuscule [minyskyl] adj minute, tiny ▶ nf: **(lettre) ~** small letter

minute [minyt] nf minute; **à la ~** (just) this instant; (passé) there

and then • **minuter** /1/ vt to time • **minuterie** nf time switch

minutieux, -euse [minysjø, -øz] adj (personne) meticulous; (travail) requiring painstaking attention to detail

mirabelle [miʀabɛl] nf (cherry) plum

miracle [miʀakl] nm miracle

mirage [miʀaʒ] nm mirage

mire [miʀ] nf: **point de ~** (fig) focal point

miroir [miʀwaʀ] nm mirror

miroiter [miʀwate] /1/ vi to sparkle, shimmer; **faire ~ qch à qn** to paint sth in glowing colours for sb, dangle sth in front of sb's eyes

mis, e [mi, miz] pp de **mettre** ▶ adj: **bien ~** well dressed ▶ nf (argent: au jeu) stake; (tenue) clothing; attire; **être de ~e** to be acceptable ou in season; **~e de fonds** capital outlay; **~e à jour** update; **~e en plis** set; **~e au point** (fig) clarification; **~e en scène** production

miser [mize] /1/ vt (enjeu) to stake, bet; **~ sur** (cheval, numéro) to bet on; (fig) to bank ou count on

misérable [mizeʀabl] adj (lamentable, malheureux) pitiful, wretched; (pauvre) poverty-stricken; (insignifiant, mesquin) miserable ▶ nm/f wretch

misère [mizɛʀ] nf (extrême) poverty, destitution; **misères** nfpl (malheurs) woes, miseries; (ennuis) little troubles; **salaire de ~** starvation wage

missile [misil] nm missile

mission [misjɔ̃] nf mission; **partir en ~** (Admin, Pol) to go on

an assignment • **missionnaire**
nm/f missionary

mité, e [mite] *adj* moth-eaten

mi-temps [mitɑ̃] *nf inv* (Sport:
période) half; (: *pause*) half-time;
à ~ part-time

miteux, -euse [mitø, -øz] *adj*
seedy

mitigé, e [mitiʒe] *adj* (*sentiments*)
mixed

mitoyen, ne [mitwajɛ̃, -ɛn] *adj*
(*mur*) common, party *cpd*;
maisons ~nes semi-detached
houses; (*plus de deux*) terraced
(BRIT) *ou* row (US) houses

mitrailler [mitʀɑje] */1/ vt* to
machine-gun; (*fig: photographier*)
to snap away at; **~ qn de** to pelt
ou bombard sb with
• **mitraillette** *nf* submachine gun
• **mitrailleuse** *nf* machine gun

mi-voix [mivwa]: **à ~** *adv* in a low
ou hushed voice

mixage [miksaʒ] *nm* (Ciné)
(sound) mixing

mixer [miksœʀ] *nm* (food) mixer

mixte [mikst] *adj* (*gén*) mixed;
(*Scol*) mixed, coeducational;
cuisinière ~ combined gas and
electric cooker

mixture [mikstyʀ] *nf* mixture;
(*fig*) concoction

Mlle (*pl* **Mlles**) *abr* = **Mademoiselle**

MM *abr* = **Messieurs**

Mme (*pl* **Mmes**) *abr* = **Madame**

mobile [mɔbil] *adj* mobile; (*pièce
de machine*) moving ▸ *nm* (*motif*)
motive; (*œuvre d'art*) mobile;
(téléphone) ~ mobile (phone)

mobilier, -ière [mɔbilje, -jɛʀ]
nm furniture

mobiliser [mɔbilize] */1/ vt* to
mobilize

mobylette® [mɔbilɛt] *nf* moped

mocassin [mɔkasɛ̃] *nm*
moccasin

moche [mɔʃ] *adj* (*fam: laid*) ugly;
(*mauvais, méprisable*) rotten

modalité [mɔdalite] *nf* form,
mode

mode [mɔd] *nf* fashion ▸ *nm*
(*manière*) form, mode; (*Ling*)
mood; (*Inform, Mus*) mode; **à la ~**
fashionable, in fashion;
~ d'emploi directions *pl* (for use);
~ de paiement method of
payment; **~ de vie** way of life

modèle [mɔdɛl] *adj* ▸ *nm* model;
(*qui pose: de peintre*) sitter;
~ déposé registered design;
~ réduit small-scale model
• **modeler** /5/ *vt* to model

modem [mɔdɛm] *nm* modem

modéré, e [mɔdeʀe] *adj, nm/f*
moderate

modérer [mɔdeʀe] /6/ *vt* to
moderate; **se modérer** *vi* to
restrain o.s

moderne [mɔdɛʀn] *adj* modern
▸ *nm* (*Art*) modern style;
(*ameublement*) modern furniture
• **moderniser** /1/ *vt* to modernize

modeste [mɔdɛst] *adj* modest
• **modestie** *nf* modesty

modifier [mɔdifje] /7/ *vt* to
modify, alter; **se modifier** *vi* to
alter

modique [mɔdik] *adj* modest

module [mɔdyl] *nm* module

moelle [mwal] *nf* marrow

moelleux, -euse [mwalø, -øz]
adj soft; (*gâteau*) light and moist

mœurs [mœʀ] *nfpl* (*conduite*)
morals; (*manières*) manners;
(*pratiques sociales*) habits

moi [mwa] *pron* me; (*emphatique*):
~, je ... for my part, I ..., I myself
...; **c'est ~ qui l'ai fait** I did it, it

m

was me who did it; **apporte-le-~** bring it to me; **à ~ mine**; (dans un jeu) my turn • **moi-même** pron myself; (emphatique) I myself

moindre [mwɛ̃dʀ] adj lesser; lower; **la (le) ~, les ~s** the least; the slightest; **c'est la ~ des choses** it's nothing at all

moine [mwan] nm monk, friar

moineau, x [mwano] nm sparrow

---

moins [mwɛ̃]

▶ adv **1** (comparatif) : **moins (que)** less (than); **moins grand que** less tall than, not as tall as; **il a trois ans de moins que moi** he's three years younger than me; **moins je travaille, mieux je me porte** the less I work, the better I feel

2 (superlatif) : **le moins** (the) least; **c'est ce que j'aime le moins** it's what I like (the) least; **le (la) moins doué(e)** the least gifted; **au moins, du moins** at least; **pour le moins** at the very least

3 : **moins de** (quantité) less (than); (nombre) fewer (than); **moins de sable/d'eau** less sand/water; **moins de livres/gens** fewer books/people; **moins de deux ans** less than two years; **moins de midi** not yet midday

4 : **de moins, en moins: 100 euros/3 jours de moins** 100 euros/3 days less; **trois livres en moins** three books fewer; three books too few; **de l'argent en moins** less money; **le soleil en moins** but for the sun, minus the sun; **de moins en moins** less and less

5 : **à moins de, à moins que** unless; **à moins de faire** unless we do (he does etc); **à moins que tu ne fasses** unless you do; **à moins d'un accident** barring any accident

▶ prép : **quatre moins deux** four minus two; **dix heures moins cinq** five to ten; **il fait moins cinq** it's five (degrees) below (freezing), it's minus five; **il est moins cinq** it's five to

mois [mwa] nm month

moisi [mwazi] nm mould, mildew; (odeur) de ~ musty smell
• **moisir** /2/ vi to go mouldy
• **moisissure** nf mould no pl

moisson [mwasɔ̃] nf harvest
• **moissonner** /1/ vt to harvest, reap • **moissonneuse** nf (machine) harvester

moite [mwat] adj sweaty, sticky

moitié [mwatje] nf half; **la ~** half; **la ~ de** half (of); **la ~ du temps/des gens** half the time/the people; **à la ~ de** halfway through; **à ~** half (avant le verbe), half- (avant l'adjectif); **à ~ prix** (at) half price

molaire [mɔlɛʀ] nf molar

molester [mɔlɛste] /1/ vt to manhandle, maul (about)

molle [mɔl] adj f voir **mou**
• **mollement** adv (péj: travailler) sluggishly; (protester) feebly

mollet [mɔlɛ] nm calf ▶ adj m: **œuf ~** soft-boiled egg

molletonné, e [mɔltɔne] adj fleece-lined

mollir [mɔliʀ] /2/ vi (personne) to relent; (substance) to go soft

mollusque [mɔlysk] nm mollusc

môme [mom] nm/f (fam: enfant) brat

moment [mɔmɑ̃] nm moment; **ce n'est pas le ~** this is not the right time; **au même ~** at the same time; (instant) at the same moment; **pour un bon ~** for a good while; **pour le ~** for the moment, for the time being; **au ~ de** at the very time of; **au ~ où** as; **à tout ~** at any time ou moment; (continuellement) continually; **en ce ~** at the moment; (aujourd'hui) at present; **sur le ~** at the time; **par ~s** now and then, at times; **d'un ~ à l'autre** any time (now); **du ~ où** ou **que** seeing that, since
• **momentané, e** adj temporary, momentary • **momentanément** adv for a while

momie [mɔmi] nf mummy

mon, ma (pl **mes**) [mɔ̃, ma, me] adj poss my

Monaco [mɔnako] nm: **le ~** Monaco

monarchie [mɔnaʁʃi] nf monarchy

monastère [mɔnastɛʁ] nm monastery

mondain, e [mɔ̃dɛ̃, -ɛn] adj (soirée, vie) society cpd

monde [mɔ̃d] nm world; **le ~** (personnes mondaines) (high) society; **il y a du ~** (beaucoup de gens) there are a lot of people; (quelques personnes) there are some people; **beaucoup/peu de ~** many/few people; **mettre au ~** to bring into the world; **pas le moins du ~** not in the least
• **mondial, e, -aux** adj (population) world cpd; (influence) world-wide • **mondialement** adv throughout the world
• **mondialisation** nf globalization

monégasque [mɔnegask] adj Monegasque, of ou from Monaco ▶ nm/f: **M~** Monegasque

monétaire [mɔnetɛʁ] adj monetary

moniteur, -trice [mɔnitœʁ, -tʁis] nm/f (Sport) instructor (instructress); (de colonie de vacances) supervisor ▶ nm (écran) monitor

monnaie [mɔnɛ] nf (Écon: moyen d'échange) currency; (petites pièces): **avoir de la ~** to have (some) change; **faire de la ~** to get (some) change; **avoir/faire la ~ de 20 euros** to have change of/ get change for 20 euros; **rendre à qn la ~ (sur 20 euros)** to give sb the change (from ou out of 20 euros)

monologue [mɔnɔlɔg] nm monologue, soliloquy
• **monologuer** /1/ vi to soliloquize

monopole [mɔnɔpɔl] nm monopoly

monotone [mɔnɔtɔn] adj monotonous

Monsieur (pl **Messieurs**) [məsjø, mesjø] nm (titre) Mr; **un/le monsieur** (homme quelconque) a/ the gentleman; **~, ...** (en tête de lettre) Dear Sir, ...; voir aussi **Madame**

monstre [mɔ̃stʁ] nm monster ▶ adj (fam: effet, publicité) massive; **un travail ~** a fantastic amount of work • **monstrueux, -euse** adj monstrous

mont [mɔ̃] nm: **par ~s et par vaux** up hill and down dale; **le M~ Blanc** Mont Blanc

montage [mɔ̃taʒ] nm (d'une machine etc) assembly; (Photo) photomontage; (Ciné) editing

m

montagnard

montagnard, e [mɔ̃taɲaʀ, -aʀd]
adj mountain *cpd* ▶ *nm/f*
mountain-dweller

montagne [mɔ̃taɲ] *nf* (*cime*)
mountain; (*région*): **la ~** the
mountains *pl*; **~s russes** big
dipper *sg*, switchback *sg*
• **montagneux, -euse** *adj*
mountainous; (*basse montagne*)
hilly

montant, e [mɔ̃tɑ̃, -ɑ̃t] *adj*
rising; (*robe, corsage*) high-necked
▶ *nm* (*somme, total*) (sum) total,
(total) amount; (*de fenêtre*)
upright; (*de lit*) post

monte-charge [mɔ̃tʃaʀʒ] *nm inv*
goods lift, hoist

montée [mɔ̃te] *nf* rise; (*escalade*)
climb; (*côte*) hill; **au milieu de la ~**
halfway up

monter [mɔ̃te] /1/ *vt* (*escalier,
côte*) to go (*ou* come) up; (*valise,
paquet*) to take (*ou* bring) up;
(*étagère*) to raise; (*tente,
échafaudage*) to put up; (*machine*)
to assemble; (*Ciné*) to edit; (*Théât*)
to put on, stage; (*société, coup etc*)
to set up ▶ *vi* to go (*ou* come) up;
(*passager*) to get on; **~ à cheval**
(*faire du cheval*)
to ride (a horse); **~ sur** to climb up
onto; **~ sur** *ou* **à un arbre/une
échelle** to climb (up) a tree/
ladder; **se ~ à** (*frais etc*) to add up
to, come to

montgolfière [mɔ̃gɔlfjɛʀ] *nf*
hot-air balloon

montre [mɔ̃tʀ] *nf* watch;
contre la ~ (*Sport*) against the
clock

Montréal [mɔ̃ʀeal] *n* Montreal

montrer [mɔ̃tʀe] /1/ *vt* to show;
~ qch à qn to show sb sth

monture [mɔ̃tyʀ] *nf* (*bête*)
mount; (*d'une bague*) setting; (*de
lunettes*) frame

monument [mɔnymɑ̃] *nm*
monument; **~ aux morts** war
memorial

moquer [mɔke] /1/: **se ~ de** *vt* to
make fun of, laugh at; (*fam: se
désintéresser de*) not to care about;
(*tromper*): **se ~ de qn** to take sb for
a ride

moquette [mɔkɛt] *nf* fitted
carpet

moqueur, -euse [mɔkœʀ, -øz]
adj mocking

moral, e, -aux [mɔʀal, -o] *adj*
moral ▶ *nm* morale ▶ *nf* (*conduite*)
morals *pl* (*règles*); (*valeurs*) moral
standards *pl*, morality; (*d'une fable
etc*) moral; **faire la ~e à** to lecture,
preach at • **moralité** *nf* morality;
(*conclusion, enseignement*) moral

morceau, x [mɔʀso] *nm* piece,
bit; (*d'une œuvre*) passage, extract;
(*Mus*) piece; (*Culin: de viande*) cut;
(*: de sucre*) lump; **mettre en ~x** to
pull to pieces *ou* bits; **manger
un ~** to have a bite (to eat)

morceler [mɔʀsəle] /4/ *vt* to
break up, divide up

mordant, e [mɔʀdɑ̃, -ɑ̃t] *adj* (*ton,
remarque*) scathing, cutting; (*froid*)
biting ▶ *nm* (*fougue*) bite, punch

mordiller [mɔʀdije] /1/ *vt* to
nibble at, chew at

mordre [mɔʀdʀ] /41/ *vt* to bite
▶ *vi* (*poisson*) to bite; **~ sur** (*fig*)
to go over into, overlap into; **~ à
l'hameçon** to bite, rise to the bait

mordu, e [mɔʀdy] *nm/f*
enthusiast; **un ~ du jazz/de la
voile** a jazz/sailing fanatic *ou* buff

morfondre [mɔʀfɔ̃dʀ] /41/:
se morfondre *vi* to mope

morgue [mɔʀg] nf (arrogance) haughtiness; (lieu: de la police) morgue; (: à l'hôpital) mortuary

morne [mɔʀn] adj dismal, dreary

morose [mɔʀoz] adj sullen, morose

mors [mɔʀ] nm bit

morse [mɔʀs] nm (Zool) walrus; (Tél) Morse (code)

morsure [mɔʀsyʀ] nf bite

mort¹ [mɔʀ] nf death

mort², e [mɔʀ, mɔʀt] pp de mourir ▶ adj dead ▶ nm/f (défunt) dead man/woman; (victime): il y a eu plusieurs ~s several people were killed; ~ de peur/fatigue frightened to death/dead tired

mortalité [mɔʀtalite] nf mortality, death rate

mortel, le [mɔʀtɛl] adj (poison etc) deadly, lethal; (accident, blessure) fatal; (silence, ennemi) deadly; (danger, frayeur, péché) mortal; (ennui, soirée) deadly (boring)

mort-né, e [mɔʀne] adj (enfant) stillborn

mortuaire [mɔʀtɥɛʀ] adj: avis ~s death announcements

morue [mɔʀy] nf (Zool) cod inv

mosaïque [mɔzaik] nf mosaic

Moscou [mɔsku] n Moscow

mosquée [mɔske] nf mosque

mot [mo] nm word; (message) line, note; ~ à ~ word for word; ~ de passe password; ~s croisés crossword (puzzle) sg

motard [mɔtaʀ] nm biker; (policier) motorcycle cop

mot-dièse nm (Inform: Twitter) hashtag

motel [mɔtɛl] nm motel

moteur, -trice [mɔtœʀ, -tʀis] adj (Anat, Physiol) motor; (Tech) driving; (Auto): à 4 roues motrices 4-wheel drive ▶ nm engine, motor; à ~ power-driven, motor cpd; ~ de recherche search engine

motif [mɔtif] nm (cause) motive; (décoratif) design, pattern, motif; sans ~ groundless

motivation [mɔtivasjɔ̃] nf motivation

motiver [mɔtive] /1/ vt (justifier) to justify, account for; (Admin, Jur, Psych) to motivate

moto [mɔto] nf (motor)bike
• motocycliste nm/f motorcyclist

motorisé, e [mɔtɔʀize] adj (personne) having one's own transport

motrice [mɔtʀis] adj f voir moteur

motte [mɔt] nf: ~ de terre lump of earth, clod (of earth); ~ de beurre lump of butter

mou (mol), molle [mu, mɔl] adj soft; (personne) sluggish; (résistance, protestations) feeble ▶ nm: avoir du ~ to be slack

mouche [muʃ] nf fly

moucher [muʃe] /1/: se moucher vi to blow one's nose

moucheron [muʃʀɔ̃] nm midge

mouchoir [muʃwaʀ] nm handkerchief, hanky; ~ en papier tissue, paper hanky

moudre [mudʀ] /47/ vt to grind

moue [mu] nf pout; faire la ~ to pout; (fig) to pull a face

mouette [mwɛt] nf (sea)gull

moufle [mufl] nf (gant) mitt(en)

mouillé, e [muje] adj wet

mouiller [muje] /1/ vt (humecter) to wet, moisten; (tremper):

~ qn/qch to make sb/sth wet ▶ vi (Navig) to lie ou be at anchor; **se mouiller** to get wet; (fam: prendre des risques) to commit o.s

moulant, e [mulɑ̃, -ɑ̃t] adj figure-hugging

moule [mul] nm mussel ▶ nf (Culin) mould; **~ à gâteau** nm cake tin (BRIT) ou pan (US)

mouler [mule] /1/ vt (vêtement) to hug, fit closely round

moulin [mulɛ̃] nm mill; **~ à café** coffee mill; **~ à eau** watermill; **~ à légumes** (vegetable) shredder; **~ à paroles** (fig) chatterbox; **~ à poivre** pepper mill; **~ à vent** windmill

moulinet [mulinɛ] nm (de canne à pêche) reel; (mouvement): **faire des ~s avec qch** to whirl sth around

moulinette® [mulinɛt] nf (vegetable) shredder

moulu, e [muly] pp de **moudre**

mourant, e [murɑ̃, -ɑ̃t] adj dying

mourir [murir] /1/ vi to die; (civilisation) to die out; **~ de froid/ faim/vieillesse** to die of exposure/hunger/old age; **~ de faim/d'ennui** (fig) to be starving/ be bored to death; **~ d'envie de faire** to be dying to do

mousse [mus] nf (Bot) moss; (de savon) lather; (écume: sur eau, bière) froth, foam; (Culin) mousse ▶ nm (Navig) ship's boy; **~ à raser** shaving foam

mousseline [muslin] nf muslin; **pommes ~** creamed potatoes

mousser [muse] /1/ vi (bière, détergent) to foam; (savon) to lather; **~ mousseux, -euse** adj frothy ▶ nm: (vin) **mousseux** sparkling wine

mousson [musɔ̃] nf monsoon

moustache [mustaʃ] nf moustache; **moustaches** nfpl (d'animal) whiskers pl
• **moustachu, e** adj with a moustache

moustiquaire [mustikɛr] nf mosquito net

moustique [mustik] nm mosquito; **~ tigre** tiger mosquito

moutarde [mutard] nf mustard

mouton [mutɔ̃] nm sheep inv; (peau) sheepskin; (Culin) mutton

mouvement [muvmɑ̃] nm movement; (geste) gesture; **avoir un bon ~** to make a nice gesture; **en ~** in motion; on the move
• **mouvementé, e** adj (vie, poursuite) eventful; (réunion) turbulent

mouvoir [muvwar] /27/: **se mouvoir** vi to move

moyen, ne [mwajɛ̃, -ɛn] adj average; (tailles, prix) medium; (de grandeur moyenne) medium-sized ▶ nm (façon) means sg, way ▶ nf average; (Statistique) mean; (Scol: à l'examen) pass mark; **moyens** nmpl (capacités) means; **très ~** (résultats) pretty poor; **je n'en ai pas les ~s** I can't afford it; **au ~ de** by means of; **par tous les ~s** by every possible means, every possible way; **par ses propres ~s** all by oneself; **~ âge** Middle Ages; **~ de transport** means of transport; **~ne d'âge** average age; **~ne entreprise** (Comm) medium-sized firm

moyennant [mwajɛnɑ̃] prép (somme) for; (service, conditions) in return for; (travail, effort) with

Moyen-Orient [mwajɛnɔrjɑ̃] nm: **le ~** the Middle East

moyeu, x [mwajø] *nm* hub

MST *sigle f* (= *maladie sexuellement transmissible*) STD

mû, mue [my] *pp de* **mouvoir**

muer [mɥe] /1/ *vi* (*oiseau, mammifère*) to moult; (*serpent*) to slough (its skin); (*jeune garçon*):
il mue his voice is breaking

muet, te [mɥɛ, -ɛt] *adj* dumb; (*fig*):
~ d'admiration *etc* speechless with admiration *etc*; (*Ciné*) silent ▶ *nm/f* mute

mufle [myfl] *nm* muzzle; (*goujat*) boor

mugir [myʒiʀ] /2/ *vi* (*bœuf*) to bellow; (*vache*) to low; (*fig*) to howl

muguet [mygɛ] *nm* lily of the valley

mule [myl] *nf* (*Zool*) (she-)mule

mulet [mylɛ] *nm* (*Zool*) (he-)mule; (*poisson*) mullet

multinational, e, -aux [myltinasjɔnal, -o] *adj, nf* multinational

multiple [myltipl] *adj* multiple, numerous; (*varié*) many, manifold
• **multiplication** *nf* multiplication • **multiplier** /7/ *vt* to multiply; **se multiplier** *vi* to multiply

multitâche [myltitaʃ] *adj* (*aussi Inform*) multitasking

municipal, e, -aux [mynisipal, -o] *adj* (*élections, stade*) municipal; (*conseil*) town *cpd*; **piscine/bibliothèque ~e** public swimming pool/library
• **municipalité** *nf* (*corps municipal*) town council; (*commune*) municipality

munir [myniʀ] /2/ *vt*: **~ qn/qch de** to equip sb/sth with; **se ~ de** to provide o.s. with

munitions [mynisjɔ̃] *nfpl* ammunition *sg*

mur [myʀ] *nm* wall; **~ (payant)** (*Inform*) paywall; **~ du son** sound barrier

mûr, e [myʀ] *adj* ripe; (*personne*) mature

muraille [myʀaj] *nf* (high) wall

mural, e, -aux [myʀal, -o] *adj* wall *cpd* ▶ *nm* (*Art*) mural

mûre [myʀ] *nf* blackberry

muret [myʀɛ] *nm* low wall

mûrir [myʀiʀ] /2/ *vi* (*fruit, blé*) to ripen; (*abcès, furoncle*) to come to a head; (*fig: idée, personne*) to mature ▶ *vt* (*personne*) to (make) mature; (*pensée, projet*) to nurture

murmure [myʀmyʀ] *nm* murmur • **murmurer** /1/ *vi* to murmur

muscade [myskad] *nf* (*aussi:* **noix (de) ~**) nutmeg

muscat [myska] *nm* (*raisin*) muscat grape; (*vin*) muscatel (wine)

muscle [myskl] *nm* muscle
• **musclé, e** *adj* muscular; (*fig*) strong-arm *cpd*

museau, x [myzo] *nm* muzzle; (*Culin*) brawn

musée [myze] *nm* museum; (*de peinture*) art gallery

museler [myzle] /4/ *vt* to muzzle • **muselière** *nf* muzzle

musette [myzɛt] *nf* (*sac*) lunch bag

musical, e, -aux [myzikal, -o] *adj* musical

music-hall [myzikol] *nm* (*salle*) variety theatre; (*genre*) variety

musicien, ne [myzisjɛ̃, -ɛn] *adj* musical ▶ *nm/f* musician

musique [myzik] *nf* music

m

musulman, e [myzylmã, -an] *adj, nm/f* Moslem, Muslim

mutation [mytasjɔ̃] *nf (Admin)* transfer

muter [myte] /1/ *vt* to transfer, move

mutilé, e [mytile] *nm/f* disabled person *(through loss of limbs)*

mutiler [mytile] /1/ *vt* to mutilate, maim

mutin, e [mytɛ̃, -in] *adj (enfant, air, ton)* mischievous, impish
▶ *nm/f (Mil, Navig)* mutineer
• **mutinerie** *nf* mutiny

mutisme [mytism] *nm* silence

mutuel, le [mytɥɛl] *adj* mutual
▶ *nf* mutual benefit society

myope [mjɔp] *adj* short-sighted

myosotis [mjɔzɔtis] *nm* forget-me-not

myrtille [miʀtij] *nf* blueberry

mystère [mistɛʀ] *nm* mystery
• **mystérieux, -euse** *adj* mysterious

mystifier [mistifje] /7/ *vt* to fool

mythe [mit] *nm* myth

mythologie [mitɔlɔʒi] *nf* mythology

n

n' [n] *adv voir* **ne**

nacre [nakʀ] *nf* mother-of-pearl

nage [naʒ] *nf* swimming; *(manière)* style of swimming; stroke; **traverser/s'éloigner à la ~** to swim across/away; **en ~** bathed in sweat • **nageoire** *nf* fin
• **nager** /3/ *vi* to swim • **nageur, -euse** *nm/f* swimmer

naïf, -ïve [naif, naiv] *adj* naïve

nain, e [nɛ̃, nɛn] *nm/f* dwarf (!)

naissance [nɛsɑ̃s] *nf* birth; **donner ~ à** to give birth to; *(fig)* to give rise to; **lieu de ~** place of birth

naître [nɛtʀ] /59/ *vi* to be born; *(conflit, complications)*: **~ de** to arise from, be born out of; **je suis né en 1960** I was born in 1960; **faire ~** *(fig)* to give rise to, arouse

naïveté [naivte] *nf* naivety

nana [nana] *nf (fam: fille)* bird (BRIT), chick

nappe [nap] *nf* tablecloth; *(de pétrole, gaz)* layer • **napperon** *nm* table-mat

narguer [naʀge] /1/ *vt* to taunt

narine [naʀin] *nf* nostril

natal, e [natal] *adj* native
• **natalité** *nf* birth rate

natation [natasjɔ̃] *nf* swimming

natif, -ive [natif, -iv] *adj* native

nation [nasjɔ̃] *nf* nation
• **national, e, -aux** *adj* national
▶ *nf*: **(route) nationale** ≈ A road (BRIT), ≈ state highway (US)
• **nationaliser** /1/ *vt* to nationalize
• **nationalisme** *nm* nationalism
• **nationalité** *nf* nationality

natte [nat] *nf* (*tapis*) mat; (*cheveux*) plait

naturaliser [natyralize] /1/ *vt* to naturalize

nature [natyr] *nf* nature ▶ *adj, adv* (*Culin*) plain, without seasoning or sweetening; (*café, thé*) black; without sugar; (*yaourt*) natural; **payer en ~** to pay in kind; **~ morte** still-life • **naturel, le** *adj* natural ▶ *nm* naturalness; (*caractère*) disposition, nature
• **naturellement** *adv* naturally; (*bien sûr*) of course

naufrage [nofraʒ] *nm* (ship)wreck; **faire ~** to be shipwrecked

nausée [noze] *nf* nausea; **avoir la ~** to feel sick

nautique [notik] *adj* nautical, water *cpd*; **sports ~s** water sports

naval, e [naval] *adj* naval; (*industrie*) shipbuilding

navet [navɛ] *nm* turnip; (*péj: film*) third-rate film

navette [navɛt] *nf* shuttle; **faire la ~ (entre)** to go to and fro (between)

navigateur [navigatœr] *nm* (*Navig*) seafarer; (*Inform*) browser

navigation [navigasjɔ̃] *nf* navigation, sailing

naviguer [navige] /1/ *vi* to navigate, sail; **~ sur Internet** to browse the Internet

navire [navir] *nm* ship

navrer [navre] /1/ *vt* to upset, distress; **je suis navré (de/de faire/que)** I'm so sorry (for/for doing/that)

ne, n' [nə, n] *adv voir* **pas¹**; **plus²**; **jamais** *etc*; (*sans valeur négative, non traduit*): **c'est plus loin que je ne le croyais** it's further than I thought

né, e [ne] *pp de* **naître**; **né en 1960** born in 1960; **née Scott** née Scott

néanmoins [neɑ̃mwɛ̃] *adv* nevertheless

néant [neɑ̃] *nm* nothingness; **réduire à ~** to bring to nought; (*espoir*) to dash

nécessaire [neseser] *adj* necessary ▶ *nm* necessary; (*sac*) kit; **faire le ~** to do the necessary; **~ de couture** sewing kit; **~ de toilette** toilet bag • **nécessité** *nf* necessity • **nécessiter** /1/ *vt* to require

nectar [nɛktar] *nm* nectar

néerlandais, e [neɛrlɑ̃dɛ, -ɛz] *adj* Dutch

nef [nɛf] *nf* (*d'église*) nave

néfaste [nefast] *adj* (*nuisible*) harmful; (*funeste*) ill-fated

négatif, -ive [negatif, -iv] *adj* negative ▶ *nm* (*Photo*) negative

négligé, e [negliʒe] *adj* (*en désordre*) slovenly ▶ *nm* (*tenue*) negligee

négligeable [negliʒabl] *adj* negligible

négligent, e [negliʒɑ̃, -ɑ̃t] *adj* careless; negligent

négliger [negliʒe] /3/ *vt* (*épouse, jardin*) to neglect; (*tenue*) to be careless about; (*avis, précautions*) to disregard; **~ de faire** to fail to do, not bother to do

n

négociant, e [negɔsjɑ̃, -jɑ̃t] nm/f merchant

négociation [negɔsjasjɔ̃] nf negotiation

négocier [negɔsje] /7/ vi, vt to negotiate

nègre [nɛgʀ] nm (péj) Negro (!); (écrivain) ghost writer

neige [nɛʒ] nf snow • **neiger** /3/ vi to snow

nénuphar [nenyfaʀ] nm water-lily

néon [neɔ̃] nm neon

néo-zélandais, e [neozelɑ̃dɛ, -ɛz] adj New Zealand cpd ▶ nm/f: **N~, e** New Zealander

Népal [nepal] nm: **le ~** Nepal

nerf [nɛʀ] nm nerve; **être** ou **vivre sur les ~s** to live on one's nerves • **nerveux, -euse** adj nervous; (irritable) touchy, nervy; (voiture) nippy, responsive • **nervosité** nf excitability, tenseness

n'est-ce pas [nɛspa] adv isn't it?, won't you? etc (selon le verbe qui précède)

net, nette [nɛt] adj (sans équivoque, distinct) clear; (amélioration, différence) marked, distinct; (propre) neat, clean; (Comm: prix, salaire, poids) net ▶ adv (refuser) flatly ▶ nm: **mettre au ~** to copy out; **s'arrêter ~** to stop dead • **nettement** adv clearly; (incontestablement) decidedly • **netteté** nf clearness

nettoyage [netwajaʒ] nm cleaning; **~ à sec** dry cleaning

nettoyer [netwaje] /8/ vt to clean

neuf¹ [nœf] num nine

neuf², neuve [nœf, nœv] adj new; **remettre à ~** to do up (as good as new), refurbish; **quoi de ~?** what's new?

neutre [nøtʀ] adj (Ling) neuter

neuve [nœv] adj f voir **neuf²**

neuvième [nœvjɛm] num ninth

neveu, x [nəvø] nm nephew

New York [njujɔʀk] n New York

nez [ne] nm nose; **avoir du ~** to have flair; **~ à ~ avec** face to face with

ni [ni] conj: **ni ... ni** neither ... nor; **je n'aime ni les lentilles ni les épinards** I like neither lentils nor spinach; **il n'a dit ni oui ni non** he didn't say either yes or no; **elles ne sont venues ni l'une ni l'autre** neither of them came; **il n'a rien vu ni entendu** he didn't see or hear anything

niche [niʃ] nf (du chien) kennel; (de mur) recess, niche • **nicher** /1/ vi to nest

nid [ni] nm nest; **~ de poule** pothole

nièce [njɛs] nf niece

nier [nje] /7/ vt to deny

Nil [nil] nm: **le ~** the Nile

n'importe [nɛ̃pɔʀt] adv: **~ qui/quoi/où** anybody/anything/anywhere; **~ quand** any time; **~ quel/quelle** any; **~ lequel/laquelle** any (one); **~ comment** (sans soin) carelessly

niveau, x [nivo] nm level; (des élèves, études) standard; **~ de vie** standard of living

niveler [nivle] /4/ vt to level

noble [nɔbl] adj noble • **noblesse** nf nobility; (d'une action etc) nobleness

noce [nɔs] nf wedding; (gens) wedding party (ou guests pl); **faire la ~** (fam) to go on a binge; **~s d'or/d'argent/de diamant** golden/silver/diamond wedding

nocif, -ive [nɔsif, -iv] adj harmful

nocturne [nɔktyʀn] *adj* nocturnal ▸ *nf* late opening

Noël [nɔɛl] *nm* Christmas

nœud [nø] *nm* knot; (*ruban*) bow; ~ **papillon** bow tie

noir, e [nwaʀ] *adj* black; (*obscur, sombre*) dark ▸ *nm/f* black man/woman ▸ *nm*: **dans le ~** in the dark ▸ *nf* (*Mus*) crotchet (BRIT), quarter note (US); **travailler au ~** to work on the side • **noircir** /2/ *vt, vi* to blacken

noisette [nwazɛt] *nf* hazelnut

noix [nwa] *nf* walnut; (*Culin*): **une ~ de beurre** a knob of butter; **à la ~** (*fam*) worthless; ~ **de cajou** cashew nut; ~ **de coco** coconut; ~ **muscade** nutmeg

nom [nɔ̃] *nm* name; (*Ling*) noun; ~ **de famille** surname; ~ **de jeune fille** maiden name; ~ **d'utilisateur** username

nomade [nɔmad] *nm/f* nomad

nombre [nɔ̃bʀ] *nm* number; **venir en ~** to come in large numbers; **depuis ~ d'années** for many years; **au ~ de mes amis** among my friends • **nombreux, -euse** *adj* many, numerous; (*avec nom sg: foule etc*) large; **peu nombreux** few; **de nombreux cas** many cases

nombril [nɔ̃bʀi(l)] *nm* navel

nommer [nɔme] /1/ *vt* to name; (*élire*) to appoint, nominate; **se nommer** *vr*: **il se nomme Pascal** his name's Pascal, he's called Pascal

non [nɔ̃] *adv* (*réponse*) no; (*suivi d'un adjectif, adverbe*) not; **Paul est venu, ~?** Paul came, didn't he?; ~ **pas que** not that; **moi ~ plus** neither do I, I don't either; **je pense que ~** I don't think so; ~ **alcoolisé** non-alcoholic

nonchalant, e [nɔ̃ʃalɑ̃, -ɑ̃t] *adj* nonchalant

non-fumeur, -euse [nɔ̃fymœʀ, -øz] *nm/f* non-smoker

non-sens [nɔ̃sɑ̃s] *nm* absurdity

nord [nɔʀ] *nm* North ▸ *adj* northern; north; **au ~** (*situation*) in the north; (*direction*) to the north; **au ~ de** to the north of • **nord-africain, e** *adj* North-African ▸ *nm/f*: **Nord-Africain, e** North African • **nord-est** *nm* North-East • **nord-ouest** *nm* North-West

normal, e, -aux [nɔʀmal, -o] *adj* normal ▸ *nf*: **la ~e** the norm, the average; **c'est tout à fait ~** it's perfectly natural; **vous trouvez ça ~?** does it seem right to you? • **normalement** *adv* (*en général*) normally

normand, e [nɔʀmɑ̃, -ɑ̃d] *adj* Norman ▸ *nm/f*: **N~, e** (*de Normandie*) Norman

Normandie [nɔʀmɑ̃di] *nf*: **la ~** Normandy

norme [nɔʀm] *nf* norm; (*Tech*) standard

Norvège [nɔʀvɛʒ] *nf*: **la ~** Norway • **norvégien, ne** *adj* Norwegian ▸ *nm* (*Ling*) Norwegian ▸ *nm/f*: **Norvégien, ne** Norwegian

nos [no] *adj poss voir* **notre**

nostalgie [nɔstalʒi] *nf* nostalgia • **nostalgique** *adj* nostalgic

notable [nɔtabl] *adj* notable, noteworthy; (*marqué*) noticeable, marked ▸ *nm* prominent citizen

notaire [nɔtɛʀ] *nm* solicitor

notamment [nɔtamɑ̃] *adv* in particular, among others

note [nɔt] *nf* (*écrite, Mus*) note; (*Scol*) mark (BRIT), grade; (*facture*) bill; ~ **de service** memorandum

noter [nɔte] /1/ vt (écrire) to write down; (remarquer) to note, notice; (devoir) to mark, give a grade to

notice [nɔtis] nf summary, short article; (brochure): ~ **explicative** explanatory leaflet, instruction booklet

notifier [nɔtifje] /7/ vt: ~ **qch à qn** to notify sb of sth, notify sth to sb

notion [nɔsjɔ̃] nf notion, idea

notoire [nɔtwaR] adj widely known; (en mal) notorious

notre (pl **nos**) [nɔtR(ə), no] adj poss our

nôtre [notR] adj ours ▶ pron: **le/la** ~ ours; **les** ~**s** ours; (alliés etc) our own people; **soyez des** ~**s** join us

nouer [nwe] /1/ vt to tie, knot; (fig: alliance etc) to strike up

noueux, -euse [nwø, -øz] adj gnarled

nourrice [nuRis] nf ≈ child-minder

nourrir [nuRiR] /2/ vt to feed; (fig: espoir) to harbour, nurse • **nourrissant, e** adj nutritious • **nourrisson** nm (unweaned) infant • **nourriture** nf food

nous [nu] pron (sujet) we; (objet) us • **nous-mêmes** pron ourselves

nouveau (nouvel), -elle, x [nuvo, -ɛl] adj new ▶ nm/f new pupil (ou employee) ▶ nm: **il y a du** ~ there's something new ▶ nf (piece of) news sg; (Littérature) short story; **nouvelles** nfpl (Presse, TV) news; **de** ~ à ~ again; **je suis sans nouvelles de lui** I haven't heard from him; **Nouvel An** New Year; ~ **venu, nouvelle venue** newcomer; ~**x mariés** newly-weds • **nouveau-né, e**

nm/f newborn (baby); • **nouveauté** nf novelty; (chose nouvelle) something new

nouvelle • **Nouvelle-Calédonie** [nuvɛlkaledɔni] nf: **la Nouvelle-Calédonie** New Caledonia • **Nouvelle-Zélande** [nuvɛlzelɑ̃d] nf: **la Nouvelle-Zélande** New Zealand

novembre [nɔvɑ̃bR] nm November; voir aussi **juillet**

> **Le 11 novembre** is a public holiday in France and commemorates those who died for France in all wars.

noyade [nwajad] nf drowning no pl

noyau, x [nwajo] nm (de fruit) stone; (Bio, Physique) nucleus; (fig: centre) core

noyer [nwaje] /8/ nm walnut (tree); (bois) walnut ▶ vt to drown; (moteur) to flood; **se noyer** to be drowned, drown; (suicide) to drown o.s.

nu, e [ny] adj naked; (membres) naked, bare; (chambre, fil, plaine) bare ▶ nm (Art) nude; **tout nu** stark naked; **se mettre nu** to strip

nuage [nɥaʒ] nm (aussi Inform) cloud; **informatique en** ~ cloud computing; • **nuageux, -euse** adj cloudy

nuance [nɥɑ̃s] nf (de couleur, sens) shade; **il y a une** ~ (entre) there's a slight difference (between) • **nuancer** /3/ vt (pensée, opinion) to qualify

nucléaire [nykleɛR] adj nuclear ▶ nm: **le** ~ nuclear power

nudiste [nydist] nm/f nudist

nuée [nɥe] nf: **une** ~ **de** a cloud ou host ou swarm of

nuire [nɥiʀ] /38/ *vi* to be harmful;
~ à to harm, do damage to
• **nuisible** [nɥizibl] *adj* harmful;
(animal) nuisible pest

nuit [nɥi] *nf* night; **il fait ~** it's
dark; **cette ~** (*hier*) last night;
(*aujourd'hui*) tonight; **de ~** (*vol,
service*) night *cpd*; **~ blanche**
sleepless night

nul, nulle [nyl] *adj* (*aucun*) no;
(*minime*) nil, non-existent; (*non
valable*) null; (*péj*) useless,
hopeless ▶ *pron* none, no one;
résultat ~, match ~ draw; **nulle
part** nowhere • **nullement** *adv*
by no means

numérique [nymeʀik] *adj*
numerical; (*affichage, son,
télévision*) digital

numéro [nymeʀo] *nm* number;
(*spectacle*) act, turn; (*Presse*) issue,
number; **~ de téléphone**
(tele)phone number; **~ vert**
≈ Freefone® number (*BRIT*),
≈ toll-free number (*US*)
• **numéroter** /1/ *vt* to number

nuque [nyk] *nf* nape of the neck

nu-tête [nytɛt] *adj inv*
bareheaded

nutritif, -ive [nytʀitif, -iv] *adj*
(*besoins, valeur*) nutritional;
(*aliment*) nutritious, nourishing

nylon [nilɔ̃] *nm* nylon

oasis [ɔazis] *nm ou f* oasis

obéir [ɔbeiʀ] /2/ *vi* to obey; **~ à**
to obey • **obéissance** *nf* obedience
• **obéissant, e** *adj* obedient

obèse [ɔbɛz] *adj* obese • **obésité**
nf obesity

objecter [ɔbʒɛkte] /1/ *vt*: **~ (à
qn) que** to object (to sb) that
• **objecteur** *nm*: **objecteur de
conscience** conscientious
objector

objectif, -ive [ɔbʒɛktif, -iv] *adj*
objective ▶ *nm* (*Optique, Photo*)
lens *sg*; (*Mil, fig*) objective

objection [ɔbʒɛksjɔ̃] *nf* objection

objectivité [ɔbʒɛktivite] *nf*
objectivity

objet [ɔbʒɛ] *nm* object; (*d'une
discussion, recherche*) subject; **être
ou faire l'~ de** (*discussion*) to be
the subject of; (*soins*) to be given
ou shown; **sans ~** purposeless;
(*sans fondement*) groundless;
~ d'art objet d'art; **~s personnels**
personal items; **~s trouvés** lost
property *sg* (*BRIT*), lost-and-found
sg (*US*); **~s de valeur** valuables

obligation [ɔbligasjɔ̃] *nf*
obligation; (*Comm*) bond,

obliger

debenture • **obligatoire** adj
compulsory, obligatory
• **obligatoirement** adv
necessarily; (fam: sans aucun
doute) inevitably

obliger [ɔbliʒe] /3/ vt
(contraindre): **~ qn à faire** to
force ou oblige sb to do; **je suis
bien obligé (de le faire)** I have
to (do it)

oblique [ɔblik] adj oblique; **en ~**
diagonally

oblitérer [ɔblitere] /6/ vt
(timbre-poste) to cancel

obnubiler [ɔbnybile] /1/ vt to
obsess

obscène [ɔpsɛn] adj obscene

obscur, e [ɔpskyr] adj dark;
(raisons) obscure • **obscurcir** /2/
vt to darken; (fig) to obscure;
s'obscurcir vi to grow dark
• **obscurité** nf darkness; **dans
l'obscurité** in the dark, in
darkness

obsédé, e [ɔpsede] nm/f fanatic;
~(e) sexuel(le) sex maniac

obséder [ɔpsede] /6/ vt to
obsess, haunt

obsèques [ɔpsɛk] nfpl funeral sg

observateur, -trice
[ɔpsɛrvatœr, -tris] adj
observant, perceptive ▶ nm/f
observer

observation [ɔpsɛrvasjɔ̃] nf
observation; (d'un règlement etc)
observance; (reproche) reproof;
en ~ (Méd) under observation

observatoire [ɔpsɛrvatwar]
nm observatory

observer [ɔpsɛrve] /1/ vt
(regarder) to observe, watch;
(scientifiquement, aussi: règlement,
jeûne etc) to observe; (surveiller) to
watch; (remarquer) to observe,

notice; **faire ~ qch à qn** (dire) to
point out sth to sb

obsession [ɔpsesjɔ̃] nf obsession

obstacle [ɔpstakl] nm obstacle;
(Équitation) jump, hurdle; **faire
~ à** (projet) to hinder, put obstacles
in the path of

obstiné, e [ɔpstine] adj
obstinate

obstiner [ɔpstine] /1/:
s'obstiner vi to insist, dig one's
heels in; **s'~ à faire** to persist
(obstinately) in doing

obstruer [ɔpstrye] /1/ vt to
block, obstruct

obtenir [ɔptənir] /22/ vt to
obtain, get; (résultat) to achieve,
obtain; **~ de pouvoir faire** to
obtain permission to do

obturateur [ɔptyratœr] nm
(Photo) shutter

obus [ɔby] nm shell

occasion [ɔkazjɔ̃] nf (aubaine,
possibilité) opportunity;
(circonstance) occasion; (Comm:
article non neuf) secondhand buy;
(: acquisition avantageuse) bargain;
à plusieurs ~s on several
occasions; **à l'~** sometimes, on
occasions; **d'~** secondhand
• **occasionnel, le** adj occasional

occasionner [ɔkazjɔne] /1/ vt
to cause

occident [ɔksidɑ̃] nm: **l'O~** the
West • **occidental, e, -aux** adj
western; (Pol) Western ▶ nm/f
Westerner

occupation [ɔkypasjɔ̃] nf
occupation

occupé, e [ɔkype] adj (Mil, Pol)
occupied; (personne) busy; (place,
sièges) taken; (toilettes) engaged;
la ligne est ~e the line's engaged
(BRIT) ou busy (US)

occuper [ɔkype] /1/ vt to occupy; (poste, fonction) to hold; **s'~ (à qch)** to occupy o.s.o when busy (with sth); **s'~ de** (être responsable de) to be in charge of; (se charger de: affaire) to take charge of, deal with; (: clients etc) to attend to

occurrence [ɔkyʀɑ̃s] nf: **en l'~** in this case

océan [ɔseɑ̃] nm ocean

octet [ɔktɛ] nm byte

octobre [ɔktɔbʀ] nm October

oculiste [ɔkylist] nm/f eye specialist

odeur [ɔdœʀ] nf smell

odieux, -euse [ɔdjø, -øz] adj hateful

odorant, e [ɔdɔʀɑ̃, -ɑ̃t] adj sweet-smelling, fragrant

odorat [ɔdɔʀa] nm (sense of) smell

œil [œj] (pl **yeux**) nm eye; **avoir un ~ poché** ou **au beurre noir** to have a black eye; **à l'~** (fam) for free; **à l'~ nu** with the naked eye; **fermer les yeux (sur)** (fig) to turn a blind eye (to); **les yeux fermés** (aussi fig) with one's eyes shut; **ouvrir l'~** (fig) to keep one's eyes open ou an eye out

œillères [œjɛʀ] nfpl blinkers (BRIT), blinders (US)

œillet [œjɛ] nm (Bot) carnation

œuf [œf] nm egg; **~ à la coque/dur/mollet** boiled/hard-boiled/soft-boiled egg; **~ au plat/poché** fried/poached egg; **~s brouillés** scrambled eggs; **~ de Pâques** Easter egg

œuvre [œvʀ] nf (tâche) task, undertaking; (ouvrage achevé, livre, tableau etc) work; (ensemble de la production artistique) works pl ▶ nm (Constr): **le gros ~** the shell;

mettre en ~ (moyens) to make use of; **~ d'art** work of art; **~s de bienfaisance** charitable works

offense [ɔfɑ̃s] nf offence • **offenser** /1/ vt to offend, hurt; **s'offenser de** vi to take offence (BRIT) ou offense (US) at

offert, e [ɔfɛʀ, -ɛʀt] pp de **offrir**

office [ɔfis] nm (agence) bureau, agency; (Rel) service ▶ nm ou f (pièce) pantry; **faire ~ de** to act as; **d'~** automatically; **~ du tourisme** tourist office

officiel, le [ɔfisjɛl] adj, nm/f official

officier [ɔfisje] /7/ nm officer

officieux, -euse [ɔfisjø, -øz] adj unofficial

offrande [ɔfʀɑ̃d] nf offering

offre [ɔfʀ] nf offer; (aux enchères) bid; (Admin: soumission) tender; (Écon): **l'~ et la demande** supply and demand; **~ d'emploi** job advertised; **"~s d'emploi"** "situations vacant"; **~ publique d'achat (OPA)** takeover bid

offrir [ɔfʀiʀ] /18/ vt: **~ (à qn)** to offer (to sb); (faire cadeau) to give (to sb); **s'offrir**, vt (vacances, voiture) to treat o.s. to; **~ (à qn) de faire qch** to offer to do sth (for sb); **~ à boire à qn** (chez soi) to offer sb a drink; **je vous offre un verre** I'll buy you a drink

OGM sigle m (= organisme génétiquement modifié) GMO

oie [wa] nf (Zool) goose

oignon [ɔɲɔ̃] nm onion; (de tulipe etc) bulb

oiseau, x [wazo] nm bird; **~ de proie** bird of prey

oisif, -ive [wazif, -iv] adj idle

oléoduc [ɔleɔdyk] nm (oil) pipeline

o

olive [ɔliv] *nf* (*Bot*) olive • **olivier** *nm* olive (tree)

OLP *sigle f* (= *Organisation de libération de la Palestine*) PLO

olympique [ɔlɛ̃pik] *adj* Olympic

ombragé, e [ɔ̃braʒe] *adj* shaded, shady

ombre [ɔ̃bʀ] *nf* (*espace non ensoleillé*) shade; (*ombre portée, tache*) shadow; **à l'~** in the shade; **dans l'~** (*fig*) in the dark; **~ à paupières** eye shadow

omelette [ɔmlɛt] *nf* omelette; **~ norvégienne** baked Alaska

omettre [ɔmɛtʀ] /56/ *vt* to omit, leave out

omoplate [ɔmɔplat] *nf* shoulder blade

---

on [ɔ̃]

pron **1** (*indéterminé*) you, one; **on peut le faire ainsi** you ou one can do it like this, it can be done like this
2 (*quelqu'un*): **on les a attaqués** they were attacked; **on vous demande au téléphone** there's a phone call for you, you're wanted on the phone
3 (*nous*) we; **on va y aller demain** we're going tomorrow
4 (*les gens*) they; **autrefois, on croyait ...** they used to believe ...
5: **on ne peut plus** *adv*: **on ne peut plus stupide** as stupid as can be

---

oncle [ɔ̃kl] *nm* uncle

onctueux, -euse [ɔ̃ktɥø, -øz] *adj* creamy; smooth

onde [ɔ̃d] *nf* wave; **~s courtes (OC)** short wave *sg*; **~s moyennes (OM)** medium wave *sg*; **grandes ~s (GO)**, **~s longues (OL)** long wave *sg*

ondée [ɔ̃de] *nf* shower

on-dit [ɔ̃di] *nm inv* rumour

onduler [ɔ̃dyle] /1/ *vi* to undulate; (*cheveux*) to wave

onéreux, -euse [ɔneʀø, -øz] *adj* costly

ongle [ɔ̃gl] *nm* nail

ont [ɔ̃] *vb voir* **avoir**

ONU *sigle f* (= *Organisation des Nations unies*) UN(O)

onze [ɔ̃z] *num* eleven • **onzième** *num* eleventh

OPA *sigle f* = **offre publique d'achat**

opaque [ɔpak] *adj* opaque

opéra [ɔpeʀa] *nm* opera; (*édifice*) opera house

opérateur, -trice [ɔpeʀatœʀ, -tʀis] *nm/f* operator; **~ (de prise de vues)** cameraman

opération [ɔpeʀasjɔ̃] *nf* operation; (*Comm*) dealing

opératoire [ɔpeʀatwaʀ] *adj* (*choc etc*) post-operative

opérer [ɔpeʀe] /6/ *vt* (*Méd*) to operate on; (*faire, exécuter*) to carry out, make ▶ *vi* (*remède: faire effet*) to act, work; (*Méd*) to operate; **s'opérer** *vi* (*avoir lieu*) to occur, take place; **se faire ~** to have an operation

opérette [ɔpeʀet] *nf* operetta, light opera

opinion [ɔpinjɔ̃] *nf* opinion; **l'~ (publique)** public opinion

opportun, e [ɔpɔʀtœ̃, -yn] *adj* timely, opportune • **opportuniste** [ɔpɔʀtynist] *nm/f* opportunist

opposant, e [ɔpozɑ̃, -ɑ̃t] *nm/f* opponent

opposé, e [ɔpoze] *adj* (*direction, rive*) opposite; (*faction*) opposing; (*opinions, intérêts*) conflicting;

(contre): ~ **à** opposed to, against ▶ nm: **l'~** the other ou opposite side (ou direction); (contraire) the opposite; **à l'~** (fig) on the other hand; **à l'~ de** (fig) contrary to, unlike

opposer [ɔpoze] /1/ vt (personnes, armées, équipes) to oppose; (couleurs, termes, tons) to contrast; **~ qch à** (comme obstacle, défense) to set sth against; (comme objection) to put sth forward against; **s'opposer** vi (équipes) to confront each other; (opinions) to conflict; (couleurs, styles) to contrast; **s'~ à** (interdire, empêcher) to oppose

opposition [ɔpozisjɔ̃] nf opposition; **par ~ à** as opposed to; **entrer en ~ avec** to come into conflict with; **faire ~ à un chèque** to stop a cheque

oppressant, e [ɔpresɑ̃, -ɑ̃t] adj oppressive

oppresser [ɔprese] /1/ vt to oppress • **oppression** nf oppression

opprimer [ɔprime] /1/ vt to oppress

opter [ɔpte] /1/ vi: **~ pour** to opt for; **~ entre** to choose between

opticien, ne [ɔptisjɛ̃, -ɛn] nm/f optician

optimisme [ɔptimism] nm optimism • **optimiste** [ɔptimist] adj optimistic ▶ nm/f optimist

option [ɔpsjɔ̃] nf option; **matière à ~** (Scol) optional subject

optique [ɔptik] adj (nerf) optic; (verres) optical ▶ nf (fig: manière de voir) perspective

or [ɔʀ] nm gold ◆ conj now, but; **en or** gold cpd; **une affaire en or** a real bargain; **il croyait gagner or**

il a perdu he was sure he would win and yet he lost

orage [ɔʀaʒ] nm (thunder)storm • **orageux, -euse** adj stormy

oral, e, -aux [ɔʀal, -o] adj oral; (Méd): **par voie ~e** orally ▶ nm oral

orange [ɔʀɑ̃ʒ] adj inv, nf orange • **orangé, e** adj orangey, orange-coloured • **orangeade** nf orangeade • **oranger** nm orange tree

orateur [ɔʀatœʀ] nm speaker

orbite [ɔʀbit] nf (Anat) (eye-)socket; (Physique) orbit

Orcades [ɔʀkad] nfpl: **les ~** the Orkneys, the Orkney Islands

orchestre [ɔʀkɛstʀ] nm orchestra; (de jazz, danse) band; (places) stalls pl (BRIT), orchestra (US)

orchidée [ɔʀkide] nf orchid

ordinaire [ɔʀdinɛʀ] adj ordinary; (modèle, qualité) standard; (péj: commun) common ▶ nm ordinary; (menus) everyday fare ▶ nf (essence) ≈ two-star (petrol) (BRIT), ≈ regular (gas) (US); **d'~** usually, normally; **comme à l'~** as usual

ordinateur [ɔʀdinatœʀ] nm computer; **~ individuel** ou **personnel** personal computer; **~ portable** laptop (computer)

ordonnance [ɔʀdɔnɑ̃s] nf (Méd) prescription; (Mil) orderly, batman (BRIT)

ordonné, e [ɔʀdɔne] adj tidy, orderly

ordonner [ɔʀdɔne] /1/ vt (agencer) to organize, arrange; (donner un ordre): **~ à qn de faire** to order sb to do; (Rel) to ordain; (Méd) to prescribe

ordre

ordre [ɔʀdʀ] nm order; *(propreté et soin)* orderliness, tidiness; **à l'~ de** payable to; *(nature)*: **d'~ pratique** of a practical nature; **ordres** nmpl *(Rel)* holy orders; **mettre en ~** to tidy (up), put in order; **par ~ alphabétique/d'importance** in alphabetical order/in order of importance; **être aux ~s de qn/ sous les ~s de qn** to be at sb's disposal/under sb's command; **jusqu'à nouvel ~** until further notice; **de premier ~** first-rate; **~ du jour** *(d'une réunion)* agenda; **à l'~ du jour** *(fig)* topical; **~ public** law and order

ordure [ɔʀdyʀ] nf filth no pl; **ordures** nfpl *(balayures, déchets)* rubbish sg, refuse sg; **~s ménagères** household refuse

oreille [ɔʀɛj] nf ear; **avoir de l'~** to have a good ear (for music)

oreiller [ɔʀeje] nm pillow

oreillons [ɔʀejɔ̃] nmpl mumps sg

ores [ɔʀ]: **d'~ et déjà** adv already

orfèvrerie [ɔʀfɛvʀəʀi] nf goldsmith's *(ou silversmith's)* trade; *(ouvrage)* (silver ou gold) plate

organe [ɔʀgan] nm organ; *(porte-parole)* representative, mouthpiece

organigramme [ɔʀganigʀam] nm *(hiérarchique, structure)* organization chart; *(des opérations)* flow chart

organique [ɔʀganik] adj organic

organisateur, -trice [ɔʀganizatœʀ, -tʀis] nm/f organizer

organisation [ɔʀganizasjɔ̃] nf organization; **O~ des Nations unies (ONU)** United Nations (Organization) (UN(O))

organiser [ɔʀganize] /1/ vt to organize; *(mettre sur pied: service etc)* to set up; **s'organiser** to get organized

organisme [ɔʀganism] nm *(Bio)* organism; *(corps humain)* body; *(Admin, Pol etc)* body

organiste [ɔʀganist] nm/f organist

orgasme [ɔʀgasm] nm orgasm, climax

orge [ɔʀʒ] nf barley

orgue [ɔʀg] nm organ

orgueil [ɔʀgœj] nm pride
• **orgueilleux, -euse** adj proud

oriental, e, -aux [ɔʀjɑ̃tal, -o] adj *(langue, produit)* oriental; *(frontière)* eastern

orientation [ɔʀjɑ̃tasjɔ̃] nf *(de recherches)* orientation; *(d'une maison etc)* aspect; *(d'un journal)* leanings pl; **avoir le sens de l'~** to have a (good) sense of direction; **~ professionnelle** careers advisory service

orienté, e [ɔʀjɑ̃te] adj *(fig: article, journal)* slanted; **bien/mal ~** *(appartement)* well/badly positioned; **~ au sud** facing south, with a southern aspect

orienter [ɔʀjɑ̃te] /1/ vt *(tourner: antenne)* to direct, turn; *(: voyageur, touriste, recherches)* to direct; *(fig: élève)* to orientate; **s'orienter** *(se repérer)* to find one's bearings; **s'~ vers** *(fig)* to turn towards

origan [ɔʀigɑ̃] nm oregano

originaire [ɔʀiʒinɛʀ] adj: **être ~ de** to be a native of

original, e, -aux [ɔʀiʒinal, -o] adj original; *(bizarre)* eccentric ▶ nm/f eccentric ▶ nm *(document etc, Art)* original

origine [ɔRiʒin] nf origin; **origines** nfpl (d'une personne) origins; **d'~** (pays) of origin; (pneus etc) original; **d'~ française** of French origin; **à l'~** originally • **originel, le** adj original

orme [ɔRm] nm elm

ornement [ɔRnəmɑ̃] nm ornament

orner [ɔRne] /1/ vt to decorate, adorn

ornière [ɔRnjɛR] nf rut

orphelin, e [ɔRfəlɛ̃, -in] adj orphan(ed) ▸ nm/f orphan; **~ de père/mère** fatherless/ motherless • **orphelinat** nm orphanage

orteil [ɔRtɛj] nm toe; **gros ~** big toe

orthographe [ɔRtɔgRaf] nf spelling

ortie [ɔRti] nf (stinging) nettle

os [ɔs] nm bone; **os à moelle** marrowbone

osciller [ɔsile] /1/ vi (au vent etc) to rock; (fig): **~ entre** to waver ou fluctuate between

osé, e [oze] adj daring, bold

oseille [ozɛj] nf sorrel

oser [oze] /1/ vi, vt to dare; **~ faire** to dare (to) do

osier [ozje] nm willow; **d'~, en ~** wicker(work) cpd

osseux, -euse [ɔsø, -øz] adj bony; (tissu, maladie, greffe) bone cpd

otage [ɔtaʒ] nm hostage; **prendre qn comme ~** to take sb hostage

OTAN sigle f (= Organisation du traité de l'Atlantique Nord) NATO

otarie [ɔtaRi] nf sea-lion

ôter [ote] /1/ vt to remove; (soustraire) to take away; **~ qch à**

qn to take sth (away) from sb; **~ qch de** to remove sth from

otite [ɔtit] nf ear infection

ou [u] conj or; **ou … ou** either … or; **ou bien** or (else)

---

où [u]

▸ pron relatif **1** (position, situation) where, that (souvent omis); **la chambre où il était** the room (that) he was in, the room where he was; **la ville où je l'ai rencontré** the town where I met him; **la pièce d'où il est sorti** the room he came out of; **le village d'où je viens** the village I come from; **les villes par où il est passé** the towns he went through

2 (temps, état) that (souvent omis); **le jour où il est parti** the day (that) he left; **au prix où c'est** at the price it is

▸ adv **1** (interrogation) where; **où est-il/va-t-il?** where is he/is he going?; **par où?** which way?; **d'où vient que …?** how come …?

2 (position) where; **je sais où il est** I know where he is; **où que l'on aille** wherever you go

---

ouate [wat] nf cotton wool (BRIT), cotton (US)

oubli [ubli] nm (acte): **l'~ de** forgetting; (trou de mémoire) lapse of memory; (négligence) omission, oversight; **tomber dans l'~** to sink into oblivion; **le droit à l'~** (Internet, Méd) the right to be forgotten

oublier [ublije] /7/ vt to forget; (ne pas voir: erreurs etc) to miss; (laisser quelque part: chapeau etc) to leave behind

ouest [wɛst] nm west ▸ adj inv west; (région) western; **à l'~** in the west; (direction) (to the) west, westwards; **à l'~ de** (to the) west of

ouf [uf] excl phew!

oui [wi] adv yes

ouï-dire ['widiʀ]: **par ~** adv by hearsay

ouïe [wi] nf hearing; ouïes nfpl (de poisson) gills

ouragan [uʀagã] nm hurricane

ourlet [uʀlɛ] nm hem

ours [uʀs] nm bear; **~ brun/blanc** brown/polar bear; **~ (en peluche)** teddy (bear)

oursin [uʀsɛ̃] nm sea urchin

ourson [uʀsõ] nm (bear-)cub

ouste [ust] excl hop it!

outil [uti] nm tool • **outiller** /1/ vt to equip

outrage [utʀaʒ] nm insult; **~ à la pudeur** indecent behaviour no pl

outrance [utʀɑ̃s] nf: **à ~** adv excessively, to excess

outre [utʀ] prép besides ▸ adv: **passer ~ à** to disregard, take no notice of; **en ~** besides, moreover; **~ mesure** to excess; (manger, boire) immoderately • **outre-Atlantique** adv across the Atlantic • **outre-mer** adv overseas

ouvert, e [uvɛʀ, -ɛʀt] pp de **ouvrir** ▸ adj open; (robinet, gaz etc) on • **ouvertement** adv openly • **ouverture** nf opening; (Mus) overture; **ouverture d'esprit** open-mindedness; **heures d'ouverture** (Comm) opening hours

ouvrable [uvʀabl] adj: **jour ~** working day, weekday

ouvrage [uvʀaʒ] nm (tâche, de tricot etc) work no pl; (texte, livre) work

ouvre-boîte(s) [uvʀəbwat] nm inv tin (BRIT) ou can opener

ouvre-bouteille(s) [uvʀəbutɛj] nm inv bottle-opener

ouvreuse [uvʀøz] nf usherette

ouvrier, -ière [uvʀije, -jɛʀ] nm/f worker ▸ adj working-class; (problèmes, conflit) industrial; (mouvement) labour cpd; **classe ouvrière** working class

ouvrir [uvʀiʀ] /18/ vt (gén) to open; (brèche, passage) to open up; (commencer l'exploitation de, créer) to open (up); (eau, électricité, chauffage, robinet) to turn on; (Méd: abcès) to open up, cut open ▸ vi to open; to open up; s'ouvrir vi to open; **s'~ à qn (de qch)** to open one's heart to sb (about sth); **~ l'appétit à qn** to whet sb's appetite

ovaire [ɔvɛʀ] nm ovary

ovale [ɔval] adj oval

OVNI sigle m (= objet volant non identifié) UFO

oxyder [ɔkside] /1/: s'oxyder vi to become oxidized

oxygéné, e [ɔksiʒene] adj: **eau ~e** hydrogen peroxide

oxygène [ɔksiʒɛn] nm oxygen

ozone [ɔzon] nm ozone; **trou dans la couche d'~** hole in the ozone layer

p

pacifique [pasifik] adj peaceful
▶ nm: **le P~, l'océan P~** the Pacific
(Ocean)

pack [pak] nm pack

pacotille [pakɔtij] nf cheap junk pl

PACS sigle m (= pacte civil de
solidarité) ≈ civil partnership
• **pacser** /1/: **se pacser** vi ≈ to
form a civil partnership

pacte [pakt] nm pact, treaty

pagaille [pagaj] nf mess,
shambles sg

page [paʒ] nf page ▶ nm page
(boy); **à la ~** (fig) up-to-date;
~ d'accueil (Inform) home page;
~ Web (Inform) web page

païen, ne [pajɛ̃, -ɛn] adj, nm/f
pagan, heathen

paillasson [pajasɔ̃] nm doormat

paille [paj] nf straw

pain [pɛ̃] nm (substance) bread;
(unité) loaf (of bread); (morceau);
~ de cire etc bar of wax etc; **~ bis/
complet** brown/wholemeal
(BRIT) ou wholewheat (US) bread;
~ d'épice ≈ gingerbread; **~ grillé**
toast; **~ de mie** sandwich loaf;
~ au chocolat pain au chocolat;
~ aux raisins currant pastry

pair, e [pɛʀ] adj (nombre) even
▶ nm peer; **aller de ~ (avec)** to go
hand in hand ou together (with);
jeune fille au ~ au pair • **paire** nf
pair

paisible [pezibl] adj peaceful,
quiet

paix [pɛ] nf peace; **faire la ~ avec**
to make peace with; **fiche-lui la ~!**
(fam) leave him alone!

Pakistan [pakistɑ̃] nm: **le ~**
Pakistan

palais [palɛ] nm palace; (Anat)
palate

pâle [pɑl] adj pale; **bleu ~** pale
blue

Palestine [palɛstin] nf: **la ~**
Palestine

palette [palɛt] nf (de peintre)
palette; (de produits) range

pâleur [pɑlœʀ] nf paleness

palier [palje] nm (d'escalier)
landing; (fig) level, plateau; **par
~s** in stages

pâlir [pɑliʀ] /2/ vi to turn ou go
pale; (couleur) to fade

pallier [palje] /7/ vt: **~ à** to offset,
make up for

palme [palm] nf (de plongeur)
flipper • **palmé, e** [palme] adj
(pattes) webbed

palmier [palmje] nm palm tree;
(gâteau) heart-shaped biscuit made
of flaky pastry

pâlot, te [pɑlo, -ɔt] adj pale,
peaky

palourde [paluʀd] nf clam

palper [palpe] /1/ vt to feel,
finger

palpitant, e [palpitɑ̃, -ɑ̃t] adj
thrilling

palpiter [palpite] /1/ vi
(cœur, pouls) to beat; (: plus fort)
to pound, throb

paludisme [palydism] *nm*
malaria

pamphlet [pɑ̃flɛ] *nm* lampoon,
satirical tract

pamplemousse [pɑ̃pləmus] *nm*
grapefruit

pan [pɑ̃] *nm* section, piece ▶ *excl*
bang!

panache [panaʃ] *nm* plume; (*fig*)
spirit, panache

panaché, e [panaʃe] *nm* (*bière*)
shandy; **glace ~e** mixed ice cream

pancarte [pɑ̃kaʀt] *nf* sign, notice

pancréas [pɑ̃kʀeɑs] *nm* pancreas

pandémie [pɑ̃demi] *nf* pandemic

pané, e [pane] *adj* fried in
breadcrumbs

panier [panje] *nm* basket;
mettre au ~ to chuck away; **~ à
provisions** shopping basket
• **panier-repas** *nm* packed lunch

panique [panik] *adj* panicky ▶ *nf*
panic • **paniquer** /1/ *vi* to panic

panne [pan] *nf* breakdown; **être/
tomber en ~** to have broken
down/break down; **être en
~ d'essence** *ou* **en ~ sèche** to
have run out of petrol (*BRIT*) *ou*
gas (*US*); **~ d'électricité** *ou* **de
courant** power *ou* electrical
failure

panneau, x [pano] *nm* (*écriteau*)
sign, notice; **~ d'affichage** notice
(*BRIT*) *ou* bulletin (*US*) board;
~ indicateur signpost; **~ de
signalisation** roadsign

panoplie [panɔpli] *nf* (*jouet*)
outfit; (*d'armes*) display; (*fig*) array

panorama [panɔʀama] *nm*
panorama

panse [pɑ̃s] *nf* paunch

pansement [pɑ̃smɑ̃] *nm*
dressing, bandage; **~ adhésif**
sticking plaster

pantacourt [pɑ̃takuʀ] *nm*
cropped trousers *pl*

pantalon [pɑ̃talɔ̃] *nm* trousers *pl*
(*BRIT*), pants *pl* (*US*), pair of
trousers *ou* pants; **~ de ski** ski
pants *pl*

panthère [pɑ̃tɛʀ] *nf* panther

pantin [pɑ̃tɛ̃] *nm* puppet

pantoufle [pɑ̃tufl] *nf* slipper

paon [pɑ̃] *nm* peacock

papa [papa] *nm* dad(dy)

pape [pap] *nm* pope

paperasse [papʀas] *nf* (*péj*) bumf
no pl, papers *pl* • **paperasserie** *nf*
(*péj*) red tape *no pl*; paperwork *no pl*

papeterie [papetʀi] *nf* (*magasin*)
stationer's (shop) (*BRIT*)

papi [papi] *nm* (*fam*) granddad

papier [papje] *nm* paper; (*article*)
article; **papiers** *nmpl* (*aussi*: **~s
d'identité**) (identity) papers;
~ (d')aluminium aluminium
(*BRIT*) *ou* aluminum (*US*) foil,
tinfoil; **~ calque** tracing paper;
~ hygiénique *ou* **(de) toilette**
toilet paper; **~ journal**
newspaper; **~ à lettres** writing
paper, notepaper; **~ peint**
wallpaper; **~ de verre** sandpaper

papillon [papijɔ̃] *nm* butterfly;
(*fam: contravention*) (parking)
ticket; **~ de nuit** moth

papillote [papijɔt] *nf*: **en ~**
cooked in tinfoil

papoter [papɔte] /1/ *vi* to chatter

paquebot [pakbo] *nm* liner

pâquerette [pakʀɛt] *nf* daisy

Pâques [pak] *nm*, *nfpl* Easter

In France, Easter eggs are said to
be brought by the Easter bells or
cloches de Pâques which fly
from Rome and drop the eggs in
people's gardens.

paquet [pakɛ] *nm* packet; (*colis*) parcel; (*fig: tas*): **~ de** pile ou heap of • **paquet-cadeau** *nm* gift-wrapped parcel

par [paʀ] *prép* by; **finir** *etc* **~ to end** *etc* with; **~ amour** out of love; **passer ~ Lyon/la côte** to go via ou through Lyons/along by the coast; **~ la fenêtre** (*jeter, regarder*) out of the window; **trois ~ jour/ personne** three a ou per day/ head; **deux ~ deux** in twos; **~ ici** this way; (*dans le coin*) round here; **~-ci, ~-là** here and there; **~ temps de pluie** in wet weather

parabolique [paʀabɔlik] *adj*: **antenne ~** satellite dish

parachute [paʀaʃyt] *nm* parachute • **parachutiste** [paʀaʃytist] *nm/f* parachutist; (*Mil*) paratrooper

parade [paʀad] *nf* (*spectacle, défilé*) parade; (*Escrime, Boxe*) parry

paradis [paʀadi] *nm* heaven, paradise

paradoxe [paʀadɔks] *nm* paradox

paraffine [paʀafin] *nf* paraffin

parages [paʀaʒ] *nmpl*: **dans les ~ (de)** in the area ou vicinity (of)

paragraphe [paʀagʀaf] *nm* paragraph

paraître [paʀɛtʀ] /57/ *vb copule* to seem, look, appear ▸ *vi* to appear; (*être visible*) to show; (*Presse, Édition*) to be published, come out, appear ▸ *vb impers*: **il paraît que** it seems ou appears that

parallèle [paʀalɛl] *adj* parallel; (*police, marché*) unofficial ▸ *nm* (*comparaison*): **faire un ~ entre** to draw a parallel between ▸ *nf* parallel (line)

paralympique [paʀalɛ̃pik] *adj* Paralympic

paralyser [paʀalize] /1/ *vt* to paralyze

paramédical, e, -aux [paʀamedikal, -o] *adj*: **personnel ~** paramedics *pl*, paramedical workers *pl*

paraphrase [paʀafʀɑz] *nf* paraphrase

parapluie [paʀaplyi] *nm* umbrella

parasite [paʀazit] *nm* parasite; **parasites** *nmpl* (*Tél*) interference *sg*

parasol [paʀasɔl] *nm* parasol, sunshade

paratonnerre [paʀatɔnɛʀ] *nm* lightning conductor

parc [paʀk] *nm* (*public*) park, gardens *pl*; (*de château etc*) grounds *pl*; (*d'enfant*) playpen; **~ d'attractions** amusement park; **~ éolien** wind farm; **~ de stationnement** car park; **~ à thème** theme park

parcelle [paʀsɛl] *nf* fragment, scrap; (*de terrain*) plot, parcel

parce que [paʀskə] *conj* because

parchemin [paʀʃəmɛ̃] *nm* parchment

parc(o)mètre [paʀk(ɔ)mɛtʀ] *nm* parking meter

parcourir [paʀkuʀiʀ] /11/ *vt* (*trajet, distance*) to cover; (*article, livre*) to skim ou glance through; (*lieu*) to go all over, travel up and down; (*frisson, vibration*) to run through

parcours [paʀkuʀ] *nm* (*trajet*) journey; (*itinéraire*) route

par-dessous [paʀdəsu] *prép, adv* under(neath)

pardessus [paʀdəsy] *nm* overcoat

p

par-dessus [paʀdəsy] *prép* over
(the top of) ▸ *adv* over (the top);
~ le marché on top of it all; **~ tout**
above all; **en avoir ~ la tête** to
have had enough

par-devant [paʀdəvɑ̃] *adv*
(*passer*) round the front

pardon [paʀdɔ̃] *nm* forgiveness
no pl ▸ *excl* (I'm) sorry; (*pour*
interpeller etc) excuse me;
demander ~ à qn (de) to
apologize to sb (for); **je vous**
demande ~ I'm sorry; (*pour*
interpeller) excuse me
• **pardonner** /1/ *vt* to forgive;
pardonner qch à qn to forgive sb
for sth

pare: • **pare-brise** *nm inv*
windscreen (BRIT), windshield
(US) • **pare-chocs** *nm inv* bumper
• **pare-feu** *nm inv* (*de foyer*)
fireguard; (*Inform*) firewall
▸ *adj inv*

pareil, le [paʀɛj] *adj* (*identique*)
the same, alike; (*similaire*) similar;
(*tel*): **un courage/livre ~** such
courage/a book, courage/a book
like this; **de ~s livres** such books;
faire ~ to do the same (thing);
~ à the same as; similar to; **sans ~**
unparalleled, unequalled

parent, e [paʀɑ̃, -ɑ̃t] *nm/f*: **un/**
une ~/e a relative *ou* relation;
parents *nmpl* (*père et mère*)
parents • **parenté** *nf* (*lien*)
relationship

parenthèse [paʀɑ̃tɛz] *nf*
(*ponctuation*) bracket,
parenthesis; (*digression*)
parenthesis, digression; **entre ~s**
in brackets; (*fig*) incidentally

paresse [paʀɛs] *nf* laziness
• **paresseux, -euse** *adj* lazy

parfait, e [paʀfɛ, -ɛt] *adj* perfect
▸ *nm* (*Ling*) perfect (tense);

• **parfaitement** *adv* perfectly
▸ *excl* (most) certainly

parfois [paʀfwa] *adv* sometimes

parfum [paʀfœ̃] *nm* (*produit*)
perfume, scent; (*odeur: de fleur*)
scent, fragrance; (*goût*) flavour
• **parfumé, e** *adj* (*fleur, fruit*)
fragrant; (*femme*) perfumed;
parfumé au café coffee-
flavoured (BRIT) *ou* -flavored (US)
• **parfumer** /1/ *vt* (*odeur, bouquet*)
to perfume; (*crème, gâteau*) to
flavour • **parfumerie** *nf* (*produits*)
perfumes; (*boutique*) perfume
shop (BRIT) *ou* store (US)

pari [paʀi] *nm* bet • **parier** /7/ *vt*
to bet

Paris [paʀi] *n* Paris • **parisien, ne**
adj Parisian; (*Géo, Admin*) Paris *cpd*
▸ *nm/f*: **Parisien, ne** Parisian

parité [paʀite] *nf*: **~ hommes-**
femmes (*Pol*) balanced
representation of men and
women

parjure [paʀʒyʀ] *nm* perjury

parking [paʀkiŋ] *nm* (*lieu*) car
park (BRIT), parking lot (US)

⚠ Attention à ne pas traduire
parking par le mot anglais
parking.

parlant, e [paʀlɑ̃, -ɑ̃t] *adj*
(*comparaison, preuve*) eloquent;
(*Ciné*) talking

parlement [paʀləmɑ̃] *nm*
parliament • **parlementaire** *adj*
parliamentary ▸ *nm/f* = Member
of Parliament (BRIT) *ou* Congress
(US)

parler [paʀle] /1/ *vi* to speak, talk;
(*avouer*) to talk; **~ (à qn) de** to
talk ou speak (to sb) about;
~ le/en
français to speak French/in French;
~ affaires to talk business;

particulier

sans ~ de (fig) not to mention, to say nothing of; **tu parles!** (bien sûr) you bet!

parloir [paʀlwaʀ] nm (d'une prison, d'un hôpital) visiting room

parmi [paʀmi] prép among(st)

paroi [paʀwa] nf wall; (cloison) partition

paroisse [paʀwas] nf parish

parole [paʀɔl] nf (mot, promesse) word; (faculté): **la ~** speech; **paroles** nfpl (Mus) words, lyrics; **tenir ~** to keep one's word; **prendre la ~** to speak; **demander la ~** to ask for permission to speak; **je le crois sur ~** I'll take his word for it

parquet [paʀkɛ] nm (parquet) floor; (Jur) public prosecutor's office; **le ~ (général)** ≈ the Bench

parrain [paʀɛ̃] nm godfather ▪ **parrainer** /1/ vt (nouvel adhérent) to sponsor

pars [paʀ] vb voir **partir**

parsemer [paʀsəme] /5/ vt (feuilles, papiers) to be scattered over; **~ qch de** to scatter sth with

part [paʀ] nf (qui revient à qn) share; (fraction, partie) part; **prendre ~ à** (débat etc) to take part in; (soucis, douleur de qn) to share in; **faire ~ de qch à qn** to announce sth to sb, inform sb of sth; **pour ma ~** as for me, as far as I'm concerned; **à ~ entière** full; **de la ~ de** (au nom de) on behalf of; (donné par) from; **de toute(s) ~(s)** from all sides ou quarters; **de ~ et d'autre** on both sides, on either side; **d'une ~ ... d'autre ~** on the one hand ... on the other hand; **d'autre ~** (de plus) moreover; **à ~** adv separately; (de côté) aside; prép

apart from, except for; **faire la ~ des choses** to make allowances

partage [paʀtaʒ] nm no pl, share-out; dividing up

partager [paʀtaʒe] /3/ vt to share; (distribuer, répartir) to share (out); (morceler, diviser) to divide (up); **se partager** vt (héritage etc) to share between themselves (ou ourselves etc)

partenaire [paʀtənɛʀ] nm/f partner

parterre [paʀtɛʀ] nm (de fleurs) (flower) bed; (Théât) stalls pl

parti [paʀti] nm (Pol) party; (décision) course of action; (personne à marier) match; **tirer ~ de** to take advantage of, turn to good account; **prendre ~ (pour/ contre)** to take sides ou a stand (for/against); **~ pris** bias

partial, e, -aux [paʀsjal, -o] adj biased, partial

participant, e [paʀtisipɑ̃, -ɑ̃t] nm/f participant; (à un concours) entrant

participation [paʀtisipasjɔ̃] nf participation; (financière) contribution

participer [paʀtisipe] /1/: **~ à** vt (course, réunion) to take part in; (frais etc) to contribute to; (chagrin, succès de qn) to share (in)

particularité [paʀtikylaʀite] nf (distinctive) characteristic

particule [paʀtikyl] nf particle; **~s fines** fine particulate matter

particulier, -ière [paʀtikylje, -jɛʀ] adj (personnel, privé) private; (étrange) peculiar, odd; (spécial) special, particular; (spécifique) particular ▸ nm (individu: Admin) private individual; **~ à** peculiar to; **en ~** (surtout) in particular,

particularly; (*en privé*) in private
• **particulièrement** *adv*
particularly

partie [paʀti] *nf* (*gén*) part; (*Jur etc: protagonistes*) party; (*de cartes, tennis etc*) game; **une ~ de campagne/de pêche** an outing in the country/a fishing party *ou* trip; **en ~** partly, in part; **faire ~ (chose)** to be part of; **prendre qn à ~** to take sb to task; **en grande ~** largely, in the main; **~ civile** (*Jur*) party claiming damages in a criminal case

partiel, le [paʀsjɛl] *adj* partial ▶ *nm* (*Scol*) class exam

partir [paʀtiʀ] /16/ *vi* (*gén*) to go; (*quitter*) to go, leave; (*tache*) to go, come out; **~ de** (*lieu*) (*quitter*) to leave; (*commencer à*) to start from; **~ pour/à** (*lieu, pays etc*) to leave for/go off to; **à ~ de** from

partisan, e [paʀtizɑ̃, -an] *nm/f* partisan; **être ~ de qch/faire** to be in favour (*BRIT*) *ou* favor (*US*) of sth/doing

partition [paʀtisjɔ̃] *nf* (*Mus*) score

partout [paʀtu] *adv* everywhere; **~ où il allait** everywhere *ou* wherever he went

paru [paʀy] *pp de* **paraître**

parution [paʀysjɔ̃] *nf* publication

parvenir [paʀvəniʀ] /22/: **~ à** *vt* (*atteindre*) to reach; (*réussir*) : **~ à faire** to manage to do, succeed in doing; **faire ~ qch à qn** to have sth sent to sb

---

pas¹ [pɑ]

adv **1** (*en corrélation avec ne, non etc*) not; **il ne pleure pas** (*habituellement*) he does not *ou*

doesn't cry; (*maintenant*) he's not *ou* isn't crying; **il n'a pas pleuré/ne pleurera pas** he did not *ou* didn't/will not *ou* won't cry; **ils n'ont pas de voiture/d'enfants** they haven't got a car/any children; **il m'a dit de ne pas le faire** he told me not to do it; **non pas que ...** not that ..

2 (*employé sans ne etc*): **pas moi** not me, I don't (*ou* can't *etc*); **elle travaille, (mais) lui pas** *ou* **pas lui** she works but he doesn't *ou* does not; **une pomme pas mûre** an apple which isn't ripe; **pas du tout** not at all; **pas de sucre, merci** no sugar, thanks; **ceci est à vous ou pas?** is this yours or not?, is this yours or isn't it?

3: **pas mal** (*joli: personne, maison*) not bad; **pas mal fait** not badly done *ou* made; **comment ça va? — pas mal** how are things? — not bad; **pas mal de** quite a lot of

pas² [pɑ] *nm* (*enjambée, Danse*) step; (*bruit*) (foot)step; (*trace*) footprint; (*allure, mesure*) pace; **~ à ~** step by step; **au ~** at a walking pace; **marcher à grands ~** to stride along; **à ~ de loup** stealthily; **faire les cent ~** to pace up and down; **faire les premiers ~** to make the first move; **sur le ~ de la porte** on the doorstep

passage [pɑsaʒ] *nm* (*fait de passer*); *voir* **passer**; (*lieu, prix de la traversée, extrait de livre etc*) passage; (*chemin*) way; **de ~** (*touristes*) passing through; **~ clouté** pedestrian crossing; **"~ interdit"** "no entry"; **~ à**

niveau level (BRIT) ou grade (US) crossing; **~ souterrain** subway (BRIT), underpass

passager, -ère [pasaʒe, -ɛʀ] adj passing ▶ nm/f passenger

passant, e [pasɑ̃, -ɑ̃t] adj (rue, endroit) busy ▶ nm/f passer-by; **remarquer qch en ~** to notice sth in passing

passe [pɑs] nf (Sport) pass; (Navig) channel; **être en ~ de faire** to be on the way to doing; **être dans une mauvaise ~** to be going through a bad patch

passé, e [pase] adj (événement, temps) last; (dernier: semaine etc) last; (couleur, tapisserie) faded ▶ prép after ▶ nm past; (Ling) past (tense); **~ de mode** out of fashion; **~ composé** perfect (tense); **~ simple** past historic

passe-partout [paspaʀtu] nm inv master ou skeleton key ▶ adj inv all-purpose

passeport [paspɔʀ] nm passport

passer [pase] /1/ vi (se rendre, aller) to go; (voiture, piétons: défiler) to pass (by), go by; (facteur, laitier etc) to come, call; (pour rendre visite) to call ou drop in; (film, émission) to be on; (temps, jours) to pass, go by; (couleur, papier) to fade; (mode) to die out; (douleur) to pass, go away; (Scol): **~ dans la classe supérieure** to go up (to the next class) ▶ vt (frontière, rivière etc) to cross; (douane) to go through; (examen) to sit, take; (visite médicale etc) to have; (journée, temps) to spend; **~ qch à qn** (sel etc) to pass sth to sb; (prêter) to lend sb sth; (lettre, message) to pass sth on to sb; (tolérer) to let sb get away with sth; (enfiler: vêtement) to slip on; (film, pièce) to

show, put on; (disque) to play, put on; (commande) to place; (marché, accord) to agree on; **se passer** vi (avoir lieu: scène, action) to take place; (se dérouler: entretien etc) to go; (arriver) **que s'est-il passé?** what happened?; (s'écouler: semaine etc) to pass, go by; **se ~ de** to go ou do without; **~ par** to go through; **~ avant qch/qn** (fig) to come before sth/sb; **~ un coup de fil à qn** (fam) to give sb a ring; **laisser ~** (air, lumière, personne) to let through; (occasion) to let slip, miss; (erreur) to overlook; **~ à la radio/télévision** to be on the radio/on television; **~ à table** to sit down to eat; **~ au salon** to go through to ou into the sitting room; **~ son tour** to miss one's turn; **~ la seconde** (Auto) to change into second; **~ le balai/l'aspirateur** to sweep up/hoover; **je vous passe M. Dupont** (je vous mets en communication avec lui) I'm putting you through to Mr Dupont; (je lui passe l'appareil) here is Mr Dupont, I'll hand you over to Mr Dupont

passerelle [pasʀɛl] nf footbridge; (de navire, avion) gangway

passe-temps [pɑstɑ̃] nm inv pastime

passif, -ive [pasif, -iv] adj passive

passion [pasjɔ̃] nf passion
• **passionnant, e** adj fascinating
• **passionné, e** adj (personne, tempérament) passionate; (description, récit) impassioned; **être passionné de** ou **pour qch** to have a passion for sth
• **passionner** /1/ vt (personne) to fascinate, grip

passoire [paswaʀ] nf sieve; (à légumes) colander; (à thé) strainer

pastèque [pastɛk] nf watermelon

pasteur [pastœʀ] nm (protestant) minister, pastor

pastille [pastij] nf (à sucer) lozenge, pastille

patate [patat] nf spud; **~ douce** sweet potato

patauger [patoʒe] /3/ vi to splash about

pâte [pɑt] nf (à tarte) pastry; (à pain) dough; (à frire) batter; **pâtes** nfpl (macaroni etc) pasta sg; **~ d'amandes** almond paste, marzipan; **~ brisée** shortcrust (BRIT) ou pie crust (US) pastry; **~ à choux/feuilletée** choux/puff ou flaky (BRIT) pastry; **~ de fruits** crystallized fruit no pl; **~ à modeler** modelling clay, Plasticine® (BRIT)

pâté [pɑte] nm (charcuterie) pâté; (tache) ink blot; (de sable) sandpie; **~ (en croûte)** ≈ meat pie; **~ de maisons** block of houses)

pâtée [pɑte] nf mash, feed

patente [patɑ̃t] nf (Comm) trading licence (BRIT) ou license (US)

paternel, le [patɛʀnɛl] adj (amour, soins) fatherly; (ligne, autorité) paternal

pâteux, -euse [pɑtø, -øz] adj pasty; **avoir la bouche** ou **langue pâteuse** to have a furred (BRIT) ou coated tongue

pathétique [patetik] adj moving

patience [pasjɑ̃s] nf patience

patient, e [pasjɑ̃, -ɑ̃t] adj, nm/f patient • **patienter** /1/ vi to wait

patin [patɛ̃] nm skate; (sport) skating; **~s (à glace)** (ice) skates; **~s à roulettes** roller skates

patinage [patinaʒ] nm skating

patiner [patine] /1/ vi to skate; (roue, voiture) to spin; **se patiner** vi (meuble, cuir) to acquire a sheen • **patineur, -euse** nm/f skater • **patinoire** nf skating rink, (ice) rink

pâtir [patiʀ] /2/: **~ de** vt to suffer because of

pâtisserie [pɑtisʀi] nf (boutique) cake shop; (à la maison) pastry- ou cake-making, baking; **pâtisseries** nfpl (gâteaux) pastries, cakes • **pâtissier, -ière** nm/f pastrycook

patois [patwa] nm dialect, patois

patrie [patʀi] nf homeland

patrimoine [patʀimwan] nm (culture) heritage

> Once a year, important public buildings are open to the public for a weekend. During these **Journées du Patrimoine**, there are guided visits and talks based on a particular theme.

patriotique [patʀijɔtik] adj patriotic

patron, ne [patʀɔ̃, -ɔn] nm/f boss; (Rel) patron saint ▶ nm (Couture) pattern • **patronat** nm employers pl • **patronner** /1/ vt to sponsor, support

patrouille [patʀuj] nf patrol

patte [pat] nf (jambe) leg; (pied: de chien, chat) paw; (: d'oiseau) foot

pâturage [pɑtyʀaʒ] nm pasture

paume [pom] nf palm

paumé, e [pome] nm/f (fam) drop-out

paupière [popjɛʀ] nf eyelid

pause [poz] nf (arrêt) break; (en parlant, Mus) pause; **~ de midi** lunch break

peine

pauvre [povʀ] *adj* poor; **les ~s** the poor • **pauvreté** *nf* (*état*) poverty

pavé, e [pave] *adj* (*cour*) paved; (*rue*) cobbled ▶ *nm* (*bloc*) paving stone; cobblestone

pavillon [pavijɔ̃] *nm* (*de banlieue*) small (detached) house; pavilion; (*Navig*) flag

payant, e [pɛjɑ̃, -ɑ̃t] *adj* (*spectateurs etc*) paying; (*fig: entreprise*) profitable; (*effort*) which pays off; **c'est ~** you have to pay, there is a charge

paye [pɛj] *nf* pay, wages *pl*

payer [peje] /8/ *vt* (*créancier, employé, loyer*) to pay; (*achat, réparations, faute*) to pay for ▶ *vi* to pay; (*métier*) to be well-paid; (*effort, tactique etc*) to pay off; **il me l'a fait ~ 10 euros** he charged me 10 euros for it; **~ qch à qn** to buy sth for sb, buy sb sth; **se ~ la tête de qn** to take the mickey out of sb (BRIT)

pays [pei] *nm* country; (*région*) region; **du ~** local

paysage [peizaʒ] *nm* landscape

paysan, ne [peizɑ̃, -an] *nm/f* farmer; (*péj*) peasant ▶ *adj* (*rural*) country *cpd*; (*agricole*) farming

Pays-Bas [peiba] *nmpl*: **les ~** the Netherlands

PC *sigle m* (*Inform: = personal computer*) PC; (= **permis de construire**; (= **prêt conventionné**) type of loan for house purchase

PDA *sigle m* (= *personal digital assistant*) PDA

PDG *sigle m* = **président directeur général**

péage [peaʒ] *nm* toll; (*endroit*) tollgate

peau, x [po] *nf* skin; **gants de ~** leather gloves; **être bien/mal dans sa ~** to be at ease/ ill-at-ease; **~ de chamois** (*chiffon*) chamois leather, shammy

péché [peʃe] *nm* sin

pêche [pɛʃ] *nf* (*sport, activité*) fishing; (*poissons pêchés*) catch; (*fruit*) peach; **~ à la ligne** (*en rivière*) angling

pécher [peʃe] /6/ *vi* (*Rel*) to sin

pêcher [peʃe] /1/ *vi* to go fishing ▶ *vt* (*attraper*) to catch; (*chercher*) to fish for ▶ *nm* peach tree

pécheur, -eresse [peʃœʀ, peʃʀɛs] *nm/f* sinner

pêcheur [peʃœʀ] *nm* fisherman; (*à la ligne*) angler

pédagogie [pedagoʒi] *nf* educational methods *pl*, pedagogy • **pédagogique** *adj* educational

pédale [pedal] *nf* pedal

pédalo [pedalo] *nm* pedal-boat

pédant, e [pedɑ̃, -ɑ̃t] *adj* (*péj*) pedantic ▶ *nm/f* pedant

pédestre [pedɛstʀ] *adj*: **randonnée ~** ramble; **sentier ~** pedestrian footpath

pédiatre [pedjatʀ] *nm/f* paediatrician, child specialist

pédicure [pedikyʀ] *nm/f* chiropodist

pègre [pɛgʀ] *nf* underworld

peigne [pɛɲ] *nm* comb • **peigner** /1/ *vt* to comb (the hair of); **se peigner** *vi* to comb one's hair • **peignoir** *nm* dressing gown; **peignoir de bain** bathrobe

peindre [pɛ̃dʀ] /52/ *vt* to paint; (*fig*) to portray, depict

peine [pɛn] *nf* (*affliction*) sorrow, sadness *no pl*; (*mal, effort*) trouble *no pl*, effort; (*difficulté*) difficulty;

P

(*Jur*) sentence; **faire de la ~ à qn** to distress *ou* upset sb; **prendre la ~ de faire** to go to the trouble of doing; **se donner de la ~** to make an effort; **ce n'est pas la ~ de faire** there's no point in doing, it's not worth doing; **avoir de la ~** to be sad; **à ~** scarcely, barely; **à ~ ... que** hardly ... than, no sooner ... than; **~ capitale** capital punishment; **~ de mort** death sentence *ou* penalty

• **peiner** [pene] /1/ *vi* to work hard; to struggle; (*moteur, voiture*) to labour (BRIT), labor (US) ▶ *vt* to grieve, sadden

peintre [pɛtR] *nm* painter; **~ en bâtiment** painter and decorator

peinture [pɛtyR] *nf* painting; (*couche de couleur, couleur*) paint; (*surfaces peintes: aussi:* **~s**) paintwork; **"~ fraîche"** "wet paint"

péjoratif, -ive [peʒɔRatif, -iv] *adj* pejorative, derogatory

Pékin [pekɛ̃] *n* Beijing

pêle-mêle [pɛlmɛl] *adv* higgledy-piggledy

peler [pəle] /5/ *vt, vi* to peel

pèlerin [pɛlRɛ̃] *nm* pilgrim

pèlerinage [pɛlRinaʒ] *nm* pilgrimage

pelle [pɛl] *nf* shovel; (*d'enfant, de terrassier*) spade

pellicule [pelikyl] *nf* film; **pellicules** *nfpl* (*Méd*) dandruff *sg*

pelote [pəlɔt] *nf* (*de fil, laine*) ball; **~ basque** pelota

peloton [pəlɔtɔ̃] *nm* group; squad; (*Sport*) pack

pelotonner [pəlɔtɔne] /1/: **se pelotonner** *vi* to curl (o.s.) up

pelouse [pəluz] *nf* lawn

peluche [pəlyʃ] *nf*: **animal en ~** soft toy, fluffy animal; **chien/lapin en ~** fluffy dog/rabbit

pelure [pəlyR] *nf* peeling, peel *no pl*

pénal, e, -aux [penal, -o] *adj* penal • **pénalité** *nf* penalty

penchant [pɑ̃ʃɑ̃] *nm*: **un ~ à faire/à qch** a tendency to do/to sth; **un ~ pour qch** a liking *ou* fondness for sth

pencher [pɑ̃ʃe] /1/ *vi* to tilt, lean over ▶ *vt* to tilt; **se pencher** *vi* to lean over; (*se baisser*) to bend down; **se ~ sur** (*fig: problème*) to look into; **~ pour** to be inclined to favour (BRIT) *ou* favor (US)

pendant, e [pɑ̃dɑ̃, -ɑ̃t] *adj* hanging (out) ▶ *prép* (*au cours de*) during; (*indiquant la durée*) for; **~ que** while

pendentif [pɑ̃dɑ̃tif] *nm* pendant

penderie [pɑ̃dRi] *nf* wardrobe

pendre [pɑ̃dR] /41/ *vt, vi* to hang; **se ~ (à)** (*se suicider*) to hang o.s. (on); **~ qch à** (*mur*) to hang sth (up) on; (*plafond*) to hang sth (up) from

pendule [pɑ̃dyl] *nf* clock ▶ *nm* pendulum

pénétrer [penetRe] /6/ *vi* to come *ou* get in ▶ *vt* to penetrate; **~ dans** to enter

pénible [penibl] *adj* (*astreignant*) hard; (*affligeant*) painful; (*personne, caractère*) tiresome • **péniblement** *adv* with difficulty

péniche [peniʃ] *nf* barge

pénicilline [penisilin] *nf* penicillin

péninsule [penɛ̃syl] *nf* peninsula

pénis [penis] *nm* penis

pénitence [penitɑ̃s] *nf* (*repentir*) penitence; (*peine*) penance • **pénitencier** *nm* penitentiary (US)

pérenne

pénombre [penɔ̃bʀ] nf (faible clarté) half-light; (obscurité) darkness

pensée [pɑ̃se] nf (thought; (démarche, doctrine) thinking no pl; (Bot) pansy; **en ~** in one's mind

penser [pɑ̃se] /1/ vi to think ▸ vt to think; **~ à** (prévoir) to think of; (ami, vacances) to think of ou about; **~ faire qch** to be thinking of doing sth, intend to do sth; **faire ~ à** to remind one of • **pensif, -ive** adj pensive, thoughtful

pension [pɑ̃sjɔ̃] nf (allocation) pension; (prix du logement) board and lodging, bed and board; (école) boarding school; **~ alimentaire** (de divorcée) maintenance allowance; alimony; **~ complète** full board; **~ de famille** boarding house, guesthouse • **pensionnaire** nm/f (Scol) boarder • **pensionnat** nm boarding school

pente [pɑ̃t] nf slope; **en ~** sloping

Pentecôte [pɑ̃tkot] nf: **la ~** Whitsun (BRIT), Pentecost

pénurie [penyʀi] nf shortage

pépé [pepe] nm (fam) grandad

pépin [pepɛ̃] nm (Bot: graine) pip; (fam: ennui) snag, hitch

pépinière [pepinjɛʀ] nf nursery

perçant, e [pɛʀsɑ̃, -ɑ̃t] adj (vue, regard, yeux) sharp; (cri, voix) piercing, shrill

perce-neige [pɛʀsənɛʒ] nm ou f inv snowdrop

percepteur, -trice [pɛʀsɛptœʀ, -tʀis] nm/f tax collector

perception [pɛʀsɛpsjɔ̃] nf perception; (bureau) tax (collector's) office

percer [pɛʀse] /3/ vt to pierce; (ouverture etc) to make; (mystère, énigme) to penetrate ▸ vi to break through • **perceuse** nf drill

percevoir [pɛʀsəvwaʀ] /28/ vt (distinguer) to perceive, detect; (taxe, impôt) to collect; (revenu, indemnité) to receive

perche [pɛʀʃ] nf (bâton) pole; **~ à selfie** selfie stick

percher [pɛʀʃe] /1/ vt to perch; **se percher** vi to perch • **perchoir** nm perch

perçois etc [pɛʀswa] vb voir **percevoir**

perçu, e [pɛʀsy] pp de **percevoir**

percussion [pɛʀkysjɔ̃] nf percussion

percuter [pɛʀkyte] /1/ vt to strike; (véhicule) to crash into

perdant, e [pɛʀdɑ̃, -ɑ̃t] nm/f loser

perdre [pɛʀdʀ] /41/ vt to lose; (gaspiller: temps, argent) to waste; (personne: moralement etc) to ruin ▸ vi to lose; (sur une vente etc) to lose out; **se perdre** vi (s'égarer) to get lost, lose one's way; (se gâter) to go to waste; **je suis perdu** (je te le suis encore) I'm lost; (et je ne le suis plus) I got lost

perdrix [pɛʀdʀi] nf partridge

perdu, e [pɛʀdy] pp de **perdre** ▸ adj (isolé) out-of-the-way; (Comm: emballage) non-returnable; (malade): **il est ~** there's no hope left for him; **à vos moments ~s** in your spare time

père [pɛʀ] nm father; **~ de famille** father; **le ~ Noël** Father Christmas

pérenne [peʀɛn] adj (agriculture, emplois) sustainable

perfection [pɛʀfɛksjɔ̃] nf
perfection; **à la ~** to perfection
• **perfectionné, e** adj
sophisticated • **perfectionner** /1/
vt to improve, perfect; **se
perfectionner en anglais** to
improve one's English

perforer [pɛʀfɔʀe] /1/ vt (ticket,
bande, carte) to punch

performant, e [pɛʀfɔʀmɑ̃, -ɑ̃t]
adj: **très ~** high-performance

perfusion [pɛʀfyzjɔ̃] nf: **faire
une ~ à qn** to put sb on a drip

péril [peʀil] nm peril

périmé, e [peʀime] adj (Admin)
out-of-date, expired

périmètre [peʀimɛtʀ] nm
perimeter

période [peʀjɔd] nf period
• **périodique** adj periodic ▶ nm
periodical; **garniture** ou
serviette périodique sanitary
towel (BRIT) ou napkin (US)

périphérique [peʀifeʀik] adj
(quartiers) outlying ▶ nm (Auto):
(boulevard) ~ ring road (BRIT),
beltway (US)

périr [peʀiʀ] /2/ vi to die, perish

périssable [peʀisabl] adj
perishable

perle [pɛʀl] nf pearl; (de plastique,
métal, sueur) bead

permanence [pɛʀmanɑ̃s] nf
permanence; (local) (duty) office;
assurer une ~ (service public,
bureaux) to operate ou maintain a
basic service; **être de ~** to be on
call ou duty; **en ~** continuously

permanent, e [pɛʀmanɑ̃, -ɑ̃t]
adj permanent; (spectacle)
continuous ▶ nf perm

perméable [pɛʀmeabl] adj
(terrain) permeable; **~ à** (fig)
receptive ou open to

permettre [pɛʀmɛtʀ] /56/ vt to
allow, permit; **~ à qn de faire/
qch** to allow sb to do/sth; **se ~ de
faire qch** to take the liberty of
doing sth

permis [pɛʀmi] nm permit,
licence; **~ (de conduire)** (driving)
licence (BRIT), (driver's) license
(US); **~ de construire** planning
permission (BRIT), building permit
(US); **~ de séjour** residence
permit; **~ de travail** work permit

permission [pɛʀmisjɔ̃] nf
permission; (Mil) leave; **en ~** on
leave; **avoir la ~ de faire** to have
permission to do

Pérou [peʀu] nm: **le ~** Peru

perpétuel, le [pɛʀpetɥɛl] adj
perpetual • **perpétuité** nf: **à
perpétuité** for life; **être
condamné à perpétuité** to be
sentenced to life imprisonment

perplexe [pɛʀplɛks] adj
perplexed, puzzled

perquisitionner [pɛʀkizisjɔne]
/1/ vi to carry out a search

perron [pɛʀɔ̃] nm steps pl (in front
of mansion etc)

perroquet [pɛʀɔkɛ] nm parrot

perruche [pɛʀyʃ] nf budgerigar
(BRIT), budgie (BRIT), parakeet (US)

perruque [pɛʀyk] nf wig

persécuter [pɛʀsekyte] /1/ vt to
persecute

persévérer [pɛʀsevere] /6/ vi to
persevere

persil [pɛʀsi] nm parsley

Persique [pɛʀsik] adj: **le golfe ~**
the (Persian) Gulf

persistant, e [pɛʀsistɑ̃, -ɑ̃t] adj
persistent

persister [pɛʀsiste] /1/ vi to
persist; **~ à faire qch** to persist in
doing sth

personnage [pɛʀsɔnaʒ] nm
(notable) personality; (individu)
character, individual; (de roman,
film) character; (Peinture) figure
personnalité [pɛʀsɔnalite] nf
personality; (personnage)
prominent figure
personne [pɛʀsɔn] nf person
▶ pron nobody, no one; (avec
négation en anglais) anybody,
anyone; **~ âgée** elderly person
• personnel, le adj personal;
(égoïste) selfish ▶ nm personnel
• personnellement adv
personally
perspective [pɛʀspɛktiv] nf
(Art) perspective; (vue, coup d'œil)
view; (point de vue) viewpoint,
angle; (chose escomptée, envisagée)
prospect; **en ~** in prospect
perspicace [pɛʀspikas] adj
clear-sighted, gifted with (ou
showing) insight **• perspicacité**
nf insight
persuader [pɛʀsɥade] /1/ vt:
~ qn (de/de faire) to persuade sb
(of/to do) **• persuasif, -ive** adj
persuasive
perte [pɛʀt] nf loss; (de temps)
waste; (fig: morale) ruin; **à ~ de
vue** as far as the eye can (ou could)
see; **~s blanches** (vaginal)
discharge sg
pertinent, e [pɛʀtinã, -ãt] adj
apt, relevant
perturbation [pɛʀtyʀbasjɔ̃] nf:
~ (atmosphérique) atmospheric
disturbance
perturber [pɛʀtyʀbe] /1/ vt to
disrupt; (Psych) to perturb, disturb
pervers, e [pɛʀvɛʀ, -ɛʀs] adj
perverted
pervertir [pɛʀvɛʀtiʀ] /2/ vt
to pervert

pesant, e [pəzã, -ãt] adj heavy;
(fig: présence) burdensome
pèse-personne [pɛzpɛʀsɔn] nm
(bathroom) scales pl
peser [pəze] /5/ vt to weigh ▶ vi
to be heavy; (fig: avoir de
l'importance) to carry weight
pessimiste [pesimist] adj
pessimistic ▶ nm/f pessimist
peste [pɛst] nf plague
pétale [petal] nm petal
pétanque [petãk] nf type of bowls

> **Pétanque** is a version of the
> game of 'boules', played on a
> variety of hard surfaces.
> Standing with their feet
> together, players throw steel
> bowls at a wooden jack.
> Pétanque originated in the South
> of France and is still very much
> associated with that area.

pétard [petaʀ] nm banger (BRIT),
firecracker
péter [pete] /6/ vi (fam: casser,
sauter) to bust; (fam!) to fart (!)
pétillant, e [petijã, -ãt] adj (eau)
sparkling
pétiller [petije] /1/ vi (flamme,
bois) to crackle; (mousse,
champagne) to bubble; (yeux) to
sparkle
petit, e [pəti, -it] adj small; (avec
nuance affective) little; (voyage)
short, little; (bruit etc) faint, slight
▶ nm (petit enfant) little one,
child; **petits** nmpl (d'un animal)
young pl; **faire des ~s** to have
kittens (ou puppies etc); **la classe
des ~s** the infant class; **les
tout-~s** toddlers; **~ à ~** bit by bit,
gradually; **~(e) ami(e)** boyfriend/
girlfriend; **les ~es annonces** the
small ads; **~ déjeuner** breakfast;

P

~ four petit four; **~ pain** (bread) roll; **~s pois** garden peas
• **petite-fille** nf granddaughter
• **petit-fils** nm grandson
pétition [petisjɔ̃] nf petition
petits-enfants [pətizɑ̃fɑ̃] nmpl grandchildren
pétrin [petrɛ̃] nm (fig): **dans le ~** in a jam ou fix
pétrir [petrir] /2/ vt to knead
pétrole [petrɔl] nm oil; (pour lampe, réchaud etc) paraffin
• **pétrolier, -ière** nm oil tanker

> ⚠ Attention à ne pas traduire *pétrole* par le mot anglais *petrol*.

---

peu [pø]

▶ adv **1** (modifiant verbe, adjectif, adverbe): **il boit peu** he doesn't drink (very) much; **il est peu bavard** he's not very talkative; **peu avant/après** shortly before/afterwards
2 (modifiant nom): **peu de: peu de gens/d'arbres** few ou not (very) many people/trees; **il a peu d'espoir** he hasn't (got) much hope, he has little hope; **pour peu de temps** for (only) a short while
3: **peu à peu** little by little; **à peu près** just about, more or less; **à peu près 10 kg/10 euros** approximately 10 kg/10 euros
▶ nm **1**: **le peu de gens qui** the few people who; **le peu de sable qui** what little sand, the little sand which
2: **un peu** a little; **un petit peu** a little bit; **un peu d'espoir** a little hope; **elle est un peu bavarde** she's rather talkative; **un peu plus de** slightly more

than; **un peu moins de** slightly less than; (avec pluriel) slightly fewer than
▶ pron: **peu le savent** few know (it); **de peu** (only) just

peuple [pœpl] nm people
• **peupler** /1/ vt (pays, région) to populate; (étang) to stock; (hommes, poissons) to inhabit
peuplier [pøplije] nm poplar (tree)
peur [pœr] nf fear; **avoir ~ (de/de faire/que)** to be frightened ou afraid (of/of doing/that); **faire ~ à** to frighten; **de ~ de/que** for fear of/that • **peureux, -euse** adj fearful, timorous
peut [pø] vb voir **pouvoir**
peut-être [pøtɛtr] adv perhaps, maybe; **~ que** perhaps, maybe; **~ bien qu'il fera/est** he may well do/be
phare [far] nm (en mer) lighthouse; (de véhicule) headlight
pharmacie [farmasi] nf (magasin) chemist's (BRIT), pharmacy; (armoire) medicine chest ou cupboard • **pharmacien, ne** nm/f pharmacist, chemist (BRIT)
phénomène [fenɔmɛn] nm phenomenon
philosophe [filɔzɔf] nm/f philosopher ▶ adj philosophical
philosophie [filɔzɔfi] nf philosophy
phobie [fɔbi] nf phobia
phoque [fɔk] nm seal
phosphorescent, e [fɔsfɔresɑ̃, -ɑ̃t] adj luminous
photo [fɔto] nf photo; **prendre en ~** to take a photo of; **aimer la/faire de la ~** to like taking/take

photos; **~ d'identité** passport photo • **photocopie** nf photocopy • **photocopier** /7/ vt to photocopy

photocopieur [fɔtɔkɔpjœʁ] nm, **photocopieuse** [fɔtɔkɔpjøz] nf (photo)copier

photo: • **photographe** nm/f photographer • **photographie** nf (procédé, technique) photography; (cliché) photograph • **photographier** /7/ vt to photograph

phrase [fʁɑz] nf sentence

physicien, ne [fizisjɛ̃, -ɛn] nm/f physicist

physique [fizik] adj physical ▶ nm physique ▶ nf physics sg; **au ~** physically • **physiquement** adv physically

pianiste [pjanist] nm/f pianist

piano [pjano] nm piano • **pianoter** /1/ vi to tinkle away (at the piano)

pic [pik] nm (instrument) pick(axe); (montagne) peak; (Zool) woodpecker; **à ~** vertically; (fig: tomber, arriver) just at the right time

pichet [piʃɛ] nm jug

picorer [pikɔʁe] /1/ vt to peck

pie [pi] nf magpie

pièce [pjɛs] nf (d'un logement) room; (Théât) play; (de mécanisme, machine) part; (de monnaie) coin; (document) document; (de drap, fragment, d'une collection) piece; **deux euros ~** two euros each; **vendre à la ~** to sell separately ou individually; **travailler/payer à la ~** to do piecework/pay piece rate; **un maillot une ~** a one-piece swimsuit; **un deux-~s cuisine** a two-room(ed) flat

(BRIT) ou apartment (US) with kitchen; **~ à conviction** exhibit; **~ d'eau** ornamental lake ou pond; **~ d'identité: avez-vous une ~ d'identité?** have you got any (means of) identification?; **~ jointe** (Inform) attachment; **~ montée** tiered cake; **~ de rechange** spare (part); **~s détachées** spares, (spare) parts; **~s justificatives** supporting documents

pied [pje] nm foot; (de table) leg; (de lampe) base; **~s nus** barefoot; **à ~** on foot; **au ~ de la lettre** literally; **avoir ~** to be able to touch the bottom, not to be out of one's depth; **avoir le ~ marin** to be a good sailor; **sur ~** (debout, rétabli) up and about; (entreprise) to set up; **c'est le ~!** (fam) it's brilliant!; **mettre sur ~** (entreprise) to set up; **c'est le ~!** (fam) it's brilliant!; **mettre les ~s dans le plat** (fam) to put one's foot in it; **il se débrouille comme un ~** (fam) he's completely useless • **pied-noir** nm Algerian-born Frenchman

piège [pjɛʒ] nm trap; **prendre au ~** to trap • **piéger** /3, 6/ vt (avec une bombe) to booby-trap; **lettre/ voiture piégée** letter-/car-bomb

piercing [pjɛʁsiŋ] nm piercing

pierre [pjɛʁ] nf stone; **~ tombale** tombstone • **pierreries** nfpl gems, precious stones

piétiner [pjetine] /1/ vi (trépigner) to stamp (one's foot); (fig) to be at a standstill ▶ vt to trample on

piéton, ne [pjetɔ̃, -ɔn] nm/f pedestrian • **piétonnier, -ière** adj pedestrian cpd

pieu, x [pjø] nm post; (pointu) stake

pieuvre [pjœvʁ] nf octopus

pieux, -euse [pjø, -øz] adj pious

pigeon [piʒɔ̃] *nm* pigeon

piger [piʒe] /3/ *vi* (*fam*) to get it ▶ *vt* (*fam*) to get

pigiste [piʒist] *nmf* freelance journalist (*paid by the line*)

pignon [piɲɔ̃] *nm* (*de mur*) gable

pile [pil] *nf* (*tas, pilier*) pile; (*Élec*) battery ▶ *adv* (*net, brusquement*) dead; **à deux heures ~** at two on the dot; **jouer à ~ ou face** to toss up (for it); **~ ou face?** heads or tails?

piler [pile] /1/ *vt* to crush, pound

pilier [pilje] *nm* pillar

piller [pije] /1/ *vt* to pillage, plunder, loot

pilote [pilɔt] *nm* pilot; (*de char, voiture*) driver ▶ *adj* pilot *cpd*; **~ de chasse/d'essai/de ligne** fighter/test/airline pilot; **~ de course** racing driver • **piloter** /1/ *vt* (*navire*) to pilot; (*avion*) to fly; (*automobile*) to drive

pilule [pilyl] *nf* pill; **prendre la ~** to be on the pill

piment [pimɑ̃] *nm* (*Bot*) pepper, capsicum; (*fig*) spice, piquancy; **~ rouge** (*Culin*) chilli • **pimenté, e** *adj* (*plat*) hot and spicy

pin [pɛ̃] *nm* pine (tree)

pinard [pinaʀ] *nm* (*fam*) (cheap) wine, plonk (*BRIT*)

pince [pɛ̃s] *nf* (*outil*) pliers *pl*; (*de homard, crabe*) pincer, claw; (*Couture: pli*) dart; **~ à épiler** tweezers *pl*; **~ à linge** clothes peg (*BRIT*) ou pin (*US*)

pincé, e [pɛ̃se] *adj* (*air*) stiff

pinceau, x [pɛ̃so] *nm* (paint)brush

pincer [pɛ̃se] /3/ *vt* to pinch; (*fam*) to nab

pinède [pinɛd] *nf* pinewood, pine forest

pingouin [pɛ̃gwɛ̃] *nm* penguin

ping-pong [piŋpɔ̃g] *nm* table tennis

pinson [pɛ̃sɔ̃] *nm* chaffinch

pintade [pɛ̃tad] *nf* guinea-fowl

pion, ne [pjɔ̃, pjɔn] *nm/f* (*Scol: péj*) student paid to supervise schoolchildren ▶ *nm* (*Échecs*) pawn; (*Dames*) piece

pionnier [pjɔnje] *nm* pioneer

pipe [pip] *nf* pipe; **fumer la** ou **une ~** to smoke a pipe

piquant, e [pikɑ̃, -ɑ̃t] *adj* (*barbe, rosier etc*) prickly; (*saveur, sauce*) hot, pungent; (*fig: détail*) titillating; (: *mordant, caustique*) biting ▶ *nm* (*épine*) thorn, prickle; (*fig*) spiciness, spice

pique [pik] *nf* pike; (*fig*): **envoyer** ou **lancer des ~s à qn** to make cutting remarks to sb ▶ *nm* (*Cartes*) spades *pl*

pique-nique [piknik] *nm* picnic • **pique-niquer** /1/ *vi* to (have a) picnic

piquer [pike] /1/ *vt* (*percer*) to prick; (*Méd*) to give an injection to; (: *animal blessé etc*) to put to sleep; (*insecte, fumée, ortie*) to sting; (*moustique*) to bite; (*froid*) to bite; (*intérêt etc*) to arouse; (*fam: voler*) to pinch ▶ *vi* (*oiseau, avion*) to go into a dive

piquet [pike] *nm* (*pieu*) post, stake; (*de tente*) peg

piqûre [pikyʀ] *nf* (*d'épingle*) prick; (*d'ortie*) sting; (*de moustique*) bite; (*Méd*) injection, shot (*US*); **faire une ~ à qn** to give sb an injection

pirate [piʀat] *adj* ▶ *nm* pirate; **~ de l'air** hijacker

pire [piʀ] *adj* worse; (*superlatif*): **le (la) ~ ...** the worst ... ▶ *nm*:

le ~ (de) the worst (of); **au ~** at (the very) worst

pis [pi] *nm (de vache)* udder ▸ *adj, adv* worse; **de mal en ~** from bad to worse

piscine [pisin] *nf* (swimming) pool; **~ couverte** indoor (swimming) pool

pissenlit [pisɑ̃li] *nm* dandelion

pistache [pistaʃ] *nf* pistachio (nut)

piste [pist] *nf (d'un animal, sentier)* track, trail; *(indice)* lead; *(de stade, de magnétophone)* track; *(de cirque)* ring; *(de danse)* floor; *(de patinage)* rink; *(de ski)* run; *(Aviat)* runway; **~ cyclable** cycle track

pistolet [pistɔlɛ] *nm (arme)* pistol, gun; *(à peinture)* spray gun • **pistolet-mitrailleur** *nm* submachine gun

piston [pistɔ̃] *nm (Tech)* piston; **avoir du ~** *(fam)* to have friends in the right places • **pistonner** /1/ *vt (candidat)* to pull strings for

piteux, -euse [pitø, -øz] *adj* pitiful, sorry *(avant le nom)*; **en ~ état** in a sorry state

pitié [pitje] *nf* pity; **il me fait ~** I feel sorry for him; **avoir ~ de** *(compassion)* to pity, feel sorry for; *(merci)* to have pity ou mercy on

pitoyable [pitwajabl] *adj* pitiful

pittoresque [pitɔʀɛsk] *adj* picturesque

pizza [pidza] *nf* pizza

PJ *sigle f* (= police judiciaire) ≈ CID (BRIT), ≈ FBI (US)

placard [plakaʀ] *nm (armoire)* cupboard; *(affiche)* poster, notice

place [plas] *nf (emplacement, situation, classement)* place; *(de ville, village)* square; *(espace libre)* room, space; *(de parking)* space;

(siège: de train, cinéma, voiture) seat; *(emploi)* job; **en ~** *(mettre)* in its place; **sur ~** on the spot; **faire ~ à** to give way to; **ça prend de la ~** it takes up a lot of room ou space; **à la ~ de** in place of, instead of; **à votre ~ ...** if I were you ...; **se mettre à la ~ de qn** to put o.s. in sb's place ou in sb's shoes

placé, e [plase] *adj* **haut ~** *(fig)* high-ranking; **être bien/mal ~** to be well/badly placed; *(spectateur)* to have a good/bad seat; **il est bien ~ pour le savoir** he is in a position to know

placement [plasmɑ̃] *nm* *(Finance)* investment; **agence** ou **bureau de ~** employment agency

placer [plase] /3/ *vt* to place; *(convive, spectateur)* to seat; *(capital, argent)* to place, invest; **se ~ au premier rang** to go and stand *(ou sit)* in the front row

plafond [plafɔ̃] *nm* ceiling

plage [plaʒ] *nf* beach; **~ arrière** *(Auto)* parcel ou back shelf

plaider [plede] /1/ *vi (avocat)* to plead ▸ *vt* to plead; **~ pour** *(fig)* to speak for • **plaidoyer** *nm (Jur)* speech for the defence (BRIT) ou defense (US); *(fig)* plea

plaie [plɛ] *nf* wound

plaignant, e [plɛɲɑ̃, -ɑ̃t] *nm/f* plaintiff

plaindre [plɛ̃dʀ] /52/ *vt* to pity, feel sorry for; **se plaindre** *vi (gémir)* to moan; *(protester, rouspéter)*: **se ~ (à qn) (de)** to complain (to sb) (about); **se ~ de** *(souffrir)* to complain of

plaine [plɛn] *nf* plain

plain-pied [plɛ̃pje] *adv*: **de ~ (avec)** on the same level (as)

P

plaint, e [plɛ̃, -ɛt] *pp de* **plaindre**
▶ *nf (gémissement)* moan, groan;
(doléance) complaint; **porter ~e**
to lodge a complaint

plaire [plɛʀ] /54/ *vi* to be a
success, be successful; **cela me
plaît** I like it; **ça plaît beaucoup
aux jeunes** it's very popular with
young people; **se ~ quelque part**
to like being somewhere; **s'il
vous plaît, s'il te plaît** please

plaisance [plɛzɑ̃s] *nf (aussi:*
navigation de ~) *(pleasure)*
sailing, yachting

plaisant, e [plɛzɑ̃, -ɑ̃t] *adj*
pleasant; *(histoire, anecdote)*
amusing

plaisanter [plɛzɑ̃te] /1/ *vi* to joke
• **plaisanterie** *nf* joke

plaisir [plɛziʀ] *nm* pleasure; **faire
~ à qn** *(délibérément)* to be nice to
sb, please sb; **ça me fait ~** I'm
delighted *ou* very pleased with
this; **j'espère que ça te fera ~**
I hope you'll like it; **pour le** *ou*
pour son *ou* **par ~** for pleasure

plaît [plɛ] *vb voir* **plaire**

plan, e [plɑ̃, -an] *adj* flat ▶ *nm*
plan; *(fig)* level, plane; *(Ciné)* shot;
au premier/second ~ in the
foreground/middle distance;
à l'arrière ~ in the background;
~ d'eau lake

planche [plɑ̃ʃ] *nf (pièce de bois)*
plank, (wooden) board;
(illustration) plate; **~ à repasser**
ironing board; **~ (à roulettes)**
skateboard; **~ à voile** *(sport)*
windsurfing

plancher [plɑ̃ʃe] /1/ *nm* floor;
(planches) floorboards *pl* ▶ *vi* to
work hard

planer [plane] /1/ *vi* to glide;
(fam: rêveur) to have one's head in

the clouds; **~ sur** *(danger)* to hang
over

planète [planɛt] *nf* planet

planeur [planœʀ] *nm* glider

planifier [planifje] /7/ *vt* to plan

planning [planiŋ] *nm*
programme , schedule; **~ familial**
family planning

plant [plɑ̃] *nm* seedling, young
plant

plante [plɑ̃t] *nf* plant;
~ d'appartement house *ou* pot
plant; **~ du pied** sole (of the) foot;
~ verte house plant

planter [plɑ̃te] /1/ *vt (plante)* to
plant; *(enfoncer)* to hammer *ou*
drive in; *(tente)* to put up, pitch;
(fam: mettre) to dump; **se planter**
vi (fam: se tromper) to get it wrong;
(: ordinateur) to crash

plaque [plak] *nf* plate; *(de verglas,
d'eczéma)* patch; *(avec inscription)*
plaque; **~ chauffante** hotplate;
~ de chocolat bar of chocolate;
~ tournante *(fig)* centre

plaqué, e [plake] *adj:* **~ or/
argent** gold-/silver-plated

plaquer [plake] /1/ *vt (Rugby)* to
bring down; *(fam: laisser tomber)* to
drop

plaquette [plakɛt] *nf (de
chocolat)* bar; *(de beurre)* packet;
~ de frein brake pad

plastique [plastik] *adj* ▶ *nm*
plastic ▶ *nf* plastic arts *pl; (d'une
statue)* modelling • **plastiquer** /1/
vt to blow up

plat, e [pla, -at] *adj* flat; *(style)*
flat, dull ▶ *nm (récipient, Culin)*
dish; *(d'un repas)* course; **à
~ ventre** face down; **à ~** *(pneu,
batterie)* flat; *(fam: fatigué)* dead
beat; **~ cuisiné** pre-cooked meal
(ou dish); **~ du jour** dish of the

day; **~ principal** ou **de résistance** main course

platane [platan] nm plane tree

plateau, x [plato] nm (support) tray; (Géo) plateau; (Ciné) set; **~ à fromages** cheeseboard

plate-bande [platbɑ̃d] nf flower bed

plate-forme [platfɔrm] nf platform; **~ de forage/ pétrolière** drilling/oil rig

platine [platin] nm platinum ► nf (d'un tourne-disque) turntable; **~ laser** ou **compact-disc** compact disc (player)

plâtre [plɑtr] nm (matériau) plaster; (statue) plaster statue; (Méd) (plaster) cast; **avoir un bras dans le ~** to have an arm in plaster

plein, e [plɛ̃, -ɛn] adj full ► nm: **faire le ~ (d'essence)** to fill up (with petrol (BRIT) ou gas (US)); **à ~es mains** (ramasser) in handfuls; **à ~ temps** full-time; **en ~ air** in the open air; **en ~ soleil** in direct sunlight; **en ~ nuit/rue** in the middle of the night/street; **en ~ jour** in broad daylight

pleurer [plœre] /1/ vi to cry; (yeux) to water ► vt to mourn (for); **~ sur** to lament (over), bemoan

pleurnicher [plœrniʃe] /1/ vi to snivel, whine

pleurs [plœr] nmpl: **en ~** in tears

pleut [plø] vb voir **pleuvoir**

pleuvoir [pløvwar] /23/ vb impers to rain ► vi (coups) to rain down; (critiques, invitations) to shower down; **il pleut** it's raining; **il pleut des cordes** ou **à verse** ou **à torrents** it's pouring (down), it's raining cats and dogs

pli [pli] nm fold; (de jupe) pleat; (de pantalon) crease

pliant, e [plijɑ̃, -ɑ̃t] adj folding

plier [plije] /7/ vt to fold; (pour ranger) to fold up; (genou, bras) to bend ► vi to bend; (fig) to yield; **se ~ à** to submit to

plisser [plise] /1/ vt (yeux) to screw up; (front) to furrow; (jupe) to put pleats in

plomb [plɔ̃] nm (métal) lead; (d'une cartouche) (lead) shot; (Pêche) sinker; (Élec) fuse; **sans ~** (essence) unleaded

plomber [plɔ̃be] /1/ vt (dent) to fill (BRIT), stop (US); (fam: compromettre: finances, comptes, relations) to compromise; **~ l'ambiance** to spoil the atmosphere

plomberie [plɔ̃bri] nf plumbing

plombier [plɔ̃bje] nm plumber

plonge [plɔ̃ʒ] nf: **faire la ~** to be a washer-up (BRIT) ou dishwasher (person)

plongeant, e [plɔ̃ʒɑ̃, -ɑ̃t] adj (vue) from above; (tir, décolleté) plunging

plongée [plɔ̃ʒe] nf (Sport) diving no pl; (: sans scaphandre) skin diving; **~ sous-marine** diving

plongeoir [plɔ̃ʒwar] nm diving board

plongeon [plɔ̃ʒɔ̃] nm dive

plonger [plɔ̃ʒe] /3/ vi to dive ► vt: **~ qch dans** to plunge sth into; **se ~ dans** (études, lecture) to bury ou immerse o.s. in • **plongeur, -euse** [plɔ̃ʒœr, -øz] nm/f diver

plu [ply] pp de **plaire**; **pleuvoir**

pluie [plɥi] nf rain

plume [plym] nf feather; (pour écrire) (pen) nib; (fig) pen

p

plupart [plypaʀ]: **la ~** *pron* the majority, most (of them); **la ~ des** most, the majority of; **la ~ du temps/d'entre nous** most of the time/of us; **pour la ~** for the most part, mostly

pluriel [plyʀjɛl] *nm* plural

plus¹ [ply] *vb voir* **plaire**

---

plus² [ply]

▶ *adv* 1 (*forme négative*): **ne ... plus** no more, no longer; **je n'ai plus d'argent** I've got no more money *ou* no money left; **il ne travaille plus** he's no longer working, he doesn't work any more

2 [ply, plyz + *voyelle*] (*comparatif*) more, ...+er; (*superlatif*): **le plus** the most, the ...+est; **plus grand/intelligent (que)** bigger/more intelligent (than); **le plus grand/intelligent** the biggest/most intelligent; **tout au plus** at the very most

3 [plys, plyz + *voyelle*] (*davantage*) more; **il travaille plus (que)** he works more (than); **plus il travaille, plus il est heureux** the more he works, the happier he is; **plus de 10 personnes/trois heures/quatre kilos** more than *ou* over 10 people/three hours/four kilos; **trois heures de plus que** three hours more than; **de plus** what's more, moreover; **il a trois ans de plus que moi** he's three years older than me; **trois kilos en plus** three kilos more; **en plus de** in addition to; **de plus en plus** more and more; **plus ou moins** more or less; **ni plus ni moins** no more, no less

▶ *prép* [plys]: **quatre plus deux** four plus two

---

plusieurs [plyzjœʀ] *adj, pron* several; **ils sont ~** there are several of them

plus-value [plyvaly] *nf* (*bénéfice*) capital gain

plutôt [plyto] *adv* rather; **je ferais ~ ceci** I'd rather *ou* sooner do this; **~ que (de) faire** rather than *ou* instead of doing

pluvieux, -euse [plyvjø, -øz] *adj* rainy, wet

PMA *sigle nmpl* (= *pays les moins avancés*) LDCs (= *least developed countries*) ▶ *sigle f* = **procréation médicalement assistée**

PME *sigle fpl* (= *petites et moyennes entreprises*) small businesses

PMU *sigle m* (= *pari mutuel urbain*) (*dans un café*) betting agency

PNB *sigle m* (= *produit national brut*) GNP

pneu [pnø] *nm* tyre (BRIT), tire (US)

pneumonie [pnømɔni] *nf* pneumonia

poche [pɔʃ] *nf* pocket; (*sous les yeux*) bag, pouch; **argent de ~** pocket money

pochette [pɔʃɛt] *nf* (*d'aiguilles etc*) case; (*de femme*) clutch bag; (*mouchoir*) breast pocket handkerchief; **~ de disque** record sleeve

podcast [pɔdkast] *nm* podcast • **podcaster** /1/ *vi* to podcast

poêle [pwal] *nm* stove ▶ *nf*: **~ (à frire)** frying pan

poème [pɔɛm] *nm* poem

poésie [pɔezi] *nf* (*poème*) poem; (*art*): **la ~** poetry

poète [pɔɛt] *nm* poet

poids [pwa] nm weight; (Sport) shot; **vendre au ~** to sell by weight; **perdre/prendre du ~** to lose/put on weight; **~ lourd** (camion) (big) lorry (BRIT), truck (US)

poignant, e [pwaɲɑ̃, -ɑ̃t] adj poignant

poignard [pwaɲaʀ] nm dagger
• **poignarder** /1/ vt to stab, knife

poigne [pwaɲ] nf grip; **avoir de la ~** (fig) to rule with a firm hand

poignée [pwaɲe] nf (de sel etc, fig) handful; (de couvercle, porte) handle; **~ de main** handshake

poignet [pwaɲɛ] nm (Anat) wrist; (de chemise) cuff

poil [pwal] nm (Anat) hair; (de pinceau, brosse) bristle; (de tapis, tissu) strand; (pelage) coat; **à ~** (fam) starkers; **au ~** (fam) hunky-dory • **poilu, e** adj hairy

poinçonner [pwɛ̃sɔne] /1/ vt (bijou etc) to hallmark; (billet, ticket) to punch

poing [pwɛ̃] nm fist; **coup de ~** punch

point [pwɛ̃] nm dot; (de ponctuation) full stop, period (US); (Couture, Tricot) stitch ▶ adv **= pas¹**; **faire le ~** (fig) to take stock (of the situation); **sur le ~ de faire** (just) about to do; **à tel ~ que** so much so that; **mettre au ~** (mécanisme, procédé) to develop; (affaire) to settle; **à ~** (Culin: viande) medium; **à ~ (nommé)** just at the right time; **deux ~s** colon; **~ (de côté)** stitch (pain); **~ d'exclamation** exclamation mark; **~ faible** weak spot; **~ final** full stop, period (US); **~ d'interrogation** question mark; **~ mort**; **au ~ mort** (Auto) in neutral; **~ de repère** landmark;

(dans le temps) point of reference; **~ de vente** retail outlet; **~ de vue** viewpoint; (fig: opinion) point of view; **~s cardinaux** cardinal points; **~s de suspension** suspension points

pointe [pwɛ̃t] nf point; (clou) tack; **une ~ d'ail/d'accent** a touch ou hint of garlic/of an accent; **être à la ~ de** (fig) to be in the forefront of; **sur la ~ des pieds** on tiptoe; **en ~** adj pointed, tapered; **de ~** (technique etc) leading; **heures/jours de ~** peak hours/days

pointer [pwɛ̃te] /1/ vt (diriger: canon, longue-vue, doigt): **~ vers qch, ~ sur qch** to point at sth ▶ vi (employé) to clock in ou on

pointeur, -euse [pwɛ̃tœʀ, -øz] nf timeclock ▶ nm (Inform) cursor

pointillé [pwɛ̃tije] nm (trait) dotted line

pointilleux, -euse [pwɛ̃tijø, -øz] adj particular, pernickety

pointu, e [pwɛ̃ty] adj pointed; (voix) shrill; (analyse) precise

pointure [pwɛ̃tyʀ] nf size

point-virgule [pwɛ̃viʀgyl] nm semi-colon

poire [pwaʀ] nf pear; (fam, péj) mug

poireau, x [pwaʀo] nm leek

poirier [pwaʀje] nm pear tree

pois [pwa] nm (Bot) pea; (sur une étoffe) dot, spot; **à ~** (cravate etc) spotted, polka-dot cpd; **~ chiche** chickpea

poison [pwazɔ̃] nm poison

poisseux, -euse [pwasø, -øz] adj sticky

poisson [pwasɔ̃] nm fish gén inv; **les P~s** (Astrologie: signe) Pisces; **~ d'avril** April fool; (blague) April

Fool's Day trick; *see note* **"poisson d'avril"**; **~ rouge** goldfish
• **poissonnerie** *nf* fishmonger's
• **poissonnier, -ière** *nm/f* fishmonger (BRIT), fish merchant (US)

> The traditional April Fools' Day prank in France involves attaching a cut-out paper fish, known as a **poisson d'avril**, to the back of one's victim, without being caught.

poitrine [pwatʀin] *nf* chest; (*seins*) bust, bosom; (*Culin*) breast
poivre [pwavʀ] *nm* pepper
poivron [pwavʀɔ̃] *nm* pepper, capsicum
polaire [pɔlɛʀ] *adj* polar
pôle [pol] *nm* (*Géo, Élec*) pole; **le ~ Nord/Sud** the North/South Pole
poli, e [pɔli] *adj* polite; (*lisse*) smooth
police [pɔlis] *nf* police;
~ judiciaire (PJ) ≈ Criminal Investigation Department (CID) (BRIT), ≈ Federal Bureau of Investigation (FBI) (US);
~ secours ≈ emergency services *pl* (BRIT), ≈ paramedics *pl* (US)
• **policier, -ière** *adj* police *cpd* ▶ *nm* policeman; (*aussi:* **roman policier**) detective novel
polir [pɔliʀ] /2/ *vt* to polish
politesse [pɔlitɛs] *nf* politeness
politicien, ne [pɔlitisjɛ̃, -ɛn] *nm/f* (*péj*) politician
politique [pɔlitik] *adj* political ▶ *nf* politics *sg*; (*principes, tactique*) policies *pl*
politiquement [pɔlitikmɑ̃] *adv* politically; **~ correct** politically correct

pollen [pɔlɛn] *nm* pollen
polluant, e [pɔlɥɑ̃, -ɑ̃t] *adj* polluting ▶ *nm* pollutant; **non ~** non-polluting
polluer [pɔlɥe] /1/ *vt* to pollute
• **pollution** *nf* pollution
polo [pɔlo] *nm* (*tricot*) polo shirt
Pologne [pɔlɔɲ] *nf*: **la ~** Poland
• **polonais, e** *adj* Polish ▶ *nm* (*Ling*) Polish ▶ *nm/f*: **Polonais, e** Pole
poltron, ne [pɔltʀɔ̃, -ɔn] *adj* cowardly
polycopier [pɔlikɔpje] /7/ *vt* to duplicate
Polynésie [pɔlinezi] *nf*: **la ~** Polynesia; **la ~ française** French Polynesia
polyvalent, e [pɔlivalɑ̃, -ɑ̃t] *adj* (*rôle*) varied; (*salle*) multi-purpose
pommade [pɔmad] *nf* ointment, cream
pomme [pɔm] *nf* apple; **tomber dans les ~s** (*fam*) to pass out; **~ d'Adam** Adam's apple; **~ de pin** pine *ou* fir cone; **~ de terre** potato; **~s vapeur** boiled potatoes
pommette [pɔmɛt] *nf* cheekbone
pommier [pɔmje] *nm* apple tree
pompe [pɔ̃p] *nf* pump; (*faste*) pomp (and ceremony); **~ à eau/essence** water/petrol pump; **~s funèbres** undertaker's *sg*, funeral parlour *sg* • **pomper** /1/ *vt* to pump; (*aspirer*) to pump up; (*absorber*) to soak up
pompeux, -euse [pɔ̃pø, -øz] *adj* pompous
pompier [pɔ̃pje] *nm* fireman
pompiste [pɔ̃pist] *nm/f* petrol (BRIT) *ou* gas (US) pump attendant

portemanteau

poncer [pɔ̃se] /3/ vt to sand (down)

ponctuation [pɔ̃ktɥasjɔ̃] nf punctuation

ponctuel, le [pɔ̃ktɥɛl] adj punctual

pondéré, e [pɔ̃dere] adj level-headed, composed

pondre [pɔ̃dʀ] /41/ vt to lay

poney [pɔnɛ] nm pony

pont [pɔ̃] nm bridge; (Navig) deck; **faire le ~** to take the extra day off; see note **"faire le pont"**; **~ suspendu** suspension bridge • **pont-levis** nm drawbridge

The expression **faire le pont** refers to the practice of taking a Monday or Friday off to make a long weekend if a public holiday falls on a Tuesday or Thursday. The French commonly take an extra day off work to give four consecutive days' holiday at 'l'Ascension', 'le 14 juillet' and 'le 15 août'.

pop [pɔp] adj inv pop

populaire [pɔpylɛʀ] adj popular; (manifestation) mass cpd; (milieux, clientèle) working-class; (mot etc) used by the lower classes (of society)

popularité [pɔpylaʀite] nf popularity

population [pɔpylasjɔ̃] nf population

populeux, -euse [pɔpylø, -øz] adj densely populated

porc [pɔʀ] nm pig; (Culin) pork

porcelaine [pɔʀsəlɛn] nf porcelain, china; (objet) piece of china(ware)

porc-épic [pɔʀkepik] nm porcupine

porche [pɔʀʃ] nm porch

porcherie [pɔʀʃəʀi] nf pigsty

pore [pɔʀ] nm pore

porno [pɔʀno] adj porno ▶ nm porn

port [pɔʀ] nm harbour, port; (ville) port; (de l'uniforme etc) wearing; (pour lettre) postage; (pour colis, aussi: posture) carriage; **~ d'arme** (Jur) carrying of a firearm; **~ payé** postage paid

portable [pɔʀtabl] adj (portatif) portable; (téléphone) mobile ▶ nm (Inform) laptop (computer); (téléphone) mobile (phone)

portail [pɔʀtaj] nm gate

portant, e [pɔʀtɑ̃, -ɑ̃t] adj: **bien/mal ~** in good/poor health

portatif, -ive [pɔʀtatif, -iv] adj portable

porte, e [pɔʀt] nf door; (de ville, forteresse) gate; **mettre à la ~** to throw out; **~ d'entrée** front door

porté, e [pɔʀte] adj: **être ~ à faire qch** to be apt to do sth; **être ~ sur qch** to be partial to sth

porte: • **porte-avions** nm inv aircraft carrier • **porte-bagages** nm inv luggage rack (ou basket etc) • **porte-bonheur** nm inv lucky charm • **porte-clefs** nm inv key ring • **porte-documents** nm inv attaché ou document case

portée [pɔʀte] nf (d'une arme) range; (fig: importance) impact, import; (: capacités) scope, capability; (de chatte etc) litter; (Mus) stave, staff; **à/hors de ~ (de)** within/out of reach (of); **à ~ de (la) main** within (arm's) reach; **à la ~ de qn** (fig) at sb's level, within sb's capabilities

porte: • **portefeuille** nm wallet • **portemanteau, x** nm coat rack;

(*cintre*) coat hanger • **porte-monnaie** nm inv purse • **porte-parole** nm inv spokesperson

porter [pɔʀte] /1/ vt to carry; (*sur soi: vêtement, barbe, bague*) to wear; (*fig: responsabilité etc*) to bear, carry; (*inscription, marque, titre, patronyme, fruits, fleurs*) to bear; (*coup*) to deal; (*attention*) to turn; (*apporter*): **~ qch quelque part/à qn** to take sth somewhere/to sb ▶ vi to carry; (*coup, argument*) to hit home; **se porter** vi (*se sentir*): **se ~ bien/mal** to be well/unwell; **~ sur** (*conférence etc*) to concern; **se faire ~ malade** to report sick

porteur, -euse [pɔʀtœʀ, -øz] nm/f ▶ nm (*de bagages*) porter; (*de chèque*) bearer

porte-voix [pɔʀtavwa] nm inv megaphone

portier [pɔʀtje] nm doorman

portière [pɔʀtjɛʀ] nf door

portion [pɔʀsjɔ̃] nf (*part*) portion, share; (*partie*) portion, section

porto [pɔʀto] nm port (wine)

portrait [pɔʀtʀɛ] nm portrait; (*photographie*) photograph • **portrait-robot** nm Identikit® ou Photo-fit® (BRIT) picture

portuaire [pɔʀtɥɛʀ] adj port cpd, harbour cpd

portugais, e [pɔʀtygɛ, -ɛz] adj Portuguese ▶ nm (Ling) Portuguese ▶ nm/f: **P~, e** Portuguese

Portugal [pɔʀtygal] nm: **le ~** Portugal

pose [poz] nf (*de moquette*) laying; (*attitude, d'un modèle*) pose; (*Photo*) exposure

posé, e [poze] adj calm

poser [poze] /1/ vt (*place*) to put down, to put; (*déposer, installer: moquette, carrelage*) to lay; (*rideaux, papier peint*) to hang; (*question*) to ask; (*principe, conditions*) to lay ou set down; (*problème*) to formulate; (*difficulté*) ▶ vi (*modèle*) to pose; **se poser** vi (*oiseau, avion*) to land; (*question*) to arise; **~ qch (sur)** to put sth down (on); **~ qn à** to drop sb at; **~ qch sur/quelque part** to put sth on sth/somewhere; **~ sa candidature à un poste** to apply for a post

positif, -ive [pozitif, -iv] adj positive

position [pozisjɔ̃] nf position; **prendre ~** (*fig*) to take a stand

posologie [pozɔlɔʒi] nf dosage

posséder [pɔsede] /6/ vt to own, possess; (*qualité, talent*) to have, possess; (*sexuellement*) to possess • **possession** nf ownership no pl; possession; **être en possession de qch** to be in possession of sth; **prendre possession de qch** to take possession of sth

possibilité [pɔsibilite] nf possibility; **possibilités** nfpl potential sg

possible [pɔsibl] adj possible; (*projet, entreprise*) feasible ▶ nm: **faire son ~** to do all one can, do one's utmost; **le plus/moins de livres ~** as many/few books as possible; **le plus vite ~** as quickly as possible; **dès que ~** as soon as possible

postal, e, -aux [pɔstal, -o] adj postal

poste [pɔst] nf (*service*) post, postal service; (*administration, bureau*) post office; **mettre à la ~** to post; **~ restante (PR)** poste restante (BRIT), general delivery (US)

poste² [pɔst] nm (fonction, Mil) post; (Tél) extension; (de radio etc) set; **~ d'essence** filling station; **~ d'incendie** fire point; **~ de pilotage** cockpit, flight deck; **~ (de police)** police station; **~ de secours** first-aid post

poster /1/ vt [pɔste] to post ▸ nm [pɔstɛʀ] poster

postérieur, e [pɔsteʀjœʀ] adj (date) later; (partie) back ▸ nm (fam) behind

postuler [pɔstyle] /1/ vi: **~ à** ou **pour un emploi** to apply for a job

pot [po] nm (en verre) jar; (en terre) pot; (en plastique, carton) carton; (en métal) tin; (fam: chance) luck; **avoir du ~** to be lucky; **boire** ou **prendre un ~** (fam) to have a drink; **petit ~ (pour bébé)** (jar of) baby food; **~ catalytique** catalytic converter; **~ d'échappement** exhaust pipe

potable [pɔtabl] adj: **eau (non) ~** (not) drinking water

potage [pɔtaʒ] nm soup **· potager, -ère** adj: **(jardin) potager** kitchen ou vegetable garden

pot-au-feu [pɔtofø] nm inv (beef) stew

pot-de-vin [podvɛ̃] nm bribe

pote [pɔt] nm (fam) pal

poteau, x [pɔto] nm post; **~ indicateur** signpost

potelé, e [pɔtle] adj plump, chubby

potentiel, le [pɔtɑ̃sjɛl] adj, nm potential

poterie [pɔtʀi] nf pottery; (objet) piece of pottery

potier, -ière [pɔtje, -jɛʀ] nm/f potter

potiron [pɔtiʀɔ̃] nm pumpkin

pou, x [pu] nm louse

poubelle [pubɛl] nf (dust)bin

pouce [pus] nm thumb

poudre [pudʀ] nf powder; (fard) (face) powder; (explosif) gunpowder; **en ~: café en ~** instant coffee; **lait en ~** dried ou powdered milk

poudreux, -euse [pudʀø, -øz] adj dusty; (neige) powder cpd **· poudrier** [pudʀije] nm (poudre) compact

pouffer [pufe] /1/ vi: **~ (de rire)** to burst out laughing

poulailler [pulaje] nm henhouse

poulain [pulɛ̃] nm foal; (fig) protégé

poule [pul] nf hen; (Culin) (boiling) fowl; **~ mouillée** coward

poulet [pulɛ] nm chicken; (fam) cop

poulie [puli] nf pulley

pouls [pu] nm pulse; **prendre le ~ de qn** to take sb's pulse

poumon [pumɔ̃] nm lung

poupée [pupe] nf doll

pour [puʀ] prép ou ▸ nm: **le ~ et le contre** the pros and cons; **~ faire** (so as) to do, in order to do; **~ avoir fait** for having done; **~ que** so that, in order that; **fermé ~ (cause de) travaux** closed for refurbishment ou alterations; **c'est ~ ça que ...** that's why ...; **~ quoi faire?** what for?; **~ 20 euros d'essence** 20 euros' worth of petrol; **~ cent** per cent; **~ ce qui est de** as for

pourboire [puʀbwaʀ] nm tip

pourcentage [puʀsɑ̃taʒ] nm percentage

pourchasser [puʀʃase] /1/ vt to pursue

pourparlers [puʀpaʀle] *nmpl* talks, negotiations

pourpre [puʀpʀ] *adj* crimson

pourquoi [puʀkwa] *adv, conj* why ▸ *nm inv*: **le ~ (de)** the reason (for)

pourrai *etc* [puʀe] *vb voir* **pouvoir**

pourri, e [puʀi] *adj* rotten

pourrir [puʀiʀ] */2/ vi* to rot; *(fruit)* to rot *ou* to go bad ▸ *vt* to rot; *(fig)* to spoil thoroughly
• **pourriture** *nf* rot

poursuite [puʀsɥit] *nf* pursuit, chase; **poursuites** *nfpl (Jur)* legal proceedings

poursuivre [puʀsɥivʀ] */40/ vt* to pursue, chase *(after)*; *(obséder)* to haunt; *(Jur)* to bring proceedings against, prosecute; *(: au civil)* to sue; *(but)* to strive towards; *(voyage, études)* to carry on with, continue; **se poursuivre** *vi* to go on

pourtant [puʀtɑ̃] *adv* yet; **c'est ~ facile** (and) yet it's easy

pourtour [puʀtuʀ] *nm* perimeter

pourvoir [puʀvwaʀ] */25/ vt*: **~ qch/qn de** to equip sth/sb with ▸ *vi*: **~ à** to provide for • **pourvu, e** *adj*: **pourvu de** equipped with; **pourvu que** *(si)* provided that, so long as; *(espérons que)* let's hope (that)

pousse [pus] *nf* growth; *(bourgeon)* shoot

poussée [puse] *nf* thrust; *(d'acné)* eruption; *(fig: prix)* upsurge

pousser [puse] */1/ vt* to push; *(émettre: cri etc)* to give; *(stimuler: élève)* to urge on; *(poursuivre: études, discussion)* to carry on ▸ *vi* to push; *(croître)* to grow; **se pousser** *vi* to move over; **~ qn à faire qch** *(inciter)* to urge *ou* press

sb to do sth; **faire ~** *(plante)* to grow

poussette [puset] *nf* pushchair (BRIT), stroller (US)

poussière [pusjɛʀ] *nf* dust
• **poussiéreux, -euse** *adj* dusty

poussin [pusɛ̃] *nm* chick

poutre [putʀ] *nf* beam

---

pouvoir [puvwaʀ] /33/

▸ *nm* power; *(dirigeants)*: **le pouvoir** those in power; **les pouvoirs publics** the authorities; **pouvoir d'achat** purchasing power
▸ *vb aux* **1** *(être en état de)* can, be able to; **je ne peux pas le réparer** I can't *ou* I am not able to repair it; **déçu de ne pas pouvoir le faire** disappointed not to be able to do it
2 *(avoir la permission)* can, may, be allowed to; **vous pouvez aller au cinéma** you can *ou* may go to the pictures
3 *(probabilité, hypothèse)* may, might, could; **il a pu avoir un accident** he may *ou* might *ou* could have had an accident; **il aurait pu le dire!** he might *ou* could have said (so)!
▸ *vb impers* may, might, could; **il peut arriver que** it may *ou* might *ou* could happen that; **il pourrait pleuvoir** it might rain
▸ *vt* can, be able to; **j'ai fait tout ce que j'ai pu** I did all I could; **je n'en peux plus** *(épuisé)* I'm exhausted; *(à bout)* I can't take any more
se pouvoir *vi*: **il se peut que** it may *ou* might be that; **cela se pourrait** that's quite possible

prairie [pReRi] *nf* meadow

praline [pRalin] *nf* sugared almond

praticable [pRatikabl] *adj* passable; practicable

pratiquant, e [pRatikɑ̃, -ɑ̃t] *nm/f* (regular) churchgoer

pratique [pRatik] *nf* practice ▶ *adj* practical • **pratiquement** *adv* (pour ainsi dire) practically, virtually • **pratiquer** /1/ *vt* to practise; (l'équitation, la pêche) to go in for; (le golf, football) to play; (intervention, opération) to carry out

pré [pRe] *nm* meadow

préalable [pRealabl] *adj* preliminary; **au ~** beforehand

préambule [pReɑ̃byl] *nm* preamble; (fig) prelude; **sans ~** straight away

préau, x [pReo] *nm* (d'une cour d'école) covered playground

préavis [pReavi] *nm* notice

précaire [pRekɛR] *adj* (situation) precarious; (Écon: emplois) lacking security • **précarité** *nf* (de situation) precariousness; (Écon) **la ~ (de l'emploi)** job insecurity, lack of job security

précaution [pRekosjɔ̃] *nf* precaution; **avec ~** cautiously; **le principe de ~** the precautionary principle; **par ~** as a precaution

précédemment [pResedamɑ̃] *adv* before, previously

précédent, e [pResedɑ̃, -ɑ̃t] *adj* previous ▶ *nm* precedent; **sans ~** unprecedented; **le jour ~** the day before, the previous day

précéder [pResede] /6/ *vt* to precede

prêcher [pReʃe] /1/ *vt* to preach

précieux, -euse [pResjø, -øz] *adj* precious; (collaborateur, conseils) invaluable

précipice [pResipis] *nm* drop, chasm

précipitamment [pResipitamɑ̃] *adv* hurriedly, hastily

précipitation [pResipitasjɔ̃] *nf* (hâte) haste

précipité, e [pResipite] *adj* hurried; hasty

précipiter [pResipite] /1/ *vt* (hâter: départ) to hasten; **se précipiter** *vi* to speed up; **~ qn/ qch du haut de** (faire tomber) to throw ou hurl sb/sth off ou from; **se ~ sur/vers** to rush at/towards

précis, e [pResi, -iz] *adj* precise; (tir, mesures) accurate, precise; **à 4 heures ~es** at 4 o'clock sharp • **précisément** *adv* precisely • **préciser** /1/ *vt* (expliquer) to be more specific about, clarify; (spécifier) to state, specify; **se préciser** *vi* to become clear(er) • **précision** *nf* precision; (détail) point ou detail (made clear ou to be clarified)

précoce [pRekɔs] *adj* early; (enfant) precocious

préconçu, e [pRekɔ̃sy] *adj* preconceived

préconiser [pRekɔnize] /1/ *vt* to advocate

prédécesseur [pRedesesœR] *nm* predecessor

prédilection [pRedilɛksjɔ̃] *nf*: **avoir une ~ pour** to be partial to

prédire [pRediR] /37/ *vt* to predict

prédominer [pRedɔmine] /1/ *vi* to predominate

préface [pRefas] *nf* preface

préfecture [pʁefɛktyʁ] nf
prefecture; **~ de police** police
headquarters

préférable [pʁefeʁabl] adj
preferable

préféré, e [pʁefeʁe] adj, nm/f
favourite

préférence [pʁefeʁɑ̃s] nf
preference; **de ~** preferably

préférer [pʁefeʁe] /6/ vt: **~ qn/**
qch (à) to prefer sb/sth (to), like
sb/sth better (than); **~ faire** to
prefer to do; **je préférerais du**
thé I would rather have tea, I'd
prefer tea

préfet [pʁefɛ] nm prefect

préhistorique [pʁeistɔʁik] adj
prehistoric

préjudice [pʁeʒydis] nm
(matériel) loss; (moral) harm no pl;
porter ~ à to harm, be
detrimental to; **au ~ de** at the
expense of

préjugé [pʁeʒyʒe] nm prejudice;
avoir un ~ contre to be
prejudiced against

prélasser [pʁelɑse] /1/: **se**
prélasser vi to lounge

prélèvement [pʁelɛvmɑ̃] nm
(montant) deduction; **faire un**
~ de sang to take a blood
sample

prélever [pʁelve] /5/ vt
(échantillon) to take; **~ (sur)**
(argent) to deduct (from); (sur son
compte) to withdraw (from)

prématuré, e [pʁematyʁe]
adj premature ▶ nm premature
baby

premier, -ière [pʁəmje, -jɛʁ] adj
first; (rang) front; (fig: fondamental)
basic ▶ nf (Rail, Aviat etc) first
class; (Scol) year 12 (BRIT), eleventh
grade (US); **de ~ ordre** first-rate;

le ~ venu the first person to come
along; **P~ Ministre** Prime
Minister • **premièrement** adv
firstly

prémonition [pʁemɔnisjɔ̃] nf
premonition

prenant, e [pʁənɑ̃, -ɑ̃t] adj
absorbing, engrossing

prénatal, e [pʁenatal] adj (Méd)
antenatal

prendre [pʁɑ̃dʁ] /58/ vt to take;
(repas) to have; (aller chercher) to
get; (malfaiteur, poisson) to catch;
(passager) to pick up; (personnel)
to take on; (traiter: enfant,
problème) to handle; (voix, ton) to
put on; (ôter): **~ qch à** to take sth
from; (coincer): **se ~ les doigts**
dans to get one's fingers caught
in ▶ vi (liquide, ciment) to set;
(greffe, vaccin) to take; (feu: foyer)
to go; (se diriger): **~ à gauche** to
turn (to the) left; **~ froid** to
catch cold; **se ~ pour** to think
one is; **s'en ~ à** to attack; **se**
~ d'amitié/d'affection pour
to befriend/become fond of;
s'y ~ (procéder) to set about it

preneur [pʁənœʁ] nm: **être ~** to
be willing to buy; **trouver ~** to
find a buyer

prénom [pʁenɔ̃] nm first name

préoccupation [pʁeɔkypasjɔ̃]
nf (souci) concern; (idée fixe)
preoccupation

préoccuper [pʁeɔkype] /1/ vt
(tourmenter, tracasser) to concern;
(absorber, obséder) to preoccupy;
se ~ de qch to be concerned
about sth

préparatifs [pʁepaʁatif] nmpl
preparations

préparation [pʁepaʁasjɔ̃] nf
preparation

préparer [prepare] /1/ vt to prepare; (café, repas) to make; (examen) to prepare for; (voyage, entreprise) to plan; **se préparer** vi (orage, tragédie) to brew, be in the air; **se ~ (à qch/à faire)** to prepare (o.s.) or get ready (for sth/to do); **~ qch à qn** (surprise etc) to have sth in store for sb

prépondérant, e [prepɔ̃derɑ̃, -ɑ̃t] adj major, dominating

préposé, e [prepoze] nm/f employee; (facteur) postman/ woman

préposition [prepozisjɔ̃] nf preposition

près [pre] adv near, close; **~ de** near (to), close to; (environ) nearly, almost; **de ~** closely; **à cinq kg ~** to within about five kg; **il n'est pas à 10 minutes ~** he can spare 10 minutes

présage [prezaʒ] nm omen

presbyte [presbit] adj long-sighted

presbytère [presbiter] nm presbytery

prescription [preskripsjɔ̃] nf prescription

prescrire [preskrir] /39/ vt to prescribe

présence [prezɑ̃s] nf presence; (au bureau etc) attendance

présent, e [prezɑ̃, -ɑ̃t] adj, nm present; **à ~ que** now that

présentation [prezɑ̃tasjɔ̃] nf presentation; (de nouveau venu) introduction; (allure) appearance; **faire les ~s** to do the introductions

présenter [prezɑ̃te] /1/ vt to present; (invité, candidat) to introduce; (félicitations, condoléances) to offer; **~ qn à** to

introduce sb to ▶ vi: **~ mal/bien** to have an unattractive/a pleasing appearance; **se présenter** vi (à une élection) to stand; (occasion) to arise; **se ~ à un examen** to sit an exam; **je vous présente Nadine** this is Nadine

préservatif [prezervatif] nm condom, sheath

préserver [prezerve] /1/ vt: **~ de** (protéger) to protect from

président [prezidɑ̃] nm (Pol) president; (d'une assemblée, Comm) chairman; **~ directeur général** chairman and managing director

présidentiel, le [prezidɑ̃sjɛl] adj presidential; **présidentielles** nfpl presidential election(s)

présider [prezide] /1/ vt to preside over; (dîner) to be the guest of honour (brit) ou honor (us) at

presque [presk] adv almost, nearly; **~ rien** hardly anything; **~ pas** hardly (at all); **~ pas de** hardly any; **personne, ou ~** next to nobody, hardly anyone

presqu'île [preskil] nf peninsula

pressant, e [presɑ̃, -ɑ̃t] adj urgent

presse [pres] nf press; (affluence): **heures de ~** busy times

pressé, e [prese] adj in a hurry; (besogne) urgent; **orange ~e** freshly squeezed orange juice

pressentiment [presɑ̃timɑ̃] nm foreboding, premonition

pressentir [presɑ̃tir] /16/ vt to sense

presse-papiers [prespapje] nm inv paperweight

presser [prese] /1/ vt (fruit, éponge) to squeeze; (interrupteur, *bouton*) to press; (*allure, affaire*) to speed up; (*inciter*) to urge ou press sb to do ▶ vi to be urgent; **se presser** vi (*se hâter*) to hurry (up); **rien ne presse** there's no hurry; **se ~ contre qn** to squeeze up against sb; **le temps presse** there's not much time

pressing [pʀesiŋ] nm (*magasin*) dry-cleaner's

pression [pʀesjɔ̃] nf pressure; (*bouton*) press stud (BRIT), snap fastener (US); (*fam: bière*) draught beer; **faire ~ sur** to put pressure on; **sous ~** pressurized, under pressure; (*fig*) keyed up; **~ artérielle** blood pressure

prestataire [pʀestateʀ] nm/f person receiving benefits; **~ de services** provider of services

prestation [pʀestasjɔ̃] nf (*allocation*) benefit; (*d'une entreprise*) service provided; (*d'un joueur, artiste*) performance

prestidigitateur, -trice [pʀestidiʒitatœʀ, -tʀis] nm/f conjurer

prestige [pʀestiʒ] nm prestige • **prestigieux, -euse** adj prestigious

présumer [pʀezyme] /1/ vt: **~ que** to presume ou assume that

prêt, e [pʀe, pʀet] adj ready ▶ nm (*somme prêtée*) loan • **prêt-à-porter** nm ready-to-wear ou off-the-peg (BRIT) clothes pl

prétendre [pʀetɑ̃dʀ] /41/ vt (*affirmer*): **~ que** to claim that; **~ faire qch** (*avoir l'intention de*) to mean ou intend to do sth • **prétendu, e** adj (*supposé*) so-called

⚠ Attention à ne pas traduire *prétendre* par to pretend.

prétentieux, -euse [pʀetɑ̃sjø, -øz] adj pretentious

prétention [pʀetɑ̃sjɔ̃] nf pretentiousness; (*exigence, ambition*) claim

prêter [pʀete] /1/ vt: **~ qch à qn** (*livres, argent*) to lend sth to sb; (*caractère, propos*) to attribute sth to sb

prétexte [pʀetɛkst] nm pretext, excuse; **sous aucun ~** on no account • **prétexter** [pʀetɛkste] /1/ vt to give as a pretext ou an excuse

prêtre [pʀetʀ] nm priest

preuve [pʀœv] nf proof; (*indice*) proof, evidence no pl; **faire ~ de** to show; **faire ses ~s** to prove o.s. (*ou itself*)

prévaloir [pʀevalwaʀ] /29/ vi to prevail

prévenant, e [pʀevnɑ̃, -ɑ̃t] adj thoughtful, kind

prévenir [pʀevniʀ] /22/ vt (*éviter: catastrophe etc*) to avoid, prevent; (*anticiper: désirs, besoins*) to anticipate; **~ qn (de)** (*avertir*) to warn sb (about); (*informer*) to tell ou inform sb (about)

préventif, -ive [pʀevɑ̃tif, -iv] adj preventive

prévention [pʀevɑ̃sjɔ̃] nf prevention; **~ routière** road safety

prévenu, e [pʀevny] nm/f (*Jur*) defendant, accused

prévision [pʀevizjɔ̃] nf: **~s** predictions; (*météorologiques, économiques*) forecast sg; **en ~ de** in anticipation of; **~s météorologiques** ou **du temps** weather forecast sg

prévoir [pʀevwaʀ] /24/ vt (*deviner*) to foresee; (*s'attendre à*) to expect, reckon on; (*organiser: voyage etc*) to plan; (*préparer, réserver*) to allow; **comme prévu** as planned • **prévoyant, e** *adj* gifted with (*ou* showing) foresight • **prévu, e** *pp de* **prévoir**

prier [pʀije] /7/ *vi* to pray ▶ *vt* (*Dieu*) to pray to; (*implorer*) to beg; (*demander*): **~ qn de faire** to ask sb to do; **se faire ~** to need coaxing *ou* persuading; **je vous en prie** (*allez-y*) please do; (*de rien*) don't mention it • **prière** *nf* prayer; **"prière de faire ..."** "please do ..."

primaire [pʀimɛʀ] *adj* primary ▶ *nm* (*Scol*) primary education

prime [pʀim] *nf* (*bonification*) bonus; (*subside*) allowance; (*Comm: cadeau*) free gift; (*Assurances, Bourse*) premium ▶ *adj*: **de ~ abord** at first glance • **primer** /1/ *vt* (*récompenser*) to award a prize to ▶ *vi* to dominate

primevère [pʀimvɛʀ] *nf* primrose

primitif, -ive [pʀimitif, -iv] *adj* primitive; (*originel*) original

prince [pʀɛ̃s] *nm* prince • **princesse** *nf* princess

principal, e, -aux [pʀɛ̃sipal, -o] *adj* principal, main ▶ *nm* (*Scol*) head (teacher) (BRIT), principal (US); (*essentiel*) main thing

principe [pʀɛ̃sip] *nm* principle; **par ~** on principle; **en ~** (*habituellement*) as a rule; (*théoriquement*) in principle

printemps [pʀɛ̃tɑ̃] *nm* spring

priorité [pʀijɔʀite] *nf* priority; (*Auto*)**~ à droite** right of way to vehicles coming from the right

pris, e [pʀi, pʀiz] *pp de* **prendre** ▶ *adj* (*place*) taken; (*journée, mains*) full; (*personne*) busy; **avoir le nez/**

la gorge ~(e) to have a stuffy nose/a bad throat; **être ~ de peur/de fatigue/de panique** to be stricken with fear/overcome with fatigue/panic-stricken

prise [pʀiz] *nf* (*d'une ville*) capture; (*Pêche, Chasse*) catch; (*point d'appui ou pour empoigner*) hold; (*Élec: fiche*) plug; (*: femelle*) socket; **être aux ~s avec** to be grappling with; **~ de courant** power point; **~ multiple** adaptor; **~ de sang** blood test

priser [pʀize] /1/ *vt* (*estimer*) to prize, value

prison [pʀizɔ̃] *nf* prison; **aller/ être en ~** to go to/be in prison *ou* jail • **prisonnier, -ière** *nm/f* prisoner ▶ *adj* captive

privé, e [pʀive] *adj* private; (*en punition*): **tu es ~ de télé!** no TV for you! ▶ *nm* (*Comm*) private sector; **en ~** in private

priver [pʀive] /1/ *vt*: **~ qn de** to deprive sb of; **se ~ de** to go *ou* do without

privilège [pʀivilɛʒ] *nm* privilege

prix [pʀi] *nm* price; (*récompense, Scol*) prize; **hors de ~** exorbitantly priced; **à aucun ~** not at any price; **à tout ~** at all costs

probable [pʀɔbabl] *adj* likely, probable • **probablement** *adv* probably

problème [pʀɔblɛm] *nm* problem

procédé [pʀɔsede] *nm* (*méthode*) process; (*comportement*) behaviour *no pl*

procéder [pʀɔsede] /6/ *vi* to proceed; (*moralement*) to behave; **~ à** to carry out

procès [pʀɔsɛ] *nm* trial; (*poursuites*) proceedings *pl*; **être**

P

en ~ avec to be involved in a lawsuit with

processus [prɔsesys] nm process

procès-verbal, -aux [prɔseverbal, -o] nm (de réunion) minutes pl; (aussi: **PV**): **avoir un ~** to get a parking ticket

prochain, e [prɔʃɛ̃, -ɛn] adj next; (proche: départ, arrivée) impending ▶ nm fellow man; **la ~e fois/ semaine ~e** next time/week • **prochainement** adv soon, shortly

proche [prɔʃ] adj nearby; (dans le temps) imminent; (parent, ami) close; **proches** nmpl (parents) close relatives; **être ~ (de)** to be near, be close (to)

proclamer [prɔklame] /1/ vt to proclaim

procréation [prɔkreasjɔ̃] nf procreation; **~ médicalement assistée, assistance médicale à la ~** assisted reproduction

procuration [prɔkyrasjɔ̃] nf proxy

procurer [prɔkyre] /1/ vt (fournir): **~ qch à qn** (obtenir) to get ou obtain sth for sb; (plaisir etc) to bring ou give sb sth; **se procurer** vt to get • **procureur** nm public prosecutor

prodige [prɔdiʒ] nm marvel, wonder; (personne) prodigy • **prodiguer** /1/ vt (soins, attentions): **prodiguer qch à qn** to lavish sth on sb

producteur, -trice [prɔdyktœr, -tris] nm/f producer

productif, -ive [prɔdyktif, -iv] adj productive

production [prɔdyksjɔ̃] nf production; (rendement) output

productivité [prɔdyktivite] nf productivity

produire [prɔdɥir] /38/ vt to produce; **se produire** vi (acteur) to perform, appear; (événement) to happen, occur

produit, e [prɔdɥi, -it] nm product; **~ chimique** chemical; **~ d'entretien** cleaning product; **~s agricoles** farm produce sg; **~s de beauté** beauty products, cosmetics

prof [prɔf] nm (fam) teacher

proférer [prɔfere] /6/ vt to utter

professeur, e [prɔfesœr] nm/f teacher; (titulaire d'une chaire) professor; **~ (de faculté)** (university) lecturer

profession [prɔfesjɔ̃] nf (libérale) profession; (gén) occupation; **"sans ~"** unemployed • **professionnel, le** adj, nm/f professional

profil [prɔfil] nm profile; **de ~** in profile

profit [prɔfi] nm (avantage) benefit, advantage; (Comm, Finance) profit; **au ~ de** in aid of; **tirer** ou **retirer ~ de** to profit from • **profitable** adj (utile) beneficial; (lucratif) profitable • **profiter** /1/ vi: **profiter de** (situation, occasion) to take advantage of; (vacances, jeunesse etc) to make the most of

profond, e [prɔfɔ̃, -ɔ̃d] adj deep; (méditation, mépris) profound • **profondément** adv deeply; **il dort profondément** he is sound asleep • **profondeur** nf depth; **l'eau à quelle profondeur?** how deep is the water?

programme [prɔgram] nm programme; (Scol) syllabus, curriculum; (Inform) program

• **programmer** /1/ vt (organiser, prévoir: émission) to schedule; (Inform) to program
• **programmeur, -euse** nm/f (computer) programmer

progrès [pʀɔgʀɛ] nm progress no pl; **faire des/être en ~** to make/be making progress • **progresser** /1/ vi to progress • **progressif, -ive** adj progressive

proie [pʀwa] nf prey no pl

projecteur [pʀɔʒɛktœʀ] nm projector; (de théâtre, cirque) spotlight

projectile [pʀɔʒɛktil] nm missile

projection [pʀɔʒɛksjɔ̃] nf projection; (séance) showing

projet [pʀɔʒɛ] nm plan; (ébauche) draft; **~ de loi** bill • **projeter** /4/ vt (envisager) to plan; (film, photos) to project; (ombre, lueur) to throw, cast; (jeter) to throw up (ou off ou out)

prolétaire [pʀɔletɛʀ] adj, nm/f proletarian

prolongement [pʀɔlɔ̃ʒmɑ̃] nm extension; **dans le ~ de** running on from

prolonger [pʀɔlɔ̃ʒe] /3/ vt (débat, séjour) to prolong; (délai, billet, rue) to extend; **se prolonger** vi to go on

promenade [pʀɔmnad] nf walk (ou drive ou ride); **faire une ~** to go for a walk; **une ~ (à pied)/en voiture/à vélo** a walk/drive/ (bicycle) ride

promener [pʀɔmne] /5/ vt (personne, chien) to take out for a walk; (doigts, regard): **~ qch sur** to run sth over; **se promener** vi to go for (ou be out for) a walk

promesse [pʀɔmɛs] nf promise

promettre [pʀɔmɛtʀ] /56/ vt to promise ▶ vi to look promising; **~ à qn de faire** to promise sb that one will do

promiscuité [pʀɔmiskɥite] nf lack of privacy

promontoire [pʀɔmɔ̃twaʀ] nm headland

promoteur, -trice [pʀɔmɔtœʀ, -tʀis] nm/f: **~ (immobilier)** property developer (BRIT), real estate promoter (US)

promotion [pʀɔmɔsjɔ̃] nf promotion; **en ~** on (special) offer

promouvoir [pʀɔmuvwaʀ] /27/ vt to promote

prompt, e [pʀɔ̃, pʀɔ̃t] adj swift, rapid

prôner [pʀone] /1/ vt (préconiser) to advocate

pronom [pʀɔnɔ̃] nm pronoun

prononcer [pʀɔnɔ̃se] /3/ vt to pronounce; (dire) to utter; (discours) to deliver; **se prononcer** vi to be pronounced; **se ~ (sur)** (se décider) to reach a decision (on ou about), give a verdict (on); **ça se prononce comment?** how do you pronounce this?
• **prononciation** nf pronunciation

pronostic [pʀɔnɔstik] nm (Méd) prognosis; (fig: aussi: **~s**) forecast

propagande [pʀɔpagɑ̃d] nf propaganda

propager [pʀɔpaʒe] /3/ vt to spread; **se propager** vi to spread

prophète, prophétesse [pʀɔfɛt, pʀɔfetɛs] nm/f prophet(ess)

prophétie [pʀɔfesi] nf prophecy

propice [pʀɔpis] adj favourable

P

proportion [prɔpɔrsjɔ̃] nf proportion; **toute(s) ~(s) gardée(s)** making due allowance(s)

propos [prɔpo] nm (paroles) talk no pl, remark; (intention, but) intention, aim; (sujet): **à quel ~?** what about?; **à ~ de** about, regarding; **à tout ~** for no reason at all; **à ~** by the way; (opportunément) (just) at the right moment

proposer [prɔpoze] /1/ vt to propose; **~ qch (à qn)/de faire** (suggérer) to suggest sth (to sb)/doing, propose sth (to sb)/(to) do; (offrir) to offer (sb) sth/to do; **se ~ (pour faire)** to offer one's services (to do) • **proposition** nf suggestion; proposal; (Ling) clause

propre [prɔpr] adj clean; (net) neat, tidy; (possessif) own; (sens) literal; (particulier): **~ à** peculiar to; (approprié): **~ à** suitable ou appropriate for ▶ nm: **recopier au ~** to make a fair copy of • **proprement** adv (avec propreté) cleanly; **à proprement parler** strictly speaking; **le village proprement dit** the village itself • **propreté** nf cleanliness

propriétaire [prɔprijetɛr] nm/f owner; (pour le locataire) landlord(-lady)

propriété [prɔprijete] nf (droit) ownership; (objet, immeuble etc) property

propulser [prɔpylse] /1/ vt to propel

prose [proz] nf prose (style)

prospecter [prɔspɛkte] /1/ vt to prospect; (Comm) to canvass

prospectus [prɔspɛktys] nm leaflet

prospère [prɔspɛr] adj prosperous • **prospérer** /6/ vi to thrive

prosterner [prɔstɛrne] /1/: **se prosterner** vi to bow low, prostrate o.s.

prostituée [prɔstitɥe] nf prostitute

prostitution [prɔstitysjɔ̃] nf prostitution

protecteur, -trice [prɔtɛktœr, -tris] adj protective; (air, ton: péj) patronizing ▶ nm/f protector

protection [prɔtɛksjɔ̃] nf protection; (d'un personnage influent: aide) patronage

protéger [prɔteʒe] /6, 3/ vt to protect; **se ~ de/contre** to protect o.s. from

protège-slip [prɔtɛʒslip] nm panty liner

protéine [prɔtein] nf protein

protestant, e [prɔtɛstɑ̃, -ɑ̃t] adj, nm/f Protestant

protestation [prɔtɛstasjɔ̃] nf (plainte) protest

protester [prɔtɛste] /1/ vi: **~ (contre)** to protest (against ou about); **~ de** (son innocence, sa loyauté) to protest

prothèse [prɔtɛz] nf: **~ dentaire** denture

protocole [prɔtɔkɔl] nm (fig) etiquette

proue [pru] nf bow(s pl), prow

prouesse [pruɛs] nf feat

prouver [pruve] /1/ vt to prove

provenance [prɔvnɑ̃s] nf origin; **avion en ~ de** plane (arriving) from

provenir [prɔvnir] /22/: **~ de** vt to come from

proverbe [prɔvɛrb] nm proverb

province [prɔvɛ̃s] nf province

proviseur [pʀɔvizœʀ] *nm* ≈ head (teacher) (BRIT), ≈ principal (US)

provision [pʀɔvizjɔ̃] *nf* (*réserve*) stock, supply; **provisions** *nfpl* (*vivres*) provisions, food *no pl*

provisoire [pʀɔvizwaʀ] *adj* temporary • **provisoirement** *adv* temporarily

provocant, e [pʀɔvɔkɑ̃, -ɑ̃t] *adj* provocative

provoquer [pʀɔvɔke] /1/ *vt* (*défier*) to provoke; (*causer*) to cause, bring about; (*inciter*): **~ qn à** to incite sb to

proxénète [pʀɔksenɛt] *nm* procurer

proximité [pʀɔksimite] *nf* nearness, closeness; (*dans le temps*) imminence, closeness; **à ~** near ou close by; **à ~ de** near (to), close to

prudemment [pʀydamɑ̃] *adv* carefully; wisely, sensibly

prudence [pʀydɑ̃s] *nf* carefulness; **avec ~** carefully; **par (mesure de) ~** as a precaution

prudent, e [pʀydɑ̃, -ɑ̃t] *adj* (*pas téméraire*) careful; (: *en général*) safety-conscious; (*sage, conseillé*) wise, sensible; **c'est plus ~** it's wiser

prune [pʀyn] *nf* plum

pruneau, x [pʀyno] *nm* prune

prunier [pʀynje] *nm* plum tree

PS *sigle m* = **parti socialiste**; (= *post-scriptum*) PS

pseudonyme [psødɔnim] *nm* (*gén*) fictitious name; (*d'écrivain*) pseudonym, pen name

psychanalyse [psikanaliz] *nf* psychoanalysis

psychiatre [psikjatʀ] *nm/f* psychiatrist • **psychiatrique** *adj* psychiatric

psychique [psiʃik] *adj* psychological

psychologie [psikɔlɔʒi] *nf* psychology • **psychologique** *adj* psychological • **psychologue** *nm/f* psychologist

pu [py] *pp de* **pouvoir**

puanteur [pɥɑ̃tœʀ] *nf* stink, stench

pub [pyb] *nf* (*fam*) = **publicité**; **la ~** advertising

public, -ique [pyblik] *adj* public; (*école, instruction*) state *cpd* ▶ *nm* public; (*assistance*) audience; **en ~** in public

publicitaire [pyblisitɛʀ] *adj* advertising *cpd*; (*film, voiture*) publicity *cpd*

publicité [pyblisite] *nf* (*méthode, profession*) advertising; (*annonce*) advertisement; (*révélations*) publicity

publier [pyblije] /7/ *vt* to publish

publipostage [pyblipostaʒ] *nm* (mass) mailing

publique [pyblik] *adj f voir* **public**

puce [pys] *nf* flea; (*Inform*) chip; **carte à ~** smart card; **(marché aux) ~s** flea market *sg*

pudeur [pydœʀ] *nf* modesty • **pudique** *adj* (*chaste*) modest; (*discret*) discreet

puer [pɥe] /1/ (*péj*) *vi* to stink

puéricultrice [pɥeʀikyltʀis] *nf* ≈ paediatric nurse

puéril, e [pɥeʀil] *adj* childish

puis [pɥi] *vb voir* **pouvoir** ▶ *adv* then

puiser [pɥize] /1/ *vt*: **~ (dans)** to draw (from)

puisque [pɥisk] *conj* since

puissance [pɥisɑ̃s] *nf* power; **en ~** *adj* potential

P

puissant, e [pɥisɑ̃, -ɑ̃t] *adj* powerful

puits [pɥi] *nm* well

pull(-over) [pyl(ɔvœʀ)] *nm* sweater

pulluler [pylyle] /1/ *vi* to swarm

pulpe [pylp] *nf* pulp

pulvériser [pylveʀize] /1/ *vt* to pulverize; (*liquide*) to spray

punaise [pynɛz] *nf* (*Zool*) bug; (*clou*) drawing pin (*BRIT*), thumb tack (*US*)

punch [pɔ̃ʃ] *nm* (*boisson*) punch

punir [pyniʀ] /2/ *vt* to punish
  • punition *nf* punishment

pupille [pypij] *nf* (*Anat*) pupil
  ▶ *nm/f* (*enfant*) ward

pupitre [pypitʀ] *nm* (*Scol*) desk

pur, e [pyʀ] *adj* pure; (*vin*) undiluted; (*whisky*) neat; **en ~e perte** to no avail; **c'est de la folie ~e** it's sheer madness

purée [pyʀe] *nf*: **~ de pommes de terre** ≈ mashed potatoes *pl*;
  ~ de marrons chestnut purée

purement [pyʀmɑ̃] *adv* purely

purgatoire [pyʀɡatwaʀ] *nm* purgatory

purger [pyʀʒe] /3/ *vt* (*Méd, Pol*) to purge; (*Jur: peine*) to serve

pur-sang [pyʀsɑ̃] *nm inv* thoroughbred

pus [py] *nm* pus

putain [pytɛ̃] *nf* (!) whore (!)

puzzle [pœzl] *nm* jigsaw (puzzle)

PV *sigle m* = **procès-verbal**

pyjama [piʒama] *nm* pyjamas *pl* (*BRIT*), pajamas *pl* (*US*)

pyramide [piʀamid] *nf* pyramid

Pyrénées [piʀene] *nfpl*: **les ~ the** Pyrenees

q

QI *sigle m* (= *quotient intellectuel*) IQ

quadragénaire [kadʀaʒenɛʀ] *nm/f* man/woman in his/her forties

quadruple [k(w)adʀypl] *nm*: **le ~ de** four times as much as

quai [ke] *nm* (*de port*) quay; (*de gare*) platform; **être à ~** (*navire*) to be alongside

qualification [kalifikasjɔ̃] *nf* qualification

qualifier [kalifje] /7/ *vt* to qualify; **~ qch/qn de** to describe sth/sb as; **se qualifier** *vi* to qualify

qualité [kalite] *nf* quality

quand [kɑ̃] *conj, adv* when; **~ je serai riche** when I'm rich; **~ même** all the same; **~ même, il exagère!** really, he overdoes it!; **~ bien même** even though

quant [kɑ̃]: **~ à** *prép* (*pour ce qui est de*) as for, as to; (*au sujet de*) regarding

quantité [kɑ̃tite] *nf* quantity, amount; **une ou des ~(s) de** (*grand nombre*) a great deal of

quarantaine [kaʀɑ̃tɛn] *nf* (*isolement*) quarantine; **une ~ (de)** forty or so, about forty; **avoir la ~** (*âge*) to be around forty

quarante [kaʀɑ̃t] *num* forty

quart [kaʀ] *nm* (*fraction*) quarter; (*surveillance*) watch; **un ~ de vin** a quarter litre of wine; **le ~ de** a quarter of; **~ d'heure** quarter of an hour; **~s de finale** quarter finals

quartier [kaʀtje] *nm* (*de ville*) district, area; (*de bœuf, de la lune*) quarter; (*de fruit, fromage*) piece; **cinéma/salle de ~** local cinema/ hall; **avoir ~ libre** to be free; **~ général (QG)** headquarters (HQ)

quartz [kwaʀts] *nm* quartz

quasi [kazi] *adv* almost, nearly • **quasiment** *adv* almost, (very) nearly; **quasiment jamais** hardly ever

quatorze [katɔʀz] *num* fourteen

quatorzième [katɔʀzjɛm] *num* fourteenth

quatre [katʀ] *num* four; **à ~ pattes** on all fours; **se mettre en ~ pour qn** to go out of one's way for sb; **à ~ (***monter, descendre***)** four at a time • **quatre-vingt-dix** *num* ninety • **quatre-vingts** *num* eighty • **quatrième** *num* fourth ▶ *nf* (*Scol*) year 9 (BRIT), eighth grade (US)

quatuor [kwatɥɔʀ] *nm* quartet(te)

---

que [kə]

▶ *conj* **1** (*introduisant une complétive*) that; **il sait que tu es là** he knows (that) you're here;

je veux que tu acceptes I want you to accept; **il a dit que oui** he said he would (*ou* it was etc)

2 (*reprise d'autres conjonctions*): **quand il rentrera et qu'il aura mangé** when he gets back and (when) he has eaten; **si vous y allez ou que vous ...** if you go there or if you ...

3 (*en tête de phrase, hypothèse, souhait etc*): **qu'il le veuille ou non** whether he likes it or not; **qu'il fasse ce qu'il voudra!** let him do as he pleases!

4 (*but*): **tenez-le qu'il ne tombe pas** hold it so (that) it doesn't fall

5 (*après comparatif*) than, as; *voir aussi* **plus²**, **aussi**, **autant** etc

6 (*seulement*): **ne ... que** only; **il ne boit que de l'eau** he only drinks water

7 (*temps*): **il y a quatre ans qu'il est parti** it is four years since he left, he left four years ago ▶ *adv* (*exclamation*): **qu'il ou qu'est-ce qu'il est bête/court vite!** he's so silly!/he runs so fast!; **que de livres!** what a lot of books! ▶ *pron* **1** (*relatif: personne*) whom; (*: chose*) that, which; **l'homme que je vois** the man (whom) I see; **le livre que tu vois** the book (that *ou* which) you see; **un jour que j'étais ...** a day when I was ...

2 (*interrogatif*): what; **que fais-tu?, qu'est-ce que tu fais?** what are you doing?; **qu'est-ce que c'est?** what is it?, what's that?; **que faire?** what can one do?

Québec [kebɛk] nm: **le ~** Quebec (Province)

québécois, e adj Quebec cpd ▶ nm (Ling) Quebec French ▶ nm/f: **Q~, e** Quebecois, Quebec(k)er

---

quel, quelle [kɛl]

adj **1** (interrogatif: personne) who; (: chose) what; **quel est cet homme?** who is this man?; **quel est ce livre?** what is this book?; **quel livre/homme?** what book/man?; (parmi un certain choix) which book/man?; **quels acteurs préférez-vous?** which actors do you prefer?; **dans quels pays êtes-vous allé?** which ou what countries did you go to? **2** (exclamatif): **quelle surprise/coïncidence!** what a surprise/coincidence! **3**: **quel que soit le coupable** whoever is guilty; **quel que soit votre avis** whatever your opinion (may be)

---

quelconque [kɛlkɔ̃k] adj (médiocre: repas) indifferent, poor; (sans attrait) ordinary, plain; (indéfini): **un ami/prétexte ~** some friend/pretext or other

---

quelque [kɛlk]

▶ adj **1** (au singulier) some; (au pluriel) a few, some; (tournure interrogative) any; **quelque espoir** some hope; **il a quelques amis** he has a few ou some friends; **a-t-il quelques amis?** does he have any friends?; **les quelques livres qui** the few books which; **20 kg et quelque(s)** a bit over 20 kg **2**: **quelque ... que: quelque livre qu'il choisisse** whatever (ou whichever) book he chooses **3**: **quelque chose** something; (tournure interrogative) anything; **quelque chose d'autre** something else; anything else; **quelque part** somewhere; anywhere; **en quelque sorte** as it were

▶ adv **1** (environ): **quelque 100 mètres** some 100 metres **2**: **quelque peu** rather, somewhat

---

quelquefois [kɛlkəfwa] adv sometimes

quelques-uns, -unes [kɛlkəzœ̃, -yn] pron some, a few

quelqu'un [kɛlkœ̃] pron someone, somebody; (+ tournure interrogative ou négative) anyone, anybody; **~ d'autre** someone ou somebody else; anybody else

qu'en dira-t-on [kɑ̃diʀatɔ̃] nm inv: **le ~** gossip, what people say

querelle [kəʀɛl] nf quarrel
• **quereller** /1/: **se quereller** vi to quarrel

qu'est-ce que [kɛskə] voir **que**

qu'est-ce qui [kɛski] voir **qui**

question [kɛstjɔ̃] nf question; (fig) matter; issue; **il a été ~ de** we (ou they) spoke about; **de quoi est-il ~?** what is it about?; **il n'en est pas ~** there's no question of it; **en ~** in question; **hors de ~** out of the question; **(re)mettre en ~** to question • **questionnaire** nm questionnaire • **questionner** /1/ vt to question

quête [kɛt] nf collection; (recherche) pursuit, search; **faire la ~** (à l'église) to take the collection; (*artiste*) to pass the hat round

quetsche [kwɛtʃ] *nf* damson

queue [kø] *nf* tail; (*fig: du classement*) bottom; (: *de poêle*) handle; (: *de fruit, feuille*) stalk; (: *de train, colonne, file*) rear; **faire la ~** to queue (up) (BRIT), line up (US); **~ de cheval** ponytail; **~ de poisson: faire une ~ de poisson à qn** (*Auto*) to cut in front of sb

---

qui [ki]

pron **1** (*interrogatif: personne*) who; (: *chose*) **qu'est-ce qui est sur la table?** what is on the table?; **qui est-ce qui?** who?; **qui est-ce que?** who?; **qui est ce sac?** whose bag is this?; **à qui parlais-tu?** who were you talking to?, to whom were you talking?; **chez qui allez-vous?** whose house are you going to?; **l'ami de qui je vous ai parlé** the friend I told you about; **la dame chez qui je suis allé** the lady whose house I went to **3** (*sans antécédent*): **amenez qui vous voulez** bring who you like; **qui que ce soit** whoever it may be

---

quiche [kiʃ] *nf* quiche

quiconque [kikɔ̃k] *pron* (*celui qui*) whoever, anyone who; (*n'importe qui, personne*) anyone, anybody

quille [kij] *nf*: (**jeu de**) **~s** skittles *sg* (BRIT), bowling (US)

quincaillerie [kɛ̃kɑjʀi] *nf* (*ustensiles*) hardware; (*magasin*) hardware shop *ou* store (US)

quinquagénaire [kɛ̃kaʒenɛʀ] *nm/f* man/woman in his/her fifties

quinquennat [kɛ̃kena] *nm* five year term of office (of French President)

quinte [kɛ̃t] *nf*: **~ (de toux)** coughing fit

quintuple [kɛ̃typl] *nm*: **le ~ de** five times as much as

quinzaine [kɛ̃zɛn] *nf*: **une ~ (de)** about fifteen, fifteen or so; **une ~ (de jours)** a fortnight (BRIT), two weeks

quinze [kɛ̃z] *num* fifteen; **dans ~ jours** in a fortnight('s time) (BRIT), in two weeks('time)

quinzième [kɛ̃zjɛm] *num* fifteenth

quittance [kitɑ̃s] *nf* (*reçu*) receipt

quitte [kit] *adj*: **être ~ envers qn** to be no longer in sb's debt; (*fig*) to be quits with sb; **~ à faire** even if it means doing

quitter [kite] /1/ *vt* to leave; (*vêtement*) to take off; **se quitter** *vi* (*couples, interlocuteurs*) to part; **ne quittez pas** (*au téléphone*) hold the line

qui-vive [kiviv] *nm inv*: **être sur le ~** to be on the alert

---

quoi [kwa]

▶ *pron interrog* **1** what; **~ de neuf?** what's new?; **~?** (*qu'est-ce que tu dis?*) what? **2** (*avec prép*): **à ~ tu penses?** what are you thinking about?; **de ~ parlez-vous?** what are you talking about?; **à ~ bon?** what's the use? ▶ *pron relatif*: **as-tu de ~ écrire?** do you have anything to write with?; **il n'y a pas de ~** (please) don't mention it; **il n'y a pas de ~ rire** there's nothing to laugh about

q

▶ *pron* (locutions): **~ qu'il arrive** whatever happens; **~ qu'il en soit** be that as it may; **~ que ce soit** anything at all
▶ *excl* what!

quoique [kwak] *conj* (al)though
quotidien, ne [kɔtidjɛ̃, -ɛn] *adj* daily; (*banal*) everyday ▶ *nm* (*journal*) daily (paper)
• **quotidiennement** *adv* daily, every day

r

R, r *abr* = **route**; **rue**
rab [ʀab] *nm* (*fam: nourriture*) extra; **est-ce qu'il y a du ~?** are there any seconds?
rabâcher [ʀabaʃe] /1/ *vt* to keep on repeating
rabais [ʀabɛ] *nm* reduction, discount • **rabaisser** /1/ *vt* (*rabattre: prix*) to reduce; (*dénigrer*) to belittle
Rabat [ʀaba(t)] *n* Rabat
rabattre [ʀabatʀ] /41/ *vt* (*couvercle, siège*) to pull down; (*déduire*) to reduce; **se rabattre** *vi* (*bords, couvercle*) to fall shut; (*véhicule, coureur*) to cut in; **se ~ sur** to fall back on
rabbin [ʀabɛ̃] *nm* rabbi
rabougri, e [ʀabugʀi] *adj* stunted
raccommoder [ʀakɔmɔde] /1/ *vt* to mend, repair
raccompagner [ʀakɔ̃paɲe] /1/ *vt* to take *ou* see back
raccord [ʀakɔʀ] *nm* link; (*retouche*) touch-up • **raccorder**

/ʃ/ vt to join (up), link up; (pont etc) to connect, link

raccourci [Rakursi] nm short cut

raccourcir [Rakursir] /2/ vt to shorten ► vi (jours) to grow shorter, draw in

raccrocher [Rakrɔʃe] /1/ vt (tableau, vêtement) to hang back up; (récepteur) to put down ► vi (Tél) to hang up, ring off

race [Ras] nf race; (d'animaux, fig) breed; **de ~** purebred, pedigree

rachat [Raʃa] nm buying; (du même objet) buying back

racheter [Raʃte] /5/ vt (article perdu) to buy another; (davantage) to buy more; (après avoir vendu) to buy back; (d'occasion) to buy; (Comm: part, firme) to buy up; **se racheter** (gén) to make amends; **~ du lait/trois œufs** to buy more milk/another three eggs

racial, e, -aux [Rasjal, -o] adj racial

racine [Rasin] nf root; **~ carrée/cubique** square/cube root

racisme [Rasism] nm racism

raciste [Rasist] adj, nm/f racist

racket [Raket] nm racketeering no pl

raclée [Rakle] nf (fam) hiding, thrashing

racler [Rakle] /1/ vt (os, plat) to scrape; **se ~ la gorge** to clear one's throat

racontars [Rakɔ̃tar] nmpl stories, gossip pl

raconter [Rakɔ̃te] /1/ vt: **~ (à qn)** (décrire) to relate (to sb), tell (sb) about; (dire) to tell (sb); **~ une histoire** to tell a story

radar [Radar] nm radar; **~ (automatique)** (Auto) speed camera

rade [Rad] nf (natural) harbour; **rester en ~** (fig) to be left stranded

radeau, x [Rado] nm raft

radiateur [Radjatœr] nm radiator, heater; (Auto) radiator; **~ électrique/à gaz** electric/gas heater ou fire

radiation [Radjasjɔ̃] nf (Physique) radiation

radical, e, -aux [Radikal, -o] adj radical

radieux, -euse [Radjø, -øz] adj radiant

radin, e [Radɛ̃, -in] adj (fam) stingy

radio [Radjo] nf radio; (Méd) X-ray ► nm radio operator; **à la ~** on the radio • **radioactif, -ive** adj radioactive • **radiocassette** nf cassette radio • **radiographie** nf radiography; (photo) X-ray photograph • **radiophonique** adj radio cpd • **radio-réveil** (pl **radios-réveils**) nm radio alarm (clock)

radis [Radi] nm radish

radoter [Radote] /1/ vi to ramble on

radoucir [Radusir] /2/: **se radoucir** vi (se réchauffer) to become milder; (se calmer) to calm down

rafale [Rafal] nf (vent) gust (of wind); (de balles, d'applaudissements) burst

raffermir [Rafɛrmir] /2/ vt, **se raffermir** vi to firm up

raffiner [Rafine] /1/ vt to refine • **raffinerie** nf refinery

raffoler [Rafole] /1/: **~ de** vt to be very keen on

rafle [Rafl] nf (de police) raid • **rafler** /1/ vt (fam) to swipe, nick

r

rafraîchir [ʀafʀeʃiʀ] /2/ vt
(*atmosphère, température*) to cool
(down); (*boisson*) to chill; (*fig:
rénover*) to brighten up; **se
rafraîchir** vi to grow cooler; (*en se
lavant*) to freshen up; (*en buvant
etc*) to refresh o.s.
• **rafraîchissant, e** adj refreshing
• **rafraîchissement** nm (*boisson*)
cool drink; **rafraîchissements**
nmpl (*boissons, fruits etc*)
refreshments

rage [ʀaʒ] nf (*Méd*): **la** ~ rabies;
(*fureur*) rage, fury; **faire** ~ to rage;
~ **de dents** (raging) toothache

ragot [ʀago] nm (*fam*) malicious
gossip no pl

ragoût [ʀagu] nm stew

raide [ʀɛd] adj (*tendu*) taut, tight;
(*escarpé*) steep; (*droit: cheveux*)
straight; (*ankylosé, dur, guindé*)
stiff; (*fam: sans argent*) flat broke;
(*osé, licencieux*) daring ▶ adv (*en
pente*) steeply; ~ **mort** stone dead
• **raideur** nf (*rigidité*) stiffness;
avec raideur (*répondre*) stiffly,
abruptly • **raidir** /2/ vt (*muscles*)
to stiffen; **se raidir** vi to stiffen;
(*personne*) to tense up; (: *se préparer
moralement*) to brace o.s.; (*fig:
devenir intransigeant*) to harden

raie [ʀɛ] nf (*Zool*) skate, ray;
(*rayure*) stripe; (*des cheveux*)
parting

raifort [ʀɛfɔʀ] nm horseradish

rail [ʀaj] nm rail; (*chemins de fer*)
railways pl; **par** ~ by rail

railler [ʀaje] /1/ vt to scoff at,
jeer at

rainure [ʀɛnyʀ] nf groove

raisin [ʀɛzɛ̃] nm (*aussi:* ~**s**) grapes
pl; ~**s secs** raisins

raison [ʀɛzɔ̃] nf reason; **avoir** ~
to be right; **donner** ~ **à qn**

to agree with sb; (*fait*) to prove sb
right; **se faire une** ~ to learn to
live with it; **perdre la** ~ to become
insane; ~ **de plus** all the more
reason; **à plus forte** ~ all the
more so; **sans** ~ for no reason; **en
~ de** because of; **à** ~ **de** at the rate
of; ~ **sociale** corporate name
• **raisonnable** adj reasonable,
sensible

raisonnement [ʀɛzɔnmɑ̃] nm
reasoning; argument

raisonner [ʀɛzɔne] /1/ vi (*penser*)
to reason; (*argumenter, discuter*) to
argue ▶ vt (*personne*) to reason
with

rajeunir [ʀaʒœniʀ] /2/ vt (*en
recrutant*) to inject new blood into
▶ vi to become (*ou* look) younger;
~ **qn** (*coiffure, robe*) to make sb look
younger

rajouter [ʀaʒute] /1/ vt to add

rajuster [ʀaʒyste] /1/ vt
(*vêtement*) to straighten, tidy;
(*salaires*) to adjust

ralenti [ʀalɑ̃ti] nm: **au** ~ (*fig*) at a
slower pace; **tourner au** ~ (*Auto*)
to tick over, idle

ralentir [ʀalɑ̃tiʀ] /2/ vt, vi, • **se
ralentir** vi to slow down

râler [ʀɑle] /1/ vi to groan; (*fam*)
to grouse, moan (and groan)

rallier [ʀalje] /7/ vt (*rejoindre*) to
rejoin; (*gagner à sa cause*) to win
over

rallonge [ʀalɔ̃ʒ] nf (*de table*)
(extra) leaf

rallonger [ʀalɔ̃ʒe] /3/ vt to
lengthen

rallye [ʀali] nm rally; (*Pol*) march

ramassage [ʀamasaʒ] nm:
~ **scolaire** bus service

ramasser [ʀamase] /1/ vt (*objet
tombé ou par terre*) to pick up;

(recueillir: copies, ordures) to collect; *(récolter)* to gather • **ramassis** nm *(péj: de voyous)* bunch; *(de choses)* jumble

rambarde [ʀɑ̃baʀd] nf guardrail

rame [ʀam] nf *(aviron)* oar; *(de métro)* train; *(de papier)* ream

rameau, x [ʀamo] nm *(small)* branch; **les R~x** *(Rel)* Palm Sunday *sg*

ramener [ʀamne] /5/ vt to bring back; *(reconduire)* to take back; **~ qch à** *(réduire à)* to reduce sth to

ramer [ʀame] /1/ vi to row

ramollir [ʀamɔliʀ] /2/ vt to soften; **se ramollir** vi to get *(ou* go) soft

rampe [ʀɑ̃p] nf *(d'escalier)* banister(s pl); *(dans un garage, d'un terrain)* ramp; **la ~** *(Théât)* the footlights pl; **~ de lancement** launching pad

ramper [ʀɑ̃pe] /1/ vi to crawl

rancard [ʀɑ̃kaʀ] nm *(fam)* date

rancart [ʀɑ̃kaʀ] nm: **mettre au ~** to scrap

rance [ʀɑ̃s] adj rancid

rancœur [ʀɑ̃kœʀ] nf rancour

rançon [ʀɑ̃sɔ̃] nf ransom

rancune [ʀɑ̃kyn] nf grudge, rancour; **garder ~ à qn (de qch)** to bear sb a grudge (for sth); **sans ~!** no hard feelings! • **rancunier, -ière** adj vindictive, spiteful

randonnée [ʀɑ̃dɔne] nf ride; *(à pied)* walk, ramble; *(en montagne)* hike, hiking *no pl*; *(: activité)* hiking, walking; **une ~ à cheval** a pony trek

rang [ʀɑ̃] nm *(rangée)* row; *(grade, condition sociale, classement)* rank; **rangs** nmpl *(Mil)* ranks; **se mettre en ~s/sur un ~** to get into *ou* form

rows/a line; **au premier ~** in the first row; *(fig)* ranking first

rangé, e [ʀɑ̃ʒe] adj *(vie)* well-ordered; *(sérieux: personne)* steady

rangée [ʀɑ̃ʒe] nf row

ranger [ʀɑ̃ʒe] /3/ vt *(classer, grouper)* to order, arrange; *(mettre à sa place)* to put away; *(mettre de l'ordre dans)* to tidy up; *(fig: classer)*: **~ qn/qch parmi** to rank sb/sth among; **se ranger** vi *(véhicule, conducteur)* to pull over or in; *(piéton)* to step aside; *(s'assagir)* to settle down; **se ~ à** *(avis)* to come round to

ranimer [ʀanime] /1/ vt *(personne évanouie)* to bring round; *(douleur, souvenir)* to revive; *(feu)* to rekindle

rapace [ʀapas] nm bird of prey

râpe [ʀɑp] nf *(Culin)* grater • **râper** /1/ vt *(Culin)* to grate

rapide [ʀapid] adj fast; *(prompt: intelligence, coup d'œil, mouvement)* quick ▸ nm express *(train)*; *(de cours d'eau)* rapid • **rapidement** adv fast; quickly

rapiécer [ʀapjese] /3, 6/ vt to patch

rappel [ʀapɛl] nm *(Théât)* curtain call; *(Méd: vaccination)* booster; *(d'une aventure, d'un nom)* reminder • **rappeler** /4/ vt to call back; *(ambassadeur, Mil)* to recall; *(faire se souvenir)*: **rappeler qch à qn** to remind sb of sth; **se rappeler** vt *(se souvenir de)* to remember, recall

rapport [ʀapɔʀ] nm *(compte rendu)* report; *(profit)* yield, return; *(lien, analogie)* relationship; *(corrélation)* connection; **rapports** nmpl *(entre personnes, pays)* relations; **avoir ~ à** to have

r

something to do with; **être/se mettre en ~ avec qn** to be/get in touch with sb; **par ~ à** in relation to; **~s (sexuels)** (sexual) intercourse *sg*; **~ qualité-prix** value (for money)

rapporter [RapɔRte] /1/ vt (*rendre, ramener*) to bring back; (*investissement*) to yield; (*relater*) to report ▸ vi (*investissement*) to give a good return *ou* yield; (*activité*) to be very profitable; **se ~ à** to relate to

rapprochement [RapRɔʃmɑ̃] *nm* (*de nations, familles*) reconciliation; (*analogie, rapport*) parallel

rapprocher [RapRɔʃe] /1/ vt (*deux objets*) to bring closer together; (*ennemis, partis etc*) to bring together; (*comparer*) to establish a parallel between; (*chaise d'une table*): **~ qch (de)** to bring sth closer (to); **se rapprocher** vi to draw closer *ou* nearer; **se ~ de** to come closer to; (*présenter une analogie avec*) to be close to

raquette [Raket] *nf* (*de tennis*) racket; (*de ping-pong*) bat

rare [RɑR] *adj* rare; **se faire ~** to become scarce • **rarement** *adv* rarely, seldom

ras, e [Rɑ, Rɑz] *adj* (*tête, cheveux*) close-cropped; (*poil, herbe*) short ▸ *adv* short; **en ~e campagne** in open country; **à ~ bords** to the brim; **en avoir ~ le bol** (*fam*) to be fed up

raser [Raze] /1/ vt (*barbe, cheveux*) to shave off; (*menton, personne*) to shave; (*fam: ennuyer*) to bore; (*démolir*) to raze (to the ground); (*frôler*) to graze, skim; **se raser** vi to shave; (*fam*) to be bored (to tears) • **rasoir** *nm* razor

rassasier [Rasazje] /7/ vt: **être rassasié** to be sated

rassemblement [Rasɑ̃bləmɑ̃] *nm* (*groupe*) gathering; (*Pol*) union

rassembler [Rasɑ̃ble] /1/ vt (*réunir*) to assemble, gather; (*documents, notes*) to gather together, collect; **se rassembler** vi to gather

rassurer [RasyRe] /1/ vt to reassure; **se rassurer** vi to be reassured; **rassure-toi** don't worry

rat [Ra] *nm* rat

rate [Rat] *nf* spleen

raté, e [Rate] *adj* (*tentative*) unsuccessful, failed ▸ *nm/f* (*fam: personne*) failure

râteau, x [Rɑto] *nm* rake

rater [Rate] /1/ vi (*affaire, projet etc*) to go wrong, fail ▸ vt (*cible, train, occasion*) to miss; (*démonstration, plat*) to spoil; (*examen*) to fail

ration [Rasjɔ̃] *nf* ration

RATP *sigle f* (= *Régie autonome des transports parisiens*) Paris transport authority

rattacher [Rataʃe] /1/ vt (*animal, cheveux*) to tie up again; **~ qch à** (*relier*) to link sth with

rattraper [RatRape] /1/ vt (*fugitif*) to recapture; (*retenir, empêcher de tomber*) to catch (hold of); (*atteindre, rejoindre*) to catch up with; (*réparer: erreur*) to make up for; **se rattraper** vi to make up for it; **se ~ (à)** (*se raccrocher*) to stop o.s. falling (by catching hold of)

rature [RatyR] *nf* deletion, erasure

rauque [Rok] *adj* (*voix*) hoarse

ravages [ʀavaʒ] *nmpl*: **faire des ~** to wreak havoc

ravi, e [ʀavi] *adj*: **être ~ de/que** to be delighted with/that

ravin [ʀavɛ̃] *nm* gully, ravine

ravir [ʀaviʀ] /2/ *vt* (*enchanter*) to delight; **à ~** *adv* beautifully

raviser [ʀavize] /1/: **se raviser** *vi* to change one's mind

ravissant, e [ʀavisɑ̃, -ɑ̃t] *adj* delightful

ravisseur, -euse [ʀavisœʀ, -øz] *nm/f* abductor, kidnapper

ravitailler [ʀavitaje] /1/ *vt* (*en vivres, munitions*) to provide with fresh supplies; (*véhicule*) to refuel; **se ravitailler** *vi* to get fresh supplies

raviver [ʀavive] /1/ *vt* (*feu*) to rekindle; (*douleur*) to revive; (*couleurs*) to brighten up

rayé, e [ʀeje] *adj* (*à rayures*) striped

rayer [ʀeje] /8/ *vt* (*érafler*) to scratch; (*barrer*) to cross *ou* score out; (*d'une liste*) to cross *ou* strike off

rayon [ʀɛjɔ̃] *nm* (*de soleil etc*) ray; (*Géom*) radius; (*de roue*) spoke; (*étagère*) shelf; (*de grand magasin*) department; **dans un ~ de** within a radius of; **~ de soleil** sunbeam; **~s X** X-rays

rayonnement [ʀɛjɔnmɑ̃] *nm* (*d'une culture*) influence

rayonner [ʀɛjɔne] /1/ *vi* (*fig*) to shine forth; (*: visage, personne*) to be radiant; (*touriste*) to go touring (*from one base*)

rayure [ʀejyʀ] *nf* (*motif*) stripe; (*éraflure*) scratch; **à ~s** striped

raz-de-marée [ʀɑdmaʀe] *nm inv* tidal wave

ré [ʀe] *nm* (*Mus*) D; (*en chantant la gamme*) re

réaction [ʀeaksjɔ̃] *nf* reaction

réadapter [ʀeadapte] /1/: **se ~ (à)** *vi* to readjust (to)

réagir [ʀeaʒiʀ] /2/ *vi* to react

réalisateur, -trice [ʀealizatœʀ, -tʀis] *nm/f* (*TV, Ciné*) director

réalisation [ʀealizasjɔ̃] *nf* realization; (*Ciné*) production; **en cours de ~** under way

réaliser [ʀealize] /1/ *vt* (*projet, opération*) to carry out, realize; (*rêve, souhait*) to realize, fulfil; (*exploit*) to achieve; (*film*) to produce; (*se rendre compte de*) to realize; **se réaliser** *vi* to be realized

réaliste [ʀealist] *adj* realistic

réalité [ʀealite] *nf* reality; **en ~** in (actual) fact; **dans la ~** in realit'; **~ augmentée** augmented reality

réanimation [ʀeanimasjɔ̃] *nf* resuscitation; **service de ~** intensive care unit

rébarbatif, -ive [ʀebaʀbatif, -iv] *adj* forbidding

rebattu, e [ʀəbaty] *adj* hackneyed

rebelle [ʀəbɛl] *nm/f* rebel ▶ *adj* (*troupes*) rebel; (*enfant*) rebellious; (*mèche etc*) unruly

rebeller [ʀəbele] /1/: **se rebeller** *vi* to rebel

rebondir [ʀəbɔ̃diʀ] /2/ *vi* (*ballon: au sol*) to bounce; (*: contre un mur*) to rebound; (*fig*) to get moving again

rebord [ʀəbɔʀ] *nm* edge; **le ~ de la fenêtre** the windowsill

rebours [ʀəbuʀ]: **à ~** *adv* the wrong way

rebrousser [ʀəbʀuse] /1/ *vt*: **~ chemin** to turn back

rebuter [ʀəbyte] /1/ *vt* to put off

récalcitrant, e [ʀekalsitʀɑ̃, -ɑ̃t] *adj* refractory

récapituler [ʀekapityle] /1/ *vt* to recapitulate; to sum up

receler [ʀəsəle] /5/ *vt* (*produit d'un vol*) to receive; (*fig*) to conceal • **receleur, -euse** *nm/f* receiver

récemment [ʀesamɑ̃] *adv* recently

recensement [ʀəsɑ̃smɑ̃] *nm* census

recenser [ʀəsɑ̃se] /1/ *vt* (*population*) to take a census of; (*dénombrer*) to list

récent, e [ʀesɑ̃, -ɑ̃t] *adj* recent

récépissé [ʀesepise] *nm* receipt

récepteur, -trice [ʀesɛptœʀ, -tʀis] *adj* receiving ▶ *nm* receiver

réception [ʀesɛpsjɔ̃] *nf* receiving *no pl*; (*accueil*) reception, welcome; (*bureau*) reception (desk); (*réunion mondaine*) reception, party • **réceptionniste** *nm/f* receptionist

recette [ʀəsɛt] *nf* recipe; (*Comm*) takings *pl*; **recettes** *nfpl* (*Comm: rentrées*) receipts; **faire ~** (*spectacle, exposition*) to be a winner

recevoir [ʀəsəvwaʀ] /28/ *vt* to receive; (*client, patient, représentant*) to see; **être reçu** (*à un examen*) to pass

rechange [ʀəʃɑ̃ʒ]: **de ~** *adj* (*pièces, roue*) spare; (*fig: solution*) alternative; **des vêtements de ~** a change of clothes

recharge [ʀəʃaʀʒ] *nf* refill • **rechargeable** *adj* (*stylo etc*) refillable • **recharger** /3/ *vt* (*briquet, stylo*) to refill; (*batterie*) to recharge

réchaud [ʀeʃo] *nm* (portable) stove

réchauffement [ʀeʃofmɑ̃] *nm* warming (up); **le ~ de la planète** global warming

réchauffer [ʀeʃofe] /1/ *vt* (*plat*) to reheat; (*mains, personne*) to warm; **se réchauffer** *vi* (*température*) to get warmer; (*personne*) to warm o.s. (up)

rêche [ʀɛʃ] *adj* rough

recherche [ʀəʃɛʀʃ] *nf* (*action*): **la ~ de** the search for; (*raffinement*) studied elegance; (*scientifique etc*): **la ~** research; **recherches** *nfpl* (*de la police*) investigations; (*scientifiques*) research *sg*; **être/se mettre à la ~ de** to be/go in search of

recherché, e [ʀəʃɛʀʃe] *adj* (*rare, demandé*) much sought-after; (*raffiné*) affected; (*tenue*) elegant

rechercher [ʀəʃɛʀʃe] /1/ *vt* (*objet égaré, personne*) to look for; (*causes d'un phénomène, nouveau procédé*) to try to find; (*bonheur etc, l'amitié de qn*) to seek

rechute [ʀəʃyt] *nf* (*Méd*) relapse

récidiver [ʀesidive] /1/ *vi* to commit a second (*ou* subsequent) offence; (*fig*) to do it again

récif [ʀesif] *nm* reef

récipient [ʀesipjɑ̃] *nm* container

réciproque [ʀesipʀɔk] *adj* reciprocal

récit [ʀesi] *nm* story • **récital** *nm* recital • **réciter** /1/ *vt* to recite

réclamation [ʀeklamasjɔ̃] *nf* complaint; **réclamations** *nfpl* complaints department *sg*

réclame [ʀeklam] *nf*: **une ~** an ad(vertisement), an advert (BRIT); **article en ~** special offer • **réclamer** /1/ *vt* to ask for; (*revendiquer*) to claim, demand ▶ *vi* to complain

réclusion [Reklyzjɔ̃] *nf* imprisonment

recoin [Rəkwɛ̃] *nm* nook, corner

reçois *etc* [Rəswa] *vb voir* **recevoir**

récolte [Rekɔlt] *nf* harvesting, gathering; (*produits*) harvest, crop
• **récolter** /1/ *vt* to harvest, gather (in); (*fig*) to get

recommandé [Rəkɔmɑ̃de] *nm* (*Postes*): **en ~** by registered mail

recommander [Rəkɔmɑ̃de] /1/ *vt* to recommend; (*Postes*) to register

recommencer [Rəkɔmɑ̃se] /3/ *vt* (*reprendre: lutte, séance*) to resume, start again; (*refaire: travail, explications*) to start afresh, start (over) again ▶ *vi* to start again; (*récidiver*) to do it again

récompense [Rekɔ̃pɑ̃s] *nf* reward; (*prix*) award
• **récompenser** /1/ *vt*: **récompenser qn (de** *ou* **pour)** to reward sb (for)

réconcilier [Rekɔ̃silje] /7/ *vt* to reconcile; **se réconcilier (avec)** to be reconciled (with)

reconduire [Rəkɔ̃dɥiR] /38/ *vt* (*raccompagner*) to take *ou* see back; (*renouveler*) to renew

réconfort [Rekɔ̃fɔR] *nm* comfort
• **réconforter** /1/ *vt* (*consoler*) to comfort

reconnaissance [Rəkɔnɛsɑ̃s] *nf* (*action de reconnaître*) recognition; (*gratitude*) gratitude, gratefulness; (*Mil*) reconnaissance, recce
• **reconnaissant, e** *adj* grateful; **je vous serais reconnaissant de bien vouloir** I should be most grateful if you would (kindly)

reconnaître [RəkɔnɛtR] /57/ *vt* to recognize; (*Mil: lieu*) to reconnoitre; (*Jur: enfant, dette,*

droit) to acknowledge; **~ que** to admit *ou* acknowledge that; **~ qn/qch à** (*l'identifier grâce à*) to recognize sb/sth by
• **reconnu, e** *adj* (*indiscuté, connu*) recognized

reconstituer [Rəkɔ̃stitɥe] /1/ *vt* (*fresque, vase brisé*) to piece together, reconstitute; (*événement, accident*) to reconstruct

reconstruire [Rəkɔ̃stRɥiR] /38/ *vt* to rebuild

reconvertir [Rəkɔ̃vɛRtiR] /2/ *vt* to reconvert; **se ~ dans** (*un métier, une branche*) to move into

record [RəkɔR] *nm, adj* record

recoupement [Rəkupmɑ̃] *nm*: **par ~** by cross-checking

recouper [Rəkupe] /1/: **se recouper** *vi* (*témoignages*) to tie *ou* match up

recourber [RəkuRbe] /1/: **se recourber** *vi* to curve (up), bend (up)

recourir [RəkuRiR] /11/: **~ à** *vt* (*ami, agence*) to turn *ou* appeal to; (*force, ruse, emprunt*) to resort to

recours [RəkuR] *nm*: **avoir ~ à = recourir à**; **en dernier ~** as a last resort

recouvrer [RəkuvRe] /1/ *vt* (*vue, santé etc*) to recover, regain

recouvrir [RəkuvRiR] /18/ *vt* (*couvrir à nouveau*) to re-cover; (*couvrir entièrement, aussi fig*) to cover

récréation [RekReasjɔ̃] *nf* (*Scol*) break

recroqueviller [RəkRɔkvije] /1/: **se recroqueviller** *vi* (*personne*) to huddle up

recrudescence [RəkRydesɑ̃s] *nf* fresh outbreak

recruter [ʀəkʀyte] /1/ vt to recruit

rectangle [ʀɛktɑ̃gl] nm rectangle • **rectangulaire** adj rectangular

rectificatif, -ive [ʀɛktifikatif, -iv] adj corrected ▶ nm correction

rectifier [ʀɛktifje] /7/ vt (calcul, adresse) to correct; (erreur, faute) to rectify

rectiligne [ʀɛktiliɲ] adj straight

recto [ʀɛkto] nm front (of a sheet of paper); **~ verso** on both sides (of the page)

reçu, e [ʀəsy] pp de **recevoir** ▶ adj (candidat) successful; (admis, consacré) accepted ▶ nm (Comm) receipt

recueil [ʀəkœj] nm collection • **recueillir** /12/ vt to collect; (voix, suffrages) to win; (accueillir: réfugiés, chat) to take in; **se recueillir** vi to gather one's thoughts; to meditate

recul [ʀəkyl] nm (déclin) decline; (éloignement) distance; **avoir un mouvement de ~** to recoil; **prendre du ~** to stand back; **être en ~** to be on the decline; **avec le ~** in retrospect • **reculé, e** adj remote • **reculer** /1/ vi to move back, back away; (Auto) to reverse, back (up); (fig) to be (on the) decline ▶ vt to move back; (véhicule) to reverse, back (up); (date, décision) to postpone; **reculer devant** (danger, difficulté) to shrink from • **reculons: à reculons** adv backwards

récupérer [ʀekypeʀe] /6/ vt to recover, get back; (déchets etc) to salvage (for reprocessing); (journée, heures de travail) to make up ▶ vi to recover

récurer [ʀekyʀe] /1/ vt to scour; **poudre à ~** scouring powder

reçus etc [ʀəsy] vb voir **recevoir**

recycler [ʀəsikle] /1/ vt (matériau) to recycle; **se recycler** vi to retrain

rédacteur, -trice [ʀedaktœʀ, -tʀis] nm/f (journaliste) writer; subeditor; (d'ouvrage de référence) editor, compiler

rédaction [ʀedaksjɔ̃] nf writing; (rédacteurs) editorial staff; (Scol: devoir) essay, composition

redescendre [ʀədesɑ̃dʀ] /41/ vi to go back down ▶ vt (pente etc) to go down

rédiger [ʀediʒe] /3/ vt to write; (contrat) to draw up

redire [ʀədiʀ] /37/ vt to repeat; **trouver à ~ à** to find fault with

redoubler [ʀəduble] /1/ vi (tempête, violence) to intensify; (Scol) to repeat a year; **~ de patience/prudence** to be doubly patient/careful

redoutable [ʀədutabl] adj formidable, fearsome

redouter [ʀədute] /1/ vt to dread

redressement [ʀədʀɛsmɑ̃] nm (économique) recovery

redresser [ʀədʀese] /1/ vt (arbre, mât) to set upright; (pièce tordue) to straighten out; (situation, économie) to put right; **se redresser** vi (personne) to sit (ou stand) up; (pays, situation) to recover

réduction [ʀedyksjɔ̃] nf reduction

réduire [ʀedɥiʀ] /38/ vt to reduce; (prix, dépenses) to cut; reduce • **réduit** nm tiny room

rééducation [ʀeedykasjɔ̃] nf (d'un membre) re-education;

(de délinquants, d'un blessé) rehabilitation

réel, le [Reɛl] *adj* real
• **réellement** *adv* really

réexpédier [Reɛkspedje] /7/ *vt*
(à l'envoyeur) to return, send back;
(au destinataire) to send on,
forward

refaire [RəfɛR] /60/ *vt* to do
again; (sport) to take up again;
(réparer, restaurer) to do up

réfectoire [RefɛktwaR] *nm*
refectory

référence [Referãs] *nf* reference;
références *nfpl* (recommandations)
reference *sg*

référer [Refere] /6/: **se ~ à** *vt* to
refer to

refermer [Rəfɛrme] /1/ *vt* to
close again, shut again; **se
refermer** *vi* (porte) to close ou shut
(again)

refiler [Rəfile] /1/ *vt* (fam): **~ qch
à qn** to palm (BRIT) ou fob sth off
on sb

réfléchi, e [Reflefi] *adj* (caractère)
thoughtful; (action)
well-thought-out; (Ling)
reflexive; **c'est tout ~** my mind's
made up

réfléchir [Reflefir] /2/ *vt* to
reflect ▶ *vi* to think; **~ à** ou **sur** to
think about

reflet [Rəflɛ] *nm* reflection; (sur
l'eau etc) sheen *no pl*, glint
• **refléter** /6/ *vt* to reflect; **se
refléter** *vi* to be reflected

réflexe [Reflɛks] *adj, nm* reflex

réflexion [Refleksjɔ̃] *nf* (de la
lumière etc) reflection; (fait de
penser) thought; (remarque)
remark; **~ faite, à la ~** on
reflection; **délai de ~** cooling-off
period; **groupe de ~** think tank

réflexologie [Refleksɔlɔʒi] *nf*
reflexology

réforme [RefɔRm] *nf* reform;
(Rel): **la R~** the Reformation
• **réformer** /1/ *vt* to reform; (Mil)
to declare unfit for service

refouler [Rəfule] /1/ *vt*
(envahisseurs) to drive back;
(liquide, larmes) to force back;
(désir, colère) to repress

refrain [RəfRɛ̃] *nm* refrain, chorus

refréner, réfréner
[RəfRene, RefRene] *vt* to curb,
check

réfrigérateur [RefRiʒeRatœR]
nm refrigerator

refroidir [RəfRwadiR] /2/ *vt* to
cool; (personne) to put off ▶ *vi* to
cool (down); **se refroidir** *vi* (temps)
to get cooler ou colder; (fig: ardeur)
to cool (off) • **refroidissement**
nm (grippe etc) chill

refuge [Rəfyʒ] *nm* refuge
• **réfugié, e** *adj, nm/f* refugee
• **réfugier** /7/: **se réfugier** *vi* to
take refuge

refus [Rəfy] *nm* refusal; **ce n'est
pas de ~** I won't say no, it's very
welcome • **refuser** /1/ *vt* to
refuse; (Scol: candidat) to fail;
refuser qch à qn/de faire to
refuse sb sth/to do; **refuser du
monde** to have to turn people
away; **se refuser à qch** ou **à faire
qch** to refuse to do sth

regagner [Rəɡaɲe] /1/ *vt* (argent,
faveur) to win back; (lieu) to get
back to

régal [Reɡal] *nm* treat • **régaler**
/1/ *vt*: **régaler qn de** to treat sb
to; **se régaler** *vi* to have a
delicious meal; (fig) to enjoy o.s.

regard [RəɡaR] *nm* (coup d'œil)
look, glance; (expression) look

(in one's eye); **au ~ de** (loi, morale) from the point of view of; **en ~ de** in comparison with

regardant, e [ʀəgaʀdɑ̃, -ɑ̃t] adj: **très/peu ~ (sur)** (économe) quite fussy/very free (about); (économe) very tight-fisted/quite generous (with)

regarder [ʀəgaʀde] /1/ vt to look at; (film, télévision, match) to watch; (concerner) to concern ▸ vi to look; **ne pas ~ à la dépense** to spare no expense; **~ qn/qch comme** to regard sb/sth as

régie [ʀeʒi] nf (Comm, Industrie) state-owned company; (Théât, Ciné) production; (Radio, TV) control room

régime [ʀeʒim] nm (Pol) régime; (Admin: carcéral, fiscal etc) system; (Méd) diet; (de bananes, dattes) bunch; **se mettre au/suivre un ~** to go on/be on a diet

régiment [ʀeʒimɑ̃] nm regiment

région [ʀeʒjɔ̃] nf region
• **régional, e, -aux** adj regional

régir [ʀeʒiʀ] /2/ vt to govern

régisseur [ʀeʒisœʀ] nm (d'un domaine) steward; (Ciné, TV) assistant director; (Théât) stage manager

registre [ʀəʒistʀ] nm register

réglage [ʀeglaʒ] nm adjustment

réglé, e [ʀegle] adj well-ordered; (arrangé) settled

règle [ʀɛgl] nf (instrument) ruler; (loi, prescription) rule; **règles** nfpl (Physiol) period sg; **en ~** (papiers d'identité) in order; **en ~ générale** as a (general) rule

règlement [ʀɛgləmɑ̃] nm (paiement) settlement; (arrêté) regulation; (règles, statuts) regulations pl, rules pl
• **réglementaire** adj conforming

to the regulations; (tenue, uniforme) regulation cpd
• **réglementation** nf (règlements) regulations pl • **réglementer** /1/ vt to regulate

régler [ʀegle] /6/ vt (mécanisme, machine) to regulate, adjust; (thermostat etc) to set, adjust; (question, conflit, facture, dette) to settle; (fournisseur) to settle up with

réglisse [ʀeglis] nm ou f liquorice

règne [ʀɛɲ] nm (d'un roi etc, fig) reign; **le ~ végétal/animal** the vegetable/animal kingdom
• **régner** /6/ vi (roi) to rule, reign; (fig) to reign

regorger [ʀəgɔʀʒe] /3/ vi: **~ de** to overflow with, be bursting with

regret [ʀəgʀɛ] nm regret; **à ~** with regret; **sans ~** with no regrets • **regrettable** adj regrettable • **regretter** /1/ vt to regret; (personne) to miss; **non, je regrette** no, I'm sorry

regrouper [ʀəgʀupe] /1/ vt (grouper) to group together; (contenir) to include, comprise; **se regrouper** vi to gather (together)

régulier, -ière [ʀegylje, -jɛʀ] adj (gén) regular; (vitesse, qualité) steady; (répartition, pression) even; (Transports: ligne, service) scheduled, regular; (légal, réglementaire) lawful, in order; (fam: correct) straight, on the level • **régulièrement** adv regularly; evenly

rehausser [ʀəose] /1/ vt (relever) to heighten, raise; (fig: souligner) to set off, enhance

rein [ʀɛ̃] nm kidney; **reins** nmpl (dos) back sg

reine [ʀɛn] nf queen

reine-claude [ʀɛnklod] nf greengage

réinscriptible [ʀeɛ̃skʀiptibl] adj (CD, DVD) rewritable

réinsertion [ʀeɛ̃sɛʀsjɔ̃] nf (de délinquant) reintegration, rehabilitation

réintégrer [ʀeɛ̃tegʀe] /6/ vt (lieu) to return to; (fonctionnaire) to reinstate

rejaillir [ʀəʒajiʀ] /2/ vi to splash up; **~ sur** (fig) (scandale) to rebound on; (gloire) to be reflected on

rejet [ʀəʒɛ] nm rejection • **rejeter** /4/ vt (relancer) to throw back; (vomir) to bring ou throw up; (écarter) to reject; (déverser) to throw out, discharge; **rejeter la responsabilité de qch sur qn** to lay the responsibility for sth at sb's door

rejoindre [ʀəʒwɛ̃dʀ] /49/ vt (famille, régiment) to rejoin, return to; (lieu) to get (back) to; (route etc) to meet, join; (rattraper) to catch up (with); **se rejoindre** vi to meet; **je te rejoins au café** I'll see ou meet you at the café

réjouir [ʀeʒwiʀ] /2/ vt to delight; **se ~ de qch/de faire** to be delighted about sth/to do • **réjouissances** nfpl (fête) festivities

relâche [ʀəlɑʃ]: **sans ~** adv without respite ou a break • **relâché, e** adj loose, lax • **relâcher** /1/ vt (ressort, prisonnier) to release; (étreinte, cordes) to loosen; **se relâcher** vi (discipline) to become slack ou lax; (élève etc) to slacken off

relais [ʀəlɛ] nm (Sport): **(course de) ~** relay (race); **prendre le**

~ (de) to take over (from); **~ routier** ≈ transport café (BRIT), ≈ truck stop (US)

relancer [ʀəlɑ̃se] /3/ vt (balle) to throw back (again); (moteur) to restart; (fig) to boost, revive; (personne) **~ qn** to pester sb

relatif, -ive [ʀəlatif, -iv] adj relative

relation [ʀəlɑsjɔ̃] nf (rapport) relation(ship); (connaissance) acquaintance; **relations** nfpl (rapports) relations; (connaissances) connections; **être/entrer en ~(s) avec** to be in contact ou be dealing/get in contact with

relaxer [ʀəlakse] /1/: **se relaxer** vi to relax

relayer [ʀəleje] /8/ vt (collaborateur, coureur etc) to relieve; **se relayer** vi (dans une activité) to take it in turns

reléguer [ʀəlege] /6/ vt to relegate

relevé, e [ʀəlve] adj (manches) rolled-up; (sauce) highly-seasoned ▶ nm (lecture) reading; **~ bancaire** ou **de compte** bank statement

relève [ʀəlɛv] nf (personne) relief; **prendre la ~** to take over

relever [ʀəlve] /5/ vt (statue, meuble) to stand up again; (personne tombée) to help up; (vitre, plafond, niveau de vie) to raise; (col) to turn up; (style, conversation) to elevate; (plat, sauce) to season; (sentinelle, équipe) to relieve; (fautes, points) to pick out; (défi) to accept, take up; (noter: adresse etc) to take down, note; (: plan) to sketch; (compteur) to read; (ramasser: cahiers, copies) to collect, take in ▶ vi: **~ de** (maladie) to be recovering from; (être du ressort de) to be a matter for; (fig) to pertain to; **se relever** vi (se remettre debout) to get up; **~ qn de** (fonctions) to relieve sb of; **~ la tête** to look up

relief [Rəljɛf] nm relief; **mettre en ~** (fig) to bring out, highlight

relier [Rəlje] /7/ vt to link up; (livre) to bind; **~ qch à** to link sth to

religieux, -euse [Rəlliʒjø, -øz] adj religious ▶ nm monk

religion [Rəliʒjɔ̃] nf religion

relire [RəliR] /43/ vt (à nouveau) to reread, read again; (vérifier) to read over

reluire [Rəluir] /38/ vi to gleam

remanier [Rəmanje] /7/ vt to reshape, recast; (Pol) to reshuffle

remarquable [Rəmarkabl] adj remarkable

remarque [Rəmark] nf remark; (écrite) note

remarquer [Rəmarke] /1/ vt (voir) to notice; • **se • remarquer** vi to be noticeable; **faire ~ (à qn) que** to point out (to sb) that; **faire ~ qch (à qn)** to point sth out (to sb); **remarquez, ...** mind you, ...

rembourrer [Rãbure] /1/ vt to stuff

remboursement [Rãbursəmã] nm (de dette, d'emprunt) repayment; (de frais) refund • **rembourser** /1/ vt to pay back, repay; (frais, billet etc) to refund; **se faire rembourser** to get a refund

remède [Rəmɛd] nm (médicament) medicine; (traitement, fig) remedy, cure

remémorer [Rəmemɔre] /1/: **se remémorer** vt to recall, recollect

remerciements [Rəmɛrsimã] nmpl thanks; **(avec) tous mes ~** (with) grateful ou many thanks

remercier [Rəmɛrsje] /7/ vt to thank; (congédier) to dismiss; **~ qn de/d'avoir fait** to thank sb for/ for having done

remettre [RəmɛtR] /56/ vt (vêtement): **~ qch** to put sth back on; (replacer): **~ qch quelque part** to put sth back somewhere; (ajouter): **~ du sel/un sucre** to add more salt/another lump of sugar; (ajourner): **~ qch à** to postpone sth ou put sth off (until); **se remettre** vi to get better; **~ qch à qn** (donner) to hand over sth to sb; (prix, décoration) to present sb with sth; **se ~ de** to recover from; **s'en ~ à** to leave it (up) to; **se ~ à faire/qch** to start doing/sth again

remis, e [Rəmi, -iz] pp de **remettre** ▶ nf (rabais) discount; (local) shed; **~e en cause/question** calling into question/ challenging; **~e en jeu** (Football) throw-in; **~e de peine** remission of sentence; **~e des prix** prize-giving

remontant [Rəmɔ̃tã] nm tonic, pick-me-up

remonte-pente [Rəmɔ̃tpãt] nm ski lift

remonter [Rəmɔ̃te] /1/ vi to go back up; (prix, température) to go up again; (en voiture) to get back in ▶ vt (pente) to go up; (fleuve) to sail (ou swim etc) up; (manches, pantalon) to roll up; (fam) to turn up; (niveau, limite) to raise; (fig: personne) to buck up; (moteur, meuble) to put back together, reassemble; (montre, mécanisme) to wind up; **~ le moral à qn** to raise sb's spirits; **~ à** (dater de) to date ou go back to

remords [Rəmɔr] nm remorse no pl; **avoir des ~** to feel remorse

remorque [Rəmɔrk] nf trailer
• **remorquer** /1/ vt to tow
• **remorqueur** nm tug(boat)

remous [Rəmu] nm (d'un navire) (back)wash no pl; (de rivière) swirl, eddy pl; (fig) stir sg

remparts [Rɑ̃par] nmpl walls, ramparts

remplaçant, e [Rɑ̃plasɑ̃, -ɑ̃t] nm/f replacement, stand-in; (Scol) supply ou substitute (us) teacher

remplacement [Rɑ̃plasmɑ̃] nm replacement; **faire des ~s** (professeur) to do supply ou substitute teaching; (secrétaire) to temp

remplacer [Rɑ̃plase] /3/ vt to replace; **~ qch/qn par** to replace sth/sb with

rempli, e [Rɑ̃pli] adj (emploi du temps) full, busy; **~ de** full of, filled with

remplir [Rɑ̃plir] /2/ vt to fill (up); (questionnaire) to fill out ou up; (obligations, fonction, condition) to fulfil; **se remplir** vi to fill up

remporter [Rɑ̃pɔrte] /1/ vt (marchandise) to take away; (fig) to win, achieve

remuant, e [Rəmɥɑ̃, -ɑ̃t] adj restless

remue-ménage [Rəmymenaʒ] nm inv commotion

remuer [Rəmɥe] /1/ vt to move; (café, sauce) to stir ▶ vi to move; **se remuer** vi to move; (fam: s'activer) to get a move on

rémunérer [Remynere] /6/ vt to remunerate

renard [Rənar] nm fox

renchérir [Rɑ̃ʃerir] /2/ vi (fig): **~ (sur)** (en paroles) to add something (to)

rencontre [Rɑ̃kɔ̃tr] nf meeting; (imprévue) encounter; **aller à la ~ de qn** to go and meet sb
• **rencontrer** /1/ vt to meet; (mot, expression) to come across; (difficultés) to meet with; **se rencontrer** vi to meet

rendement [Rɑ̃dmɑ̃] nm (d'un travailleur, d'une machine) output; (d'une culture, d'un champ) yield

rendez-vous [Rɑ̃devu] nm appointment; (d'amoureux) date; (lieu) meeting place; **donner ~ à qn** to arrange to meet sb; **avoir/prendre ~ (avec)** to have/make an appointment (with)

rendre [Rɑ̃dr] /41/ vt (livre, argent etc) to give back, return; (otages, visite, politesse, invitation) to return; (sang, aliments) to bring up; (exprimer, traduire) to render; (faire devenir): **~ qn célèbre/qch possible** to make sb famous/sth possible; **se rendre** vi (capituler) to surrender, give o.s. up; (aller): **se ~ quelque part** to go somewhere; **se ~ compte de qch** to realize sth; **~ la monnaie** to give change

rênes [Rɛn] nfpl reins

renfermé, e [Rɑ̃fɛrme] adj (fig) withdrawn ▶ nm: **sentir le ~** to smell stuffy

renfermer [Rɑ̃fɛrme] /1/ vt to contain

renforcer [Rɑ̃fɔrse] /3/ vt to reinforce • **renfort** nm: **renforts** nmpl reinforcements; **à grand renfort de** with a great deal of

r

renfrogné, e [ʀɑ̃fʀɔɲe] adj
sullen, scowling

renier [ʀənje] /7/ vt (parents) to
disown, repudiate; (foi) to
renounce

renifler [ʀənifle] /1/ vi to sniff
▶ vt (odeur) to sniff

renne [ʀɛn] nm reindeer inv

renom [ʀənɔ̃] nm reputation;
(célébrité) renown • **renommé, e**
adj celebrated, renowned ▶ nf
fame

renoncer [ʀənɔ̃se] /3/: ~ à vt to
give up; ~ à faire to give up the
idea of doing

renouer [ʀənwe] /1/ vt: ~ avec
(habitude) to take up again

renouvelable [ʀ(ə)nuvlabl]
adj (contrat, bail, énergie)
renewable

renouveler [ʀənuvle] /4/ vt to
renew; (exploit, méfait) to repeat;
se renouveler vi (incident) to
recur, happen again
• **renouvellement** nm renewal

rénover [ʀenɔve] /1/ vt
(immeuble) to renovate, do up;
(quartier) to redevelop

renseignement [ʀɑ̃sɛɲmɑ̃] nm
information no pl, piece of
information; (guichet des) ~s
information desk; (service des)
~s (Tél) directory inquiries (BRIT),
information (US)

renseigner [ʀɑ̃seɲe] /1/ vt:
~ qn (sur) to give information
to sb (about); se renseigner vi
to ask for information, make
inquiries

rentabilité [ʀɑ̃tabilite] nf
profitability

rentable [ʀɑ̃tabl] adj profitable

rente [ʀɑ̃t] nf income; (pension)
pension

rentrée [ʀɑ̃tʀe] nf: ~ (d'argent)
cash no pl coming in; la ~ (des
classes ou scolaire) the start of
the new school year

rentrer [ʀɑ̃tʀe] /1/ vi (entrer de
nouveau) to go (ou come) back in;
(entrer) to go (ou come) in; (revenir
chez soi) to go (ou come) (back)
home; (air, clou: pénétrer) to go in;
(revenu, argent) to come in ▶ vt to
bring in; (véhicule) to put away;
(chemise dans pantalon etc) to tuck
in; (griffes) to draw in; ~ le ventre
to pull in one's stomach; ~ dans
(heurter) to crash into; ~ dans
l'ordre to get back to normal; ~
dans ses frais to recover one's
expenses (ou initial outlay)

renverse [ʀɑ̃vɛʀs]: à la ~ adv
backwards

renverser [ʀɑ̃vɛʀse] /1/ vt
(faire tomber: chaise, verre) to
knock over, overturn; (: piéton)
to knock down; (: liquide,
contenu) to spill, upset; (retourner)
to turn upside down; (: ordre des
mots etc) to reverse; (fig:
gouvernement etc) to overthrow;
(stupéfier) to bowl over; se
renverser vi (verre, vase) to fall
over; (contenu) to spill

renvoi [ʀɑ̃vwa] nm (d'employé)
dismissal; (d'élève) expulsion;
(référence) cross-reference;
(éructation) belch • **renvoyer** /8/
vt to send back; (congédier) to
dismiss; (élève: définitivement) to
expel; (lumière) to reflect;
(ajourner): **renvoyer qch (à)** to
postpone sth (until)

repaire [ʀəpɛʀ] nm den

répandre [ʀepɑ̃dʀ] /41/ vt
(renverser) to spill; (étaler, diffuser)
to spread; (chaleur, odeur) to give
off; se répandre vi to spill;

to spread • **répandu, e** *adj*
(*opinion, usage*) widespread

réparateur, -trice [ʀepaʀatœʀ,
-tʀis] *nm/f* repairer

réparation [ʀepaʀasjɔ̃] *nf* repair

réparer [ʀepaʀe] /1/ *vt* to repair;
(*fig: offense*) to make up for, atone
for; (: *oubli, erreur*) to put right

repartie [ʀəpaʀti] *nf* retort;
avoir de la ~ to be quick at
repartee

repartir [ʀəpaʀtiʀ] /16/ *vi* to set
off again; (*voyageur*) to leave
again; (*fig*) to get going again;
~ à zéro to start from scratch
(again)

répartir [ʀepaʀtiʀ] /2/ *vt* (*pour
attribuer*) to share out; (*pour
disperser, disposer*) to divide up;
(*poids, chaleur*) to distribute; **se
répartir** *vt* (*travail, rôles*) to share
out between themselves
• **répartition** *nf* (*des richesses etc*)
distribution

repas [ʀəpɑ] *nm* meal

repassage [ʀəpɑsaʒ] *nm* ironing

repasser [ʀəpɑse] /1/ *vi* to come
(*ou go*) back ▶ *vt* (*vêtement, tissu*)
to iron; (*examen*) to retake, resit;
(*film*) to show again; (*leçon, rôle*) to
revoir) to go over (again)

repentir [ʀəpɑ̃tiʀ] /16/ *nm*
repentance; **se repentir** *vi* to
repent; **se ~ d'avoir fait qch**
(*regretter*) to regret having done
sth

répercussions [ʀepɛʀkysjɔ̃] *nfpl*
repercussions

répercuter [ʀepɛʀkyte] /1/: **se
répercuter** *vi* (*bruit*) to
reverberate; (*fig*): **se ~ sur** to have
repercussions on

repère [ʀəpɛʀ] *nm* mark;
(*monument etc*) landmark

repérer [ʀəpeʀe] /6/ *vt* (*erreur,
connaissance*) to spot; (*abri,
ennemi*) to locate; **se repérer** *vi*
to get one's bearings

répertoire [ʀepɛʀtwaʀ] *nm*
(*liste*) (alphabetical) list; (*carnet*)
index notebook; (*Inform*)
directory; (*d'un théâtre, artiste*)
repertoire

répéter [ʀepete] /6/ *vt* to
repeat; (*préparer: leçon*) to learn,
go over; (*Théât*) to rehearse; **se
répéter** (*redire*) to repeat o.s.;
(*se reproduire*) to be repeated,
recur

répétition [ʀepetisjɔ̃] *nf*
repetition; (*Théât*) rehearsal;
~ générale final dress rehearsal

répit [ʀepi] *nm* respite; **sans ~**
without letting up

replier [ʀəplije] /7/ *vt* (*rabattre*) to
fold down *ou* over; **se replier** *vi*
(*armée*) to withdraw, fall back;
se ~ sur soi-même to withdraw
into oneself

réplique [ʀeplik] *nf* (*repartie, fig*)
reply; (*Théât*) line; (*copie*) replica
• **répliquer** /1/ *vi* to reply to;
(*riposter*) to retaliate

répondeur [ʀepɔ̃dœʀ] *nm*:
~ (automatique) (*Tél*) answering
machine

répondre [ʀepɔ̃dʀ] /41/ *vi* to
answer, reply; (*freins, mécanisme*)
to respond; **~ à** to reply to,
answer; (*affection, salut*) to return;
(*provocation*) to respond to;
(*correspondre à*) (*besoin*) to answer;
(*conditions*) to meet; (*description*)
to match; **~ à qn** (*avec
impertinence*) to answer sb back;
~ de to answer for

réponse [ʀepɔ̃s] *nf* answer, reply;
en ~ à in reply to

reportage [ʀəpɔʀtaʒ] nm report

reporter¹ [ʀəpɔʀtɛʀ] nm reporter

reporter² [ʀəpɔʀte] vt (ajourner): ~ **qch (à)** to postpone sth (until); (transférer): ~ **qch sur** to transfer sth to; **se ~ à** (époque) to think back to; (document) to refer to

repos [ʀəpo] nm rest; (fig) peace (and quiet); (Mil): ~! (stand) at ease! **ce n'est pas de tout ~!** it's no picnic!

reposant, e [ʀ(ə)pozɑ̃, -ɑ̃t] adj restful

reposer [ʀəpoze] /1/ vt (verre, livre) to put down; (délasser) to rest ▶ vi: **laisser ~** (pâte) to leave to stand; **se reposer** vi to rest

repoussant, e [ʀəpusɑ̃, -ɑ̃t] adj repulsive

repousser [ʀəpuse] /1/ vi to grow again ▶ vt to repel, repulse; (offre) to turn down, reject; (tiroir, personne) to push back; (différer) to put back

reprendre [ʀəpʀɑ̃dʀ] /58/ vt (prisonnier, ville) to recapture; (firme, entreprise) to take over; (emprunter: argument, idée) to take up, use; (refaire: article etc) to go over again; (jupe etc) to alter; (réprimander) to tell off; (corriger) to correct; (travail, promenade) to resume; (chercher): **je viendrai te ~ à 4 h** I'll come and fetch you ou I'll come back for you at 4; (se resservir de): ~ **du pain/un œuf** to take (ou eat) more bread/another egg ▶ vi (classes, pluie) to start (up) again; (activités, travaux, combats) to resume, start (up) again; (affaires, industrie) to pick up; (dire): **reprit-il** he went on; ~ **des forces** to recover one's strength; ~ **courage** to take new heart; ~ **la route** to resume one's

journey, set off again; ~ **haleine** ou **son souffle** to get one's breath back

représentant, e [ʀəpʀezɑ̃tɑ̃, -ɑ̃t] nm/f representative

représentation [ʀəpʀezɑ̃tasjɔ̃] nf representation; (spectacle) performance

représenter [ʀəpʀezɑ̃te] /1/ vt to represent; (donner: pièce, opéra) to perform; **se représenter** vt (se figurer) to imagine

répression [ʀepʀesjɔ̃] nf repression

réprimer [ʀepʀime] /1/ vt (émotions) to suppress; (peuple etc) repress

repris, e [ʀəpʀi, -iz] pp de **reprendre** ▶ nm: ~ **de justice** ex-prisoner, ex-convict

reprise [ʀəpʀiz] nf (recommencement) resumption; (économique) recovery; (TV) repeat; (Comm) trade-in, part exchange; (raccommodage) mend; **à plusieurs ~s** on several occasions

repriser [ʀəpʀize] /1/ vt (chaussette, lainage) to darn; (tissu) to mend

reproche [ʀəpʀɔʃ] nm (remontrance) reproach; **faire des ~s à qn** to reproach sb; **sans ~(s)** beyond ou above reproach

• **reprocher** /1/ vt: **reprocher qch à qn** to reproach ou blame sb for sth; **reprocher qch à** (machine, théorie) to have sth against

reproduction [ʀəpʀɔdyksjɔ̃] nf reproduction

reproduire [ʀəpʀɔdɥiʀ] /38/ vt to reproduce; **se reproduire** vi (Bio) to reproduce; (recommencer) to recur, re-occur

reptile [ʀɛptil] *nm* reptile

république [ʀepyblik] *nf* republic

répugnant, e [ʀepyɲɑ̃, -ɑ̃t] *adj* repulsive

répugner [ʀepyɲe] /1/: **~ à** *vt*:
~ à qn to repel *ou* disgust sb;
~ à faire to be loath *ou* reluctant to do

réputation [ʀepytasjɔ̃] *nf* reputation • **réputé, e** *adj* renowned

requérir [ʀəkeʀiʀ] /21/ *vt* (*nécessiter*) to require, call for

requête [ʀəkɛt] *nf* request

requin [ʀəkɛ̃] *nm* shark

requis, e [ʀəki, -iz] *adj* required

RER *sigle m* (= *Réseau express régional*) Greater Paris high-speed train service

rescapé, e [ʀɛskape] *nm/f* survivor

rescousse [ʀɛskus] *nf*: **aller à la ~ de qn** to go to sb's aid *ou* rescue

réseau, x [ʀezo] *nm* network;
~ social social network

réseautage [ʀezotaʒ] *nm* social networking

réservation [ʀezɛʀvasjɔ̃] *nf* reservation; booking

réserve [ʀezɛʀv] *nf* (*retenue*) reserve; (*entrepôt*) storeroom; (*restriction, aussi: d'Indiens*) reservation; (*de pêche, chasse*) preserve; **de ~** (*provisions etc*) in reserve

réservé, e [ʀezɛʀve] *adj* reserved; (*chasse, pêche*) private

réserver [ʀezɛʀve] /1/ *vt* to reserve; (*chambre, billet etc*) to book, reserve; (*mettre de côté, garder*): **~ qch pour** *ou* **à** to keep *ou* save sth for

réservoir [ʀezɛʀvwaʀ] *nm* tank

résidence [ʀezidɑ̃s] *nf* residence;
~ principale/secondaire main/second home; **~ universitaire** hall of residence (BRIT), dormitory (US) • **résidentiel, le** *adj* residential • **résider** /1/ *vi*: **résider à** *ou* **dans** *ou* **en** to reside in; **résider dans** (*fig*) to lie in

résidu [ʀezidy] *nm* residue *no pl*

résigner [ʀeziɲe] /1/: **se résigner** *vi*: **se ~ (à qch/à faire)** to resign o.s. (to sth/to doing)

résilier [ʀezilje] /7/ *vt* to terminate

résistance [ʀezistɑ̃s] *nf* resistance; (*de réchaud, bouilloire: fil*) element

résistant, e [ʀezistɑ̃, -ɑ̃t] *adj* (*personne*) robust, tough; (*matériau*) strong, hard-wearing

résister [ʀeziste] /1/ *vi* to resist;
~ à (*assaut, tentation*) to resist; (*matériau, plante*) to withstand; (*désobéir à*) to stand up to, oppose

résolu, e [ʀezɔly] *pp de* **résoudre**
► *adj*: **être ~ à qch/faire** to be set upon sth/doing

résolution [ʀezɔlysjɔ̃] *nf* (*fermeté, décision*) resolution; (*d'un problème*) solution

résolvais *etc* [ʀezɔlvɛ] *vb voir* **résoudre**

résonner [ʀezɔne] /1/ *vi* (*cloche, pas*) to reverberate, resound; (*salle*) to be resonant

résorber [ʀezɔʀbe] /1/: **se résorber** *vr* (*Méd*) to be resorbed; (*fig*) to be absorbed

résoudre [ʀezudʀ] /51/ *vt* to solve; **se ~ à faire** to bring o.s. to do

respect [ʀɛspɛ] *nm* respect;
tenir en ~ to keep at bay;
présenter ses ~s à qn to pay

one's respects to sb • **respecter** /1/ vt to respect • **respectueux, -euse** adj respectful

respiration [Rɛspiʀasjɔ̃] nf breathing no pl

respirer [Rɛspiʀe] /1/ vi to breathe; (fig: se reposer) to get one's breath; (: être soulagé) to breathe again ▶ vt to breathe (in), inhale; (manifester: santé, calme etc) to exude

resplendir [Rɛsplɑ̃diʀ] /2/ vi to shine; (fig): ~ (de) to be radiant (with)

responsabilité [Rɛspɔ̃sabilite] nf responsibility; (légale) liability

responsable [Rɛspɔ̃sabl] adj responsible ▶ nm/f (personne coupable) person responsible; (du ravitaillement etc) person in charge; (de parti, syndicat) official; ~ **de** responsible for

ressaisir [Rəseziʀ] /2/: **se ressaisir** vi to regain one's self-control

ressasser [Rəsase] /1/ vt to keep turning over

ressemblance [Rəsɑ̃blɑ̃s] nf resemblance, similarity, likeness

ressemblant, e [Rəsɑ̃blɑ̃, -ɑ̃t] adj (portrait) lifelike, true to life

ressembler [Rəsɑ̃ble] /1/: ~ **à** vt to be like, resemble; (visuellement) to look like; **se ressembler** vi to be (ou look) alike

ressentiment [Rəsɑ̃timɑ̃] nm resentment

ressentir [Rəsɑ̃tiʀ] /16/ vt to feel; **se ~ de** to feel (ou show) the effects of

resserrer [Rəseʀe] /1/ vt (nœud, boulon) to tighten (up); (fig: liens) to strengthen

reservir [Rəseʀviʀ] /14/ vi to do ou serve again; ~ **qn (d'un plat)** to give sb a second helping (of a dish); **se ~ de** (plat) to take a second helping of; (outil etc) to use again

ressort [Rəsɔʀ] nm (pièce) spring; (force morale) spirit; **en dernier ~** as a last resort; **être du ~ de** to fall within the competence of

ressortir [Rəsɔʀtiʀ] /16/ vi to go (ou come) out (again); (contraster) to stand out; ~ **de: il ressort de ceci que** it emerges from this that; **faire ~** (fig: souligner) to bring out

ressortissant, e [Rəsɔʀtisɑ̃, -ɑ̃t] nm/f national

ressources [Rəsuʀs] nfpl resources

ressusciter [Resysite] /1/ vt (fig) to revive, bring back ▶ vi to rise (from the dead)

restant, e [Rɛstɑ̃, -ɑ̃t] adj remaining ▶ nm: **le ~ (de)** the remainder (of); **un ~ de** (de trop) some leftover

restaurant [Rɛstɔʀɑ̃] nm restaurant

restauration [Rɛstɔʀasjɔ̃] nf restoration; (hôtellerie) catering; ~ **rapide** fast food

restaurer [Rɛstɔʀe] /1/ vt to restore; **se restaurer** vi to have something to eat

reste [Rɛst] nm (restant): **le ~ (de)** the rest (of); (de trop): **un ~ (de)** some leftover; **restes** nmpl leftovers; (d'une cité antique, dépouille mortelle) remains; **du ~, au ~** besides, moreover

rester [Rɛste] /1/ vi to stay, remain; (subsister) to remain, be left; (durer) to last, live on ▶ vb *impers*: **il reste du pain/deux œufs** there's some bread/there are two eggs left (over); **il me reste assez de temps** I have enough time left; **il ne me reste plus qu'à ...** I've just got to ...; **restons-en là** let's leave it at that

restituer [ʀɛstitɥe] /1/ *vt* (*objet, somme*): **~ qch (à qn)** to return *ou* restore sth (to sb)

restreindre [ʀɛstʀɛ̃dʀ] /52/ *vt* to restrict, limit

restriction [ʀɛstʀiksjɔ̃] *nf* restriction

résultat [ʀezylta] *nm* result; (*d'élection etc*) results *pl*; **résultats** *nmpl* (*d'une enquête*) findings

résulter [ʀezylte] /1/: **~ de** *vt* to result from, be the result of

résumé [ʀezyme] *nm* summary, résumé; **en ~** in brief; (*pour conclure*) to sum up

résumer [ʀezyme] /1/ *vt* (*texte*) to summarize; (*récapituler*) to sum up

> ⚠️ Attention à ne pas traduire *résumer* par *to resume*.

résurrection [ʀezyʀɛksjɔ̃] *nf* resurrection

rétablir [ʀetabliʀ] /2/ *vt* to restore, re-establish; **se rétablir** *vi* (*guérir*) to recover; (*silence, calme*) to return, be restored • **rétablissement** *nm* restoring; (*guérison*) recovery

retaper [ʀətape] /1/ *vt* (*maison, voiture etc*) to do up; (*fam: revigorer*) to buck up

retard [ʀətaʀ] *nm* (*d'une personne attendue*) lateness *no pl*; (*sur l'horaire, un programme, une échéance*) delay; (*fig: scolaire, mental etc*) backwardness; **en ~**

(de deux heures) (two hours) late; **désolé d'être en ~** sorry I'm late; **avoir du ~** to be late; (*sur un programme*) to be behind (schedule); **prendre du ~** (*train, avion*) to be delayed; **sans ~** without delay

retardataire [ʀətaʀdatɛʀ] *nm/f* latecomer

retardement [ʀətaʀdəmɑ̃]: **à ~** *adj* delayed action *cpd*; **bombe à ~** time bomb

retarder [ʀətaʀde] /1/ *vt* to delay; (*horloge*) to put back; **~ qn (d'une heure)** to delay sb (an hour); (*départ, date*): **~ qch (de deux jours)** to put sth back (two days) ▶ *vi* (*montre*) to be slow

retenir [ʀətniʀ] /22/ *vt* (*garder, retarder*) to keep, detain; (*maintenir: objet qui glisse, colère, larmes, rire*) to hold back; (*se rappeler*) to retain; (*accepter*) to accept; (*fig: empêcher d'agir*): **~ qn (de faire)** to hold sb back (from doing); (*prélever*): **~ qch (sur)** to deduct sth (from); **se retenir** *vi* (*se raccrocher*): **se ~ à** to hold onto; (*se contenir*): **se ~ de faire** to restrain o.s. from doing; **~ son souffle** *ou* **haleine** to hold one's breath

retentir [ʀətɑ̃tiʀ] /2/ *vi* to ring out • **retentissant, e** *adj* resounding

retenu, e [ʀətny] *adj* (*place*) reserved ▶ *nf* (*prélèvement*) deduction; (*Scol*) detention; (*modération*) (self-)restraint

réticence [ʀetisɑ̃s] *nf* reticence *no pl*, reluctance *no pl* • **réticent, e** *adj* reticent, reluctant

rétine [ʀetin] *nf* retina

retiré, e [ʀətiʀe] *adj* (*solitaire*) secluded; (*éloigné*) remote

retirer [ʀətiʀe] /1/ vt (argent, plainte) to withdraw; (vêtement) to take off, remove; (reprendre: billets) to collect, pick up; **~ qch/qn de** to take sb away from/sth out of, remove sb/sth from

retomber [ʀətɔ̃be] /1/ vi (à nouveau) to fall again; (atterrir: après un saut etc) to land; (échoir): **~ sur qn** to fall on sb

retoquer [ʀətɔke] /1/ vt to reject

rétorquer [ʀetɔʀke] /1/ vt: **~ (à qn) que** to retort (to sb) that

retouche [ʀətuʃ] nf (sur vêtement) alteration • **retoucher** /1/ vt (photographie, tableau) to touch up; (texte, vêtement) to alter

retour [ʀətuʀ] nm return; **au ~** (en route) on the way back; **à mon/ton ~** on my/your return; **être de ~ (de)** to be back (from); **quand serons-nous de ~?** when do we get back?; **par ~ du courrier** by return of post

retourner [ʀətuʀne] /1/ vt (dans l'autre sens: matelas, crêpe) to turn (over); (: sac, vêtement) to turn inside out; (émouvoir) to shake; (renvoyer, restituer): **~ qch à qn** to return sth to sb ▶ vi (aller, revenir): **~ quelque part/à** to go back ou return somewhere/to; **~ à** (état, activité) to return to, go back to; **se retourner** vi (tourner la tête) to turn round; **se ~ contre** (fig) to turn against

retrait [ʀətʀɛ] nm (d'argent) withdrawal; **en ~** set back; **~ du permis (de conduire)** disqualification from driving (BRIT), revocation of driver's license (US)

retraite [ʀətʀɛt] nf (d'une armée, Rel) retreat; (d'un employé) retirement; (revenu) (retirement)

pension; **prendre sa ~** to retire; **~ anticipée** early retirement • **retraité, e** adj retired ▶ nm/f (old age) pensioner

retrancher [ʀətʀɑ̃ʃe] /1/ vt: **~ qch de** (nombre, somme) to take ou deduct sth from; **se ~ derrière/dans** to take refuge behind/in

rétrécir [ʀetʀesiʀ] /2/ vt (vêtement) to take in ▶ vi to shrink; **se rétrécir** (route, vallée) to narrow

rétro [ʀetʀo] adj inv: **la mode ~** the nostalgia vogue

rétroéclairé, e [ʀetʀoeklɛʀe] adj (clavier, écran) back-lit

rétrospectif, -ive [ʀetʀɔspɛktif, -iv] adj retrospective ▶ nf (Art) retrospective; (Ciné) season, retrospective; • **rétrospectivement** adv in retrospect

retrousser [ʀətʀuse] /1/ vt to roll up

retrouvailles [ʀətʀuvaj] nfpl reunion sg

retrouver [ʀətʀuve] /1/ vt (fugitif, objet perdu) to find; (calme, santé) to regain; (revoir) to see again; (rejoindre) to meet (again), join; **se retrouver** vi to meet; (s'orienter) to find one's way; **se ~ quelque part** to find o.s. somewhere; **s'y ~** (y voir clair) to make sense of it; (rentrer dans ses frais) to break even

rétroviseur [ʀetʀovizœʀ] nm (rear-view) mirror

retweeter [ʀətwite] /1/ vt (Inform: Twitter) to retweet

réunion [ʀeynjɔ̃] nf (séance) meeting

réunir [ʀeyniʀ] /2/ vt (rassembler) to gather together; (inviter: amis, famille) to have round, have in; (cumuler: qualités etc) to combine; (rapprocher: ennemis) to bring together (again), reunite; (rattacher: parties) to join (together); **se réunir** vi (se rencontrer) to meet

réussi, e [ʀeysi] adj successful

réussir [ʀeysiʀ] /2/ vi to succeed, be successful; (à un examen) to pass ▸ vt to make a success of; **~ à faire** to succeed in doing; **~ à qn** (être bénéfique à) to agree with sb • **réussite** nf success; (Cartes) patience

revaloir [ʀəvalwaʀ] /29/ vt: **je vous revaudrai cela** I'll repay you some day; (en mal) I'll pay you back for this

revanche [ʀəvɑ̃ʃ] nf revenge; (sport) revenge match; **en ~** on the other hand

rêve [ʀɛv] nm dream; **de ~** dream cpd; **faire un ~** to have a dream

réveil [ʀevɛj] nm waking no pl; (fig) awakening; (pendule) alarm (clock); **au ~** on waking (up) • **réveiller** /1/ vt (personne) to wake up; (fig) to awaken, revive; **se réveiller** vi to wake up

réveillon [ʀevɛjɔ̃] nm Christmas Eve; (de la Saint-Sylvestre) New Year's Eve • **réveillonner** /1/ vi to celebrate Christmas Eve (ou New Year's Eve)

révélateur, -trice [ʀevelatœʀ, -tʀis] adj: **~ (de qch)** revealing (sth)

révéler [ʀevele] /6/ vt to reveal; **se révéler** vi to be revealed, reveal itself; **se ~ facile/faux** to prove (to be) easy/false

revenant, e [ʀəvnɑ̃, -ɑ̃t] nm/f ghost

revendeur, -euse [ʀəvɑ̃dœʀ, -øz] nm/f (détaillant) retailer; (de drogue) (drug-)dealer

revendication [ʀəvɑ̃dikasjɔ̃] nf claim, demand

revendiquer [ʀəvɑ̃dike] /1/ vt to claim, demand; (responsabilité) to claim

revendre [ʀəvɑ̃dʀ] /41/ vt (d'occasion) to resell; (détailler) to sell; **à ~** (en abondance) to spare

revenir [ʀəvniʀ] /22/ vi to come back; (Culin) to brown; **~ cher/à 100 euros (à qn)** to cost (sb) a lot/100 euros; **~ à** (reprendre: études, projet) to return to, go back to; (équivaloir à) to amount to; **~ à qn** (part, honneur) to go to sb, be sb's; (souvenir, nom) to come back to sb; **~ sur** (question, sujet) to go back over; (engagement) to go back on; **~ à soi** to come round; **je n'en reviens pas** I can't get over it; **~ sur ses pas** to retrace one's steps; **cela revient à dire que/au même** it amounts to saying that/to the same thing

revenu [ʀəvny] nm income; **revenus** nmpl income sg

rêver [ʀeve] /1/ vi, vt to dream; **~ de qch/de faire** to dream of sth/of doing; **~ à** to dream of

réverbère [ʀeveʀbɛʀ] nm street lamp ou light • **réverbérer** /6/ vt to reflect

revers [ʀəvɛʀ] nm (de feuille, main) back; (d'étoffe) wrong side; (de pièce, médaille) back, reverse; (Tennis, Ping-Pong) backhand; (de veston) lapel; (fig: échec) setback

revêtement [ʀəvɛtmɑ̃] nm (des sols) flooring; (de chaussée) surface

revêtir

revêtir [ʀəvetiʀ] /20/ vt (habit) to don, put on; (prendre: importance, apparence) to take on; **~ qch de** to cover sth with

rêveur, -euse [ʀɛvœʀ, -øz] adj dreamy ▶ nm/f dreamer

revient [ʀəvjɛ̃] vb voir **revenir**

revigorer [ʀəvigɔʀe] /1/ vt (air frais) to invigorate, brace up; (repas, boisson) to revive, buck up

revirement [ʀəviʀmɑ̃] nm change of mind; (d'une situation) reversal

réviser [ʀevize] /1/ vt to revise; (machine, installation, moteur) to overhaul, service

révision [ʀevizjɔ̃] nf revision; (de voiture) servicing no pl

revivre [ʀəvivʀ] /46/ vi (reprendre des forces) to come alive again ▶ vt (épreuve, moment) to relive

revoir [ʀəvwaʀ] /30/ vt to see again ▶ nm: **au ~** goodbye

révoltant, e [ʀevɔltɑ̃, -ɑ̃t] adj revolting, appalling

révolte [ʀevɔlt] nf rebellion, revolt

révolter [ʀevɔlte] /1/ vt to revolt; **se révolter** vi: **se ~ (contre)** to rebel (against)

révolu, e [ʀevɔly] adj past; (Admin): **âgé de 18 ans ~s** over 18 years of age

révolution [ʀevɔlysjɔ̃] nf revolution • **révolutionnaire** adj, nm/f revolutionary

revolver [ʀevɔlvɛʀ] nm gun; (à barillet) revolver

révoquer [ʀevɔke] /1/ vt (fonctionnaire) to dismiss; (arrêt, contrat) to revoke

revu, e [ʀəvy] pp de **revoir** ▶ nf review; (périodique) review, magazine; (de music-hall) variety

show; **passer en ~** (mentalement) to go through

rez-de-chaussée [ʀedʃose] nm inv ground floor

RF sigle f = **République française**

Rhin [ʀɛ̃] nm: **le ~** the Rhine

rhinocéros [ʀinɔseʀɔs] nm rhinoceros

Rhône [ʀon] nm: **le ~** the Rhone

rhubarbe [ʀybaʀb] nf rhubarb

rhum [ʀɔm] nm rum

rhumatisme [ʀymatism] nm rheumatism no pl

rhume [ʀym] nm cold; **~ de cerveau** head cold; **le ~ des foins** hay fever

ricaner [ʀikane] /1/ vi (avec méchanceté) to snigger; (bêtement, avec gêne) to giggle

riche [ʀiʃ] adj rich; (personne, pays) rich, wealthy; **~ en** rich in
• **richesse** nf wealth; (fig: de sol, musée etc) richness; **richesses** nfpl (ressources, argent) wealth sg; (fig: trésors) treasures

ricochet [ʀikɔʃɛ] nm: **faire des ~s** to skip stones

ride [ʀid] nf wrinkle

rideau, x [ʀido] nm curtain; **~ de fer** (lit) metal shutter

rider [ʀide] /1/ vt to wrinkle; **se rider** vi to become wrinkled

ridicule [ʀidikyl] adj ridiculous ▶ nm: **le ~** ridicule • **ridiculiser** /1/ vt to ridicule; **se ridiculiser** vi to make a fool of o.s.

---

rien [ʀjɛ̃]

▶ pron **1**: **(ne) ... rien** nothing; (tournure négative) anything; **qu'est-ce que vous avez? — rien** what have you got? — nothing; **il n'a rien dit/fait** he said/did nothing, he hasn't said/done anything; **n'avoir peur de rien** to be afraid *ou* frightened of nothing, not to be afraid *ou* frightened of anything; **il n'a rien** (*n'est pas blessé*) he's all right; **ça ne fait rien** it doesn't matter

2 (*quelque chose*): **a-t-il jamais rien fait pour nous?** has he ever done anything for us?

3: **rien de: rien d'intéressant** nothing interesting; **rien d'autre** nothing else; **rien du tout** nothing at all

4: **rien que** just, only; nothing but; **rien que pour lui faire plaisir** only *ou* just to please him; **rien que la vérité** nothing but the truth; **rien que cela** that alone

▸ *excl*: **de rien!** not at all!

▸ *nm*: **un petit rien** (*cadeau*) a little something; **des riens** trivia *pl*; **un rien de** a hint of; **en un rien de temps** in no time at all

rieur, -euse [ʀjœʀ, -øz] *adj* cheerful

rigide [ʀiʒid] *adj* stiff; (*fig*) rigid; (*moralement*) strict

rigoler [ʀigɔle] /1/ *vi* (*rire*) to laugh; (*s'amuser*) to have (some) fun; (*plaisanter*) to be joking *ou* kidding • **rigolo, rigolote** *adj* funny ▸ *nm/f* comic; (*péj*) fraud, phoney

rigoureusement [ʀiguʀøzmɑ̃] *adv* rigorously

rigoureux, -euse [ʀiguʀø, -øz] *adj* rigorous; (*climat, châtiment*) harsh, severe

rigueur [ʀigœʀ] *nf* rigour; **"tenue de soirée de ~"** evening dress (to be worn)"; **à la ~** at a pinch; **tenir ~ à qn de qch** to hold sth against sb

rillettes [ʀijɛt] *nfpl* ≈ potted meat *sg* (*made from pork or goose*)

rime [ʀim] *nf* rhyme

rinçage [ʀɛ̃saʒ] *nm* rinsing (out); (*opération*) rinse

rincer [ʀɛ̃se] /3/ *vt* to rinse; (*récipient*) to rinse out

ringard, e [ʀɛ̃gaʀ, -aʀd] *adj* old-fashioned

riposter [ʀipɔste] /1/ *vi* to retaliate ▸ *vt*: **~ que** to retort that

rire [ʀiʀ] /36/ *vi* to laugh; (*se divertir*) to have fun ▸ *nm* laugh; **le ~** laughter; **~ de** to laugh at; **pour ~** (*pas sérieusement*) for a joke *ou* a laugh

risible [ʀizibl] *adj* laughable

risque [ʀisk] *nm* risk; **le ~** danger; **à ses ~s et périls** at his own risk • **risqué, e** *adj* risky; (*plaisanterie*) risqué, daring • **risquer** /1/ *vt* to risk; (*allusion, question*) to venture, hazard; **se risquer** *vi*: **ça ne risque rien** it's quite safe; **il risque de se tuer** he could get *ou* risks getting himself killed; **ce qui risque de se produire** what might *ou* could well happen; **il ne risque pas de recommencer** there's no chance of him doing that again; **se risquer à faire** (*tenter*) to dare to do

rissoler [ʀisɔle] /1/ *vi, vt*: **(faire) ~** to brown

ristourne [ʀistuʀn] *nf* discount

rite [ʀit] *nm* rite; (*fig*) ritual

rivage [ʀivaʒ] *nm* shore

rival, e, -aux [ʀival, -o] *adj, nm/f* rival • **rivaliser** /1/ *vi*: **rivaliser avec** to rival, vie with • **rivalité** *nf* rivalry

r

rive

rive [ʀiv] *nf* shore; (*de fleuve*) bank • **riverain, e** *nm/f* riverside (*ou* lakeside) resident; (*d'une route*) local *ou* roadside resident

rivière [ʀivjɛʀ] *nf* river

riz [ʀi] *nm* rice • **rizière** *nf* paddy field

RMI *sigle m* (= *revenu minimum d'insertion*) ≈ income support (BRIT), ≈ welfare (US)

RN *sigle f* = **route nationale**

robe [ʀɔb] *nf* dress; (*de juge, d'ecclésiastique*) robe; (*pelage*) coat; **~ de soirée/de mariée** evening/ wedding dress; **~ de chambre** dressing gown

robinet [ʀɔbinɛ] *nm* tap (BRIT), faucet (US)

robot [ʀɔbo] *nm* robot; **~ de cuisine** food processor

robuste [ʀɔbyst] *adj* robust, sturdy • **robustesse** *nf* robustness, sturdiness

roc [ʀɔk] *nm* rock

rocade [ʀɔkad] *nf* bypass

rocaille [ʀɔkaj] *nf* loose stones *pl*; (*jardin*) rockery, rock garden

roche [ʀɔʃ] *nf* rock

rocher [ʀɔʃe] *nm* rock

rocheux, -euse [ʀɔʃø, -øz] *adj* rocky

rodage [ʀɔdaʒ] *nm*: **en ~** running *ou* breaking in

rôder [ʀode] /1/ *vi* to roam *ou* wander about; (*de façon suspecte*) to lurk (about *ou* around) • **rôdeur, -euse** *nm/f* prowler

rogne [ʀɔɲ] *nf*: **être en ~** to be mad *ou* in a temper

rogner [ʀɔɲe] /1/ *vt* to trim; **~ sur** (*fig*) to cut down *ou* back on

rognons [ʀɔɲɔ̃] *nmpl* kidneys

roi [ʀwa] *nm* king; **le jour** *ou* **la fête des R~s** Twelfth Night

rôle [ʀol] *nm* role; part

rollers [ʀɔlœʀ] *nmpl* Rollerblades®

romain, e [ʀɔmɛ̃, -ɛn] *adj* Roman ▶ *nm/f*: **R~, e** Roman

roman, e [ʀɔmã, -an] *adj* (*Archit*) Romanesque ▶ *nm* novel; **~ policier** detective novel

romancer [ʀɔmãse] /3/ *vt* to romanticize • **romancier, -ière** *nm/f* novelist • **romanesque** *adj* (*amours, aventures*) storybook *cpd*; (*sentimental: personne*) romantic

roman-feuilleton [ʀɔmãfœjtɔ̃] *nm* serialized novel

romanichel, le [ʀɔmaniʃɛl] *nm/f* gipsy

romantique [ʀɔmãtik] *adj* romantic

romarin [ʀɔmaʀɛ̃] *nm* rosemary

Rome [ʀɔm] *n* Rome

rompre [ʀɔ̃pʀ] /41/ *vt* to break; (*entretien, fiançailles*) to break off ▶ *vi* (*fiancés*) to break it off; **se rompre** *vi* to break • **rompu, e** *adj* (*fourbu*) exhausted

ronce [ʀɔ̃s] *nf* bramble branch; **ronces** *nfpl* brambles

ronchonner [ʀɔ̃ʃɔne] /1/ *vi* (*fam*) to grouse, grouch

rond, e [ʀɔ̃, ʀɔ̃d] *adj* round; (*joues, mollets*) well-rounded; (*fam: ivre*) tight ▶ *nm* (*cercle*) ring; (*fam: sou*): **je n'ai plus un ~** I haven't a penny left ▶ *nf* (*gén: de surveillance*) rounds *pl*, patrol; (*danse*) round (dance); (*Mus*) semibreve (BRIT), whole note (US); **en ~** (*s'asseoir, danser*) in a ring; **à la ~e** (*alentour*): **à 10 km à la ~e** for 10 km round • **rondelet, te** *adj* plump

rondelle [ʀɔ̃dɛl] *nf* (*Tech*) washer; (*tranche*) slice, round

rond-point [ʀɔ̃pwɛ̃] *nm* roundabout

ronflement [Rɔ̃fləmɑ̃] nm snore

ronfler [Rɔ̃fle] /1/ vi to snore; (moteur, poêle) to hum

ronger [Rɔ̃ʒe] /3/ vt to gnaw (at); (vers, rouille) to eat into; **se ~ les sangs** to worry o.s. sick; **se ~ les ongles** to bite one's nails • **rongeur, -euse** [Rɔ̃ʒœR, -øz] nm/f rodent

ronronner [Rɔ̃Rɔne] /1/ vi to purr

rosbif [Rɔsbif] nm: **du ~** roasting beef; (cuit) roast beef

rose [Roz] nf rose ▸ adj pink; **~ bonbon** adj inv candy pink

rosé, e [Roze] adj pinkish; **(vin) ~** rosé (wine)

roseau, x [Rozo] nm reed

rosée [Roze] nf dew

rosier [Rozje] nm rosebush, rose tree

rossignol [Rɔsiɲɔl] nm (Zool) nightingale

rotation [Rɔtasjɔ̃] nf rotation

roter [Rɔte] /1/ vi (fam) to burp, belch

rôti [Roti] nm: **du ~** roasting meat; (cuit) roast meat; **un ~ de bœuf/porc** a joint of beef/pork

rotin [Rɔtɛ̃] nm rattan (cane); **fauteuil en ~** cane (arm)chair

rôtir [RotiR] /2/ vt (aussi: **faire ~**) to roast ▸ vi to roast • **rôtisserie** nf (restaurant) steakhouse; (traiteur) roast meat shop • **rôtissoire** nf (roasting) spit

rotule [Rɔtyl] nf kneecap

rouage [Rwaʒ] nm cog(wheel), gearwheel; **les ~s de l'État** the wheels of State

roue [Ru] nf wheel; **~ de secours** spare wheel

rouer [Rwe] /1/ vt: **~ qn de coups** to give sb a thrashing

rouge [Ruʒ] adj, nm/f red ▸ nm red; **(vin) ~** red wine; **passer au ~** (signal) to go red; (automobiliste) to go through a red light; **sur la liste ~** ex-directory (BRIT), unlisted (US); **~ à joue** blusher; **~ (à lèvres)** lipstick • **rouge-gorge** nm robin (redbreast)

rougeole [Ruʒɔl] nf measles sg

rougeoyer [Ruʒwaje] /8/ vi to glow red

rouget [Ruʒɛ] nm mullet

rougeur [RuʒœR] nf redness; **rougeurs** nfpl (Méd) red blotches

rougir [RuʒiR] /2/ vi to turn red; (de honte, timidité) to blush, flush; (de plaisir, colère) to flush

rouille [Ruj] nf rust • **rouillé, e** adj rusty • **rouiller** /1/ vt to rust ▸ vi to rust, go rusty

roulant, e [Rulɑ̃, -ɑ̃t] adj (meuble) on wheels; (surface, trottoir, tapis) moving; **escalier ~** escalator

rouleau, x [Rulo] nm roll; (à mise en plis, à peinture, vague) roller; **~ à pâtisserie** rolling pin

roulement [Rulmɑ̃] nm (bruit) rumbling no pl, rumble; (rotation) rotation; **par ~** on a rota (BRIT) ou rotation (US) basis; **~ (à billes)** ball bearings pl; **~ de tambour** drum roll

rouler [Rule] /1/ vt to roll; (papier, tapis) to roll up; (Culin: pâte) to roll out; (fam: duper) to do, con ▸ vi (bille, boule) to roll; (voiture, train) to go, run; (automobiliste) to drive; (cycliste) to ride; (bateau) to roll; **se ~ dans** (boue) to roll in; (couverture) to roll o.s. (up) in

roulette [Rulɛt] nf (de table, fauteuil) castor; (de dentiste) drill; (jeu): **la ~** roulette; **à ~s** on castors; **ça a marché comme**

sur des ~s (fam) it went off very smoothly

roulotte [ʀulɔt] nf caravan

roumain, e [ʀumɛ̃, -ɛn] adj Rumanian ▶ nm/f: **R~, e** Rumanian

Roumanie [ʀumani] nf: **la ~** Rumania

rouquin, e [ʀukɛ̃, -in] nm/f (péj) redhead

rouspéter [ʀuspete] /6/ vi (fam) to moan

rousse [ʀus] adj f voir **roux**

roussir [ʀusiʀ] /2/ vt to scorch ▶ vi (Culin) **faire ~** to brown

route [ʀut] nf road; (fig: chemin) way; (itinéraire, parcours) route; (fig: voie) road, path; **il y a trois heures de ~** it's a three-hour ride ou journey; **en ~** on the way; **en ~!** let's go!; **mettre en ~** to start up; **se mettre en ~** to set off; **~ nationale** ≈ A-road (BRIT), ≈ state highway (US)

routeur [ʀutœʀ] ● nm (Inform) router

routier, -ière [ʀutje, -jɛʀ] adj road cpd ▶ nm (camionneur) (long-distance) lorry (BRIT) ou truck (US) driver; (restaurant) ≈ transport café (BRIT), ≈ truck stop (US)

routine [ʀutin] nf routine
  • **routinier, -ière** [ʀutinje, -jɛʀ] adj (péj: travail) humdrum; (: personne) addicted to routine

rouvrir [ʀuvʀiʀ] /18/ vt, vi to reopen, open again; **se rouvrir** vi to open up again

roux, rousse [ʀu, ʀus] adj red; (personne) red-haired ▶ nm/f redhead

royal, e, -aux [ʀwajal, -o] adj royal; (fig) fit for a king

royaume [ʀwajom] nm kingdom; (fig) realm

Royaume-Uni [ʀwajomyni] nm: **le ~** the United Kingdom

royauté [ʀwajote] nf (régime) monarchy

ruban [ʀybɑ̃] nm ribbon; **~ adhésif** adhesive tape

rubéole [ʀybeɔl] nf German measles sg, rubella

rubis [ʀybi] nm ruby

rubrique [ʀybʀik] nf (titre, catégorie) heading; (Presse: article) column

ruche [ʀyʃ] nf hive

rude [ʀyd] adj (barbe, toile) rough; (métier, tâche) hard, tough; (climat) severe, harsh; (bourru) harsh, rough; (fruste: manières) rugged, tough; (fam: fameux) jolly good • **rudement** adv (très) terribly

rudimentaire [ʀydimɑ̃tɛʀ] adj rudimentary, basic

rudiments [ʀydimɑ̃] nmpl: **avoir des ~ d'anglais** to have a smattering of English

rue [ʀy] nf street

ruée [ʀɥe] nf rush

ruelle [ʀɥɛl] nf alley(way)

ruer [ʀɥe] /1/ vi (cheval) to kick out; **se ruer** vi: **se ~ sur** to pounce on; **se ~ vers/dans/hors de** to rush ou dash towards/into/out of

rugby [ʀygbi] nm rugby (football)

rugir [ʀyʒiʀ] /2/ vi to roar

rugueux, -euse [ʀygø, -øz] adj rough

ruine [ʀɥin] nf ruin • **ruiner** /1/ vt to ruin • **ruineux, -euse** adj ruinous

ruisseau, x [ʀɥiso] nm stream, brook

ruisseler [ʀɥisle] /4/ vi to stream

rumeur [ʀymœʀ] nf (bruit confus) rumbling; (nouvelle) rumour

ruminer [ʀymine] /1/ vt (herbe) to ruminate; (fig) to ruminate on ou over, chew over

rupture [ʀyptyʀ] nf (de négociations etc) breakdown; (de contrat) breach; (dans continuité) break; (séparation, désunion) break-up, split

rural, e, -aux [ʀyʀal, -o] adj rural, country cpd

ruse [ʀyz] nf: **la ~** cunning, craftiness; (pour tromper) trickery; **une ~** a trick, a ruse • **rusé, e** adj cunning, crafty

russe [ʀys] adj Russian ▶ nm (Ling) Russian ▶ nm/f: **R~** Russian

Russie [ʀysi] nf: **la ~** Russia

rustine [ʀystin] nf repair patch (for bicycle inner tube)

rustique [ʀystik] adj rustic

rythme [ʀitm] nm rhythm; (vitesse) rate; (: de la vie) pace, tempo • **rythmé, e** adj rhythmic(al)

S

s' [s] pron voir **se**

sa [sa] adj poss voir **son¹**

sable [sabl] nm sand

sablé [sable] nm shortbread biscuit

sabler [sable] /1/ vt (contre le verglas) to grit; **~ le champagne** to drink champagne

sabot [sabo] nm clog; (de cheval, bœuf) hoof; **~ de frein** brake shoe

saboter [sabɔte] /1/ vt (travail, morceau de musique) to botch, make a mess of; (machine, installation, négociation etc) to sabotage

sac [sak] nm bag; (à charbon etc) sack; **mettre à ~** to sack; **~ à provisions/de voyage** shopping/travelling bag; **~ de couchage** sleeping bag; **~ à dos** rucksack; **~ à main** handbag

saccadé, e [sakade] adj jerky; (respiration) spasmodic

saccager [sakaʒe] /3/ vt (piller) to sack; (dévaster) to create havoc in

saccharine [sakaʀin] nf saccharin(e)

sachet [saʃɛ] nm (small) bag; (de lavande, poudre, shampooing) sachet; **~ de thé** tea bag; **du potage en ~** packet soup

sacoche [sakɔʃ] *nf* (*gén*) bag; (*de bicyclette*) saddlebag

sacré, e [sakʀe] *adj* sacred; (*fam: satané*) blasted; (: *fameux*): **un ~ ...** a heck of a ...

sacrement [sakʀəmɑ̃] *nm* sacrament

sacrifice [sakʀifis] *nm* sacrifice • **sacrifier** [7] *vt* to sacrifice

sacristie [sakʀisti] *nf* sacristy; (*culte protestant*) vestry

sadique [sadik] *adj* sadistic

safran [safʀɑ̃] *nm* saffron

sage [saʒ] *adj* wise; (*enfant*) good

sage-femme [saʒfam] *nf* midwife

sagesse [saʒɛs] *nf* wisdom

Sagittaire [saʒiteʀ] *nm*: **le ~** Sagittarius

Sahara [saaʀa] *nm*: **le ~** the Sahara (Desert)

saignant, e [seɲɑ̃, -ɑ̃t] *adj* (*viande*) rare

saigner [seɲe] /1/ *vi* to bleed ▶ *vt* to bleed; (*animal*) to bleed to death; **~ du nez** to have a nosebleed

saillir [sajiʀ] /13/ *vi* to project, stick out; (*veine, muscle*) to bulge

sain, e [sɛ̃, sɛn] *adj* healthy; **~ et sauf** safe and sound, unharmed; **~ d'esprit** sound in mind, sane

saindoux [sɛ̃du] *nm* lard

saint, e [sɛ̃, sɛ̃t] *adj* holy ▶ *nm/f* saint; **la S-e Vierge** the Blessed Virgin

Saint-Esprit [sɛ̃tɛspʀi] *nm*: **le ~** the Holy Spirit ou Ghost

sainteté [sɛ̃təte] *nf* holiness

Saint-Sylvestre [sɛ̃silvɛstʀ] *nf*: **la ~** New Year's Eve

sais *etc* [sɛ] *vb voir* **savoir**

saisie [sezi] *nf* seizure; **~ (de données)** (data) capture

saisir [seziʀ] /2/ *vt* to take hold of, grab; (*fig: occasion*) to seize; (*comprendre*) to grasp; (*entendre*) to get, catch; (*Inform*) to capture; (*Culin*) to fry quickly; (*Jur: biens, publication*) to seize • **saisissant, e** *adj* startling, striking

saison [sezɔ̃] *nf* season; **haute/basse/morte ~** high/low/slack season • **saisonnier, -ière** *adj* seasonal

salade [salad] *nf* (*Bot*) lettuce *etc* (*generic term*); (*Culin*) (green) salad; (*fam: confusion*) tangle, muddle; **~ composée** mixed salad; **~ de fruits** fruit salad; **~ verte** green salad • **saladier** *nm* (salad) bowl

salaire [saleʀ] *nm* (*annuel, mensuel*) salary; (*hebdomadaire, journalier*) pay, wages *pl*; **~ minimum interprofessionnel de croissance** index-linked guaranteed minimum wage

salarié, e [salaʀje] *nm/f* salaried employee; wage-earner

salaud [salo] *nm* (*fam!*) sod (!), bastard (!)

sale [sal] *adj* dirty, filthy; (*fig: mauvais*) nasty

salé, e [sale] *adj* (*liquide, saveur, mer, goût*) salty; (*Culin: amandes, beurre etc*) salted; (: *gâteaux*) savoury; (*fig: grivois*) spicy; (: *note, facture*) steep

saler [sale] /1/ *vt* to salt

saleté [salte] *nf* (*état*) dirtiness; (*crasse*) dirt, filth; (*tache etc*) dirt *no pl*; (*fig: tour*) filthy trick; (: *chose sans valeur*) rubbish *no pl*; (: *obscénité*) filth *no pl*

santé

salière [saljɛʀ] nf saltcellar

salir [saliʀ] /2/ vt to (make) dirty; (fig) to soil the reputation of; **se salir** vi to get dirty • **salissant, e** adj (tissu) which shows the dirt; (métier) dirty, messy

salle [sal] nf room; (d'hôpital) ward; (de restaurant) dining room; (d'un cinéma) auditorium; (: public) audience; **~ d'attente** waiting room; **~ de bain(s)** bathroom; **~ de classe** classroom; **~ de concert** concert hall; **~ d'eau** shower-room;
~ d'embarquement (à l'aéroport) departure lounge; **~ de jeux** (pour enfants) playroom; **~ à manger** dining room; **~ des professeurs** staffroom; **~ de séjour** living room; **~ des ventes** saleroom

salon [salɔ̃] nm lounge, sitting room; (mobilier) lounge suite; (exposition) exhibition, show; **~ de coiffure** hairdressing salon; **~ de thé** tearoom

salope [salɔp] nf (fam!) bitch (!) • **saloperie** nf (fam!: action) dirty trick; (: chose sans valeur) rubbish no pl

salopette [salɔpɛt] nf dungarees pl; (d'ouvrier) overall(s)

salsifis [salsifi] nm salsify

salubre [salybʀ] adj healthy, salubrious

saluer [salɥe] /1/ vt (pour dire bonjour, fig) to greet; (pour dire au revoir) to take one's leave; (Mil) to salute

salut [saly] nm (sauvegarde) safety; (Rel) salvation; (geste) wave; (parole) greeting; (Mil) salute ▶ excl (fam: pour dire bonjour) hi (there); (: pour dire au revoir) see you!, bye!

salutations [salytasjɔ̃] nfpl greetings; **~ distinguées** ou **respectueuses** yours faithfully

samedi [samdi] nm Saturday

SAMU sigle m (= service d'assistance médicale d'urgence) ≈ ambulance (service) (BRIT), ≈ paramedics (US)

sanction [sɑ̃ksjɔ̃] nf sanction • **sanctionner** /1/ vt (loi, usage) to sanction; (punir) to punish

sandale [sɑ̃dal] nf sandal

sandwich [sɑ̃dwitʃ] nm sandwich

sang [sɑ̃] nm blood; **en ~** covered in blood; **se faire du mauvais ~** to fret, get in a state • **sang-froid** nm calm, sangfroid; **de sang-froid** in cold blood • **sanglant, e** adj bloody

sangle [sɑ̃ɡl] nf strap

sanglier [sɑ̃ɡlije] nm (wild) boar

sanglot [sɑ̃ɡlo] nm sob • **sangloter** /1/ vi to sob

sangsue [sɑ̃sy] nf leech

sanguin, e [sɑ̃ɡɛ̃, -in] adj blood cpd

sanitaire [sanitɛʀ] adj health cpd; **sanitaires** nmpl (salle de bain et w.-c.) bathroom sg

sans [sɑ̃] prép without; **~ qu'il s'en aperçoive** without him ou his noticing; **un pull ~ manches** a sleeveless jumper; **~ faute** without fail; **~ arrêt** without a break; **~ ça** (fam) otherwise • **sans-abri** nmpl homeless • **sans-emploi** nm/f inv unemployed person; **les sans-emploi** the unemployed • **sans-gêne** adj inv inconsiderate

santé [sɑ̃te] nf health; **être en bonne ~** to be in good health;

S

saoudien

boire à la ~ de qn to drink (to) sb's health; **à ta** *ou* **votre ~!** cheers!

saoudien, ne [saudjɛ̃, -ɛn] *adj* Saudi (Arabian) ▶ *nm/f:* **S~, ne** Saudi (Arabian)

saoul, e [su, sul] *adj* = **soûl**

saper [sape] /1/ *vt* to undermine, sap

sapeur-pompier [sapœʀpɔ̃pje] *nm* fireman

saphir [safiʀ] *nm* sapphire

sapin [sapɛ̃] *nm* fir (tree); (bois) fir; **~ de Noël** Christmas tree

sarcastique [saʀkastik] *adj* sarcastic

Sardaigne [saʀdɛɲ] *nf:* **la ~** Sardinia

sardine [saʀdin] *nf* sardine

SARL *sigle f* (= société à responsabilité limitée) ≈ plc (BRIT); ≈ Inc. (US)

sarrasin [saʀazɛ̃] *nm* buckwheat

satané, e [satane] *adj* (fam) confounded

satellite [satelit] *nm* satellite

satin [satɛ̃] *nm* satin

satire [satiʀ] *nf* satire • **satirique** *adj* satirical

satisfaction [satisfaksjɔ̃] *nf* satisfaction

satisfaire [satisfɛʀ] /60/ *vt* to satisfy; **~ à** (revendications, conditions) to meet
  • **satisfaisant, e** *adj* (acceptable) satisfactory • **satisfait, e** *adj* satisfied; **satisfait de** happy *ou* satisfied with

saturer [satyʀe] /1/ *vt* to saturate

sauce [sos] *nf* sauce; (avec un rôti) gravy; **~ tomate** tomato sauce • **saucière** *nf* sauceboat

saucisse [sosis] *nf* sausage

saucisson [sosisɔ̃] *nm* (slicing) sausage

sauf¹ [sof] *prép* except; **~ si** (à moins que) unless; **~ avis contraire** unless you hear to the contrary; **~ erreur** if I'm not mistaken

sauf², sauve [sof, sov] *adj* unharmed, unhurt; (fig: honneur) intact, saved; **laisser la vie sauve à qn** to spare sb's life

sauge [soʒ] *nf* sage

saugrenu, e [sogʀəny] *adj* preposterous

saule [sol] *nm* willow (tree)

saumon [somɔ̃] *nm* salmon *inv*

saupoudrer [sopudʀe] /1/ *vt:* **~ qch de** to sprinkle sth with

saur [sɔʀ] *adj m:* **hareng ~** smoked *ou* red herring, kipper

saut [so] *nm* jump; (discipline sportive) jumping; **faire un ~ chez qn** to pop over to sb's (place); **~ en hauteur/longueur** high/long jump; **~ à la perche** pole vaulting; **~ à l'élastique** bungee jumping; **~ périlleux** somersault

sauter [sote] /1/ *vi* to jump, leap; (exploser) to blow up, explode; (: fusibles) to blow; (se détacher) to pop out (ou off) ▶ *vt* to jump (over), leap (over); (fig: omettre) to skip, miss (out); **faire ~** to blow up; (Culin) to sauté; **~ à la corde** to skip; **~ au cou de qn** to fly into sb's arms; **~ sur une occasion** to jump at an opportunity; **~ aux yeux** to be quite obvious

sauterelle [sotʀɛl] *nf* grasshopper

sautiller [sotije] /1/ *vi* (oiseau) to hop; (enfant) to skip

sauvage [sovaʒ] *adj* (gén) wild; (peuplade) savage; (farouche) unsociable; (*barbare*) wild, savage; (*non officiel*) unauthorized, unofficial; **faire du camping ~** to camp in the wild ▶ *nm/f* savage; (*timide*) unsociable type

sauve [sov] *adj f voir* **sauf²**

sauvegarde [sovgaʀd] *nf* safeguard; (*Inform*) backup
• **sauvegarder** /1/ *vt* to safeguard; (*Inform: enregistrer*) to save; (: *copier*) to back up

sauve-qui-peut [sovkipø] *excl* run for your life!

sauver [sove] /1/ *vt* to save; (*porter secours à*) to rescue; (*récupérer*) to salvage, rescue; **se sauver** *vi* (*s'enfuir*) to run away; (*fam: partir*) to be off • **sauvetage** *nm* rescue • **sauvette: à la sauvette** *adv* (*se marier etc*) hastily, hurriedly • **sauveur** *nm* saviour (BRIT), savior (US)

savant, e [savã, -ãt] *adj* scholarly, learned ▶ *nm* scientist

saveur [savœʀ] *nf* flavour; (*fig*) savour

savoir [savwaʀ] /32/ *vt* to know; (*être capable de*): **il sait nager** he can swim ▶ *nm* knowledge; **se savoir** *vi* (*être connu*) to be known; **je n'en sais rien** I (really) don't know; **à ~ (que)** that is, namely; **faire ~ qch à qn** to let sb know sth; **pas que je sache** not as far as I know

savon [savɔ̃] *nm* (*produit*) soap; (*morceau*) bar ou tablet of soap; (*fam*): **passer un ~ à qn** to give sb a good dressing-down
• **savonner** /1/ *vt* to soap
• **savonnette** *nf* bar of soap

savourer [savuʀe] /1/ *vt* to savour • **savoureux, -euse** *adj* tasty; (*fig: anecdote*) spicy, juicy

saxo(phone) [saksɔ(fɔn)] *nm* sax(ophone)

scabreux, -euse [skabʀø, -øz] *adj* risky; (*indécent*) improper, shocking

scandale [skãdal] *nm* scandal; **faire un ~** (*scène*) to make a scene; (*Jur*) create a disturbance; **faire ~** to scandalize people
• **scandaleux, -euse** *adj* scandalous, outrageous

scandinave [skãdinav] *adj* Scandinavian ▶ *nm/f*: **S~** Scandinavian

Scandinavie [skãdinavi] *nf*: **la ~** Scandinavia

scarabée [skaʀabe] *nm* beetle

scarlatine [skaʀlatin] *nf* scarlet fever

scarole [skaʀɔl] *nf* endive

sceau, x [so] *nm* seal

sceller [sele] /1/ *vt* to seal

scénario [senaʀjo] *nm* scenario

scène [sɛn] *nf* (*gén*) scene; (*estrade, fig: théâtre*) stage; **entrer en ~** to come on stage; **mettre en ~** (*Théât*) to stage; (*Ciné*) to direct; **faire une ~ (à qn)** to make a scene (with sb); **~ de ménage** domestic fight *ou* scene

sceptique [sɛptik] *adj* sceptical

schéma [ʃema] *nm* (*diagramme*) diagram, sketch • **schématique** *adj* diagrammatic(al), schematic; (*fig*) oversimplified

sciatique [sjatik] *nf* sciatica

scie [si] *nf* saw

sciemment [sjamã] *adv* knowingly

science [sjãs] *nf* science; (*savoir*) knowledge; **~s humaines/ sociales** social sciences; **~s naturelles** (*Scol*) natural science *sg*, biology *sg*; **~s po** political science

S

ou studies pl • **science-fiction** nf
science fiction • **scientifique** adj
scientific ▶ nm/f scientist;
(étudiant) science student

scier [sje] /1/ vt to saw;
(retrancher) to saw off • **scierie** nf
sawmill

scintiller [sɛ̃tije] /1/ vi to sparkle;
(étoile) to twinkle

sciure [sjyR] nf: ~ **(de bois)**
sawdust

sclérose [skleRoz] nf: ~ **en
plaques (SEP)** multiple sclerosis
(MS)

scolaire [skɔlɛR] adj school cpd
• **scolariser** /1/ vt to provide with
schooling (ou schools) • **scolarité**
nf schooling

scooter [skutœR] nm (motor)
scooter

score [skɔR] nm score

scorpion [skɔRpjɔ̃] nm (signe):
le S~ Scorpio

scotch [skɔtʃ] nm (whisky) scotch,
whisky; **Scotch®** (adhésif)
Sellotape® (BRIT), Scotch tape®
(US) • **scotché, e** adj (fam):
**il reste des heures scotché
devant la télévision** he spends
hours glued to the television;
je suis resté scotché (stupéfait)
I was flabbergasted

scout, e [skut] adj, nm scout

script [skRipt] nm (écriture)
printing; (Ciné) (shooting) script

scrupule [skRypyl] nm scruple

scruter [skRyte] /1/ vt to
scrutinize; (l'obscurité) to peer
into

scrutin [skRytɛ̃] nm (vote) ballot;
(ensemble des opérations) poll

sculpter [skylte] /1/ vt to sculpt;
(érosion) to carve • **sculpteur** nm
sculptor • **sculpture** nf sculpture

SDF sigle m (= sans domicile fixe)
homeless person; **les ~** the
homeless

---

se, s' [sə, s]

pron **1** (emploi réfléchi) oneself;
(: masc) himself; (: fém) herself;
(: sujet non humain) itself; (: pl)
themselves; **se savonner** to
soap o.s.
2 (réciproque) one another, each
other; **ils s'aiment** they love
one another ou each other
3 (passif): **cela se répare
facilement** it is easily repaired
4 (possessif): **se casser la
jambe/se laver les mains** to
break one's leg/wash one's
hands

---

séance [seɑ̃s] nf (d'assemblée)
meeting, session; (de tribunal)
sitting, session; (musicale, Ciné,
Théât) performance

seau, x [so] nm bucket, pail

sec, sèche [sɛk, sɛʃ] adj dry;
(raisins, figues) dried; (insensible:
cœur, personne) hard, cold ▶ nm:
tenir au ~ to keep in a dry place
▶ adv hard; **je le bois ~** I drink it
straight ou neat; **à ~** (puits)
dried up

sèche [sɛʃ] adj f voir **sec**
• **sèche-cheveux** nm inv
hair-drier • **sèche-linge** nm inv
tumble dryer • **sèchement** adv
(répliquer etc) drily

sécher [seʃe] /6/ vt to dry;
(dessécher: peau, blé) to dry (out);
(: étang) to dry up; (fam: classe,
cours) to skip ▶ vi to dry; to dry
out; to dry up; (fam: candidat) to

sécateur [sekatœR] nm
secateurs pl (BRIT), shears pl

be stumped; se sécher vi (*après le bain*) to dry o.s. • **sécheresse** nf dryness; (*absence de pluie*) drought • **séchoir** nm drier

second, e [səgɔ̃, -ɔ̃d] adj second ▶ nm (*assistant*) second in command; (*Navig*) first mate ▶ nf second; (*Scol*) ≈ year 11 (BRIT), ≈ tenth grade (US); (*Aviat, Rail etc*) second class; **voyager en ~e** to travel second-class • **secondaire** adj secondary • **seconder** /1/ vt to assist

secouer [səkwe] /1/ vt to shake; (*passagers*) to rock; (*traumatiser*) to shake (up)

secourir [səkuʀiʀ] /11/ vt (*venir en aide à*) to assist, aid • **secourisme** nm first aid • **secouriste** nm/f first-aid worker

secours nm help, aid, assistance ▶ nmpl aid sg; **au ~!** help!; **appeler au ~** to shout ou call for help; **porter ~ à qn** to give sb assistance, help sb; **les premiers ~** first aid sg

Emergency phone numbers can be dialled free from public phones. For the police ('la police') dial 17; for medical services ('le SAMU') dial 15; for the fire brigade ('les pompiers') dial 18.

secousse [səkus] nf jolt, bump; (*électrique*) shock; (*fig: psychologique*) jolt, shock

secret, -ète [səkʀɛ, -ɛt] adj secret; (*fig: renfermé*) reticent, reserved ▶ nm secret; (*discrétion absolue*): **le ~** secrecy; **en ~** in secret, secretly; **~ professionnel** professional secrecy

secrétaire [səkʀetɛʀ] nm/f secretary ▶ nm (*meuble*) writing

desk; **~ de direction** private ou personal secretary; **~ d'État** ≈ junior minister • **secrétariat** nm (*profession*) secretarial work; (*bureau*) (secretary's) office; (*: d'organisation internationale*) secretariat

secteur [sɛktœʀ] nm sector; (*Admin*) district; (*Élec*): **branché sur le ~** plugged into the mains (supply)

section [sɛksjɔ̃] nf section; (*de parcours d'autobus*) fare stage; (*Mil: unité*) platoon • **sectionner** /1/ vt to sever

sécu [seky] nf = **sécurité sociale**

sécurité [sekyʀite] nf (*absence de troubles*) security; (*absence de danger*) safety; **système de ~** security (ou safety) system; **être en ~** to be safe; **la ~ routière** road safety; **la ~ sociale** ≈ (the) Social Security (BRIT), ≈ (the) Welfare (US)

sédentaire [sedɑ̃tɛʀ] adj sedentary

séduction [sedyksjɔ̃] nf seduction; (*charme, attrait*) appeal, charm

séduire [seduiʀ] /38/ vt to charm; (*femme: abuser de*) to seduce • **séduisant, e** adj (*femme*) seductive; (*homme, offre*) very attractive

ségrégation [segʀegasjɔ̃] nf segregation

seigle [sɛgl] nm rye

seigneur [sɛɲœʀ] nm lord

sein [sɛ̃] nm breast; (*entrailles*) womb; **au ~ de** (*équipe, institution*) within

séisme [seism] nm earthquake

seize [sɛz] num sixteen • **seizième** num sixteenth

séjour [seʒuʀ] nm stay; (pièce) living room • **séjourner** /1/ vi to stay

sel [sɛl] nm salt; (fig: piquant) spice

sélection [seleksjɔ̃] nf selection • **sélectionner** /1/ vt to select

self [sɛlf] nm (fam) self-service

self-service [sɛlfsɛʀvis] adj self-service ▶ nm self-service (restaurant)

selle [sɛl] nf saddle; **selles** nfpl (Méd) stools • **seller** /1/ vt to saddle

selon [s(ə)lɔ̃] prép according to; (en se conformant à) in accordance with; **~ moi** as I see it; **~ que** according to

semaine [s(ə)mɛn] nf week; **en ~** during the week, on weekdays

semblable [sɑ̃blabl] adj similar; (de ce genre): **de ~s mésaventures** such mishaps ▶ nm fellow creature ou man; **~ à** similar to, like

semblant [sɑ̃blɑ̃] nm: **un ~ de vérité** a semblance of truth; **faire ~ (de faire)** to pretend (to do)

sembler [sɑ̃ble] /1/ vb copule to seem ▶ vb impers: **il semble (bien) que/inutile de** it (really) seems ou appears that/useless to; **il me semble (bien) que** it (really) seems to me that; **comme bon lui semble** as he sees fit

semelle [s(ə)mɛl] nf sole; (intérieure) insole, inner sole

semer [s(ə)me] /5/ vt to sow; (fig: éparpiller) to scatter; (: confusion) to spread; (fam: poursuivants) to lose, shake off; **semé de** (difficultés) riddled with

semestre [s(ə)mɛstʀ] nm half-year; (Scol) semester

séminaire [seminɛʀ] nm seminar; **~ en ligne** webinar

semi-remorque [səmiʀəmɔʀk] nm articulated lorry (BRIT), semi(trailer) (US)

semoule [s(ə)mul] nf semolina

sénat [sena] nm senate • **sénateur** /1/ nm senator

Sénégal [senegal] nm: **le ~** Senegal

sens [sɑ̃s] nm (Physiol) sense; (signification) meaning, sense; (direction) direction; **à mon ~** to my mind; **dans le ~ des aiguilles d'une montre** clockwise; **dans le ~ contraire des aiguilles d'une montre** anticlockwise; **dans le mauvais ~** (aller) the wrong way; in the wrong direction; **bon ~** good sense; **~ dessus dessous** upside down; **~ interdit, ~ unique** one-way street

sensation [sɑ̃sasjɔ̃] nf sensation; **faire ~** to cause a sensation, create a stir; **à ~** (péj) sensational • **sensationnel, le** adj sensational, fantastic

sensé, e [sɑ̃se] adj sensible

sensibiliser [sɑ̃sibilize] /1/ vt: **~ qn (à)** to make sb sensitive (to)

sensibilité [sɑ̃sibilite] nf sensitivity

sensible [sɑ̃sibl] adj sensitive; (aux sens) perceptible; (appréciable: différence, progrès) appreciable, noticeable; **~ à** sensitive to • **sensiblement** adv (à peu près): **ils ont sensiblement le même poids** they weigh approximately the same • **sensiblerie** nf sentimentality

⚠ Attention à ne pas traduire *sensible* par le mot anglais *sensible*.

sensuel, le [sɑ̃syɛl] *adj* (*personne*)
sensual; (*musique*) sensuous
sentence [sɑ̃tɑ̃s] *nf* (*Jur*)
sentence
sentier [sɑ̃tje] *nm* path
sentiment [sɑ̃timɑ̃] *nm* feeling;
recevez mes ~s respectueux
(*personne nommée*) yours sincerely;
(*personne non nommée*) yours
faithfully • **sentimental, e, -aux**
adj sentimental; (*vie, aventure*)
love *cpd*
sentinelle [sɑ̃tinɛl] *nf* sentry
sentir [sɑ̃tiʀ] /16/ *vt* (*par l'odorat*)
to smell; (*par le goût*) to taste; (*au
toucher, fig*) to feel; (*répandre une
odeur de*) to smell of; (: *ressemblance*)
to smell like ▶ *vi* to smell;
~ mauvais to smell bad; **se
~ bien** to feel good; **se ~ mal**
(*être indisposé*) to feel unwell *ou* ill;
se ~ le courage/la force de faire
to feel brave/strong enough to
do; **il ne peut pas le ~** (*fam*) he
can't stand him; **je ne me sens
pas bien** I don't feel well
séparation [separasjɔ̃] *nf*
separation; (*cloison*) division,
partition
séparé, e [separe] *adj*
(*appartements, pouvoirs*) separate;
(*époux*) separated • **séparément**
adv separately
séparer [separe] /1/ *vt* to
separate; (*désunir*) to drive apart;
(*détacher*): **~ qch de** to pull sth
(off) from; **se séparer** *vi* (*époux*) to
separate, part; (*prendre congé: amis
etc*) to part; (*se diviser: route, tige
etc*) to divide; **se ~ de** (*époux*) to
separate *ou* part from; (*employé,
objet personnel*) to part with
sept [sɛt] *num* seven • **septante**
num (BELGIQUE, SUISSE) seventy

septembre [sɛptɑ̃bʀ] *nm*
September
septicémie [sɛptisemi] *nf* blood
poisoning, septicaemia
septième [sɛtjɛm] *num* seventh
séquelles [sekɛl] *nfpl*
after-effects; (*fig*) aftermath *sg*
serbe [sɛʀb] *adj* Serbian
Serbie [sɛʀbi] *nf*: **la ~** Serbia
serein, e [səʀɛ̃, -ɛn] *adj* serene
sergent [sɛʀʒɑ̃] *nm* sergeant
série [seʀi] *nf* series *inv*; (*de clés,
casseroles, outils*) set; (*catégorie:
Sport*) rank; **en ~** in quick
succession; **de ~** (*voiture*) standard;
(*Comm*) mass *cpd*; **hors ~**
(*Comm*) custom-built; **~ noire**
(*crime*) thriller
sérieusement [seʀjøzmɑ̃] *adv*
seriously
sérieux, -euse [seʀjø, -øz] *adj*
serious; (*élève, employé*) reliable,
responsible; (*client, maison*)
reliable, dependable ▶ *nm*
seriousness; (*d'une entreprise etc*)
reliability; **garder son ~** to keep a
straight face; **prendre qch/qn
au ~** to take sth/sb seriously
serin [səʀɛ̃] *nm* canary
seringue [səʀɛ̃g] *nf* syringe
serment [sɛʀmɑ̃] *nm* (*juré*) oath;
(*promesse*) pledge, vow
sermon [sɛʀmɔ̃] *nm* sermon
séropositif, -ive [seʀopozitif,
-iv] *adj* HIV positive
serpent [sɛʀpɑ̃] *nm* snake
• **serpenter** /1/ *vi* to wind
serpillière [sɛʀpijɛʀ] *nf*
floorcloth
serre [sɛʀ] *nf* (*Agr*) greenhouse;
serres *nfpl* (*griffes*) claws, talons
serré, e [seʀe] *adj* (*réseau*) dense;
(*habits*) tight; (*fig: lutte, match*)
tight, close-fought; (*passagers etc*)

S

(tightly) packed; **avoir le cœur ~**
to have a heavy heart
serrer [seʀe] /1/ vt (tenir) to grip
ou hold tight; (comprimer, coincer)
to squeeze; (poings, mâchoires) to
clench; (vêtement) to be too tight
for; (ceinture, nœud, frein, vis) to
tighten ▶ vi: **~ à droite** to keep to
the right
serrure [seʀyʀ] nf lock
• **serrurier** nm locksmith
sers, sert [seʀ] vb voir **servir**
servante [seʀvãt] nf
(maid)servant
serveur, -euse [seʀvœʀ, -øz]
nm/f waiter (waitress)
serviable [seʀvjabl] adj obliging,
willing to help
service [seʀvis] nm service; (série
de repas): **premier ~** first sitting;
(assortiment de vaisselle) set,
service; (bureau: de la vente etc)
department, section; **faire le ~**
to serve; **rendre ~ à qn** to help sb;
rendre un ~ à qn to do sb a
favour; **être de ~** to be on duty;
être/mettre en ~ to be in/put
into service ou operation;
~ compris/non compris service
included/not included; **hors ~**
out of order; **~ après-vente**
after-sales service; **~ militaire**
military service; see note **"service
militaire"**; **~ d'ordre** police (ou
stewards) in charge of
maintaining order; **~s secrets**
secret service sg

Until 1997, French men over the
age of 18 who were passed as fit,
and who were not in full-time
higher education, were required
to do ten months' **service
militaire**. Conscientious
objectors were required to do

two years' community service.
Since 1997, military service has
been suspended in France.
However, all sixteen-year-olds,
both male and female, are
required to register for a
compulsory one-day training
course, the 'JDC' ('journée
défense et citoyenneté'), which
covers basic information on the
principles and organization of
defence in France, and also
advises on career opportunities
in the military and in the
voluntary sector. Young people
must attend the training day
before their eighteenth
birthday.

serviette [seʀvjet] nf (de table)
(table) napkin, serviette; (de
toilette) towel; (porte-documents)
briefcase; **~ hygiénique** sanitary
towel
servir [seʀviʀ] /14/ vt to serve;
(au restaurant) to wait on; (au
magasin) to serve, attend to ▶ vi
(Tennis) to serve; (Cartes) to deal;
se servir vi (prendre d'un plat) to
serve o.s.; **vous êtes servi?** are
you being served?; **sers-toi!** help
yourself!; **se ~ de** (plat) to help o.s.
to; (voiture, outil, relations) to use;
~ à qn (diplôme, livre) to be of use
to sb; **~ à qch/à faire** (outil etc) to
be used for sth/for doing; **ça ne
sert à rien** it's no use; **~ (à qn)
de ...** to serve as ... (for sb)
serviteur [seʀvitœʀ] nm
servant
ses [se] adj poss voir **son¹**
seuil [sœj] nm doorstep; (fig)
threshold
seul, e [sœl] adj (sans compagnie)
alone; (unique): **un ~ livre** only

one book, a single book; **le ~ livre** the only book ▶ *adv* alone, on one's own; **faire qch (tout)** ~ to do sth (all) on one's own *ou* by oneself ▶ *nm/f*: **il en reste un(e) ~(e)** there's only one left; **à lui (tout)** ~ on his own; **se sentir** ~ to feel lonely; **parler tout** ~ to talk to oneself • **seulement** *adv* only; **non seulement … mais aussi *ou* encore** not only … but also

sève [sɛv] *nf* sap

sévère [sevɛʀ] *adj* severe

sexe [sɛks] *nm* sex; *(organe mâle)* member • **sexuel, le** *adj* sexual

sexto [sɛksto] *nm* sext; **envoyer un ~ à qn** to sext sb

shampooing [ʃɑ̃pwɛ̃] *nm* shampoo

Shetland [ʃɛtlɑ̃d] *n*: **les îles ~** the Shetland Islands, Shetland

shopping [ʃɔpiŋ] *nm*: **faire du ~** to go shopping

short [ʃɔʀt] *nm* (pair of) shorts *pl*

---

si [si]

▶ *adv* **1** *(oui)* yes; **"Paul n'est pas venu" — "si!"** "Paul hasn't come" — "Yes he has!"; **je vous assure que si** I assure you he did/she is *etc*
2 *(tellement)* so; **si gentil/ rapidement** so kind/fast; **(tant et) si bien que** so much so that; **si rapide qu'il soit** however fast he may be

▶ *conj* if; **si tu veux** if you want; **je me demande si** I wonder if *ou* whether; **si seulement** if only
▶ *nm* *(Mus)* B; *(: en chantant la gamme)* ti

Sicile [sisil] *nf*: **la ~** Sicily

sida [sida] *nm* (= *syndrome immuno-déficitaire acquis*) AIDS *sg*

sidéré, e [sidere] *adj* staggered

sidérurgie [sideʀyʀʒi] *nf* steel industry

siècle [sjɛkl] *nm* century

siège [sjɛʒ] *nm* seat; *(d'entreprise)* head office; *(d'organisation)* headquarters *pl*; *(Mil)* siege; **~ social** registered office • **siéger** /3, 6/ *vi* to sit

sien, ne [sjɛ̃, sjɛn] *pron*: **le (la) ~(ne), les ~(ne)s** *(d'un homme)* his; *(d'une femme)* hers; *(d'une chose)* its

sieste [sjɛst] *nf* (*afternoon*) snooze *ou* nap; **faire la ~** to have a snooze *ou* nap

sifflement [siflǝmɑ̃] *nm* whistle

siffler [sifle] /1/ *vi* *(gén)* to whistle; *(en respirant)* to wheeze; *(serpent, vapeur)* to hiss ▶ *vt* *(chanson)* to whistle; *(chien etc)* to whistle for; *(fille)* to whistle at; *(pièce, orateur)* to hiss, boo; *(fin du match, départ)* to blow one's whistle for; *(fam: verre, bouteille)* to guzzle

sifflet [siflɛ] *nm* whistle; **coup de ~** whistle

siffloter [siflote] /1/ *vi*, *vt* to whistle

sigle [sigl] *nm* acronym

signal, -aux [siɲal, -o] *nm* signal; *(indice, écriteau)* sign; **donner le ~ de** to give the signal for; **~ d'alarme** alarm signal • **signalement** *nm* description, particulars *pl*

signaler [siɲale] /1/ *vt* to indicate; *(vol, perte)* to report; *(personne, faire un signe)* to signal; **~ qch à qn/à qn que** to point out sth to sb/to sb that

signature [siɲatyʀ] *nf* signature; *(action)* signing

S

signe [siɲ] *nm* sign; (*Typo*) mark; **faire un ~ de la main/tête** to give a sign with one's hand/shake one's head; **faire ~ à qn** (*fig: contacter*) to get in touch with sb; **faire ~ à qn d'entrer** to motion (to) sb to come in • **signer** /1/ *vt* to sign; **se signer** *vi* to cross o.s.

significatif, -ive [siɲifikatif, -iv] *adj* significant

signification [siɲifikasjɔ̃] *nf* meaning

signifier [siɲifje] /7/ *vt* (*vouloir dire*) to mean; (*faire connaître*): **~ qch (à qn)** to make sth known (to sb)

silence [silɑ̃s] *nm* silence; (*Mus*) rest; **garder le ~ (sur qch)** to keep silent (about sth), say nothing (about sth) • **silencieux, -euse** *adj* quiet, silent ▸ *nm* silencer

silhouette [silwɛt] *nf* outline, silhouette; (*figure*) figure

sillage [sijaʒ] *nm* wake

sillon [sijɔ̃] *nm* furrow; (*de disque*) groove • **sillonner** /1/ *vt* to criss-cross

simagrées [simagʁe] *nfpl* fuss *sg*

similaire [similɛʁ] *adj* similar • **similicuir** *nm* imitation leather • **similitude** *nf* similarity

simple [sɛ̃pl] *adj* simple; (*non multiple*) single; **~ messieurs/dames** *nm* (*Tennis*) men's/ladies' singles *sg*; **~ d'esprit** *nm/f* simpleton; **~ soldat** private

simplicité [sɛ̃plisite] *nf* simplicity; **en toute ~** quite simply

simplifier [sɛ̃plifje] /7/ *vt* to simplify

simuler [simyle] /1/ *vt* to sham, simulate

simultané, e [simyltane] *adj* simultaneous

sincère [sɛ̃sɛʁ] *adj* sincere • **sincèrement** *adv* sincerely; genuinely • **sincérité** *nf* sincerity

Singapour [sɛ̃gapuʁ] *nm*: Singapore

singe [sɛ̃ʒ] *nm* monkey; (*de grande taille*) ape • **singer** /3/ *vt* to ape, mimic • **singeries** *nfpl* antics

singulariser [sɛ̃gylaʁize] /1/: **se singulariser** *vi* to call attention to o.s.

singularité [sɛ̃gylaʁite] *nf* peculiarity

singulier, -ière [sɛ̃gylje, -jɛʁ] *adj* remarkable, singular ▸ *nm* singular

sinistre [sinistʁ] *adj* sinister ▸ *nm* (*incendie*) blaze; (*catastrophe*) disaster; (*Assurances*) damage (*giving rise to a claim*) • **sinistré, e** *adj* disaster-stricken ▸ *nm/f* disaster victim

sinon [sinɔ̃] *conj* (*autrement, sans quoi*) otherwise, or else; (*sauf*) except, other than; (*si ce n'est*) if not

sinueux, -euse [sinɥø, -øz] *adj* winding

sinus [sinys] *nm* (*Anat*) sinus; (*Géom*) sine • **sinusite** *nf* sinusitis

sirène [siʁɛn] *nf* siren; **~ d'alarme** fire alarm; (*pendant la guerre*) air-raid siren

sirop [siʁo] *nm* (*à diluer: de fruit etc*) syrup; (*pharmaceutique*) syrup, mixture; **~ contre la toux** cough syrup *ou* mixture

siroter [siʁɔte] /1/ *vt* to sip

sismique [sismik] *adj* seismic

site [sit] *nm* (*paysage, environnement*) setting; (*d'une ville etc: emplacement*) site;

~ (pittoresque) beauty spot; **~s touristiques** places of interest; **~ web** (*Inform*) website

sitôt [sito] *adv:* **~ parti** as soon as he *etc* had left; **pas de ~** not for a long time; **~ (après) que** as soon as

situation [sitɥasjɔ̃] *nf* situation; (*d'un édifice, d'une ville*) position; location; **~ de famille** marital status

situé, e [sitɥe] *adj:* **bien ~** well situated

situer [sitɥe] /1/ *vt* to site, situate; (*en pensée*) to set, place; **se situer** *vi:* **se ~ à/près de** to be situated at/near

six [sis] *num* six • **sixième** *num* sixth ▶ *nf* (*Scol*) year 7

skaï® [skaj] *nm* = Leatherette®

skate [sket], **skate-board** [sketbɔrd] *nm* (*sport*) skateboarding; (*planche*) skateboard

ski [ski] *nm* (*objet*) ski; (*sport*) skiing; **faire du ~** to ski; **~ de fond** cross-country skiing; **~ nautique** water-skiing; **~ de piste** downhill skiing; **~ de randonnée** cross-country skiing • **skier** /7/ *vi* to ski • **skieur, -euse** *nm/f* skier

slip [slip] *nm* (*sous-vêtement*) pants *pl* (*BRIT*), briefs *pl*; (*de bain: d'homme*) trunks *pl*; (: *du bikini*) (bikini) briefs *pl*

slogan [slɔgɑ̃] *nm* slogan

Slovaquie [slɔvaki] *nf:* **la ~** Slovakia

SMIC *sigle m* = **salaire minimum interprofessionnel de croissance**

smoking [smɔkiŋ] *nm* dinner *ou* evening suit

SMS *sigle m* (= *short message service*) (*service*) SMS; (*message*) text (message)

SNCF *sigle f* (= *Société nationale des chemins de fer français*) French railways

snob [snɔb] *adj* snobbish ▶ *nm/f* snob • **snobisme** *nm* snobbery, snobbishness

sobre [sɔbr] *adj* (*personne*) temperate, abstemious; (*élégance, style*) sober

sobriquet [sɔbrikɛ] *nm* nickname

social, e, -aux [sɔsjal, -o] *adj* social

socialisme [sɔsjalism] *nm* socialism • **socialiste** *nm/f* socialist

société [sɔsjete] *nf* society; (*sportive*) club; (*Comm*) company; **la ~ d'abondance/de consommation** the affluent/ consumer society; **~ anonyme** ≈ limited company (*BRIT*), ≈ incorporated company (*US*)

sociologie [sɔsjɔlɔʒi] *nf* sociology

socle [sɔkl] *nm* (*de colonne, statue*) plinth, pedestal; (*de lampe*) base

socquette [sɔkɛt] *nf* ankle sock

sœur [sœr] *nf* sister; (*religieuse*) nun, sister

soi [swa] *pron* oneself; **en ~** (*intrinsèquement*) in itself; **cela va de ~** that *ou* it goes without saying • **soi-disant** *adj inv* so-called ▶ *adv* supposedly

soie [swa] *nf* silk • **soierie** *nf* (*tissu*) silk

soif [swaf] *nf* thirst; **avoir ~** to be thirsty; **donner ~ à qn** to make sb thirsty

soigné, e [swaɲe] *adj* (*tenue*) well-groomed, neat; (*travail*) careful, meticulous

soigner [swaɲe] /1/ *vt* (*malade, maladie: docteur*) to treat; (*: infirmière, mère*) to nurse, look after; (*travail, détails*) to take care over; (*jardin, chevelure, invités*) to look after • **soigneux, -euse** *adj* tidy, neat; (*méticuleux*) painstaking, careful

soi-même [swamɛm] *pron* oneself

soin [swɛ̃] *nm* (*application*) care; (*propreté, ordre*) tidiness, neatness; **soins** *nmpl* (*à un malade, blessé*) treatment *sg*, medical attention *sg*; (*hygiène*) care *sg*; **avoir** *ou* **prendre ~ de** to take care of, look after; **avoir** *ou* **prendre ~ de faire** to take care to do; **les premiers ~s** first aid *sg*

soir [swar] *nm* evening; **ce ~** this evening, tonight; **à ce ~!** see you this evening (*ou* tonight)!; **sept/dix heures du ~** seven in the evening/ten at night; **demain ~** tomorrow evening, tomorrow night • **soirée** *nf* evening; (*réception*) party

soit [swa] *vb voir* **être** ▸ *conj* (*à savoir*) namely; (*ou*): **~ ... ~** either ... or ▸ *adv* so be it, very well; **~ que ... ~ que** *ou* **ou que** whether ... or whether

soixantaine [swasɑ̃tɛn] *nf*: **une ~ (de)** sixty *ou* so, about sixty; **avoir la ~** (*âge*) to be around sixty

soixante [swasɑ̃t] *num* sixty • **soixante-dix** *num* seventy

soja [sɔʒa] *nm* soya; (*graines*) soya beans *pl*; **germes de ~** beansprouts

sol [sɔl] *nm* ground; (*de logement*) floor; (*Agr, Géo*) soil; (*Mus*) G; (*: en chantant la gamme*) so(h)

solaire [sɔlɛr] *adj* (*énergie etc*) solar; (*crème etc*) sun *cpd*

soldat [sɔlda] *nm* soldier

solde [sɔld] *nf* pay ▸ *nm* (*Comm*) balance; **soldes** *nmpl ou nfpl* (*Comm*) sales; **en ~** at sale price • **solder** /1/ *vt* (*marchandise*) to sell at sale price, sell off

sole [sɔl] *nf* sole *inv* (*fish*)

soleil [sɔlej] *nm* sun; (*lumière*) sun(light); (*temps ensoleillé*) sun(shine); **il y a** *ou* **il fait du ~** it's sunny; **au ~** in the sun

solennel, le [sɔlanɛl] *adj* solemn

solfège [sɔlfɛʒ] *nm* rudiments *pl* of music

solidaire [sɔlidɛr] *adj*: **être ~s** (*personnes*) to show solidarity, stand *ou* stick together; **être ~ de** (*collègues*) to stand by • **solidarité** *nf* solidarity; **par solidarité (avec)** in sympathy (with)

solide [sɔlid] *adj* solid; (*mur, maison, meuble*) solid, sturdy; (*connaissances, argument*) sound; (*personne*) robust, sturdy ▸ *nm* solid

soliste [sɔlist] *nm/f* soloist

solitaire [sɔlitɛr] *adj* (*sans compagnie*) solitary, lonely; (*lieu*) lonely ▸ *nm/f* (*ermite*) recluse; (*fig: ours*) loner

solitude [sɔlityd] *nf* loneliness; (*paix*) solitude

solliciter [sɔlisite] /1/ *vt* (*personne*) to appeal to; (*emploi, faveur*) to seek

sollicitude [sɔlisityd] *nf* concern

soluble [sɔlybl] *adj* soluble

solution [sɔlysjɔ̃] *nf* solution; **~ de facilité** easy way out

solvable [sɔlvabl] *adj* solvent

sombre [sɔ̃br] *adj* dark; (*fig*) gloomy • **sombrer** /1/ *vi* (*bateau*) to sink; **sombrer dans** (*misère, désespoir*) to sink into

sommaire [sɔmɛR] *adj* (*simple*) basic; (*expéditif*) summary ► *nm* summary

somme [sɔm] *nf* (*Math*) sum; (*fig*) amount; (*argent*) sum, amount ► *nm*: **faire un ~** to have a (short) nap; **en ~, ~ toute** all in all

sommeil [sɔmɛj] *nm* sleep; **avoir ~** to be sleepy • **sommeiller** /1/ *vi* to doze

sommet [sɔmɛ] *nm* top; (*d'une montagne*) summit, top; (*fig: de la perfection, gloire*) height; **atteindre des ~s** (*élégance*) to reach new heights; (*bêtise, égoïsme*) to reach new depths

sommier [sɔmje] *nm* bed base

somnambule [sɔmnɑ̃byl] *nm/f* sleepwalker

somnifère [sɔmnifɛR] *nm* sleeping drug; sleeping pill *ou* tablet

somnoler [sɔmnɔle] /1/ *vi* to doze

somptueux, -euse [sɔ̃ptɥø, -øz] *adj* sumptuous

son¹, sa (*pl* **ses**) [sɔ̃, sa, se] *adj poss* (*antécédent humain: mâle*) his; (: *femelle*) her; (: *valeur indéfinie*) one's, his (her); (: *non humain*) its

son² [sɔ̃] *nm* sound; (*de blé etc*) bran

sondage [sɔ̃daʒ] *nm*: **~ (d'opinion)** (opinion) poll

sonde [sɔ̃d] *nf* (*Navig*) lead *ou* sounding line; (*Méd*) probe; (*Tech: de forage, sondage*) drill

sonder [sɔ̃de] /1/ *vt* (*Navig*) to sound; (*Tech*) to bore, drill; (*fig:*

personne) to sound out; **~ le terrain** (*fig*) to see how the land lies

songe [sɔ̃ʒ] *nm* dream • **songer** /3/ *vi*: **songer à** (*rêver à*) to think over; (*envisager*) to contemplate, think of; **songer que** to think that • **songeur, -euse** *adj* pensive

sonnant, e [sɔnɑ̃, -ɑ̃t] *adj*: **à huit heures ~es** on the stroke of eight

sonné, e [sɔne] *adj* (*fam*) cracked; **il est midi ~** it's gone twelve

sonner [sɔne] /1/ *vi* to ring ► *vt* (*cloche*) to ring; (*glas, tocsin*) to sound; (*portier, infirmière*) to ring for; **~ faux** (*instrument*) to sound out of tune; (*rire*) to ring false

sonnerie [sɔnRi] *nf* (*son*) ringing; (*sonnette*) bell; (*de portable*) ringtone; **~ d'alarme** alarm bell

sonnette [sɔnɛt] *nf* bell; **~ d'alarme** alarm bell

sonore [sɔnɔR] *adj* (*voix*) sonorous, ringing; (*salle, métal*) resonant; (*ondes, film, signal*) sound *cpd* • **sonorisation** *nf* (*équipement: de salle de conférences*) public address system, P.A. system; (: *de discothèque*) sound system • **sonorité** *nf* (*de piano, violon*) tone; (*d'une salle*) acoustics *pl*

sophistiqué, e [sɔfistike] *adj* sophisticated

sorbet [sɔRbɛ] *nm* water ice, sorbet

sorcier, -ière [sɔRsje, -jɛR] *nm/f* sorcerer (witch *ou* sorceress)

sordide [sɔRdid] *adj* (*lieu*) squalid; (*action*) sordid

sort [sɔR] *nm* (*fortune, destinée*) fate; (*condition, situation*) lot; (*magique*) **jeter un ~** to cast a spell; **tirer au ~** to draw lots

sorte [sɔʀt] *nf* sort, kind; **de la ~** in that way; **en quelque ~** in a way; **de (telle) ~ que** so that; **faire en ~ que** to see to it that

sortie [sɔʀti] *nf* (issue) way out, exit; (verbale) sally; (promenade) outing; (le soir, au restaurant etc) night out; (Comm: d'un disque) release; (: d'un livre) publication; (: d'un modèle) launching; **~ de bain** (vêtement) bathrobe; **~ de secours** emergency exit

sortilège [sɔʀtilɛʒ] *nm* (magic) spell

sortir [sɔʀtiʀ] /16/ *vi* (gén) to come out; (partir, se promener, aller au spectacle etc) to go out; (bourgeon, plante, numéro gagnant) to come up ▸ *vt* (gén) to take out; (produit, ouvrage, modèle) to bring out; (fam: dire) to come out with; **~ avec qn** to be going out with sb; **~ de** (endroit) to go (ou come) out of, leave; (cadre, compétence) to be outside; (provenir de) to come from; **s'en ~** (malade) to pull through; (d'une difficulté etc) to get through

sosie [sɔzi] *nm* double

sot, sotte [so, sɔt] *adj* silly, foolish ▸ *nm/f* fool • **sottise** *nf* silliness *no pl*, foolishness *no pl*; (propos, acte) silly *ou* foolish thing (to do *ou* say)

sou [su] *nm*: **près de ses ~s** tight-fisted; **sans le ~** penniless

soubresaut [subʀəso] *nm* start; (cahot) jolt

souche [suʃ] *nf* (d'arbre) stump; (de carnet) counterfoil (BRIT), stub

souci [susi] *nm* (inquiétude) worry; (préoccupation) concern; (Bot) marigold; **se faire du ~** to worry • **soucier** /7/: **se soucier de** *vt*

to care about • **soucieux, -euse** *adj* concerned, worried

soucoupe [sukup] *nf* saucer; **~ volante** flying saucer

soudain, e [sudɛ̃, -ɛn] *adj* (douleur, mort) sudden ▸ *adv* suddenly, all of a sudden

Soudan [sudã] *nm*: **le ~** Sudan

soude [sud] *nf* soda

souder [sude] /1/ *vt* (avec fil à souder) to solder; (par soudure autogène) to weld; (fig) to bind *ou* knit together

soudure [sudyʀ] *nf* soldering; welding; (joint) soldered joint; weld

souffle [sufl] *nm* (en expirant) breath; (en soufflant) puff, blow; (respiration) breathing; (d'explosion, de ventilateur) blast; (du vent) blowing; **être à bout de ~** to be out of breath; **un ~ d'air** *ou* **de vent** a breath of air

soufflé, e [sufle] *adj* (fam: ahuri, stupéfié) staggered ▸ *nm* (Culin) soufflé

souffler [sufle] /1/ *vi* (gén) to blow; (haleter) to puff (and blow) ▸ *vt* (feu, bougie) to blow out; (chasser: poussière etc) to blow away; (Tech: verre) to blow; (dire): **~ qch à qn** to whisper sth to sb

souffrance [sufʀɑ̃s] *nf* suffering; **en ~** (affaire) pending

souffrant, e [sufʀɑ̃, -ɑ̃t] *adj* unwell

souffre-douleur [sufʀədulœʀ] *nm inv* butt, underdog

souffrir [sufʀiʀ] /18/ *vi* to suffer; (éprouver des douleurs) to be in pain ▸ *vt* to suffer, endure; (supporter) to bear, stand; **~ de** (maladie, froid) to suffer from; **elle ne peut pas le ~** she can't stand *ou* bear him

sournois

soufre [sufʀ] nm sulphur

souhait [swɛ] nm wish; **tous nos ~s pour la nouvelle année** (our) best wishes for the New Year • **souhaitable** adj desirable

souhaiter [swete] /1/ vt to wish for; **~ la bonne année à qn** to wish sb a happy New Year; **~ que** to hope that

soûl, e [su, sul] adj drunk ▸ nm: **tout son ~** to one's heart's content

soulagement [sulaʒmɑ̃] nm relief

soulager [sulaʒe] /3/ vt to relieve

soûler [sule] /1/ vt: **~ qn** to get sb drunk; (boisson) to make sb drunk; (fig) to make sb's head spin ou reel; **se soûler** vi to get drunk

soulever [sulve] /5/ vt to lift; (vagues, poussière) to send up; (enthousiasme) to arouse; (question, débat, protestations, difficultés) to raise; **se soulever** vi (peuple) to rise up; (personne couchée) to lift o.s. up

soulier [sulje] nm shoe

souligner [suliɲe] /1/ vt to underline; (fig) to emphasize, stress

soumettre [sumɛtʀ] /56/ vt (pays) to subject, subjugate; (rebelles) to bring under control, subdue; **~ qch à qn** (projet etc) to submit sth to sb; **se ~ (à)** to submit

soumis, e [sumi, -iz] adj submissive • **soumission** nf submission

soupçon [supsɔ̃] nm suspicion; (petite quantité): **un ~ de** a hint ou touch of • **soupçonner** /1/ vt to suspect • **soupçonneux, -euse** adj suspicious

soupe [sup] nf soup

souper [supe] /1/ vi to have supper ▸ nm supper

soupeser [supəze] /5/ vt to weigh in one's hand(s); (fig) to weigh up

soupière [supjɛʀ] nf (soup) tureen

soupir [supiʀ] nm sigh; **pousser un ~ de soulagement** to heave a sigh of relief

soupirer [supiʀe] /1/ vi to sigh

souple [supl] adj supple; (fig: règlement, caractère) flexible; (: démarche, taille) lithe, supple • **souplesse** nf suppleness; (de caractère) flexibility

source [suʀs] nf (point d'eau) spring; (d'un cours d'eau, fig) source; **tenir qch de bonne ~/de ~ sûre** to have sth on good authority/from a reliable source

sourcil [suʀsij] nm (eye)brow • **sourciller** /1/ vi: **sans sourciller** without turning a hair ou batting an eyelid

sourd, e [suʀ, suʀd] adj deaf; (bruit, voix) muffled; (douleur) dull ▸ nm/f deaf person; **faire la ~e oreille** to turn a deaf ear • **sourdine** nf (Mus) mute; **en sourdine** softly, quietly • **sourd-muet, sourde-muette** adj with a speech and hearing impairment

souriant, e [suʀjɑ̃, -ɑ̃t] adj cheerful

sourire [suʀiʀ] /36/ nm smile ▸ vi to smile; **~ à qn** to smile at sb; (fig: plaire à) to appeal to sb; (chance) to smile on sb; **garder le ~** to keep smiling

souris [suʀi] nf mouse

sournois, e [suʀnwa, -waz] adj deceitful, underhand

S

sous [su] *prép* under; **~ la pluie/le soleil** in the rain/sunshine; **~ terre** underground; **~ peu** shortly, before long • **sous-bois** *nm inv* undergrowth

souscrire [suskʀiʀ] /39/: **~ à** *vt* to subscribe to

sous: • **sous-directeur, -trice** *nm/f* assistant manager/ manageress • **sous-effectif** *nm* understaffing; **être en sous-effectif** to be understaffed • **sous-entendre** /41/ *vt* to imply, infer • **sous-entendu, e** *adj* implied ▶ *nm* innuendo, insinuation • **sous-estimer** /1/ *vt* to underestimate • **sous-jacent, e** *adj* underlying • **sous-louer** /1/ *vt* to sublet • **sous-marin, e** *adj* (*flore, volcan*) submarine; (*navigation, pêche, explosif*) underwater ▶ *nm* submarine • **sous-pull** *nm* thin poloneck sweater • **soussigné, e** *adj*: **je soussigné** I the undersigned • **sous-sol** *nm* basement • **sous-titre** [sutitʀ] *nm* subtitle

soustraction [sustʀaksjɔ̃] *nf* subtraction

soustraire [sustʀɛʀ] /50/ *vt* to subtract, take away; (*dérober*): **~ qch à qn** to remove sth from sb; **se ~ à** (*autorité, obligation, devoir*) to elude, escape from

sous: • **sous-traitant** *nm* subcontractor • **sous-traiter** /1/ *vt, vi* to subcontract • **sous-vêtement** *nm* item of underwear; **sous-vêtements** *nmpl* underwear *sg*

soutane [sutan] *nf* cassock, soutane

soute [sut] *nf* hold

soutenir [sutniʀ] /22/ *vt* to support; (*assaut, choc, regard*) to stand up to, withstand; (*intérêt,* effort) to keep up; (*assurer*): **~ que** to maintain that • **soutenu, e** *adj* (*efforts*) sustained, unflagging; (*style*) elevated

souterrain, e [suteʀɛ̃, -ɛn] *adj* underground ▶ *nm* underground passage

soutien [sutjɛ̃] *nm* support • **soutien-gorge** *nm* bra

soutirer [sutiʀe] /1/ *vt*: **~ qch à qn** to squeeze *ou* get sth out of sb

souvenir [suvniʀ] /22/ *nm* (*réminiscence*) memory; (*cadeau*) souvenir ▶ *vb*: **se ~ de** to remember; **se ~ que** to remember that; **en ~ de** in memory *ou* remembrance of; **avec mes affectueux/meilleurs ~s, ...** with love from, .../regards, ...

souvent [suvɑ̃] *adv* often; **peu ~** seldom, infrequently

souverain, e [suvʀɛ̃, -ɛn] *nm/f* sovereign, monarch

soyeux, -euse [swajø, -øz] *adj* silky

spacieux, -euse [spasjø, -øz] *adj* spacious; roomy

spaghettis [spageti] *nmpl* spaghetti *sg*

sparadrap [spaʀadʀa] *nm* adhesive *ou* sticking (*BRIT*) plaster, bandaid® (*US*)

spatial, e, -aux [spasjal, -o] *adj* (*Aviat*) space *cpd*

speaker, ine [spikœʀ, -kʀin] *nm/f* announcer

spécial, e, -aux [spesjal, -o] *adj* special; (*bizarre*) peculiar • **spécialement** *adv* especially, particularly; (*tout exprès*) specially • **spécialiser** /1/: **se spécialiser** *vi* to specialize • **spécialiste** *nm/f* specialist • **spécialité** *nf* speciality; (*Scol*) special field

spécifier [spesifje] /7/ vt to specify, state

spécimen [spesimɛn] nm specimen

spectacle [spɛktakl] nm (tableau, scène) sight; (représentation) show; (industrie) show business
• **spectaculaire** adj spectacular

spectateur, -trice [spɛktatœʀ, -tʀis] nm/f (Ciné etc) member of the audience; (Sport) spectator; (d'un événement) onlooker, witness

spéculer [spekyle] /1/ vi to speculate

spéléologie [speleɔlɔʒi] nf potholing

sperme [spɛʀm] nm semen, sperm

sphère [sfɛʀ] nf sphere

spirale [spiʀal] nf spiral

spirituel, le [spiʀitɥɛl] adj spiritual; (fin, piquant) witty

splendide [splãdid] adj splendid

spontané, e [spɔ̃tane] adj spontaneous • **spontanéité** nf spontaneity

sport [spɔʀ] nm sport ▸ adj inv (vêtement) casual; **faire du ~** to do sport; **~s d'hiver** winter sports
• **sportif, -ive** adj (journal, association, épreuve) sports cpd; (allure, démarche) athletic; (attitude, démarche, esprit) sporting

spot [spɔt] nm (lampe) spot(light); (annonce): **~ (publicitaire)** commercial (break)

square [skwaʀ] nm public garden(s)

squelette [skəlɛt] nm skeleton
• **squelettique** adj scrawny

SRAS sigle m (= syndrome respiratoire aigu sévère) SARS

Sri Lanka [sʀilãka] nm: **le ~** Sri Lanka

stabiliser [stabilize] /1/ vt to stabilize

stable [stabl] adj stable, steady

stade [stad] nm (Sport) stadium; (phase, niveau) stage

stage [staʒ] nm (cours) training course; **~ de formation (professionnelle)** vocational (training) course; **~ de perfectionnement** advanced training course • **stagiaire** [staʒjɛʀ] nm/f, adj trainee

⚠ Attention à ne pas traduire *stage* par le mot anglais *stage*.

stagner [stagne] /1/ vi to stagnate

stand [stãd] nm (d'exposition) stand; (de foire) stall; **~ de tir** (à la foire, Sport) shooting range

standard [stãdaʀ] adj inv standard ▸ nm switchboard
• **standardiste** nm/f switchboard operator

standing [stãdiŋ] nm standing; **de grand ~** luxury

starter [staʀtɛʀ] nm (Auto) choke

station [stasjɔ̃] nf station; (de bus) stop; (de villégiature) resort; **~ de ski** ski resort; **~ de taxis** taxi rank (BRIT) ou stand (US)
• **stationnement** nm parking
• **stationner** /1/ vi to park
• **station-service** nf service station

statistique [statistik] nf (science) statistics sg; (rapport, étude) statistic ▸ adj statistical

statue [staty] nf statue

statu quo [statykwo] nm status quo

statut [staty] nm status; **statuts** nmpl (Jur, Admin) statutes
• **statutaire** adj statutory

S

Sté abr (= société) soc

steak [stɛk] nm steak; **~ haché** hamburger

sténo [stenɔ] nf (aussi: **~graphie**) shorthand

stérile [steril] adj sterile

stérilet [sterilɛ] nm coil, loop

stériliser [sterilize] /1/ vt to sterilize

stimulant, e [stimylɑ̃, -ɑ̃t] adj stimulating ▸ nm (Méd) stimulant; (fig) stimulus, incentive

stimuler [stimyle] /1/ vt to stimulate

stipuler [stipyle] /1/ vt to stipulate

stock [stɔk] nm stock • **stocker** /1/ vt to stock

stop [stɔp] nm (Auto: écriteau) stop sign; (: signal) brake-light; **faire du ~** (fam) to hitch(hike) • **stopper** /1/ vt to stop ▸ vi to stop, halt

store [stɔr] nm blind; (de magasin) shade, awning

strabisme [strabism] nm squint(ing)

strapontin [strapɔ̃tɛ̃] nm jump ou foldaway seat

stratégie [strateʒi] nf strategy • **stratégique** adj strategic

stress [strɛs] nm inv stress • **stressant, e** adj stressful • **stresser** /1/ vt to stress (out)

strict, e [strikt] adj strict; (tenue, décor) severe, plain; **le ~ nécessaire/minimum** the bare essentials/minimum

strident, e [stridɑ̃, -ɑ̃t] adj shrill, strident

strophe [strɔf] nf verse, stanza

structure [stryktyr] nf structure; **~s d'accueil/**

touristiques reception/tourist facilities

studieux, -euse [stydjø, -øz] adj studious

studio [stydjo] nm (logement) studio flat (BRIT) ou apartment (US); (d'artiste, TV etc) studio

stupéfait, e [stypefɛ, -ɛt] adj astonished

stupéfiant, e [stypefjɑ̃, -ɑ̃t] adj (étonnant) stunning, astonishing ▸ nm (Méd) drug, narcotic

stupéfier [stypefje] /7/ vt (étonner) to stun, astonish

stupeur [stypœr] nf astonishment

stupide [stypid] adj stupid • **stupidité** nf stupidity no pl; (parole, acte) stupid thing (to say ou do)

style [stil] nm style

stylé, e [stile] adj well-trained

styliste [stilist] nm/f designer

stylo [stilo] nm: **~ (à encre)** (fountain) pen; **~ (à) bille** ballpoint pen

su, e [sy] pp de **savoir** ▸ nm: **au su de** with the knowledge of

suave [sɥav] adj sweet

subalterne [sybaltɛrn] adj (employé, officier) junior; (rôle) subordinate, subsidiary ▸ nm/f subordinate

subconscient [sypkɔ̃sjɑ̃] nm subconscious

subir [sybir] /2/ vt (affront, dégâts, mauvais traitements) to suffer; (traitement, opération, châtiment) to undergo

subit, e [sybi, -it] adj sudden • **subitement** adv suddenly, all of a sudden

subjectif, -ive [sybʒɛktif, -iv] adj subjective

subjonctif [sybʒɔ̃ktif] nm subjunctive

subjuguer [sybʒyge] /1/ vt to subjugate

submerger [sybmɛRʒe] /3/ vt to submerge; (fig) to overwhelm

subordonné, e [sybɔRdɔne] adj, nm/f subordinate

subrepticement [sybRɛptismɑ̃] adv surreptitiously

subside [sypsid] nm grant

subsidiaire [sypsidjɛR] adj: **question ~** deciding question

subsister [sybziste] /1/ vi (rester) to remain, subsist; (survivre) to live on

substance [sypstɑ̃s] nf substance

substituer [sypstitɥe] /1/ vt: **~ qn/qch à** to substitute sb/sth for; **se ~ à qn** (évincer) to substitute o.s. for sb

substitut [sypstity] nm (succédané) substitute

subterfuge [sybtɛRfyʒ] nm subterfuge

subtil, e [syptil] adj subtle

subvenir [sybvəniR] /22/: **~ à** to meet

subvention [sybvɑ̃sjɔ̃] nf subsidy, grant • **subventionner** /1/ vt to subsidize

suc [syk] nm (Bot) sap; (de viande, fruit) juice

succéder [syksede] /6/: **~ à** to succeed; **se succéder** vi (accidents, années) to follow one another

succès [syksɛ] nm success; **avoir du ~** to be a success, be successful; **à ~** successful; **~ de librairie** bestseller

successeur [syksesœR] nm successor

successif, -ive [syksesif, -iv] adj successive

succession [syksesjɔ̃] nf (série, Pol) succession; (Jur: patrimoine) estate, inheritance

succomber [sykɔ̃be] /1/ vi to die, succumb; (fig): **~ à** to succumb to

succulent, e [sykylɑ̃, -ɑ̃t] adj delicious

succursale [sykyRsal] nf branch

sucer [syse] /3/ vt to suck • **sucette** nf (bonbon) lollipop; (de bébé) dummy (BRIT), pacifier (US)

sucre [sykR] nm (substance) sugar; (morceau) lump of sugar, sugar lump ou cube; **~ en morceaux/cristallisé/en poudre** lump ou cube/granulated/caster sugar; **~ glace** icing sugar, confectioner's sugar (US); **~ d'orge** barley sugar • **sucré, e** adj (produit alimentaire) sweetened; (au goût) sweet • **sucrer** /1/ vt (thé, café) to sweeten, put sugar in • **sucrerie** nf sugar refinery; **sucreries** nfpl (bonbons) sweets, sweet things • **sucrier** nm (récipient) sugar bowl ou basin

sud [syd] nm: **le ~** the south ▶ adj inv south; (côte) south, southern; **au ~** (situation) in the south; (direction) to the south; **au ~ de** (to the) south of • **sud-africain, e** adj South African ▶ nm/f: **Sud-Africain, e** South African • **sud-américain, e** adj South American ▶ nm/f: **Sud-Américain, e** South American • **sud-est** nm, adj inv south-east • **sud-ouest** nm, adj inv south-west

Suède [sɥɛd] nf: **la ~** Sweden • **suédois, e** adj Swedish ▶ nm (Ling) Swedish ▶ nm/f: **Suédois, e** Swede

S

suer [sɥe] /1/ vi to sweat; (*suinter*) to ooze • **suer** nf sweat; **en sueur** sweating, in a sweat; **avoir des sueurs froides** to be in a cold sweat

suffire [syfiR] /37/ vi (*être assez*): ~ **(à qn/pour qch/pour faire)** to be enough ou sufficient (for sb/for sth/to do); **il suffit d'une négligence/qu'on oublie pour que ...** it only takes one act of carelessness/one only needs to forget for ...; **ça suffit!** that's enough!

suffisamment [syfizamɑ̃] adv sufficiently, enough; ~ **de** sufficient, enough

suffisant, e [syfizɑ̃, -ɑ̃t] adj sufficient; (*résultats*) satisfactory; (*vaniteux*) self-important, bumptious

suffixe [syfiks] nm suffix

suffoquer [syfɔke] /1/ vt to choke, suffocate; (*stupéfier*) to stagger, astound ▶ vi to choke, suffocate

suffrage [syfRaʒ] nm (*Pol: voix*) vote

suggérer [sygʒeRe] /6/ vt to suggest; **suggestion** nf suggestion

suicide [sɥisid] nm suicide • **suicider** /1/: **se suicider** vi to commit suicide

suie [sɥi] nf soot

suisse [sɥis] adj Swiss ▶ nm/f: **S~** Swiss inv ▶ nf: **la S~** Switzerland; **la S~ romande/ allemande** French-speaking/ German-speaking Switzerland

suite [sɥit] nf (*continuation: d'énumération etc*) rest, remainder; (: *de feuilleton*) continuation; (: *second film etc sur*) le même thème) sequel; (*série*) series, succession; (*conséquence*) result; (*ordre, liaison logique*) coherence; (*appartement, Mus*) suite; (*escorte*) retinue, suite; **suites** nfpl (*d'une maladie etc*) effects; **une ~ de** a series ou succession of; **prendre la ~ de** (*directeur etc*) to succeed, take over from; **donner ~ à** (*requête, projet*) to follow up; **faire ~ à** to follow; **(faisant) ~ à votre lettre du** further to your letter of the; **de ~** (*d'affilée*) in succession; (*immédiatement*) at once; **par la ~** afterwards, subsequently; **à la ~** one after the other; **à la ~ de** (*derrière*) behind; (*en conséquence de*) following

suivant, e [sɥivɑ̃, -ɑ̃t] adj next, following ▶ prép (*selon*) according to; **au ~!** next!

suivi, e [sɥivi] adj (*effort, qualité*) consistent; (*cohérent*) coherent; **très/peu ~** (*cours*) well-/ poorly-attended

suivre [sɥivR] /40/ vt (*gén*) to follow; (*Scol: cours*) to attend; (: *programme*) to keep up with; (*Comm: article*) to continue to stock ▶ vi to follow; (*élève: assimiler le programme*) to keep up; **se suivre** vi (*accidents, personnes, voitures etc*) to follow one after the other; **faire ~** (*lettre*) to forward; **"à ~"** "to be continued"

sujet, te [syʒe, -ɛt] adj: **être ~ à** (*vertige etc*) to be liable ou subject to ▶ nm/f (*d'un souverain*) subject ▶ nm subject; **au ~ de** about; ~ **de conversation** topic ou subject of conversation; ~ **d'examen** (*Scol*) examination question

super [sypeR] adj inv great, fantastic

superbe [sypɛʀb] *adj*
magnificent, superb

superficie [sypɛʀfisi] *nf*
(surface) area

superficiel, le [sypɛʀfisjɛl] *adj*
superficial

superflu, e [sypɛʀfly] *adj*
superfluous

supérieur, e [sypeʀjœʀ] *adj*
(*lèvre, étages, classes*) upper; **~ (à)**
(*plus élevé: température, niveau*)
higher (than); (*meilleur: qualité,
produit*) superior (to); (*excellent,
hautain*) superior ▶ *nm/f* superior
• **supériorité** *nf* superiority

supermarché [sypɛʀmaʀʃe] *nm*
supermarket

superposer [sypɛʀpoze] /1/ *vt*
(*faire chevaucher*) to superimpose;
lits superposés bunk beds

superpuissance [sypɛʀpɥisɑ̃s]
nf superpower

superstitieux, -euse
[sypɛʀstisjø, -øz] *adj*
superstitious

superviser [sypɛʀvize] /1/ *vt* to
supervise

supplanter [syplɑ̃te] /1/ *vt* to
supplant

suppléant, e [sypleɑ̃, -ɑ̃t] *adj*
(*juge, fonctionnaire*) deputy *cpd*;
(*professeur*) supply *cpd* (BRIT),
substitute *cpd* (US) ▶ *nm/f*
(*professeur*) supply ou substitute
teacher

suppléer [syplee] /1/ *vt* (*ajouter:
mot manquant etc*) to supply,
provide; (*compenser: lacune*) to fill
in; **~ à** to make up for

supplément [syplemɑ̃] *nm*
supplement; **un ~ de travail**
extra ou additional work; **un ~ de
frites** *etc* an extra portion of chips
etc; **le vin est en ~** wine is extra;

payer un ~ to pay an additional
charge • **supplémentaire** *adj*
additional, further; (*train, bus*)
relief *cpd*, extra

supplication [syplikasjɔ̃] *nf*
supplication; **supplications** *nfpl*
pleas, entreaties

supplice [syplis] *nm* torture *no pl*

supplier [syplije] /7/ *vt* to
implore, beseech

support [sypɔʀ] *nm* support;
~ audio-visuel audio-visual aid;
~ publicitaire advertising
medium

supportable [sypɔʀtabl] *adj*
(*douleur, température*) bearable

supporter[1] [sypɔʀtɛʀ] *nm*
supporter, fan

supporter[2] [sypɔʀte] *vt*
(*conséquences, épreuve*) to bear,
endure; (*défauts, personne*) to
tolerate, put up with; (*chose,
chaleur etc*) to withstand;
(*personne, chaleur, vin*) to take

⚠ Attention à ne pas traduire
supporter par *to support*.

supposer [sypoze] /1/ *vt* to
suppose; (*impliquer*) to
presuppose; **en supposant** ou **à
~ que** supposing (that)

suppositoire [sypozitwaʀ] *nm*
suppository

suppression [sypʀesjɔ̃] *nf* (*voir
supprimer*) removal; deletion;
cancellation

supprimer [sypʀime] /1/ *vt*
(*cloison, cause, anxiété*) to remove;
(*clause, mot*) to delete; (*congés,
service d'autobus etc*) to cancel;
(*emplois, privilèges, témoin gênant*)
to do away with

suprême [sypʀɛm] *adj* supreme

s

sur [syʀ]

prép 1 (position) on; (: par-dessus) over; (: au-dessus) above; **pose-le sur la table** put it on the table; **je n'ai pas d'argent sur moi** I haven't any money on me

2 (direction) towards; **en allant sur Paris** going towards Paris; **sur votre droite** on ou to your right

3 (à propos de) on, about; **un livre/une conférence sur Balzac** a book/lecture on ou about Balzac

4 (proportion, mesures) out of; **un sur 10** one in 10; (Scol) one out of 10; **4 m sur 2** 4 m by 2; **avoir accident sur accident** to have one accident after another

sûr, e [syʀ] adj sure, certain; (digne de confiance) reliable; (sans danger) safe; **~ de soi** self-assured, self-confident; **le plus ~ est de** the safest thing is to

surcharge [syʀʃaʀʒ] nf (de passagers, marchandises) excess load • **surcharger** /3/ vt to overload; (décoration) to overdo

surcroît [syʀkʀwa] nm: **~ de qch** additional sth; **par** ou **de ~** moreover; **en ~** in addition

surdité [syʀdite] nf deafness

sûrement [syʀmɑ̃] adv (sans risques) safely; (certainement) certainly

surenchère [syʀɑ̃ʃɛʀ] nf (aux enchères) higher bid • **surenchérir** /2/ vi to bid higher; (fig) to try and outbid each other

surestimer [syʀɛstime] /1/ vt to overestimate

sûreté [syʀte] nf (exactitude: de renseignements etc) reliability; (sécurité) safety; (d'un geste) steadiness; **mettre en ~** to put in a safe place; **pour plus de ~** as an extra precaution; to be on the safe side

surf [sœʀf] nm surfing

surface [syʀfas] nf surface; (superficie) surface area; **une grande ~** a supermarket; **faire ~** to surface; **en ~** near the surface; (fig) superficially

surfait, e [syʀfɛ, -ɛt] adj overrated

surfer [sœʀfe] /1/ vi to surf; **~ sur Internet** to surf ou browse the Internet

surgelé, e [syʀʒəle] adj (deep-)frozen ▶ nm: **les ~s** (deep-)frozen food

surgir [syʀʒiʀ] /2/ vi to appear suddenly; (fig: problème, conflit) to arise

sur- : • **surhumain, e** adj superhuman • **sur-le-champ** adv immediately • **surlendemain** nm: **le surlendemain (soir)** two days later (in the evening); **le surlendemain de** two days after • **surmenage** nm overwork • **surmener** /5/: **se surmener** vi to overwork

surmonter [syʀmɔ̃te] /1/ vt (vaincre) to overcome; (être au-dessus de) to top

surnaturel, le [syʀnatyʀɛl] adj, nm supernatural

surnom [syʀnɔ̃] nm nickname

surnombre [syʀnɔ̃bʀ] nm: **être en ~** to be too many (ou one too many)

surpeuplé, e [syʀpœple] adj overpopulated

surplace [syʀplas] *nm*: **faire du ~** to mark time

surplomber [syʀplɔ̃be] */1/ vi* to be overhanging ▶ *vt* to overhang

surplus [syʀply] *nm* (*Comm*) surplus; (*reste*): **~ de bois** wood left over

surprenant, e [syʀpʀənɑ̃, -ɑ̃t] *adj* amazing

surprendre [syʀpʀɑ̃dʀ] */58/ vt* (*étonner, prendre à l'improviste*) to amaze; (*tomber sur: intrus etc*) to catch; (*conversation*) to overhear

surpris, e [syʀpʀi, -iz] *adj*: **~ (de/que)** amazed *ou* surprised (at/that) • **surprise** *nf* surprise; **faire une surprise à qn** to give sb a surprise • **surprise-partie** *nf* party

sursaut [syʀso] *nm* start, jump; **~ de** (*énergie, indignation*) sudden fit *ou* burst of; **en ~** with a start • **sursauter** */1/ vi* to (give a) start, jump

sursis [syʀsi] *nm* (*Jur: gén*) suspended sentence; (*aussi fig*) reprieve

surtout [syʀtu] *adv* (*avant tout, d'abord*) above all; (*spécialement, particulièrement*) especially; **~, ne dites rien!** whatever you do, don't say anything!; **~ pas!** certainly *ou* definitely not!; **~ que ...** especially as ...

surveillance [syʀvejɑ̃s] *nf* watch; (*Police, Mil*) surveillance; **sous ~ médicale** under medical supervision

surveillant, e [syʀvejɑ̃, -ɑ̃t] *nm/f* (*de prison*) warder; (*Scol*) monitor

surveiller [syʀveje] */1/ vt* (*enfant, élèves, bagages*) to watch, keep an eye on; (*prisonnier, suspect*) to keep

(a) watch on; (*territoire, bâtiment*) to (keep) watch over; (*travaux, cuisson*) to supervise; (*Scol: examen*) to invigilate; **~ son langage/sa ligne** to watch one's language/figure

survenir [syʀvəniʀ] */22/ vi* (*incident, retards*) to occur, arise; (*événement*) to take place

survêt [syʀvɛt], **survêtement** [syʀvɛtmɑ̃] *nm* tracksuit

survie [syʀvi] *nf* survival • **survivant, e** *nm/f* survivor • **survivre** */46/ vi* to survive; **survivre à** (*accident etc*) to survive

survoler [syʀvɔle] */1/ vt* to fly over; (*fig: livre*) to skim through

survolté, e [syʀvɔlte] *adj* (*fig*) worked up

sus [sy(s)]: **en ~ de** *prép* in addition to, over and above; **en ~** in addition

susceptible [syseptibl] *adj* touchy, sensitive; **~ de faire** (*probabilité*) liable to do

susciter [sysite] */1/ vt* (*admiration*) to arouse; (*obstacles, ennuis*): **(à qn)** to create (for sb)

suspect, e [syspɛ(kt), -ɛkt] *adj* suspicious; (*témoignage, opinions, vin etc*) suspect ▶ *nm/f* suspect • **suspecter** */1/ vt* to suspect; (*honnêteté de qn*) to question, have one's suspicions about

suspendre [syspɑ̃dʀ] */41/ vt* (*interrompre, démettre*) to suspend; (*accrocher: vêtement*): **~ qch (à)** to hang sth up (on)

suspendu, e [syspɑ̃dy] *adj* (*accroché*): **~ à** hanging on (*ou* from); (*perché*): **~ au-dessus de** suspended over

suspens [syspɑ̃]: **en ~** *adv* (*affaire*) in abeyance; **tenir en ~** to keep in suspense

suspense [syspɑ̃s] *nm* suspense

suspension [syspɑ̃sjɔ̃] *nf* suspension; (*lustre*) pendant light fitting

suture [sytyʀ] *nf*: **point de ~** stitch

svelte [svɛlt] *adj* slender, svelte

SVP *abr* (= *s'il vous plaît*) please

sweat [switt] *nm* (*fam*) sweatshirt

sweat-shirt (*pl* **sweat-shirts**) [switʃœʀt] *nm* sweatshirt

syllabe [silab] *nf* syllable

symbole [sɛ̃bɔl] *nm* symbol
• **symbolique** *adj* symbolic; (*geste, offrande*) token *cpd*
• **symboliser** /1/ *vt* to symbolize

symétrique [simetʀik] *adj* symmetrical

sympa [sɛ̃pa] *adj inv* (*fam*) nice; **sois ~, prête-le moi** be a pal and lend it to me

sympathie [sɛ̃pati] *nf* (*inclination*) liking; (*affinité*) fellow feeling; (*condoléances*) sympathy; **avoir de la ~ pour qn** to like sb
• **sympathique** *adj* nice, friendly

⚠ Attention à ne pas traduire *sympathique* par *sympathetic*.

sympathisant, e [sɛ̃patizɑ̃, -ɑ̃t] *nm/f* sympathizer

sympathiser [sɛ̃patize] /1/ *vi* (*voisins etc*: *s'entendre*) to get on (*BRIT*) ou along (*US*) (well)

symphonie [sɛ̃fɔni] *nf* symphony

symptôme [sɛ̃ptom] *nm* symptom

synagogue [sinagɔg] *nf* synagogue

syncope [sɛ̃kɔp] *nf* (*Méd*) blackout; **tomber en ~** to faint, pass out

syndic [sɛ̃dik] *nm* managing agent

syndical, e, -aux [sɛ̃dikal, -o] *adj* (trade-)union *cpd*
• **syndicaliste** *nm/f* trade unionist

syndicat [sɛ̃dika] *nm* (*d'ouvriers, employés*) (trade(s)) union; **~ d'initiative** tourist office ou bureau • **syndiqué, e** *adj* belonging to a (trade) union
• **syndiquer** /1/: **se syndiquer** *vi* to form a trade union; (*adhérer*) to join a trade union

synonyme [sinɔnim] *adj* synonymous ▶ *nm* synonym; **~ de** synonymous with

syntaxe [sɛ̃taks] *nf* syntax

synthèse [sɛ̃tɛz] *nf* synthesis

synthétique [sɛ̃tetik] *adj* synthetic

Syrie [siʀi] *nf*: **la ~** Syria

systématique [sistematik] *adj* systematic

système [sistɛm] *nm* system; **le ~ D** resourcefulness

t

t' [t] *pron voir* **te**

ta [ta] *adj poss voir* **ton¹**

tabac [taba] *nm* tobacco; (*aussi:* **débit** *ou* **bureau de ~**) tobacconist's (shop)

tabagisme [tabaʒism] *nm:* **~ passif** passive smoking

table [tabl] *nf* table; **à ~!** dinner *etc* is ready!; **se mettre à ~** to sit down to eat; **mettre** *ou* **dresser/desservir la ~** to lay *ou* set/clear the table; **~ à repasser** ironing board; **~ de cuisson** hob; **~ des matières** (table of) contents *pl*; **~ de nuit** *ou* **de chevet** bedside table; **~ d'orientation** viewpoint indicator; **~ roulante** (tea) trolley (*BRIT*), tea wagon (*US*)

tableau, x [tablo] *nm* (*Art*) painting; (*reproduction, fig*) picture; (*panneau*) board; (*schéma*) table, chart; **~ d'affichage** notice board; **~ de bord** dashboard; (*Aviat*) instrument panel; **~ noir** blackboard

tablette [tablɛt] *nf* (*planche*) shelf; **~ de chocolat** bar of chocolate; **~ (tactile)** (*Inform*) tablet

tablier [tablije] *nm* apron

tabou [tabu] *nm* taboo

tabouret [taburɛ] *nm* stool

tac [tak] *nm:* **du ~ au ~** tit for tat

tache [taʃ] *nf* (*saleté*) stain, mark; (*Art, de couleur, lumière*) spot; **~ de rousseur** *ou* **de son** freckle

tâche [taʃ] *nf* task

tacher [taʃe] /1/ *vt* to stain, mark

tâcher [taʃe] /1/ *vi:* **~ de faire** to try to do, endeavour (*BRIT*) *ou* endeavor (*US*) to do

tacheté, e [taʃte] *adj:* **~ de** speckled *ou* spotted with

tact [takt] *nm* tact; **avoir du ~** to be tactful

tactile [taktil] *adj:* **écran ~** (*Inform*) touch-sensitive display

tactique [taktik] *adj* tactical ▶ *nf* (*technique*) tactics *sg*; (*plan*) tactic

taie [tɛ] *nf:* **~ (d'oreiller)** pillowslip, pillowcase

taille [taj] *nf* cutting; (*d'arbre*) pruning; (*milieu du corps*) waist; (*hauteur*) height; (*grandeur*) size; **de ~ à faire** capable of doing; **de ~** sizeable

taille-crayon(s) [tajkrɛjɔ̃] *nm inv* pencil sharpener

tailler [taje] /1/ *vt* (*pierre, diamant*) to cut; (*arbre, plante*) to prune; (*vêtement*) to cut out; (*crayon*) to sharpen

tailleur [tajœr] *nm* (*couturier*) tailor; (*vêtement*) suit; **en ~** (*assis*) cross-legged

taillis [taji] *nm* copse

taire [tɛr] /54/ *vt:* **faire ~ qn** to make sb be quiet; **se taire** *vi* to be silent *ou* quiet; **taisez-vous!** be quiet!

Taiwan [tajwan] *nf* Taiwan

talc [talk] *nm* talc, talcum powder

talent [talɑ̃] nm talent

talkie-walkie [tɔkiwɔki] nm walkie-talkie

talon [talɔ̃] nm heel; (de chèque, billet) stub, counterfoil (BRIT); **~s plats/aiguilles** flat/stiletto heels

talus [taly] nm embankment

tambour [tɑ̃buʀ] nm (Mus, Tech) drum; (musicien) drummer; (porte) revolving door(s pl) • **tambourin** nm tambourine

Tamise [tamiz] nf: **la ~** the Thames

tamisé, e [tamize] adj (fig) subdued, soft

tampon [tɑ̃pɔ̃] nm (de coton, d'ouate) pad; (aussi: **~ hygiénique** ou **périodique**) tampon; (amortisseur, Inform: aussi: **mémoire ~**) buffer; (bouchon) plug, stopper; (cachet, timbre) stamp • **tamponner** /1/ vt (timbres) to stamp; (heurter) to crash ou ram into
• **tamponneuse** adj f: **autos tamponneuses** dodgems

tandem [tɑ̃dɛm] nm tandem

tandis [tɑ̃di]: **~ que** conj while

tanguer [tɑ̃ge] /1/ vi to pitch (and toss)

tant [tɑ̃] adv so much; **~ de** (sable, eau) so much; (gens, livres) so many; **~ que** as long as; **~ que** as much as; **~ mieux** that's great; (avec une certaine réserve) so much the better; **~ pis** too bad; (conciliant) never mind; **~ bien que mal** as well as can be expected

tante [tɑ̃t] nf aunt

tantôt [tɑ̃to] adv (parfois): **tantôt ... tantôt** now ... now; (cet après-midi) this afternoon

taon [tɑ̃] nm horsefly

tapage [tapaʒ] nm uproar, din

tapageur, -euse [tapaʒœʀ, -øz] adj noisy; (enfant) loud, flashy

tape [tap] nf slap

tape-à-l'œil [tapalœj] adj inv flashy, showy

taper [tape] /1/ vt (porte) to bang, slam; (enfant) to slap; (dactylographier) to type (out); (fam: emprunter): **~ qn de 10 euros** to touch sb for 10 euros ▶ vi (soleil) to beat down; **se taper** vt (fam: travail) to get landed with; (: boire, manger) to down; **~ sur qn** to thump sb; (fig) to run sb down; **~ sur qch** (clou etc) to hit sth; (table etc) to bang on sth; **~ à** (porte etc) to knock on; **~ dans** (se servir) to dig into; **~ des mains/pieds** to clap one's hands/stamp one's feet; **~ (à la machine)** to type

tapi, e [tapi] adj: **~ dans/derrière** (caché) hidden away in/behind

tapis [tapi] nm carpet; (petit) rug; **~ roulant** (pour piétons) moving walkway; (pour bagages) carousel; **~ de sol** (de tente) groundsheet; **~ de souris** (Inform) mouse mat

tapisser [tapise] /1/ vt (avec du papier peint) to paper; (recouvrir): **~ qch (de)** to cover sth (with) • **tapisserie** nf (tenture, broderie) tapestry; (papier peint) wallpaper

tapissier, -ière [tapisje, -jɛʀ] nm/f: **~-décorateur** interior decorator

tapoter [tapote] /1/ vt (joue, main) to pat; (objet) to tap

taquiner [takine] /1/ vt to tease

tard [taʀ] adv late ▶ nm: **sur le ~** late in life; **plus ~** later (on); **au plus ~** at the latest; **il est trop ~** it's too late

tarder [taʀde] /1/ vi (chose) to be a long time coming; (personne): **~ à faire** to delay doing; **il me tarde d'être** I am longing to be; **sans (plus) ~** without (further) delay

tardif, -ive [taʀdif, -iv] adj late

tarif [taʀif] nm: **~ des consommations** price list; **~s postaux/douaniers** postal/customs rates; **~ des taxis** taxi fares; **~ plein/réduit** (train) full/reduced fare; (téléphone) peak/off-peak rate

tarir [taʀiʀ] /2/ vi to dry up, run dry

tarte [taʀt] nf tart; **~ aux pommes/à la crème** apple/custard tart; **~ Tatin** = apple upside-down tart

tartine [taʀtin] nf slice of bread (and butter ou jam); **~ de miel** slice of bread and honey • **tartiner** /1/ vt to spread; **fromage à tartiner** cheese spread

tartre [taʀtʀ] nm (des dents) tartar; (de chaudière) fur, scale

tas [tɑ] nm heap, pile; **un ~ de** (fig) heaps of, lots of; **en ~** in a heap ou pile; **formé sur le ~** trained on the job

tasse [tɑs] nf cup; **~ à café/thé** coffee/teacup

tassé, e [tɑse] adj: **bien ~** (café etc) strong

tasser [tɑse] /1/ vt (terre, neige) to pack down; (entasser): **~ qch dans** to cram sth into; **se tasser** vi (se serrer) to squeeze up; (s'affaisser) to settle; (personne: avec l'âge) to shrink; (fig) to sort itself out, settle down

tâter [tɑte] /1/ vt to feel; (fig) to try out; **~ de** (prison etc) to have a

taste of; **se tâter** (hésiter) to be in two minds

tatillon, ne [tatijɔ̃, -ɔn] adj pernickety

tâtonnement [tɑtɔnmɑ̃] nm: **par ~s** (fig) by trial and error

tâtonner [tɑtɔne] /1/ vi to grope one's way along

tâtons [tɑtɔ̃]: **à ~** adv: **chercher/avancer à ~** to grope around for/grope one's way forward

tatouage [tatwaʒ] nm tattoo

tatouer [tatwe] /1/ vt to tattoo

taudis [todi] nm hovel, slum

taule [tol] nf (fam) nick (BRIT), jail

taupe [top] nf mole

taureau, x [tɔʀo] nm bull; (signe): **le T~** Taurus

taux [to] nm rate; (d'alcool) level; **~ d'intérêt** interest rate

taxe [taks] nf tax; (douanière) duty; **toutes ~s comprises** inclusive of tax; **la boutique hors ~s** the duty-free shop; **~ de séjour** tourist tax; **~ à ou sur la valeur ajoutée** value added tax

taxer [takse] /1/ vt (personne) to tax; (produit) to put a tax on, tax

taxi [taksi] nm taxi; (chauffeur: fam) taxi driver

Tchécoslovaquie [tʃekɔslɔvaki] nf: **la ~** Czechoslovakia • **tchèque** adj Czech ▶ nm (Ling) Czech ▶ nm/f: **Tchèque** Czech; **la République tchèque** the Czech Republic

Tchétchénie [tʃetʃeni] nf: **la ~** Chechnya

te, t' [tə] pron you; (réfléchi) yourself

technicien, ne [tɛknisjɛ̃, -ɛn] nm/f technician

technico-commercial, e, -aux [tɛknikokɔmɛʀsjal, -o] adj: **agent ~** sales technician

technique [tɛknik] *adj* technical
▶ *nf* technique • **techniquement**
adv technically

techno [tɛkno] *nf*: **la (musique)**
~ techno (music)

technologie [tɛknɔlɔʒi] *nf*
technology • **technologique** *adj*
technological

teck [tɛk] *nm* teak

tee-shirt [tiʃœrt] *nm* T-shirt,
tee-shirt

teindre [tɛ̃dʀ] /52/ *vt* to dye; **se**
~ **(les cheveux)** to dye one's hair
• **teint, e** *adj* dyed ▶ *nm (du visage)*
complexion; (: *momentané*) colour
▶ *nf* shade; **grand teint**
colourfast

teinté, e [tɛ̃te] *adj*: ~ **de** (*fig*)
tinged with

teinter [tɛ̃te] /1/ *vt (verre)* to tint;
(bois) to stain

teinture [tɛ̃tyʀ] *nf* dye; ~ **d'iode**
tincture of iodine • **teinturerie** *nf*
dry cleaner's • **teinturier, -ière**
nm/f dry cleaner

tel, telle [tɛl] *adj (pareil)* such;
(comme): ~ **un/des ...** like a/like
...; *(indéfini)* such-and-such a;
(intensif): **un ~/de ~s ...** such (a)/
such ...; **venez ~ jour** come on
such-and-such a day; **rien de** ~
nothing like it; ~ **que** like, such
as; ~ **quel** as it is *ou* stands (*ou*
was *etc*)

télé [tele] *nf (fam)* TV; **à la** ~
on TV *ou* telly • **télécabine** *nf*
(benne) cable car • **télécarte** *nf*
phonecard • **téléchargeable** *adj*
downloadable • **téléchargement**
nm (action) downloading; *(fichier)*
download • **télécharger** /3/ *vt*
(recevoir) to download; *(transmettre)*
to upload • **télécommande** *nf*
remote control • **télécopieur** *nm*

fax (machine) • **télédistribution**
nf cable TV • **télégramme** *nm*
telegram • **télégraphier** /7/ *vt* to
telegraph, cable • **téléguider** /1/
vt to operate by remote control
• **télématique** *nf* telematics *sg*
• **téléobjectif** *nm* telephoto lens
sg • **télépathie** *nf* telepathy
• **téléphérique** *nm* cable-car

téléphone [telefɔn] *nm*
telephone; **avoir le** ~ to be on the
(tele)phone; **au** ~ on the phone;
~ **sans fil** cordless (tele)phone
• **téléphoner** /1/ *vi* to make a
phone call; **téléphoner à** to
phone, call up • **téléphonique**
adj (tele)phone *cpd*

téléréalité [telerealite] *nf*
reality TV

télescope [teleskɔp] *nm*
telescope

télescoper [teleskɔpe] /1/ *vt*
to smash up; **se télescoper**
(véhicules) to concertina

télé-: • **téléscripteur** *nm*
teleprinter • **télésiège** *nm*
chairlift • **téléski** *nm* ski-tow
• **téléspectateur, -trice** *nm/f*
(television) viewer • **télétravail**
nm telecommuting • **télévente**
nf telesales • **téléviseur** *nm*
television set • **télévision** *nf*
television; **à la télévision** on
television; **télévision**
numérique digital TV; **télévision**
par câble/satellite cable/
satellite television

télex [teleks] *nm* telex

telle [tɛl] *adj f voir* **tel**

tellement [tɛlmɑ̃] *adv (tant)*
so much; *(si)* so; ~ **de** *(sable, eau)*
so much; *(gens, livres)* so many;
il s'est endormi ~ **il était fatigué**
he was so tired (that) he fell asleep;
pas ~ not really; **pas** ~ **fort/**

ténèbres

lentement not (all) that strong/
slowly; **il ne mange pas ~**
he doesn't eat (all that) much
téméraire [temerɛʀ] *adj*
reckless, rash
témoignage [temwaɲaʒ] *nm*
(Jur: *déclaration*) testimony *no pl*,
evidence *no pl*; (*rapport, récit*)
account; (*fig: d'affection etc*) token,
mark; (*geste*) expression
témoigner [temwaɲe] /1/ *vt*
(*intérêt, gratitude*) to show
▶ *vi* (Jur) to testify, give evidence;
~ de to bear witness to, testify to
témoin [temwɛ̃] *nm* witness
▶ *adj*: **appartement-~** show flat;
être ~ de to witness; **~ oculaire**
eyewitness
tempe [tɑ̃p] *nf* temple
tempérament [tɑ̃peʀamɑ̃] *nm*
temperament, disposition; **à ~**
(*vente*) on deferred (payment)
terms; (*achat*) by instalments,
hire purchase *cpd*
température [tɑ̃peʀatyʀ] *nf*
temperature; **avoir** *ou* **faire de
la ~** to be running *ou* have a
temperature
tempête [tɑ̃pɛt] *nf* storm; **~ de
sable/neige** sand/snowstorm
temple [tɑ̃pl] *nm* temple;
(*protestant*) church
temporaire [tɑ̃pɔʀɛʀ] *adj*
temporary
temps [tɑ̃] *nm* (*atmosphérique*)
weather; (*durée*) time; (*époque*)
time, times *pl*; (Ling) tense; (Mus)
beat; (Tech) stroke; **un ~ de chien**
(*fam*) rotten weather; **quel
~ fait-il?** what's the weather like?;
il fait beau/mauvais the
weather is fine/bad; **avoir le ~/
tout le ~/juste le ~** to have time/
plenty of time/just enough time;

en ~ de paix/guerre in
peacetime/wartime; **en ~ utile**
ou **voulu** in due time *ou* course;
ces derniers ~ lately; **dans
quelque ~** in a (little) while; **de
~ en ~, de ~ à autre** from time to
time; **à ~** (*partir, arriver*) in time;
à ~ complet, à plein ~ *adv*, *adj*
full-time; **à ~ partiel, à mi-~** *adv*,
adj part-time; **dans le ~** at one
time; **~ d'arrêt** pause, halt;
~ libre free *ou* spare time; **~ mort**
(Comm) slack period
tenable [tənabl] *adj* bearable
tenace [tənas] *adj* persistent
tenant, e [tənɑ̃, -ɑ̃t] *nm/f* (Sport):
~ du titre title-holder
tendance [tɑ̃dɑ̃s] *nf* (*opinions*)
leanings *pl*, sympathies *pl*;
(*inclination*) tendency; (*évolution*)
trend ▶ *adj inv* trendy; **avoir ~ à**
to have a tendency to, tend to
tendeur [tɑ̃dœʀ] *nm* (*attache*)
elastic strap
tendre [tɑ̃dʀ] /41/ *adj* tender;
(*bois, roche, couleur*) soft ▶ *vt*
(*élastique, peau*) to stretch;
(*corde*) to tighten; (*muscle*) to
tense; (*donner*): **~ qch à qn**
to hold sth out to sb; (*offrir*) to
offer sb sth; (*fig: piège*) to set, lay;
se tendre *vi* (*corde*) to tighten;
(*relations*) to become strained;
~ à qch/à faire to tend towards
sth/to do; **~ l'oreille** to prick up
one's ears; **~ la main/le bras** to
hold out one's hand/stretch out
one's arm **• tendrement** *adv*
tenderly **• tendresse** *nf*
tenderness
tendu, e [tɑ̃dy] *pp de* **tendre**
▶ *adj* (*corde*) tight; (*muscles*)
tensed; (*relations*) strained
ténèbres [tenɛbʀ] *nfpl*
darkness *sg*

t

teneur [tənœʀ] *nf* content; (*d'une lettre*) terms *pl*, content

tenir [təniʀ] /22/ *vt* to hold; (*magasin, hôtel*) to run; (*promesse*) to keep ▶ *vi* to hold; (*neige, gel*) to last; **se tenir** *vi* (*avoir lieu*) to be held, take place; (*être: personne*) to stand; **se ~ droit** to stand up (*ou* sit up) straight; **bien se ~** to behave well; **se ~ à qch** to hold on to sth; **s'en ~ à qch** to confine o.s. to sth; **~ à** (*personne, objet*) to be attached to, care about (*ou* for); (*réputation*) to care about; **~ à faire** to want to do; **~ de** (*ressembler à*) to take after; **ça ne tient qu'à lui** it is entirely up to him; **~ qn pour** to take sb for; **~ qch de qn** (*histoire*) to have heard *ou* learnt sth from sb; (*qualité, défaut*) to have inherited *ou* got sth from sb; **~ dans** to fit into; **~ compte de qch** to take sth into account; **~ les comptes** to keep the books; **~ le coup** to hold out; **~ bon** to stand *ou* hold fast; **~ au chaud/à l'abri** to keep hot/under shelter *ou* cover; **un manteau qui tient chaud** a warm coat; **tiens** (*ou* **tenez**), **voilà le stylo** there's the pen!; **tiens, voilà Alain!** look, here's Alain!; **tiens?** (*surprise*) really?

tennis [tenis] *nm* tennis; (*aussi*: **court de ~**) tennis court ▶ *nmpl*, *nfpl* (*aussi*: **chaussures de ~**) tennis *ou* gym shoes; **~ de table** table tennis; **• tennisman** *nm* tennis player

tension [tɑ̃sjɔ̃] *nf* tension; (*Méd*) blood pressure; **faire** *ou* **avoir de la ~** to have high blood pressure

tentation [tɑ̃tasjɔ̃] *nf* temptation

tentative [tɑ̃tativ] *nf* attempt

tente [tɑ̃t] *nf* tent

tenter [tɑ̃te] /1/ *vt* (*éprouver, attirer*) to tempt; (*essayer*): **~ qch/de faire** to attempt *ou* try sth/to do; **~ sa chance** to try one's luck

tenture [tɑ̃tyʀ] *nf* hanging

tenu, e [təny] *pp de* **tenir** ▶ *adj*: **bien ~** (*maison, comptes*) well-kept; **~ de faire** (*obligé*) under an obligation to do ▶ *nf* (*vêtements*) clothes *pl*; (*comportement*) manners *pl*, behaviour; (*d'une maison*) upkeep; **en petite ~e** scantily dressed *ou* clad

ter [tɛʀ] *adj*: **16 ~ 16b** *ou* B

terme [tɛʀm] *nm* term; (*fin*) end; **être en bons/mauvais ~s avec qn** to be on good/bad terms with sb; **à court/long ~** *adj* short-/long-term *ou* -range; *adv* in the short/long term; **avant ~** (*Méd*) prematurely; **mettre un ~ à** to put an end *ou* a stop to

terminaison [tɛʀminɛzɔ̃] *nf* (*Ling*) ending

terminal, e, -aux [tɛʀminal, -o] *nm* terminal ▶ *nf* (*Scol*) ≈ year 13 (*BRIT*), ≈ twelfth grade (*US*)

terminer [tɛʀmine] /1/ *vt* to finish; **se terminer** *vi* to end

terne [tɛʀn] *adj* dull

ternir [tɛʀniʀ] /2/ *vt* to dull; (*fig*) to sully, tarnish; **se ternir** *vi* to become dull

terrain [teʀɛ̃] *nm* (*sol, fig*) ground; (*Comm: étendue de terre*) land *no pl*; (: *parcelle*) plot of land); (: *à bâtir*) site; **sur le ~** (*fig*) on the field; **~ de football/rugby** football/rugby pitch (*BRIT*) *ou* field (*US*); **~ d'aviation** airfield; **~ de camping** campsite; **~ de golf** golf course; **~ de jeu** (*pour les petits*)

playground; (Sport) games field;
~ de sport sports ground;
~ vague waste ground no pl

terrasse [tɛʀas] nf terrace; **à la ~**
(café) outside • **terrasser** /1/ vt
(adversaire) to floor; (maladie etc) to
lay low

terre [tɛʀ] nf (gén, aussi Élec)
earth; (substance) soil, earth;
(opposé à mer) land no pl; (contrée)
land; **terres** nfpl (terrains) lands,
land sg; **en ~** (pipe, poterie) clay
cpd; **à** ou **par ~** (mettre, être,
s'asseoir) on the ground (ou floor);
(jeter, tomber) to the ground,
down; **~ à ~** adj inv down-to-
earth; **~ cuite** terracotta; **la
~ ferme** dry land; **~ glaise** clay

terreau [tɛʀo] nm compost

terre-plein [tɛʀplɛ̃] nm
platform; (sur chaussée) central
reservation

terrestre [tɛʀɛstʀ] adj (surface)
earth's, of the earth; (Bot, Zool,
Mil) land cpd; (Rel) earthly

terreur [tɛʀœʀ] nf terror no pl

terrible [tɛʀibl] adj terrible,
dreadful; (fam) terrific; **pas ~**
nothing special

terrien, ne [tɛʀjɛ̃, -ɛn] adj:
propriétaire ~ landowner ▶ nm/f
(non martien etc) earthling

terrier [tɛʀje] nm burrow, hole;
(chien) terrier

terrifier [tɛʀifje] /7/ vt to terrify

terrine [tɛʀin] nf (récipient)
terrine; (Culin) pâté

territoire [tɛʀitwaʀ] nm
territory

terroriser [tɛʀɔʀize] /1/ vt to
terrorize

terrorisme [tɛʀɔʀism] nm
terrorism • **terroriste** [tɛʀɔʀist]
nm/f terrorist

tertiaire [tɛʀsjɛʀ] adj tertiary
▶ nm (Écon) service industries pl

tes [te] adj poss voir **ton¹**

test [tɛst] nm test

testament [tɛstamɑ̃] nm (Jur)
will; (fig) legacy; (Rel): **T~**
Testament

tester [tɛste] /1/ vt to test

testicule [tɛstikyl] nm testicle

tétanos [tetanos] nm tetanus

têtard [tɛtaʀ] nm tadpole

tête [tɛt] nf head; (cheveux) hair no
pl; (visage) face; **de ~** adj (wagon
etc) front cpd ▶ adv (calculer) in
one's head, mentally; **perdre la ~**
(fig) (s'affoler) to lose one's head;
(devenir fou) to go off one's head;
tenir ~ à qn to stand up to ou defy
sb; **la ~ en bas** with one's head
down; **la ~ la première** (tomber)
head-first; **faire une ~** (Football)
to head the ball; **faire la ~** (fig) to
sulk; **en ~** (Sport) in the lead; **à la
~ de** at the head of; **à ~ reposée**
in a more leisurely moment; **n'en
faire qu'à sa ~** to do as one
pleases; **en avoir par-dessus la ~**
to be fed up; **en ~ à ~** in private,
alone together; **de la ~ aux pieds**
from head to toe; **~ de lecture**
(playback) head; **~ de liste** (Pol)
chief candidate; **~ de mort** skull
and crossbones; **~ de série**
(Tennis) seeded player, seed; **~ de
Turc** (fig) whipping boy (BRIT),
butt • **tête-à-queue** nm inv:
faire un tête-à-queue to spin
round • **tête-à-tête** nm inv: **en
tête-à-tête** in private, alone
together

téter [tete] /6/ vt: **~ (sa mère)** to
suck at one's mother's breast, feed

tétine [tetin] nf teat; (sucette)
dummy (BRIT), pacifier (US)

têtu, e [tety] *adj* stubborn, pigheaded

texte [tɛkst] *nm* text; (*morceau choisi*) passage

texter [tɛkste] /1/ *vi, vt* to text

textile [tɛkstil] *adj* textile *cpd* ▶ *nm* textile; (*industrie*) textile industry

Texto [tɛksto] *nm* text (message)

textoter [tɛkstɔte] /1/ *vi, vt* to text

texture [tɛkstyʀ] *nf* texture

TGV *sigle m* = **train à grande vitesse**

thaïlandais, e [tailɑ̃dɛ, -ɛz] *adj* Thai ▶ *nm/f*: **T~, e** Thai

Thaïlande [tailɑ̃d] *nf*: **la ~** Thailand

thé [te] *nm* tea; **prendre le ~** to have tea; **~ au lait/citron** tea with milk/lemon; **faire le ~** to make the tea

théâtral, e, -aux [teɑtral, -o] *adj* theatrical

théâtre [teɑtr] *nm* theatre; (*péj*) playacting; (*fig: lieu*): **le ~ de** the scene of; **faire du ~** to act

théière [tejɛʀ] *nf* teapot

thème [tɛm] *nm* theme; (*Scol: traduction*) prose (composition)

théologie [teɔlɔʒi] *nf* theology

théorie [teɔʀi] *nf* theory • **théorique** *adj* theoretical

thérapie [teʀapi] *nf* therapy

thermal, e, -aux [tɛʀmal, -o] *adj*: **station ~e** spa; **cure ~e** water cure

thermomètre [tɛʀmɔmɛtʀ] *nm* thermometer

thermos® [tɛʀmos] *nm ou f*: **(bouteille) ~** vacuum *ou* Thermos® flask : BRIT *ou* bottle (US)

thermostat [tɛʀmɔsta] *nm* thermostat

thèse [tɛz] *nf* thesis

thon [tɔ̃] *nm* tuna (fish)

thym [tɛ̃] *nm* thyme

Tibet [tibɛ] *nm*: **le ~** Tibet

tibia [tibja] *nm* shin; shinbone, tibia

TIC *sigle fpl* (= *technologies de l'information et de la communication*) ICT *sg*

tic [tik] *nm* tic, (nervous) twitch; (*de langage etc*) mannerism

ticket [tikɛ] *nm* ticket; **~ de caisse** till receipt

tiède [tjɛd] *adj* lukewarm; (*vent, air*) mild, warm • **tiédir** /2/ *vi* (*se réchauffer*) to grow warmer; (*refroidir*) to cool

tien, tienne [tjɛ̃, tjɛn] *pron*: **le (la) ~(ne)** yours; **les ~(ne)s** yours; **à la ~ne!** cheers!

tiens [tjɛ̃] *vb, excl voir* **tenir**

tiercé [tjɛʀse] *nm* system of forecast betting giving first three horses

tiers, tierce [tjɛʀ, tjɛʀs] *adj* third ▶ *nm* (*Jur*) third party; (*fraction*) third; **le ~ monde** the third world

tige [tiʒ] *nf* stem; (*baguette*) rod

tignasse [tiɲas] *nf* (*péj*) shock *ou* mop of hair

tigre [tigʀ] *nm* tiger • **tigré, e** (*rayé*) striped; (*tacheté*) spotted; (*chat*) tabby • **tigresse** *nf* tigress

tilleul [tijœl] *nm* lime (tree), linden (tree); (*boisson*) lime(-blossom) tea

timbre [tɛ̃bʀ] *nm* (*tampon*) stamp; (*aussi*: **~-poste**) (postage) stamp; (*Mus: de voix, instrument*) timbre, tone

timbré, e [tɛ̃bʀe] *adj* (*fam*) cracked

timide [timid] *adj* shy; (*timoré*) timid • **timidement** *adv* shyly;

timidly • **timidité** *nf* shyness; timidity

tintamarre [tɛ̃tamaʀ] *nm* din, uproar

tinter [tɛ̃te] /1/ *vi* to ring, chime; (*argent, clés*) to jingle

tique [tik] *nf* tick (*insect*)

tir [tiʀ] *nm* (*sport*) shooting; (*fait ou manière de tirer*) firing *no pl*; (*rafale*) fire; (*stand*) shooting gallery; **~ à l'arc** archery

tirage [tiʀaʒ] *nm* (*action*) printing; (*Photo*) print; (*de journal*) circulation; (*de livre*) (print-)run; edition; (*de loterie*) draw; **~ au sort** drawing lots

tire [tiʀ] *nf*: **vol à la ~** pickpocketing

tiré, e [tiʀe] *adj* (*visage, traits*) drawn; **~ par les cheveux** far-fetched

tire-bouchon [tiʀbuʃɔ̃] *nm* corkscrew

tirelire [tiʀliʀ] *nf* moneybox

tirer [tiʀe] /1/ *vt* (*gén*) to pull; (*ligne, trait*) to draw; (*rideau*) to draw; (*carte, conclusion, chèque*) to draw; (*en faisant feu: balle, coup*) to fire; (: *animal*) to shoot; (*journal, livre, photo*) to print; (*Football: corner etc*) to take ▶ *vi* (*faire feu*) to fire; (*faire du tir, Football*) to shoot; **se tirer** *vi* (*fam*) to push off; **s'en ~** (*éviter le pire*) to get off; (*survivre*) to pull through; (*se débrouiller*) to manage; (*extraire*): **~ qch de** to take *ou* pull sth out of; **~ sur** (*corde, poignée*) to pull on *ou* at; (*faire feu sur*) to shoot *ou* fire at; (*pipe*) to draw on; (*fig: avoisiner*) to verge *ou* border on; **~ qn de** (*embarras etc*) to help *ou* get sb out of; **~ à l'arc/la carabine** to shoot with a bow and arrow/with a rifle;

~ à sa fin to be drawing to an end; **~ qch au clair** to clear sth up; **~ au sort** to draw lots; **~ parti de** to take advantage of; **~ profit de** to profit from; **~ les cartes** to read *ou* tell the cards

tiret [tiʀɛ] *nm* dash

tireur [tiʀœʀ] *nm* gunman; **~ d'élite** marksman

tiroir [tiʀwaʀ] *nm* drawer • **tiroir-caisse** *nm* till

tisane [tizan] *nf* herb tea

tisser [tise] /1/ *vt* to weave

tissu [tisy] *nm* fabric, material, cloth *no pl*; (*Anat, Bio*) tissue • **tissu-éponge** *nm* (terry) towelling *no pl*

titre [titʀ] *nm* (*gén*) title; (*de journal*) headline; (*diplôme*) qualification; (*Comm*) security; **en ~** (*champion, responsable*) official; **à juste ~** rightly; **à quel ~?** on what grounds?; **à aucun ~** on no account; **au même ~ (que)** in the same way (as); **à ~ d'information** for (your) information; **à ~ gracieux** free of charge; **à ~ d'essai** on a trial basis; **à ~ privé** in a private capacity; **de propriété** title deed; **~ de transport** ticket

tituber [titybe] /1/ *vi* to stagger *ou* reel (along)

titulaire [titylɛʀ] *adj* (*Admin*) with tenure ▶ *nm/f* (*de permis*) holder; **être ~ de** (*diplôme, permis*) to hold

TMS *sigle mpl* (= troubles musculosquelettiques) MSDs (= musculoskeletal disorders)

toast [tost] *nm* slice *ou* piece of toast; (*de bienvenue*) (welcoming) toast; **porter un ~ à qn** to propose *ou* drink a toast to sb

toboggan [tɔbɔgɑ̃] *nm* slide; (*Auto*) flyover

toc [tɔk] *nm*: **en toc** imitation *cpd* ► *excl*: **toc, toc** knock knock

TOC [tɔk] *nm* (= *trouble obsessionnel compulsif*) OCD (= *obsessive compulsive disorder*)

tocsin [tɔksɛ̃] *nm* alarm (bell)

tohu-bohu [tɔybɔy] *nm* commotion

toi [twa] *pron* you

toile [twal] *nf* (*tableau*) canvas; **de** *ou* **en ~** (*pantalon*) cotton; (*sac*) canvas; **~ d'araignée** cobweb; **la T~** (*Internet*) the Web; **~ cirée** oilcloth; **~ de fond** (*fig*) backdrop

toilette [twalɛt] *nf* (*habits*) outfit; **toilettes** *nfpl* toilet *sg*; **faire sa ~** to have a wash, get washed; **articles de ~** toiletries

toi-même [twamɛm] *pron* yourself

toit [twa] *nm* roof; **~ ouvrant** sun roof

toiture [twatyʀ] *nf* roof

Tokyo [tɔkjo] *n* Tokyo

tôle [tol] *nf* (*plaque*) steel (*ou* iron) sheet; **~ ondulée** corrugated iron

tolérable [tɔleʀabl] *adj* tolerable

tolérant, e [tɔleʀɑ̃, -ɑ̃t] *adj* tolerant

tolérer [tɔleʀe] /6/ *vt* to tolerate; (*Admin: hors taxe etc*) to allow

tollé [tɔle] *nm*: **un ~ (de protestations)** a general outcry

tomate [tɔmat] *nf* tomato; **~s farcies** stuffed tomatoes

tombe [tɔ̃b] *nf* (*sépulture*) grave; (*avec monument*) tomb

tombeau, x [tɔ̃bo] *nm* tomb

tombée [tɔ̃be] *nf*: **à la ~ du jour** *ou* **de la nuit** at nightfall

tomber [tɔ̃be] /1/ *vi* to fall; (*fièvre, vent*) to drop; **laisser ~** (*objet*) to drop; (*personne*) to let down; (*activité*) to give up; **laisse ~!** forget it!; **faire ~** to knock over; **~ sur** (*rencontrer*) to come across; **~ de fatigue/sommeil** to drop from exhaustion/be falling asleep on one's feet; **~ à l'eau** (*projet etc*) to fall through; **~ en panne** to break down; **~ en ruine** to fall into ruins; **ça tombe bien/mal** (*fig*) that's come at the right/wrong time; **il est bien/mal tombé** (*fig*) he's been lucky/unlucky

tombola [tɔ̃bɔla] *nf* raffle

tome [tɔm] *nm* volume

ton¹, ta (*pl* **tes**) [tɔ̃, ta, te] *adj poss* your

ton² [tɔ̃] *nm* (*gén*) tone; (*couleur*) shade, tone; **de bon ~** in good taste

tonalité [tɔnalite] *nf* (*au téléphone*) dialling tone

tondeuse [tɔ̃døz] *nf* (*à gazon*) (lawn)mower; (*du coiffeur*) clippers *pl*; (*pour la tonte*) shears *pl*

tondre [tɔ̃dʀ] /41/ *vt* (*pelouse, herbe*) to mow; (*haie*) to cut, clip; (*mouton, toison*) to shear; (*cheveux*) to crop

tongs [tɔ̃g] *nfpl* flip-flops

tonifier [tɔnifje] /7/ *vt* (*peau, organisme*) to tone up

tonique [tɔnik] *adj* fortifying ► *nm* tonic

tonne [tɔn] *nf* metric ton, tonne

tonneau, x [tɔno] *nm* (*à vin, cidre*) barrel; **faire des ~x** (*voiture, avion*) to roll over

tonnelle [tɔnɛl] *nf* bower, arbour

tonner [tɔne] /1/ *vi* to thunder; **il tonne** it is thundering, there's some thunder

tonnerre [tɔnɛʀ] *nm* thunder

tonus [tɔnys] *nm* energy

top [tɔp] *nm*: **au troisième ~** at the third stroke ▸ *adj*: **~ secret** top secret

topinambour [tɔpinɑ̃buʀ] *nm* Jerusalem artichoke

torche [tɔʀʃ] *nf* torch

torchon [tɔʀʃɔ̃] *nm* cloth; (*à vaisselle*) tea towel ou cloth

tordre [tɔʀdʀ] /41/ *vt* (*chiffon*) to wring; (*barre, fig: visage*) to twist; **se tordre** *vi*; **se ~ le poignet/la cheville** to twist one's wrist/ ankle; **se ~ de douleur/rire** to writhe in pain/be doubled up with laughter • **tordu, e** *adj* (*fig*) twisted; (*fig*) crazy

tornade [tɔʀnad] *nf* tornado

torrent [tɔʀɑ̃] *nm* mountain stream

torsade [tɔʀsad] *nf*: **un pull à ~s** a cable sweater

torse [tɔʀs] *nm* chest; (*Anat, Sculpture*) torso; **~ nu** stripped to the waist

tort [tɔʀ] *nm* (*défaut*) fault; **torts** *nmpl* (*Jur*) fault *sg*; **avoir ~** to be wrong; **être dans son ~** to be in the wrong; **donner ~ à qn** to lay the blame on sb; **causer du ~ à** to harm; **à ~** wrongly; **à ~ et à travers** wildly

torticolis [tɔʀtikɔli] *nm* stiff neck

tortiller [tɔʀtije] /1/ *vt* to twist; (*moustache*) to twirl; **se tortiller** *vi* to wriggle; (*en dansant*) to wiggle

tortionnaire [tɔʀsjɔnɛʀ] *nm* torturer

tortue [tɔʀty] *nf* tortoise; (*d'eau douce*) terrapin; (*d'eau de mer*) turtle

tortueux, -euse [tɔʀtɥø, -øz] *adj* (*rue*) twisting; (*fig*) tortuous

torture [tɔʀtyʀ] *nf* torture • **torturer** /1/ *vt* to torture; (*fig*) to torment

tôt [to] *adv* early; **~ ou tard** sooner or later; **si ~** so early; (*déjà*) so soon; **au plus ~** at the earliest; **plus ~** earlier

total, e, -aux [tɔtal, -o] *adj, nm* total; **au ~** in total ou all; (*fig*) on the whole; **faire le ~** to work out the total • **totalement** *adv* totally • **totaliser** /1/ *vt* to total (up) • **totalitaire** *adj* totalitarian • **totalité** *nf*: **la totalité de: la totalité des élèves** all (of) the pupils; **la totalité de la population/classe** the whole population/class; **en totalité** entirely

toubib [tubib] *nm* (*fam*) doctor

touchant, e [tuʃɑ̃, -ɑ̃t] *adj* touching

touche [tuʃ] *nf* (*de piano, de machine à écrire*) key; (*de téléphone*) button; (*Peinture etc*) stroke, touch; (*fig: de couleur, nostalgie*) touch; (*Football: aussi*: **remise en ~**) throw-in; (*aussi*: **ligne de ~**) touch-line; (*Escrime*) hit; **~ dièse** (*de téléphone, clavier*) hash key

toucher [tuʃe] /1/ *nm* touch ▸ *vt* to touch; (*palper*) to feel; (*atteindre: d'un coup de feu etc*) to hit; (*concerner*) to concern, affect; (*contacter*) to reach, contact; (*recevoir: récompense*) to receive, get; (: *salaire*) to draw, get; (*chèque*) to cash; (*aborder: problème, sujet*) to touch on; **au ~** to the touch; **~ à** to touch; (*traiter de, concerner*) to have to do with, concern; **je vais lui en ~ un mot** I'll have a word with him about it; **~ au but** (*fig*) to near one's goal; **~ à sa fin** to be drawing to a close

touffe [tuf] *nf* tuft

touffu, e [tufy] *adj* thick, dense

toujours [tuʒuʀ] *adv* always; (*encore*) still; (*constamment*) forever; **essaie ~** (you can) try anyway; **pour ~** forever; **~ est-il que** the fact remains that; **~ plus** more and more

toupie [tupi] *nf* (*spinning*) top

tour [tuʀ] *nf* tower; (*immeuble*) high-rise block (BRIT) *ou* building (US); (*Échecs*) castle, rook ▶ *nm* (*excursion: à pied*) stroll, walk; (: *en voiture etc*) run, ride; (: *plus long*) trip; (*Sport: aussi:* **~ de piste**) lap; (*d'être servi ou de jouer etc*) turn; (*de roue etc*) revolution; (*Pol: aussi:* **~ de scrutin**) ballot; (*ruse, de prestidigitation, de cartes*) trick; (*de potier*) wheel; (*à bois, métaux*) lathe; (*circonférence*): **de 3 m de ~ 3 m** round, with a circumference *ou* girth of **3 m**; **faire le ~ de** to go (a)round; (*à pied*) to walk (a)round; **faire un ~** to go for a walk; **c'est au ~ de Renée** it's Renée's turn; **à ~ de rôle**, **~ à ~** in turn; **~ de taille/tête** *nm* waist/head measurement; **~ de chant** *nm* song recital; **~ de contrôle** *nf* control tower; **la ~ Eiffel** the Eiffel Tower; **le T~ de France** the Tour de France; **~ de force** *nm* tour de force; **~ de garde** *nm* spell of duty; **un 33 ~s** an LP; **un 45 ~s** a single; **~ d'horizon** *nm* (*fig*) general survey

tourbe [tuʀb] *nf* peat

tourbillon [tuʀbijɔ̃] *nm* whirlwind; (*d'eau*) whirlpool; (*fig*) whirl, swirl • **tourbillonner** /1/ *vi* to whirl *ou* twirl round

tourelle [tuʀɛl] *nf* turret

tourisme [tuʀism] *nm* tourism; **agence de ~** tourist agency; **faire**

du ~ to go touring; (*en ville*) to go sightseeing • **touriste** *nm/f* tourist • **touristique** *adj* tourist cpd; (*région*) touristic (*péj*)

tourment [tuʀmɑ̃] *nm* torment • **tourmenter** /1/ *vt* to torment; **se tourmenter** to fret, worry o.s.

tournage [tuʀnaʒ] *nm* (*d'un film*) shooting

tournant, e [tuʀnɑ̃, -ɑ̃t] *adj* (*feu, scène*) revolving ▶ *nm* (*de route*) bend; (*fig*) turning point

tournée [tuʀne] *nf* (*du facteur etc*) round; (*d'artiste, politicien*) tour; (*au café*) round (of drinks)

tourner [tuʀne] /1/ *vt* to turn; (*sauce, mélange*) to stir; (*Ciné: faire les prises de vues*) to shoot; (: *produire*) to make ▶ *vi* to turn; (*moteur*) to run; (*compteur*) to tick away; (*lait etc*) to turn (sour); **se tourner** *vi* to turn (a)round; **se ~ vers** to turn to; to turn towards; **mal ~** to go wrong; **~ autour de** to go (a)round; (*péj*) to hang (a)round; **~ à/en** to turn into; **~ en ridicule** to ridicule; **~ le dos à** (*mouvement*) to turn one's back on; (*position*) to have one's back to; **se ~ les pouces** to twiddle one's thumbs; **~ de l'œil** to pass out

tournesol [tuʀnǝsɔl] *nm* sunflower

tournevis [tuʀnǝvis] *nm* screwdriver

tournoi [tuʀnwa] *nm* tournament

tournure [tuʀnyʀ] *nf* (*Ling*) turn of phrase; **la ~ de qch** (*évolution*) the way sth is developing; **~ d'esprit** *nm* turn *ou* cast of mind

tourte [tuʀt] *nf* pie

tourterelle [tuʀtǝʀɛl] *nf* turtledove

tous [tu, tus] *adj, pron voir* **tout**

Toussaint [tusɛ̃] *nf*: **la ~** All Saints' Day

La Toussaint, 1 November, or All Saints' Day, is a public holiday in France. People traditionally visit the graves of friends and relatives to lay chrysanthemums on them.

tousser [tuse] /1/ *vi* to cough

---

tout, e [tu, tut]

(*mpl* **tous**, *fpl* **toutes**)
▶ *adj* 1 (*avec article singulier*) all; **tout le lait** all the milk; **toute la nuit** all night, the whole night; **tout le livre** the whole book; **tout un pain** a whole loaf; **tout le temps** all the time, the whole time; **c'est tout le contraire** it's quite the opposite
2 (*avec article pluriel*) every; all; **tous les livres** all the books; **toutes les nuits** every night; **toutes les fois** every time; **toutes les trois/deux semaines** every third/other *ou* second week, every three/two weeks; **tous les deux** both *ou* each of us (*ou* them *ou* you); **toutes les trois** all three of us (*ou* them *ou* you)
3 (*sans article*): **à tout âge** at any age; **pour toute nourriture, il avait ...** his only food was ...
▶ *pron* everything, all; **il a tout fait** he's done everything; **je les vois tous** I can see them all *ou* all of them; **nous y sommes tous allés** all of us went, we all went; **c'est tout** that's all; **en tout** in all; **tout ce qu'il sait** all he knows
▶ *nm* whole; **le tout** all of it (*ou*

them); **le tout est de ...** the main thing is to ...; **pas du tout** not at all
▶ *adv* 1 (*très, complètement*) very; **tout près** *ou* **à côté** very near; **le tout premier** the very first; **tout seul** all alone; **le livre tout entier** the whole book; **tout en haut** right at the top; **tout droit** straight ahead
2: **tout en** while; **tout en travaillant** while working, as he *etc* works
3: **tout d'abord** first of all; **tout à coup** suddenly; **tout à fait** absolutely; **tout à l'heure** a short while ago; (*futur*) in a short while, shortly; **à tout à l'heure!** see you later!; **tout de même** all the same; **tout le monde** everybody; **tout simplement** quite simply; **tout de suite** immediately, straight away

---

toutefois [tutfwa] *adv* however

toutes [tut] *adj, pron voir* **tout**

tout-terrain [tuterɛ̃] *adj*: **vélo ~** mountain bike; **véhicule ~** four-wheel drive

toux [tu] *nf* cough

toxicomane [tɔksikɔman] *nm/f* drug addict

toxique [tɔksik] *adj* toxic

trac [trak] *nm* (*aux examens*) nerves *pl*; (*Théât*) stage fright; **avoir le ~** (*aux examens*) to get an attack of nerves; (*Théât*) to have stage fright

traçabilité [trasabilite] *nf* traceability

tracasser [trakase] /1/ *vt* to worry, bother; **se tracasser** to worry (o.s.)

trace [tʀas] *nf* (*empreintes*) tracks *pl*; (*marques, fig*) mark; (*restes, vestige*) trace; **~s de pas** footprints

tracer [tʀase] /3/ *vt* to draw; (*piste*) to open up

tract [tʀakt] *nm* tract, pamphlet

tracteur [tʀaktœʀ] *nm* tractor

traction [tʀaksjɔ̃] *nf*: **~ avant/ arrière** front-wheel/rear-wheel drive

tradition [tʀadisjɔ̃] *nf* tradition
• **traditionnel, le** *adj* traditional

traducteur, -trice [tʀadyktœʀ, -tʀis] *nm/f* translator

traduction [tʀadyksjɔ̃] *nf* translation

traduire [tʀadɥiʀ] /38/ *vt* to translate; (*exprimer*) to convey; **~ en français** to translate into French; **~ en justice** to bring before the courts

trafic [tʀafik] *nm* traffic; **~ d'armes** arms dealing
• **trafiquant, e** *nm/f* trafficker; (*d'armes*) dealer • **trafiquer** /1/ *vt* (*péj: vin*) to doctor; (: *moteur, document*) to tamper with

tragédie [tʀaʒedi] *nf* tragedy
• **tragique** *adj* tragic

trahir [tʀaiʀ] /2/ *vt* to betray
• **trahison** *nf* betrayal; (*Jur*) treason

train [tʀɛ̃] *nm* (*Rail*) train; (*allure*) pace; **être en ~ de faire qch** to be doing sth; **~ à grande vitesse** high-speed train; **~ d'atterrissage** undercarriage; **~ électrique** (*jouet*) (electric) train set; **~ de vie** style of living

traîne [tʀɛn] *nf* (*de robe*) train; **être à la ~** to lag behind

traîneau, x [tʀɛno] *nm* sleigh, sledge

traîner [tʀene] /1/ *vt* (*remorque*) to pull; (*enfant, chien*) to drag ou trail along ▶ *vi* (*robe, manteau*) to trail; (*être en désordre*) to lie around; (*marcher lentement*) to dawdle (along); (*vagabonder*) to hang about; (*durer*) to drag on; **se traîner** *vi*: **se ~ par terre** to crawl (on the ground); **~ les pieds** to drag one's feet

train-train [tʀɛ̃tʀɛ̃] *nm* humdrum routine

traire [tʀɛʀ] /50/ *vt* to milk

trait, e [tʀɛ, -ɛt] *nm* (*ligne*) line; (*de dessin*) stroke; (*caractéristique*) feature, trait; **traits** *nmpl* (*du visage*) features; **d'un ~** (*boire*) in one gulp; **de ~** (*animal*) draught; **avoir ~ à** to concern; **~ d'union** hyphen

traitant, e [tʀɛtɑ̃, -ɑ̃t] *adj*: **votre médecin ~** your usual ou family doctor; **shampooing ~** medicated shampoo

traite [tʀɛt] *nf* (*Comm*) draft; (*Agr*) milking; **d'une (seule) ~** without stopping (once)

traité [tʀete] *nm* treaty

traitement [tʀetmɑ̃] *nm* treatment; (*salaire*) salary; **~ de données ou de l'information** data processing; **~ de texte** word processing; (*logiciel*) word processing package

traiter [tʀete] /1/ *vt* to treat; (*qualifier*): **~ qn d'idiot** to call sb a fool ▶ *vi* to deal; **~ de** to deal with

traiteur [tʀetœʀ] *nm* caterer

traître, -esse [tʀɛtʀ, -tʀɛs] *adj* (*dangereux*) treacherous ▶ *nm/f* traitor (traitress)

trajectoire [tʀaʒɛktwaʀ] *nf* path

trajet [tʀaʒɛ] *nm* (*parcours, voyage*) journey; (*itinéraire*) route;

(distance à parcourir) distance; **il y a une heure de ~** the journey takes one hour

trampoline [trãpolin] nm trampoline

tramway [tramwɛ] nm tram(way); (voiture) tram(car) (BRIT); streetcar (US)

tranchant, e [trãʃã, -ãt] adj sharp; (fig) peremptory ▶ nm (d'un couteau) cutting edge; (de la main) edge; **à double ~** double-edged

tranche [trãʃ] nf (morceau) slice; (arête) edge; **~ d'âge/de salaires** age/wage bracket

tranché, e [trãʃe] adj (couleurs) distinct; (opinions) clear-cut

trancher [trãʃe] /1/ vt to cut, sever ▶ vi to be decisive; **~ avec** to contrast sharply with

tranquille [trãkil] adj quiet; (rassuré) easy in one's mind, with one's mind at rest; **se tenir ~** (enfant) to be quiet; **avoir la conscience ~** to have an easy conscience; **laisse-moi/ laisse-ça** leave me/it alone • **tranquillisant** nm tranquillizer • **tranquillité** nf peace (and quiet); **tranquillité d'esprit** peace of mind

transférer [trãsfere] /6/ vt to transfer • **transfert** nm transfer

transformation [trãsfɔrmasjɔ̃] nf change, alteration; (radicale) transformation; (Rugby) conversion; **transformations** nfpl (travaux) alterations

transformer [trãsfɔrme] /1/ vt to change; (radicalement) to transform; (vêtement) alter; (matière première, appartement, Rugby) to convert; **~ en** to turn into

transfusion [trãsfyzjɔ̃] nf: **~ sanguine** blood transfusion

transgénique [trãsʒenik] adj transgenic

transgresser [trãsgrese] /1/ vt to contravene

transi, e [trãzi] adj numb (with cold), chilled to the bone

transiger [trãziʒe] /3/ vi to compromise

transit [trãzit] nm transit • **transiter** /1/ vi to pass in transit

transition [trãzisjɔ̃] nf transition • **transitoire** adj transitional

transmettre [trãsmɛtʀ] /56/ vt (passer): **~ qch à qn** to pass sth on to sb; (Tech, Tél, Méd) to transmit; (TV, Radio: retransmettre) to broadcast • **transmission** nf transmission

transparent, e [trãspaʀã, -ãt] adj transparent

transpercer [trãspɛʀse] /3/ vt (froid, pluie) to go through, pierce; (balle) to go through

transpiration [trãspiʀasjɔ̃] nf perspiration

transpirer [trãspiʀe] /1/ vi to perspire

transplanter [trãsplãte] /1/ vt (Méd, Bot) to transplant

transport [trãspɔʀ] nm transport; **~s en commun** public transport sg • **transporter** /1/ vt to carry, move; (Comm) to transport, convey • **transporteur** nm haulage contractor (BRIT), trucker (US)

transvaser [trãsvaze] /1/ vt to decant

transversal, e, -aux [trãsvɛʀsal, -o] adj (mur, chemin, rue) running at right angles; **coupe ~e** cross section

t

trapèze [tʀapɛz] nm (au cirque) trapeze

trappe [tʀap] nf trap door

trapu, e [tʀapy] adj squat, stocky

traquenard [tʀaknaʀ] nm trap

traquer [tʀake] /1/ vt to track down; (harceler) to hound

traumatiser [tʀomatize] /1/ vt to traumatize

travail, -aux [tʀavaj, -o] nm (gén) work; (tâche, métier) work no pl, job; (Écon, Méd) labour; **travaux** nmpl (de réparation, agricoles etc) work sg; (sur route) roadworks; (de construction) building (work) sg; **être sans ~** (employé) to be out of work; **~ (au) noir** moonlighting; **travaux des champs** farmwork sg; **travaux dirigés** (Scol) supervised practical work sg; **travaux forcés** hard labour sg; **travaux manuels** (Scol) handicrafts; **travaux ménagers** housework sg; **travaux pratiques** (gén) practical work sg; (en laboratoire) lab work sg

travailler [tʀavaje] /1/ vi to work; (bois) to warp ▶ vt (bois, métal) to work; (objet d'art, discipline) to work on; **cela le travaille** it is on his mind
• **travailleur, -euse** adj hard-working ▶ nm/f worker; **travailleur social** social worker
• **travailliste** adj ≈ Labour cpd

travaux [tʀavo] nmpl voir **travail**

travers [tʀavɛʀ] nm fault, failing; **en ~ (de)** across; **au ~ (de)** through; **de ~** (nez, bouche) crooked; (chapeau) askew; **à ~** through; **regarder de ~** (fig) to look askance at; **comprendre de ~** to misunderstand

traverse [tʀavɛʀs] nf (de voie ferrée) sleeper; **chemin de ~** shortcut

traversée [tʀavɛʀse] nf crossing

traverser [tʀavɛʀse] /1/ vt (gén) to cross; (ville, tunnel, aussi percer, fig) to go through; (ligne, trait) to run across

traversin [tʀavɛʀsɛ̃] nm bolster

travesti [tʀavɛsti] nm transvestite

trébucher [tʀebyʃe] /1/ vi: **~ (sur)** to stumble (over), trip (over)

trèfle [tʀɛfl] nm (Bot) clover; (Cartes: couleur) clubs pl; (: carte) club; **~ à quatre feuilles** four-leaf clover

treize [tʀɛz] num thirteen
• **treizième** num thirteenth

tréma [tʀema] nm diaeresis

tremblement [tʀɑ̃bləmɑ̃] nm: **~ de terre** earthquake

trembler [tʀɑ̃ble] /1/ vi to tremble, shake; **~ de** (froid, fièvre) to shiver ou tremble with; (peur) to shake ou tremble with; **~ pour qn** to fear for sb

trémousser [tʀemuse] /1/: **se trémousser** vi to jig about, wriggle about

trempé, e [tʀɑ̃pe] adj soaking (wet), drenched; (Tech): **acier ~** tempered steel

tremper [tʀɑ̃pe] /1/ vt to soak, drench; (aussi: **faire ~, mettre à ~**) to soak ▶ vi to soak; (fig): **~ dans** to be involved ou have a hand in; **se tremper** vi to have a quick dip

tremplin [tʀɑ̃plɛ̃] nm springboard; (Ski) ski jump

trentaine [tʀɑ̃tɛn] nf (âge): **avoir la ~** to be around thirty; **une ~ (de)** thirty or so, about thirty

troc

trente [tʁɑ̃t] *num* thirty; **être/se mettre sur son ~ et un** to be wearing/put on one's Sunday best
• **trentième** *num* thirtieth

trépidant, e [tʁepidɑ̃, -ɑ̃t] *adj* (*fig: rythme*) pulsating; (*: vie*) hectic

trépigner [tʁepiɲe] /1/ *vi* to stamp (one's feet)

très [tʁɛ] *adv* very; **~ beau/bien** very beautiful/well; **~ critiqué** much criticized; **~ industrialisé** highly industrialized

trésor [tʁezɔʁ] *nm* treasure;
~ (public) public revenue
• **trésorerie** *nf* (*gestion*) accounts *pl*; (*bureaux*) accounts department; **difficultés de trésorerie** cash problems, shortage of cash *ou* funds
• **trésorier, -ière** *nm/f* treasurer

tressaillir [tʁesajiʁ] /13/ *vi* to shiver, shudder

tressauter [tʁesote] /1/ *vi* to start, jump

tresse [tʁɛs] *nf* braid, plait
• **tresser** /1/ *vt* (*cheveux*) to braid, plait; (*fil, jonc*) to plait; (*corbeille*) to weave; (*corde*) to twist

trêve [tʁɛv] *nf* (*Mil, Pol*) truce; (*fig*) respite; **~ de ...** enough of this ...

tri [tʁi] *nm*: **faire le ~ (de)** to sort out; **le (bureau de) ~** (*Postes*) the sorting office

triangle [tʁijɑ̃gl] *nm* triangle
• **triangulaire** *adj* triangular

tribord [tʁibɔʁ] *nm*: **à ~** to starboard, on the starboard side

tribu [tʁiby] *nf* tribe

tribunal, -aux [tʁibynal, -o] *nm* (*Jur*) court; (*Mil*) tribunal

tribune [tʁibyn] *nf* (*estrade*) platform, rostrum; (*débat*) forum; (*d'église, de tribunal*) gallery; (*de stade*) stand

tribut [tʁiby] *nm* tribute

tributaire [tʁibytɛʁ] *adj*: **être ~ de** to be dependent on

tricher [tʁiʃe] /1/ *vi* to cheat
• **tricheur, -euse** *nm/f* cheat

tricolore [tʁikɔlɔʁ] *adj* three-coloured; (*français*) red, white and blue

tricot [tʁiko] *nm* (*technique, ouvrage*) knitting *no pl*; (*vêtement*) jersey, sweater; **~ de corps, ~ de peau** vest • **tricoter** /1/ *vt* to knit

tricycle [tʁisikl] *nm* tricycle

trier [tʁije] /7/ *vt* to sort (out); (*Postes, Inform, fruits*) to sort

trimestre [tʁimɛstʁ] *nm* (*Scol*) term; (*Comm*) quarter
• **trimestriel, le** *adj* quarterly; (*Scol*) end-of-term

trinquer [tʁɛ̃ke] /1/ *vi* to clink glasses

triomphe [tʁijɔ̃f] *nm* triumph
• **triompher** /1/ *vi* to triumph, win; **triompher de** to triumph over, overcome

tripes [tʁip] *nfpl* (*Culin*) tripe *sg*

triple [tʁipl] *adj* triple ▸ *nm*: **le ~ (de)** (*comparaison*) three times as much (as); **en ~ exemplaire** in triplicate • **tripler** /1/ *vi, vt* to triple, treble

triplés, -ées [tʁiple] *nm/f pl* triplets

tripoter [tʁipɔte] /1/ *vt* to fiddle with

triste [tʁist] *adj* sad; (*couleur, temps, journée*) dreary; (*péj*): **~ personnage/affaire** sorry individual/affair • **tristesse** *nf* sadness

trivial, e, -aux [tʁivjal, -o] *adj* coarse, crude; (*commun*) mundane

troc [tʁɔk] *nm* barter

t

trognon [tʀɔɲɔ̃] nm (de fruit) core; (de légume) stalk

trois [tʀwɑ] num three
• **troisième** /ʀ/ ▶ nf (Scol) year 10 (BRIT), ninth grade (US); **le troisième âge** (période de vie) one's retirement years; (personnes âgées) senior citizens pl

troll [tʀɔl] nm, **trolleur, -euse** [tʀɔlœʀ, -øz] nm/f (Inform) troll!!

trombe [tʀɔ̃b] nf: **des ~s d'eau** a downpour; **en ~** like a whirlwind

trombone [tʀɔ̃bɔn] nm (Mus) trombone; (de bureau) paper clip

trompe [tʀɔ̃p] nf (d'éléphant) trunk; (Mus) trumpet, horn

tromper [tʀɔ̃pe] /ʀ/ vt to deceive; (vigilance, poursuivants) to elude; **se tromper** vi to make a mistake, be mistaken; **se ~ de voiture/ jour** to take the wrong car/get the day wrong; **se ~ de 3 cm/20 euros** to be out by 3 cm/20 euros

trompette [tʀɔ̃pɛt] nf trumpet; **en ~** (nez) turned-up

trompeur, -euse [tʀɔ̃pœʀ, -øz] adj deceptive

tronc [tʀɔ̃] nm (Bot, Anat) trunk; (d'église) collection box

tronçon [tʀɔ̃sɔ̃] nm section
• **tronçonner** /ʀ/ vt to saw up
• **tronçonneuse** nf chainsaw

trône [tʀon] nm throne

trop [tʀo] adv too; (avec verbe) too much; (aussi: **~ nombreux**) too many; (aussi: **~ souvent**) too often; **~ peu (nombreux)** too few; **~ longtemps** (for) too long; **~ de** (nombre) too many; (quantité) too much; **de ~, en ~: des livres en ~** a few books too many; **du lait en ~** too much milk; **trois livres/cinq euros de ~** three books too many/five euros too

much; **ça coûte ~ cher** it's too expensive

tropical, e, -aux [tʀɔpikal, -o] adj tropical

tropique [tʀɔpik] nm tropic

trop-plein [tʀɔplɛ̃] nm (tuyau) overflow ou outlet (pipe); (liquide) overflow

troquer [tʀɔke] /ʀ/ vt: **~ qch contre** to barter ou trade sth for; (fig) to swap sth for

trot [tʀo] nm trot • **trotter** /ʀ/ vi to trot

trottinette [tʀɔtinɛt] nf (child's) scooter

trottoir [tʀɔtwaʀ] nm pavement (BRIT), sidewalk (US); **faire le ~** (péj) to walk the streets; **~ roulant** moving walkway, travelator

trou [tʀu] nm hole; (fig) gap; (Comm) deficit; **~ d'air** air pocket; **~ de mémoire** blank, lapse of memory

troublant, e [tʀublɑ̃, -ɑ̃t] adj disturbing

trouble [tʀubl] adj (liquide) cloudy; (image, photo) blurred; (affaire) shady, murky ▶ adv: **voir ~** to have blurred vision ▶ nm agitation; **troubles** nmpl (Pol) disturbances, troubles, unrest sg; (Méd) trouble sg, disorders
• **trouble-fête** nm/f inv spoilsport

troubler [tʀuble] /ʀ/ vt to disturb; (liquide) to make cloudy; (intriguer) to bother; **se troubler** vi (personne) to become flustered ou confused

trouer [tʀue] /ʀ/ vt to make a hole (ou holes) in

trouille [tʀuj] nf (fam): **avoir la ~** to be scared stiff

troupe [tʀup] *nf* troop; **~ (de théâtre)** (theatrical) company

troupeau, x [tʀupo] *nm* (*de moutons*) flock; (*de vaches*) herd

trousse [tʀus] *nf* case, kit; (*d'écolier*) pencil case; **aux ~s de** (*fig*) on the heels ou tail of; **~ à outils** toolkit; **~ de toilette** toilet bag

trousseau, x [tʀuso] *nm* (*de mariée*) trousseau; **~ de clefs** bunch of keys

trouvaille [tʀuvaj] *nf* find

trouver [tʀuve] /1/ *vt* to find; (*rendre visite*): **aller/venir ~ qn** to go/come and see sb; (*être*) to be; **je trouve que** I find ou think that; **~ à boire/critiquer** to find something to drink/criticize; **se ~ mal** to pass out

truand [tʀyɑ̃] *nm* villain • **truander** /1/ *vt*: **se faire truander** to be swindled

truc [tʀyk] *nm* (*astuce*) way; (*de cinéma, prestidigitateur*) trick effect; (*chose*) thing; thingumajig; **avoir le ~** to have the knack; **c'est pas son** (*ou mon etc*) **~** (*fam*) it's not really his (*ou my etc*) thing

truffe [tʀyf] *nf* truffle; (*nez*) nose

truffé, e [tʀyfe] *adj* (*Culin*) garnished with truffles

truie [tʀɥi] *nf* sow

truite [tʀɥit] *nf* trout *inv*

truquage [tʀykaʒ] *nm* special effects *pl*

truquer [tʀyke] /1/ *vt* (*élections, serrure, dés*) to fix

TSVP *abr* (= *tournez s'il vous plaît*) PTO

TTC *abr* (= *toutes taxes comprises*) inclusive of tax

tu¹ [ty] *pron* you ▶ *nm*: **employer le tu** to use the "tu" form

tu², e [ty] *pp de* **taire**

tuba [tyba] *nm* (*Mus*) tuba; (*Sport*) snorkel

tube [tyb] *nm* tube; (*chanson, disque*) hit song ou record

tuberculose [tybɛʀkyloz] *nf* tuberculosis

tuer [tɥe] /1/ *vt* to kill; **se tuer** *vi* (*se suicider*) to kill o.s.; (*dans un accident*) to be killed; **se ~ au travail** (*fig*) to work o.s. to death • **tuerie** *nf* slaughter *no pl*; (*fam: délice*): **c'est une tuerie!** it's a killer!

tue-tête [tytɛt]: **à ~** *adv* at the top of one's voice

tueur [tɥœʀ] *nm* killer; **~ à gages** hired killer

tuile [tɥil] *nf* tile; (*fam*) spot of bad luck, blow

tulipe [tylip] *nf* tulip

tuméfié, e [tymefje] *adj* puffy, swollen

tumeur [tymœʀ] *nf* growth, tumour

tumulte [tymylt] *nm* commotion • **tumultueux, -euse** *adj* stormy, turbulent

tunique [tynik] *nf* tunic

Tunis [tynis] *n* Tunis

Tunisie [tynizi] *nf*: **la ~** Tunisia • **tunisien, ne** *adj* Tunisian ▶ *nm/f*: **Tunisien, ne** Tunisian

tunnel [tynɛl] *nm* tunnel; **le ~ sous la Manche** the Channel Tunnel

turbulent, e [tyʀbylɑ̃, -ɑ̃t] *adj* boisterous, unruly

turc, turque [tyʀk] *adj* Turkish ▶ *nm* (*Ling*) Turkish ▶ *nm/f*: **Turc, Turque** Turk/Turkish woman

turf [tyʀf] *nm* racing • **turfiste** *nm/f* racegoer

Turquie [tyʀki] *nf*: **la ~** Turkey

turquoise [tyʀkwaz] *nf, adj inv* turquoise

tutelle [tytɛl] *nf* (*Jur*) guardianship; (*Pol*) trusteeship; **sous la ~ de** (*fig*) under the supervision of

tuteur, -trice [tytœʀ, -tʀis] *nm/f* (*Jur*) guardian; (*de plante*) stake, support

tutoyer [tytwaje] /8/ *vt*: **~ qn** to address sb as "tu"

tuyau, x [tɥijo] *nm* pipe; (*flexible*) tube; (*fam*) tip; **~ d'arrosage** hosepipe; **~ d'échappement** exhaust pipe • **tuyauterie** *nf* piping *no pl*

TVA *sigle f* (= *taxe à ou sur la valeur ajoutée*) VAT

tweet [twit] *nm* (*Internet: Twitter*) tweet; • **tweeter** /1/ *vi* to tweet • **tweetos** *nm/f inv* = **twittos** • **tweetosphère** *nf* = **twittosphère**

twittos [twitɔs] *nm/f inv* Twitterer • **twittosphère** *nf* Twittersphere

tympan [tɛ̃pɑ̃] *nm* (*Anat*) eardrum

type [tip] *nm* type; (*fam*) chap, guy ▶ *adj* typical, standard

typé, e [tipe] *adj* ethnic (*euphémisme*)

typique [tipik] *adj* typical

tyran [tiʀɑ̃] *nm* tyrant • **tyrannique** *adj* tyrannical

tzigane [dzigan] *adj* gipsy, tzigane

u

ubériser [yberize] /1/ *vt* to uberize

ulcère [ylsɛʀ] *nm* ulcer

ultérieur, e [ylteʀjœʀ] *adj* later, subsequent; **remis à une date ~e** postponed to a later date • **ultérieurement** *adv* later, subsequently

ultime [yltim] *adj* final

---

un, une [œ̃, yn]

▶ *art indéf* a; (*devant voyelle*) an; **un garçon/vieillard** a boy/an old man; **une fille** a girl

▶ *pron* one; **l'un des meilleurs** one of the best; **l'un ...**, **l'autre** (the) one ..., the other; **les uns ...**, **les autres** some ..., others; **l'un et l'autre** both (of them); **l'un ou l'autre** either (of them); **l'un l'autre, les uns les autres** each other, one another; **pas un seul** not a single one; **un par un** one by one

▶ *num* one; **une pomme seulement** one apple only, just one apple

▶ *nf*: **la une** (*Presse*) the front page

unanime [ynanim] *adj* unanimous • **unanimité** *nf*: **à l'unanimité** unanimously

uni, e [yni] *adj* (*ton, tissu*) plain; (*surface*) smooth, even; (*famille*) close(-knit); (*pays*) united

unifier [ynifje] /7/ *vt* to unite, unify

uniforme [ynifɔʀm] *adj* uniform; (*surface, ton*) even ▶ *nm* uniform • **uniformiser** /1/ *vt* (*systèmes*) to standardize

union [ynjɔ̃] *nf* union; **~ de consommateurs** consumers' association; **~ libre: vivre en ~ libre** (*en concubinage*) to cohabit; **l'U~ européenne** the European Union; **l'U~ soviétique** the Soviet Union

unique [ynik] *adj* (*seul*) only; (*exceptionnel*) unique; **un prix/ système ~** a single price/system; **fils/fille ~** only son/daughter, only child; **sens ~** one-way street • **uniquement** *adv* only, solely; (*juste*) only, merely

unir [yniʀ] /2/ *vt* (*nations*) to unite; (*en mariage*) to unite, join together; **s'unir** *vi* to unite; (*en mariage*) to be joined together

unitaire [yniteʀ] *adj*: **prix ~** unit price

unité [ynite] *nf* (*harmonie, cohésion*) unity; (*Math*) unit

univers [yniveʀ] *nm* universe • **universel, le** *adj* universal

universitaire [yniversiteʀ] *adj* university *cpd*; (*diplôme, études*) academic, university *cpd* ▶ *nm/f* academic

université [yniversite] *nf* university

urbain, e [yʀbɛ̃, -ɛn] *adj* urban, city *cpd*, town *cpd* • **urbanisme** *nm* town planning

urgence [yʀʒɑ̃s] *nf* urgency; (*Méd etc*) emergency; **d'~** *adj* emergency *cpd* ▶ *adv* as a matter of urgency; **service des ~s** A&E (*BRIT*), ER (*US*)

urgent, e [yʀʒɑ̃, -ɑ̃t] *adj* urgent

urgentiste [yʀʒɑ̃tist] *nm/f* A&E doctor (*BRIT*), emergency physician (*US*)

urine [yʀin] *nf* urine • **urinoir** *nm* (public) urinal

urne [yʀn] *nf* (*électorale*) ballot box; (*vase*) urn

urticaire [yʀtikɛʀ] *nf* nettle rash

us [ys] *nmpl*: **us et coutumes** (habits and) customs

usage [yzaʒ] *nm* (*emploi, utilisation*) use; (*coutume*) custom; **à l'~** with use; **à l'~ de** (*pour*) for (use of); **en ~** in use; **hors d'~** out of service; **à ~ interne** (*Méd*) to be taken (internally); **à ~ externe** (*Méd*) for external use only • **usagé, e** *adj* (*usé*) worn • **usager, -ère** *nm/f* user

usé, e [yze] *adj* worn (down ou out ou away); (*banal: argument etc*) hackneyed

user [yze] /1/ *vt* (*outil*) to wear down; (*vêtement*) to wear out; (*matière*) to wear away; (*consommer: charbon etc*) to use; **s'user** *vi* (*tissu, vêtement*) to wear out; **~ de** (*moyen, procédé*) to use, employ; (*droit*) to exercise

usine [yzin] *nf* factory

usité, e [yzite] *adj* common

ustensile [ystɑ̃sil] *nm* implement; **~ de cuisine** kitchen utensil

usuel, le [yzɥɛl] *adj* everyday, common

usure [yzyʀ] *nf* wear

utérus [yteʀys] *nm* uterus, womb

utile [ytil] *adj* useful

utilisation [ytilizasjɔ̃] *nf* use
utiliser [ytilize] /1/ *vt* to use
utilitaire [ytilitɛʀ] *adj* utilitarian
utilité [ytilite] *nf* usefulness *no pl*;
 de peu d'~ of little use *ou* help
utopie [ytɔpi] *nf* utopia

va [va] *vb voir* **aller**
vacance [vakɑ̃s] *nf* (*Admin*)
vacancy; **vacances** *nfpl*
holiday(s) *pl* (BRIT), vacation *sg*
(US); **les grandes ~s** the
summer holidays *ou* vacation;
prendre des/ses ~s to take a
holiday *ou* vacation/one's
holiday(s) *ou* vacation; **aller en ~s**
to go on holiday *ou* vacation
 • **vacancier, -ière** *nm/f*
holidaymaker
vacant, e [vakɑ̃, -ɑ̃t] *adj* vacant
vacarme [vakaʀm] *nm* row, din
vaccin [vaksɛ̃] *nm* vaccine;
(*opération*) vaccination
 • **vaccination** *nf* vaccination
 • **vacciner** /1/ *vt* to vaccinate;
être vacciné (*fig*) to be immune
vache [vaʃ] *nf* (*Zool*) cow; (*cuir*)
cowhide ► *adj* (*fam*) rotten, mean
 • **vachement** *adv* (*fam*) really
 • **vacherie** *nf* (*action*) dirty trick;
(*propos*) nasty remark
vaciller [vasije] /1/ *vi* to sway,
wobble; (*bougie, lumière*) to flicker;
(*fig*) to be failing, falter
VAE *sigle m* (= *vélo* (à *assistance*)
électrique) e-bike

va-et-vient [vaevjɛ̃] *nm inv* comings and goings *pl*

vagabond, e [vagabɔ̃, -ɔ̃d] *adj* wandering ▶ *nm* (*rôdeur*) tramp, vagrant; (*voyageur*) wanderer
• **vagabonder** /1/ *vi* to roam, wander

vagin [vaʒɛ̃] *nm* vagina

vague [vag] *nf* wave ▶ *adj* vague; (*regard*) faraway; (*manteau, robe*) loose(-fitting); (*quelconque*): **un ~ bureau/cousin** some office/ cousin or other; **~ de fond** ground swell; **~ de froid** cold spell

vaillant, e [vajɑ̃, -ɑ̃t] *adj* (*courageux*) gallant; (*robuste*) hale and hearty

vain, e [vɛ̃, vɛn] *adj* vain; **en ~** in vain

vaincre [vɛ̃kʀ] /42/ *vt* to defeat; (*fig*) to conquer, overcome
• **vaincu, e** *nm/f* defeated party
• **vainqueur** *nm* victor; (*Sport*) winner

vaisseau, x [veso] *nm* (*Anat*) vessel; (*Navig*) ship, vessel; **~ spatial** spaceship

vaisselier [vesəlje] *nm* dresser

vaisselle [vesɛl] *nf* (*service*) crockery; (*plats à laver*) (dirty) dishes *pl*; **faire la ~** to do the dishes

valable [valabl] *adj* valid; (*acceptable*) decent, worthwhile

valet [vale] *nm* valet; (*Cartes*) jack

valeur [valœʀ] *nf* (*gén*) value; (*mérite*) worth, merit; (*Comm: titre*) security; **valeurs** *nfpl* (*morales*) values; **mettre en ~** (*fig*) to highlight; to show off to advantage; **avoir de la ~** to be valuable; **prendre de la ~** to go up *ou* gain in value; **sans ~** worthless

valide [valid] *adj* (*en bonne santé*) fit; (*valable*) valid • **valider** /1/ *vt* to validate

valise [valiz] *nf* (suit)case; **faire sa ~** to pack one's (suit)case

vallée [vale] *nf* valley

vallon [valɔ̃] *nm* small valley

valoir [valwaʀ] /29/ *vi* (*être valable*) to hold, apply ▶ *vt* (*prix, valeur, effort*) to be worth; (*causer*): **~ qch à qn** to earn sb sth; **se valoir** to be of equal merit; (*péj*) to be two of a kind; **faire ~** (*droits, prérogatives*) to assert; **se faire ~** to make the most of o.s.; **à ~ sur** to be deducted from; **vaille que vaille** somehow or other; **cela ne me dit rien qui vaille** I don't like the look of it at all; **ce climat ne me vaut rien** this climate doesn't suit me; **~ la peine** to be worth the trouble, be worth it; **~ mieux: il vaut mieux se taire** it's better to say nothing; **ça ne vaut rien** it's worthless; **que vaut ce candidat?** how good is this applicant?

valse [vals] *nf* waltz

vandalisme [vɑ̃dalism] *nm* vandalism

vanille [vanij] *nf* vanilla

vanité [vanite] *nf* vanity
• **vaniteux, -euse** *adj* vain, conceited

vanne [van] *nf* gate; (*fam*) dig

vantard, e [vɑ̃taʀ, -aʀd] *adj* boastful

vanter [vɑ̃te] /1/ *vt* to speak highly of, praise; **se vanter** *vi* to boast, brag; **se ~ de** to pride o.s. on; (*péj*) to boast of

vapeur [vapœʀ] *nf* steam; (*émanation*) vapour, fumes *pl*; **vapeurs** *nfpl* (*bouffées*) vapours;

V

à ~ steam-powered, steam *cpd*; **cuit à la ~** steamed • **vaporeux, -euse** *adj (flou)* hazy, misty; *(léger)* filmy • **vaporisateur** *nm* spray • **vaporiser** /1/ *vt (parfum etc)* to spray

vapoter [vapɔte] /1/ *vi* to smoke an e-cigarette

varappe [vaʀap] *nf* rock climbing

vareuse [vaʀøz] *nf (blouson)* pea jacket; *(d'uniforme)* tunic

variable [vaʀjabl] *adj* variable; *(temps, humeur)* changeable; *(divers: résultats)* varied, various

varice [vaʀis] *nf* varicose vein

varicelle [vaʀisɛl] *nf* chickenpox

varié, e [vaʀje] *adj* varied; *(divers)* various; **hors-d'œuvre ~s** selection of hors d'œuvres

varier [vaʀje] /7/ *vi* to vary; *(temps, humeur)* to change ▶ *vt* to vary • **variété** *nf* variety; **spectacle de variétés** variety show

variole [vaʀjɔl] *nf* smallpox

Varsovie [vaʀsɔvi] *n* Warsaw

vas [va] *vb voir* **aller**; **~-y!** go on!

vase [vaz] *nm* vase ▶ *nf* silt, mud • **vaseux, -euse** *adj* silty, muddy; *(fig: confus)* woolly, hazy; *(: fatigué)* peaky

vasistas [vazistɑs] *nm* fanlight

vaste [vast] *adj* vast, immense

vautour [votuʀ] *nm* vulture

vautrer [votʀe] /1/: **se vautrer** *vi*: **se ~ dans** to wallow in; **se ~ sur** to sprawl on

va-vite [vavit]: **à la ~** *adv* in a rush

VDQS *sigle m* (= *vin délimité de qualité supérieure)* label guaranteeing quality of wine

veau, x [vo] *nm (Zool)* calf; *(Culin)* veal; *(peau)* calfskin

vécu, e [veky] *pp de* **vivre**

vedette [vədɛt] *nf (artiste etc)* star; *(canot)* patrol boat; *(police)* launch

végétal, e, -aux [veʒetal, -o] *adj* vegetable ▶ *nm* vegetable, plant • **végétalien, ne** *adj, nm/f* vegan • **végétalisé, e** *adj*: **toit/mur végétalisé** green roof/wall, planted roof/wall

végétarien, ne [veʒetaʀjɛ̃, -ɛn] *adj, nm/f* vegetarian

végétation [veʒetasjɔ̃] *nf* vegetation; **végétations** *nfpl (Méd)* adenoids

véhicule [veikyl] *nm* vehicle; **~ utilitaire** commercial vehicle

veille [vɛj] *nf (Psych)* wakefulness; *(jour):* **la ~** the day before; **la ~ au soir** the previous evening; **la ~ de** the day before; **la ~ de Noël** Christmas Eve; **la ~ du jour de l'An** New Year's Eve; **à la ~ de** on the eve of

veillée [veje] *nf (soirée)* evening; *(réunion)* evening gathering; **~ (funèbre)** wake

veiller [veje] /1/ *vi* to stay or sit up ▶ *vt (malade, mort)* to watch over, sit up with; **~ à** to attend to, see to; **~ à ce que** to make sure that; **~ sur** to keep a watch *ou* an eye on • **veilleur** *nm*: **veilleur de nuit** night watchman • **veilleuse** *nf (lampe)* night light; *(Auto)* sidelight; *(flamme)* pilot light

veinard, e [vɛnaʀ, -aʀd] *nm/f* lucky devil

veine [vɛn] *nf (Anat, du bois etc)* vein; *(filon)* vein, seam; **avoir de la ~** *(fam) (chance)* to be lucky

véliplanchiste [veliplɑ̃ʃist] *nm/f* windsurfer

véridique

vélo [velo] *nm* bike, cycle; **faire du ~** to go cycling • **vélomoteur** *nm* moped

velours [v(ə)luʀ] *nm* velvet; **~ côtelé** corduroy • **velouté, e** *adj* velvety ▶ *nm*: **velouté d'asperges/de tomates** cream of asparagus/tomato soup

velu, e [vəly] *adj* hairy

vendange [vãdãʒ] *nf (aussi:* **~s**) grape harvest • **vendanger** /3/ *vi* to harvest the grapes

vendeur, -euse [vãdœʀ, -øz] *nm/f* shop *ou* sales assistant ▶ *nm* (*Jur*) vendor, seller

vendre [vãdʀ] /41/ *vt* to sell; **~ qch à qn** to sell sb sth; **"à ~"** "for sale"

vendredi [vãdʀədi] *nm* Friday; **V~ saint** Good Friday

vénéneux, -euse [venenø, -øz] *adj* poisonous

vénérien, ne [veneʀjɛ̃, -ɛn] *adj* venereal

vengeance [vãʒãs] *nf* vengeance *no pl*, revenge *no pl*

venger [vãʒe] /3/ *vt* to avenge; **se venger** *vi* to avenge o.s.; **se ~ de qch** to avenge o.s. for sth; **se ~ de qn** to take revenge on sb; **se ~ sur** to take revenge on

venimeux, -euse [vənimø, -øz] *adj* poisonous, venomous; (*fig: haineux*) venomous, vicious

venin [vənɛ̃] *nm* venom, poison

venir [v(ə)niʀ] /22/ *vi* to come; **~ de** to come from; **~ de faire: je viens d'y aller/de le voir** I've just been there/seen him; **s'il vient à pleuvoir** if it should rain; **où veux-tu en ~?** what are you getting at?; **faire ~** (*docteur, plombier*) to call (out)

vent [vã] *nm* wind; **il y a du ~** it's windy; **c'est du ~** it's all hot air; **dans le ~** (*fam*) trendy

vente [vãt] *nf* sale; **la ~** (*activité*) selling; (*secteur*) sales *pl*; **mettre en ~** to put on sale; (*objets personnels*) to put up for sale; **~ aux enchères** auction sale; **~ de charité** jumble (BRIT) *ou* rummage (US) sale

venteux, -euse [vãtø, -øz] *adj* windy

ventilateur [vãtilatœʀ] *nm* fan

ventiler [vãtile] /1/ *vt* to ventilate

ventouse [vãtuz] *nf* (*de caoutchouc*) suction pad

ventre [vãtʀ] *nm* (*Anat*) stomach; (*fig*) belly; **avoir mal au ~** to have (a) stomach ache

venu, e [v(ə)ny] *pp de* **venir** ▶ *adj*: **être mal ~ à** *ou* **de faire** to have no grounds for doing, be in no position to do; **mal ~** ill-timed; **bien ~** timely

ver [veʀ] *nm* worm; (*des fruits etc*) maggot; (*du bois*) woodworm *no pl*; **~ luisant** glow-worm; **~ à soie** silkworm; **~ solitaire** tapeworm; **~ de terre** earthworm

verbe [veʀb] *nm* verb

verdâtre [veʀdɑtʀ] *adj* greenish

verdict [veʀdik(t)] *nm* verdict

verdir [veʀdiʀ] /2/ *vi, vt* to turn green • **verdure** *nf* greenery

véreux, -euse [veʀø, -øz] *adj* worm-eaten; (*malhonnête*) shady, corrupt

verge [veʀʒ] *nf* (*Anat*) penis

verger [veʀʒe] *nm* orchard

verglacé, e [veʀglase] *adj* icy, iced-over

verglas [veʀglɑ] *nm* (black) ice

véridique [veʀidik] *adj* truthful

vérification [verifikasjɔ̃] *nf* checking *no pl*, check

vérifier [verifje] /7/ *vt* to check; (*corroborer*) to confirm, bear out

véritable [veritabl] *adj* real; (*ami, amour*) true; **un ~ désastre** an absolute disaster

vérité [verite] *nf* truth; **en ~** to tell the truth

verlan [verlɑ̃] *nm* (back) slang

vermeil, le [vermɛj] *adj* ruby red

vermine [vermin] *nf* vermin *pl*

vermoulu, e [vermuly] *adj* worm-eaten

verni, e [verni] *adj* (*fam*) lucky; **cuir ~** patent leather

vernir [vernir] /2/ *vt* (*bois, tableau, ongles*) to varnish; (*poterie*) to glaze • **vernis** *nm* (*enduit*) varnish; glaze; (*fig*) veneer; **vernis à ongles** nail varnish (BRIT) *ou* polish • **vernissage** *nm* (*d'une exposition*) preview

vérole [verɔl] *nf* (*variole*) smallpox

verre [ver] *nm* glass; (*de lunettes*) lens *sg*; **boire** *ou* **prendre un ~** to have a drink; **~s de contact** contact lenses • **verrière** *nf* (*grand vitrage*) window; (*toit vitré*) glass roof

verrou [veru] *nm* (*targette*) bolt; **mettre qn sous les ~s** to put sb behind bars • **verrouillage** *nm* locking mechanism; **verrouillage central** *ou* **centralisé** central locking • **verrouiller** /1/ *vt* to bolt; to lock

verrue [very] *nf* wart

vers [ver] *nm* line ▶ *nmpl* (*poésie*) verse *sg* ▶ *prép* (*en direction de*) toward(s); (*près de*) around (about); (*temporel*) about, around

versant [versɑ̃] *nm* slopes *pl*, side

versatile [versatil] *adj* fickle, changeable

verse [vers]: **à ~** *adv*: **il pleut à ~** it's pouring (with rain)

Verseau [verso] *nm*: **le ~** Aquarius

versement [versəmɑ̃] *nm* payment; **en trois ~s** in three instalments

verser [verse] /1/ *vt* (*liquide, grains*) to pour; (*larmes, sang*) to shed; (*argent*) to pay; **~ sur un compte** to pay into an account

version [versjɔ̃] *nf* version; (*Scol*) translation (*into the mother tongue*); **film en ~ originale** film in the original language

verso [verso] *nm* back; **voir au ~** see over(leaf)

vert, e [ver, vert] *adj* (*aussi écologique: croissance, économie*) green; (*vin*) young; (*vigoureux*) sprightly ▶ *nm* green; **les V~s** (*Pol*) the Greens

vertèbre [vertɛbr] *nf* vertebra

vertement [vertəmɑ̃] *adv* (*réprimander*) sharply

vertical, e, -aux [vertikal, -o] *adj* vertical; **verticale** *nf* vertical; **à la verticale** vertically • **verticalement** *adv* vertically

vertige [vertiʒ] *nm* (*peur du vide*) vertigo; (*étourdissement*) dizzy spell; (*fig*) fever • **vertigineux, -euse** *adj* breathtaking

vertu [verty] *nf* virtue; **en ~ de** in accordance with • **vertueux, -euse** *adj* virtuous

verve [verv] *nf* witty eloquence; **être en ~** to be in brilliant form

verveine [verven] *nf* (*Bot*) verbena, vervain; (*infusion*) verbena tea

vésicule [vezikyl] *nf* vesicle; **~ biliaire** gall-bladder

vessie [vesi] nf bladder

veste [vɛst] nf jacket; **~ droite/ croisée** single-/double-breasted jacket

vestiaire [vɛstjɛʀ] nm (au théâtre etc) cloakroom; (de stade etc) changing-room (BRIT), locker-room (US)

vestibule [vɛstibyl] nm hall

vestige [vɛstiʒ] nm relic; (fig) vestige; **vestiges** nmpl (d'une ville) remains

vestimentaire [vɛstimɑ̃tɛʀ] adj (détail) of dress; (élégance) sartorial; **dépenses ~s** clothing expenditure

veston [vɛstɔ̃] nm jacket

vêtement [vɛtmɑ̃] nm garment, item of clothing; **vêtements** nmpl clothes

vétérinaire [veteʀinɛʀ] nm/f vet, veterinary surgeon

vêtir [vetiʀ] /20/ vt to clothe, dress

vêtu, e [vety] pp de **vêtir** ▶ adj: **~ de** dressed in, wearing

vétuste [vetyst] adj ancient, timeworn

veuf, veuve [vœf, vœv] adj widowed ▶ nm widower ▶ nf widow

vexant, e [vɛksɑ̃, -ɑ̃t] adj (contrariant) annoying; (blessant) upsetting

vexation [vɛksasjɔ̃] nf humiliation

vexer [vɛkse] /1/ vt to hurt; **se vexer** vi to be offended

viable [vjabl] adj viable; (économie, industrie etc) sustainable

viande [vjɑ̃d] nf meat; **je ne mange pas de ~** I don't eat meat

vibrer [vibʀe] /1/ vi to vibrate; (son, voix) to be vibrant; (fig) to be

stirred; **faire ~** to (cause to) vibrate; to stir, thrill

vice [vis] nm vice; (défaut) fault; **~ de forme** legal flaw ou irregularity

vicié, e [visje] adj (air) polluted, tainted; (Jur) invalidated

vicieux, -euse [visjø, -øz] adj (pervers) perverted; (méchant) nasty ▶ nm/f lecher

vicinal, e, -aux [visinal, -o] adj: **chemin ~** byroad, byway

victime [viktim] nf victim; (d'accident) casualty

victoire [viktwaʀ] nf victory

victuailles [viktuaj] nfpl provisions

vidange [vidɑ̃ʒ] nf (d'un fossé, réservoir) emptying; (Auto) oil change; (de lavabo: bonde) waste outlet; **vidanges** nfpl (matières) sewage sg • **vidanger** /3/ vt to empty

vide [vid] adj empty ▶ nm (Physique) vacuum; (espace) (empty) space, gap; (futilité, néant) void; **emballé sous ~** vacuum-packed; **avoir peur du ~** to be afraid of heights; **à ~** (sans occupants) empty; (sans charge) unladen

vidéo [video] nf video; **cassette ~** video cassette • **vidéoclip** nm music video • **vidéoconférence** nf videoconference

vide-ordures [vidɔʀdyʀ] nm inv (rubbish) chute

vider [vide] /1/ vt to empty; (Culin: volaille, poisson) to gut, clean out; **se vider** vi to empty; **~ les lieux** to quit ou vacate the premises • **videur** nm (de boîte de nuit) bouncer

vie [vi] *nf* life; **être en ~** to be alive; **sans ~** lifeless; **à ~** for life; **que faites-vous dans la ~?** what do you do?

vieil [vjɛj] *adj m voir* **vieux • vieillard** *nm* old man • **vieille** *adj f, nf voir* **vieux • vieilleries** *nfpl* old things *ou* stuff *sg* • **vieillesse** *nf* old age • **vieillir** /2/ *vi* (prendre de l'âge) to grow old; (population, vin) to age; (doctrine, auteur) to become dated ▸ *vt* to age; **se vieillir** to make o.s. older • **vieillissement** *nm* growing old; ageing

Vienne [vjɛn] *n* Vienna

viens [vjɛ̃] *vb voir* **venir**

vierge *adj* virgin; (page) clean, blank ▸ *nf* virgin; (signe): **la V~** Virgo

Viêtnam, Vietnam [vjɛtnam] *nm*: **le ~** Vietnam • **vietnamien, ne** *adj* Vietnamese ▸ *nm/f*: **Vietnamien, ne** Vietnamese

vieux (vieil), vieille [vjø, vjɛj] *adj* old ▸ *nm/f* old man/woman ▸ *nmpl*: **les ~** the old, old people; **un petit ~** a little old man; **mon ~/ma vieille** (fam) old man/girl; **prendre un coup de ~** to put years on; **~ garçon** bachelor; **~ jeu** *adj inv* old-fashioned

vif, vive [vif, viv] *adj* (animé) lively; (alerte) sharp; (lumière, couleur) brilliant; (air) crisp; (vent, émotion) keen; (fort: regret, déception) great, deep; (vivant): **brûlé ~** burnt alive; **de vive voix** personally; **avoir l'esprit ~** to be quick-witted; **piquer qn au ~** to cut sb to the quick; **à ~** (plaie) open; **avoir les nerfs à ~** to be on edge

vigne [viɲ] *nf* (plante) vine; (plantation) vineyard • **vigneron** *nm* wine grower

vignette [viɲɛt] *nf* (pour voiture) ≈ (road) tax disc (BRIT), ≈ license plate sticker (US); (sur médicament) price label (on medicines for reimbursement by Social Security)

vignoble [viɲɔbl] *nm* (plantation) vineyard; (vignes d'une région) vineyards *pl*

vigoureux, -euse [viguʀø, -øz] *adj* vigorous, robust

vigueur [vigœʀ] *nf* vigour; **être/ entrer en ~** to be in/come into force; **en ~** current

vilain, e [vilɛ̃, -ɛn] *adj* (laid) ugly; (affaire, blessure) nasty; (pas sage: enfant) naughty; **~ mot** bad word

villa [vila] *nf* (detached) house; **~ en multipropriété** time-share villa

village [vilaʒ] *nm* village • **villageois, e** *adj* village *cpd* ▸ *nm/f* villager

ville [vil] *nf* town; (importante) city; (administration): **la ~** ≈ the (town) council; **~ d'eaux** spa; **~ nouvelle** new town

vin [vɛ̃] *nm* wine; **avoir le ~ gai/ triste** to get happy/miserable after a few drinks; **~ d'honneur** reception (with wine and snacks); **~ ordinaire** *ou* **de table** table wine; **~ de pays** local wine

vinaigre [vinɛgʀ] *nm* vinegar • **vinaigrette** *nf* vinaigrette, French dressing

vindicatif, -ive [vɛ̃dikatif, -iv] *adj* vindictive

vingt [vɛ̃, vɛ̃t] (2nd pron used when followed by a vowel) *num* twenty; **~-quatre heures sur ~-quatre** twenty-four hours a day, round the clock • **vingtaine** *nf*: **une**

vingtaine (de) around twenty, twenty or so • **vingtième** num twentieth

vinicole [vinikɔl] adj wine cpd; wine-growing

vinyle [vinil] nm vinyl

viol [vjɔl] nm (d'une femme) rape; (d'un lieu sacré) violation

violacé, e [vjɔlase] adj purplish, mauvish

violemment [vjɔlamã] adv violently

violence [vjɔlɑ̃s] nf violence; **~ conjugale** intimate partner violence

violent, e [vjɔlɑ̃, -ɑ̃t] adj violent; (remède) drastic

violer [vjɔle] /1/ vt (femme) to rape; (sépulture) to desecrate; (loi, traité) to violate

violet, te [vjɔlɛ, -ɛt] adj, nm purple, mauve ▶ nf (fleur) violet

violon [vjɔlɔ̃] nm violin; (fam: prison) lock-up; **~ d'Ingres** (artistic) hobby • **violoncelle** nm cello • **violoniste** nm/f violinist

virage [viʀaʒ] nm (d'un véhicule) turn; (d'une route, piste) bend

viral, e, -aux [viʀal, -o] adj (aussi Inform) viral

virée [viʀe] nf run; (à pied) walk; (longue) hike

virement [viʀmɑ̃] nm (Comm) transfer

virer [viʀe] /1/ vt (Comm) to transfer; (fam: renvoyer) to sack ▶ vi to turn; (Chimie) to change colour (BRIT) ou color (US); **~ au bleu** to turn blue; **~ de bord** to tack

virevolter [viʀvɔlte] /1/ vi to twirl around

virgule [viʀgyl] nf comma; (Math) point

viril, e [viʀil] adj (propre à l'homme) masculine; (énergique, courageux) manly, virile

virtuel, le [viʀtɥɛl] adj potential; (théorique) virtual

virtuose [viʀtɥoz] nm/f (Mus) virtuoso; (gén) master

virus [viʀys] nm virus

vis vb [vi] voir **voir, vivre** ▶ nf [vis] screw

visa [viza] nm (sceau) stamp; (validation de passeport) visa

visage [vizaʒ] nm face

vis-à-vis [vizavi]: **~ de** prép towards; **en ~** facing ou opposite each other

visée [vize] nf aiming; **visées** nfpl (intentions) designs

viser [vize] /1/ vi to aim ▶ vt to aim at; (concerner) to be aimed ou directed at; (apposer un visa sur) to stamp, visa; **~ à qch/faire** to aim at sth/at doing ou to do

visibilité [vizibilite] nf visibility

visible [vizibl] adj visible; (disponible): **est-il ~?** can he see me?, will he see visitors?

visière [vizjɛʀ] nf (de casquette) peak; (qui s'attache) eyeshade

vision [vizjɔ̃] nf vision; (sens) (eye)sight, vision; (fait de voir): **la ~ de** the sight of • **visionneuse** nf viewer

visiophone [vizjɔfɔn] nm videophone

visite [vizit] nf visit; **~ médicale** medical examination; **~ accompagnée** ou **guidée** guided tour; **faire une ~ à qn** to call on sb, pay sb a visit; **rendre ~ à qn** to visit sb, pay sb a visit; **être en ~ (chez qn)** to be visiting (sb); **avoir de la ~** to have visitors;

V

heures de ~ (*hôpital, prison*) visiting hours
visiter [vizite] /1/ vt to visit
• **visiteur, -euse** nm/f visitor
vison [vizɔ̃] nm mink
visser [vise] /1/ vt: **~ qch** (*fixer, serrer*) to screw tight on
visuel, le [vizɥɛl] adj visual
vital, e, -aux [vital, -o] adj vital
vitamine [vitamin] nf vitamin
vite [vit] adv (*rapidement*) quickly, fast; (*sans délai*) quickly; soon; **~!** quick!; **faire ~** to be quick
vitesse [vitɛs] nf speed; (*Auto: dispositif*) gear; **prendre de la ~** to pick up ou gather speed; **à toute ~** at full ou top speed; **en ~** quickly

The speed limit (**limitation de vitesse**) in France is 50 km/h in built-up areas, 90 km/h on main roads (80 km/h when it is raining), 110 km/h on 4-lane roads with central reservations (100 km/h when it is raining), and 130 km/h on motorways (110 km/h when it is raining).

viticulteur [vitikyltœr] nm wine grower
vitrage [vitraʒ] nm: **double ~** double glazing
vitrail, -aux [vitraj, -o] nm stained-glass window
vitre [vitr] nf (*window*) pane; (*de portière, voiture*) window
• **vitré, e** adj glass car
vitrine [vitrin] nf (*shop*) window; (*petite armoire*) display cabinet; **en ~** in the window
vivable [vivabl] adj (*personne*) livable-with; (*maison*) fit to live in
vivace [vivas] adj (*arbre, plante*) hardy; (*fig*) enduring

vivacité [vivasite] nf liveliness, vivacity
vivant, e [vivã, -ãt] adj (*qui vit*) living, alive; (*animé*) lively; (*preuve, exemple*) living ▶ nm: **du ~ de qn** in sb's lifetime; **les ~s et les morts** the living and the dead
vive [viv] adj f voir vif ▶ vb voir **vivre** ▶ excl: **~ le roi!** long live the king! • **vivement** adv sharply ▶ excl: **vivement les vacances!** roll on the holidays!
vivier [vivje] nm (*au restaurant etc*) fish tank; (*étang*) fishpond
vivifiant, e [vivifjã, -ãt] adj invigorating
vivoter [vivote] /1/ vi (*personne*) to scrape a living, get by; (*fig: affaire etc*) to struggle along
vivre [vivr] /46/ vi, vt to live; **vivres** nmpl provisions, food supplies; **il vit encore** he is still alive; **se laisser ~** to take life as it comes; **ne plus ~** (*être anxieux*) to live on one's nerves; **il a vécu** (*eu une vie aventureuse*) he has seen life; **être facile à ~** to be easy to get on with; **faire ~ qn** (*pourvoir à sa subsistance*) to provide (a living) for sb; **~ de** to live on
vlan [vlã] excl wham!, bang!
VO sigle f = **version originale**: **voir un film en VO** to see a film in its original language
vocabulaire [vɔkabylɛr] nm vocabulary
vocation [vɔkasjɔ̃] nf vocation, calling
vœu, x [vø] nm wish; (à Dieu) vow; **faire ~ de** to take a vow of; **avec tous nos ~x** with every good wish ou our best wishes
vogue [vɔg] nf fashion, vogue; **en ~** in fashion, in vogue

voici [vwasi] *prép (pour introduire, désigner)* here is (+ *sg*); here are (+ *pl*); **et ~ que ...** and now (ou he) ...; *voir aussi* **voilà**

voie [vwa] *nf* way; (*Rail*) track, line; (*Auto*) lane; **par ~ buccale** *ou* **orale** orally; **être en bonne ~** to be shaping *ou* going well; **mettre qn sur la ~** to put sb on the right track; **être en ~ d'achèvement/de rénovation** to be nearing completion/in the process of renovation; **à ~ unique** single-track; **route à deux/trois ~s** two-/three-lane road; **~ express** expressway; **~ ferrée** track; railway line (*BRIT*), railroad (*US*); **~ de garage** (*Rail*) siding; **la ~ lactée** the Milky Way; **la ~ publique** the public highway

voilà [vwala] *prép (en désignant)* there is (+ *sg*); there are (+ *pl*); **les ~** *ou* **voici** here ou there they are; **en ~ un** *ou* **voici un** here's one, there's one; **voici mon frère et ~ ma sœur** this is my brother and that's my sister; **~ ou voici deux ans** two years ago; **~ ou voici deux ans que** it's two years since; **et ~!** there we are!; **~!** that's all; **"~ ou voici"** (*en offrant etc*) "there ou here you are"; **tiens! ~ Paul** look! there's Paul

voile [vwal] *nm* veil; (*tissu léger*) net ▸ *nf* sail; (*sport*) sailing • **voiler** /1/ *vt* to veil; (*fausser: roue*) to buckle; (: *bois*) to warp; **se voiler** *vi* (*lune, regard*) to mist over; (*voix*) to become husky; (*roue, disque*) to buckle; (*planche*) to warp • **voilier** *nm* sailing ship; (*de plaisance*) sailing boat • **voilure** *nf* (*de voilier*) sails *pl*

voir [vwaʀ] /30/ *vi, vt* to see; **se voir: cela se voit** (*c'est visible*)

that's obvious, it shows; **faire ~ qch à qn** to show sb sth; **en faire ~ à qn** (*fig*) to give sb a hard time; **ne pas pouvoir ~ qn** not to be able to stand sb; **voyons!** let's see now; (*indignation etc*) come (along) now!; **ça n'a rien à ~ avec lui** that has nothing to do with him

voire [vwaʀ] *adv* or even

voisin, e [vwazɛ̃, -in] *adj* (*proche*) neighbouring; next; (*ressemblant*) connected ▸ *nm/f* neighbour • **voisinage** *nm* (*proximité*) proximity; (*environs*) vicinity; (*quartier, voisins*) neighbourhood

voiture [vwatyʀ] *nf* car; (*wagon*) coach, carriage; **~ de course** racing car; **~ de sport** sports car

voix [vwa] *nf* voice; (*Pol*) vote; **à haute ~** aloud; **à ~ basse** in a low voice; **à deux/quatre ~** (*Mus*) in two/four parts; **avoir ~ au chapitre** to have a say in the matter

vol [vɔl] *nm* (*trajet, voyage, groupe d'oiseaux*) flight; (*mode d'appropriation*) theft, stealing; (*larcin*) theft; **à ~ d'oiseau** as the crow flies; **au ~: attraper qch au ~** to catch sth as it flies past; **en ~** in flight; **~ libre** hang-gliding; **~ à main armée** armed robbery; **~ régulier** scheduled flight; **~ à voile** gliding

volage [vɔlaʒ] *adj* fickle

volaille [vɔlaj] *nf* (*oiseaux*) poultry *pl*; (*viande*) poultry no *pl*; (*oiseau*) fowl

volant, e [vɔlɑ̃, -ɑ̃t] *adj* flying ▸ *nm* (*d'automobile*) (steering) wheel; (*de commande*) wheel; (*objet lancé*) shuttlecock; (*bande de tissu*) flounce

volcan [vɔlkɑ̃] *nm* volcano

volée [vɔle] nf (Tennis) volley; **à la ~**: rattraper à la ~ to catch in midair; **à toute ~** (sonner les cloches) vigorously; (lancer un projectile) with full force

voler [vɔle] /1/ vi (avion, oiseau, fig) to fly; (voleur) to steal ▸ vt (objet) to steal; (personne) to rob; **~ qch à qn** to steal sth from sb; **on m'a volé mon portefeuille** my wallet (BRIT) ou billfold (US) has been stolen; **il ne l'a pas volé!** he asked for it!

volet [vɔle] nm (de fenêtre) shutter; (Aviat) flap; (de feuillet, document) section; (fig: d'un plan) facet

voleur, -euse [vɔlœʀ, -øz] nm/f thief ▸ adj thieving; **"au ~!"** "stop thief!"

volley [vɔle], **volley-ball** [vɔlebol] nm volleyball

volontaire [vɔlɔ̃tɛʀ] adj (acte, activité) voluntary; (délibéré) deliberate; (caractère, personne: décidé) self-willed ▸ nm/f volunteer

volonté [vɔlɔ̃te] nf (faculté de vouloir) will; (énergie, fermeté) will(power); (souhait, désir) wish; **se servir/boire à ~** to take/drink as much as one likes; **bonne ~** goodwill, willingness; **mauvaise ~** lack of goodwill, unwillingness

volontiers [vɔlɔ̃tje] adv (avec plaisir) willingly, gladly; (habituellement, souvent) readily, willingly; **"~"** "with pleasure"

volt [vɔlt] nm volt

volte-face [vɔltfas] nf inv: **faire ~** to do an about-turn

voltige [vɔltiʒ] nf (Équitation) trick riding; (au cirque) acrobatics sg • **voltiger** [vɔltiʒe] /3/ vi to flutter (about)

volubile [vɔlybil] adj voluble

volume [vɔlym] nm volume; (Géom: solide) solid • **volumineux, -euse** adj voluminous, bulky

volupté [vɔlypte] nf sensual delight ou pleasure

vomi [vɔmi] nm vomit • **vomir** /2/ vi to vomit, to be sick ▸ vt to vomit, bring up; (fig) to belch out, spew out; (exécrer) to loathe, abhor

vorace [vɔʀas] adj voracious

vos [vo] adj poss voir **votre**

VOST sigle f (Ciné: = version originale sous-titrée) subtitled version

vote [vɔt] nm vote; **~ par correspondance/procuration** postal/proxy vote • **voter** [vɔte] /1/ vi to vote ▸ vt (loi, décision) to vote for

votre [vɔtʀ] (pl **vos**) adj poss your

vôtre [votʀ] pron: **le ~, la ~, les ~s** yours; **les ~s** (fig) your family ou folks; **à la ~** (toast) your (good) health!

vouer [vwe] /1/ vt: **~ sa vie/son temps à** (étude, cause etc) to devote one's life/time to; **~ une haine/amitié éternelle à qn** to vow undying hatred/friendship to sb

---

vouloir [vulwaʀ] /31/

▸ vt 1 (exiger, désirer) to want; **vouloir faire/que qn fasse** to want to do/sb to do; **voulez-vous du thé?** would you like ou do you want some tea?; **que me veut-il?** what does he want with me?; **sans le vouloir** (involontairement) without meaning to, unintentionally; **je voudrais ceci/faire** I would ou I'd like this/to do; **le hasard a**

voulu que ... as fate would have it, ...; **la tradition veut que ...** tradition demands that ...

2 (*consentir*): **je veux bien** (*bonne volonté*) I'll be happy to; (*concession*) fair enough, that's fine; **oui, si on veut** (*en quelque sorte*) yes, if you like; **veuillez attendre** please wait; **veuillez agréer ...** (*formule épistolaire*) yours faithfully

3: **en vouloir à qn** to bear sb a grudge; **s'en vouloir (de)** to be annoyed with o.s. (for); **il en veut à mon argent** he's after my money

4: **vouloir de: l'entreprise ne veut plus de lui** the firm doesn't want him any more; **elle ne veut pas de son aide** she doesn't want his help

5: **vouloir dire** to mean
▶ *nm*: **le bon vouloir de qn** sb's goodwill; sb's pleasure

voulu, e [vuly] *pp de* **vouloir** ▶ *adj* (*requis*) required, requisite; (*délibéré*) deliberate, intentional

vous [vu] *pron* you; (*objet indirect*) (to) you; (*réfléchi: sg*) yourself; (*: pl*) yourselves; (*réciproque*) each other ▶ *nm*: **employer le ~** (*vouvoyer*) to use the "vous" form; **~-même** yourself; **~-mêmes** yourselves

vouvoyer [vuvwaje] /8/ *vt*: **~ qn** to address sb as "vous"

voyage [vwajaʒ] *nm* journey, trip; (*fait de voyager*): **le ~** travel(ling); **partir/être en ~** to go off/be away on a journey ou trip; **faire bon ~** to have a good journey; **~ d'agrément/d'affaires** pleasure/business trip; **~ de noces** honeymoon; **~ organisé** package tour

voyager [vwajaʒe] /3/ *vi* to travel
• **voyageur, -euse** *nm/f* traveller; (*passager*) passenger; **voyageur (de commerce)** commercial traveller

voyant, e [vwajɑ̃, -ɑ̃t] *adj* (*couleur*) loud, gaudy ▶ *nm* (*signal*) (warning) light

voyelle [vwajɛl] *nf* vowel

voyou [vwaju] *nm* hoodlum

vrac [vʀak]: **en ~** *adv* loose; (*Comm*) in bulk

vrai, e [vʀɛ] *adj* (*véridique: récit, faits*) true; (*non factice, authentique*) real; **à ~ dire** to tell the truth
• **vraiment** *adv* really
• **vraisemblable** *adj* likely; (*excuse*) plausible
• **vraisemblablement** *adv* in all likelihood, very likely
• **vraisemblance** *nf* likelihood; (*romanesque*) verisimilitude

vrombir [vʀɔ̃biʀ] /2/ *vi* to hum

VRP *sigle m* (= *voyageur, représentant, placier*) (sales) rep (*fam*)

VTT *sigle m* (= *vélo tout-terrain*) mountain bike

vu¹ [vy] *prép* (*en raison de*) in view of; **vu que** in view of the fact that

vu², e [vy] *pp de* **voir** ▶ *adj*: **bien/mal vu** (*personne*) well/poorly thought of

vue [vy] *nf* (*sens, faculté*) (eye)sight; (*panorama, image, photo*) view; **la ~** (*spectacle*) the sight of; **vues** *nfpl* (*idées*) views; (*dessein*) designs; **perdre la ~** to lose one's (eye)sight; **perdre de ~** to lose sight of; **hors de ~** out of sight; **à première ~** at first sight; **tirer à ~** to shoot on sight; **à ~ d'œil** visibly; **avoir ~ sur** to have a view of; **en ~** (*visible*) in sight;

V

(*célèbre*) in the public eye; **en ~ de faire** with a view to doing; **~ d'ensemble** overall view

vulgaire [vylgɛʀ] *adj* (*grossier*) vulgar, coarse; (*trivial*) commonplace, mundane; (*péj: quelconque*): **de ~s touristes/chaises de cuisine** common tourists/kitchen chairs; (*Bot, Zool: non latin*) common • **vulgariser** /1/ *vt* to popularize

vulnérable [vylneʀabl] *adj* vulnerable

wagon [vagɔ̃] *nm* (*de voyageurs*) carriage; (*de marchandises*) truck, wagon • **wagon-lit** *nm* sleeper, sleeping car • **wagon-restaurant** *nm* restaurant *ou* dining car

wallon, ne [walɔ̃, -ɔn] *adj* Walloon ▶ *nm* (*Ling*) Walloon ▶ *nm/f*: **W~, ne** Walloon

watt [wat] *nm* watt

WC [vese] *nmpl* toilet *sg*

Web [wɛb] *nm inv*: **le ~** the (World Wide) Web • **webcam** *nf* webcam • **webmaster, webmestre** *nm/f* webmaster

week-end [wikɛnd] *nm* weekend

western [wɛstɛʀn] *nm* western

whisky [wiski] (*pl* **whiskies**) *nm* whisky

wifi [wifi] *nm inv* wifi

WWW *sigle m* (= *World Wide Web*) WWW

X y

xénophobe [gzenɔfɔb] *adj*
xenophobic ▸*nm/f* xenophobe
xérès [gzeʀɛs] *nm* sherry
xylophone [gzilɔfɔn] *nm*
xylophone

y [i] *adv* (*à cet endroit*) there; (*dessus*)
on it (*ou* them); (*dedans*) in it (*ou*
them) ▸*pron* (*about ou on ou of*) it
(*vérifier la syntaxe du verbe employé*);
j'y pense I'm thinking about it;
ça y est! that's it!; *voir aussi* **aller,
avoir**
yacht [jɔt] *nm* yacht
yaourt [jauʀt] *nm* yogurt;
~ **nature/aux fruits** plain/fruit
yogurt
yeux [jø] *nmpl de* **œil**
yoga [jɔga] *nm* yoga
yoghourt [jɔguʀt] *nm* = **yaourt**
yougoslave [jugɔslav] *adj*
Yugoslav(ian) ▸*nm/f:* **Y~**
Yugoslav(ian)
Yougoslavie [jugɔslavi] *nf:* **la ~**
Yugoslavia; **l'ex-~** the former
Yugoslavia

y

Z

~ **bleue** ≈ restricted parking area;
~ **industrielle (ZI)** industrial
estate
zoo [zoo] nm zoo
zoologie [zɔɔlɔʒi] nf zoology
• **zoologique** adj zoological
zut [zyt] excl dash (it)! (BRIT),
nuts! (US)

zapper [zape] /1/ vi to zap
zapping [zapiŋ] nm: **faire du ~**
to flick through the channels
zèbre [zɛbʀ] nm (Zool) zebra
• **zébré, e** adj striped, streaked
zèle [zɛl] nm zeal; **faire du ~** (péj)
to be over-zealous • **zélé, e** adj
zealous
zéro [zero] nm zero, nought
(BRIT); **au-dessous de ~** below
zero (Centigrade), below freezing;
partir de ~ to start from scratch;
trois (buts) à ~ three (goals to) nil
zeste [zɛst] nm peel, zest
zézayer [zezeje] /8/ vi to have a
lisp
zigzag [zigzag] nm zigzag
• **zigzaguer** /1/ vi to zigzag
(along)
Zimbabwe [zimbabwe] nm:
le ~ Zimbabwe
zinc [zɛ̃g] nm (Chimie) zinc
zipper [zipe] /1/ vt (Inform) to zip
zizi [zizi] nm (fam) willy
zodiaque [zɔdjak] nm zodiac
zona [zona] nm shingles sg
zone [zon] nf zone, area;
(quartiers pauvres): **la ~** the slums;
~ **blanche** (Tél) dead zone;

Grammaire anglaise

1   Les verbes

1.1   Le présent simple

Le présent simple est utilisé :

- pour les vérités générales.

  February is the shortest month.
  Février est le mois le plus court.

- pour parler du présent en général, de quelque chose d'habituel, qui arrive régulièrement.

  I take the bus every morning.
  Je prends le bus tous les matins.

  George lives in Birmingham.
  George vit à Birmingham.

Affirmatives	Négatives	Questions
I work	I don't work	Do I work?
you work	you don't work	Do you work?
he/she/it works	he/she/it doesn't work	Does he/she/it work?
we work	we don't work	Do we work?
you work	you don't work	Do you work
they work	they don't work	Do they work?

Remarques :

- Le verbe garde la même forme à toutes les personnes, sauf à la troisième personne du singulier (**he/she/it**) où il se termine par un **-s**.

- Si le verbe se termine en -o/-os/-ch/-sh/-ss/-x, on rajoute -es à la troisième personne du singulier : watch → watches, go → goes

- Si le verbe se termine par une consonne suivie de -y, le -y se transforme en -ies à la troisième personne du singulier : study → studies, cry → cries

- Have à la troisième personne devient has.

  She has a computer in her room.
  Elle a un ordinateur dans sa chambre.

- On utilise l'auxiliaire do (does à la troisième personne du singulier) pour les questions et les négations. La forme contractée au négatif (don't/doesn't) est la plus souvent utilisée par rapport à la forme pleine (do not/does not).

  Do you know Peter? No, I don't know him.
  Est-ce que tu connais Peter ? Non, je ne le connais pas.

  Does she go to university?
  Est-ce qu'elle va à l'université ?

  He doesn't eat meat.
  Il ne mange pas de viande.

Le verbe *be*

Le verbe *be* est l'équivalent du verbe *être*. Au présent simple, il se conjugue ainsi :

Positives			
Dans les phrases positives		**Français**	**Questions**
Forme Pleine	**Forme Contractée**		
I am late.	I'm late.	Je suis en retard.	Am I late?
You are next.	You're next.	Tu es le prochain.	Are you next?
He is blond.	He's blond.	Il est blond	Is he blond?
She is at home.	She's at home.	Elle est à la maison.	Is she at home?
It is on the table.	It's on the table.	Il/Elle [objet] est sur la table.	Is it on the table?
We are British.	We're British.	Nous sommes Britanniques.	Are we British?
You are here.	You're here.	Vous êtes ici.	Are you here?
They are happy.	They're happy.	Ils/Elles sont heureux/ses.	Are they happy?

Négatives			
Dans les phrases négatives		**Français**	**Questions**
Forme Pleine	**Forme Contractée**		
I am not late.	I'm not late.	Je ne suis pas ...	Aren't I late?
You are not next.	You're not/aren't next.	Tu n'es pas ...	Aren't you next?
He is not blond.	He's not/isn't blond.	Il n'est pas ...	Isn't he blond?
She is not at home.	She's not/isn't at home.	Elle n'est pas ...	Isn't she at home?
It is not on the table.	It's not/isn't on the table.	Il/Elle [objet] n'est pas...	Isn't it on the table?
We are not British.	We're not/aren't British.	Nous ne sommes pas ...	Aren't we British?
You are not here.	You're not/aren't here.	Vous n'êtes pas ...	Aren't you here?
They are not happy.	They're not/aren't happy.	Ils/Elles ne sont pas ...	Aren't they happy?

1.2 **Le présent progressif**

Le présent progressif est utilisé :

- pour parler d'une action en cours (« *être en train de* »).

  They're talking to the teacher.
  Ils sont en train de parler au professeur.

- pour parler d'une situation temporaire.

  I'm living with my friends at the moment.
  Je vis avec des amis en ce moment.

Le présent progressif se compose ainsi :

BE au présent + verbe **-ing**

Affirmative	Négative	Questions
I am playing	I'm not playing	Am I playing?
You are playing	You're not playing	Are you playing?
He/She/It is playing	He/She/It's not playing	Is he/she/it playing?
We are playing	We're not playing	Are we playing?
You are playing	You're not playing	Are you playing?
They are playing	They're not playing	Are they playing?

Remarques :

- La forme contractée au négatif (**I'm not** ...) est la plus souvent utilisée par rapport à la forme pleine (**I am not** ...).

1.3 **Le « *present perfect* »**

Le « *present perfect* » s'emploie :

- pour évoquer les effets présents d'une action ou d'un événement passés.

I'm afraid I have forgotten my book.
Je suis désolé, mais j'ai oublié mon livre.

- pour une action qui vient de se produire (avec **just**).

Karen has just finished her homework.
Karen vient de finir ses devoirs.

- lorsqu'on parle d'une période qui a débuté dans le passé et qui se prolonge dans le présent.

I've lived in London for three years.
Je vis à Londres depuis trois ans.

- pour faire le bilan des expériences passées.

Have you ever been to the US?
Es-tu déjà allé aux États-Unis ?

Le « present perfect » se compose ainsi :

Have au présent + participe passé

Le participe passé se forme en ajoutant **-ed** à la fin du verbe, sauf pour les verbes irréguliers. La liste des verbes irréguliers se trouve à la page 377 du dictionnaire.

Affirmations	Négations	Questions
I have visited	I haven't visited	Have I visited?
You have visited	You haven't visited	Have you visited?
He/She/It has visited	He/She/It hasn't visited	Has he/she/it visited?
We have eaten	We haven't eaten	Have we eaten?
You have eaten	You haven't eaten	Have you eaten?
They have eaten	They haven't eaten	Have they eaten?

Remarques :

- La forme contractée au négatif (**haven't/hasn't**) est la plus souvent utilisée par rapport à la forme pleine (**have not/has not**). Dans un language plus familier, on peut également utiliser des formes contractées à l'affirmatif en remplaçant **have** par **'ve** et **has** par **'s**.

- Le « *present perfect* » ne s'utilise pas avec une indication de temps précise.

  I've read that book (before). I read it last week.
  J'ai (déjà) lu ce livre. Je l'ai lu la semaine dernière.

- Le « *present perfect* » est souvent traduit en français par le passé composé, mais ces deux temps ne sont pas toujours équivalents et la traduction par le passé composé ne doit pas être automatique.

  They've known each other for ten years.
  Ils se connaissent depuis dix ans.

  I've been to Canada twice.
  Je suis allée au Canada deux fois.

1.4 Le passé simple ou prétérit

Le passé simple s'emploie pour évoquer une action ou une habitude du passé qui est complétement révolue.

He went home last night.
Il est rentré chez lui hier soir.

I often watched TV when I was a child.
Je regardais souvent la télévision quand j'étais enfant.

Le passé se forme en ajoutant **-ed** à la fin du verbe, sauf pour les verbes irréguliers. La liste des verbes irréguliers se trouve à la page 377 du dictionnaire.

Affirmations	Négations	Questions
I walked	I didn't walk	Did I walk?
You walked	You didn't walk	Did you walk?
He/She/It walked	He/She/It didn't walk	Did he/she/it walk?
We left	We didn't leave	Did we leave?
You left	You didn't leave	Did you leave?
They left	They didn't leave	Did they leave?

Remarques :

- Le verbe garde la même forme à toutes les personnes, sauf pour be (was à la première et troisième personne du singulier, were pour toutes les autres personnes).

- On utilise l'auxiliaire do au passé (did) pour les questions et les négations. La forme contractée au négatif (didn't) est la plus souvent utilisée par rapport à la forme pleine (did not).

- Le prétérit peut se traduire en français par le passé simple, l'imparfait ou le passé composé.

The prince killed the dragon with his sword.
Le prince tua le dragon avec son épée.

I was so tired yesterday.
J'étais super fatiguée hier.

Where did you go last night?
Où es-tu allé hier soir ?

1.5 L'expression du futur

En anglais, il n'y a pas de temps verbal propre au futur. Le futur peut être exprimé de différentes manières :

- en utilisant le modal will
- en utilisant be going to
- en utilisant les temps du présent

Will

Le modal will s'emploie :

- pour prédire le futur.

  The weather tomorrow will be warm and sunny.
  Il fera beau et chaud demain.

- pour faire une promesse ou une offre.

  I'll come next week.
  Je viendrai la semaine prochaine.

- pour parler d'un futur lointain.

  In ten years' time, we'll be retired.
  Dans dix ans, nous serons à la retraite.

La construction avec will est la suivante :

Will + verbe

Affirmations	Négations	Questions
I will come	I won't come	Will I come?
You will come	You won't come	Will you come?
He/She/It will come	He/She/It won't come	Will he/she/it come?
We will come	We won't come	Will we come?
You will come	You won't come	Will you come?
They will come	They won't come	Will they come?

Remarque : la forme contractée de will est 'll et celle de will not est won't.

Be going to

Be going to s'emploie :

- pour le futur proche.

  They're going to sleep.
  Elles vont dormir.

- quand on prédit le futur.

  I think he's going to leave.
  Je pense qu'il va partir.

- quand des éléments du présent laissent penser qu'une action va se produire dans le futur.

  It's cloudy today: it's going to rain.
  Le temps est nuageux aujourd'hui : il va pleuvoir.

La construction avec **be going to** est la suivante :

Be au présent + **going to** + verbe

Affirmations	Négations	Questions
I am going to stay	I am not going to stay	Am I going to stay?
You are going to stay	You are not going to stay	Are you going to stay?
He/She/It is going to stay	He/She/It is not going to stay	Is he/she/it going to stay?
We are going to stay	We are not going to stay	Are we going to stay?
You are going to stay	You are not going to stay	Are you going to stay?
They are going to stay	They are not going to stay	Are they going to stay?

Remarques :

- La forme contractée du verbe **be** peut être utilisée.

  You aren't going to stay. / You're not going to stay.
  Vous n'allez pas rester.

- **Be going to** est souvent traduit par le futur proche en français (aller + verbe).

  She's going to write you a letter.
  Elle va t'écrire une lettre.

Le présent

Les temps du présent, et en particulier le présent progressif, peuvent servir à exprimer le futur :

- pour un fait planifié ou prévisible dans le futur.

  The train arrives at 9:00 am.
  Le train arrive à 9h.

  We're having a party next week.
  Nous organisons une fête la semaine prochaine.

- pour parler d'un avenir proche.

  What are you doing on Sunday?
  Qu'est-ce que tu fais dimanche ?

1.6 *There is / There are*

There + be est l'équivalent de « il y a » en français. La forme verbale employée varie selon que le nom qui suit est singulier ou pluriel. **There** peut être suivi de **be** au présent, au passé ou au futur (avec **will**).

There is a spider in my room.
Il y a une araignée dans ma chambre.

There were many people at this party.
Il y avait beaucoup de monde à cette fête.

There will be a meeting tomorrow.
Il va y avoir une réunion demain.

Pour poser une question, on place **there** après le verbe **be**.

Is there anyone at home?
Il y a quelqu'un à la maison ?

1.7 Les verbes à particule

Les *phrasal verbs* (verbes à particule) sont composés d'un verbe suivi d'un adverbe ou d'une préposition (**in/on/out/up/off/...**). Le sens habituel du verbe seul peut parfois changer radicalement après adjonction de la préposition.

Turn right at the next corner.
Tourne à droite au prochain croisement.

She turned off the radio.
Elle a éteint la radio.

Il y a plusieurs types de structures possibles :

- verbe + particule

We grew up in Dublin.
Nous avons grandi à Dublin.

- verbe + particule + objet

Can you look after the children?
Peux-tu t'occuper des enfants ?

- verbe + objet + particule

She'll call me back later.
Elle me rappellera plus tard.

Avec certains verbes à particule, l'objet peut se placer indifféremment avant ou après la particule.

He took his coat off. / He took off his coat.
Il a enlevé son manteau.

Dans d'autres cas, lorsque l'objet est un pronom, il se place impérativement avant la particule.

He threw it away.
Il l'a jeté (à la poubelle).

1.8 **Les modaux**

Les modaux n'ont qu'une seule forme et se placent devant le verbe à l'infinitif (sans **to**). Il n'est pas possible d'associer deux modaux ou un modal et un auxiliaire.

Can (présent) et **could** (passé ou conditionnel) peuvent exprimer la capacité, la possibilité ou la permission. Ils se traduisent souvent par « pouvoir ». **Can't** est la forme contractée du négatif **can not** et **couldn't** celle de **could not**.

She can run very fast.
Elle court très vite.

He could be at his grandma's house.
Il se peut qu'il soit chez sa grand-mère.

Can I go out tonight? No, you can't.
Est-ce que je peux sortir ce soir ? Non, tu ne peux pas.

May (présent) et **might** (passé ou conditionnel) expriment la probabilité. Dans un style soutenu, **may** peut également servir à demander ou accorder la permission. **Might** est surtout utilisé quand la probabilité que quelque chose se produise n'est pas très grande. Ces deux modaux n'ont pas de formes contractées au négatif.

He might come.
Il va peut-être venir.

I may go to London next month.
Je vais peut-être aller à Londres le mois prochain.

May I open the window? No, you may not.
Puis-je ouvrir la fenêtre ? Non, vous ne pouvez pas.

Le modal **must** exprime l'obligation. On peut le traduire par « devoir » ou « il faut que » en français. **Mustn't** est la forme contractée du négatif **must not**.

I must see her.
Je dois la voir.

They mustn't leave now.
Il ne faut pas qu'ils partent maintenant.

Should signifie « il faudrait que » ou « devrait ». On l'utilise pour donner un conseil ou parler de ce qui devrait être fait. **Shouldn't** est la forme contractée du négatif **should not**.

We should send her a postcard.
Il faudrait qu'on lui envoie une carte postale.

You shouldn't drink and drive.
Tu ne devrais pas conduire après avoir bu.

Would est la marque du conditionnel. **Wouldn't** est la forme contractée du négatif **would not**.

I would like to come with you.
J'aimerais venir avec toi.

<u>Remarques</u> : le modal **will** est abordé à la page 365.

2   Les noms

2.1   Les noms dénombrables

Certaines choses sont des éléments individuels pouvant être comptés un par un. Les noms qui servent à les décrire sont des **noms dénombrables** qui possèdent une forme au singulier, ainsi qu'une forme au pluriel avec la terminaison -s.

book→ books, holiday→ holidays

Pour mettre au pluriel les noms se terminant en **-ss/-s/ -ch/-sh/-x/-o**, on ajoute **-es** à la fin : **boss→ bosses, ditch → ditches, domino→ dominoes**.

Pour les noms qui se terminent par une consonne suivie de **-y**, on remplace le **-y** final par **-ies** : **baby→ babies**.

Certains noms possèdent des pluriels irréguliers :

Singulier	Pluriel	Français
child	children	enfant(s)
foot	feet	pied(s)
mouse	mice	souris
fish	fish	poisson(s)
man	men	homme(s)
woman	women	femme(s)
person	people	personne(s)
tooth	teeth	dent(s)

2.2 Les noms singuliers, pluriels et collectifs

Certains noms sont utilisés uniquement au singulier. Parfois, c'est parce que le nom désigne une chose qui n'existe qu'en un seul exemplaire (**the air** *l'air*, **the sun** *le soleil*, **the past** *le passé*) ; on utilise souvent ce type de nom avec l'article **the**.

Certains noms n'ont pas de forme au singulier (**your clothes** *tes vêtements*). Ils sont utilisés avec **the** ou un possessif, et avec un verbe au pluriel. Certains outils ou vêtements qui possèdent deux parties identiques sont également des noms pluriels (**jeans** *un jean*, **glasses** *des lunettes*, **pyjamas** *un pyjama*, **scissors** *des ciseaux*).

Les noms collectifs sont des noms qui désignent un groupe de personnes ou de choses (family *famille*, team *équipe*, army *armée*). Ils peuvent être utilisés avec un verbe au singulier ou au pluriel, selon que le groupe est considéré comme un seul ensemble ou une série de plusieurs individus.

My family is in Brazil.
Ma famille est au Brésil.

His family are all strange.
Les membres de sa famille sont tous bizarres.

2.3 Les noms indénombrables

Il existe également des choses qui ne peuvent pas se compter une par une ; elles sont désignées par des **noms indénombrables**. Souvent, il s'agit de substances, de qualités humaines, de sentiments, d'activités ou d'abstractions.

Attention, dans certains cas, l'anglais utilise un indénombrable pour désigner une chose qui en français est dénombrable : advice (*conseil*), luggage (*bagages*), furniture (*meubles*).

My luggage is too heavy.
Mes bagages sont trop lourds.

Les noms indénombrables n'ont pas de forme plurielle et s'utilisent avec un verbe au singulier. Ils ne peuvent pas être accompagnés des articles a/an mais peuvent l'être de the/this/that ou d'un possessif. On peut également les associer à des mots ou expressions comme some, much, any, a piece of, etc.

We sold this old piece of furniture.
Nous avons vendu ce vieux meuble.

3 Les déterminants

3.1 Les articles indéfinis et définis

A/an s'utilisent comme leurs équivalents français, les articles indéfinis « un, une » (a week *une semaine*, a book *un livre*, a person *une personne*). An s'utilise devant un nom commençant par une voyelle (an elephant *un éléphant*, an aunt *une tante*, an apple *une pomme*).

En anglais, pour parler d'un type de chose, d'animal ou de personne de manière générale, on utilise le pluriel du nom seul, sans déterminant.

Adults often don't listen to children.
Souvent, les adultes n'écoutent pas les enfants.

The s'utilise généralement comme les articles définis français correspondants, « le, la, les » (the person *la personne*, the people *les gens*, the chair *la chaise*, the chairs *les chaises*).

3.2 Les déterminants possessifs

Anglais	Français
my	mon/ma/mes
your	ton/ta/tes
his	son/sa/ses *(pour un homme)*
her	son/sa/ses *(pour une femme)*
its	son/sa/ses *(pour un objet)*
our	notre/nos
your	votre/vos
their	leur/leurs

En anglais, contrairement au français, les déterminants possessifs s'accordent avec le possesseur et non avec la chose possédée.

She's eating her sandwich.
Elle mange son sandwich.

Pour exprimer la possession, on peut également utiliser la construction suivante :

Possesseur + 's + possession

Mark is Jane's brother.
Mark est le frère de Jane.

It's my uncle's birthday next week.
C'est l'anniversaire de mon oncle la semaine prochaine.

Si le possesseur est au pluriel et se termine par -s, on ajoute juste une apostrophe.

My parents' new car is great.
La nouvelle voiture de mes parents est géniale.

3.3 Les adjectifs démonstratifs

This signifie « ce, cet, cette » et these est sa forme plurielle (« ces »). That signifie aussi « ce, cet, cette » et s'emploie à la place de this dans certains contextes, par exemple lorsqu'on veut indiquer l'éloignement. Those est sa forme plurielle.

This book is a present from my mother.
Ce livre est un cadeau de ma mère.

When did you buy that hat?
Quand as-tu acheté ce chapeau ?

Ces déterminants s'utilisent aussi comme pronoms démonstratifs :

This is a list of rules.
Ceci est une liste de règles.

Those are mine.
Celles-là sont les miennes.

4 Les pronoms

4.1 Les pronoms personnels (sujets et objets) et les pronoms possessifs

Pronom sujet	Pronom objet	Pronom possessif
I	me	mine
you	you	yours
he	him	his
she	her	hers
it	it	its
we	us	ours
you	you	yours
they	them	theirs

Remarques :

- Le pronom possessif its existe, mais s'emploie très rarement.

- L'emploi des pronoms anglais est comparable au français.

  Have you seen him?
  Est-ce que tu l'as vu ?

  Is that coffee yours or mine?
  Ce café est à toi ou à moi ?

  Can you help us?
  Pouvez-vous nous aider ?

  Whose house is this? This is ours.
  À qui est cette maison ? C'est la nôtre.

4.2 Les pronoms interrogatifs

Les pronoms interrogatifs sont : what (*quoi*, *qu'est-ce que*), when (*quand*), where (*où*), why (*pourquoi*), who (*qui*), how (*comment*), how many/how much (*combien*) et which (*lequel*). Ils servent à poser une question ouverte, à laquelle on peut répondre autrement que par oui ou non. Avec les pronoms interrogatifs, l'ordre de l'auxiliaire et du sujet s'inverse comme dans n'importe quelle question.

Which do you like best?
Lequel préfères-tu ?

Where do you live?
Où habites-tu ?

When did she arrive?
Quand est-elle arrivée ?

Why did you do it?
Pourquoi as-tu fait ça ?

La seule exception à cette construction intervient quand le sujet de l'interrogative est aussi celui du verbe. Dans ce cas, l'ordre des mots ne change pas et on utilise une forme verbale simple (sans l'auxiliaire).

Who is this person?
Qui est cette personne ?

What happened?
Qu'est-ce qui s'est passé ?

Verbes irréguliers anglais

PRÉSENT	PASSÉ	PARTICIPE	PRÉSENT	PASSÉ	PARTICIPE
arise	arose	arisen	come	came	come
awake	awoke	awoken	cost	cost	cost
be (am, is, are; being)	was, were	been	cost (work out price of)	costed	costed
			creep	crept	crept
bear	bore	born(e)	cut	cut	cut
beat	beat	beaten	deal	dealt	dealt
become	became	become	dig	dug	dug
begin	began	begun	do (does)	did	done
bend	bent	bent	draw	drew	drawn
bet	bet, betted	bet, betted	dream	dreamed, dreamt	dreamed, dreamt
bid (at auction)	bid	bid	drink	drank	drunk
			drive	drove	driven
bid (say)	bade	bidden	dwell	dwelt	dwelt
bind	bound	bound	eat	ate	eaten
bite	bit	bitten	fall	fell	fallen
bleed	bled	bled	feed	fed	fed
blow	blew	blown	feel	felt	felt
break	broke	broken	fight	fought	fought
breed	bred	bred	find	found	found
bring	brought	brought	flee	fled	fled
build	built	built	fling	flung	flung
burn	burnt, burned	burnt, burned	fly	flew	flown
			forbid	forbad(e)	forbidden
burst	burst	burst	forecast	forecast	forecast
buy	bought	bought	forget	forgot	forgotten
can	could	(been able)	forgive	forgave	forgiven
cast	cast	cast	forsake	forsook	forsaken
catch	caught	caught	freeze	froze	frozen
choose	chose	chosen	get	got	got, (us) gotten
cling	clung	clung			

PRÉSENT	PASSÉ	PARTICIPE	PRÉSENT	PASSÉ	PARTICIPE
give	gave	given	mean	meant	meant
go (goes)	went	gone	meet	met	met
grind	ground	ground	mistake	mistook	mistaken
grow	grew	grown	mow	mowed	mown, mowed
hang	hung	hung			
hang (*execute*)	hanged	hanged	must	(had to)	(had to)
			pay	paid	paid
have (has)	had	had	put	put	put
hear	heard	heard	quit	quit, quitted	quit, quitted
hide	hid	hidden			
hit	hit	hit	read	read	read
hold	held	held	rid	rid	rid
hurt	hurt	hurt	ride	rode	ridden
keep	kept	kept	ring	rang	rung
kneel	knelt, kneeled	knelt, kneeled	rise	rose	risen
			run	ran	run
know	knew	known	saw	sawed	sawed, sawn
lay	laid	laid			
lead	led	led	say	said	said
lean	leant, leaned	leant, leaned	see	saw	seen
			seek	sought	sought
leap	leapt, leaped	leapt, leaped	sell	sold	sold
			send	sent	sent
learn	learnt, learned	learnt, learned	set	set	set
			sew	sewed	sewn
leave	left	left	shake	shook	shaken
lend	lent	lent	shear	sheared	shorn, sheared
let	let	let			
lie (lying)	lay	lain	shed	shed	shed
light	lit, lighted	lit, lighted	shine	shone	shone
			shoot	shot	shot
lose	lost	lost	show	showed	shown
make	made	made	shrink	shrank	shrunk
may	might	–			

PRÉSENT	PASSÉ	PARTICIPE	PRÉSENT	PASSÉ	PARTICIPE
shut	shut	shut	stink	stank	stunk
sing	sang	sung	stride	strode	stridden
sink	sank	sunk	strike	struck	struck
sit	sat	sat	strive	strove	striven
slay	slew	slain	swear	swore	sworn
sleep	slept	slept	sweep	swept	swept
slide	slid	slid	swell	swelled	swollen, swelled
sling	slung	slung			
slit	slit	slit	swim	swam	swum
smell	smelt, smelled	smelt, smelled	swing	swung	swung
			take	took	taken
sow	sowed	sown, sowed	teach	taught	taught
			tear	tore	torn
speak	spoke	spoken	tell	told	told
speed	sped, speeded	sped, speeded	think	thought	thought
			throw	threw	thrown
spell	spelt, spelled	spelt, spelled	thrust	thrust	thrust
			tread	trod	trodden
spend	spent	spent	wake	woke, waked	woken, waked
spill	spilt, spilled	spilt, spilled			
			wear	wore	worn
spin	spun	spun	weave	wove	woven
spit	spat	spat			
spoil	spoiled, spoilt	spoiled, spoilt	weave (wind)	weaved	weaved
spread	spread	spread	wed	wedded, wed	wedded, wed
spring	sprang	sprung			
stand	stood	stood	weep	wept	wept
steal	stole	stolen	win	won	won
stick	stuck	stuck	wind	wound	wound
sting	stung	stung	wring	wrung	wrung
			write	wrote	written

French verb tables

a Present participle **b** Past participle **c** Present **d** Imperfect
e Future **f** Conditional **g** Present subjunctive **h** Imperative

1 ARRIVER **a** arrivant **b** arrivé **c** arrive, arrives, arrive, arrivons, arrivez, arrivent **d** arrivais **e** arriverai **f** arriverais **g** arrive

2 FINIR **a** finissant **b** fini **c** finis, finis, finit, finissons, finissez, finissent **d** finissais **e** finirai **f** finirais **g** finisse **h** finis, finissons, finissez

3 PLACER **a** plaçant **b** placé **c** place, places, place, plaçons, placez, placent **d** plaçais, plaçais, plaçait, placions, placiez, plaçaient **e** placerai, placeras, placera, placerons, placerez, placeront **f** placerais, placerais, placerait, placerions, placeriez, placeraient **g** place

3 BOUGER **a** bougeant **b** bougé **c** bouge, bougeons **d** bougeais, bougions **e** bougerai **f** bougerais **g** bouge

4 appeler **a** appelant **b** appelé **c** appelle, appelons appelais **e** appellerai **f** appellerais **g** appelle

4 jeter **a** jetant **b** jeté **c** jette, jetons **d** jetais **e** jetterai **f** jetterais **g** jette

5 geler **a** gelant **b** gelé **c** gèle, gelons **d** gelais **e** gèlerai **f** gèlerais **g** gèle

6 CÉDER **a** cédant **b** cédé **c** cède, cèdes, cède, cédons, cédez, cèdent **d** cédais, cédais, cédait, cédions, cédiez, cédaient **e** céderai, céderas, cédera, céderons, céderez, céderont **f** céderais, céderais, céderait, céderions, céderiez, céderaient **g** cède

7 épier **a** épiant **b** épié **c** épie, épions **d** épiais **e** épierai **f** épierais **g** épie

8 noyer **a** noyant **b** noyé **c** noie, noyons **d** noyais **e** noierai **f** noierais **g** noie

9 ALLER **a** allant **b** allé **c** vais, vas, va, allons, allez, vont **d** allais **e** irai **f** irais **g** aille

10 HAÏR **a** haïssant **b** haï **c** hais, hais, hait, haïssons, haïssez, haïssent **d** haïssais, haïssais, haïssait, haïssions, haïssiez, haïssaient **e** haïrai, haïras, haïra, haïrons, haïrez, haïront **f** haïrais, haïrais, haïrait, haïrions, haïriez, haïraient **g** haïsse

a Present participle b Past participle c Present d Imperfect
e Future f Conditional g Present subjunctive h Imperative

11 courir a courant b couru
c cours, courons d courais
e courrai g coure

12 cueillir a cueillant b cueilli
c cueille, cueillons d cueillais
e cueillerai g cueille

13 assaillir a assaillant b assailli
c assaille, assaillons d assaillais
e assaillirai g assaille

14 servir a servant b servi
c sers, servons d servais g serve

15 bouillir a bouillant b bouilli
c bous, bouillons d bouillais
g bouille

16 partir a partant b parti
c pars, partons d partais
g parte

17 fuir a fuyant b fui c fuis,
fuyons, fuient d fuyais g fuie

18 couvrir a couvrant
b couvert c couvre, couvrons
d couvrais g couvre

19 mourir a mourant b mort
c meurs, mourons, meurent
d mourais e mourrai g meure

20 vêtir a vêtant b vêtu c vêts,
vêtons d vêtais e vêtirai g vête

21 acquérir a acquérant
b acquis c acquiers, acquérons,
acquièrent d acquérais
e acquerrai g acquière

22 venir a venant b venu
c viens, venons, viennent
d venais e viendrai
g vienne

23 pleuvoir a pleuvant b plu
c pleut, pleuvent d pleuvait
e pleuvra g pleuve

24 prévoir like voir e prévoirai

25 pourvoir a pourvoyant
b pourvu c pourvois,
pourvoyons, pourvoient
d pourvoyais g pourvoie

26 asseoir a asseyant b assis
c assieds, asseyons, asseyez,
asseyent d asseyais e assiérai
g asseye

27 MOUVOIR a mouvant b mû
c meus, meus, meut, mouvons,
mouvez, meuvent d mouvais
e mouvrai f mouvrais g meuve,
meuves, meuve, mouvions,
mouviez, meuvent

28 RECEVOIR a recevant
b reçu c reçois, reçois, reçoit,
recevons, recevez, reçoivent
d recevais e recevrai f recevrais
g reçoive h reçois, recevons,
recevez

29 valoir a valant b valu
c vaux, vaut, valons d valais
e vaudrai g vaille

a Present participle **b** Past participle **c** Present **d** Imperfect
e Future **f** Conditional **g** Present subjunctive **h** Imperative

---

30 voir **a** voyant **b** vu **c** vois, voyons, voient **d** voyais **e** verrai **g** voie

31 vouloir **a** voulant **b** voulu **c** veux, veut, voulons, veulent **d** voulais **e** voudrai **g** veuille **h** veuillez

32 savoir **a** sachant **b** su **c** sais, savons, savent **d** savais **e** saurai **g** sache **h** sache, sachons, sachez

33 pouvoir **a** pouvant **b** pu **c** peux, peut, pouvons, peuvent **d** pouvais **e** pourrai **g** puisse

34 AVOIR **a** ayant **b** eu **c** ai, as, a, avons, avez, ont **d** avais **e** aurai **f** aurais **g** aie, aies, ait, ayons, ayez, aient

35 conclure **a** concluant **b** conclu **c** conclus, concluons **d** concluais **g** conclue

36 rire **a** riant **b** ri **c** ris, rions **d** riais **g** rie

37 dire **a** disant **b** dit **c** dis, disons, dites, disent **d** disais **g** dise

38 nuire **a** nuisant **b** nui **c** nuis, nuisons **d** nuisais **e** nuirai **f** nuirais **g** nuise

39 écrire **a** écrivant **b** écrit **c** écris, écrivons **d** écrivais **g** écrive

40 suivre **a** suivant **b** suivi **c** suis, suivons **d** suivais **g** suive

41 RENDRE **a** rendant **b** rendu **c** rends, rends, rend, rendons, rendez, rendent **d** rendais **e** rendrai **f** rendrais **g** rende **h** rends, rendons, rendez

42 vaincre **a** vainquant **b** vaincu **c** vaincs, vainc, vainquons **d** vainquais **g** vainque

43 lire **a** lisant **b** lu **c** lis, lisons **d** lisais **g** lise

44 croire **a** croyant **b** cru **c** crois, croyons, croient **d** croyais **g** croie

45 CLORE **a** closant **b** clos **c** clos, clos, clôt, closent **e** clorai, cloras, clora, clorons, clorez, cloront **f** clorais, clorais, clorait, clorions, cloriez, cloraient **g** close

46 vivre **a** vivant **b** vécu **c** vis, vivons **d** vivais **g** vive

47 MOUDRE **a** moulant **b** moulu **c** mouds, mouds, moud, moulons, moulez, moulent **d** moulais, moulais, moulait, moulions, mouliez, moulaient **e** moudrai, moudras, moudra, moudrons, moudrez, moudront **f** moudrais, moudrais,

a Present participle **b** Past participle **c** Present **d** Imperfect **e** Future **f** Conditional **g** Present subjunctive **h** Imperative

moudrait, moudrions, moudriez, moudraient **g** moule

48 coudre **a** cousant **b** cousu **c** couds, cousons, cousez, cousent **d** cousais **g** couse

49 joindre **a** joignant **b** joint **c** joins, joignons **d** joignais **g** joigne

50 TRAIRE **a** trayant **b** trait **c** trais, trais, trait, trayons, trayez, traient **d** trayais, trayais, trayait, trayions, trayiez, trayaient **e** trairai, trairas, traira, trairons, trairez, trairont **f** trairais, trairais, trairait, trairions, trairiez, trairaient **g** traie

51 ABSOUDRE **a** absolvant **b** absous **c** absous, absous, absout, absolvons, absolvez, absolvent **d** absolvais, absolvais, absolvait, absolvions, absolviez, absolvaient **e** absoudrai, absoudras, absoudra, absoudrons, absoudrez, absoudront **f** absoudrais, absoudrais, absoudrait, absoudrions, absoudriez, absoudraient **g** absolve

52 craindre **a** craignant **b** craint **c** crains, craignons **d** craignais **g** craigne

53 boire **a** buvant **b** bu **c** bois, buvons, boivent **d** buvais **g** boive

54 plaire **a** plaisant **b** plu **c** plais, plaît, plaisons **d** plaisais **g** plaise

55 croître **a** croissant **b** crû **c** croîs, croissons **d** croissais **g** croisse

56 mettre **a** mettant **b** mis **c** mets, mettons **d** mettais **g** mette

57 connaître **a** connaissant **b** connu **c** connais, connaît, connaissons **d** connaissais **g** connaisse

58 prendre **a** prenant **b** pris **c** prends, prenons, prennent **d** prenais **g** prenne

59 naître **a** naissant **b** né **c** nais, naît, naissons **d** naissais **g** naisse

60 FAIRE **a** faisant **b** fait **c** fais, fais, fait, faisons, faites, font **d** faisais **e** ferai **f** ferais **g** fasse

61 ÊTRE **a** étant **b** été **c** suis, es, est, sommes, êtes, sont **d** étais **e** serai **f** serais **g** sois, sois, soit, soyons, soyez, soient

Les nombres

un (une)	1	one
deux	2	two
trois	3	three
quatre	4	four
cinq	5	five
six	6	six
sept	7	seven
huit	8	eight
neuf	9	nine
dix	10	ten
onze	11	eleven
douze	12	twelve
treize	13	thirteen
quatorze	14	fourteen
quinze	15	fifteen
seize	16	sixteen
dix-sept	17	seventeen
dix-huit	18	eighteen
dix-neuf	19	nineteen
vingt	20	twenty
vingt et un (une)	21	twenty-one
vingt-deux	22	twenty-two
trente	30	thirty
quarante	40	forty
cinquante	50	fifty
soixante	60	sixty
soixante-dix	70	seventy
soixante-et-onze	71	seventy-one
soixante-douze	72	seventy-two
quatre-vingts	80	eighty
quatre-vingt-un (-une)	81	eighty-one
quatre-vingt-dix	90	ninety
cent	100	a hundred, one hundred
cent un (une)	101	a hundred and one
deux cents	200	two hundred
deux cent un (une)	201	two hundred and one
quatre cents	400	four hundred
mille	1000	a thousand
cinq mille	5000	five thousand
un million	1000000	a million

premier (première), 1er (1ère)	first, 1st
deuxième, 2e or 2ème	second, 2nd
troisième, 3e or 3ème	third, 3rd
quatrième, 4e or 4ème	fourth, 4th
cinquième, 5e or 5ème	fifth, 5th
sixième, 6e or 6ème	sixth, 6th
septième	seventh
huitième	eighth
neuvième	ninth
dixième	tenth
onzième	eleventh
douzième	twelfth
treizième	thirteenth
quartozième	fourteenth
quinzième	fifteenth
seizième	sixteenth
dix-septième	seventeenth
dix-huitième	eighteenth
dix-neuvième	nineteenth
vingtième	twentieth
vingt-et-unième	twenty-first
vingt-deuxième	twenty-second
trentième	thirtieth
centième	hundredth
cent-unième	hundred-and-first
millième	thousandth

LES FRACTIONS ETC.	**FRACTIONS ETC.**
un demi	a half
un tiers	a third
un quart	a quarter
un cinquième	a fifth
zéro virgule cinq, 0,5	(nought) point five, 0.5
trois virgule quatre, 3,4	three point four, 3.4
dix pour cent	ten per cent
cent pour cent	a hundred per cent

EXEMPLES	**EXAMPLES**
elle habite au septième (étage)	she lives on the 7th floor
il habite au sept	he lives at number 7
au chapitre/à la page sept	chapter/page 7
il est arrivé (le) septième	he came in 7th

L'heure

quelle heure est-il ?	*what time is it?*
il est ...	*it's ou it is ...*
minuit	midnight, twelve p.m.
une heure (du matin)	one o'clock (in the morning), one (a.m.)
une heure cinq	five past one
une heure dix	ten past one
une heure et quart	a quarter past one, one fifteen
une heure vingt-cinq	twenty-five past one, one twenty-five
une heure et demie, une heure trente	half-past one, one thirty
deux heures moins vingt-cinq, une heure trente-cinq	twenty-five to two, one thirty-five
deux heures moins vingt, une heure quarante	twenty to two, one forty
deux heures moins le quart, une heure quarante-cinq	a quarter to two, one forty-five
deux heures moins dix, une heure cinquante	ten to two, one fifty
midi	twelve o'clock, midday, noon
deux heures (de l'après-midi), quatorze heures	two o'clock (in the afternoon), two (p.m.)
sept heures (du soir), dix-neuf heures	seven o'clock (in the evening), seven (p.m.)
à quelle heure ?	*(at) what time?*
à minuit	at midnight
à sept heures	at seven o'clock
dans vingt minutes	in twenty minutes
il y a un quart d'heure	fifteen minutes ago

Phrasefinder
Guide de conversation

TOPICS | THEMES

TOPICS | THÈMES

Hello!	Bonjour !
Good evening!	Bonsoir !
Good night!	Bonne nuit !
Goodbye!	Au revoir !
What's your name?	Comment vous appelez-vous ?
My name is ...	Je m'appelle ...
This is ...	Je vous présente ...
my wife.	*ma femme*.
my husband.	*mon mari*.
my partner.	*mon compagnon/ ma compagne*.
Where are you from?	D'où venez-vous ?
I come from ...	Je suis de ...
How are you?	Comment allez-vous ?
Fine, thanks.	Bien, merci.
And you?	Et vous ?
Do you speak French?	Parlez-vous français ?
I don't understand English.	Je ne comprends pas l'anglais.
Thanks very much!	Merci beaucoup !
Pleasure to meet you.	Enchanté(e) !
I'm French.	Je suis français(e).
What do you do for a living?	Que faites-vous dans la vie ?

Asking the Way	Demander son chemin
Where is the nearest ...?	Où est le/la ... le/la plus proche ?
How do I get to ...?	Comment est-ce qu'on va à/au/à la ...?
Is it far?	Est-ce que c'est loin ?
How far is it from here?	C'est à combien de minutes/ de mètres d'ici ?
Is this the right way to ...?	C'est la bonne direction pour aller à/au/à la ... ?
I'm lost.	Je suis perdu(e).
Can you show me on the map?	Pouvez-vous me le montrer sur la carte ?
You have to turn round.	Vous devez faire demi-tour.
Go straight on.	Allez tout droit.
Turn left/right.	Tournez à gauche/à droite.
Take the second street on the left/right.	Prenez la deuxième rue à gauche/à droite.

Car Hire	Location de voitures
I want to hire ...	Je voudrais louer ...
a car.	*une voiture.*
a moped.	*une mobylette.*
a motorbike.	*une moto.*
a (motor) scooter.	*un scooter.*
How much is it for ...?	C'est combien pour ... ?
one day	*une journée*
a week	*une semaine*
What is included in the price?	Qu'est-ce qui est inclus dans le prix ?
I'd like a child seat for a ...-year-old child.	Je voudrais un siège-auto pour un enfant de ... ans.
What do I do if I have an accident/if I break down?	Que dois-je faire en cas d'accident/de panne ?

Breakdowns — Pannes

My car has broken down.	Je suis en panne.
Where is the nearest garage?	Où est le garage le plus proche ?
The exhaust	Le pot d'échappement
The gearbox	La boîte de vitesses
The windscreen	Le pare-brise
... is broken.	... est cassé(e).
The brakes	Les freins
The headlights	Les phares
The windscreen wipers	Les essuie-glaces
... are not working.	... ne fonctionnent pas.
The battery is flat.	La batterie est à plat.
The car won't start.	Le moteur ne démarre pas.
The engine is overheating.	Le moteur surchauffe.
I have a flat tyre.	J'ai un pneu à plat.
Can you repair it?	Pouvez-vous le réparer ?
When will the car be ready?	Quand est-ce que la voiture sera prête ?

Parking — Stationnement

Can I park here?	Je peux me garer ici ?
Do I need to buy a parking ticket?	Est-ce qu'il faut acheter un ticket de stationnement ?
Where is the ticket machine?	Où est l'horodateur ?
The ticket machine isn't working.	L'horodateur ne fonctionne pas.

Petrol Station — Station-service

Where is the nearest petrol station?	Où est la station-service la plus proche ?
Fill it up, please.	Le plein, s'il vous plaît.

30 euros' worth of...	30 euros de ...
diesel.	*gazole.*
(unleaded) economy petrol.	*sans plomb.*
premium unleaded.	*super.*
Pump number ..., please.	Pompe numéro ..., s'il vous plaît.
Please check ...	Pouvez-vous vérifier ...
the tyre pressure.	*la pression des pneus ?*
the oil.	*le niveau d'huile ?*
the water.	*le niveau d'eau ?*

Accidents — Accidents

Please call ...	Appelez ..., s'il vous plaît.
the police.	*la police*
an ambulance.	*une ambulance*
Here are my insurance details.	Voici les références de mon assurance.
Give me your insurance details, please.	Donnez-moi les références de votre assurance , s'il vous plaît.
Can you be a witness for me?	Pouvez-vous me servir de témoin ?
You were driving too fast.	Vous conduisiez trop vite.
It wasn't your right of way.	Vous n'aviez pas la priorité.

Travelling ... by Car — Voyager ... en voiture

What's the best route to ...?	Quel chemin prendre pour aller à ... ?
I'd like a motorway tax sticker ...	Je voudrais un badge de télépéage ...
for a week.	*pour une semaine.*
for a year.	*pour un an.*
Do you have a road map of this area?	Avez-vous une carte de la région ?

By Bike | À vélo

Where is the cycle path to ...?	Où est la piste cyclable pour aller à ... ?
Can I keep my bike here?	Est-ce que je peux laisser mon vélo ici ?
My bike has been stolen.	On m'a volé mon vélo.
Where is the nearest bike repair shop?	Où se trouve le réparateur de vélos le plus proche ?
The brakes	Les freins
The gears	Les vitesses
... aren't working.	... ne marchent pas.
The chain is broken.	La chaîne est cassée.
I've got a flat tyre.	J'ai un pneu crevé.
I need a puncture repair kit.	J'ai besoin d'un kit de réparation.

By Train | En train

How much is ...?	Combien coûte ... ?
a single	l'aller simple
a return	l'aller-retour
A single to ..., please.	Un aller simple pour ..., s'il vous plaît.
I would like to travel first/ second class.	Je voudrais voyager en première/seconde classe.
Two returns to ..., please.	Deux allers-retours pour ..., s'il vous plaît.
Is there a reduction ...?	Est-ce qu'il y a un tarif réduit ... ?
for students	pour les étudiants
for pensioners	pour les seniors
for children	pour les enfants
with this pass	avec cette carte
Could I please have a timetable?	Pouvez vous me donner la fiche des horaires ?

I'd like to reserve a seat on the train to ..., please.	Je voudrais faire une réservation pour le train qui va à ..., s'il vous plaît.
Non smoking/Smoking, please.	Non-fumeurs/Fumeurs, s'il vous plaît.
I want to book a sleeper to ...	Je voudrais réserver une couchette pour ...
When is the next train to ...?	À quelle heure part le prochain train pour ... ?
Is there a supplement to pay?	Est-ce qu'il faut payer un supplément ?
Do I need to change?	Est-ce qu'il y a un changement ?
Where do I change?	Où est-ce qu'il faut changer ?
Which platform does the train for ... leave from?	De quel quai part le train pour ... ?
Is this the train for ...?	C'est bien le train pour ... ?
Excuse me, that's my seat.	Excusez-moi, c'est ma place.
I have a reservation.	J'ai réservé.
Is this seat taken/free?	Est-ce que cette place est occupée/libre ?
Please let me know when we get to ...	Pourriez-vous me prévenir lorsqu'on arrivera à ... ?
Where is the buffet car?	Où est le wagon-restaurant ?
Where is coach number ...?	Où est la voiture numéro ... ?

By Ferry   En ferry

Is there a ferry to ...?	Est-ce qu'il y a un ferry pour ... ?
When is the next/first/last ferry to ...?	Quand part le prochain/ premier/dernier ferry pour ... ?
How much is it for a camper/car with ... people?	Combien coûte la traversée pour un camping-car/une voiture avec ... personnes ?
How long does the crossing take?	Combien de temps dure la traversée ?

Where is ...?	Où est ... ?
the restaurant	*le restaurant*
the bar	*le bar*
the duty-free shop	*le magasin hors taxe*
Where is cabin number ...?	Où est la cabine numéro ... ?
Do you have anything for seasickness?	Avez-vous quelque chose contre le mal de mer ?

By Plane | En avion

Where is ...?	Où est ... ?
the taxi rank	*la station de taxis*
the bus stop	*l'arrêt de bus*
the information office	*le bureau de renseignements*
Where do I check in for the flight to ...?	Où est l'enregistrement pour le vol à destination de ... ?
Which gate for the flight to ...?	Quelle est la porte d'embarquement pour le vol à destination de ... ?
When is the latest I can check in?	Quelle est l'heure limite d'enregistrement ?
When does boarding begin?	À quelle heure commence l'embarquement ?
Window/Aisle, please.	Hublot/Couloir, s'il vous plaît.
I've lost my boarding pass/ my ticket.	J'ai perdu ma carte d'embarquement/mon billet.
My luggage hasn't arrived.	Mes bagages ne sont pas arrivés.
Where is the carousel?	Où est le carrousel à bagages ?
Where are the check-in desks?	Où sont les bornes d'enregistrement ?

Public Transport | Transports en commun

How do I get to ...?	Comment est-ce qu'on va à ... ?
Where is the bus station?	Où est la gare routière ?
Where is the nearest ...?	Où est ... le/la plus proche ?

bus stop	l'arrêt de bus
underground station	la station de métro
A ticket to..., please.	Un ticket pour..., s'il vous plaît.
Is there a reduction ...?	Est-ce qu'il y a un tarif réduit ... ?
for students	pour les étudiants
for pensioners	pour les seniors
for children	pour les enfants
for the unemployed	pour les chômeurs
with this pass	avec cette carte
How does the (ticket) machine work?	Comment fonctionne le distributeur de tickets ?
Do you have a map of the underground?	Avez-vous un plan du métro ?
Please tell me when to get off.	Pourriez-vous me prévenir quand je dois descendre ?
What is the next stop?	Quel est le prochain arrêt ?
Which line goes to...?	Quelle ligne va à ... ?

Taxi — En taxi

Where can I get a taxi?	Où puis-je trouver un taxi ?
Call me a taxi, please.	Pouvez-vous m'appeler un taxi, s'il vous plaît ?
To the airport/station, please.	À l'aéroport/À la gare, s'il vous plaît.
To this address, please.	À cette adresse, s'il vous plaît.
I'm in a hurry.	Je suis pressé(e).
How much is it?	C'est combien ?
I need a receipt.	Il me faut un reçu.
Keep the change.	Gardez la monnaie.
Stop here, please.	Arrêtez-vous ici, s'il vous plaît.
Would you mind waiting for me?	Pouvez-vous m'attendre ?
Straight ahead/to the left/ to the right.	Tout droit/à gauche/à droite.

Camping | Camping

Is there a campsite here?	Est-ce qu'il y a un camping ici ?
We'd like a site for ...	Nous voudrions un emplacement pour ...
a tent.	*une tente.*
a caravan.	*une caravane.*
We'd like to stay one night/ ... nights.	Nous voudrions rester une nuit/... nuits.
How much is it per night?	C'est combien la nuit ?
Where are ...?	Où sont ... ?
the toilets	*les toilettes*
the showers	*les douches*
Where is ...?	Où est ... ?
the site office	*la réception*
Can we camp/park here overnight?	Est-ce qu'on peut camper/ stationner ici pour la nuit ?

Self-Catering | Location de vacances

Where do we get the key for the apartment/house?	Où est-ce qu'il faut aller chercher la clé de l'appartement/la maison ?
Do we have to pay extra for electricity/gas?	Est-ce que l'électricité/le gaz est à payer en plus ?
How does the heating work?	Comment fonctionne le chauffage ?
Who do I contact if there are any problems?	Qui dois-je contacter en cas de problème ?
We need ...	Il nous faut ...
a second key.	*un double de la clé.*
more sheets.	*des draps supplémentaires.*
The gas has run out.	Il n'y a plus de gaz.

There is no electricity.	Il n'y a pas d'électricité.
Do we have to clean the apartment/the house before we leave?	Est-ce qu'on doit nettoyer l'appartement/la maison avant de partir ?

Hotel │ Hôtel

Do you have a ... for tonight?	Avez-vous une ... pour ce soir ?
single room	*chambre pour une personne*
double room	*chambre double*
Do you have a room ...?	Avez-vous une chambre ... ?
with a bath	*avec baignoire*
with a shower	*avec douche*
I want to stay for one night/... nights.	Je voudrais rester une nuit/ ... nuits.
I booked a room under the name ...	J'ai réservé une chambre au nom de ...
I'd like another room.	Je voudrais une autre chambre.
What time is breakfast?	À quelle heure est servi le petit déjeuner ?
Can I have breakfast in my room?	Pouvez-vous me servir le petit déjeuner dans ma chambre ?
Where is ...?	Où est ... ?
the gym	*la salle de sport*
the swimming pool/the spa	*la piscine/le spa*
I'd like an alarm call for tomorrow morning at ...	Je voudrais être réveillé(e) demain matin à ...
I'd like to get these things washed/cleaned.	Pourriez-vous faire nettoyer ceci ?
Please bring me ...	S'il vous plaît, apportez-moi ...
The ... doesn't work.	Le/la ... ne marche pas.
Room number ...	Chambre numéro ...
Are there any messages for me?	Est-ce que j'ai reçu des messages ?

I'd like ...	Je voudrais ...
Do you have ...?	Avez-vous ... ?
Do you have this ...?	Avez-vous ceci ... ?
in another size	*dans une autre taille*
in another colour	*dans une autre couleur*
I take size ...	Je fais du ...
My feet are a size 5½.	Je fais du trente-neuf.
I'll take it.	Je le prends.
Do you have anything else?	Avez-vous autre chose ?
That's too expensive.	C'est trop cher.
I'm just looking.	Je ne fais que regarder.
Do you take credit cards?	Acceptez-vous la carte de crédit ?

Food Shopping — Courses alimentaires

Where is the nearest ...?	Où est ... le/la plus proche ?
supermarket	*le supermarché*
baker's	*la boulangerie*
butcher's	*la boucherie*
Where is the market?	Où est le marché ?
When is the market on?	Quel jour a lieu le marché ?
a kilo/pound of ...	un kilo/une livre de ...
200 grams of ...	deux cents grammes de ...
... slices of ...	... tranches de ...
a litre of ...	un litre de ...
a bottle/packet of ...	une bouteille/un paquet de ...

Post Office — Poste

Where is the nearest post office?	Où est la poste la plus proche ?
When does the post office open?	À quelle heure ouvre la poste ?
Where can I buy stamps?	Où peut-on acheter des timbres ?

I'd like ... stamps for postcards/letters to France/Britain/ the United States.	Je voudrais ... timbres pour des cartes postales/lettres pour la France/la Grande-Bretagne/les États-Unis.
I'd like to send ...	Je voudrais envoyer ...
this letter.	*cette lettre.*
this parcel.	*ce colis.*
by express mail/ by registered mail	en courrier urgent/ en recommandé
Is there any mail for me?	Est-ce que j'ai du courrier ?
Where is the nearest postbox?	Où est la boîte aux lettres la plus proche ?

Photography | Photographie

I need passport photos.	J'ai besoin de photos d'identité.
I'm looking for a cable for a digital camera.	Je cherche un câble pour appareil photo numérique.
Do you sell brand-name chargers?	Est-ce que vous vendez des chargeurs de marque ?
I'd like to buy a memory card.	Je voudrais acheter une carte mémoire.
I'd like the photos ...	Je voudrais les photos ...
matt/glossy.	*en mat/en brillant.*
ten by fifteen centimetres.	*en format dix sur quinze.*
Can I print my digital photos here?	Est-ce que je peux imprimer mes photos numériques ici ?
How much do the photos cost?	Combien coûtent les photos ?
Could you take a photo of us, please?	Pourriez-vous nous prendre en photo, s'il vous plaît ?
The photo is blurry.	La photo est floue.

Sightseeing | Visites touristiques

Where is the tourist office?	Où se trouve l'office de tourisme ?
Do you have any leaflets about ...?	Avez-vous des dépliants sur ... ?
Are there any sightseeing tours of the town?	Est-ce qu'il y a des visites guidées de la ville ?
When is ... open?	À quelle heure ouvre ... ?
the museum	*le musée*
the church	*l'église*
the castle	*le château*
How much does it cost to get in?	Combien coûte l'entrée ?
Are there any reductions ...?	Est-ce qu'il y a un tarif réduit ... ?
for students	*pour les étudiants*
for children	*pour les enfants*
for pensioners	*pour les seniors*
for the unemployed	*pour les chômeurs*
Is there a guided tour in French?	Est-ce qu'il y a une visite guidée en français ?
Can I take (flash) photos here?	Je peux prendre des photos (avec flash) ici ?
Can I film here?	Je peux filmer ici ?

Entertainment | Divertissements

What is there to do here?	Qu'est-ce qu'il y a à faire ici ?
Where can we ...?	Où est-ce qu'on peut ... ?
go dancing	*danser*
hear live music	*écouter de la musique live*
Where is there ...?	Où est-ce qu'il y a ... ?
a nice bar	*un bon bar*
a good club	*une bonne discothèque*

What's on tonight ...?	Qu'est-ce qu'il y a ce soir ... ?
at the cinema	*au cinéma*
at the theatre	*au théâtre*
at the opera	*à l'opéra*
at the concert hall	*à la salle de concert*
Where can I buy tickets for ...?	Où est-ce que je peux acheter des places ... ?
the theatre	*de théâtre*
the concert	*de concert*
the opera	*d'opéra*
the ballet	*pour le spectacle de danse*
How much is it to get in?	Combien coûte l'entrée ?
I'd like a ticket/... tickets for ...	Je voudrais un billet/... billets pour ...
Are there any reductions ...?	Est-ce qu'il y a un tarif réduit ... ?
for children	*pour les enfants*
for pensioners	*pour les seniors*
for students	*pour les étudiants*
for the unemployed	*pour les chômeurs*

At the Beach | À la plage

Where is the nearest beach?	Où se trouve la plage la plus proche ?
Is it safe to swim here?	Est-ce qu'on peut nager ici sans danger ?
Is the water deep?	L'eau est-elle profonde ?
Is there a lifeguard?	Est-ce qu'il y a un maître-nageur ?
Where can you ...?	Où peut-on ... ?
go surfing	*faire du surf*
go waterskiing	*faire du ski nautique*
go diving	*faire de la plongée*
go paragliding	*faire du parapente*

I'd like to hire ...	Je voudrais louer ...
a deckchair.	*une chaise longue.*
a sunbed.	*un matelas.*
a sunshade.	*un parasol.*
a surfboard.	*une planche de surf.*
a jet-ski.	*un jet-ski.*

Sport | Sport

Where can you ...?	**Où peut-on ... ?**
play tennis/golf	*jouer au tennis/golf*
go swimming	*aller nager*
go riding	*faire de l'équitation*
go fishing	*aller pêcher*
How much is it per hour?	Combien est-ce que ça coûte de l'heure ?
Where can I book a court?	Où peut-on réserver un court ?
Where can I hire rackets?	Où peut-on louer des raquettes de tennis ?
Where can I hire a rowing boat/a pedal boat?	Où peut-on louer une barque/un pédalo ?
Do you need a fishing permit?	Est-ce qu'il faut un permis de pêche ?

Skiing | Ski

Where can I hire skiing equipment?	Où peut-on louer un équipement de ski ?
I'd like to hire ...	Je voudrais louer ...
downhill skis.	*des skis alpins.*
cross-country skis.	*des skis de fond.*
ski boots.	*des chaussures de ski.*
ski poles.	*des bâtons de ski.*
Can you tighten my bindings, please?	Pourriez-vous resserrer mes fixations, s'il vous plaît ?

Where can I buy a ski pass?	Où est-ce qu'on peut acheter un forfait ?
I'd like a ski pass ...	Je voudrais un forfait ...
for a day.	pour une journée.
for five days.	pour cinq jours.
for a week.	pour une semaine.
How much is a ski pass?	Combien coûte le forfait ?
When does the first/last chair-lift leave?	À quelle heure part le premier/dernier télésiège ?
Do you have a map of the ski runs?	Avez-vous une carte des pistes ?
Where are the beginners' slopes?	Où sont les pistes pour débutants ?
How difficult is this slope?	Quelle est la difficulté de cette piste ?
Is there a ski school?	Y a-t-il une école de ski ?
What's the weather forecast for today?	Quel temps prévoit-on pour aujourd'hui ?
What is the snow like?	Comment est la neige ?
Is there a danger of avalanches?	Est-ce qu'il y a un risque d'avalanche ?

A table for ... people, please.	Une table pour ... personnes, s'il vous plaît.
The ..., please.	La ..., s'il vous plaît.
menu	*carte*
wine list	*carte des vins*
What do you recommend?	Qu'est-ce que vous me conseillez ?
Do you have ...?	Servez-vous ... ?
any vegetarian dishes	*des plats végétariens*
children's portions	*des menus enfants*
Does that contain ...?	Est-ce que cela contient ... ?
peanuts	*des cacahuètes*
alcohol	*de l'alcool*
Could you bring (more) ..., please?	Vous pourriez m'apporter (plus de) ..., s'il vous plaît ?
I'll have ...	Je vais prendre ...
The bill, please.	L'addition, s'il vous plaît.
All together, please.	Une seule addition, s'il vous plaît.
Separate bills, please.	Séparément, s'il vous plaît.
Keep the change.	Gardez la monnaie.
This isn't what I ordered.	Ce n'est pas ce que j'ai commandé.
There's a mistake in the bill.	Il y a une erreur dans l'addition.
It's cold/too salty.	C'est froid/trop salé.
rare/medium/well-done	saignant/à point/bien cuit
A bottle of sparkling/still water.	Une bouteille d'eau gazeuse/plate.

Telephone	Téléphone
Where can I make a phone call?	Où est-ce que je peux téléphoner ?
Hello?	Allô ?
Who's speaking, please?	Qui est à l'appareil ?
This is ...	C'est ...
Can I speak to Mr/Ms ..., please?	Puis-je parler à M./Mme ..., s'il vous plaît ?
I'll phone back later.	Je rappellerai plus tard.
Can you text me your answer?	Pouvez-vous me répondre par SMS ?
Where can I charge my mobile (phone)?	Où est-ce que je peux recharger mon portable ?
Can I borrow your charger?	Est-ce que je peux emprunter votre chargeur ?
I need a new battery.	Il me faut une batterie neuve.
I can't get a network.	Je n'ai pas de réseau.
I'd like to buy a SIM card with/without a subscription.	Je voudrais acheter une carte SIM avec/sans abonnement.

Internet	Internet
I'd like to send an email.	Je voudrais envoyer un e-mail.
I'd like to print out a document.	Je voudrais imprimer un document.
How do you change the language of the keyboard?	Comment changer la langue du clavier ?
Do you have free Wi-Fi?	Est-ce que vous avez le wifi gratuit ?
What's the Wi-Fi password?	Quel est le mot de passe pour le wifi ?

Passport/Customs — Passeport/Douane

Here is ...	Voici ...
my passport.	mon passeport.
my identity card.	ma carte d'identité.
my driving licence.	mon permis de conduire.
Here are my vehicle documents.	Voici les papiers de mon véhicule.
It's a present.	C'est un cadeau.
It's for my own personal use.	C'est pour mon usage personnel.

At the Bank — À la banque

Where can I change money?	Où puis-je changer de l'argent ?
Is there a bank/bureau de change around here?	Est-ce qu'il y a une banque/un bureau de change par ici ?
When does the bank open?	La banque ouvre à quelle heure ?
I'd like ... euros.	Je voudrais ... euros.
I'd like to cash these traveller's cheques.	Je voudrais encaisser ces chèques de voyage.
What's the commission?	Quel est le montant de la commission ?
Can I use my card to get cash?	Est-ce que je peux me servir de ma carte pour retirer de l'argent ?
Is there a cash machine around here?	Est-ce qu'il y a un distributeur par ici ?
The cash machine swallowed my card.	Le distributeur a avalé ma carte.

Repairs	Réparations
Where can I get this repaired?	Où puis-je faire réparer ceci ?
Can you repair ...?	Pouvez-vous réparer ... ?
these shoes	*ces chaussures*
this watch	*cette montre*
How much will the repairs cost?	Combien coûte la réparation ?

Emergency Services	Urgences
Help!	Au secours !
Fire!	Au feu !
Could you please call ...	Pouvez-vous appeler ...
the emergency doctor?	*le SAMU ?*
the fire brigade?	*les pompiers ?*
the police?	*la police ?*
I need to make an urgent phone call.	Je dois téléphoner d'urgence.
I need an interpreter.	J'ai besoin d'un interprète.
Where is the police station?	Où est le commissariat ?
Where is the hospital?	Où est l'hôpital ?
I want to report a theft.	Je voudrais signaler un vol.
... has been stolen.	On m'a volé(e) ...
There's been an accident.	Il y a eu un accident.
There are ... people injured.	Il y a ... blessés.
I've been ...	On m'a ...
robbed.	*volé(e).*
attacked.	*attaqué(e).*
raped.	*violé(e).*
I'd like to phone my embassy.	Je voudrais appeler mon ambassade.

Pharmacy │ Pharmacie

Where is the nearest pharmacy?	Où est la pharmacie la plus proche ?
Which pharmacy provides an emergency service?	Quelle est la pharmacie de garde ?
I'd like something ...	Je voudrais quelque chose ...
for diarrhoea.	*contre la diarrhée.*
for a temperature.	*contre la fièvre.*
for travel sickness.	*contre le mal des transports.*
for a headache.	*contre le mal de tête.*
for a cold.	*contre le rhume.*
I'd like ...	Je voudrais ...
plasters.	*des pansements.*
a bandage.	*un bandage.*
some paracetamol.	*du paracétamol.*
mosquito repellent.	*de la lotion anti-moustique.*
I can't take ...	Je suis allergique à ...
aspirin.	*l'aspirine.*
penicillin.	*la pénicilline.*
Is it safe to give to children?	C'est sans danger pour les enfants ?

At the Doctor's │ Chez le médecin

I need a doctor.	J'ai besoin de voir un médecin.
Where is casualty?	Où sont les urgences ?
I have a pain here.	J'ai mal ici.
I feel ...	J'ai ...
hot.	*chaud.*
cold.	*froid.*
I feel sick.	J'ai mal au cœur.
I feel dizzy.	J'ai la tête qui tourne.
I have a fever.	J'ai de la fièvre.

I'm ...	Je suis ...
pregnant.	*enceinte.*
diabetic.	*diabétique.*
HIV-positive.	*séropositif(-ive).*
I'm on this medication.	Je prends ces médicaments.
My blood group is ...	Mon groupe sanguin est ...

At the Hospital   À l'hôpital

Which ward is ... in?	Dans quel pavillon se trouve ... ?
When are visiting hours?	Quelles sont les heures de visite ?
I'd like to speak to ...	Je voudrais parler à ...
a doctor.	*un médecin.*
a nurse.	*un infirmier/une infirmière.*
When will I be discharged?	Quand vais-je pouvoir sortir ?

At the Dentist's   Chez le dentiste

I need a dentist.	J'ai besoin de voir un dentiste.
This tooth hurts.	J'ai mal à cette dent.
One of my fillings has fallen out.	J'ai perdu un de mes plombages.
I have an abscess.	J'ai un abcès.
Can you repair my dentures?	Pouvez-vous réparer mon dentier ?
I need a receipt for my insurance.	J'ai besoin d'un reçu pour mon assurance.

Business Travel | Voyages d'affaires

I'd like to arrange a meeting with ...	Je voudrais organiser une réunion avec ...
I have an appointment with Mr/Ms ...	J'ai rendez-vous avec M./Mme ...
Here's my card.	Voici ma carte de visite.
I work for ...	Je travaille pour ...
How do I get to ...?	Comment rejoindre ... ?
your office	*votre bureau*
Mr/Ms ...'s office	*le bureau de M./Mme ...*
May I use ...?	Est-ce que je peux me servir ... ?
your phone/computer/desk	*de votre téléphone/ordinateur/ bureau*
Do you have an Internet connection/Wi-Fi?	Y a-t-il une connexion Internet/wifi ?

Disabled Travellers | Voyageurs handicapés

Is it possible to visit ... with a wheelchair?	Est-ce qu'on peut visiter ... en fauteuil roulant ?
Where is the wheelchair-accessible entrance?	Où est l'entrée pour les fauteuils roulants ?
Is your hotel accessible to wheelchairs?	Votre hôtel est-il accessible aux clients en fauteuil roulant ?
I need a room ...	Je voudrais une chambre ...
on the ground floor.	*au rez-de-chaussée.*
with wheelchair access.	*accessible aux fauteuils roulants.*
Do you have a lift for wheelchairs?	Y a-t-il un ascenseur pour fauteuils roulants ?
Where is the disabled toilet?	Où sont les toilettes pour handicapés ?
Can you help me get on/off, please?	Pouvez-vous m'aider à monter/ descendre, s'il vous plaît ?

Travelling with children | Voyager avec des enfants

Is it OK to bring children here?	Est-ce que les enfants sont admis ?
Is there a reduction for children?	Est-ce qu'il y a un tarif réduit pour les enfants ?
Do you have children's portions?	Vous avez un menu pour enfant ?
Do you have ...?	Avez-vous ... ?
a high chair	*une chaise pour bébé*
a cot	*un lit de bébé*
a child's seat	*un siège pour enfant*
Where can I change my baby?	Où est-ce que je peux changer mon bébé ?
Where can I breast-feed my baby?	Où est-ce que je peux allaiter mon bébé ?
Can you warm this up, please?	Vous pouvez me réchauffer ceci, s'il vous plaît ?
What is there for children to do?	Qu'est-ce qu'il y a comme activités pour les enfants ?
Where's the nearest playground?	Où est le parc de jeux le plus proche ?
Is there a child-minding service?	Est-ce qu'il y a un service de garderie ?

I'd like to make a complaint.	Je voudrais faire une réclamation.
Whom should I speak to in order to make a complaint?	À qui dois-je m'adresser pour faire une réclamation ?
I'd like to speak to the manager, please.	Je voudrais parler au responsable, s'il vous plaît.
The light	La lumière
The heating	Le chauffage
The shower	La douche
... doesn't work.	... ne marche pas.
The room is ...	La chambre est ...
dirty.	sale.
too small.	trop petite.
The room is too cold.	Il fait trop froid dans la chambre.
Could you clean the room, please?	Pourriez-vous nettoyer ma chambre, s'il vous plaît ?
Could you turn down the TV/the radio, please?	Pourriez-vous baisser le son de votre télé/radio, s'il vous plaît ?
I've been robbed.	On m'a volé quelque chose.
We've been waiting for a very long time.	Nous attendons depuis très longtemps.
The bill is wrong.	Il y a une erreur dans l'addition.
I want my money back.	Je veux qu'on me rembourse.
I'd like to exchange this.	Je voudrais échanger ceci.
I'm not satisfied with this.	Je ne suis pas satisfait(e).

bangers and mash saucisses poêlées accompagnées de purée de pommes de terre, d'oignons frits et de sauce au jus de viande

banoffee pie pâte à tarte garnie d'un mélange de bananes, de caramel au beurre et de crème

BLT (sandwich) bacon, salade verte, tomate et mayonnaise entre deux tranches de pain

butternut squash doubeurre

Caesar salad grande salade composée avec de la laitue, des légumes, des œufs, du parmesan et une vinaigrette ; peut être servie en accompagnement ou comme plat principal

chocolate brownie petit gâteau carré au chocolat et aux noix ou noisettes

chowder épaisse soupe de fruits de mer

chicken Kiev blanc de poulet pané garni de beurre, d'ail et de persil et cuit au four

chicken nuggets petits morceaux de poulet pané, frits ou cuits au four

club sandwich sandwich sur trois tranches de pain, généralement grillées ; les garnitures les plus courantes sont la viande, le fromage, la salade, les tomates et les oignons

cottage pie viande de bœuf hachée et légumes recouverts de purée de pommes de terre et de fromage et cuits au four

cream tea goûter où l'on sert du thé et des scones accompagnés de crème et de confiture

English breakfast œufs, bacon, saucisses, haricots blancs à la sauce tomate, pain à la poêle et champignons

filo pastry type de pâte feuilletée très fine

ginger ale, ginger beer *(Brit)* boisson gazeuse au gingembre

haggis plat écossais à base de hachis de cœur et de foie de mouton bouilli avec de l'avoine et des aromates dans une poche faite avec la panse de l'animal

hash browns pommes de terre cuites coupées en dés puis mélangées à de l'oignon haché et dorées à la poêle. On les sert souvent au petit déjeuner

hotpot ragoût de viande et de légumes servi avec des pommes de terre en lamelles

Irish stew ragoût d'agneau, de pommes de terre et d'oignon

monkfish lotte

oatcake biscuit salé à base d'avoine que l'on mange souvent avec du fromage

pavlova grande meringue recouverte de fruits et de crème fouettée

ploughman's lunch en-cas à base de pain, de fromage et de pickles

purée purée épaisse et onctueuse de fruits ou de légumes cuits et passés

Quorn® protéine végétale employée comme substitut à la viande

savoy cabbage chou frisé de Milan

sea bass bar, loup

Scotch broth soupe chaude à la viande avec des petits légumes et de l'orge

Scotch egg œuf dur enrobé d'un mélange à base de chair à saucisse et recouvert de chapelure avant d'être plongé dans l'huile de friture

spare ribs travers de porc

spring roll nem

Stilton fromage bleu au goût intense

sundae crème glacée recouverte d'un coulis, de noix, de Chantilly etc.

Thousand Island dressing sauce à base de ketchup, de mayonnaise, de sauce Worcester et de jus de citron, souvent servie avec des crevettes

toad in the hole saucisses recouvertes de pâte et passées au four

Welsh rarebit mélange de fromage et d'œufs passé au grill et servi sur du pain grillé

Yorkshire pudding mélange d'œufs, de lait et de farine cuit au four, servi avec du rôti de bœuf

aïoli rich garlic mayonnaise

amuse-bouche nibbles

anchoïade anchovy paste usually served on grilled French bread

assiette du pêcheur assorted fish or seafood

bar sea bass

bavarois moulded cream and custard pudding, usually served with fruit

bisque smooth, rich seafood soup

blanquette white meat stew (usually veal) served with a creamy white sauce

brandade de morue dried salt cod puréed with potatoes and olive oil

brochette, (en) cooked like a kebab (on a skewer)

bulot welks

calamar/calmar squid

cassoulet white bean stew with meat, bacon and sausage

cervelle de Canut savoury dish of fromage frais, goat's cheese, herbs and white wine

charlotte custard and fruit in lining of sponge fingers

clafoutis cherry flan

coq au vin chicken and mushrooms cooked in red wine

coques cockles

crémant sparkling wine

crème pâtissière thick fresh custard used in tarts and desserts

daube meat casserole with wine, herbs, garlic, tomatoes and olives

daurade sea bream

filet mignon small pork fillet steak

fine de claire high-quality oyster

foie gras goose liver

fond d'artichaut artichoke heart

fougasse type of bread with various fillings (olives, anchovies)

gésier gizzard

gratin dauphinois potatoes cooked in cream, garlic and Swiss cheese

homard thermidor lobster grilled in its shell with cream sauce

île flottante soft meringue served with fresh custard

loup de mer sea bass

noisettes d'agneau small round pieces of lamb

onglet cut of beef (steak)

pan-bagnat bread roll with egg, olives, salad, tuna, anchovies and olive oil

parfait rich ice cream

parmentier with potatoes

pignons pine nuts

piperade tomato, pepper and onion omelette

pissaladière a kind of pizza made mainly in the Nice region, topped with onions, anchovies and black olives

pistou garlic, basil and olive oil sauce from Provence – similar to pesto

pommes mousseline creamy mashed potatoes

pot-au-feu beef stew

quenelles poached balls of fish or meat mousse served in a sauce

rascasse scorpion fish

ratatouille tomatoes, aubergines, courgettes and garlic cooked in olive oil

ris de veau calf sweetbread

romaine cos lettuce

rouille spicy version of garlic mayonnaise (aïoli) served with fish stew or soup

salade lyonnaise vegetable salad dressed with eggs, bacon and croutons

salade niçoise many variations on a famous theme: the basic ingredients are green beans, anchovies, black olives and green peppers

suprême de volaille chicken breast cooked in a cream sauce

tapenade paste made of black olives, anchovies, capers and garlic in olive oil

tournedos Rossini thick fillet steak on fried bread topped with goose liver and truffles

a

A [eɪ] n (Mus) la m

a [eɪ, ə]

(before vowel and silent h **an**) indef
art 1 un(e); **a book** un livre; **an
apple** une pomme; **she's a
doctor** elle est médecin
2 (instead of the number "one")
un(e); **a year ago** il y a un an;
a hundred/thousand etc
pounds cent/mille etc livres
3 (in expressing ratios, prices etc):
three a day/week trois par jour/
semaine; **10 km an hour** 10 km
à l'heure; **£5 a person** 5£ par
personne; **30p a kilo** 30p le kilo

A2 n (BRIT Scol) deuxième partie de
l'examen équivalent au baccalauréat
A.A. n abbr (BRIT: = Automobile
Association) ≈ ACF m; (= Alcoholics
Anonymous) AA
A.A.A. n abbr (= American
Automobile Association) ≈ ACF m
aback [əˈbæk] adv: **to be taken ~**
être décontenancé(e)
abandon [əˈbændən] vt
abandonner

abattoir ['æbətwɑːʳ] n (BRIT)
abattoir m
abbey ['æbɪ] n abbaye f
abbreviation [əbriːvɪˈeɪʃən] n
abréviation f
abdomen ['æbdəmən] n
abdomen m
abduct [æbˈdʌkt] vt enlever
abide [əˈbaɪd] vt souffrir,
supporter; **I can't ~ it/him** je ne
le supporte pas • **abide by** vt fus
observer, respecter
ability [əˈbɪlɪtɪ] n compétence f;
capacité f; (skill) talent m
able ['eɪbl] adj compétent(e); **to
be ~ to do sth** pouvoir faire qch,
être capable de faire qch
abnormal [æbˈnɔːməl] adj
anormal(e)
aboard [əˈbɔːd] adv à bord ► prep
à bord de; (train) dans
abolish [əˈbɒlɪʃ] vt abolir
abolition [æbəˈlɪʃən] n abolition f
abort [əˈbɔːt] vt (Med) faire
avorter; (Comput, fig) abandonner
• **abortion** [əˈbɔːʃən] n
avortement m; **to have an
abortion** se faire avorter

about [əˈbaut]

► adv 1 (approximately) environ,
à peu près; **about a hundred/
thousand** etc environ cent/
mille etc, une centaine (de)/un
millier (de) etc; **it takes about
10 hours** ça prend environ or à
peu près 10 heures; **at about 2
o'clock** vers 2 heures; **I've just
about finished** j'ai presque fini
2 (referring to place) çà et là, de-ci
de-là; **to run about** courir çà et
là; **to walk about** se promener,
aller et venir; **they left all their
things lying about** ils ont laissé

traîner toutes leurs affaires
3: **to be about to do sth** être
sur le point de faire qch
▶ prep 1 (relating to) au sujet de,
à propos de; **a book about
London** un livre sur Londres;
what is it about? de quoi
s'agit-il?; **we talked about it**
nous en avons parlé; **what** or
how about doing this? et si
nous faisions ceci?
2 (referring to place) dans;
to walk about the town
se promener dans la ville

above [əˈbʌv] adv au-dessus
▶ prep au-dessus de; (more than)
plus de; **mentioned ~** mentionné
ci-dessus; **~ all** par-dessus tout,
surtout

abroad [əˈbrɔːd] adv à l'étranger

abrupt [əˈbrʌpt] adj (steep, blunt)
abrupt(e); (sudden, gruff) brusque

abscess [ˈæbsɪs] n abcès m

absence [ˈæbsəns] n absence f

absent [ˈæbsənt] adj absent(e)
• **absent-minded** adj distrait(e)

absolute [ˈæbsəluːt] adj
absolu(e) • **absolutely**
[æbsəˈluːtlɪ] adv absolument

absorb [əbˈzɔːb] vt absorber;
to be ~ed in a book être
plongé(e) dans un livre
• **absorbent cotton** n (US) coton
m hydrophile • **absorbing** adj
absorbant(e); (book, film etc)
captivant(e)

abstain [əbˈsteɪn] vi: **to ~ (from)**
s'abstenir (de)

abstract [ˈæbstrækt] adj
abstrait(e)

absurd [əbˈsɜːd] adj absurde

abundance [əˈbʌndəns] n
abondance f

abundant [əˈbʌndənt] adj
abondant(e)

abuse n [əˈbjuːs] (insults) insultes
fpl, injures fpl; (ill-treatment)
mauvais traitements mpl; (of
power etc) abus m ▶ vt [əˈbjuːz]
(insult) insulter; (ill-treat)
malmener; (power etc) abuser de
• **abusive** adj grossier(-ière),
injurieux(-euse)

abysmal [əˈbɪzməl] adj
exécrable; (ignorance etc) sans
bornes

academic [ækəˈdɛmɪk] adj
universitaire; (person: scholarly)
intellectuel(le); (pej: issue)
oiseux(-euse), purement
théorique ▶ n universitaire m/f
• **academic year** n (University)
année f universitaire; (Scol) année
scolaire

academy [əˈkædəmɪ] n (learned
body) académie f; (school) collège
m; **~ of music** conservatoire m

accelerate [ækˈsɛləreɪt] vt, vi
accélérer • **acceleration**
[æksɛləˈreɪʃən] n accélération f
• **accelerator** n (BRIT)
accélérateur m

accent [ˈæksɛnt] n accent m

accept [əkˈsɛpt] vt accepter
• **acceptable** adj acceptable
• **acceptance** n acceptation f

access [ˈæksɛs] n accès m; **to
have ~ to** (information, library etc)
avoir accès à, pouvoir utiliser or
consulter; (person) avoir accès
auprès de • **accessible**
[ækˈsɛsəbl] adj accessible

accessory [ækˈsɛsərɪ] n
accessoire m; **~ to** (Law)
accessoire à

accident [ˈæksɪdənt] n accident
m; (chance) hasard m; **I've had**

an ~ j'ai eu un accident; **by** ~ (by chance) par hasard; (not deliberately) accidentellement
• **accidental** [æksɪˈdɛntl] adj accidentel(le) • **accidentally** [æksɪˈdɛntəlɪ] adv accidentellement • **Accident and Emergency Department** n (BRIT) service m des urgences • **accident insurance** n assurance f accident

acclaim [əˈkleɪm] vt acclamer ▶ n acclamations fpl

accommodate [əˈkɔmədeɪt] vt loger, recevoir; (oblige, help) obliger; (car etc) contenir

accommodation, (US) **accommodations** [əkɔməˈdeɪʃən(z)] n, npl logement m

accompaniment [əˈkʌmpənɪmənt] n accompagnement m

accompany [əˈkʌmpənɪ] vt accompagner

accomplice [əˈkʌmplɪs] n complice m/f

accomplish [əˈkʌmplɪʃ] vt accomplir • **accomplishment** n (skill: gen pl) talent m; (completion) accomplissement m; (achievement) réussite f

accord [əˈkɔːd] n accord m ▶ vt accorder; **of his own** ~ de son plein gré • **accordance** n: **in accordance with** conformément à • **according: according to** prep selon • **accordingly** adv (appropriately) en conséquence; (as a result) par conséquent

account [əˈkaunt] n (Comm) compte m; (report) compte rendu, récit m; **accounts** npl (Comm: records) comptabilité f, comptes; **of no** ~ sans importance; **on** ~

en acompte; **to buy sth on** ~ acheter qch à crédit; **on no** ~ en aucun cas; **on** ~ **of** à cause de; **to take into** ~, **take** ~ **of** tenir compte de • **account for** vt fus (explain) expliquer, rendre compte de; (represent) représenter • **accountable (for/to)** adj: **accountable (for/to)** responsable (de/devant) • **accountant** n comptable m/f • **account number** n numéro m de compte

accumulate [əˈkjuːmjuleɪt] vt accumuler, amasser ▶ vi s'accumuler, s'amasser

accuracy [ˈækjurəsɪ] n exactitude f, précision f

accurate [ˈækjurɪt] adj exact(e), précis(e); (device) précis • **accurately** adv avec précision

accusation [ækjuˈzeɪʃən] n accusation f

accuse [əˈkjuːz] vt: **to** ~ **sb (of sth)** accuser qn (de qch) • **accused** n (Law) accusé(e)

accustomed [əˈkʌstəmd] adj: ~ **to** habitué(e) or accoutumé(e) à

ace [eɪs] n as m

ache [eɪk] n mal m, douleur f ▶ vi (be sore) faire mal, être douloureux(-euse); **my head ~s** j'ai mal à la tête

achieve [əˈtʃiːv] vt (aim) atteindre; (victory, success) remporter, obtenir • **achievement** n exploit m, réussite f; (of aims) réalisation f

acid [ˈæsɪd] adj, n acide (m)

acknowledge [əkˈnɔlɪdʒ] vt (also: ~ **receipt of**) accuser réception de; (fact) reconnaître • **acknowledgement** n (of letter) accusé m de réception

acne [ˈæknɪ] n acné m

acorn ['eɪkɔːn] n gland m

acoustic [ə'kuːstɪk] adj acoustique

acquaintance [ə'kweɪntəns] n connaissance f

acquire [ə'kwaɪəʳ] vt acquérir
• **acquisition** [ækwɪ'zɪʃən] n acquisition f

acquit [ə'kwɪt] vt acquitter; **to ~ o.s. well** s'en tirer très honorablement

acre ['eɪkəʳ] n acre f (= 4047 m²)

acronym ['ækrənɪm] n acronyme m

acrosport ['ækrəspɔːt] n acrosport m

across [ə'krɔs] prep (on the other side) de l'autre côté de; (crosswise) en travers de ▸ adv de l'autre côté; en travers; **to run/swim ~** traverser en courant/à la nage; **~ from** en face de

acrylic [ə'krɪlɪk] adj, n acrylique (m)

act [ækt] n acte m, action f; (Theat: part of play) acte m; (: of performer) numéro m; (Law) loi f ▸ vi agir; (Theat) jouer; (pretend) jouer la comédie ▸ vt (role) jouer, tenir; **to catch sb in the ~** prendre qn sur le fait or en flagrant délit; **to ~ as** servir de • **act up** (inf) vi (person) se conduire mal; (knee, back, injury) jouer des tours; (machine) être capricieux(-ieuse) • **acting** adj suppléant(e), par intérim ▸ n (activity): **to do some acting** faire du théâtre (or du cinéma)

action ['ækʃən] n action f; (Mil) combat(s) m(pl); (Law) procès m, action en justice; **out of ~** hors de combat; (machine etc) hors d'usage; **to take ~** agir, prendre des mesures • **action replay** n (BRIT TV) ralenti m

activate ['æktɪveɪt] vt (mechanism) actionner, faire fonctionner

active ['æktɪv] adj actif(-ive); (volcano) en activité • **actively** adv activement; (discourage) vivement

activist ['æktɪvɪst] n activiste m/f

activity [æk'tɪvɪtɪ] n activité f • **activity holiday** n vacances actives

actor ['æktəʳ] n acteur m

actress ['æktrɪs] n actrice f

actual ['æktjuəl] adj réel(le), véritable; (emphatic use) lui-même (elle-même)

⚠ Be careful not to translate actual by the French word actuel.

actually ['æktjuəlɪ] adv réellement, véritablement; (in fact) en fait

⚠ Be careful not to translate actually by the French word actuellement.

acupuncture ['ækjupʌŋktʃəʳ] n acuponcture f

acute [ə'kjuːt] adj aigu(ë); (mind, observer) pénétrant(e)

ad [æd] n abbr = **advertisement**

A.D. adv abbr (= Anno Domini) ap. J.-C.

adamant ['ædəmənt] adj inflexible

adapt [ə'dæpt] vt adapter ▸ vi: **to ~ (to)** s'adapter (à) • **adapter** • **adaptor** n (Elec) adaptateur m; (for several plugs) prise f multiple

add [æd] vt ajouter; (figures: also: **to ~ up**) additionner; **it doesn't ~ up** (fig) cela ne rime à rien • **add up to** vt fus (Math) s'élever à; (fig: mean) signifier

addict ['ædɪkt] n toxicomane m/f; (fig) fanatique m/f • **addicted** [ə'dɪktɪd] adj: **to be addicted to** (drink, drugs) être adonné(e) à; (fig: football etc) être un(e) fanatique de • **addiction** [ə'dɪkʃən] n (Med) dépendance f • **addictive** [ə'dɪktɪv] adj qui crée une dépendance

addition [ə'dɪʃən] n (adding up) addition f; (thing added) ajout m; **in ~** de plus, en outre; **in ~ to** en plus de • **additional** adj supplémentaire

additive [ædɪtɪv] n additif m

address [ə'drɛs] n adresse f; (talk) discours m, allocution f ▶ vt adresser; (speak to) s'adresser à; **my ~ is …** mon adresse, c'est … • **address book** n carnet m d'adresses

adequate ['ædɪkwɪt] adj (enough) suffisant(e); (satisfactory) satisfaisant(e)

adhere [əd'hɪər] vi: **to ~ to** adhérer à; (fig: rule, decision) se tenir à

adhesive [əd'hiːzɪv] n adhésif m • **adhesive tape** n (BRIT) ruban m adhésif; (US Med) sparadrap m

adjacent [ə'dʒeɪsənt] adj adjacent(e), contigu(ë); **~ to** adjacent à

adjective ['ædʒɛktɪv] n adjectif m

adjoining [ə'dʒɔɪnɪŋ] adj voisin(e), adjacent(e), attenant(e)

adjourn [ə'dʒɜːn] vt ajourner ▶ vi suspendre la séance; lever la séance; clore la session

adjust [ə'dʒʌst] vt (machine) ajuster, régler; (prices, wages) rajuster ▶ vi: **to ~ (to)** s'adapter (à) • **adjustable** adj réglable • **adjustment** n (of machine)

ajustage m, réglage m; (of prices, wages) rajustement m; (of person) adaptation f

administer [əd'mɪnɪstər] vt administrer • **administration** [ədmɪnɪs'treɪʃən] n (management) administration f; (government) gouvernement m • **administrative** [əd'mɪnɪstrətɪv] adj administratif(-ive)

administrator [əd'mɪnɪstreɪtər] n administrateur(-trice)

admiral ['ædmərəl] n amiral m

admiration [ædmə'reɪʃən] n admiration f

admire [əd'maɪər] vt admirer • **admirer** n (fan) admirateur(-trice)

admission [əd'mɪʃən] n admission f; (to exhibition, night club etc) entrée f; (confession) aveu m

admit [əd'mɪt] vt laisser entrer; admettre; (agree) reconnaître, admettre; (crime) reconnaître avoir commis; **"children not ~ted"** "entrée interdite aux enfants" • **admit to** vt fus reconnaître, avouer • **admittance** n admission f, (droit m d')entrée f • **admittedly** adv il faut en convenir

adolescent [ædəu'lɛsnt] adj, n adolescent(e)

adopt [ə'dɔpt] vt adopter • **adopted** adj adoptif(-ive), adopté(e) • **adoption** [ə'dɔpʃən] n adoption f

adore [ə'dɔːr] vt adorer

adorn [ə'dɔːn] vt orner

Adriatic (Sea) [eɪdrɪ'ætɪk-] n: **the Adriatic (Sea)** la mer Adriatique, l'Adriatique f

adrift [əˈdrɪft] *adv* à la dérive

ADSL *n abbr* (= *asymmetric digital subscriber line*) ADSL *m*

adult [ˈædʌlt] *n* adulte *m/f* ▶ *adj* (*grown-up*) adulte; (*for adults*) pour adultes • **adult education** *n* éducation *f* des adultes

adultery [əˈdʌltərɪ] *n* adultère *m*

advance [ədˈvɑːns] *n* avance *f* ▶ *vt* avancer ▶ *vi* s'avancer; **in ~** en avance, d'avance; **to make ~s to sb** (*amorously*) faire des avances à qn; **~ booking** location *f*; **~ notice**, **~ warning** préavis *m*; (*verbal*) avertissement *m*; **do I need to book in ~?** est-ce qu'il faut réserver à l'avance? • **advanced** *adj* avancé(e); (*Scol: studies*) supérieur(e)

advantage [ədˈvɑːntɪdʒ] *n* (*also Tennis*) avantage *m*; **to take ~ of** (*person*) exploiter; (*opportunity*) profiter de

advent [ˈædvənt] *n* avènement *m*, venue *f*; **A~** (*Rel*) avent *m*

adventure [ədˈventʃəʳ] *n* aventure *f* • **adventurous** [ədˈventʃərəs] *adj* aventureux(-euse)

adverb [ˈædvɜːb] *n* adverbe *m*

adversary [ˈædvəsərɪ] *n* adversaire *m/f*

adverse [ˈædvɜːs] *adj* adverse; (*effect*) négatif(-ive); (*weather, publicity*) mauvais(e); (*wind*) contraire

advert [ˈædvɜːt] *n abbr* (BRIT) = **advertisement**

advertise [ˈædvətaɪz] *vi* faire de la publicité or de la réclame; (*in classified ads etc*) mettre une annonce ▶ *vt* faire de la publicité or de la réclame pour; (*in classified ads etc*) mettre une annonce pour vendre; **to ~ for** (*staff*) recruter par (voie d')annonce • **advertisement** [ədˈvəːtɪsmənt] *n* publicité *f*, réclame *f*; (*in classified ads etc*) annonce *f* • **advertiser** *n* annonceur *m* • **advertising** *n* publicité *f*

advice [ədˈvaɪs] *n* conseils *mpl*; (*notification*) avis *m*; **a piece of ~** un conseil; **to take legal ~** consulter un avocat

advisable [ədˈvaɪzəbl] *adj* recommandable, indiqué(e)

advise [ədˈvaɪz] *vt* conseiller; **to ~ sb of sth** aviser or informer qn de qch; **to ~ against sth/doing sth** déconseiller qch/conseiller de ne pas faire qch • **adviser** *n* • **advisor** *n* conseiller(-ère) • **advisory** *adj* consultatif(-ive)

advocate *n* [ˈædvəkɪt] (*lawyer*) avocat (plaidant); (*upholder*) défenseur *m*, avocat(e) ▶ *vt* [ˈædvəkeɪt] recommander, prôner; **to be an ~ of** être partisan(e) de

Aegean [iːˈdʒiːən] *n, adj*: **the ~ (Sea)** la mer Égée, l'Égée *f*

aerial [ˈɛərɪəl] *n* antenne *f* ▶ *adj* aérien(ne)

aerobics [ɛəˈrəubɪks] *n* aérobic *m*

aeroplane [ˈɛərəpleɪn] *n* (BRIT) avion *m*

aerosol [ˈɛərəsɔl] *n* aérosol *m*

affair [əˈfɛəʳ] *n* affaire *f*; (*also*: **love ~**) liaison *f*; aventure *f*

affect [əˈfɛkt] *vt* affecter; (*subj: disease*) atteindre • **affected** *adj* affecté(e) • **affection** *n* affection *f* • **affectionate** *adj* affectueux(-euse)

afflict [əˈflɪkt] *vt* affliger

affluent ['æfluənt] *adj* aisé(e), riche; **the ~ society** la société d'abondance

afford [ə'fɔ:d] *vt* (*behaviour*) se permettre; (*provide*) fournir, procurer; **can we ~ a car?** avons-nous de quoi acheter *or* les moyens d'acheter une voiture? • **affordable** *adj* abordable

Afghanistan [æf'gænɪstæn] *n* Afghanistan *m*

afraid [ə'freɪd] *adj* effrayé(e); **to be ~ of** *or* **to** avoir peur de; **I am ~ that** je crains que + *sub*; **I'm ~ so/not** oui/non, malheureusement

Africa ['æfrɪkə] *n* Afrique *f* • **African** *adj* africain(e) ▶ *n* Africain(e); **African-American** *adj* afro-américain(e) ▶ *n* Afro-Américain(e)

after ['ɑ:ftər] *prep*, *adv* après ▶ *conj* après que; **it's quarter ~ two** (*us*) il est deux heures et quart; **~ having done/~ he left** après avoir fait/après son départ; **to name sb ~ sb** donner à qn le nom de qn; **to ask ~ sb** demander des nouvelles de qn; **what/who are you ~?** que/qui cherchez-vous?; **~ you!** après vous!; **~ all** après tout • **after-effects** *npl* (*of disaster, radiation, drink etc*) répercussions *fpl*; (*of illness*) séquelles *fpl*, suites *fpl* • **aftermath** *n* conséquences *fpl* • **afternoon** *n* après-midi *m/f* • **after-shave (lotion)** *n* lotion *f* après-rasage • **aftersun (cream/lotion)** *n* après-soleil *m inv* • **afterwards** (*us*) **afterward** ['ɑ:ftəwəd(z)] *adv* après

again [ə'gen] *adv* de nouveau, encore (une fois); **to do sth ~**

refaire qch; **~ and ~** à plusieurs reprises

against [ə'genst] *prep* contre; (*compared to*) par rapport à

age [eɪdʒ] *n* âge *m* ▶ *vt*, *vi* vieillir; **he is 20 years of ~** il a 20 ans; **to come of ~** atteindre sa majorité; **it's been ~s since I saw you** ça fait une éternité que je ne t'ai pas vu

aged • *adj* âgé(e); **~ 10** âgé de 10 ans

age- • **age group** *n* tranche *f* d'âge • **age limit** *n* limite *f* d'âge

agency ['eɪdʒənsɪ] *n* agence *f*

agenda [ə'dʒɛndə] *n* ordre *m* du jour

> ⚠ Be careful not to translate *agenda* by the French word *agenda*.

agent ['eɪdʒənt] *n* agent *m*; (*firm*) concessionnaire *m*

aggravate ['ægrəveɪt] *vt* (*situation*) aggraver; (*annoy*) exaspérer, agacer

aggression [ə'grɛʃən] *n* agression *f*

aggressive [ə'grɛsɪv] *adj* agressif(-ive)

agile ['ædʒaɪl] *adj* agile

AGM *n abbr* (= *annual general meeting*) AG *f*

ago [ə'gəʊ] *adv*: **two days ~** il y a deux jours; **not long ~** il n'y a pas longtemps; **how long ~?** il y a combien de temps (de cela)?

agony ['ægənɪ] *n* (*pain*) douleur *f* atroce; (*distress*) angoisse *f*; **to be in ~** souffrir le martyre

agree [ə'gri:] *vt* (*price*) convenir de ▶ *vi*: **to ~ with** (*person*) être d'accord avec; (*statements etc*) concorder avec; (*Ling*) s'accorder avec; **to ~ to do** accepter de *or* consentir à faire; **to ~ to sth** consentir à qch; **to ~ that** (admit) convenir ou reconnaître que; **garlic doesn't ~ with me** je ne supporte pas l'ail • **agreeable** adj (pleasant) agréable; (willing) consentant(e), d'accord • **agreed** adj (time, place) convenu(e) • **agreement** n accord m; **in agreement** d'accord

agricultural [ægrɪˈkʌltʃərəl] adj agricole

agriculture [ˈægrɪkʌltʃəʳ] n agriculture f

ahead [əˈhed] adv en avant; devant; **go right** or **straight ~** (direction) allez tout droit; **go ~!** (permission) allez-y!; **~ of** devant; (fig: schedule etc) en avance sur; **~ of time** en avance

aid [eɪd] n aide f; (device) appareil m ▶ vt aider; **in ~ of** en faveur de

aide [eɪd] n (person) assistant(e)

AIDS [eɪdz] n abbr (= acquired immune (or immuno-)deficiency syndrome) SIDA m

ailing [ˈeɪlɪŋ] adj (person) souffreteux(euse); (economy) malade

ailment [ˈeɪlmənt] n affection f

aim [eɪm] n (objective) but m; (skill): **his ~ is bad** il vise mal ▶ vi (also: **take ~**) viser ▶ vt: **to ~ sth (at)** (gun, camera) braquer or pointer qch (sur); (missile) lancer qch (à or contre or en direction de); (remark, blow) destiner or adresser qch (à); **to ~ at** viser; (fig) viser (à); **to ~ to do** avoir l'intention de faire

ain't [eɪnt] (inf) = **am not**; **aren't**; **isn't**

air [eəʳ] n air m ▶ vt aérer; (idea, grievance, views) mettre sur le tapis

▶ cpd (currents, attack etc) aérien(ne); **to throw sth into the ~** (ball etc) jeter qch en l'air; **by ~** par avion; **to be on the ~** (Radio, TV: station) être diffusé(e); (: station) émettre • **airbag** n airbag m • **airbed** n (BRIT) matelas m pneumatique • **airborne** adj (plane) en vol; **as soon as the plane was airborne** dès que l'avion eut décollé • **air-conditioned** adj climatisé(e), à air conditionné • **air conditioning** n climatisation f • **aircraft** n inv avion m • **airfield** n terrain m d'aviation • **Air Force** n Armée f de l'air • **air hostess** n (BRIT) hôtesse f de l'air • **airing cupboard** n (BRIT) placard qui contient la chaudière et dans lequel on met le linge à sécher • **airlift** n pont aérien • **airline** n ligne aérienne, compagnie aérienne • **airliner** n avion m de ligne • **airmail** n: **by airmail** par avion • **airplane** n (US) avion m • **airport** n aéroport m • **air raid** n attaque aérienne • **airsick** adj: **to be airsick** avoir le mal de l'air • **airspace** n espace m aérien • **airstrip** n terrain m d'atterrissage • **air terminal** n aérogare f • **airtight** adj hermétique • **air-traffic controller** n aiguilleur m du ciel • **airy** adj bien aéré(e); (manners) dégagé(e)

aisle [aɪl] n (of church: central) allée f centrale; (: side) nef f latérale, bas-côté m; (in theatre, supermarket) allée; (on plane) couloir m • **aisle seat** n place f côté couloir

ajar [əˈdʒɑːʳ] adj entrouvert(e)

à la carte [ælæ'kɑːt] *adv* à la carte

alarm [ə'lɑːm] *n* alarme *f* ▶ *vt* alarmer • **alarm call** *n* coup *m* de fil pour réveiller; **could I have an alarm call at 7 am, please?** pouvez-vous me réveiller à 7 heures, s'il vous plaît? • **alarm clock** *n* réveille-matin *m inv*, réveil *m* • **alarmed** *adj* (*frightened*) alarmé(e); (*protected by an alarm*) protégé(e) par un système d'alarme • **alarming** *adj* alarmant(e)

Albania [æl'beɪnɪə] *n* Albanie *f*

albeit [ɔːl'biːɪt] *conj* bien que + *sub*, encore que + *sub*

album ['ælbəm] *n* album *m*

alcohol ['ælkəhɒl] *n* alcool *m* • **alcohol-free** *adj* sans alcool • **alcoholic** [ælkə'hɒlɪk] *adj*, *n* alcoolique (*m/f*)

alcove ['ælkəuv] *n* alcôve *f*

ale [eɪl] *n* bière *f*

alert [ə'lɜːt] *adj* alerte, vif (vive); (*watchful*) vigilant(e) ▶ *n* alerte *f* ▶ *vt* alerter; **on the ~** sur le qui-vive; (*Mil*) en état d'alerte

algebra ['ældʒɪbrə] *n* algèbre *f*

Algeria [æl'dʒɪərɪə] *n* Algérie *f*

Algerian [æl'dʒɪərɪən] *adj* algérien(ne) ▶ *n* Algérien(ne)

Algiers [æl'dʒɪəz] *n* Alger

alias ['eɪlɪəs] *adv* alias ▶ *n* faux nom, nom d'emprunt

alibi ['ælɪbaɪ] *n* alibi *m*

alien ['eɪlɪən] *n* (*from abroad*) étranger(-ère); (*from outer space*) extraterrestre ▶ *adj*: **~ (to)** étranger(-ère) (à) • **alienate** *vt* aliéner; (*subj: person*) s'aliéner

alight [ə'laɪt] *adj* en feu ▶ *vi* mettre pied à terre; (*passenger*) descendre; (*bird*) se poser

align [ə'laɪn] *vt* aligner

alike [ə'laɪk] *adj* semblable, pareil(le) ▶ *adv* de même; **to look ~** se ressembler

alive [ə'laɪv] *adj* vivant(e); (*active*) plein(e) de vie

all [ɔːl]

▶ *adj* (*singular*) tout(e); (*plural*) tous (toutes); **all day** toute la journée; **all night** toute la nuit; **all men** tous les hommes; **all five** tous les cinq; **all the books** tous les livres; **all his life** toute sa vie

▶ *pron* **1** tout; **I ate it all, I ate all of it** j'ai tout mangé; **all of us went** nous y sommes tous allés; **all of the boys went** tous les garçons y sont allés; **is that all?** c'est tout?; (*in shop*) ce sera tout? **2** (*in phrases*): **above all** surtout, par-dessus tout; **after all** après tout; **at all: not at all** (*in answer to question*) pas du tout; (*in answer to thanks*) je vous en prie!; **I'm not at all tired** je ne suis pas du tout fatigué(e); **anything at all will do** n'importe quoi fera l'affaire; **all in all** tout bien considéré, en fin de compte

▶ *adv*: **all alone** tout(e) seul(e); **it's not as hard as all that** ce n'est pas si difficile que ça; **all the more/the better** d'autant plus/mieux; **all but** presque, pratiquement; **the score is 2 all** le score est de 2 partout

Allah ['ælə] *n* Allah

allegation [ælɪ'geɪʃən] *n* allégation *f*

alleged [ə'ledʒd] *adj* prétendu(e) • **allegedly** *adv* à ce que l'on prétend, paraît-il

allegiance [əˈliːdʒəns] n fidélité f, obéissance f

allergic [əˈləːdʒɪk] adj: ~ **to** allergique à; **I'm ~ to penicillin** je suis allergique à la pénicilline

allergy [ˈælədʒɪ] n allergie f

alleviate [əˈliːvɪeɪt] vt soulager, adoucir

alley [ˈælɪ] n ruelle f

alliance [əˈlaɪəns] n alliance f

allied [ˈælaɪd] adj allié(e)

alligator [ˈælɪgeɪtər] n alligator m

all-in [ˈɔːlɪn] adj, adv (BRIT: charge) tout compris

allocate [ˈæləkeɪt] vt (share out) répartir, distribuer; **to ~ sth to** (duties) assigner or attribuer qch à; (sum, time) allouer qch à

allot [əˈlɔt] vt (share out) répartir, distribuer; **to ~ sth to** (time) allouer qch à; (duties) assigner qch à

all-out [ˈɔːlaut] adj (effort etc) total(e)

allow [əˈlau] vt (practice, behaviour) permettre, autoriser; (sum to spend etc) accorder, allouer; (sum, time estimated) compter, prévoir; (claim, goal) admettre; (concede): **to ~ that** convenir que; **to ~ sb to do** permettre à qn de faire, autoriser qn à faire; **he is ~ed to ...** on lui permet de ... • **allow for** vt fus tenir compte de • **allowance** n (money received) allocation f; (: from parent etc) subside m; (: for expenses) indemnité f; (us: pocket money) argent m de poche; (Tax) somme f déductible du revenu imposable, abattement m; **to make allowances for** (person) essayer de comprendre; (thing) tenir compte de

all right adv (feel, work) bien; (as answer) d'accord

ally [ˈælaɪ] n allié m ▶ vt [əˈlaɪ]: **to ~ o.s. with** s'allier avec

almighty [ɔːlˈmaɪtɪ] adj tout(e)-puissant(e); (tremendous) énorme

almond [ˈɑːmənd] n amande f

almost [ˈɔːlməust] adv presque

alone [əˈləun] adj, adv seul(e); **to leave sb ~** laisser qn tranquille; **to leave sth ~** ne pas toucher à qch; **let ~ ...** sans parler de ...; encore moins ...

along [əˈlɔŋ] prep le long de ▶ adv: **is he coming ~ with us?** vient-il avec nous?; **he was hopping/limping ~** il venait or avançait en sautillant/boitant; **~ with** avec, en plus de; (person) en compagnie de; **all ~** (all the time) depuis le début • **alongside** prep (along) le long de; (beside) à côté de ▶ adv bord à bord; côte à côte

aloof [əˈluːf] adj distant(e) ▶ adv: **to stand ~** se tenir à l'écart or à distance

aloud [əˈlaud] adv à haute voix

alphabet [ˈælfəbɛt] n alphabet m

Alps [ælps] npl: **the ~** les Alpes fpl

already [ɔːlˈrɛdɪ] adv déjà

alright [ˈɔːlˈraɪt] adv (BRIT) = **all right**

also [ˈɔːlsəu] adv aussi

altar [ˈɔltər] n autel m

alter [ˈɔltər] vt, vi changer • **alteration** [ɔltəˈreɪʃən] n changement m, modification f; **alterations** npl (Sewing) retouches fpl; (Archit) modifications fpl

alternate adj [ɔlˈtəːnɪt] alterné(e), alternant(e), alternatif(-ive); (us) = **alternative**

▶*vi* ['ɔltə:neɪt] alterner; **to ~ with** alterner avec; **on ~ days** un jour sur deux, tous les deux jours

alternative [ɔl'tə:nətɪv] *adj* (*solution, plan*) autre, de remplacement; (*lifestyle*) parallèle ▶ *n* (*choice*) autre possibilité *f*; (*other possibility*) autre possibilité *f*; **~ medicine** médecine alternative, médecine douce • **alternatively** *adv*: **alternatively one could ...** une autre *or* l'autre solution serait de ...

although [ɔːl'ðəʊ] *conj* bien que + *sub*

altitude ['æltɪtjuːd] *n* altitude *f*

altogether [ɔːltə'geðər] *adv* entièrement, tout à fait; (*on the whole*) tout compte fait; (*in all*) en tout

aluminium [æljuˈmɪnɪəm], (*us*) **aluminum** [əˈluːmɪnəm] *n* aluminium *m*

always ['ɔːlweɪz] *adv* toujours

Alzheimer's (disease) ['æltshaɪməz-] *n* maladie *f* d'Alzheimer

am [æm] *vb see* **be**

a.m. *adv abbr* (= *ante meridiem*) du matin

amalgamate [ə'mælgəmeɪt] *vt*, *vi* fusionner

amass [ə'mæs] *vt* amasser

amateur ['æmətər] *n* amateur *m*

amaze [ə'meɪz] *vt* stupéfier; **to be ~d (at)** être stupéfait(e) (de) • **amazed** *adj* stupéfait(e) • **amazement** *n* surprise *f*, étonnement *m* • **amazing** *adj* étonnant(e), incroyable; (*bargain, offer*) exceptionnel(le)

Amazon ['æməzən] *n* (*Geo*) Amazone *f*

ambassador [æm'bæsədər] *n* ambassadeur *m*

amber ['æmbər] *n* ambre *m*; **at ~** (*BRIT Aut*) à l'orange

ambiguous [æm'bɪgjuəs] *adj* ambigu(ë)

ambition [æm'bɪʃən] *n* ambition *f* • **ambitious** [æm'bɪʃəs] *adj* ambitieux(-euse)

ambulance ['æmbjuləns] *n* ambulance *f*; **call an ~!** appelez une ambulance!

ambush ['æmbuʃ] *n* embuscade *f* ▶ *vt* tendre une embuscade à

amen ['ɑː'mɛn] *excl* amen

amend [ə'mɛnd] *vt* (*law*) amender; (*text*) corriger; **to make ~s** réparer ses torts, faire amende honorable • **amendment** *n* (*to law*) amendement *m*; (*to text*) correction *f*

amenities [ə'miːnɪtɪz] *npl* aménagements *mpl*, équipements *mpl*

America [ə'mɛrɪkə] *n* Amérique *f* • **American** *adj* américain(e) ▶ *n* Américain(e) • **American football** *n* (*BRIT*) football *m* américain

amicable ['æmɪkəbl] *adj* amical(e); (*Law*) à l'amiable

amid(st) [ə'mɪd(st)] *prep* parmi, au milieu de

ammunition [æmju'nɪʃən] *n* munitions *fpl*

amnesty ['æmnɪstɪ] *n* amnistie *f*

among(st) [ə'mʌn(st)] *prep* parmi, entre

amount [ə'maunt] *n* (*sum of money*) somme *f*; (*total*) montant *m*; (*quantity*) quantité *f*; nombre *m* ▶ *vi*: **to ~ to** (*total*) s'élever à; (*be same as*) équivaloir à, revenir à

amp(ère) ['æmp(ɛəʳ)] n ampère m

ample ['æmpl] adj ample, spacieux(-euse); (enough): **this is ~** c'est largement suffisant; **to have ~ time/room** avoir bien assez de temps/place

amplifier ['æmplɪfaɪəʳ] n amplificateur m

amputate ['æmpjuteɪt] vt amputer

Amtrak ['æmtræk] (us) n société mixte de transports ferroviaires interurbains pour voyageurs

amuse [ə'mjuːz] vt amuser
• **amusement** n amusement m; (pastime) distraction f
• **amusement arcade** n salle f de jeu • **amusement park** n parc m d'attractions

amusing [ə'mjuːzɪŋ] adj amusant(e), divertissant(e)

an [æn, ən, n] indef art see **a**

anaemia, (us) **anemia** [ə'niːmɪə] n anémie f

anaemic, (us) **anemic** [ə'niːmɪk] adj anémique

anaesthetic, (us) **anesthetic** [ænɪs'θɛtɪk] n anesthésique m

analog(ue) ['ænəlɔg] adj (watch, computer) analogique

analogy [ə'nælədʒɪ] n analogie f

analyse, (us) **analyze** ['ænəlaɪz] vt analyser • **analysis** (pl **analyses**) [ə'næləsɪs, -siːz] n analyse f • **analyst** ['ænəlɪst] n (political analyst etc) analyste m/f; (us) psychanalyste m/f

analyze ['ænəlaɪz] vt (us) = **analyse**

anarchy ['ænəkɪ] n anarchie f

anatomy [ə'nætəmɪ] n anatomie f

ancestor ['ænsɪstəʳ] n ancêtre m, aïeul m

anchor ['æŋkəʳ] n ancre f ▸ vi (also: **to drop ~**) jeter l'ancre, mouiller ▸ vt mettre à l'ancre; (fig): **to ~ sth to** fixer qch à

anchovy ['æntʃəvɪ] n anchois m

ancient ['eɪnʃənt] adj ancien(ne), antique; (person) d'un âge vénérable; (car) antédiluvien(ne)

and [ænd] conj et; **~ so on** et ainsi de suite; **try ~ come** tâchez de venir; **come ~ sit here** venez vous asseoir ici; **he talked ~ talked** il a parlé pendant des heures; **better ~ better** de mieux en mieux; **more ~ more** de plus en plus

Andorra [æn'dɔːrə] n (principauté f d')Andorre f

anemia etc [ə'niːmɪə] n (us) = **anaemia** etc

anesthetic, (us) adj [ænɪs'θɛtɪk] n, adj (us) = **anaesthetic**

angel ['eɪndʒəl] n ange m

anger ['æŋgəʳ] n colère f

angina [æn'dʒaɪnə] n angine f de poitrine

angle ['æŋgl] n angle m; **from their ~** de leur point de vue

angler ['æŋgləʳ] n pêcheur(-euse) à la ligne

Anglican ['æŋglɪkən] adj, n anglican(e)

angling ['æŋglɪŋ] n pêche f à la ligne

angrily ['æŋgrɪlɪ] adv avec colère

angry ['æŋgrɪ] adj en colère, furieux(-euse); (wound) enflammé(e); **to be ~ with sb/at sth** être furieux contre qn/de qch; **to get ~** se fâcher, se mettre en colère

anguish ['æŋgwɪʃ] n angoisse f

animal ['ænɪməl] n animal m ▸ adj animal(e)

animated ['ænɪmeɪtɪd] *adj*
animé(e)

animation [ænɪ'meɪʃən] *n* (*of person*) entrain *m*; (*of street, Cine*) animation *f*

aniseed ['ænɪsiːd] *n* anis *m*

ankle ['æŋkl] *n* cheville *f*

annex ['æneks] *n* (*BRIT: also:* **~e**) annexe *f* ▶ *vt* [æ'neks] annexer

anniversary [ænɪ'vɜːsərɪ] *n* anniversaire *m*

announce [ə'naʊns] *vt* annoncer; (*birth, death*) faire part de • **announcement** *n* annonce *f*; (*for births etc: in newspaper*) avis *m* de faire-part; (*: letter, card*) faire-part *m* • **announcer** *n* (*Radio, TV: between programmes*) speaker(ine); (*: in a programme*) présentateur(-trice)

annoy [ə'nɔɪ] *vt* agacer, ennuyer, contrarier; **don't get ~ed!** ne vous fâchez pas! • **annoying** *adj* agaçant(e), contrariant(e)

annual ['ænjuəl] *adj* annuel(le) ▶ *n* (*Bot*) plante annuelle; (*book*) album *m* • **annually** *adv* annuellement

annum ['ænəm] *n see* **per**

anonymous [ə'nɒnɪməs] *adj* anonyme

anorak ['ænəræk] *n* anorak *m*

anorexia [ænə'reksɪə] *n* (*also:* **~ nervosa**) anorexie *f*

anorexic [ænə'reksɪk] *adj, n* anorexique (*m/f*)

another [ə'nʌðəʳ] *adj*: **~ book** (*one more*) un autre livre, encore un livre, un livre de plus; (*a different one*) un autre livre ▶ *pron* un(e) autre, encore un(e), un(e) de plus; *see also* **one**

answer ['ɑːnsəʳ] *n* réponse *f*; (*to problem*) solution *f* ▶ *vi* répondre

▶ *vt* (*reply to*) répondre à; (*problem*) résoudre; (*prayer*) exaucer; **in ~ to your letter** suite à or en réponse à votre lettre; **to ~ the phone** répondre (au téléphone); **to ~ the bell** *or* **the door** aller or venir ouvrir (la porte) • **answer back** *vi* répondre, répliquer
• **answerphone** *n* (*esp BRIT*) répondeur *m* (téléphonique)

ant [ænt] *n* fourmi *f*

Antarctic [ænt'ɑːktɪk] *n*: **the ~** l'Antarctique *m*

antelope ['æntɪləʊp] *n* antilope *f*

antenatal ['æntɪ'neɪtl] *adj* prénatal(e)

antenna (*pl* **antennae**) [æn'tɛnə, -niː] *n* antenne *f*

anthem ['ænθəm] *n*: **national ~** hymne national

anthology [æn'θɒlədʒɪ] *n* anthologie *f*

anthropology [ænθrə'pɒlədʒɪ] *n* anthropologie *f*

anti... ['æntɪ] *prefix* anti-
• **anti-allergenic** [æntɪælə'dʒɛnɪk] *adj* anti-allergène • **antibiotic** ['æntɪbaɪ'ɒtɪk] *n* antibiotique *m*
• **antibody** ['æntɪbɒdɪ] *n* anticorps *m*

anticipate [æn'tɪsɪpeɪt] *vt* s'attendre à, prévoir; (*wishes, request*) aller au devant de, devancer • **anticipation** [æntɪsɪ'peɪʃən] *n* attente *f*

anticlimax ['æntɪ'klaɪmæks] *n* déception *f*

anticlockwise ['æntɪ'klɒkwaɪz] (*BRIT*) *adv* dans le sens inverse des aiguilles d'une montre

antics ['æntɪks] *npl* singeries *fpl*

anti- • **antidote** ['æntɪdaʊt] *n* antidote *m*, contrepoison *m*

• **antifreeze** [ˈæntɪfriːz] n
antigel m • **anti-globalization** n
antimondialisation f
• **antihistamine** [ˌæntɪˈhɪstəmɪn]
n antihistaminique m
• **antiperspirant**
[ˌæntɪˈpɜːspɪrənt] n déodorant m

antique [ænˈtiːk] n (ornament)
objet m d'art ancien; (furniture)
meuble ancien ▶ adj ancien(ne)
• **antique shop** n magasin m
d'antiquités

antiseptic [ˌæntɪˈsɛptɪk] adj, n
antiseptique (m)

antisocial [ˈæntɪˈsəʊʃəl] adj
(unfriendly) insociable; (against
society) antisocial(e)

antivirus [ˈæntɪˈvaɪrəs] adj
(Comput) antivirus inv
• **~ software** (logiciel m) antivirus

antlers [ˈæntləz] npl bois mpl,
ramure f

anxiety [æŋˈzaɪətɪ] n anxiété f;
(keenness): **~ to do** grand désir or
impatience f de faire

anxious [ˈæŋkʃəs] adj (très)
inquiet(-ète); (always worried)
anxieux(-euse); (worrying)
angoissant(e); **~ to do/that**
(keen) qui tient beaucoup à faire/
à ce que + sub; impatient(e) de
faire/que + sub

---

any [ˈɛnɪ]

▶ adj 1 (in questions etc: singular)
du, de l', de la; (: plural) des; **do
you have any butter/
children/ink?** avez-vous du
beurre/des enfants/de l'encre?
2 (with negative) de, d'; **I don't
have any money/books** je n'ai
pas d'argent/de livres
3 (no matter which) tout(e),
quel(le); (each and every) tout(e),

---

chaque; **choose any book you
like** vous pouvez choisir
n'importe quel livre; **any teacher
you ask will tell you** n'importe
quel professeur vous le dira
4 (in phrases): **in any case** de
toute façon; **any day now** d'un
jour à l'autre; **at any moment** à
tout moment, d'un instant à
l'autre; **at any rate** en tout cas;
any time n'importe quand; **he
might come (at) any time** il
pourrait venir n'importe quand;
come (at) any time venez
quand vous voulez
▶ pron 1 (in questions etc) en;
have you got any? est-ce que
vous en avez?; **can any of you
sing?** est-ce que parmi vous il y
en a qui savent chanter?
2 (with negative) en; **I don't
have any (of them)** je n'en ai
pas, je n'en ai aucun
3 (no matter which one(s))
n'importe lequel (or laquelle);
(anybody) n'importe qui; **take
any of those books (you like)**
vous pouvez prendre n'importe
lequel de ces livres
▶ adv 1 (in questions etc): **do you
want any more soup/
sandwiches?** voulez-vous
encore de la soupe/des
sandwichs?; **are you feeling
any better?** est-ce que vous
vous sentez mieux?
2 (with negative): **I can't hear
him any more** je ne l'entends
plus; **don't wait any longer**
n'attendez pas plus longtemps
• **anybody** pron n'importe qui;
(in interrogative sentences)
quelqu'un; (in negative sentences):
I don't see anybody je ne vois
personne; **if anybody should**

phone ... si quelqu'un téléphone ... • **anyhow** adv quoi qu'il en soit; (haphazardly) n'importe comment; **do it anyhow you like** faites-le comme vous voulez; **she leaves things just anyhow** elle laisse tout traîner • **I shall go anyhow** j'irai de toute façon • **anyone** pron = **anybody** • **anything** pron (no matter what) n'importe quoi; (in questions) quelque chose; (with negative) ne ... rien; **can you see anything?** tu vois quelque chose?; **if anything happens to me ...** s'il m'arrive quoi que ce soit ...; **you can say anything you like** vous pouvez dire ce que vous voulez; **anything will do** n'importe quoi fera l'affaire; **he'll eat anything** il mange de tout • **anytime** adv (at any moment) d'un moment à l'autre; (whenever) n'importe quand • **anyway** adv de toute façon; **anyway, I couldn't come even if I wanted to** de toute façon, je ne pouvais pas venir même si je le voulais; **I shall go anyway** j'irai quand même; **why are you phoning, anyway?** au fait, pourquoi tu me téléphones? • **anywhere** adv n'importe où; (in interrogative sentences) quelque part; (in negative sentences) **I can't see him anywhere** je ne le vois nulle part; **can you see him anywhere?** tu le vois quelque part?; **put the books down anywhere** pose les livres n'importe où; **anywhere in the world** (no matter where) n'importe où dans le monde

apart [əˈpɑːt] adv (to one side) à part; de côté; à l'écart; (separately) séparément; **to take/pull ~** démonter; **10 miles/a long way ~** à 10 miles/très éloignés l'un de l'autre; **~ from** prep à part, excepté

apartment [əˈpɑːtmənt] n (us) appartement m, logement m; (room) chambre f • **apartment building** n (us) immeuble m; maison divisée en appartements

apathy [ˈæpəθɪ] n apathie f, indifférence f

ape [eɪp] n (grand) singe ▸ vt singer

aperitif [əˈperitif] n apéritif m

aperture [ˈæpətʃʊəˈ] n orifice m, ouverture f; (Phot) ouverture (du diaphragme)

APEX [ˈeɪpɛks] n abbr (Aviat: = advance purchase excursion) APEX m

apologize [əˈpɒlədʒaɪz] vi: **to ~ (for sth to sb)** s'excuser (de qch auprès de qn), présenter des excuses (à qn pour qch)

apology [əˈpɒlədʒɪ] n excuses fpl

apostrophe [əˈpɒstrəfɪ] n apostrophe f

app n abbr (inf: Comput: = application) appli f

appal, (us) **appall** [əˈpɔːl] vt consterner, atterrer; horrifier • **appalling** adj épouvantable; (stupidity) consternant(e)

apparatus [æpəˈreɪtəs] n appareil m, dispositif m; (in gymnasium) agrès mpl

apparent [əˈpærənt] adj apparent(e) • **apparently** adv apparemment

appeal [əˈpiːl] vi (Law) faire or interjeter appel ▸ n (Law) appel m;

(request) appel; prière f; (charm)
attrait m, charme m; **to ~ for**
demander (instamment);
implorer; **to ~ to** (beg) faire appel
à; (be attractive) plaire à; **it
doesn't ~ to me** cela ne m'attire
pas • **appealing** adj (attractive)
attrayant(e)

appear [ə'pɪə] vi apparaître, se
montrer; (Law) comparaître;
(publication) paraître, sortir, être
publié(e); (seem) paraître,
sembler; **it would ~ that** il
semble que; **to ~ in Hamlet** jouer
dans Hamlet; **to ~ on TV** passer à
la télé • **appearance** n apparition
f; parution f; (look, aspect)
apparence f, aspect m

appendices [ə'pɛndɪsiːz] npl of
appendix

appendicitis [əpɛndɪ'saɪtɪs] n
appendicite f

appendix (pl **appendices**)
[ə'pɛndɪks, -siːz] n appendice m

appetite ['æpɪtaɪt] n appétit m

appetizer ['æpɪtaɪzə] n (food)
amuse-gueule m; (drink) apéritif m

applaud [ə'plɔːd] vt, vi applaudir

applause [ə'plɔːz] n
applaudissements mpl

apple ['æpl] n pomme f • **apple
pie** n tarte f aux pommes

appliance [ə'plaɪəns] n
appareil m

applicable [ə'plɪkəbl] adj
applicable; **to be ~ to** (relevant)
valoir pour

applicant ['æplɪkənt] n: **~ (for)**
candidat(e) (à)

application [æplɪ'keɪʃən] n
(also Comput) application f;
(for a job, a grant etc) demande f;
candidature f • **application form** n
formulaire m de demande

apply [ə'plaɪ] vt: **to ~ (to)** (paint,
ointment) appliquer (sur); (law, etc)
appliquer (à) ▶ vi: **to ~ to** (ask)
s'adresser à; (be suitable for,
relevant to) s'appliquer à; **to ~
(for)** (permit, grant) faire une
demande (en vue d'obtenir); (job)
poser sa candidature (pour), faire
une demande d'emploi
(concernant); **to ~ o.s. to**
s'appliquer à

appoint [ə'pɔɪnt] vt (to post)
nommer, engager; (date, place)
fixer, désigner • **appointment** n
(to post) nomination f; (job) poste
m; (arrangement to meet)
rendez-vous m; **to have an
appointment** avoir un
rendez-vous; **to make an
appointment (with)** prendre
rendez-vous (avec); **I'd like to
make an appointment** je
voudrais prendre rendez-vous

appraisal [ə'preɪzl] n évaluation f

appreciate [ə'priːʃɪeɪt] vt (like)
apprécier, faire cas de; (be grateful
for) être reconnaissant(e) de; (be
aware of) comprendre, se rendre
compte de ▶ vi (Finance) prendre
de la valeur • **appreciation**
[əpriːʃɪ'eɪʃən] n appréciation f;
(gratitude) reconnaissance f;
(Finance) hausse f, valorisation f

apprehension [æprɪ'hɛnʃən] n
appréhension f, inquiétude f

apprehensive [æprɪ'hɛnsɪv] adj
inquiet(-ète), appréhensif(-ive)

apprentice [ə'prɛntɪs] n
apprenti m

approach [ə'prəʊtʃ] vi approcher
▶ vt (come near) approcher de; (ask,
apply to) s'adresser à; (subject,
passer-by) aborder ▶ n approche f;
accès m, abord m; (intellectual)
démarche f

appropriate adj [əˈprəupriit] (*tool etc*) qui convient, approprié(e); (*moment, remark*) opportun(e) ▶ vt [əˈprəuprieit] (*take*) s'approprier

approval [əˈpruːvəl] n approbation f; **on ~** (*Comm*) à l'examen

approve [əˈpruːv] vt approuver
• **approve of** vt fus (*thing*) approuver; (*person*): **they don't ~ of her** ils n'ont pas bonne opinion d'elle

approximate adj [əˈprɔksimit] approximatif(-ive)
• **approximately** adv approximativement

Apr. abbr = **April**

apricot [ˈeiprikɔt] n abricot m

April [ˈeiprəl] n avril m • **April Fools' Day** n le premier avril

April Fools' Day est le 1er avril, à l'occasion duquel on fait des farces de toutes sortes. Les victimes de ces farces sont les 'April fools'. Traditionnellement, on n'est censé faire des farces que jusqu'à midi.

apron [ˈeiprən] n tablier m

apt [æpt] adj (*suitable*) approprié(e); **~ to do** (*likely*) susceptible de faire; ayant tendance à faire

aquarium [əˈkweəriəm] n aquarium m

Aquarius [əˈkweəriəs] n le Verseau

Arab [ˈærəb] n Arabe m/f ▶ adj arabe

Arabia [əˈreibiə] n Arabie f
• **Arabian** adj arabe • **Arabic** [ˈærəbik] adj, n arabe (m)

arbitrary [ˈɑːbitrəri] adj arbitraire

arbitration [ɑːbiˈtreiʃən] n arbitrage m

arc [ɑːk] n arc m

arcade [ɑːˈkeid] n arcade f; (*passage with shops*) passage m, galerie f; (*with games*) salle f de jeu

arch [ɑːtʃ] n arche f; (*of foot*) cambrure f, voûte f plantaire ▶ vt arquer, cambrer

archaeology, (us) **archeology** [ɑːkiˈɔlədʒi] n archéologie f

archbishop [ɑːtʃˈbiʃəp] n archevêque m

archeology [ɑːkiˈɔlədʒi] (us) n = **archaeology**

architect [ˈɑːkitekt] n architecte m • **architectural** [ɑːkiˈtektʃərəl] adj architectural(e)
• **architecture** n architecture f

archive [ˈɑːkaiv] n (*often pl*) archives fpl

Arctic [ˈɑːktik] adj arctique ▶ n: **the ~** l'Arctique m

are [ɑːʳ] vb see **be**

area [ˈɛəriə] n (*Geom*) superficie f; (*zone*) région f; (*: smaller*) secteur m; (*in room*) coin m; (*knowledge, research*) domaine m • **area code** (us) n (*Tel*) indicatif m de zone

arena [əˈriːnə] n arène f

aren't [ɑːnt] = **are not**

Argentina [ɑːdʒənˈtiːnə] n Argentine f • **Argentinian** [ɑːdʒənˈtiniən] adj argentin(e) ▶ n Argentin(e)

arguably [ˈɑːgjuəbli] adv: **it is ~ ...** on peut soutenir que c'est ...

argue [ˈɑːgjuː] vi (*quarrel*) se disputer; (*reason*) argumenter; **to ~ that** objecter ou alléguer que, donner comme argument que

argument [ˈɑːɡjumənt] n
(quarrel) dispute f, discussion f;
(reasons) argument m

Aries [ˈɛərɪz] n le Bélier

arise (pt **arose**, pp **arisen**) [əˈraɪz,
əˈrəʊz, əˈrɪzn] vi survenir, se
présenter

arithmetic [əˈrɪθmətɪk] n
arithmétique f

arm [ɑːm] n bras m ▶ vt armer;
arms npl (weapons, Heraldry)
armes fpl; **in ~** bras dessus bras
dessous • **armchair** [ˈɑːmtʃɛəʳ] n
fauteuil m

armed [ɑːmd] adj armé(e)
• **armed forces** npl; **the armed
forces** les forces armées
• **armed robbery** n vol m à main
armée

armour, (US)**armor** [ˈɑːməʳ] n
armure f; (Mil: tanks) blindés mpl

armpit [ˈɑːmpɪt] n aisselle f

armrest [ˈɑːmrɛst] n accoudoir m

army [ˈɑːmɪ] n armée f

A road [ˈeɪˌrəʊd] = route nationale

aroma [əˈrəʊmə] n arôme m
• **aromatherapy** n
aromathérapie f

arose [əˈrəʊz] pt of **arise**

around [əˈraʊnd] adv (tout)
autour; (nearby) dans les parages
▶ prep autour de; (near) près de;
(fig: about) environ; (: date, time)
vers; **is he ~?** est-il dans les
parages or là?

arouse [əˈraʊz] vt (sleeper)
éveiller; (curiosity, passions)
éveiller, susciter; (anger) exciter

arrange [əˈreɪndʒ] vt arranger;
to ~ to do sth prévoir de faire qch
• **arrangement** n arrangement
m; **arrangements** npl (plans etc)
arrangements mpl,
dispositions fpl

array [əˈreɪ] n (of objects)
déploiement m, étalage m

arrears [əˈrɪəz] npl arriéré m; **to
be in ~ with one's rent** devoir un
arriéré de loyer

arrest [əˈrɛst] vt arrêter; (sb's
attention) retenir, attirer ▶ n
arrestation f; **under ~** en état
d'arrestation

arrival [əˈraɪvl] n arrivée f; **new ~**
nouveau venu/nouvelle venue;
(baby) nouveau-né(e)

arrive [əˈraɪv] vi arriver • **arrive
at** vt fus (decision, solution)
parvenir à

arrogance [ˈærəɡəns] n
arrogance f

arrogant [ˈærəɡənt] adj
arrogant(e)

arrow [ˈærəʊ] n flèche f

arse [ɑːs] n (BRIT infl) cul m (!)

arson [ˈɑːsn] n incendie criminel

art [ɑːt] n art m; **Arts** npl (Scol) les
lettres fpl • **art college** n école f
des beaux-arts • **art school** n =
école f des beaux-arts

artery [ˈɑːtərɪ] n artère f

art gallery n musée m d'art;
(saleroom) galerie f de peinture

arthritis [ɑːˈθraɪtɪs] n arthrite f

artichoke [ˈɑːtɪtʃəʊk] n artichaut
m; **Jerusalem ~** topinambour m

article [ˈɑːtɪkl] n article m

articulate adj [ɑːˈtɪkjulɪt]
(person) qui s'exprime clairement
et aisément; (speech) bien
articulé(e), prononcé(e)
clairement ▶ vi [ɑːˈtɪkjuleɪt]
articuler, parler distinctement
▶ vt articuler

artificial [ɑːtɪˈfɪʃəl] adj
artificiel(le)

artist [ˈɑːtɪst] n artiste m/f
• **artistic** [ɑːˈtɪstɪk] adj artistique

as [æz]

▶ *conj* 1 (*time: moment*) comme, alors que; à mesure que; **he came in as I was leaving** il est arrivé comme je partais; **as the years went by** à mesure que les années passaient; **as from tomorrow** à partir de demain 2 (*because*) comme, puisque; **he left early as he had to be home by 10** comme il or puisqu'il devait être de retour avant 10h, il est parti de bonne heure 3 (*referring to manner, way*) comme; **do as you wish** faites comme vous voudrez; **as she said** comme elle disait

▶ *adv* 1 (*in comparisons*): **as big as** aussi grand que; **twice as big as** deux fois plus grand que; **as much** or **many as** autant que; **as much money/many books as** autant d'argent/de livres que; **as soon as** dès que 2 (*concerning*): **as for** or **to that** quant à cela, pour ce qui est de cela

3: **as if** or **though** comme si; **he looked as if he was ill** il avait l'air d'être malade; *see also* **long; such; well**

▶ *prep* (*in the capacity of*) en tant que, en qualité de; **he works as a driver** il travaille comme chauffeur; **as chairman of the company, he ...** en tant que président de la société, il ...; **he gave me it as a present** il me l'a offert, il m'en a fait cadeau

a.s.a.p. *abbr* = **as soon as possible**

asbestos [æz'bestəs] *n* asbeste *m*, amiante *m*

ascent [ə'sɛnt] *n* (*climb*) ascension *f*

ash [æʃ] *n* (*dust*) cendre *f*; (*also:* **~ tree**) frêne *m*

ashamed [ə'ʃeɪmd] *adj* honteux(-euse), confus(e); **to be ~ of** avoir honte de

ashore [ə'ʃɔː] *adv* à terre

ashtray ['æʃtreɪ] *n* cendrier *m*

Ash Wednesday *n* mercredi *m* des Cendres

Asia ['eɪʃə] *n* Asie *f* ▸ **Asian** *n* (*from Asia*) Asiatique *m/f*; (BRIT: *from Indian subcontinent*) Indo-Pakistanais(e) ▸ *adj* asiatique; indo-pakistanais(e)

aside [ə'saɪd] *adv* de côté; à l'écart ▶ *n* aparté *m*

ask [ɑːsk] *vt* demander; (*invite*) inviter; **to ~ sb sth/to do sth** demander à qn qch/de faire qch; **to ~ sb about sth** questionner qn au sujet de qch; se renseigner auprès de qn au sujet de qch; **to ~ (sb) a question** poser une question (à qn); **to ~ sb out to dinner** inviter qn au restaurant ● **ask for** *vt fus* demander; **it's just ~ing for trouble** or **for it** ce serait chercher des ennuis

asleep [ə'sliːp] *adj* endormi(e); **to fall ~** s'endormir

AS level *n abbr* (= *Advanced Subsidiary level*) première partie de l'examen équivalent au baccalauréat

asparagus [əs'pærəgəs] *n* asperges *fpl*

aspect ['æspɛkt] *n* aspect *m*; (*direction in which a building etc faces*) orientation *f*, exposition *f*

aspire [əs'paɪə] *vi*: **to ~ to** aspirer à

aspirin ['æsprɪn] *n* aspirine *f*

ass [æs] n âne m; (inf) imbécile m/f; (us inf!) cul m (!)

assassin [ə'sæsɪn] n assassin m
• **assassinate** vt assassiner

assault [ə'sɔːlt] n (Mil) assaut m; (gen: attack) agression f ▶ vt attaquer; (sexually) violenter

assemble [ə'sɛmbl] vt assembler ▶ vi s'assembler, se rassembler

assembly [ə'sɛmblɪ] n (meeting) rassemblement m; (parliament) assemblée f; (construction) assemblage m

assert [ə'səːt] vt affirmer, déclarer; (authority) faire valoir; (innocence) protester de
• **assertion** [ə'səːʃən] n assertion f, affirmation f

assess [ə'sɛs] vt évaluer, estimer; (tax, damages) établir or fixer le montant de; (person) juger la valeur de • **assessment** n évaluation f, estimation f; (of tax) fixation f

asset ['æsɛt] n avantage m, atout m; (person) atout m; **assets** npl (Comm) capital m; avoir(s) m(pl); actif m

assign [ə'saɪn] vt (date) fixer, arrêter; **to ~ sth to** (task) assigner qch à; (resources) affecter qch à
• **assignment** n (task) mission f; (homework) devoir m

assist [ə'sɪst] vt aider, assister
• **assistance** n aide f, assistance f
• **assistant** n assistant(e), adjoint(e); (BRIT: also: **shop assistant**) vendeur(-euse)

associate adj, n [ə'səʊʃɪɪt] associé(e) ▶ vt [ə'səʊʃɪeɪt] associer ▶ vi [ə'səʊʃɪeɪt]: **to ~ with sb** fréquenter qn

association [əsəʊsɪ'eɪʃən] n association f

assorted [ə'sɔːtɪd] adj assorti(e)

assortment [ə'sɔːtmənt] n assortiment m; (of people) mélange m

assume [ə'sjuːm] vt supposer; (responsibilities etc) assumer; (attitude, name) prendre, adopter

assumption [ə'sʌmpʃən] n supposition f, hypothèse f; (of power) assomption f, prise f

assurance [ə'ʃuərəns] n assurance f

assure [ə'ʃuəʳ] vt assurer

asterisk ['æstərɪsk] n astérisque m

asthma [æsmə] n asthme m

astonish [ə'stɒnɪʃ] vt étonner, stupéfier • **astonished** adj étonné(e); **to be astonished at** être étonné(e) de
• **astonishing** adj étonnant(e), stupéfiant(e); **I find it astonishing that ...** je trouve incroyable que ... + sub
• **astonishment** n (grand) étonnement m, stupéfaction f

astound [ə'staʊnd] vt stupéfier, sidérer

astray [ə'streɪ] adv: **to go ~** s'égarer; (fig) quitter le droit chemin; **to lead ~** (morally) détourner du droit chemin

astrology [ə'strɒlədʒɪ] n astrologie f

astronaut ['æstrənɔːt] n astronaute m/f

astronomer [ə'strɒnəməʳ] n astronome m

astronomical [æstrə'nɒmɪkl] adj astronomique

astronomy [ə'strɒnəmɪ] n astronomie f

astute [əs'tjuːt] adj astucieux(-euse), malin(-igne)

asylum [ə'saɪləm] n asile m
• **asylum seeker** [-siːkər] n demandeur(-euse) d'asile

---

at [æt]

▶ prep 1 (referring to position, direction) à; **at the top** au sommet; **at home/school** à la maison or chez soi/à l'école; **at the baker's** à la boulangerie, chez le boulanger; **to look at sth** regarder qch
2 (referring to time) **at 4 o'clock** à 4 heures; **at Christmas** à Noël; **at night** la nuit; **at times** par moments, parfois
3 (referring to rates, speed etc) à; **at £1 a kilo** une livre le kilo; **two at a time** deux à la fois; **at 50 km/h** à 50 km/h
4 (referring to manner): **at a stroke** d'un seul coup; **at peace** en paix
5 (referring to activity): **to be at work** (in the office etc) être au travail; (working) travailler; **to play at cowboys** jouer aux cowboys; **to be good at sth** être bon en qch
6 (referring to cause): **shocked/ surprised/annoyed at sth** choqué par/étonné de/agacé par qch; **I went at his suggestion** j'y suis allé sur son conseil
▶ n (@ symbol) arobase f

---

ate [eɪt] pt of **eat**
atheist ['eɪθɪɪst] n athée m/f
Athens ['æθɪnz] n Athènes f
athlete ['æθliːt] n athlète m/f
athletic [æθ'letɪk] adj athlétique • **athletics** n athlétisme m

Atlantic [ət'læntɪk] adj atlantique ▶ n: **the ~ (Ocean)** l'(océan m) Atlantique m
atlas ['ætləs] n atlas m
A.T.M. n abbr (= Automated Telling Machine) guichet m automatique
atmosphere ['ætməsfɪər] n (air) atmosphère f; (fig: of place etc) atmosphère, ambiance f
atom ['ætəm] n atome m
• **atomic** [ə'tɔmɪk] adj atomique
• **atom(ic) bomb** n bombe f atomique
atrocity [ə'trɔsɪtɪ] n atrocité f
attach [ə'tætʃ] vt (gen) attacher; (document, letter) joindre; **to be ~ed to sb/sth** (to like) être attaché à qn/qch; **to ~ a file to an email** joindre un fichier à un e-mail • **attachment** n (tool) accessoire m; (Comput) fichier m joint; (love): **attachment (to)** affection f (pour), attachement m (à)
attack [ə'tæk] vt attaquer; (task etc) s'attaquer à ▶ n attaque f; **heart ~** crise f cardiaque • **attacker** n attaquant m; agresseur m
attain [ə'teɪn] vt (also: **to ~ to**) parvenir à, atteindre; (knowledge) acquérir
attempt [ə'tempt] n tentative f ▶ vt essayer, tenter
attend [ə'tend] vt (course) suivre; (meeting, talk) assister à; (school, church) aller à, fréquenter; (patient) soigner, s'occuper de • **attend to** vt fus (needs, affairs etc) s'occuper de; (customer) s'occuper de, servir • **attendance** n (being present) présence f; (people present) assistance f • **attendant** n employé(e); gardien(ne) ▶ adj

concomitant(e), qui accompagne or s'ensuit

⚠ Be careful not to translate *attend* by the French word *attendre*.

attention [əˈtɛnʃən] n attention f ▶ excl (Mil) garde-à-vous!; **for the ~ of** (Admin) à l'attention de

attic [ˈætɪk] n grenier m, combles mpl

attitude [ˈætɪtjuːd] n attitude f

attorney [əˈtɜːnɪ] n (us: lawyer) avocat m ▪ **Attorney General** n (BRIT) ≈ procureur général; (us) ≈ garde m des Sceaux, ministre m de la Justice

attract [əˈtrækt] vt attirer ▪ **attraction** [əˈtrækʃən] n (gen pl: pleasant things) attraction f, attrait m; (Physics) attraction; (fig: towards sb, sth) attirance f ▪ **attractive** adj séduisant(e), attrayant(e)

attribute n [ˈætrɪbjuːt] attribut m ▶ vt [əˈtrɪbjuːt]: **to ~ sth to** attribuer qch à

aubergine [ˈəʊbəʒiːn] n aubergine f

auburn [ˈɔːbən] adj auburn inv, châtain roux inv

auction [ˈɔːkʃən] n (also: **sale by ~**) vente f aux enchères ▶ vt (also: **to sell by ~**) vendre aux enchères

audible [ˈɔːdɪbl] adj audible

audience [ˈɔːdɪəns] n (people) assistance f, public m; (on radio) auditeurs mpl; (at theatre) spectateurs mpl; (interview) audience f

audit [ˈɔːdɪt] vt vérifier

audition [ɔːˈdɪʃən] n audition f

auditor [ˈɔːdɪtəʳ] n vérificateur m des comptes

auditorium [ɔːdɪˈtɔːrɪəm] n auditorium m, salle f de concert or de spectacle

Aug. abbr = **August**

August [ˈɔːgəst] n août m

aunt [ɑːnt] n tante f ▪ **auntie** ▪ **aunty** n diminutive of **aunt**

au pair [ˈəʊˈpeəʳ] n (also: **~ girl**) jeune fille f au pair

aura [ˈɔːrə] n atmosphère f; (of person) aura f

austerity [ɒsˈtɛrɪtɪ] n austérité f

Australia [ɒsˈtreɪlɪə] n Australie f ▪ **Australian** adj australien(ne) ▶ n Australien(ne)

Austria [ˈɒstrɪə] n Autriche f ▪ **Austrian** adj autrichien(ne) ▶ n Autrichien(ne)

authentic [ɔːˈθɛntɪk] adj authentique

author [ˈɔːθəʳ] n auteur m

authority [ɔːˈθɒrɪtɪ] n autorité f; (permission) autorisation (formelle); **the authorities** les autorités fpl, l'administration f

authorize [ˈɔːθəraɪz] vt autoriser

auto [ˈɔːtəʊ] n (us) auto f, voiture f ▪ **autobiography** [ɔːtəbaɪˈɒgrəfɪ] n autobiographie f ▪ **autograph** [ˈɔːtəgrɑːf] n autographe m ▶ vt signer, dédicacer ▪ **automatic** [ɔːtəˈmætɪk] adj automatique ▶ n (gun) automatique m; (car) voiture f à transmission automatique ▪ **automatically** adv automatiquement ▪ **automobile** [ˈɔːtəməbiːl] n (us) automobile f ▪ **autonomous** [ɔːˈtɒnəməs] adj autonome ▪ **autonomy** [ɔːˈtɒnəmɪ] n autonomie f

autumn [ˈɔːtəm] n automne m

auxiliary [ɔːgˈzɪlɪərɪ] adj, n auxiliaire (m/f)

avail [ə'veɪl] vt: **to ~ o.s. of** user de; profiter de ▶ n: **to no ~** sans résultat, en vain, en pure perte

availability [əveɪlə'bɪlɪtɪ] n disponibilité f

available [ə'veɪləbl] adj disponible

avalanche ['ævəlɑːnʃ] n avalanche f

avatar ['ævətɑːʳ] n (Comput) avatar m

Ave. abbr = **avenue**

avenue ['ævənjuː] n avenue f; (fig) moyen m

average ['ævərɪdʒ] n moyenne f ▶ adj moyen(ne) ▶ vt (a certain figure) atteindre or faire etc en moyenne; **on ~** en moyenne

avert [ə'vɜːt] vt (danger) prévenir, écarter; (one's eyes) détourner

avid ['ævɪd] adj avide

avocado [ævə'kɑːdəʊ] n (BRIT: also: **~ pear**) avocat m

avoid [ə'vɔɪd] vt éviter

await [ə'weɪt] vt attendre

awake [ə'weɪk] (pt **awoke**, pp **awoken**) adj éveillé(e) ▶ vt éveiller ▶ vi s'éveiller; **to be ~** être réveillé(e)

award [ə'wɔːd] n (for bravery) récompense f; (prize) prix m; (Law: damages) dommages-intérêts mpl ▶ vt (prize) décerner; (Law: damages) accorder

aware [ə'wɛəʳ] adj: **~ of** (conscious) conscient(e) de; (informed) au courant de; **to become ~ of/that** prendre conscience de/que; se rendre compte de/que • **awareness** n conscience f, connaissance f

away [ə'weɪ] adv (au) loin; (movement): **she went ~** elle est partie ▶ adj (not in, not here)

absent(e); **far ~** (au) loin; **two kilometres ~** à (une distance de) deux kilomètres, à deux kilomètres de distance; **two hours ~ by car** à deux heures de voiture or de route; **the holiday was two weeks ~** il restait deux semaines jusqu'aux vacances; **he's ~ for a week** il est parti (pour) une semaine; **to take sth ~ from sb** prendre qch à qn; **to take sth ~ from sth** (subtract) ôter qch de qch; **to work/pedal ~** travailler/pédaler à cœur joie; **to fade ~** (colour) s'estomper; (sound) s'affaiblir

awe [ɔː] n respect mêlé de crainte, effroi mêlé d'admiration • **awesome** ['ɔːsəm] (US) adj (inf: excellent) génial(e)

awful ['ɔːfəl] adj affreux(-euse); **an ~ lot of** énormément de • **awfully** adv (very) terriblement, vraiment

awkward ['ɔːkwəd] adj (clumsy) gauche, maladroit(e); (inconvenient) peu pratique; (embarrassing) gênant

awoke [ə'wəʊk] pt of **awake**

awoken [ə'wəʊkən] pp of **awake**

axe, (US) **ax** [æks] n hache f ▶ vt (project etc) abandonner; (jobs) supprimer

axle ['æksl] n essieu m

ay(e) [aɪ] excl (yes) oui

azalea [ə'zeɪlɪə] n azalée f

b

B [biː] n (Mus) si m

B.A. abbr (Scol) = **Bachelor of Arts**

baby ['beɪbɪ] n bébé m • **baby carriage** n (US) voiture f d'enfant • **baby-sit** vi garder les enfants • **baby-sitter** n baby-sitter m/f • **baby wipe** n lingette f (pour bébé)

bachelor ['bætʃələʳ] n célibataire m; **B~ of Arts/Science (BA/BSc)** ≈ licencié(e) ès or en lettres/sciences

back [bæk] n (of person, horse) dos m; (of hand) dos, revers m; (of house) derrière m; (of car, train) arrière m; (of chair) dossier m; (of page) verso m; (Football) arrière m ▶ vt (financially) soutenir (financièrement); (candidate: also: ~ **up**) soutenir, appuyer; (horse: at races) parier or miser sur; (car) (faire) reculer ▶ vi reculer; (car etc) faire marche arrière ▶ adj (in compounds) de derrière, à l'arrière ▶ adv (not forward) en arrière; (returned): **he's ~** il est rentré, il est de retour; **can the people at the ~ hear me properly?** est-ce que les gens du fond m'entendent?; **~ to front** à l'envers; **~ seat/wheel** (Aut) siège m/roue f arrière inv; **~ payments/rent** arriéré m de paiements/loyer; **~ garden/room** jardin/pièce sur l'arrière; **he ran ~** il est revenu en courant; **throw the ball ~** renvoie la balle; **can I have it ~?** puis-je le ravoir?, peux-tu me le rendre?; **he called ~** (again) il a rappelé • **back down** vi rabattre de ses prétentions • **back out** vi (of promise) se dédire • **back up** vt (person) soutenir; (Comput) faire une copie de sauvegarde de • **backache** n mal m au dos • **backbencher** n (BRIT) membre du parlement sans portefeuille • **backbone** n colonne vertébrale, épine dorsale • **back door** n porte f de derrière • **backfire** vi (Aut) pétarader; (plans) mal tourner • **backgammon** n trictrac m • **background** n arrière-plan m; (of events) situation f, conjoncture f; (basic knowledge) éléments mpl de base; (experience) formation f; **family background** milieu familial • **backing** n (fig) soutien m, appui m • **backlog** n: **backlog of work** travail m en retard • **backpack** n sac m à dos • **backpacker** n randonneur(-euse) • **backslash** n barre oblique inversée • **backstage** adv dans les coulisses • **backstroke** n dos crawlé • **backup** adj (train, plane) supplémentaire, de réserve; (Comput) de sauvegarde ▶ n (support) appui m, soutien m; (Comput: also: **backup file**) sauvegarde f • **backward** adj (movement) en arrière; (person,

country) arriéré(e), attardé(e)
• **backwards** adv (*move, go*) en arrière; (*read a list*) à l'envers, à rebours; (*fall*) à la renverse; (*walk*) à reculons • **backyard** n arrière-cour f

bacon ['beɪkən] n bacon m, lard m

bacteria [bæk'tɪərɪə] npl bactéries fpl

bad [bæd] adj mauvais(e); (*child*) vilain(e); (*mistake, accident*) grave; (*meat, food*) gâté(e), avarié(e); **his ~ leg** sa jambe malade; **to go ~** (*meat, food*) se gâter; (*milk*) tourner

bade [bæd] pt of **bid**

badge [bædʒ] n insigne m; (*of policeman*) plaque f; (*stick-on, sew-on*) badge m

badger ['bædʒə'] n blaireau m

badly ['bædlɪ] adv (*work, dress etc*) mal; **to reflect ~ on sb** donner une mauvaise image de qn; **~ wounded** grièvement blessé; **he needs it ~** il en a absolument besoin; **~ off** adj, adv dans la gêne

bad-mannered ['bæd'mænəd] adj mal élevé(e)

badminton ['bædmɪntən] n badminton m

bad-tempered ['bæd'tempəd] adj (*by nature*) ayant mauvais caractère; (*on one occasion*) de mauvaise humeur

bag [bæg] n sac m; **~s of** (*inf: lots of*) des tas de • **baggage** n bagages mpl • **baggage allowance** n franchise f de bagages • **baggage reclaim** n (*at airport*) livraison f des bagages • **baggy** adj avachi(e), qui fait des poches • **bagpipes** npl cornemuse f

bail [beɪl] n caution f ▶ vt (*prisoner: also:* **grant ~ to**) mettre en liberté

sous caution; (*boat: also:* **~ out**) écoper; **to be released on ~** être libéré(e) sous caution • **bail out** vt (*prisoner*) payer la caution de

bait [beɪt] n appât m ▶ vt appâter; (*fig: tease*) tourmenter

bake [beɪk] vt (*faire*) cuire au four ▶ vi (*bread etc*) cuire (au four); (*make cakes etc*) faire de la pâtisserie • **baked beans** npl haricots blancs à la sauce tomate • **baked potato** n pomme f de terre en robe des champs • **baker** n boulanger m • **bakery** n boulangerie f • **baking** n (*process*) cuisson f • **baking powder** n levure f (chimique)

balance ['bæləns] n équilibre m; (*Comm: sum*) solde m; (*remainder*) reste m; (*scales*) balance f ▶ vt mettre or faire tenir en équilibre; (*pros and cons*) peser; (*budget*) équilibrer; (*account*) balancer; (*compensate*) compenser, contrebalancer; **~ of trade/ payments** balance commerciale/ des comptes or paiements • **balanced** adj (*personality, diet*) équilibré(e); (*report*) objectif(-ive) • **balance sheet** n bilan m

balcony ['bælkənɪ] n balcon m; **do you have a room with a ~?** avez-vous une chambre avec balcon?

bald [bɔːld] adj chauve; (*tyre*) lisse

ball [bɔːl] n boule f; (*football*) ballon m; (*for tennis, golf*) balle f; (*dance*) bal m; **to play ~** jouer au ballon (or à la balle); (*fig*) coopérer

ballerina [bælə'riːnə] n ballerine f

ballet ['bæleɪ] n ballet m; (*art*) danse f (classique) • **ballet dancer** n danseur(-euse) de ballet

balloon [bə'lu:n] *n* ballon *m*

ballot ['bælət] *n* scrutin *m*

ballpoint (pen) ['bɔ:lpɔɪnt-] *n* stylo *m* à bille

ballroom ['bɔ:lrum] *n* salle *f* de bal

Baltic [bɔ:ltɪk] *n*: **the ~ (Sea)** la (mer) Baltique

bamboo [bæm'bu:] *n* bambou *m*

ban [bæn] *n* interdiction *f* ▸ *vt* interdire

banana [bə'nɑ:nə] *n* banane *f*

band [bænd] *n* bande *f*; (*at a dance*) orchestre *m*; (*Mil*) musique *f*, fanfare *f*

bandage ['bændɪdʒ] *n* bandage *m*, pansement *m* ▸ *vt* (*wound, leg*) mettre un pansement or un bandage sur

Band-Aid® ['bændeɪd] *n* (*us*) pansement adhésif

B. & B. *n abbr* = **bed and breakfast**

bandit ['bændɪt] *n* bandit *m*

bang [bæŋ] *n* détonation *f*; (*of door*) claquement *m*; (*blow*) coup (violent) ▸ *vt* frapper (violemment); (*door*) claquer ▸ *vi* détoner; claquer

Bangladesh [bæŋglə'deʃ] *n* Bangladesh *m*

Bangladeshi [bæŋglə'deʃɪ] *adj* du Bangladesh ▸ *n* habitant(e) du Bangladesh

bangle ['bæŋgl] *n* bracelet *m*

bangs [bæŋz] *npl* (*us*: *fringe*) frange *f*

banish ['bænɪʃ] *vt* bannir

banister(s) ['bænɪstə(z)] *n*(*pl*) rampe *f* (d'escalier)

banjo ['bændʒəu] (*pl* **banjoes** or **banjos**) *n* banjo *m*

bank [bæŋk] *n* banque *f*; (*of river, lake*) bord *m*, rive *f*; (*of earth*) talus *m*,

remblai *m* ▸ *vi* (*Aviat*) virer sur l'aile
• **bank on** *vt fus* miser or tabler sur
• **bank account** *n* compte *m* en banque • **bank balance** *n* solde *m* bancaire • **bank card** (*BRIT*) *n* carte *f* d'identité bancaire • **bank charges** *npl* (*BRIT*) frais *mpl* de banque • **banker** *n* banquier *m*
• **bank holiday** *n* (*BRIT*) jour férié (*où les banques sont fermées*); *voir article* **"bank holiday"** • **banking** *n* opérations *fpl* bancaires; profession *f* de banquier • **bank manager** *n* directeur *m* d'agence (bancaire) • **banknote** *n* billet *m* de banque

---

Le terme **bank holiday** s'applique au Royaume-Uni aux jours fériés pendant lesquels les banques (et généralement les petits commerces) sont fermés. Les principaux *bank holidays* à part Noël et Pâques se situent au mois de mai et fin août, et contrairement aux pays de tradition catholique, ne coïncident pas avec des fêtes religieuses.

---

bankrupt ['bæŋkrʌpt] *adj* en faillite; **to go ~** faire faillite
• **bankruptcy** *n* faillite *f*

bank statement *n* relevé *m* de compte

banner ['bænə'] *n* bannière *f*

bannister(s) ['bænɪstə(z)] *n*(*pl*) = **banister(s)**

banquet ['bæŋkwɪt] *n* banquet *m*, festin *m*

baptism ['bæptɪzəm] *n* baptême *m*

baptize [bæp'taɪz] *vt* baptiser

bar [bɑ:'] *n* (*pub*) bar *m*; (*counter*) comptoir *m*, bar; (*rod: of metal etc*)

basic

barre f; (: of window etc) barreau m; (of chocolate) tablette f, plaque f; (fig: obstacle) obstacle m; (prohibition) mesure f d'exclusion; (Mus) mesure f ▶ vt (road) barrer; (person) exclure; (activity) interdire; ~ **of soap** savonnette f; **behind** ~**s** (prisoner) derrière les barreaux; **the B~** (Law) le barreau; ~ **none** sans exception

barbaric [bɑː'bærɪk] adj barbare

barbecue ['bɑːbɪkjuː] n barbecue m

barbed wire ['bɑːbd-] n fil m de fer barbelé

barber ['bɑːbəʳ] n coiffeur m (pour hommes) • **barber's (shop)** • (US) **barber shop** n salon m de coiffure (pour hommes)

bar code n code m à barres, code-barre m

bare [bɛəʳ] adj nu(e) ▶ vt mettre à nu, dénuder; (teeth) montrer • **barefoot** adj, adv nu-pieds, (les) pieds nus • **barely** adv à peine

bargain ['bɑːgɪn] n (transaction) marché m; (good buy) affaire f, occasion f ▶ vi (haggle) marchander; (negotiate) négocier, traiter; **into the** ~ par-dessus le marché • **bargain for** vt fus (inf): **he got more than he ~ed for!** il en a eu pour son argent!

barge [bɑːdʒ] n péniche f • **barge in** vi (walk in) faire irruption; (interrupt talk) intervenir mal à propos

bark [bɑːk] n (of tree) écorce f; (of dog) aboiement m ▶ vi aboyer

barley ['bɑːlɪ] n orge f

barmaid ['bɑːmeɪd] n serveuse f (de bar), barmaid f

barman ['bɑːmən] (irreg) n serveur m (de bar), barman m

barn [bɑːn] n grange f

barometer [bə'rɒmɪtəʳ] n baromètre m

baron ['bærən] n baron m • **baroness** n baronne f

barracks ['bærəks] npl caserne f

barrage ['bærɑːʒ] n (Mil) tir m de barrage; (dam) barrage m; (of criticism) feu m

barrel ['bærəl] n tonneau m; (of gun) canon m

barren ['bærən] adj stérile

barrette [bə'rɛt] (US) n barrette f

barricade [bærɪ'keɪd] n barricade f

barrier ['bærɪəʳ] n barrière f

barring ['bɑːrɪŋ] prep sauf

barrister ['bærɪstəʳ] n (BRIT) avocat (plaidant)

barrow ['bærəu] n (cart) charrette f à bras

bartender ['bɑːtɛndəʳ] n (US) serveur m (de bar), barman m

base [beɪs] n base f ▶ vt (opinion, belief): **to** ~ **sth on** baser or fonder qch sur ▶ adj vil(e), bas(se)

baseball ['beɪsbɔːl] n base-ball m • **baseball cap** n casquette f de base-ball

Basel [bɑːl] n = **Basle**

basement ['beɪsmənt] n sous-sol m

bases [beɪsiːz] npl of **basis**

bash [bæʃ] vt (inf) frapper, cogner

basic ['beɪsɪk] adj (precautions, rules) élémentaire; (principles, research) fondamental(e); (vocabulary, salary) de base; (minimal) réduit(e) au minimum, rudimentaire • **basically** adv (in fact) en fait; (essentially) fondamentalement • **basics** npl: **the basics** l'essentiel m

basil ['bæzl] n basilic m

basin ['beɪsn] n (vessel, also Geo) cuvette f, bassin m; (BRIT: for food) bol m; (also: **wash~**) lavabo m

basis (pl **bases**) ['beɪsɪs, -siːz] n base f; **on a part-time/trial ~** à temps partiel/à l'essai

basket ['bɑːskɪt] n corbeille f; (with handle) panier m
• **basketball** n basket-ball m

Basle [bɑːl] n Bâle

Basque [bæsk] adj basque ▸ n Basque m/f; **the ~ Country** le Pays basque

bass [beɪs] n (Mus) basse f

bastard ['bɑːstəd] n enfant naturel(le), bâtard(e); (infl) salaud m (!)

bat [bæt] n chauve-souris f; (for baseball etc) batte f; (BRIT: for table tennis) raquette f ▸ vt: **he didn't ~ an eyelid** il n'a pas sourcillé or bronché

batch [bætʃ] n (of bread) fournée f; (of papers) liasse f; (of applicants, letters) paquet m

bath (pl **baths**) [bɑːθ, bɑːðz] n bain m; (bathtub) baignoire f ▸ vt baigner, donner un bain à; **to have a ~** prendre un bain; see also **baths**

bathe [beɪð] vi se baigner ▸ vt baigner; (wound etc) laver

bathing ['beɪðɪŋ] n baignade f
• **bathing costume** • (US) **bathing suit** n maillot m (de bain)

bath: • **bathrobe** n peignoir m de bain • **bathroom** n salle f de bains • **baths** [bɑːðz] npl (BRIT: also: **swimming baths**) piscine f • **bath towel** n serviette f de bain • **bathtub** n baignoire f

baton ['bætən] n bâton m; (Mus) baguette f; (club) matraque f

batter ['bætə'] vt battre ▸ n pâte f à frire • **battered** adj (hat, pan) cabossé(e); **battered wife/child** épouse/enfant maltraité(e) or martyr(e)

battery ['bætərɪ] n (for torch, radio) pile f; (Aut, Mil) batterie f
• **battery farming** n élevage m en batterie

battle ['bætl] n bataille f, combat m ▸ vi se battre, lutter
• **battlefield** n champ m de bataille

bay [beɪ] n (of sea) baie f; (BRIT: for parking) place f de stationnement; (: for loading) aire f de chargement; **B~ of Biscay** golfe m de Gascogne; **to hold sb at ~** tenir qn à distance or en échec

bay leaf n laurier m

bazaar [bə'zɑː'] n (shop, market) bazar m; (sale) vente f de charité

BBC n abbr (= British Broadcasting Corporation) office de la radiodiffusion et télévision britannique

B.C. adv abbr (= before Christ) av. J.-C.

---

be [biː]

(pt **was**, **were**, pp **been**)
▸ aux vb **1** (with present participle, forming continuous tenses): **what are you doing?** que faites-vous?; **they're coming tomorrow** ils viennent demain; **I've been waiting for you for 2 hours** je t'attends depuis 2 heures
2 (with pp, forming passives) être; **to be killed** être tué(e); **the box had been opened** la boîte avait

été ouverte; **he was nowhere to be seen** on ne le voyait nulle part

3 (*in tag questions*): **it was fun, wasn't it?** c'était drôle, n'est-ce pas?; **he's good-looking, isn't he?** il est beau, n'est-ce pas?; **she's back, is she?** elle est rentrée, n'est-ce pas *or* alors?

4 (+*to* +*infinitive*): **the house is to be sold** (*necessity*) la maison doit être vendue; (*future*) la maison va être vendue; **he's not to open it** il ne doit pas l'ouvrir

▶ *vb* + *complement* **1** (*gen*) être; **I'm English** je suis anglais(e); **I'm tired** je suis fatigué(e); **I'm hot/cold** j'ai chaud/froid; **he's a doctor** il est médecin; **be careful/good/quiet!** faites attention/soyez sages/ taisez-vous!; **2 and 2 are 4** 2 et 2 font 4

2 (*of health*) aller; **how are you?** comment allez-vous?; **I'm better now** je vais mieux maintenant; **he's very ill** il est très malade

3 (*of age*) avoir; **how old are you?** quel âge avez-vous?; **I'm sixteen (years old)** j'ai seize ans

4 (*cost*) coûter; **how much was the meal?** combien a coûté le repas?; **that'll be £5, please** ça fera 5 livres, s'il vous plaît; **this shirt is £17** cette chemise coûte 17 livres

▶ *vi* **1** (*exist, occur etc*) être, exister; **the prettiest girl that ever was** la fille la plus jolie qui ait jamais existé; **is there a God?** y a-t-il un dieu?; **be that as it may** quoi qu'il en soit; **so be it** soit

2 (*referring to place*) être, se trouver; **I won't be here tomorrow** je ne serai pas là demain

3 (*referring to movement*) aller; **where have you been?** où êtes-vous allé(s)?

▶ *impers vb* **1** (*referring to time*) être; **it's 5 o'clock** il est 5 heures; **it's the 28th of April** c'est le 28 avril

2 (*referring to distance*): **it's 10 km to the village** le village est à 10 km

3 (*referring to the weather*) faire; **it's too hot/cold** il fait trop chaud/froid; **it's windy today** il y a du vent aujourd'hui

4 (*emphatic*): **it's me/the postman** c'est moi/le facteur; **it was Maria who paid the bill** c'est Maria qui a payé la note

beach [biːtʃ] *n* plage *f* ▶ *vt* échouer

beacon ['biːkən] *n* (*lighthouse*) fanal *m*; (*marker*) balise *f*

bead [biːd] *n* perle *f*; (*of dew, sweat*) goutte *f*; **beads** *npl* (*necklace*) collier *m*

beak [biːk] *n* bec *m*

beam [biːm] *n* (*Archit*) poutre *f*; (*of light*) rayon *m* ▶ *vi* rayonner

bean [biːn] *n* haricot *m*; (*of coffee*) grain *m* • **beansprouts** *npl* pousses *fpl or* germes *mpl* de soja

bear [bɛəʳ] *n* ours *m* ▶ *vt* (*pt* **bore**, *pp* **borne**) porter; (*endure*) supporter; (*interest*) rapporter

▶ *vi*: **to ~ right/left** obliquer à droite/gauche, se diriger vers la droite/gauche

beard [bɪəd] *n* barbe *f*

bearer ['bɛərəʳ] *n* porteur *m*; (*of passport etc*) titulaire *m/f*

bearing ['bɛərɪŋ] n maintien m,
allure f; (connection) rapport m;
(ball) bearings npl (Tech)
roulement m (à billes)

beast [bi:st] n bête f; (inf: person)
brute f

beat [bi:t] n battement m; (Mus)
temps m, mesure f; (of policeman)
ronde f ▸ vt, vi (pt **beat**, pp
beaten) battre; **off the ~en
track** hors des chemins or sentiers
battus; **to ~ it** (inf) ficher le camp
• **beat up** vt (inf: person) tabasser
• **beating** n raclée f

beautiful ['bju:tɪful] adj beau
(belle) • **beautifully** adv
admirablement

beauty ['bju:tɪ] n beauté f
• **beauty parlour** n (us) **beauty
parlor** n institut m de beauté
• **beauty salon** n institut m de
beauté • **beauty spot** n (on skin)
grain m de beauté; (BRIT Tourism)
site naturel (d'une grande beauté)

beaver ['bi:və'] n castor m

became [bɪ'keɪm] pt of **become**

because [bɪ'kɔz] conj parce que;
~ of prep à cause de

beckon ['bɛkən] vt (also: **~ to**)
faire signe (de venir) à

become [bɪ'kʌm] vi devenir; **to
~ fat/thin** grossir/maigrir; **to
~ angry** se mettre en colère

bed [bɛd] n lit m; (of flowers)
parterre m; (of coal, clay) couche f;
(of sea, lake) fond m; **to go to ~**
aller se coucher • **bed and
breakfast** n (terms) chambre et
petit déjeuner; (place) ≈ chambre f
d'hôte; voir article **"bed and
breakfast"** • **bedclothes** npl
couvertures fpl et draps mpl
• **bedding** n literie f • **bed linen** n
draps mpl de lit (et taies fpl

d'oreillers), literie f • **bedroom** n
chambre f (à coucher) • **bedside**
n: **at sb's bedside** au chevet de
qn • **bedside lamp** n lampe f de
chevet • **bedside table** n table f
de chevet • **bedsit(ter)** (BRIT)
chambre meublée, studio m
• **bedspread** n couvre-lit m,
dessus-de-lit m • **bedtime** n: **it's
bedtime** c'est l'heure de se
coucher

Un **bed and breakfast** est
une petite pension dans une
maison particulière ou une
ferme où l'on peut louer une
chambre avec petit déjeuner
compris pour un prix inférieur
à ce que l'on paierait dans un
hôtel. Ces établissements sont
communément appelés 'B & B',
et sont signalés par une
pancarte dans le jardin ou
au-dessus de la porte.

bee [bi:] n abeille f

beech [bi:tʃ] n hêtre m

beef [bi:f] n bœuf m; **roast ~**
rosbif m • **beefburger** n
hamburger m

been [bi:n] pp of **be**

beer [bɪə'] n bière f • **beer
garden** n (BRIT) jardin m d'un pub
(où l'on peut emmener ses
consommations)

beet [bi:t] n (vegetable) betterave
f; (us: also: **red ~**) betterave
(potagère)

beetle ['bi:tl] n scarabée m,
coléoptère m

beetroot ['bi:tru:t] n (BRIT)
betterave f

before [bɪ'fɔ:'] prep (of time) avant;
(of space) devant ▸ conj avant que
+ sub; avant de ▸ adv avant;
~ going avant de partir; **~ she**

goes avant qu'elle (ne) parte; **the week ~** la semaine précédente or d'avant; **I've never seen it ~** c'est la première fois que je le vois • **beforehand** adv au préalable, à l'avance

beg [beg] vi mendier ▶ vt mendier; (forgiveness, mercy etc) demander; (entreat) supplier; **to ~ sb to do sth** supplier qn de faire qch; see also **pardon**

began [bɪˈgæn] pt of **begin**

beggar [ˈbegəʳ] n mendiant(e)

begin [bɪˈgɪn] (pt **began**, pp **begun**) vt, vi commencer; **to ~ doing** or **to do sth** commencer à faire qch • **beginner** n débutant(e) • **beginning** n commencement m, début m

begun [bɪˈgʌn] pp of **begin**

behalf [bɪˈhɑːf] n **on ~ of**, (us) **in ~ of** (representing) de la part de; (for benefit of) pour le compte de; **on my/his ~** de ma/sa part

behave [bɪˈheɪv] vi se conduire, se comporter; (well: also: **~ o.s.**) se conduire bien or comme il faut • **behaviour** • (us) **behavior** n comportement m, conduite f

behind [bɪˈhaɪnd] prep derrière; (time) en retard sur; (supporting): **to be ~ sb** soutenir qn ▶ adv derrière; en retard ▶ n derrière m; **~ the scenes** dans les coulisses; **to be ~ (schedule) with sth** être en retard dans qch

beige [beɪʒ] adj beige

Beijing [ˈbeɪˈdʒɪŋ] n Pékin

being [ˈbiːɪŋ] n être m; **to come into ~** prendre naissance

belated [bɪˈleɪtɪd] adj tardif(-ive)

belch [beltʃ] vi avoir un renvoi, roter ▶ vt (smoke etc: also: **~ out**) vomir, cracher

Belgian [ˈbeldʒən] adj belge, de Belgique ▶ n Belge m/f

Belgium [ˈbeldʒəm] n Belgique f **b**

belief [bɪˈliːf] n (opinion) conviction f; (trust, faith) foi f

believe [bɪˈliːv] vt, vi croire, estimer; **to ~ in** (God) croire en; (ghosts, method) croire à • **believer** n (in idea, activity) partisan(e); (Rel) croyant(e)

bell [bel] n cloche f; (small) clochette f, grelot m; (on door) sonnette f; (electric) sonnerie f

bellboy [ˈbelbɔɪ], (us) **bellhop** [ˈbelhɒp] n groom m, chasseur m

bellow [ˈbeləʊ] vi (bull) meugler; (person) brailler

bell pepper n (esp us) poivron m

belly [ˈbelɪ] n ventre m • **belly button** (inf) n nombril m

belong [bɪˈlɒŋ] vi: **to ~** appartenir à; (club etc) faire partie de; **this book ~s here** ce livre va ici, la place de ce livre est ici • **belongings** npl affaires fpl, possessions fpl

beloved [bɪˈlʌvɪd] adj (bien-)aimé(e), chéri(e)

below [bɪˈləʊ] prep sous, au-dessous de ▶ adv en dessous; en contre-bas; **see ~** voir plus bas or plus loin or ci-dessous

belt [belt] n ceinture f; (Tech) courroie f ▶ vt (thrash) donner une raclée à • **beltway** n (us Aut) route f de ceinture; (: motorway) périphérique m

bemused [bɪˈmjuːzd] adj médusé(e)

bench [bentʃ] n banc m; (in workshop) établi m; **the B~** (Law: judges) la magistrature, la Cour

benchmark [ˈbentʃmɑːk] n référence f

bend [bɛnd] (pt, pp **bent**) vt courber; (leg, arm) plier ▶ vi se courber ▶ n (in road) virage m, tournant m; (in pipe, river) coude m • **bend down** vi se baisser • **bend over** vi se pencher

beneath [bɪˈniːθ] prep sous, au-dessous de; (unworthy of) indigne de ▶ adv dessous, au-dessous, en bas

beneficial [bɛnɪˈfɪʃəl] adj: ~ **(to)** salutaire (pour), bénéfique (pour)

benefit [ˈbɛnɪfɪt] n avantage m, profit m; (allowance of money) allocation f ▶ vt faire du bien à, profiter à ▶ vi: **he'll ~ from it** cela lui fera du bien, il y gagnera or s'en trouvera bien

Benelux [ˈbɛnɪlʌks] n Bénélux m

benign [bɪˈnaɪn] adj (person, smile) bienveillant(e), affable; (Med) bénin(-igne)

bent [bɛnt] pt, pp of **bend** ▶ adj: **to be ~ on** être résolu(e) à

bereaved [bɪˈriːvd] n: **the ~** la famille du disparu

beret [ˈbɛreɪ] n béret m

Berlin [bəːˈlɪn] n Berlin

Bermuda [bəːˈmjuːdə] n Bermudes fpl

Bern [bəːn] n Berne

berry [ˈbɛrɪ] n baie f

berth [bəːθ] n (bed) couchette f; (for ship) poste m d'amarrage, mouillage m ▶ vi (in harbour) venir à quai; (at anchor) mouiller

beside [bɪˈsaɪd] prep à côté de; (compared with) par rapport à; **that's ~ the point** ça n'a rien à voir; **to be ~ o.s. (with anger)** être hors de soi • **besides** adv en outre, de plus ▶ prep en plus de; (except) excepté

best [bɛst] adj meilleur(e) ▶ adv le mieux; **the ~ part of** (quantity) le plus clair de, la plus grande partie de; **at ~** au mieux; **to make the ~ of sth** s'accommoder de qch (du mieux que l'on peut); **to do one's ~** faire de son mieux; **to the ~ of my knowledge** pour autant que je sache; **to the ~ of my ability** du mieux que je pourrai • **best-before date** n date f de limite d'utilisation or de consommation • **best man** (irreg) n garçon m d'honneur • **bestseller** n best-seller m, succès m de librairie

bet [bɛt] n pari m ▶ vt, vi (pt **bet**, pp **betted**) parier; **to ~ sb sth** parier qch à qn

betray [bɪˈtreɪ] vt trahir

better [ˈbɛtə] adj meilleur(e) ▶ adv mieux ▶ vt améliorer ▶ n: **to get the ~ of** triompher de, l'emporter sur; **you had ~ do it** vous feriez mieux de le faire; **he thought ~ of it** il s'est ravisé; **to get ~** (Med) aller mieux; (improve) s'améliorer

betting [ˈbɛtɪŋ] n paris mpl • **betting shop** n (BRIT) bureau m de paris

between [bɪˈtwiːn] prep entre ▶ adv au milieu, dans l'intervalle

beverage [ˈbɛvərɪdʒ] n boisson f (gén sans alcool)

beware [bɪˈwɛə] vi: **to ~ (of)** prendre garde (à); **"~ of the dog"** "(attention) chien méchant"

bewildered [bɪˈwɪldəd] adj dérouté(e), ahuri(e)

beyond [bɪˈjɒnd] prep (in space, time) au-delà de; (exceeding) au-dessus de ▶ adv au-delà; **~ doubt** hors de doute; **~ repair** irréparable

bias ['baɪəs] n (prejudice) préjugé m, parti pris; (preference) prévention f • **bias(s)ed** adj partial(e), montrant un parti pris

bib [bɪb] n bavoir m

Bible ['baɪbl] n Bible f

bicarbonate of soda [baɪ'kɑ:bənɪt-] n bicarbonate m de soude

biceps ['baɪseps] n biceps m

bicycle ['baɪsɪkl] n bicyclette f • **bicycle pump** n pompe f à vélo

bid [bɪd] n offre f; (at auction) enchère f; (attempt) tentative f ▸ vi (pt, pp **bid**) faire une enchère or offre ▸ vt (pt **bade**, pp **bidden**) faire une enchère or offre de; to ~ **sb good day** souhaiter le bonjour à qn • **bidder** n: the **highest bidder** le plus offrant

bidet ['bi:deɪ] n bidet m

big [bɪg] adj (in height: person, building, tree) grand(e); (in bulk, amount: person, parcel, book) gros(se) • **Big Apple** n voir article "Big Apple" • **bigheaded** adj prétentieux(-euse) • **big toe** n gros orteil

Si l'on sait que **The Big Apple** désigne la ville de New York ('apple' est en réalité un terme d'argot signifiant 'grande ville'), on connaît moins les surnoms donnés aux autres grandes villes américaines. Chicago est surnommée 'Windy City', peut-être à cause des rafales soufflant du lac Michigan, La Nouvelle-Orléans doit son sobriquet de 'Big Easy' à son style de vie décontracté, et l'industrie automobile a donné à Detroit son surnom de 'Motown'.

bike [baɪk] n vélo m • **bike lane** n piste f cyclable

bikini [bɪ'ki:nɪ] n bikini m

bilateral [baɪ'lætərl] adj bilatéral(e)

bilingual [baɪ'lɪŋgwəl] adj bilingue

bill [bɪl] n note f, facture f; (in restaurant) addition f, note f; (in Pol) projet m de loi; (us: banknote) billet m (de banque); (notice) affiche f; (of bird) bec m; **put it on my ~** mettez-le sur mon compte; "**post no ~s**" "défense d'afficher"; **to fit** or **fill the ~** (fig) faire l'affaire • **billboard** n (us) panneau m d'affichage • **billfold** n ['bɪlfəʊld] (us) portefeuille m

billiards ['bɪljədz] n billard m

billion ['bɪljən] n (BRIT) billion m (million de millions); (us) milliard m

bin [bɪn] n boîte f; (BRIT: also: **dust~, litter ~**) poubelle f; (for coal) coffre m

bind [baɪnd] (pt, pp **bound**) vt attacher; (book) relier; (oblige) obliger, contraindre ▸ n (inf: nuisance) scie f

binge [bɪndʒ] n (inf): **to go on a ~** faire la bringue

bingo ['bɪŋgəʊ] n sorte de jeu de loto pratiqué dans des établissements publics

binoculars [bɪ'nɒkjʊləz] npl jumelles fpl

bio...: • **biochemistry** [baɪə'kemɪstrɪ] n biochimie f • **biodegradable** ['baɪəʊdɪ'greɪdəbl] adj biodégradable • **biofuel** ['baɪəʊfjuəl] n biocarburant • **biography** [baɪ'ɒgrəfɪ] n biographie f • **biological** adj biologique • **biology** [baɪ'ɒlədʒɪ] n

biologie f • **biometric**
[baɪə'metrɪk] adj biométrique
• **biosecurity** ['baɪəʊsɪ'kjʊərɪtɪ]
n biosécurité f

bipolar [baɪ'pəʊlə] adj bipolaire

birch [bəːtʃ] n bouleau m

bird [bəːd] n oiseau m; (BRIT inf:
girl) nana f • **bird flu** n grippe f
aviaire • **bird of prey** n oiseau m
de proie • **birdwatching** n
ornithologie f (d'amateur)

Biro® ['baɪərəʊ] n stylo m à bille

birth [bəːθ] n naissance f; **to give
~** donner naissance à, mettre
au monde; (animal) mettre bas
• **birth certificate** n acte m de
naissance • **birth control** n
(policy) limitation f des naissances;
(methods) méthode(s)
contraceptive(s) • **birthday** n
anniversaire m ▶ cpd (cake, card
etc) d'anniversaire • **birthmark** n
envie f, tache f de vin • **birthplace**
n lieu m de naissance

biscuit ['bɪskɪt] n (BRIT) biscuit m;
(US) petit pain au lait

bishop ['bɪʃəp] n évêque m; (Chess)
fou m

bistro ['biːstrəʊ] n petit
restaurant m, bistrot m

bit [bɪt] pt of **bite** ▶ n morceau m;
(Comput) bit m, élément m binaire;
(of tool) mèche f; (of horse) mors m;
a ~ of un peu de; **a ~ mad/
dangerous** un peu fou/risqué;
~ by ~ petit à petit

bitch [bɪtʃ] n (dog) chienne f; (!)
salope f (!), garce f

bitcoin ['bɪtkɔɪn] n (Comput)
bitcoin m

bite [baɪt] vt, vi (pt **bit**, pp **bitten**)
mordre; (insect) piquer ▶ n
morsure f; (insect bite) piqûre f;
(mouthful) bouchée f; **let's have**

a ~ (to eat) mangeons un
morceau; **to ~ one's nails** se
ronger les ongles

bitten ['bɪtn] pp of **bite**

bitter ['bɪtə] adj amer(-ère);
(criticism) cinglant(e); (icy: weather,
wind) glacial(e) ▶ n (BRIT: beer)
bière f (à forte teneur en houblon)

bizarre [bɪ'zɑː] adj bizarre

black [blæk] adj noir(e) ▶ n
(colour) noir m; (person): **B~** Noir(e)
▶ vt (BRIT Industry) boycotter; **to
give sb a ~ eye** pocher l'œil à qn,
faire un œil au beurre noir à qn;
to be in the ~ (in credit) avoir un
compte créditeur; **~ and blue**
(bruised) couvert(e) de bleus
• **black out** vi (faint) s'évanouir
• **blackberry** n mûre f • **blackbird**
n merle m • **blackboard** n tableau
noir • **black coffee** n café noir
• **blackcurrant** n cassis m • **black
ice** n verglas m • **blackmail** n
chantage m ▶ vt faire chanter,
soumettre au chantage • **black
market** n marché noir • **blackout**
n panne f d'électricité; (in wartime)
black-out m; (TV) interruption
d'émission; (fainting) syncope f
• **black pepper** n poivre noir
• **black pudding** n boudin (noir)
• **Black Sea** n: **the Black Sea** la
mer Noire

bladder ['blædə] n vessie f

blade [bleɪd] n lame f; (of propeller)
pale f; **a ~ of grass** un brin d'herbe

blame [bleɪm] n faute f, blâme m
▶ vt: **to ~ sb/sth for sth** attribuer
à qn/qch la responsabilité de qch;
reprocher qch à qn/qch; **I'm not
to ~** ce n'est pas ma faute

bland [blænd] adj (taste, food)
doux (douce), fade

blank [blæŋk] adj blanc
(blanche); (look) sans expression,

dénué(e) d'expression ▶ n espace m vide, blanc m; (cartridge) cartouche f à blanc; **his mind was a ~** il avait la tête vide

blanket ['blæŋkɪt] n couverture f; (of snow, cloud) couche f

blast [blɑːst] n explosion f; (shock wave) souffle m; (of air, steam) bouffée f ▶ vt faire sauter ou exploser

blatant ['bleɪtənt] adj flagrant(e), criant(e)

blaze [bleɪz] n (fire) incendie m; (fig) flamboiement m ▶ vi (fire) flamber; (fig) flamboyer, resplendir ▶ vt: **to ~ a trail** (fig) montrer la voie; **in a ~ of publicity** à grand renfort de publicité

blazer ['bleɪzə'] n blazer m

bleach [bliːtʃ] n (also: **household ~**) eau f de Javel ▶ vt (linen) blanchir • **bleachers** npl (us Sport) gradins mpl (en plein soleil)

bleak [bliːk] adj morne, désolé(e); (weather) triste, maussade; (smile) lugubre; (prospect, future) morose

bled [bled] pt, pp of **bleed**

bleed [bliːd] (pt, pp **bled**) vt saigner; (brakes, radiator) purger ▶ vi saigner; **my nose is ~ing** je saigne du nez

blemish ['blemɪʃ] n défaut m; (on reputation) tache f

blend [blend] n mélange m ▶ vt mélanger ▶ vi (colours etc: also: **~ in**) se mélanger, se fondre, s'allier • **blender** n (Culin) mixeur m

bless [bles] (pt, pp **blessed** or **blest**) vt bénir; **~ you!** (after sneeze) à tes souhaits! • **blessing** n bénédiction f; (godsend) bienfait m

blew [bluː] pt of **blow**

blight [blaɪt] vt (hopes etc) anéantir, briser

blind [blaɪnd] adj aveugle ▶ n (for window) store m ▶ vt aveugler; **the blind** npl les aveugles mpl • **blind alley** n impasse f • **blindfold** n bandeau m ▶ adj, adv les yeux bandés ▶ vt bander les yeux à

blink [blɪŋk] vi cligner des yeux; (light) clignoter

bliss [blɪs] n félicité f, bonheur m sans mélange

blister ['blɪstə'] n (on skin) ampoule f, cloque f; (on paintwork) boursouflure f ▶ vi (paint) boursoufler, se cloquer

blizzard ['blɪzəd] n blizzard m, tempête f de neige

bloated ['bləʊtɪd] adj (face) bouffi(e); (stomach, person) gonflé(e)

blob [blɔb] n (drop) goutte f; (stain, spot) tache f

block [blɔk] n bloc m; (in pipes) obstruction f; (toy) cube m; (of buildings) pâté m (de maisons) ▶ vt bloquer; (fig) faire obstacle à; **the sink is ~ed** l'évier est bouché; **~ of flats** (BRIT) immeuble (locatif); **mental ~** blocage m • **block up** vt boucher • **blockade** [blɔ'keɪd] n blocus m ▶ vt faire le blocus de • **blockage** n obstruction f • **blockbuster** n (film, book) grand succès • **block capitals** npl majuscules fpl d'imprimerie • **block letters** npl majuscules fpl

blog [blɔg] n blog m ▶ vi bloguer

blogger ['blɔgə'] n blogueur(-euse)

blogosphere ['blɔgəsfɪə'] n blogosphère f

blogpost ['blɔgpəʊst] n post m de blog

bloke [bləʊk] n (BRIT inf) type m

blond(e) [blɒnd] adj, n blond(e)

blood [blʌd] n sang m • **blood donor** n donneur(-euse) de sang • **blood group** n groupe sanguin • **blood poisoning** n empoisonnement m du sang • **blood pressure** n tension (artérielle); **bloodshed** n effusion f de sang, carnage m • **bloodshot** adj: **bloodshot eyes** yeux injectés de sang • **bloodstream** n sang m, système sanguin • **blood test** n analyse f de sang • **blood transfusion** n transfusion f de sang • **blood type** n groupe sanguin • **blood vessel** n vaisseau sanguin • **bloody** adj sanglant(e); (BRIT inf!): **this bloody ...** ce foutu ..., ce putain de ... (!) ▶ adv: **bloody strong/good** (BRIT inf!) vachement or sacrément fort/bon

bloom [bluːm] n fleur f ▶ vi être en fleur

blossom ['blɒsəm] n fleur(s) f(pl) ▶ vi être en fleurs; (fig) s'épanouir

blot [blɒt] n tache f ▶ vt tacher; (ink) sécher

blouse [blaʊz] n (feminine garment) chemisier m, corsage m

blow [bləʊ] (pt **blew**, pp **blown**) n coup m ▶ vi souffler ▶ vt (instrument) jouer; (fuse) faire sauter; **to ~ one's nose** se moucher ▶ **blow away** vi s'envoler ▶ vt chasser, faire s'envoler ▶ **blow out** vi (fire, flame) s'éteindre; (tyre) éclater; (fuse) sauter ▶ **blow up** vi exploser, sauter ▶ vt (tyre) faire sauter; (tyre) gonfler; (Phot) agrandir • **blow-dry** n (hairstyle) brushing m

blue [bluː] adj bleu(e); (depressed) triste; **~ film/joke** film m/histoire f pornographique; **out of the ~** (fig) à l'improviste, sans qu'on s'y attende • **bluebell** n jacinthe f des bois • **blueberry** n myrtille f, airelle f • **blue cheese** n (fromage) bleu m • **blues** npl: **the blues** (Mus) le blues; **to have the blues** (inf: feeling) avoir le cafard

bluff [blʌf] vi bluffer ▶ n bluff m; **to call sb's ~** mettre qn au défi d'exécuter ses menaces

blunder ['blʌndə'] n gaffe f, bévue f ▶ vi faire une gaffe or une bévue

blunt [blʌnt] adj (knife) émoussé(e), peu tranchant(e); (pencil) mal taillé(e); (person) brusque, ne mâchant pas ses mots

blur [bləː'] n (shape): **to become a ~** devenir flou ▶ vt brouiller, rendre flou(e) • **blurred** adj flou(e)

blush [blʌʃ] vi rougir ▶ n rougeur f • **blusher** n rouge m à joues

board [bɔːd] n (wooden) planche f; (on wall) panneau m; (for chess etc) plateau m; (cardboard) carton m; (committee) conseil m, comité m; (in firm) conseil m d'administration; (Naut, Aviat): **on ~** à bord ▶ vt (ship) monter à bord de; (train) monter dans; **full ~** (BRIT) pension complète; **half ~** (BRIT) demi-pension f; **~ and lodging** n chambre f avec pension; **to go by the ~** (hopes, principles) être abandonné(e) • **board game** n jeu m de société • **boarding card** n (Aviat, Naut) carte f d'embarquement • **boarding pass** n (BRIT) = **boarding card** • **boarding school** n internat m, pensionnat m • **board room** n salle f du conseil d'administration

boast [bəust] vi: **to ~ (about** or **of)** se vanter (de)

boat [bəut] n bateau m; (small) canot m; barque f

bob [bɒb] vi (boat, cork on water: also: **~ up and down**) danser, se balancer

bobby pin ['bɒbɪ-] n (us) pince f à cheveux

body ['bɒdɪ] n corps m; (of car) carrosserie f; (fig: society) organe m, organisme m • **body-building** n body-building m, culturisme m • **bodyguard** n garde m du corps • **bodywork** n carrosserie f

bog [bɒg] n tourbière f ▶ vt: **to get ~ged down (in)** (fig) s'enliser (dans)

bogus ['bəugəs] adj bidon inv; fantôme

boil [bɔɪl] vt (faire) bouillir ▶ vi bouillir ▶ n (Med) furoncle m; **to come to the** or (us) **a ~** bouillir • **boil down** vi (fig): **to ~ down to** se réduire or ramener à • **boil over** vi déborder • **boiled egg** n œuf m à la coque • **boiler** n chaudière f • **boiling** ['bɔɪlɪŋ] adj: **I'm boiling (hot)** (inf) je crève de chaud • **boiling point** n point m d'ébullition

bold [bəuld] adj hardi(e), audacieux(-euse); (pej) effronté(e); (outline, colour) franc (franche), tranché(e), marqué(e)

bollard ['bɒləd] n (BRIT Aut) borne lumineuse or de signalisation

bolt [bəult] n verrou m; (with nut) boulon m ▶ adv: **~ upright** droit(e) comme un piquet ▶ vt (door) verrouiller; (food) engloutir ▶ vi se sauver, filer (comme une flèche); (horse) s'emballer

bomb [bɒm] n bombe f ▶ vt bombarder • **bombard** [bɒm'bɑːd] vt (Aviat) bombardier m; (terrorist) poseur m de bombes • **bomb scare** n alerte f à la bombe

bond [bɒnd] n lien m; (binding promise) engagement m, obligation f; (Finance) obligation; **bonds** npl (chains) chaînes fpl; **in ~** (of goods) en entrepôt

bone [bəun] n os m; (of fish) arête f ▶ vt désosser, ôter les arêtes de

bonfire ['bɒnfaɪə'] n feu m (de joie); (for rubbish) feu

bonnet ['bɒnɪt] n bonnet m; (BRIT: of car) capot m

bonus ['bəunəs] n (money) prime f; (advantage) avantage m

boo [buː] excl hou!, peuh! ▶ vt huer

book [buk] n livre m; (of stamps, tickets etc) carnet m ▶ vt (ticket) prendre; (seat, room) réserver; (football player) prendre le nom de, donner un carton à; **books** npl (Comm) comptes mpl, comptabilité f; **I ~ed a table in the name of …** j'ai réservé une table au nom de … • **book in** vi (BRIT: at hotel) prendre sa chambre • **book up** vt réserver; **the hotel is ~ed up** l'hôtel est complet • **bookcase** n bibliothèque f (meuble) • **booking** n (BRIT) réservation f; **I confirmed my booking by fax/email** j'ai confirmé ma réservation par fax/e-mail • **booking office** n (BRIT) bureau m de location • **book-keeping** n comptabilité f • **booklet** n brochure f • **bookmaker** n bookmaker m • **bookmark** n (for book) marque-page m; (Comput) signet m • **bookseller** n libraire m/f

b

• **bookshelf** n (single) étagère f (à livres); (bookcase) bibliothèque f
• **bookshop** • **bookstore** n librairie f

boom [buːm] n (noise) grondement m; (in prices, population) forte augmentation; (busy period) boom m, vague f de prospérité ▶ vi gronder; prospérer

boost [buːst] n stimulant m, remontant m ▶ vt stimuler

boot [buːt] n botte f; (for hiking) chaussure f (de marche); (ankle boot) bottine f; (BRIT: of car) coffre m ▶ vt (Comput) lancer, mettre en route; **to** ~ (in addition) par-dessus le marché, en plus

booth [buːð] n (at fair) baraque (foraine); (of telephone etc) cabine f; (also: **voting** ~) isoloir m

booze [buːz] (inf) n boissons fpl alcoolisées, alcool m

border ['bɔːdə'] n bordure f; bord m; (of a country) frontière f
• **borderline** n (fig) ligne f de démarcation

bore [bɔː'] pt of **bear** ▶ vt (person) ennuyer, raser; (hole) percer; (well, tunnel) creuser ▶ n (person) raseur(-euse); (boring thing) barbe f; (of gun) calibre m • **bored** adj: **to be bored** s'ennuyer • **boredom** n ennui m

boring ['bɔːrɪŋ] adj ennuyeux(-euse)

born [bɔːn] adj: **to be** ~ naître; **I was** ~ **in 1960** je suis né en 1960

borne [bɔːn] pp of **bear**

borough ['bʌrə] n municipalité f

borrow ['bɔrəu] vt: **to** ~ **sth (from sb)** emprunter qch (à qn)

Bosnian ['bɒznɪən] adj bosniaque, bosnien(ne) ▶ n Bosniaque m/f, Bosnien(ne)

bosom ['buzəm] n poitrine f; (fig) sein m

boss [bɒs] n patron(ne) ▶ vt (also: ~ **about**, ~ **around**) mener à la baguette • **bossy** adj autoritaire

both [bəuθ] adj les deux, l'un(e) et l'autre ▶ pron: ~ **(of them)** les deux, tous (toutes) (les) deux, l'un(e) et l'autre; ~ **of us went, we** ~ **went** nous y sommes allés tous les deux ▶ adv: ~ **A and B** A et B

bother ['bɒðə'] vt (worry) tracasser; (needle, bait) importuner, ennuyer; (disturb) déranger ▶ vi (also: ~ **o.s.**) se tracasser, se faire du souci ▶ n (trouble) ennuis mpl; **to** ~ **doing** prendre la peine de faire; **don't** ~ ce n'est pas la peine; **it's no** ~ aucun problème

bottle ['bɒtl] n bouteille f; (baby's) biberon m; (of perfume, medicine) flacon m ▶ vt mettre en bouteille(s) • **bottle bank** n conteneur m (de bouteilles)
• **bottle-opener** n ouvre-bouteille m

bottom ['bɒtəm] n (of container, sea etc) fond m; (buttocks) derrière m; (of page, list) bas m; (of mountain, tree, hill) pied m ▶ adj (shelf, step) du bas

bought [bɔːt] pt, pp of **buy**

boulder ['bəuldə'] n gros rocher (gén lisse, arrondi)

bounce [bauns] vi (ball) rebondir; (cheque) être refusé (étant sans provision) ▶ vt faire rebondir ▶ n (rebound) rebond m • **bouncer** n (inf: at dance, club) videur m

bound [baund] pt, pp of **bind** ▶ n (gen pl) limite f; (leap) bond m ▶ vi (leap) bondir ▶ vt (limit) borner

▶ adj: **to be ~ to do sth** (obliged) être obligé(e) or avoir obligation de faire qch; **he's ~ to fail** (likely) il est sûr d'échouer, son échec est inévitable or assuré; **~ by** (law, regulation) engagé(e) par; **~ for** à destination de; **out of ~s** dont l'accès est interdit

boundary ['baundrı] n frontière f

bouquet ['bukeı] n bouquet m

bourbon ['buəbən] n (us: also: **~ whiskey**) bourbon m

bout [baut] n période f; (of malaria etc) accès m, crise f, attaque f; (Boxing etc) combat m, match m

boutique [buːˈtiːk] n boutique f

bow[1] [bau] n nœud m; (weapon) arc m; (Mus) archet m

bow[2] [bau] n (with body) révérence f, inclination f (du buste or corps); (Naut: also: **~s**) proue f ▶ vi faire une révérence, s'incliner

bowels [bauəlz] npl intestins mpl; (fig) entrailles fpl

bowl [bəul] n (for eating) bol m; (for washing) cuvette f; (ball) boule f ▶ vi (Cricket) lancer (la balle)
• **bowler** n (Cricket) lanceur m (de la balle); (BRIT: also: **bowler hat**) (chapeau m) melon m • **bowling** n (game) jeu m de boules, jeu de quilles • **bowling alley** n bowling m • **bowling green** n terrain m de boules (gazonné et carré) • **bowls** n (jeu m de) boules fpl

bow tie [bəu-] n nœud m papillon

box [bɔks] n boîte f; (also: **cardboard ~**) carton m; (Theat) loge f ▶ vt mettre en boîte ▶ vi boxer, faire de la boxe • **boxer** ['bɔksə'] n (person) boxeur m
• **boxer shorts** npl caleçon m
• **boxing** ['bɔksıŋ] n (sport) boxe f
• **Boxing Day** n (BRIT) le lendemain

de Noël; voir article **"Boxing Day"**
• **boxing gloves** npl gants mpl de boxe • **boxing ring** n ring m • **box office** n bureau m de location

boy [bɔı] n garçon m • **boy band** n boys band m

boycott ['bɔıkɔt] n boycottage m ▶ vt boycotter

boyfriend ['bɔıfrɛnd] n (petit) ami

bra [brɑː] n soutien-gorge m

brace [breıs] n (support) attache f, agrafe f; (BRIT: also: **~s**: on teeth) appareil m (dentaire); (tool) vilebrequin m ▶ vt (support) consolider, soutenir; **braces** npl (BRIT: for trousers) bretelles fpl; **to ~ o.s.** (fig) se préparer mentalement

bracelet ['breıslıt] n bracelet m

bracket ['brækıt] n (Tech) tasseau m, support m; (group) classe f, tranche f; (also: **brace ~**) accolade f; (also: **round ~**) parenthèse f; (also: **square ~**) crochet m ▶ vt mettre entre parenthèses; **in ~s** entre parenthèses or crochets

brag [bræg] vi se vanter

braid [breıd] n (trimming) galon m; (of hair) tresse f, natte f

brain [breın] n cerveau m; **brains** npl (intellect, food) cervelle f

braise [breız] vt braiser

brake [breık] n frein m ▶ vt, vi freiner • **brake light** n feu m de stop

bran [bræn] *n* son *m*

branch [brɑːntʃ] *n* branche *f*; (Comm) succursale *f*; (: of bank) agence *f* • **branch off** *vi* (road) bifurquer • **branch out** *vi* diversifier ses activités

brand [brænd] *n* marque (commerciale) ▶ *vt* (cattle) marquer (au fer rouge) • **brand name** *n* nom *m* de marque • **brand-new** *adj* tout(e) neuf (neuve), flambant neuf (neuve)

brandy ['brændı] *n* cognac *m*

brash [bræʃ] *adj* effronté(e)

brass [brɑːs] *n* cuivre *m* (jaune), laiton *m*; **the ~** (Mus) les cuivres • **brass band** *n* fanfare *f*

brat [bræt] *n* (pej) mioche *m/f*, môme *m/f*

brave [breɪv] *adj* courageux(-euse), brave ▶ *vt* braver, affronter • **bravery** *n* bravoure *f*, courage *m*

brawl [brɔːl] *n* rixe *f*, bagarre *f*

Brazil [brə'zɪl] *n* Brésil *m* • **Brazilian** *adj* brésilien(ne) ▶ *n* Brésilien(ne)

breach [briːtʃ] *vt* ouvrir une brèche dans ▶ *n* (gap) brèche *f*; (breaking): **~ of contract** rupture *f* de contrat; **~ of the peace** attentat *m* à l'ordre public

bread [brɛd] *n* pain *m* • **breadbin** *n* (BRIT) boîte *f* or huche *f* à pain • **breadbox** *n* (US) boîte *f* or huche *f* à pain • **breadcrumbs** *npl* miettes *fpl* de pain; (Culin) chapelure *f*, panure *f*

breadth [brɛtθ] *n* largeur *f*

break [breɪk] (*pt* **broke**, *pp* **broken**) *vt* casser, briser; (promise) rompre; (law) violer ▶ *vi* se casser, se briser; (weather) tourner;

(storm) éclater; (day) se lever ▶ *n* (gap) brèche *f*; (fracture) cassure *f*; (rest) interruption *f*, arrêt *m*; (: short) pause *f*; (: at school) récréation *f*; (chance) chance *f*, occasion *f* favorable; **to ~ one's leg** etc se casser la jambe etc; **to ~ a record** battre un record; **to ~ the news to sb** annoncer la nouvelle à qn • **break down** *vt* (door etc) enfoncer; (figures, data) décomposer, analyser ▶ *vi* s'effondrer; (Med) faire une dépression (nerveuse); (Aut) tomber en panne; **my car has broken down** ma voiture est en panne • **break in** *vt* (horse etc) dresser ▶ *vi* (burglar) entrer par effraction; (interrupt) interrompre • **break into** *vt fus* (house) s'introduire or pénétrer par effraction dans • **break off** *vi* (speaker) s'interrompre; (branch) se rompre ▶ *vt* (talks, engagement) rompre • **break out** *vi* éclater, se déclarer; (prisoner) s'évader; **to ~ out in spots** se couvrir de boutons • **break up** *vi* (partnership) cesser, prendre fin; (marriage) se briser; (crowd, meeting) se séparer; (ship) se disloquer; (Scol: pupils) être en vacances; (line) couper ▶ *vt* fracasser, casser; (fight etc) interrompre, faire cesser; (marriage) désunir; **the line's** or **you're ~ing up** ça coupe • **breakdown** *n* (Aut) panne *f*; (in communications, marriage) rupture *f*; (Med: also: **nervous breakdown**) dépression (nerveuse); (of figures) ventilation *f*, répartition *f* • **breakdown van** *n* (us) **breakdown truck** *n* dépanneuse *f*

breakfast ['brɛkfəst] n petit déjeuner m; **what time is ~?** le petit déjeuner est à quelle heure?

break: • **break-in** n cambriolage m • **breakthrough** n percée f

breast [brɛst] n (of woman) sein m; (chest) poitrine f; (of chicken, turkey) blanc m • **breast-feed** vt, vi (irreg: like **feed**) allaiter • **breast-stroke** n brasse f

breath [brɛθ] n haleine f, souffle m; **to take a deep ~** respirer à fond; **out of ~** à bout de souffle, essoufflé(e)

Breathalyser® ['brɛθəlaɪzə^r] (BRIT) n alcootest m

breathe [bri:ð] vt, vi respirer • **breathe in** vi inspirer ▶ vt aspirer • **breathe out** vt, vi expirer • **breathing** n respiration f

breath: • **breathless** adj essoufflé(e), haletant(e) • **breathtaking** adj stupéfiant(e), à vous couper le souffle • **breath test** n alcootest m

bred [brɛd] pt, pp of **breed**

breed [bri:d] (pt, pp **bred**) vt élever, faire l'élevage de ▶ vi se reproduire ▶ n race f, variété f

breeze [bri:z] n brise f

breezy ['bri:zi] adj (day, weather) venteux(-euse); (manner) désinvolte; (person) jovial(e)

brew [bru:] vt (tea) faire infuser; (beer) brasser ▶ vi (fig) se préparer, couver • **brewery** n brasserie f (fabrique)

bribe [braɪb] n pot-de-vin m ▶ vt acheter; soudoyer • **bribery** n corruption f

bric-a-brac ['brɪkəbræk] n bric-à-brac m

brick [brɪk] n brique f • **bricklayer** n maçon m

bride [braɪd] n mariée f, épouse f • **bridegroom** n marié m, époux m • **bridesmaid** n demoiselle f d'honneur

bridge [brɪdʒ] n pont m; (Naut) passerelle f (de commandement); (of nose) arête f; (Cards, Dentistry) bridge m ▶ vt (gap) combler

bridle ['braɪdl] n bride f

brief [bri:f] adj bref (brève) ▶ n (Law) dossier m, cause f; (gen) tâche f ▶ vt mettre au courant; **briefs** npl slip m • **briefcase** n serviette f; porte-documents m inv • **briefing** n instructions fpl; (Press) briefing m • **briefly** adv brièvement

brigadier [brɪgə'dɪə^r] n brigadier général

bright [braɪt] adj brillant(e); (room, weather) clair(e); (person: clever) intelligent(e), doué(e); (: cheerful) gai(e); (idea) génial(e); (colour) vif (vive)

brilliant ['brɪljənt] adj brillant(e); (light, sunshine) éclatant(e); (inf: great) super

brim [brɪm] n bord m

brine [braɪn] n (Culin) saumure f

bring [brɪŋ] (pt, pp **brought**) vt (thing) apporter; (person) amener • **bring about** vt provoquer, entraîner • **bring back** vt rapporter; (person) ramener • **bring down** vt (lower) abaisser; (shoot down) abattre; (government) faire s'effondrer • **bring in** vt (person) faire entrer; (object) rentrer; (Pol: legislation) introduire; (produce: income) rapporter • **bring on** vt (illness, attack) provoquer; (player, substitute) amener • **bring out** vt sortir; (meaning) faire ressortir, mettre en relief • **bring up** vt élever; (carry up) monter; (question) soulever; (food: vomit) vomir, rendre

brink [brɪŋk] n bord m

brisk [brɪsk] adj vif (vive); (abrupt) brusque; (trade etc) actif(-ive)

bristle ['brɪsl] n poil m ▶ vi se hérisser

Brit [brɪt] n abbr (inf: = British person) Britannique m/f

Britain ['brɪtən] n (also: **Great ~**) la Grande-Bretagne

British ['brɪtɪʃ] adj britannique ▶ npl; **the ~** les Britanniques mpl • **British Isles** npl; **the British Isles** les îles fpl Britanniques

Briton ['brɪtən] n Britannique m/f

Brittany ['brɪtənɪ] n Bretagne f

brittle ['brɪtl] adj cassant(e), fragile

broad [brɔːd] adj large; (distinction) général(e); (accent) prononcé(e); **in ~ daylight** en plein jour

B road n (BRIT) ≈ route départementale

broad: • **broadband** n transmission f à haut débit • **broad bean** n fève f • **broadcast** (pt, pp **broadcast**) n émission f ▶ vt (Radio) radiodiffuser; (TV) téléviser ▶ vi émettre; ▶ vt élargir; **to broaden one's mind** élargir ses horizons ▶ vi s'élargir • **broadly** adv en gros, généralement • **broad-minded** adj large d'esprit

broccoli ['brɔkəlɪ] n brocoli m

brochure ['brəuʃjuə'] n prospectus m, dépliant m

broil [brɔɪl] vt (us) rôtir

broke [brəuk] pt of **break** ▶ adj (inf) fauché(e)

broken ['brəukn] pp of **break** ▶ adj (stick, leg etc) cassé(e); (machine: also: **~ down**) fichu(e); **in ~ French/English** dans un français/anglais approximatif or hésitant

broker ['brəukə'] n courtier m

bromance ['brəumæns] n (inf) amitié forte entre deux hommes hétérosexuels

bronchitis [brɔŋ'kaɪtɪs] n bronchite f

bronze [brɔnz] n bronze m

brooch [brəutʃ] n broche f

brood [bruːd] n couvée f ▶ vi (person) méditer (sombrement), ruminer

broom [brum] n balai m; (Bot) genêt m

Bros. abbr (Comm: = brothers) Frères

broth [brɔθ] n bouillon m de viande et de légumes

brothel ['brɔθl] n maison close, bordel m

brother ['brʌðə'] n frère m • **brother-in-law** n beau-frère m

brought [brɔːt] pt, pp of **bring**

brow [brau] n front m; (eyebrow) sourcil m; (of hill) sommet m

brown [braun] adj brun(e), marron inv; (hair) châtain inv; (tanned) bronzé(e) ▶ n (colour) brun m, marron m ▶ vt brunir; (Culin) faire dorer, faire roussir • **brown bread** n pain m bis

Brownie ['braunɪ] n jeannette f éclaireuse (cadette)

brown rice n riz m complet

brown sugar n cassonade f

browse [brauz] vi (in shop) regarder (sans acheter); **to ~ through a book** feuilleter un livre • **browser** n (Comput) navigateur m

bruise [bruːz] *n* bleu *m*, ecchymose *f*, contusion *f* ▸ *vt* contusionner, meurtrir

brunette [bruːˈnɛt] *n* (femme) brune

brush [brʌʃ] *n* brosse *f*; (*for painting*) pinceau *m*; (*for shaving*) blaireau *m*; (*quarrel*) accrochage *m*, prise *f* de bec ▸ *vt* brosser; (*also: ~ past, ~ against*) effleurer, frôler

Brussels [ˈbrʌslz] *n* Bruxelles

Brussels sprout *n* chou *m* de Bruxelles

brutal [ˈbruːtl] *adj* brutal(e)

B.Sc. *n abbr* = **Bachelor of Science**

BSE *n abbr* (= *bovine spongiform encephalopathy*) ESB *f*, BSE *f*

bubble [ˈbʌbl] *n* bulle *f* ▸ *vi* bouillonner, faire des bulles; (*sparkle, fig*) pétiller • **bubble bath** *n* bain moussant • **bubble gum** *n* chewing-gum *m* • **bubblejet printer** [ˈbʌbldʒɛt-] *n* imprimante *f* à bulle d'encre

buck [bʌk] *n* mâle *m* (*d'un lapin, lièvre, daim etc*); (*us inf*) dollar *m* ▸ *vi* ruer, lancer une ruade; **to pass the ~ (to sb)** se décharger de la responsabilité (sur qn)

bucket [ˈbʌkɪt] *n* seau *m*

buckle [ˈbʌkl] *n* boucle *f* ▸ *vt* (*belt etc*) boucler, attacher ▸ *vi* (*warp*) tordre, gauchir; (*: wheel*) se voiler

bud [bʌd] *n* bourgeon *m*; (*of flower*) bouton *m* ▸ *vi* bourgeonner; (*flower*) éclore

Buddhism [ˈbudɪzəm] *n* bouddhisme *m*

Buddhist [ˈbudɪst] *adj* bouddhiste ▸ *n* Bouddhiste *m/f*

buddy [ˈbʌdɪ] *n* (*us*) copain *m*

budge [bʌdʒ] *vt* faire bouger ▸ *vi* bouger

budgerigar [ˈbʌdʒərɪgɑːʳ] *n* perruche *f*

budget [ˈbʌdʒɪt] *n* budget *m* ▸ *vi*: **to ~ for sth** inscrire qch au budget

budgie [ˈbʌdʒɪ] *n* = **budgerigar**

buff [bʌf] *adj* (couleur *f*) chamois *m* ▸ *n* (*inf*: *enthusiast*) mordu(e)

buffalo [ˈbʌfələu] (*pl* **buffalo** *or* **buffaloes**) *n* (*BRIT*) buffle *m*; (*us*) bison *m*

buffer [ˈbʌfəʳ] *n* tampon *m*; (*Comput*) mémoire *f* tampon

buffet *n* [ˈbufeɪ] (*food, BRIT*: *bar*) buffet *m* ▸ *vt* [ˈbʌfɪt] secouer, ébranler • **buffet car** *n* (*BRIT Rail*) voiture-bar *f*

bug [bʌg] *n* (*bedbug etc*) punaise *f*; (*esp us*: *any insect*) insecte *m*, bestiole *f*; (*fig*: *germ*) virus *m*, microbe *m*; (*spy device*) dispositif *m* d'écoute (électronique), micro clandestin; (*Comput*: *of program*) erreur *f* ▸ *vt* (*room*) poser des micros dans; (*inf*: *annoy*) embêter

buggy [ˈbʌgɪ] *n* poussette *f*

build [bɪld] *n* (*of person*) carrure *f*, charpente *f* ▸ *vt* (*pt, pp* **built**) construire, bâtir • **build up** *vt* accumuler, amasser; (*business*) développer; (*reputation*) bâtir • **builder** *n* entrepreneur *m* • **building** *n* (*trade*) construction *f*; (*structure*) bâtiment *m*, construction; (*: residential, offices*) immeuble *m* • **building site** *n* chantier *m* (de construction) • **building society** *n* (*BRIT*) société *f* de crédit immobilier

built [bɪlt] *pt, pp of* **build** • **built-in** *adj* (*cupboard*) encastré(e); (*device*) incorporé(e); intégré(e) • **built-up** *adj*: **built-up area** zone urbanisée

bulb

462

bulb [bʌlb] n (Bot) bulbe m, oignon m; (Elec) ampoule f

Bulgaria [bʌlˈgɛərɪə] n Bulgarie f • **Bulgarian** adj bulgare ▸ n Bulgare m/f

bulge [bʌldʒ] n renflement m, gonflement m ▸ vi faire saillie; présenter un renflement; (pocket, file): **to be bulging with** être plein(e) à craquer de

bulimia [bəˈlɪmɪə] n boulimie f

bulimic [bjuːˈlɪmɪk] adj, n boulimique m/f

bulk [bʌlk] n masse f, volume m; **in ~** (Comm) en gros, en vrac; **the ~ of** la plus grande ou grosse partie de • **bulky** adj volumineux(-euse), encombrant(e)

bull [bul] n taureau m; (male elephant, whale) mâle m

bulldozer [ˈbuldəuzəʳ] n bulldozer m

bullet [ˈbulɪt] n balle f (de fusil etc)

bulletin [ˈbulɪtɪn] n bulletin m, communiqué m; (also: **news ~**) (bulletin d')informations fpl • **bulletin board** n (Comput) messagerie f (électronique)

bullfight [ˈbulfaɪt] n corrida f, course f de taureaux • **bullfighter** n torero m • **bullfighting** n tauromachie f

bully [ˈbulɪ] n brute f, tyran m ▸ vt tyranniser, rudoyer

bum [bʌm] n (inf: BRIT: backside) derrière m; (esp US: tramp) vagabond(e), traîne-savates m/f inv; (idler) glandeur m

bumblebee [ˈbʌmblbiː] n bourdon m

bump [bʌmp] n (blow) coup m, choc m; (jolt) cahot m; (on road etc, on head) bosse f ▸ vt heurter,

cogner; (car) emboutir • **bump into** vt fus rentrer dans, tamponner; (inf: meet) tomber sur • **bumper** n pare-chocs m inv ▸ adj: **bumper crop/harvest** récolte/moisson exceptionnelle • **bumpy** adj (road) cahoteux(-euse): **it was a bumpy flight/ride** on a été secoués dans l'avion/la voiture

bun [bʌn] n (cake) petit gâteau; (bread) petit pain au lait; (of hair) chignon m

bunch [bʌntʃ] n (of flowers) bouquet m; (of keys) trousseau m; (of bananas) régime m; (of people) groupe m; **bunches** npl (in hair) couettes fpl; **~ of grapes** grappe f de raisin

bundle [ˈbʌndl] n paquet m ▸ vt (also: **~ up**) faire un paquet de; (put): **to ~ sth/sb into** fourrer or enfourner qch/qn dans

bungalow [ˈbʌŋgələu] n bungalow m

bungee jumping [ˈbʌndʒiːˈdʒʌmpɪŋ] n saut m à l'élastique

bunion [ˈbʌnjən] n oignon m (au pied)

bunk [bʌŋk] n couchette f • **bunk beds** npl lits superposés

bunker [ˈbʌŋkəʳ] n (coal store) soute f à charbon; (Mil, Golf) bunker m

bunny [ˈbʌnɪ] n (also: **~ rabbit**) lapin m

buoy [bɔɪ] n bouée f • **buoyant** adj (ship) flottable; (carefree) gai(e), plein(e) d'entrain; (Comm: market, economy) actif(-ive)

burden [ˈbəːdn] n fardeau m, charge f ▸ vt charger; (oppress) accabler, surcharger

bureau (pl **bureaux**) ['bjuərəu, -z] n (BRIT: writing desk) bureau m, secrétaire m; (US: chest of drawers) commode f; (office) bureau, office m

bureaucracy [bjuə'rɔkrəsɪ] n bureaucratie f

bureaucrat ['bjuərəkræt] n bureaucrate m/f, rond-de-cuir m

bureau de change [-də'ʃɑ̃ʒ] (pl **bureaux de change**) n bureau m de change

bureaux ['bjuərəuz] npl of **bureau**

burger ['bə:gər] n hamburger m

burglar ['bə:glər] n cambrioleur m • **burglar alarm** n sonnerie f d'alarme • **burglary** n cambriolage m

Burgundy ['bə:gəndɪ] n Bourgogne f

burial ['berɪəl] n enterrement m

burkha ['bɜ:kə] n = **burqa**

burn [bə:n] vt, vi (pt **burned**, pp **burnt**) brûler ▶ vi brûler f • **burn down** vt incendier, détruire par le feu • **burn out** vt (writer etc): **to ~ o.s. out** s'user (à force de travailler) • **burning** adj (building, forest) en flammes; (issue, question) brûlant(e); (ambition) dévorant(e)

Burns' Night [bə:nz-] n fête écossaise à la mémoire du poète Robert Burns

> **Burns' Night** est une fête qui a lieu le 25 janvier, à la mémoire du poète écossais Robert Burns (1759–1796), à l'occasion de laquelle les Écossais partout dans le monde organisent un souper, en général arrosé de whisky. Le plat principal est toujours le haggis, servi avec de la purée de pommes de terre et de la purée de rutabagas. On apporte le haggis au son des cornemuses et au cours du repas on lit des poèmes de Burns interprétés par les convives.

burnt [bə:nt] pt, pp of **burn**

burp [bə:p] (inf) n rot m ▶ vi roter

burqa ['bɜ:kə] n burqa f, burka f

burrow ['bʌrəu] n terrier m ▶ vi (rabbit) creuser un terrier; (rummage) fouiller

burst [bə:st] (pt, pp **burst**) vt faire éclater; (river: banks etc) rompre ▶ vi éclater; (tyre) crever ▶ n explosion f; (also: ~ **pipe**) fuite f (due à une rupture); **a ~ of enthusiasm/energy** un accès d'enthousiasme/d'énergie; **to ~ into flames** s'enflammer soudainement; **to ~ out laughing** éclater de rire; **to ~ into tears** fondre en larmes; **to ~ open** vi s'ouvrir violemment ou soudainement; **to be ~ing with** (container) être plein(e) (à craquer) de, regorger de; (fig) être débordant(e) de; **burst into** vt fus (room etc) faire irruption dans

bury ['berɪ] vt enterrer

bus (pl **buses**) [bʌs, 'bʌsɪz] n (auto)bus m • **bus conductor** n receveur(-euse) m/f de bus

bush [buʃ] n buisson m; (scrub land) brousse f; **to beat about the ~** tourner autour du pot

business ['bɪznɪs] n (matter, firm) affaire f; (trading) affaires fpl; (job, duty) travail m; **to be away on ~** être en déplacement d'affaires; **it's none of my ~** cela ne me regarde pas, ce ne sont pas mes affaires; **he means ~** il ne plaisante pas, il est sérieux • **business class** n (on plane) classe f affaires

• **businesslike** adj sérieux(-euse), efficace • **businessman** (irreg) n homme m d'affaires • **business trip** n voyage m d'affaires • **businesswoman** (irreg) n femme f d'affaires

busker ['bʌskə^r] n (BRIT) artiste ambulant/e

bus: • **bus pass** n carte f de bus • **bus shelter** n abribus m • **bus station** n gare routière • **bus stop** n arrêt m d'autobus

bust [bʌst] n buste m; (measurement) tour m de poitrine ▶ adj (inf: broken) fichu(e), fini(e); **to go ~** (inf) faire faillite

bustling ['bʌslɪŋ] adj (town) très animé(e)

busy ['bɪzɪ] adj occupé(e); (shop, street) très fréquenté(e); (us: telephone, line) occupé ▶ vt: **to ~ o.s.** s'occuper • **busy signal** n (us) tonalité f occupé inv

but [bʌt]

▶ conj mais; **I'd love to come, but I'm busy** j'aimerais venir mais je suis occupé; **he's not English but French** il n'est pas anglais mais français; **but that's far too expensive!** mais c'est bien trop cher!

▶ prep (apart from, except) sauf, excepté; **nothing but** rien d'autre que; **we've had nothing but trouble** nous n'avons eu que des ennuis; **no-one but him can do it** lui seul peut le faire; **who but a lunatic would do such a thing?** qui sinon un fou ferait une chose pareille?; **but for you/your help** sans toi/ton aide; **anything but that** tout sauf or

excepté ça, tout mais pas ça

▶ adv (just, only) ne ... que; **she's but a child** elle n'est qu'une enfant; **had I but known** si seulement j'avais su; **I can but try** je peux toujours essayer; **all but finished** pratiquement terminé

butcher ['butʃə^r] n boucher m ▶ vt massacrer; (cattle etc for meat) tuer • **butcher's (shop)** n boucherie f

butler ['bʌtlə^r] n maître m d'hôtel

butt [bʌt] n (cask) gros tonneau; (of gun) crosse f; (of cigarette) mégot m; (BRIT fig: target) cible f ▶ vt donner un coup de tête à

butter ['bʌtə^r] n beurre m ▶ vt beurrer • **buttercup** n bouton m d'or

butterfly ['bʌtəflaɪ] n papillon m; (Swimming: also: ~ **stroke**) brasse f papillon

buttocks ['bʌtəks] npl fesses fpl

button ['bʌtn] n bouton m; (us: badge) pin m ▶ vt (also: ~ **up**) boutonner ▶ vi se boutonner

buy [baɪ] (pt, pp **bought**) vt acheter ▶ n achat m; **to ~ sb sth/ sth from sb** acheter qch à qn; **to ~ sb a drink** offrir un verre or à boire à qn; **can I ~ you a drink?** je vous offre un verre?; **where can I ~ some postcards?** où est-ce que je peux acheter des cartes postales? • **buy out** vt (partner) désintéresser • **buy up** vt acheter en bloc, rafler • **buyer** n acheteur(-euse) m/f

buzz [bʌz] n bourdonnement m; (inf: phone call): **to give sb a ~** passer un coup de fil à qn ▶ vi bourdonner • **buzzer** n timbre m électrique

by [baɪ]

▶ prep **1** (referring to cause, agent) par, de; **killed by lightning** tué par la foudre; **surrounded by a fence** entouré d'une barrière; **a painting by Picasso** un tableau de Picasso

2 (referring to method, manner, means): **by bus/car** en autobus/voiture; **by train** par le or en train; **to pay by cheque** payer par chèque; **by moonlight/candlelight** à la lueur de la lune/d'une bougie; **by saving hard, he ...** à force d'économiser, il ...

3 (via, through) par; **we came by Dover** nous sommes venus par Douvres

4 (close to, past) à côté de; **the house by the school** la maison à côté de l'école; **a holiday by the sea** des vacances au bord de la mer; **she went by me** elle est passée à côté de moi; **I go by the post office every day** je passe devant la poste tous les jours

5 (with time: not later than) avant; (: during): **by daylight** à la lumière du jour; **by night** la nuit, de nuit; **by 4 o'clock** avant 4 heures; **by this time tomorrow** d'ici demain à la même heure; **by the time I got here it was too late** lorsque je suis arrivé il était déjà trop tard

6 (amount) à; **by the kilo/metre** au kilo/au mètre; **paid by the hour** payé à l'heure

7 (Math: measure): **to divide/multiply by 3** diviser/multiplier par 3; **a room 3 metres by 4** une pièce de 3 mètres sur 4; **it's**

broader by a metre c'est plus large d'un mètre

8 (according to) d'après, selon; **it's 3 o'clock by my watch** il est 3 heures à ma montre; **it's all right by me** je n'ai rien contre

9: **(all) by oneself** etc tout(e) seul(e)

▶ adv **1** see **go; pass** etc

2: **by and by** un peu plus tard, bientôt; **by and large** dans l'ensemble

bye(-bye) ['baɪ-] excl au revoir!, salut!

by-election ['baɪɪlekʃən] n (BRIT) élection (législative) partielle

bypass ['baɪpɑːs] n rocade f; (Med) pontage m ▶ vt éviter

byte [baɪt] n (Comput) octet m

C

C [siː] n (Mus) do m

cab [kæb] n taxi m; (of train, truck) cabine f

cabaret ['kæbəreɪ] n (show) spectacle m de cabaret

cabbage ['kæbɪdʒ] n chou m

cabin ['kæbɪn] n (house) cabane f, hutte f; (on ship) cabine f; (on plane) compartiment m • **cabin crew** n (Aviat) équipage m

cabinet ['kæbɪnɪt] n (Pol) cabinet m; (furniture) petit meuble m à tiroirs et rayons; (also: **display** ~) vitrine f, petite armoire vitrée • **cabinet minister** n ministre m (membre du cabinet)

cable ['keɪbl] n câble m ▸ vt câbler, télégraphier • **cable car** n téléphérique m • **cable television** n télévision f par câble

cactus (pl **cacti**) ['kæktəs, -taɪ] n cactus m

café ['kæfeɪ] n ≈ café(-restaurant) m

cafeteria [kæfɪ'tɪərɪə] n cafétéria f

caffeine ['kæfiːn] n caféine f

cage [keɪdʒ] n cage f

cagoule [kə'guːl] n K-way® m

Cairo ['kaɪərəʊ] n Le Caire

cake [keɪk] n gâteau m; ~ **of soap** savonnette f

calcium ['kælsɪəm] n calcium m

calculate ['kælkjuleɪt] vt calculer; (estimate: chances, effect) évaluer • **calculation** [kælkju'leɪʃən] n calcul m • **calculator** n calculatrice f

calendar ['kæləndəʳ] n calendrier m

calf (pl **calves**) [kɑːf, kɑːvz] n (of cow) veau m; (of other animals) petit m; (also: ~**skin**) veau m, vachette f; (Anat) mollet m

calibre, (us) **caliber** ['kælɪbəʳ] n calibre m

call [kɔːl] vt appeler; (meeting) convoquer ▸ vi appeler; (visit: also: ~ **in**, ~ **round**) passer ▸ n (shout) appel m, cri m; (also: **telephone** ~) coup m de téléphone; **to be on** ~ être de permanence; **to be** ~**ed** s'appeler; **can I make a** ~ **from here?** est-ce que je peux téléphoner d'ici? • **call back** vi (return) repasser; (Tel) rappeler ▸ vt (Tel) rappeler; **can you** ~ **back later?** pouvez-vous rappeler plus tard? • **call for** vt fus (demand) demander; (fetch) passer prendre • **call in** vt (doctor, expert, police) appeler, faire venir • **call off** vt annuler • **call on** vt fus (visit) rendre visite à, passer voir; (request): **to** ~ **on sb to do** inviter qn à faire • **call out** vi pousser un cri or des cris • **call up** vt (Mil) appeler, mobiliser; (Tel) appeler • **call box** n (BRIT) cabine f téléphonique • **call centre** • (US) **call center** n centre m d'appels • **caller** n (Tel) personne f qui appelle; (visitor) visiteur m

callous ['kæləs] adj dur(e), insensible

calm [kɑːm] adj calme ▶ n calme m ▶ vt calmer, apaiser • **calm down** vi se calmer, s'apaiser ▶ vt calmer, apaiser • **calmly** ['kɑːmlɪ] adv calmement, avec calme

Calor gas® ['kælə^r-] n (BRIT) butane m, butagaz®m

calorie ['kælərɪ] n calorie f

calves [kɑːvz] npl of **calf**

Cambodia [kæm'bəʊdɪə] n Cambodge m

camcorder ['kæmkɔːdə^r] n caméscope m

came [keɪm] pt of **come**

camel ['kæməl] n chameau m

camera ['kæmərə] n appareil photo m; (Cine, TV) caméra f; **in ~** à huis clos, en privé • **cameraman** (irreg) n caméraman m • **camera phone** n téléphone m avec appareil photo

camouflage ['kæməflɑːʒ] n camouflage m ▶ vt camoufler

camp [kæmp] n camp m ▶ vi camper ▶ adj (man) efféminé(e)

campaign [kæm'peɪn] n (Mil, Pol) campagne f ▶ vi (also fig) faire campagne • **campaigner** n: **campaigner for** partisan(e) de; **campaigner against** opposant(e) à

camp: • **camp bed** n (BRIT) lit m de camp • **camper** n campeur(-euse); (vehicle) camping-car m • **camping** n camping m; **to go camping** faire du camping • **campsite** n (terrain m de) camping m

campus ['kæmpəs] n campus m

can¹ [kæn] n (of milk, oil, water) bidon m; (tin) boîte f (de conserve) ▶ vt mettre en conserve

---

can² [kæn]

(negative **cannot** or **can't**, conditional, pt **could**) aux vb 1 (be able to) pouvoir; **you can do it if you try** vous pouvez le faire si vous essayez; **I can't hear you** je ne t'entends pas

2 (know how to) savoir; **I can swim/play tennis/drive** je sais nager/jouer au tennis/conduire; **can you speak French?** parlez-vous français?

3 (may) pouvoir; **can I use your phone?** puis-je me servir de votre téléphone?

4 (expressing disbelief, puzzlement etc): **it can't be true!** ce n'est pas possible!; **what can he want?** qu'est-ce qu'il peut bien vouloir?

5 (expressing possibility, suggestion etc): **he could be in the library** il est peut-être dans la bibliothèque; **she could have been delayed** il se peut qu'elle ait été retardée

---

Canada ['kænədə] n Canada m • **Canadian** [kə'neɪdɪən] adj canadien(ne) ▶ n Canadien(ne)

canal [kə'næl] n canal m

canary [kə'nɛərɪ] n canari m, serin m

cancel ['kænsəl] vt annuler; (train) supprimer; (party, appointment) décommander; (cross out) barrer, rayer; (cheque) faire opposition à; **I would like to - my booking** je voudrais annuler ma réservation • **cancellation** [kænsə'leɪʃən] n annulation f; suppression f

Cancer ['kænsə^r] n (Astrology) le Cancer

cancer ['kænsə'] n cancer m

candidate ['kændɪdeɪt] n candidat(e)

candle ['kændl] n bougie f; (in church) cierge m • **candlestick** n (also: **candle holder**) bougeoir m; (bigger, ornate) chandelier m

candy ['kændɪ] n sucre candi; (US) bonbon m • **candy bar** (US) n barre f chocolatée • **candyfloss** n (BRIT) barbe f à papa

cane [keɪn] n canne f; (for baskets, chairs etc) rotin m ▸ vt (BRIT Scol) administrer des coups de bâton à

canister ['kænɪstə'] n boîte f (gén en métal); (of gas) bombe f

cannabis ['kænəbɪs] n (drug) cannabis m

canned ['kænd] adj (food) en boîte, en conserve; (inf: music) enregistré(e); (BRIT inf: drunk) bourré(e); (US inf: worker) mis(e) à la porte

cannon ['kænən] (pl **cannon** or **cannons**) n (gun) canon m

cannot ['kænɔt] = **can not**

canoe [kə'nuː] n pirogue f; (Sport) canoë m • **canoeing** n (sport) canoë m

canon ['kænən] n (clergyman) chanoine m; (standard) canon m

can-opener [-'əʊpnə'] n ouvre-boîte m

can't [kɑːnt] = **can not**

canteen [kæn'tiːn] n (eating place) cantine f; (BRIT: of cutlery) ménagère f

canter ['kæntə'] vi aller au petit galop

canvas ['kænvəs] n toile f

canvass ['kænvəs] vi (Pol): **to ~ for** faire campagne pour ▸ vt sonder

canyon ['kænjən] n cañon m, gorge (profonde)

cap [kæp] n casquette f; (for swimming) bonnet m de bain; (of pen) capuchon m; (of bottle) capsule f; (BRIT: contraceptive: also: **Dutch ~**) diaphragme m ▸ vt (outdo) surpasser; (put limit on) plafonner

capability [keɪpə'bɪlɪtɪ] n aptitude f, capacité f

capable ['keɪpəbl] adj capable

capacity [kə'pæsɪtɪ] n (of container) capacité f, contenance f; (ability) aptitude f

cape [keɪp] n (garment) cape f; (Geo) cap m

caper ['keɪpə'] n (Culin: gen pl) câpre f; (prank) farce f

capital ['kæpɪtl] n (also: ~ **city**) capitale f; (money) capital m; (also: ~ **letter**) majuscule f • **capitalism** n capitalisme m • **capitalist** adj, n capitaliste m/f • **capital punishment** n peine capitale

Capitol ['kæpɪtl] n: **the ~** le Capitole

Capricorn ['kæprɪkɔːn] n le Capricorne

capsize [kæp'saɪz] vt faire chavirer ▸ vi chavirer

capsule ['kæpsjuːl] n capsule f

captain ['kæptɪn] n capitaine m

caption ['kæpʃən] n légende f

captivity [kæp'tɪvɪtɪ] n captivité f

capture ['kæptʃə'] vt (prisoner, animal) capturer; (town) prendre; (attention) capter; (Comput) saisir ▸ n capture f; (of data) saisie f de données

car [kɑː'] n voiture f, auto f; (US Rail) wagon m, voiture

caramel ['kærəməl] n caramel m

carat ['kærət] n carat m

caravan ['kærəvæn] n caravane f • **caravan site** n (BRIT) camping m pour caravanes

carbohydrate [ka:bəu'haɪdreɪt] n hydrate m de carbone; (food) féculent m

carbon ['ka:bən] n carbone m • **carbon dioxide** [-daɪˈɔksaɪd] n gaz m carbonique, dioxyde m de carbone • **carbon footprint** n empreinte f carbone • **carbon monoxide** [-mɔˈnɔksaɪd] n oxyde m de carbone • **carbon-neutral** adj neutre en carbone

car boot sale n voir article **"car boot sale"**

Type de brocante très populaire, où chacun vide sa cave ou son grenier. Les articles sont présentés dans des coffres de voitures et la vente a souvent lieu sur un parking ou dans un champ. Les brocanteurs d'un jour doivent s'acquitter d'une petite contribution pour participer à la vente.

carburettor, (US) **carburetor** [ka:bjuˈretəʳ] n carburateur m

card [ka:d] n carte f; (material) carton m • **cardboard** n carton m • **card game** n jeu m de cartes

cardigan ['ka:dɪgən] n cardigan m

cardinal ['ka:dɪnl] adj cardinal(e); (importance) capital(e) ▶ n cardinal m

cardphone ['ka:dfəun] n téléphone m à carte (magnétique)

care [kɛəʳ] n soin m, attention f; (worry) souci m ▶ vi: **to ~ about** (feel interest for) se soucier de,

s'intéresser à; (person: love) être attaché(e) à; **in sb's ~** à la garde de qn, confié à qn; **~ of** (on letter) chez; **to take ~** (to do) faire attention (à faire); **to take ~ of** vt s'occuper de; **I don't ~** ça m'est bien égal, peu m'importe; **I couldn't ~ less** cela m'est complètement égal, je m'en fiche complètement • **care for** vt fus (like) aimer

career [kəˈrɪəʳ] n carrière f ▶ vi (also: **~ along**) aller à toute allure

care: • **carefree** adj sans souci, insouciant(e) • **careful** adj soigneux(-euse); (cautious) prudent(e) • **(be) careful!** (fais) attention! • **carefully** adv avec soin, soigneusement; prudemment • **caregiver** n (US) (professional) travailleur social; (unpaid) personne qui s'occupe d'un proche qui est malade • **careless** adj négligent(e); (heedless) insouciant(e) • **carelessness** n manque m de soin, négligence f; insouciance f • **carer** ['kɛərəʳ] n (professional) travailleur social; (unpaid) personne qui s'occupe d'un proche qui est malade • **caretaker** n gardien(ne), concierge m/f

car-ferry ['ka:feri] n (on sea) ferry(-boat) m; (on river) bac m

cargo ['ka:gəu] n (pl **cargoes**) n cargaison f, chargement m

car hire n (BRIT) location f de voitures

Caribbean [kærɪˈbi:ən] adj, n: **the ~ (Sea)** la mer des Antilles or des Caraïbes

caring ['kɛərɪŋ] adj (person) bienveillant(e); (society, organization) humanitaire

carnation [ka:ˈneɪʃən] n œillet m

carnival ['kɑːnɪvl] n (public celebration) carnaval m; (US: funfair) fête foraine

carol ['kærəl] n: **(Christmas) ~** chant m de Noël

carousel [kærə'sɛl] n (for luggage) carrousel m; (US) manège m

car park (BRIT) n parking m, parc m de stationnement

carpenter ['kɑːpɪntə'] n charpentier m; (joiner) menuisier m

carpet ['kɑːpɪt] n tapis m ▶ vt recouvrir (d'un tapis); **fitted ~** (BRIT) moquette f

car rental n (US) location f de voitures

carriage ['kærɪdʒ] n (BRIT Rail) wagon m; (horse-drawn) voiture f; (of goods) transport m; (: cost) port m • **carriageway** n (BRIT: part of road) chaussée f

carrier ['kærɪə'] n transporteur m, camionneur m; (company) entreprise f de transport; (Med) porteur(-euse) • **carrier bag** n (BRIT) sac m en papier or en plastique

carrot ['kærət] n carotte f

carry ['kærɪ] vt (subj: person) porter; (: vehicle) transporter; (involve: responsibilities etc) comporter, impliquer; (Med: disease) être porteur de ▶ vi (sound) porter; **to get carried away** (fig) s'emballer, s'enthousiasmer • **carry on** vi (continue) continuer ▶ vt (conduct: business) diriger; (: conversation) entretenir; (continue: business, conversation) continuer; **to ~ on with sth/doing** continuer qch/à faire • **carry out** vt (orders) exécuter; (investigation) effectuer

cart [kɑːt] n charrette f ▶ vt (inf) transporter

carton ['kɑːtən] n (box) carton m; (of yogurt) pot m (en carton)

cartoon [kɑː'tuːn] n (Press) dessin m (humoristique); (satirical) caricature f; (comic strip) bande dessinée; (Cine) dessin animé

cartridge ['kɑːtrɪdʒ] n (for gun, pen) cartouche f

carve [kɑːv] vt (meat: also: ~ up) découper; (wood, stone) tailler, sculpter • **carving** n (in wood etc) sculpture f

car wash n station f de lavage (de voitures)

case [keɪs] n cas m; (Law) affaire f, procès m; (box) caisse f, boîte f; (for glasses) étui m; (BRIT also: **suit~**) valise f; **in ~ of** en cas de; **in ~ he** au cas où il; **just in ~** à tout hasard; **in any ~** en tout cas, de toute façon

cash [kæʃ] n argent m; (Comm) (argent m) liquide m ▶ vt encaisser; **to pay (in) ~** payer (en argent) comptant or en espèces; **~ with order/on delivery** (Comm) payable or paiement à la commande/livraison; **I haven't got any ~** je n'ai pas de liquide • **cashback** n (discount) remise f; (at supermarket etc) retrait m (à la caisse) • **cash card** n carte f de retrait • **cash desk** n (BRIT) caisse f • **cash dispenser** n distributeur m automatique de billets • **cashless** adj sans cash

cashew [kæ'ʃuː] n (also: ~ **nut**) noix f de cajou

cashier [kæ'ʃɪə'] n caissier(-ère)

cashmere ['kæʃmɪə'] n cachemire m

cash point n distributeur m automatique de billets

cash register n caisse enregistreuse

casino [kə'si:nəu] n casino m

casket ['kɑ:skɪt] n coffret m; (US: coffin) cercueil m

casserole ['kæsərəul] n (pot) cocotte f; (food) ragoût m (en cocotte)

cassette [kæ'sɛt] n cassette f • **cassette player** n lecteur m de cassettes

cast [kɑ:st] (vb: pt, pp **cast**) vt (throw) jeter; (shadow: lit) projeter; (: fig) jeter; (glance) jeter ▶ n (Theat) distribution f; (also: **plaster ~**) plâtre m; **to ~ sb as Hamlet** attribuer à qn le rôle d'Hamlet; **to ~ one's vote** voter, exprimer son suffrage; **to ~ doubt on** jeter un doute sur • **cast off** vi (Naut) larguer les amarres; (Knitting) arrêter les mailles

castanets [kæstə'nɛts] npl castagnettes fpl

caster sugar ['kɑ:stə-] n (BRIT) sucre m semoule

cast-iron ['kɑ:staɪən] adj (lit) de or en fonte; (fig: will) de fer; (alibi) en béton

castle ['kɑ:sl] n château m; (fortress) château-fort m; (Chess) tour f

casual ['kæʒjul] adj (by chance) de hasard, fait(e) au hasard, fortuit(e); (irregular: work etc) temporaire; (unconcerned) désinvolte; **~ wear** vêtements mpl sport inv

casualty ['kæʒjultɪ] n accidenté(e), blessé(e); (dead) victime f, mort(e); (BRIT Med: department) urgences fpl

cat [kæt] n chat m

Catalan ['kætəlæn] adj catalan(e)

catalogue, (US) **catalog** ['kætəlɔg] n catalogue m ▶ vt cataloguer

catalytic converter [kætə'lɪtɪkkən'vɜ:tə'] n pot m catalytique

cataract ['kætərækt] n (also Med) cataracte f

catarrh [kə'tɑ:ʳ] n rhume m chronique, catarrhe f

catastrophe [kə'tæstrəfɪ] n catastrophe f

catch [kætʃ] (pt, pp **caught**) vt attraper; (person: by surprise) prendre, surprendre; (understand) saisir; (get entangled) accrocher ▶ vi (fire) prendre; (get entangled) s'accrocher ▶ n (fish etc) prise f; (hidden problem) attrape f; (Tech) loquet m; cliquet m; **to ~ sb's attention** or **eye** attirer l'attention de qn; **to ~ fire** prendre feu; **to ~ sight of** apercevoir • **catch up** vi (with work) se rattraper, combler son retard ▶ vt (also: **~ up with**) rattraper • **catching** ['kætʃɪŋ] adj (Med) contagieux(-euse)

category ['kætɪgərɪ] n catégorie f

cater ['keɪtəʳ] vi: **to ~ for** (BRIT: needs) satisfaire, pourvoir à; (readers, consumers) s'adresser à, pourvoir aux besoins de; (Comm: parties etc) préparer des repas pour

caterpillar ['kætəpɪləʳ] n chenille f

cathedral [kə'θi:drəl] n cathédrale f

Catholic ['kæθəlɪk] (Rel) adj catholique ▶ n catholique m/f

cattle

cattle ['kætl] *npl* bétail *m*, bestiaux *mpl*

catwalk ['kætwɔːk] *n* passerelle *f*; *(for models)* podium *m* (de défilé de mode)

caught [kɔːt] *pt, pp of* **catch**

cauliflower ['kɒlɪflauə'] *n* chou-fleur *m*

cause [kɔːz] *n* cause *f* ▸ *vt* causer

caution ['kɔːʃən] *n* prudence *f*; *(warning)* avertissement *m* ▸ *vt* avertir, donner un avertissement à • **cautious** *adj* prudent(e)

cave [keɪv] *n* caverne *f*, grotte *f* • **cave in** *vi (roof etc)* s'effondrer

caviar(e) ['kævɪɑː'] *n* caviar *m*

cavity ['kævɪtɪ] *n* cavité *f*; *(Med)* carie *f*

cc *abbr (= cubic centimetre)* cm³; *(on letter etc = carbon copy)* cc

CCTV *n abbr* = **closed-circuit television**

CD *n abbr (= compact disc)* CD *m* • **CD burner** *n* graveur *m* de CD • **CD player** *n* platine *f* laser • **CD-ROM** [siːdiːˈrɒm] *n abbr (= compact disc read-only memory)* CD-ROM *m inv* • **CD writer** *n* graveur *m* de CD

cease [siːs] *vt, vi* cesser • **ceasefire** *n* cessez-le-feu *m inv*

cedar ['siːdə'] *n* cèdre *m*

ceilidh ['keɪlɪ] *n* bal *m* folklorique écossais or irlandais

ceiling ['siːlɪŋ] *n (also fig)* plafond *m*

celebrate ['sɛlɪbreɪt] *vt, vi* célébrer • **celebration** [sɛlɪˈbreɪʃən] *n* célébration *f*

celebrity [sɪˈlɛbrɪtɪ] *n* célébrité *f*

celery ['sɛlərɪ] *n* céleri *m* (en branches)

cell [sɛl] *n (gen)* cellule *f*; *(Elec)* élément *m (de pile)*

cellar ['sɛlə'] *n* cave *f*

cello ['tʃɛləu] *n* violoncelle *m*

Cellophane® ['sɛləfeɪn] *n* cellophane® *f*

cellphone ['sɛlfəun] *n (téléphone m)* portable *m*, mobile *m*

Celsius ['sɛlsɪəs] *adj* Celsius *inv*

Celtic ['kɛltɪk, 'sɛltɪk] *adj* celte, celtique

cement [səˈmɛnt] *n* ciment *m*

cemetery ['sɛmɪtrɪ] *n* cimetière *m*

censor ['sɛnsə'] *n* censeur *m* ▸ *vt* censurer • **censorship** *n* censure *f*

census ['sɛnsəs] *n* recensement *m*

cent [sɛnt] *n (unit of dollar, euro)* cent *m (= un centième du dollar, de l'euro); see also* **per cent**

centenary [sɛnˈtiːnərɪ], *(us)* **centennial** [sɛnˈtɛnɪəl] *n* centenaire *m*

center ['sɛntə'] *(us)* = **centre**

centi... ['sɛntɪ]: • **centigrade** *adj* centigrade • **centimetre**, *(us)* **centimeter** *n* centimètre *m* • **centipede** ['sɛntɪpiːd] *n* mille-pattes *m inv*

central ['sɛntrəl] *adj* central(e) • **Central America** *n* Amérique centrale • **central heating** *n* chauffage central • **central reservation** *n (BRIT Aut)* terre-plein central

centre, *(us)* **center** ['sɛntə'] *n* centre *m* ▸ *vt* centrer • **centre-forward** *n (Sport)* avant-centre *m* • **centre-half** *n (Sport)* demi-centre *m*

century ['sɛntjurɪ] *n* siècle *m*; **in the twentieth ~** au vingtième siècle

CEO *n abbr (us)* = **chief executive officer**

ceramic [sɪ'ræmɪk] *adj* céramique

cereal ['sɪːrɪəl] *n* céréale *f*

ceremony ['sɛrɪmənɪ] *n* cérémonie *f*; **to stand on ~** faire des façons

certain ['sɜːtən] *adj* certain(e); **to make ~ of** s'assurer de; **for ~** certainement, sûrement • **certainly** *adv* certainement • **certainty** *n* certitude *f*

certificate [sə'tɪfɪkɪt] *n* certificat *m*

certify ['sɜːtɪfaɪ] *vt* certifier; *(award diploma to)* conférer un diplôme *etc* à; *(declare insane)* déclarer malade mental(e)

cf. *abbr* (= *compare*) cf., voir

CFC *n abbr* (= *chlorofluorocarbon*) CFC *m*

chain [tʃeɪn] *n (gen)* chaîne *f* ▶ *vt* *(also:* ~ **up)** enchaîner, attacher (avec une chaîne) • **chain-smoke** *vi* fumer cigarette sur cigarette

chair [tʃɛə'] *n* chaise *f*; *(armchair)* fauteuil *m*; *(of university)* chaire *f*; *(of meeting)* présidence *f* ▶ *vt* *(meeting)* présider • **chairlift** *n* télésiège *m* • **chairman** *(irreg)* *n* président *m* • **chairperson** *(irreg)* *n* président(e) • **chairwoman** *(irreg)* *n* présidente *f*

chalet ['ʃæleɪ] *n* chalet *m*

chalk [tʃɔːk] *n* craie *f*

challenge ['tʃælɪndʒ] *n* défi *m* ▶ *vt* défier; *(statement, right)* mettre en question, contester; **to ~ sb to do** mettre qn au défi de faire • **challenging** *adj* *(task, career)* qui représente un défi *or* une gageure; *(tone, look)* de défi, provocateur(-trice)

chamber ['tʃeɪmbə'] *n* chambre *f*; *(BRIT Law: gen pl)* cabinet *m*; **~ of**

commerce chambre de commerce • **chambermaid** *n* femme *f* de chambre

champagne [ʃæm'peɪn] *n* champagne *m*

champion ['tʃæmpɪən] *n (also: of cause)* champion(ne) • **championship** *n* championnat *m*

chance [tʃɑːns] *n (luck)* hasard *m*; *(opportunity)* occasion *f*, possibilité *f*; *(hope, likelihood)* chance *f*; *(risk)* risque *m* ▶ *vt (risk)* risquer ▶ *adj* fortuit(e), de hasard; **to take a ~** prendre un risque; **by ~** par hasard; **to ~ it** risquer le coup, essayer

chancellor ['tʃɑːnsələ'] *n* chancelier *m* • **Chancellor of the Exchequer** [-ɪks'tʃɛkə'] *(BRIT)* *n* chancelier *m* de l'Échiquier

chandelier [ʃændə'lɪə'] *n* lustre *m*

change [tʃeɪndʒ] *vt (alter, replace: Comm: money)* changer; *(switch, substitute: hands, trains, clothes, one's name etc)* changer de ▶ *vi (gen)* changer; *(change clothes)* se changer; *(be transformed)*: **to ~ into** se changer *or* transformer en ▶ *n* changement *m*; *(money)* monnaie *f*; **to ~ gear** *(Aut)* changer de vitesse; **to ~ one's mind** changer d'avis; **a ~ of clothes** des vêtements de rechange; **for a ~** pour changer; **do you have ~ for £10?** vous avez la monnaie de 10 livres?; **where can I ~ some money?** où est-ce que je peux changer de l'argent?; **keep the ~!** gardez la monnaie! • **change over** *vi (swap)* échanger; *(change: drivers etc)* changer; *(change sides: players etc)* changer de côté; **to ~ over from**

sth to sth passer de qch à qch
• **changeable** adj (weather)
variable • **change machine** n
distributeur m de monnaie
• **changing room** n (BRIT: in shop)
salon m d'essayage; (: Sport)
vestiaire m

channel ['tʃænl] n (TV) chaîne f;
(waveband, groove, fig: medium)
canal m; (of river, sea) chenal m ▶ vt
canaliser; **the (English) C~** la
Manche • **Channel Islands** npl;
the Channel Islands les îles fpl
Anglo-Normandes • **Channel
Tunnel** n: **the Channel Tunnel** le
tunnel sous la Manche

chant [tʃɑːnt] n chant m; (Rel)
psalmodie f ▶ vt chanter, scander

chaos ['keɪɒs] n chaos m

chaotic [keɪ'ɒtɪk] adj chaotique

chap [tʃæp] n (BRIT inf: man)
type m

chapel ['tʃæpl] n chapelle f

chapped [tʃæpt] adj (skin, lips)
gercé(e)

chapter ['tʃæptə'] n chapitre m

character ['kærɪktə'] n caractère
m; (in novel, film) personnage m;
(eccentric person) numéro m,
phénomène m • **characteristic**
['kærɪktə'rɪstɪk] adj, n
caractéristique (f) • **characterize**
['kærɪktəraɪz] vt caractériser

charcoal ['tʃɑːkəul] n charbon m
de bois; (Art) charbon

charge [tʃɑːdʒ] n (accusation)
accusation f; (Law) inculpation f;
(cost) prix (demandé) m ▶ vt (gun,
battery, Mil: enemy) charger;
(customer, sum) faire payer ▶ vi
foncer; **charges** npl (costs) frais
mpl; **to reverse the ~s** (BRIT Tel)
téléphoner en PCV; **to take ~ of**
se charger de; **to be in ~ of** être

responsable de, s'occuper de; **to
~ sb (with)** (Law) inculper qn (de)
• **charge card** n carte f de client
(émise par un grand magasin)
• **charger** n (also: **battery
charger**) chargeur m

charismatic [kærɪz'mætɪk] adj
charismatique

charity ['tʃærɪtɪ] n charité f;
(organization) institution f
charitable or de bienfaisance,
œuvre f (de charité) • **charity
shop** n (BRIT) boutique vendant des
articles d'occasion au profit d'une
organisation caritative

charm [tʃɑːm] n charme m; (on
bracelet) breloque f ▶ vt charmer,
enchanter • **charming** adj
charmant(e)

chart [tʃɑːt] n tableau m,
diagramme m, graphique m; (map)
carte marine ▶ vt dresser or établir
la carte de; (sales, progress) établir
la courbe de; **charts** npl (Mus)
hit-parade m; **to be in the ~s**
(record, pop group) figurer au
hit-parade

charter ['tʃɑːtə'] vt (plane) affréter
▶ n (document) charte f
• **chartered accountant** n (BRIT)
expert-comptable m • **charter
flight** n charter m

chase [tʃeɪs] vt poursuivre,
pourchasser; (also: ~ **away**)
chasser ▶ n poursuite f, chasse f

chat [tʃæt] n (also: **have a ~**)
bavardage, causer; (on Internet)
chatter ▶ n conversation f; (on
Internet) chat m • **chat up** vt
(BRIT inf: girl) baratiner • **chat
room** n (Internet) salon m de
discussion • **chat show** n (BRIT)
talk-show m

chatter ['tʃætə'] vi (person)
bavarder, papoter ▶ n bavardage

m, papotage *m*; **my teeth are ~ing** je claque des dents

chauffeur ['ʃəufəʳ] *n* chauffeur *m* (de maître)

chauvinist ['ʃəuvɪnɪst] *n* (*also:* **male ~**) phallocrate *m*, macho *m*; (*nationalist*) chauvin(e)

cheap [tʃiːp] *adj* bon marché *inv*, pas cher (chère); (*reduced: ticket*) à prix réduit; (: *fare*) réduit(e); (*joke*) facile, d'un goût douteux; (*poor quality*) à bon marché, de qualité médiocre ▶ *adv* à bon marché, pour pas cher; **can you recommend a ~ hotel/ restaurant, please?** pourriez-vous m'indiquer un hôtel/restaurant bon marché? • **cheap day return** *n* billet *m* d'aller et retour réduit (*valable pour la journée*) • **cheaply** *adv* à bon marché, à bon compte

cheat [tʃiːt] *vi* tricher; (*in exam*) copier ▶ *vt* tromper, duper; (*rob*): **to ~ sb out of sth** escroquer qch à qn ▶ *n* tricheur(-euse) *m/f*; escroc *m* • **cheat on** *vt fus* tromper

Chechnya [tʃɪtʃˈnjɑː] *n* Tchétchénie *f*

check [tʃɛk] *vt* vérifier; (*passport, ticket*) contrôler; (*halt*) enrayer; (*restrain*) maîtriser ▶ *vi* (*official etc*) se renseigner ▶ *n* vérification *f*; contrôle *m*; (*curb*) frein *m*; (BRIT: *bill*) addition *f*; (US) = **cheque**; (*pattern: gen pl*) carreaux *mpl*; **to ~ with sb** demander à qn • **check in** *vi* (*in hotel*) remplir sa fiche (d'hôtel); (*at airport*) se présenter à l'enregistrement ▶ *vt* (*luggage*) (faire) enregistrer • **check off** *vt* (*tick off*) cocher • **check out** *vi* (*in hotel*) régler sa note ▶ *vt* (*investigate: story*) vérifier • **check up** *vi*: **to ~ up**

(**on sth**) vérifier (qch); **to ~ up on sb** se renseigner sur le compte de qn • **checkbook** *n* (US) = **chequebook** • **checked** *adj* (*pattern, cloth*) à carreaux • **checkers** *n* (US) jeu *m* de dames • **check-in** *n* (*at airport: also:* **check-in desk**) enregistrement *m* • **checking account** *n* (US) compte courant • **checklist** *n* liste *f* de contrôle • **checkmate** *n* échec et mat *m* • **checkout** *n* (*in supermarket*) caisse *f* • **checkpoint** *n* contrôle *m* • **checkroom** (US) *n* consigne *f* • **checkup** *n* (*Med*) examen médical, check-up *m*

cheddar ['tʃedəʳ] *n* (*also:* **~ cheese**) cheddar *m*

cheek [tʃiːk] *n* joue *f*; (*impudence*) toupet *m*, culot *m*; **what a ~!** quel toupet! • **cheekbone** *n* pommette *f* • **cheeky** *adj* effronté(e), culotté(e)

cheer [tʃɪəʳ] *vt* acclamer, applaudir; (*gladden*) réjouir, réconforter ▶ *vi* applaudir ▶ *n* (*gen pl*) acclamations *fpl*, applaudissements *mpl*; bravos *mpl*, hourras *mpl*; **~s!** à la vôtre! • **cheer up** *vi* se dérider, reprendre courage ▶ *vt* remonter le moral à or de, dérider, égayer • **cheerful** *adj* gai(e), joyeux(-euse)

cheerio [tʃɪərɪˈəu] *excl* (BRIT) salut!, au revoir!

cheerleader ['tʃiːliːdəʳ] *n* membre d'un groupe de majorettes qui chantent et dansent pour soutenir leur équipe pendant les matchs de football américain

cheese [tʃiːz] *n* fromage *m* • **cheeseburger** *n* cheeseburger *m* • **cheesecake** *n* tarte *f* au fromage

chef [ʃef] n chef (cuisinier)
chemical ['kemɪkl] adj chimique
▶ n produit m chimique
chemist ['kemɪst] n (BRIT:
pharmacist) pharmacien(ne);
(scientist) chimiste m/f
• **chemistry** n chimie f
• **chemist's (shop)** n (BRIT)
pharmacie f
cheque, (US) **check** [tʃek] n
chèque m • **chequebook** • (US)
checkbook n chéquier m, carnet
m de chèques • **cheque card** n
(BRIT) carte f (d'identité) bancaire
cherry ['tʃerɪ] n cerise f; (also:
~ **tree**) cerisier m
chess [tʃes] n échecs mpl
chest [tʃest] n poitrine f; (box)
coffre m, caisse f
chestnut ['tʃesnʌt] n châtaigne f;
(also: ~ **tree**) châtaignier m
chest of drawers n commode f
chew [tʃuː] vt mâcher • **chewing
gum** n chewing-gum m
chic [ʃiːk] adj chic inv, élégant(e)
chick [tʃik] n poussin m; (inf) fille f
chicken ['tʃikɪn] n poulet m; (inf:
coward) poule mouillée • **chicken
out** vi (inf) se dégonfler
• **chickenpox** n varicelle f
chickpea ['tʃikpiː] n pois m chiche
chief [tʃiːf] n chef m ▶ adj
principal(e) • **chief executive**
• (US) **chief executive officer** n
directeur(-trice) général(e)
• **chiefly** adv principalement,
surtout
child (pl **children**) [tʃaɪld,
'tʃildrən] n enfant m/f • **child
abuse** n maltraitance f d'enfants;
(sexual) abus mpl sexuels sur des
enfants • **child benefit** n (BRIT)
≈ allocations familiales • **childbirth**
n accouchement m • **childcare** n

(for working parents) garde f des
enfants (pour les parents qui
travaillent) • **childhood** n
enfance f • **childish** adj puéril(e),
enfantin(e) • **child minder** n
(BRIT) garde f d'enfants
• **children** ['tʃildrən] npl of **child**
Chile ['tʃili] n Chili m
chill [tʃil] n (of water) froid m;
(of air) fraîcheur f; (Med)
refroidissement m, coup m de
froid ▶ vt (person) faire frissonner;
(Culin) mettre au frais, rafraîchir
• **chill out** vi (inf: esp us) se
relaxer
chil(l)i ['tʃili] n piment m (rouge)
chilly ['tʃili] adj froid(e), glacé(e);
(sensitive to cold) frileux(-euse)
chimney ['tʃimni] n cheminée f
chimpanzee [tʃimpæn'ziː] n
chimpanzé m
chin [tʃin] n menton m
China ['tʃaɪnə] n Chine f
china ['tʃaɪnə] n (material)
porcelaine f; (crockery) (vaisselle f
en) porcelaine
Chinese [tʃaɪ'niːz] adj chinois(e)
▶ n (pl inv) Chinois(e); (Ling)
chinois m
chip [tʃip] n (gen pl: Culin: BRIT)
frite f; (: US: also: **potato ~**) chip m;
(of wood) copeau m; (of glass, stone)
éclat m; (also: **micro~**) puce f; (in
gambling) fiche f ▶ vt (cup, plate)
ébrécher • **chip shop** n (BRIT)
friterie f

Un **chip shop**, que l'on appelle
également un 'fish-and-chip
shop', est un magasin où l'on
vend des plats à emporter.
Les chip shops sont d'ailleurs à
l'origine des 'takeaways'. On y
achète en particulier du
poisson frit et des frites, mais

on y trouve également des plats traditionnels britanniques ('steak pies', saucisses, etc.). Tous les plats étaient à l'origine emballés dans du papier journal. Dans certains de ces magasins, on peut s'asseoir pour consommer sur place.

chiropodist [kɪˈrɒpədɪst] n (BRIT) pédicure m/f

chisel [ˈtʃɪzl] n ciseau m

chives [tʃaɪvz] npl ciboulette f, civette f

chlorine [ˈklɔːriːn] n chlore m

choc-ice [ˈtʃɒkaɪs] n (BRIT) esquimau® m

chocolate [ˈtʃɒklɪt] n chocolat m

choice [tʃɔɪs] n choix m ▶ adj de choix

choir [ˈkwaɪəʳ] n chœur m, chorale f

choke [tʃəʊk] vi étouffer ▶ vt étrangler; étouffer; (block) boucher, obstruer ▶ n (Aut) starter m

cholesterol [kəˈlɛstərɒl] n cholestérol m

chook [tʃuk] n (AUST, NZ inf) poule f

choose (pt **chose**, pp **chosen**) [tʃuːz, tʃəʊz, ˈtʃəʊzn] vt choisir; **to ~ to do** décider de faire, juger bon de faire

chop [tʃɒp] vt (wood) couper (à la hache); (Culin: also: ~ **up**) couper (fin), émincer, hacher (en morceaux) ▶ n (Culin) côtelette f
• **chop down** vt (tree) abattre
• **chop off** vt trancher
• **chopsticks** [ˈtʃɒpstɪks] npl baguettes fpl

chord [kɔːd] n (Mus) accord m

chore [tʃɔːʳ] n travail m de routine; **household ~s** travaux mpl du ménage

chorus [ˈkɔːrəs] n chœur m; (repeated part of song, also fig) refrain m

chose [tʃəʊz] pt of **choose**

chosen [ˈtʃəʊzn] pp of **choose**

Christ [kraɪst] n Christ m

christen [ˈkrɪsn] vt baptiser
• **christening** n baptême m

Christian [ˈkrɪstɪən] adj, n chrétien(ne) • **Christianity** [krɪstɪˈænɪtɪ] n christianisme m
• **Christian name** n prénom m

Christmas [ˈkrɪsməs] n Noël m or f; **happy** or **merry ~!** joyeux Noël! • **Christmas card** n carte f de Noël • **Christmas carol** n chant m de Noël • **Christmas Day** n le jour de Noël • **Christmas Eve** n la veille de Noël; la nuit de Noël
• **Christmas pudding** n (esp BRIT) Christmas pudding
• **Christmas tree** n arbre m de Noël

chrome [krəʊm] n chrome m

chronic [ˈkrɒnɪk] adj chronique

chrysanthemum [krɪˈsænθəməm] n chrysanthème m

chubby [ˈtʃʌbɪ] adj potelé(e), rondelet(te)

chuck [tʃʌk] vt (inf) lancer, jeter; (job) lâcher • **chuck out** vt (inf: person) flanquer dehors or à la porte; (: rubbish etc) jeter

chuckle [ˈtʃʌkl] vi glousser

chugger [ˈtʃʌgəʳ] n (inf) personne travaillant pour une association caritative, qui aborde les gens dans la rue pour leur demander de faire un don régulier

chum [tʃʌm] n copain (copine)

chunk [tʃʌŋk] n gros morceau

church [tʃɜːtʃ] n église f
• **churchyard** n cimetière m

churn [tʃə:n] n (for butter) baratte f; (also: **milk ~**) (grand) bidon à lait

chute [ʃu:t] n goulotte f; (also: **rubbish ~**) vide-ordures m inv; (BRIT: children's slide) toboggan m

chutney ['tʃʌtnɪ] n chutney m

CIA n abbr (= Central Intelligence Agency) CIA f

CID n abbr (= Criminal Investigation Department) ≈ P.J. f

cider ['saɪdər] n cidre m

cigar [sɪ'ɡɑ:ʳ] n cigare m

cigarette [sɪɡə'rɛt] n cigarette f • **cigarette lighter** n briquet m

cinema ['sɪnəmə] n cinéma m

cinnamon ['sɪnəmən] n cannelle f

circle ['sə:kl] n cercle m; (in cinema) balcon m ▶ vi faire ou décrire des cercles ▶ vt (surround) entourer, encercler; (move round) faire le tour de, tourner autour de

circuit ['sə:kɪt] n circuit m; (lap) tour m

circular ['sə:kjulər] adj circulaire ▶ n circulaire f; (as advertisement) prospectus m

circulate ['sə:kjuleɪt] vi circuler ▶ vt faire circuler • **circulation** [sə:kju'leɪʃən] n circulation f; (of newspaper) tirage m

circumstances ['sə:kəmstənsɪz] npl circonstances fpl; (financial condition) moyens mpl, situation financière

circus ['sə:kəs] n cirque m

cite [saɪt] vt citer

citizen ['sɪtɪzn] n (Pol) citoyen(ne); (resident): **the ~s of this town** les habitants de cette ville • **citizenship** n

citoyenneté f; (BRIT Scol) ≈ éducation f civique

citrus fruits ['sɪtrəs-] npl agrumes mpl

city ['sɪtɪ] n (grande) ville f; **the C~** la Cité de Londres (centre des affaires) • **city centre** n centre ville m • **city technology college** n (BRIT) établissement m d'enseignement technologique (situé dans un quartier défavorisé)

civic ['sɪvɪk] adj civique; (authorities) municipal(e)

civil ['sɪvɪl] adj civil(e); (polite) poli(e), civil(e) • **civilian** [sɪ'vɪlɪən] adj, n civil(e)

civilization [sɪvɪlaɪ'zeɪʃən] n civilisation f

civilized ['sɪvɪlaɪzd] adj civilisé(e); (fig) où règnent les bonnes manières

civil: • civil law n code civil; (study) droit civil • **civil rights** npl droits mpl civiques • **civil servant** n fonctionnaire m/f • **Civil Service** n fonction publique, administration f • **civil war** n guerre civile

CJD n abbr (= Creutzfeldt-Jakob disease) MCJ f

claim [kleɪm] vt (rights etc) revendiquer; (compensation) réclamer; (assert) déclarer, prétendre ▶ vi (for insurance) faire une déclaration de sinistre ▶ n revendication f; prétention f; (right) droit m; (insurance) ~ demande f d'indemnisation, déclaration f de sinistre • **claim form** n (gen) formulaire m de demande

clam [klæm] n palourde f

clamp [klæmp] n crampon m; (on workbench) valet m; (on car) sabot *m* de Denver ▶ *vt* attacher; *(car)* mettre un sabot à • **clamp down on** *vt fus* sévir contre, prendre des mesures draconiennes à l'égard de

clan [klæn] *n* clan *m*

clap [klæp] *vi* applaudir

claret ['klærət] *n* (vin *m* de) bordeaux *m* (rouge)

clarify ['klærɪfaɪ] *vt* clarifier

clarinet [klærɪ'net] *n* clarinette *f*

clarity ['klærɪtɪ] *n* clarté *f*

clash [klæʃ] *n* *(sound)* choc *m*, fracas *m*; *(with police)* affrontement *m*; *(fig)* conflit *m* ▶ *vi* se heurter; *(be or* entrer en conflit; *(colours)* jurer; *(dates, events)* tomber en même temps

clasp [klɑːsp] *n* *(of necklace, bag)* fermoir *m* ▶ *vt* serrer, étreindre

class [klɑːs] *n* *(gen)* classe *f*; *(group, category)* catégorie *f* ▶ *vt* classer, classifier

classic ['klæsɪk] *adj* classique ▶ *n* *(author, work)* classique *m* • **classical** *adj* classique

classification [klæsɪfɪ'keɪʃən] *n* classification *f*

classify ['klæsɪfaɪ] *vt* classifier, classer

classmate ['klɑːsmeɪt] *n* camarade *m/f* de classe

classroom ['klɑːsrʊm] *n* (salle *f* de) classe *f* • **classroom assistant** *n* assistant(e) d'éducation

classy ['klɑːsɪ] *(inf)* *adj* classe *(inf)*

clatter ['klætə'] *n* cliquetis *m* ▶ *vi* cliqueter

clause [klɔːz] *n* clause *f*; *(Ling)* proposition *f*

claustrophobic [klɔːstrə'fəʊbɪk] *adj* *(person)* claustrophobe; *(place)* où l'on se sent claustrophobe

claw [klɔː] *n* griffe *f*; *(of bird of prey)* serre *f*; *(of lobster)* pince *f*

clay [kleɪ] *n* argile *f*

clean [kliːn] *adj* propre; *(clear, smooth)* net(te); *(joke, story)* correct(e) ▶ *vt* nettoyer • **clean up** *vt* nettoyer; *(fig)* remettre de l'ordre dans • **cleaner** *n* *(person)* nettoyeur(-euse), femme *f* de ménage; *(product)* détachant *m* • **cleaner's** *n* *(also:* **dry cleaner's)** teinturier *m* • **cleaning** *n* nettoyage *m*

cleanser ['klenzə'] *n* *(for face)* démaquillant *m*

clear [klɪə'] *adj* clair(e); *(glass, plastic)* transparent(e); *(road, way)* libre, dégagé(e); *(profit, majority)* net(te); *(conscience)* tranquille; *(skin)* frais (fraîche); *(sky)* dégagé(e) ▶ *vt* *(road)* dégager, déblayer; *(table)* débarrasser; *(room etc: of people)* faire évacuer; *(cheque)* compenser; *(Law: suspect)* innocenter; *(obstacle)* franchir ou sauter sans heurter ▶ *vi* *(weather)* s'éclaircir; *(fog)* se dissiper ▶ *adv*: **~ of** à distance de, à l'écart de; **to ~ the table** débarrasser la table, desservir • **clear away** *vt* *(things, clothes etc)* enlever, retirer; **to ~ away the dishes** débarrasser la table • **clear up** *vt* ranger, mettre en ordre; *(mystery)* éclaircir, résoudre • **clearance** *n* *(removal)* déblayage *m*; *(permission)* autorisation *f* • **clear-cut** *adj* précis(e), nettement défini(e) • **clearing** *n* *(in forest)* clairière *f* • **clearly** *adv* clairement; *(obviously)* de toute évidence • **clearway** *n* *(BRIT)* route *f* à stationnement interdit

clench [klɛntʃ] vt serrer

clergy ['klɜːdʒɪ] n clergé m

clerk [klɑːk, us klɜːrk] n (BRIT) employé(e) de bureau; (us: salesman/woman) vendeur(-euse)

clever ['klɛvəʳ] adj (intelligent) intelligent(e); (skilful) habile, adroit(e); (device, arrangement) ingénieux(-euse), astucieux(-euse)

cliché ['kliːʃeɪ] n cliché m

click [klɪk] n (Comput) clic m ▶ vi (Comput) cliquer ▶ vt: **to ~ one's tongue** faire claquer sa langue; **to ~ one's heels** claquer des talons; **to ~ on an icon** cliquer sur une icône

client ['klaɪənt] n client(e)

cliff [klɪf] n falaise f

climate ['klaɪmɪt] n climat m • **climate change** n changement m climatique

climax ['klaɪmæks] n apogée m, point culminant m; (sexual) orgasme m

climb [klaɪm] vi grimper, monter; (plane) prendre de l'altitude ▶ vt (stairs) monter; (mountain) escalader; (tree) grimper à ▶ n montée f, escalade f; **to ~ over a wall** passer par dessus un mur • **climb down** vi (re)descendre; (BRIT fig) rabattre de ses prétentions • **climber** n (also: **rock climber**) grimpeur(-euse), varappeur(-euse); (plant) plante grimpante • **climbing** n (also: **rock climbing**) escalade f, varappe f

clinch [klɪntʃ] vt (deal) conclure, sceller

cling [klɪŋ] (pt, pp **clung**) vi: **to ~ (to)** se cramponner (à), s'accrocher (à); (clothes)

coller (à) • **clingfilm** n film m alimentaire

clinic ['klɪnɪk] n clinique f; centre médical

clip [klɪp] n (for hair) barrette f; (also: **paper ~**) trombone m; (TV, Cine) clip m ▶ vt (also: **~ together**: papers) attacher; (hair, nails) couper; (hedge) tailler • **clipping** n (from newspaper) coupure f de journal

cloak [kləʊk] n grande cape f ▶ vt (fig) masquer, cacher • **cloakroom** n (for coats etc) vestiaire m; (BRIT: W.C.) toilettes fpl

clock [klɒk] n (large) horloge f; (small) pendule f • **clock in** • **clock on** (BRIT) vi (with card) pointer (en arrivant); (start work) commencer à travailler • **clock off** • **clock out** (BRIT) vi (with card) pointer (en partant); (leave work) quitter le travail • **clockwise** adv dans le sens des aiguilles d'une montre • **clockwork** n rouages mpl, mécanisme m; (of clock) mouvement m (d'horlogerie) ▶ adj (toy, train) mécanique

clog [klɒg] n sabot m ▶ vt boucher, encrasser ▶ vi (also: **~ up**) se boucher, s'encrasser

clone [kləʊn] n clone m ▶ vt cloner

close[1] [kləʊs] adj (contact, link, watch) étroit(e); (examination) attentif(-ive), minutieux(-euse); (contest) très serré(e); (weather) lourd(e), étouffant(e); (near): **~ (to)** près (de), proche (de) ▶ adv près, à proximité; **~ to** prep près de; **~ by, ~ at hand** adj, adv tout(e) près; **a ~ friend** un ami intime; **to have a ~ shave** (fig) l'échapper belle

close² [kləuz] vt fermer ▶ vi (shop etc) fermer; (lid, door etc) se fermer; (end) se terminer, se conclure ▶ n (end) conclusion f; **what time do you ~?** à quelle heure fermez-vous? • **close down** vi fermer (définitivement) • **closed** adj (shop etc) fermé(e)

closely ['kləuslı] adv (examine, watch) de près

closet ['klɒzɪt] n (cupboard) placard m, réduit m

close-up ['kləusʌp] n gros plan

closing time n heure f de fermeture

closure ['kləuʒə*] n fermeture f

clot [klɒt] n (of blood, milk) caillot m; (inf: person) ballot m ▶ vi (external bleeding) se coaguler

cloth [klɒθ] n (material) tissu m, étoffe f; (BRIT: also: **tea ~**) torchon m; lavette f; (also: **table~**) nappe f

clothes [kləuðz] npl vêtements mpl, habits mpl • **clothes line** n corde f (à linge) • **clothes peg**, (us) **clothes pin** n pince f à linge

clothing ['kləuðɪŋ] n = **clothes**

cloud [klaud] n (also Comput) nuage m; • **cloud computing** n (Comput) informatique f en nuage; • **cloud over** vi se couvrir; (fig) s'assombrir • **cloudy** adj nuageux(-euse), couvert(e); (liquid) trouble

clove [kləuv] n clou m de girofle; **a ~ of garlic** une gousse d'ail

clown [klaun] n clown m ▶ vi (also: **~ about, ~ around**) faire le clown

club [klʌb] n (society) club m; (weapon) massue f, matraque f; (also: **golf ~**) club ▶ vt matraquer

▶ vi: **to ~ together** s'associer; **clubs** npl (Cards) trèfle m • **club class** n (Aviat) classe f club

clue [klu:] n indice m; (in crosswords) définition f; **I haven't a ~** je n'en ai pas la moindre idée

clump [klʌmp] n: **~ of trees** bouquet m d'arbres

clumsy ['klʌmzı] adj (person) gauche, maladroit(e); (object) malcommode, peu maniable

clung [klʌŋ] pt, pp of **cling**

cluster ['klʌstə*] n (petit) groupe; (of flowers) grappe f ▶ vi se rassembler

clutch [klʌtʃ] n (Aut) embrayage m; (grasp): **~es** étreinte f, prise f ▶ vt (grasp) agripper; (hold tightly) serrer fort; (hold on to) se cramponner à

cm abbr (= centimetre) cm

Co. abbr = **company, county**

c/o abbr (= care of) c/o, aux bons soins de

coach [kəutʃ] n (bus) autocar m; (horse-drawn) diligence f; (of train) voiture f, wagon m; (Sport: trainer) entraîneur(-euse); (school: tutor) répétiteur(-trice) ▶ vt (Sport) entraîner; (student) donner des leçons particulières à • **coach station** (BRIT) n gare routière • **coach trip** n excursion f en car

coal [kəul] n charbon m

coalition [kəuə'lɪʃən] n coalition f

coarse [kɔːs] adj grossier(-ère), rude; (vulgar) vulgaire

coast [kəust] n côte f ▶ vi (car, cycle) descendre en roue libre • **coastal** adj côtier(-ère) • **coastguard** n garde-côte m • **coastline** n côte f, littoral m

coat [kəʊt] *n* manteau *m*; (*of animal*) pelage *m*, poil *m*; (*of paint*) couche *f* ▶ *vt* couvrir, enduire
• **coat hanger** *n* cintre *m*
• **coating** *n* couche *f*, enduit *m*

coax [kəʊks] *vt* persuader par des cajoleries

cob [kɒb] *n see* **corn**

cobbled ['kɒbld] *adj* pavé(e)

cobweb ['kɒbwɛb] *n* toile *f* d'araignée

cocaine [kə'keɪn] *n* cocaïne *f*

cock [kɒk] *n* (*rooster*) coq *m*; (*male bird*) mâle *m* ▶ *vt* (*gun*) armer
• **cockerel** *n* jeune coq *m*

cockney ['kɒknɪ] *n* cockney *m/f* (*habitant des quartiers populaires de l'East End de Londres*), ≈ faubourien(ne)

cockpit ['kɒkpɪt] *n* (*in aircraft*) poste *m* de pilotage, cockpit *m*

cockroach ['kɒkrəʊtʃ] *n* cafard *m*, cancrelat *m*

cocktail ['kɒkteɪl] *n* cocktail *m*

cocoa ['kəʊkəʊ] *n* cacao *m*

coconut ['kəʊkənʌt] *n* noix *f* de coco

cod [kɒd] *n* morue fraîche, cabillaud *m*

C.O.D. *abbr* = **cash on delivery**

code [kəʊd] *n* code *m*; (*Tel: area code*) indicatif *m* ▶ *vt*, *vi* (*Comput*) coder; **~ of behaviour** règles *fpl* de conduite; **~ of practice** déontologie *f*

coeducational ['kəʊɛdjʊ'keɪʃənl] *adj* mixte

coffee ['kɒfɪ] *n* café *m* • **coffee bar** *n* (BRIT) café *m* • **coffee bean** *n* grain *m* de café • **coffee break** *n* pause-café *f* • **coffee maker** *n* cafetière *f* • **coffeepot** *n* cafetière *f* • **coffee shop** *n* café *m* • **coffee table** *n* (petite) table basse

coffin ['kɒfɪn] *n* cercueil *m*

cog [kɒg] *n* (*wheel*) roue dentée; (*tooth*) dent *f* (d'engrenage)

cognac ['kɒnjæk] *n* cognac *m*

coherent [kəʊ'hɪərənt] *adj* cohérent(e)

coil [kɔɪl] *n* rouleau *m*, bobine *f*; (*contraceptive*) stérilet *m* ▶ *vt* enrouler

coin [kɔɪn] *n* pièce *f* (de monnaie) ▶ *vt* (*word*) inventer

coincide [kəʊɪn'saɪd] *vi* coïncider
• **coincidence** [kəʊ'ɪnsɪdəns] *n* coïncidence *f*

Coke® [kəʊk] *n* coca *m*

coke [kəʊk] *n* (*coal*) coke *m*

colander ['kɒləndə*] *n* passoire *f* (à légumes)

cold [kəʊld] *adj* froid(e) ▶ *n* froid *m*; (*Med*) rhume *m*; **it's ~** il fait froid; **to be ~** (*person*) avoir froid; **to catch a ~** s'enrhumer, attraper un rhume; **in ~ blood** de sang-froid • **cold sore** *n* bouton *m* de fièvre

coleslaw ['kəʊlslɔ:] *n* sorte de salade de chou cru

colic ['kɒlɪk] *n* colique(s) *f(pl)*

collaborate [kə'læbəreɪt] *vi* collaborer

collapse [kə'læps] *vi* s'effondrer, s'écrouler; (*Med*) avoir un malaise ▶ *n* effondrement *m*, écroulement *m*; (*of government*) chute *f*

collar ['kɒlə*] *n* (*of coat, shirt*) col *m*; (*for dog*) collier *m* • **collarbone** *n* clavicule *f*

colleague ['kɒli:g] *n* collègue *m/f*

collect [kə'lɛkt] *vt* rassembler; (*pick up*) ramasser; (*as a hobby*) collectionner; (BRIT: *call for*) (passer) prendre; (*mail*) faire la levée de, ramasser; (*money owed*) encaisser; (*donations,* subscriptions) recueillir ▶ vi (people) se rassembler; (dust, dirt) s'amasser; **to call ~** (us Tel) téléphoner en PCV • **collection** [kə'lekʃən] n collection f; (of mail) levée f; (for money) collecte f, quête f • **collective** [kə'lektɪv] adj collectif(-ive) • **collector** n collectionneur m

college ['kɒlɪdʒ] n collège m; (of technology, agriculture etc) institut m

collide [kə'laɪd] vi: **to ~ (with)** entrer en collision (avec)

collision [kə'lɪʒən] n collision f, heurt m

cologne [kə'ləʊn] n (also: **eau de ~**) eau f de cologne

colon ['kəʊlən] n (sign) deux-points mpl; (Med) côlon m

colonel ['kɜːnl] n colonel m

colonial [kə'ləʊnɪəl] adj colonial(e)

colony ['kɒlənɪ] n colonie f

colour, (us) **color** ['kʌlə'] n couleur f ▶ vt colorer; (dye) teindre; (paint) peindre; (with crayons) colorier; (news) fausser, exagérer ▶ vi (blush) rougir; **I'd like a different ~** je le voudrais dans un autre coloris • **colour in** vt colorier • **colour-blind** • (us) **color-blind** adj daltonien(ne) • **coloured** • (us) **colored** adj (glass, water) coloré(e); (!: person, race) de couleur • **colour film** • (us) **color film** n (for camera) pellicule f(en) couleur • **colourful** • (us) **colorful** adj coloré(e), vif (vive); (personality) pittoresque, haut(e) en couleurs • **colouring** • (us) **coloring** n colorant m; (complexion) teint m • **colour television** • (us) **color television** n télévision f(en) couleur

column ['kɒləm] n colonne f; (fashion column, sports column etc) rubrique f

coma ['kəʊmə] n coma m

comb [kəʊm] n peigne m ▶ vt (hair) peigner; (area) ratisser, passer au peigne fin

combat ['kɒmbæt] n combat m ▶ vt combattre, lutter contre

combination [kɒmbɪ'neɪʃən] n (gen) combinaison f

combine [kəm'baɪn] vt combiner ▶ vi s'associer; (Chem) se combiner ▶ n ['kɒmbaɪn] (Econ) trust m; (also: **~ harvester**) moissonneuse-batteuse(-lieuse) f; **to ~ sth with sth** (one quality with another) joindre ou allier qch à qch

come [kʌm]

(pt **came**, pp **come**) vi

1 (movement towards) venir; **to come running** arriver en courant; **he's come here to work** il est venu ici pour travailler; **come with me** suivez-moi

2 (arrive) arriver; **to come home** rentrer (chez soi or à la maison); **we've just come from Paris** nous arrivons de Paris

3 (reach): **to come to** (decision etc) parvenir à, arriver à; **the bill came to £40** la note s'est élevée à 40 livres

4 (occur): **an idea came to me** il m'est venu une idée

5 (be, become): **to come loose/ undone** se défaire/desserrer; **I've come to like him** j'ai fini par bien l'aimer

• **come across** vt fus rencontrer par hasard, tomber sur

comeback

- **come along** *vi* (BRIT: *pupil, work*) faire des progrès, avancer
- **come back** *vi* revenir
- **come down** *vi* descendre; (*prices*) baisser; (*buildings*) s'écrouler; (: *be demolished*) être démoli(e)
- **come from** *vt fus* (*source*) venir de; (*place*) venir de, être originaire de
- **come in** *vi* entrer; (*train*) arriver; (*fashion*) entrer en vogue; (*on deal etc*) participer
- **come off** *vi* (*button*) se détacher; (*attempt*) réussir
- **come on** *vi* (*lights, electricity*) s'allumer; (*central heating*) se mettre en marche; (*pupil, work, project*) faire des progrès, avancer; **come on!** viens!; allons!, allez!
- **come out** *vi* sortir; (*sun*) se montrer; (*book*) paraître; (*stain*) s'enlever; (*strike*) cesser le travail, se mettre en grève
- **come round** *vi* (*after faint, operation*) revenir à soi, reprendre connaissance
- **come to** *vi* revenir à soi
- **come up** *vi* monter; (*sun*) se lever; (*problem*) se poser; (*event*) survenir; (*in conversation*) être soulevé
- **come up with** *vt fus* (*money*) fournir; **he came up with an idea** il a eu une idée, il a proposé quelque chose

comeback ['kʌmbæk] *n* (Theat) rentrée *f*

comedian [kə'miːdiən] *n* (*comic*) comique *m*; (Theat) comédien *m*

comedy ['kɒmɪdɪ] *n* comédie *f*; (*humour*) comique *m*

comet ['kɒmɪt] *n* comète *f*

comfort ['kʌmfət] *n* confort *m*, bien-être *m*; (*solace*) consolation *f*, réconfort *m* ▸ *vt* consoler, réconforter • **comfortable** *adj* confortable; (*person*) à l'aise; (*financially*) aisé(e); (*patient*) dont l'état est stationnaire
- **comfort station** *n* (US) toilettes *fpl*

comic ['kɒmɪk] *adj* (*also*: **~al**) comique ▸ *n* (*person*) comique *m*; (BRIT: *magazine: for children*) magazine *m* de bandes dessinées or de BD; (: *for adults*) illustré *m*
- **comic book** *n* (US: *for children*) magazine *m* de bandes dessinées or de BD; (: *for adults*) illustré *m*
- **comic strip** *n* bande dessinée

comma ['kɒmə] *n* virgule *f*

command [kə'mɑːnd] *n* ordre *m*, commandement *m*; commandement *m*; (Mil: *authority*) commandement *m*; (*mastery*) maîtrise *f* ▸ *vt* commander; **to ~ sb to do** donner l'ordre or commander à qn de faire • **commander** *n* (Mil) commandant *m*

commemorate [kə'mɛməreɪt] *vt* commémorer

commence [kə'mɛns] *vt, vi* commencer

commend [kə'mɛnd] *vt* louer; (*recommend*) recommander

comment ['kɒmɛnt] *n* commentaire *m*; **to ~ on** faire des remarques sur; **"no ~"** je n'ai rien à déclarer • **commentary** ['kɒməntərɪ] *n* commentaire *m*; (*Sport*) reportage *m* (en direct)
- **commentator** ['kɒmənteɪtə'] *n* commentateur *m*; (*Sport*) reporter *m*

commerce ['kɒmɜːs] *n* commerce *m*

commercial [kə'mə:ʃəl] *adj* commercial(e) ▶ *n* (Radio, TV) annonce *f* publicitaire, spot *m* (publicitaire) • **commercial break** *n* (Radio, TV) spot *m* (publicitaire)

commission [kə'mɪʃən] *n* (committee, fee) commission *f* ▶ *vt* (work of art) commander, charger un artiste de l'exécution de; **out of ~** (machine) hors service • **commissioner** *n* (Police) préfet *m* (de police)

commit [kə'mɪt] *vt* (act) commettre; (resources) consacrer; (to sb's care) confier (à); **to ~ o.s. (to do)** s'engager (à faire); **to ~ suicide** se suicider • **commitment** *n* engagement *m*; (obligation) responsabilité(s) *f(pl)*

committee [kə'mɪtɪ] *n* comité *m*; commission *f*

commodity [kə'mɔdɪtɪ] *n* produit *m*, marchandise *f*, article *m*

common ['kɔmən] *adj* (gen) commun(e); (usual) courant(e) ▶ *n* terrain communal • **commonly** *adv* communément, généralement; couramment • **commonplace** *adj* banal(e), ordinaire • **Commons** *npl* (BRIT Pol): **the (House of) Commons** la chambre des Communes • **common sense** *n* bon sens • **Commonwealth** *n*: **the Commonwealth** le Commonwealth

communal ['kɔmju:nl] *adj* (life) communautaire; (for common use) commun(e)

commune *n* ['kɔmju:n] (group) communauté *f* ▶ *vi* [kə'mju:n]: **to ~ with** (nature) communier avec

communicate [kə'mju:nɪkeɪt] *vt* communiquer, transmettre ▶ *vi*: **to ~ (with)** communiquer (avec)

communication [kəmju:nɪ'keɪʃən] *n* communication *f*

communion [kə'mju:nɪən] *n* (also: **Holy C~**) communion *f*

communism ['kɔmjunɪzəm] *n* communisme *m* • **communist** *adj, n* communiste *m/f*

community [kə'mju:nɪtɪ] *n* communauté *f* • **community centre** • (US) **center** *n* foyer socio-éducatif, centre *m* de loisirs • **community service** *n* = travail *m* d'intérêt général, TIG *m*

commute [kə'mju:t] *vi* faire le trajet journalier (de son domicile à un lieu de travail assez éloigné) ▶ *vt* (Law) commuer • **commuter** *n* banlieusard(e) (qui fait un trajet journalier pour se rendre à son travail)

compact *adj* [kəm'pækt] compact(e) ▶ *n* ['kɔmpækt] (also: **powder ~**) poudrier *m* • **compact disc** *n* disque compact • **compact disc player** *n* lecteur *m* de disques compacts

companion [kəm'pænjən] *n* compagnon (compagne)

company ['kʌmpənɪ] *n* compagnie *f*; **to keep sb ~** tenir compagnie à qn • **company car** *n* voiture *f* de fonction • **company director** *n* administrateur(-trice)

comparable ['kɔmpərəbl] *adj* comparable

comparative [kəm'pærətɪv] *adj* (study) comparatif(-ive); (relative) relatif(-ive) • **comparatively** *adv* (relatively) relativement

compare [kəm'pɛəʳ] vt: **to ~ sth/ sb with** or **to** comparer qch/qn avec or à ▶ vi: **to ~ (with)** se comparer (à); être comparable (à) • **comparison** [kəm'pærɪsn] n comparaison f

compartment [kəm'pɑːtmənt] n (also Rail) compartiment m: **a non-smoking ~** un compartiment non-fumeurs

compass ['kʌmpəs] n boussole f; **compasses** npl (Math) compas m

compassion [kəm'pæʃən] n compassion f, humanité f

compatible [kəm'pætɪbl] adj compatible

compel [kəm'pɛl] vt contraindre, obliger • **compelling** adj (fig: argument) irrésistible

compensate ['kɔmpənseɪt] vt indemniser, dédommager ▶ vi: **to ~ for** compenser • **compensation** [kɔmpən'seɪʃən] n compensation f; (money) dédommagement m, indemnité f

compete [kəm'piːt] vi (take part) concourir; (vie) **to ~ (with)** rivaliser (avec), faire concurrence (à)

competent ['kɔmpɪtənt] adj compétent(e), capable

competition [kɔmpɪ'tɪʃən] n (contest) compétition f, concours m; (Econ) concurrence f

competitive [kəm'pɛtɪtɪv] adj (Econ) concurrentiel(le); (sports) de compétition; (person) qui a l'esprit de compétition

competitor [kəm'pɛtɪtəʳ] n concurrent(e)

complacent [kəm'pleɪsnt] adj (trop) content(e) de soi

complain [kəm'pleɪn] vi: **to ~ (about)** se plaindre (de); (in shop etc) réclamer (au sujet de) • **complaint** n plainte f; (in shop etc) réclamation f; (Med) affection f

complement ['kɔmplɪmənt] n complément m; (esp of ship's crew etc) effectif complet ▶ vt (enhance) compléter • **complementary** [kɔmplɪ'mɛntərɪ] adj complémentaire

complete [kəm'pliːt] adj complet(-ète); (finished) achevé(e) ▶ vt achever, parachever; (set, group) compléter; (a form) remplir • **completely** adv complètement • **completion** [kəm'pliːʃən] n achèvement m; (of contract) exécution f

complex ['kɔmplɛks] adj complexe ▶ n (Psych, buildings etc) complexe m

complexion [kəm'plɛkʃən] n (of face) teint m

compliance [kəm'plaɪəns] n (submission) docilité f; (agreement): **~ with** le fait de se conformer à; **in ~ with** en conformité avec, conformément à

complicate ['kɔmplɪkeɪt] vt compliquer • **complicated** adj compliqué(e) • **complication** [kɔmplɪ'keɪʃən] n complication f

compliment n ['kɔmplɪmənt] compliment m ▶ vt ['kɔmplɪment] complimenter • **complimentary** [kɔmplɪ'mɛntərɪ] adj flatteur(-euse); (free) à titre gracieux

comply [kəm'plaɪ] vi: **to ~ with** se soumettre à, se conformer à

component [kəm'pəunənt] adj composant(e), constituant(e) ▶ n composant m, élément m

compose [kəm'pəuz] vt composer; (form): **to be ~d of** se composer de; **to ~ o.s.** se calmer, se maîtriser • **composer** n (Mus) compositeur m • **composition** [kɔmpə'zɪʃən] n composition f

composure [kəm'pəuʒəʳ] n calme m, maîtrise f de soi

compound ['kɔmpaund] n (Chem, Ling) composé m; (enclosure) enclos m, enceinte f ▶ adj composé(e); (fracture) compliqué(e)

comprehension [kɔmprɪ'henʃən] n compréhension f

comprehensive [kɔmprɪ'hensɪv] adj (très) complet(-ète); **~ policy** (Insurance) assurance f tous risques • **comprehensive (school)** n (BRIT) école secondaire non sélective avec libre circulation d'une section à l'autre, ≈ CES m

⚠ Be careful not to translate comprehensive by the French word compréhensif.

compress vt [kəm'prɛs] comprimer; (text, information) condenser ▶ n ['kɔmprɛs] (Med) compresse f

comprise [kəm'praɪz] vt (also: **be ~d of**) comprendre; (constitute) constituer, représenter

compromise ['kɔmprəmaɪz] n compromis m ▶ vt compromettre ▶ vi transiger, accepter un compromis

compulsive [kəm'pʌlsɪv] adj (Psych) compulsif(-ive); (book, film etc) captivant(e)

compulsory [kəm'pʌlsərɪ] adj obligatoire

computer [kəm'pju:təʳ] n ordinateur m • **computer game** n jeu m vidéo • **computer-generated** adj de synthèse • **computerize** vt (data) traiter par ordinateur; (system, office) informatiser • **computer programmer** n programmeur(-euse) • **computer programming** n programmation f • **computer science** n informatique f • **computer studies** npl informatique f • **computing** [kəm'pju:tɪŋ] n informatique f

con [kɔn] vt duper; (cheat) escroquer ▶ n escroquerie f

conceal [kən'si:l] vt cacher, dissimuler

concede [kən'si:d] vt concéder ▶ vi céder

conceited [kən'si:tɪd] adj vaniteux(-euse), suffisant(e)

conceive [kən'si:v] vt, vi concevoir

concentrate ['kɔnsəntreɪt] vi se concentrer ▶ vt concentrer

concentration [kɔnsən'treɪʃən] n concentration f

concept ['kɔnsɛpt] n concept m

concern [kən'sə:n] n affaire f; (Comm) entreprise f, firme f; (anxiety) inquiétude f, souci m ▶ vt (worry) inquiéter; (involve) concerner; (relate to) se rapporter à; **to be ~ed (about)** s'inquiéter (de), être inquiet(-ète) (au sujet de) • **concerning** prep en ce qui concerne, à propos de

concert ['kɔnsət] n concert m • **concert hall** n salle f de concert

concerto [kən'tʃə:təu] n concerto m

concession [kən'seʃən] n
(compromise) concession f;
(reduced price) réduction f; **tax ~**
dégrèvement fiscal; **"~s"** tarif
réduit

concise [kən'saɪs] adj concis(e)

conclude [kən'kluːd] vt conclure
• **conclusion** [kən'kluːʒən] n
conclusion f

concrete [kɒŋkriːt] n béton m
▶ adj concret(-ète); (Constr) en
béton

concussion [kən'kʌʃən] n (Med)
commotion (cérébrale)

condemn [kən'dɛm] vt
condamner

condensation [kɒndɛn'seɪʃən]
n condensation f

condense [kən'dɛns] vi se
condenser ▶ vt condenser

condition [kən'dɪʃən] n
condition f; (disease) maladie f ▶ vt
déterminer, conditionner; **on
~ that** à condition que + sub, à
condition de • **conditional**
[kən'dɪʃənl] adj conditionnel(le)
• **conditioner** n (for hair) baume
démêlant; (for fabrics)
assouplissant m

condo [kɒndəu] n (us inf)
= **condominium**

condom [kɒndəm] n
préservatif m

condominium [kɒndə'mɪnɪəm]
n (us: building) immeuble m (en
copropriété); (: rooms)
appartement m (dans un
immeuble en copropriété)

condone [kən'dəun] vt fermer
les yeux sur, approuver
(tacitement)

conduct n [kɒndʌkt] conduite f
▶ vt [kən'dʌkt] conduire;
(manage) mener, diriger; (Mus)

diriger; **to ~ o.s.** se conduire, se
comporter • **conductor** n (of
orchestra) chef m d'orchestre; (on
bus) receveur m; (us: on train) chef
m de train; (Elec) conducteur m

cone [kəun] n cône m; (for ice-cream)
cornet m; (Bot) pomme f de pin,
cône

confectionery [kən'fɛkʃənrɪ] n
(sweets) confiserie f

confer [kən'fəː] vt: **to ~ sth on**
conférer qch à ▶ vi conférer,
s'entretenir

conference [kɒnfərns] n
conférence f

confess [kən'fɛs] vt confesser,
avouer ▶ vi (admit sth) avouer;
(Rel) se confesser • **confession**
[kən'fɛʃən] n confession f

confide [kən'faɪd] vi: **to ~ in**
s'ouvrir à, se confier à

confidence [kɒnfɪdns] n
confiance f; (also: **self-~**) assurance
f, confiance en soi; (secret)
confidence f; **in ~** (speak, write) en
confidence, confidentiellement
• **confident** adj (self-assured) sûr(e)
de soi; (sure) sûr • **confidential**
[kɒnfɪ'dɛnʃəl] adj confidentiel(le)

confine [kən'faɪn] vt limiter,
borner; (shut up) confiner,
enfermer • **confined** adj (space)
restreint(e), réduit(e)

confirm [kən'fəːm] vt (report, Rel)
confirmer; (appointment) ratifier
• **confirmation** [kɒnfə'meɪʃən]
n confirmation f; ratification f

confiscate [kɒnfɪskeɪt] vt
confisquer

conflict n [kɒnflɪkt] conflit m,
lutte f ▶ vi [kən'flɪkt] (opinions)
s'opposer, se heurter

conform [kən'fɔːm] vi: **to ~ (to)**
se conformer (à)

confront [kənˈfrʌnt] vt *(two people)* confronter; *(enemy, danger)* affronter, faire face à; *(problem)* faire face à • **confrontation** [kɒnfrənˈteɪʃən] n confrontation f

confuse [kənˈfjuːz] vt *(person)* troubler; *(situation)* embrouiller; *(one thing with another)* confondre • **confused** adj *(person)* dérouté(e), désorienté(e); *(situation)* embrouillé(e) • **confusing** adj peu clair(e), déroutant(e) • **confusion** [kənˈfjuːʒən] n confusion f

congestion [kənˈdʒestʃən] n *(Med)* congestion f; *(fig: traffic)* encombrement m

congratulate [kənˈɡrætjuleɪt] vt: **to ~ sb (on)** féliciter qn (de) • **congratulations** [kənɡrætjuˈleɪʃənz] npl; **congratulations (on)** félicitations fpl (pour) ▶ excl: **congratulations!** (toutes mes) félicitations!

congregation [kɒŋɡrɪˈɡeɪʃən] n assemblée f (des fidèles)

congress [ˈkɒŋɡres] n congrès m; *(Pol)*: **C~** Congrès m • **congressman** *(irreg)* n membre m du Congrès • **congresswoman** *(irreg)* n membre m du Congrès

conifer [ˈkɒnɪfəʳ] n conifère m

conjugate [ˈkɒndʒugeɪt] vt conjuguer

conjugation [kɒndʒəˈɡeɪʃən] n conjugaison f

conjunction [kənˈdʒʌŋkʃən] n conjonction f; **in ~ with** *(conjointement)* avec

conjure [ˈkʌndʒəʳ] vi faire des tours de passe-passe

connect [kəˈnekt] vt joindre,

relier; *(Elec)* connecter; *(Tel: caller)* mettre en connexion; *(: subscriber)* brancher; *(fig)* établir un rapport entre, faire un rapprochement entre ▶ vi *(train)*: **to ~ with** assurer la correspondance avec; **to be ~ed with** avoir un rapport avec; *(have dealings with)* avoir des rapports avec, être en relation avec • **connecting flight** n *(vol m de)* correspondance f • **connection** [kəˈnekʃən] n relation f, lien m; *(Elec)* connexion f; *(Tel)* communication f; *(train etc)* correspondance f

conquer [ˈkɒŋkəʳ] vt conquérir; *(feelings)* vaincre, surmonter

conquest [ˈkɒŋkwest] n conquête f

cons [kɒnz] npl see **convenience; pro**

conscience [ˈkɒnʃəns] n conscience f

conscientious [kɒnʃɪˈenʃəs] adj consciencieux(-euse)

conscious [ˈkɒnʃəs] adj conscient(e); *(deliberate: insult, error)* délibéré(e) • **consciousness** n conscience f; *(Med)* connaissance f

consecutive [kənˈsekjutɪv] adj consécutif(-ive); **on three ~ occasions** trois fois de suite

consensus [kənˈsensəs] n consensus m

consent [kənˈsent] n consentement m ▶ vi: **to ~ (to)** consentir (à)

consequence [ˈkɒnsɪkwəns] n suites fpl, conséquence f; *(significance)* importance f

consequently [ˈkɒnsɪkwəntlɪ] adv par conséquent, donc

conservation [kɔnsə'veɪʃən] n
préservation f, protection f; (also:
nature ~) défense f de
l'environnement

Conservative [kən'sə:vətɪv] adj,
n (BRIT Pol) conservateur(-trice)

conservative adj
conservateur(-trice); (cautious)
prudent(e)

conservatory [kən'sə:vətrɪ] n
(room) jardin m d'hiver; (Mus)
conservatoire m

consider [kən'sɪdə] vt (study)
considérer, réfléchir à; (take into
account) penser à, prendre en
considération; (regard, judge)
considérer, estimer; **to ~ doing
sth** envisager de faire qch
• **considerable** adj considérable
• **considerably** adv nettement
• **considerate** adj prévenant(e),
plein(e) d'égards • **consideration**
[kənsɪdə'reɪʃən] n considération
f; (reward) rétribution f,
rémunération f • **considering**
prep: **considering (that)** étant
donné (que)

consignment [kən'saɪnmənt] n
arrivage m, envoi m

consist [kən'sɪst] vi: **to ~ of**
consister en, se composer de

consistency [kən'sɪstənsɪ] n
(thickness) consistance f; (fig)
cohérence f

consistent [kən'sɪstənt] adj
logique, cohérent(e)

consolation [kɔnsə'leɪʃən] n
consolation f

console¹ [kən'səul] vt consoler

console² ['kɔnsəul] n console f

consonant ['kɔnsənənt] n
consonne f

conspicuous [kən'spɪkjuəs] adj
voyant(e), qui attire l'attention

conspiracy [kən'spɪrəsɪ] n
conspiration f, complot m

constable ['kʌnstəbl] n (BRIT)
≈ agent m de police, gendarme m;
chief ~ ≈ préfet m de police

constant ['kɔnstənt] adj
constant(e); incessant(e)
• **constantly** adv constamment,
sans cesse

constipated ['kɔnstɪpeɪtɪd] adj
constipé(e) • **constipation**
[kɔnstɪ'peɪʃən] n constipation f

constituency [kən'stɪtjuənsɪ] n
(Pol: area) circonscription
électorale; (: electors) électorat m

constitution ['kɔnstɪtju:t] vt
constituer

constitution [kɔnstɪ'tju:ʃən] n
constitution f

constraint [kən'streɪnt] n
contrainte f

construct [kən'strʌkt] vt
construire • **construction**
[kən'strʌkʃən] n construction f
• **constructive** adj
constructif(-ive)

consul ['kɔnsl] n consul m
• **consulate** ['kɔnsjulɪt] n
consulat m

consult [kən'sʌlt] vt consulter
• **consultant** n (Med) médecin
consultant; (other specialist)
consultant m, (expert-)conseil m
• **consultation** [kɔnsəl'teɪʃən] n
consultation f • **consulting
room** n (BRIT) cabinet m de
consultation

consume [kən'sju:m] vt
consommer; (subj: flames, hatred,
desire) consumer • **consumer** n
consommateur(-trice)

consumption [kən'sʌmpʃən] n
consommation f

cont. abbr (= continued) suite

contact ['kɒntækt] n contact m; (person) connaissance f, relation f ▶ vt se mettre en contact or en rapport avec; **~ number** numéro m de téléphone • **contact lenses** npl verres mpl de contact

contactless ['kɒntæktlıs] adj sans contact

contagious [kən'teɪdʒəs] adj contagieux(-euse)

contain [kən'teɪn] vt contenir; **to - o.s.** se contenir, se maîtriser • **container** n récipient m; (for shipping etc) conteneur m

contaminate [kən'tæmɪneɪt] vt contaminer

cont'd abbr (= continued) suite

contemplate ['kɒntəmpleɪt] vt contempler; (consider) envisager

contemporary [kən'tempərərɪ] adj contemporain(e); (design, wallpaper) moderne ▶ n contemporain(e)

contempt [kən'tempt] n mépris m, dédain m; **~ of court** (Law) outrage m à l'autorité de la justice

contend [kən'tend] vt: **to ~ that** soutenir or prétendre que ▶ vi: **to ~ with** (compete) rivaliser avec; (struggle) lutter avec

content [kən'tent] adj content(e), satisfait(e) ▶ vt contenter, satisfaire ▶ n ['kɒntent] contenu m; (of fat, moisture) teneur f; **contents** npl (of container etc) contenu m; **(table of) ~s** table f des matières • **contented** adj content(e), satisfait(e)

contest n ['kɒntest] combat m, lutte f; (competition) concours m ▶ vt [kən'test] contester, discuter; (compete for) disputer; (Law) attaquer • **contestant**

[kən'testənt] n concurrent(e); (in fight) adversaire m/f

context ['kɒntekst] n contexte m

continent ['kɒntɪnənt] n continent m; **the C~** (BRIT) l'Europe continentale • **continental** [kɒntɪ'nentl] adj continental(e) • **continental breakfast** n café (or thé) complet • **continental quilt** n (BRIT) couette f

continual [kən'tɪnjuəl] adj continuel(le) • **continually** adv continuellement, sans cesse

continue [kən'tɪnjuː] vi continuer ▶ vt continuer; (start again) reprendre

continuity [kɒntɪ'njuːɪtɪ] n continuité f; (TV) enchaînement m

continuous [kən'tɪnjuəs] adj continu(e), permanent(e); (Ling) progressif(-ive) • **continuous assessment** (BRIT) n contrôle continu • **continuously** adv (repeatedly) continuellement; (uninterruptedly) sans interruption

contour ['kɒntuə'] n contour m, profil m; (also: **~ line**) courbe f de niveau

contraception [kɒntrə'sepʃən] n contraception f

contraceptive [kɒntrə'septɪv] adj contraceptif(-ive), anticonceptionnel(le) ▶ n contraceptif m

contract n ['kɒntrækt] contrat m ▶ vi [kən'trækt] (become smaller) se contracter, se resserrer ▶ vt contracter; (Comm): **to ~ to do sth** s'engager (par contrat) à faire qch • **contractor** n entrepreneur m

contradict [kɒntrə'dɪkt] vt contredire • **contradiction** [kɒntrə'dɪkʃən] n contradiction f

contrary[1] [ˈkɒntrərɪ] *adj*
contraire, opposé(e) ▶ *n* contraire
m; **on the ~** au contraire; **unless
you hear to the ~** sauf avis
contraire

contrary[2] [kənˈtrɛərɪ] *adj*
(*perverse*) contrariant(e), entêté(e)

contrast *n* [ˈkɒntrɑːst] contraste
m ▶ *vt* [kənˈtrɑːst] mettre en
contraste, contraster; **in ~ to** *or*
with contrairement à, par
opposition à

contribute [kənˈtrɪbjuːt] *vi*
contribuer ▶ *vt*: **to ~ £10/an
article** donner 10 livres/un
article à; **to ~ to** (*gen*) contribuer
à; (*newspaper*) collaborer à;
(*discussion*) prendre part à
• **contribution** [kɒntrɪˈbjuːʃən]
n contribution *f*; (*BRIT: for social
security*) cotisation *f*; (*to
publication*) article *m*
• **contributor** *n* (*to newspaper*)
collaborateur(-trice); (*of money,
goods*) donateur(-trice)

control [kənˈtrəul] *vt* (*process,
machinery*) commander; (*temper*)
maîtriser; (*disease*) enrayer ▶ *n*
maîtrise *f*; (*power*) autorité *f*;
controls *npl* (*of machine etc*)
commandes *fpl*; (*on radio*) boutons
mpl de réglage; **to be in ~ of** être
maître de, maîtriser; (*in charge of*)
être responsable de; **everything
is under ~** j'ai (*or* il a *etc*) la
situation en main; **the car went
out of ~** j'ai (*or* il a *etc*) perdu le
contrôle du véhicule • **control
tower** *n* (*Aviat*) tour *f* de contrôle

controversial [kɒntrəˈvəːʃl] *adj*
discutable, controversé(e)

controversy [ˈkɒntrəvəːsɪ] *n*
controverse *f*, polémique *f*

convenience [kənˈviːnɪəns] *n*
commodité *f*; **at your ~** quand *or*
comme cela vous convient; **all
modern ~s, all mod cons** (*BRIT*)
avec tout le confort moderne,
tout confort

convenient [kənˈviːnɪənt] *adj*
commode

convent [ˈkɒnvənt] *n* couvent *m*

convention [kənˈvɛnʃən] *n*
convention *f*; (*custom*) usage *m*
• **conventional** *adj*
conventionnel(le)

conversation [kɒnvəˈseɪʃən] *n*
conversation *f*

conversely [kɒnˈvəːslɪ] *adv*
inversement, réciproquement

conversion [kənˈvəːʃən] *n*
conversion *f*; (*BRIT: of house*)
transformation *f*, aménagement
m; (*Rugby*) transformation *f*

convert *vt* [kənˈvəːt] (*Rel, Comm*)
convertir; (*alter*) transformer;
(*house*) aménager ▶ *n* [ˈkɒnvəːt]
converti(e) • **convertible** *adj*
convertible ▶ *n* (*voiture f*)
décapotable *f*

convey [kənˈveɪ] *vt* transporter;
(*thanks*) transmettre; (*idea*)
communiquer • **conveyor belt** *n*
convoyeur *m* tapis roulant

convict *vt* [kənˈvɪkt] déclarer
(*or* reconnaître) coupable ▶ *n*
[ˈkɒnvɪkt] forçat *m*, convict *m*
• **conviction** [kənˈvɪkʃən] *n* (*Law*)
condamnation *f*; (*belief*)
conviction *f*

convince [kənˈvɪns] *vt*
convaincre, persuader
• **convinced** *adj*: **convinced of/
that** convaincu(e) de/que
• **convincing** *adj* persuasif(-ive),
convaincant(e)

convoy [ˈkɒnvɔɪ] *n* convoi *m*

cook [kuk] *vt* (*also*) cuire
▶ *vi* cuire; (*person*) faire la cuisine

▶ *n* cuisinier(-ière) • **cookbook** *n* livre *m* de cuisine • **cooker** *n* cuisinière *f* • **cookery** *n* cuisine *f* • **cookery book** *n* (BRIT) = **cookbook** • **cookie** *n* (US) biscuit *m*, petit gâteau sec • **cooking** *n* cuisine *f*

cool [kuːl] *adj* frais (fraîche), (*not afraid*) calme; (*unfriendly*) froid(e); (*inf: trendy*) cool *inv* (*inf*); (: *great*) super *inv* (*inf*) ▶ *vt, vi* rafraîchir, refroidir • **cool down** *vi* refroidir; (*fig: person, situation*) se calmer • **cool off** *vi* (*become calmer*) se calmer; (*lose enthusiasm*) perdre son enthousiasme

cop [kɔp] *n* (*inf*) flic *m*

co-parent [kəʊˈpɛərənt] *vt* élever en coparentalité • **co-parenting** *n* coparentalité *f*

cope [kəʊp] *vi* s'en sortir, tenir le coup; **to ~ with** (*problem*) faire face à

copper [ˈkɔpəʳ] *n* cuivre *m*; (BRIT inf: *policeman*) flic *m*

copy [ˈkɔpɪ] *n* copie *f*; (*book etc*) exemplaire *m* ▶ *vt* copier; (*imitate*) imiter • **copyright** *n* droit *m* d'auteur, copyright *m*

coral [ˈkɔrəl] *n* corail *m*

cord [kɔːd] *n* corde *f*; (*fabric*) velours côtelé; (Elec) cordon *m* (d'alimentation), fil *m* (électrique); **cords** *npl* (*trousers*) pantalon *m* de velours côtelé • **cordless** *adj* sans fil

corduroy [ˈkɔːdərɔɪ] *n* velours côtelé

core [kɔːʳ] *n* (*of fruit*) trognon *m*, cœur *m*; (*fig: of problem etc*) cœur ▶ *vt* enlever le trognon ou le cœur de

coriander [kɔrɪˈændəʳ] *n* coriandre *f*

cork [kɔːk] *n* (*material*) liège *m*; (*of bottle*) bouchon *m* • **corkscrew** *n* tire-bouchon *m*

corn [kɔːn] *n* (BRIT: *wheat*) blé *m*; (US: *maize*) maïs *m*; (*on foot*) cor *m*; **~ on the cob** (Culin) épi *m* de maïs au naturel

corned beef [ˈkɔːnd-] *n* corned-beef *m*

corner [ˈkɔːnəʳ] *n* coin *m*; (*in road*) tournant *m*, virage *m*; (*Football*) corner *m* ▶ *vt* (*trap: prey*) acculer; (*fig*) coincer; (*Comm: market*) accaparer ▶ *vi* prendre un virage • **corner shop** (BRIT) *n* magasin *m* du coin

cornflakes [ˈkɔːnfleɪks] *npl* cornflakes *mpl*

cornflour [ˈkɔːnflaʊəʳ] *n* (BRIT) farine *f* de maïs, maïzena® *f*

cornstarch [ˈkɔːnstaːtʃ] *n* (US) farine *f* de maïs, maïzena® *f*

Cornwall [ˈkɔːnwəl] *n* Cornouailles *f*

coronary [ˈkɔrənərɪ] *n*: **~ (thrombosis)** infarctus *m* (du myocarde), thrombose *f* coronaire

coronation [kɔrəˈneɪʃən] *n* couronnement *m*

coroner [ˈkɔrənəʳ] *n* coroner *m*, officier de police judiciaire chargé de déterminer les causes d'un décès

corporal [ˈkɔːpərl] *n* caporal *m*, brigadier *m* ▶ *adj*: **~ punishment** châtiment corporel

corporate [ˈkɔːpərɪt] *adj* (*action, ownership*) en commun; (*Comm*) de la société

corporation [kɔːpəˈreɪʃən] *n* (*of town*) municipalité *f*, conseil municipal; (*Comm*) société *f*

corps (*pl* **corps**) [kɔːʳ, kɔːz] *n* corps *m*; **the diplomatic ~** le corps diplomatique; **the press ~** la presse

corpse [kɔːps] n cadavre m

correct [kəˈrekt] adj (accurate) correct(e), exact(e); (proper) correct, convenable ▶ vt corriger • **correction** [kəˈrekʃən] n correction f

correspond [kɒrɪsˈpɒnd] vi correspondre; **to ~ to sth** (be equivalent to) correspondre à qch • **correspondence** n correspondance f • **correspondent** n correspondant(e) • **corresponding** adj correspondant(e)

corridor [ˈkɒrɪdɔːʳ] n couloir m, corridor m

corrode [kəˈrəʊd] vt corroder, ronger ▶ vi se corroder

corrupt [kəˈrʌpt] adj corrompu(e); (Comput) altéré(e) ▶ vt corrompre; (Comput) altérer • **corruption** n corruption f; (Comput) altération f (de données)

Corsica [ˈkɔːsɪkə] n Corse f

cosmetic [kɒzˈmetɪk] n produit m de beauté, cosmétique m ▶ adj (fig: reforms) symbolique, superficiel(le) • **cosmetic surgery** n chirurgie f esthétique

cosmopolitan [kɒzməˈpɒlɪtn] adj cosmopolite

cost [kɒst] (pt, pp cost) n coût m ▶ vi coûter ▶ vt établir or calculer le prix de revient de; **costs** npl (Comm) frais mpl; (Law) dépens mpl; **how much does it ~?** combien ça coûte?; **to ~ sb time/effort** demander du temps/un effort à qn; **it ~ him his life/job** ça lui a coûté la vie/son

emploi; **at all ~s** coûte que coûte, à tout prix

co-star [ˈkəʊstɑːʳ] n partenaire m/f

costly [ˈkɒstlɪ] adj coûteux(-euse)

cost of living n coût m de la vie

costume [ˈkɒstjuːm] n costume m; (BRIT: also: **swimming ~**) maillot m (de bain)

cosy, (US) **cozy** [ˈkəʊzɪ] adj (room, bed) douillet(te); **to be ~** (person) être bien (au chaud)

cot [kɒt] n (BRIT: child's) lit m d'enfant, petit lit; (US: campbed) lit de camp

cottage [ˈkɒtɪdʒ] n petite maison (à la campagne), cottage m • **cottage cheese** n fromage blanc (maigre)

cotton [ˈkɒtn] n coton m; (thread) fil m (de coton) • **cotton on** vi (inf): **to ~ on (to sth)** piger (qch) • **cotton bud** (BRIT) n coton-tige® m • **cotton candy** (US) n barbe f à papa • **cotton wool** n (BRIT) ouate f, coton m hydrophile

couch [kaʊtʃ] n canapé m; divan m

couchsurfing [ˈkaʊtʃsəːfɪŋ] n couchsurfing m, hébergement temporaire gratuit chez un particulier

cough [kɒf] vi tousser ▶ n toux f; **I've got a ~** j'ai la toux • **cough mixture** • **cough syrup** n sirop m pour la toux

could [kʊd] pt of **can²** • **couldn't** = **could not**

council [ˈkaʊnsl] n conseil m; **city or town ~** conseil municipal • **council estate** n (BRIT) (quartier m or zone f de) logements loués à/par la municipalité • **council house** n (BRIT) maison f (à loyer modéré) louée par la municipalité • **councillor** • (US) **councilor** n conseiller(-ère) m • **council tax** n (BRIT) impôts locaux

counsel ['kaunsl] n conseil m; (lawyer) avocat(e) m ▸ vt: **to ~ (sb to do sth)** conseiller (à qn de faire qch) • **counselling** • (US) **counseling** n (Psych) aide psychosociale • **counsellor** • (US) **counselor** n conseiller(-ère); (US Law) avocat m

count [kaunt] vt, vi compter ▸ n compte m; (nobleman) comte m • **count in** vt (inf): **to ~ sb in on sth** inclure qn dans qch • **count on** vt fus compter sur • **countdown** n compte m à rebours

counter ['kauntər] n comptoir m; (in post office, bank) guichet m; (in game) jeton m ▸ vt aller à l'encontre de, opposer ▸ adv: **~ to** à l'encontre de; contrairement à • **counterclockwise** (US) adv en sens inverse des aiguilles d'une montre

counterfeit ['kauntəfɪt] n faux m, contrefaçon f ▸ vt contrefaire ▸ adj faux (fausse)

counterpart ['kauntəpɑːt] n (of person) homologue m/f

countess ['kauntɪs] n comtesse f

countless ['kauntlɪs] adj innombrable

country ['kʌntrɪ] n pays m; (native land) patrie f; (as opposed to town) campagne f; (region) région f, pays • **country and western** (music) n musique f country • **country house** n manoir m, (petit) château • **countryside** n campagne f

county ['kauntɪ] n comté m

coup (pl **coups**) [kuː, kuːz] n (achievement) beau coup; (also: **~ d'état**) coup m d'État

couple ['kʌpl] n couple m; **a ~ of** (two) deux; (a few) deux ou trois

coupon ['kuːpɔn] n (voucher) bon m de réduction; (detachable form) coupon m détachable, coupon-réponse m

courage ['kʌrɪdʒ] n courage m • **courageous** [kə'reɪdʒəs] adj courageux(-euse)

courgette [kuə'ʒɛt] n (BRIT) courgette f

courier ['kurɪər] n messager m, courrier m; (for tourists) accompagnateur(-trice)

course [kɔːs] n cours m; (of ship) route f; (for golf) terrain m; (part of meal) plat m; **of ~** adv bien sûr; **(no,) of ~ not!** bien sûr que non!, évidemment que non!; **~ of treatment** (Med) traitement m

court [kɔːt] n cour f; (Law) tribunal m; (Tennis) court m ▸ vt (woman) courtiser, faire la cour à; **to take to ~** actionner ou poursuivre en justice

courtesy ['kɜːtəsɪ] n courtoisie f, politesse f; **(by) ~ of** avec l'aimable autorisation de • **courtesy bus** • **courtesy coach** n navette gratuite

court-: • **court-house** ['kɔːthaus] n (US) palais m de justice • **courtroom** ['kɔːtrum] n salle f de tribunal • **courtyard** ['kɔːtjɑːd] n cour f

cousin ['kʌzn] n cousin(e); **first ~** cousin(e) germain(e)

cover ['kʌvər] vt couvrir; (Press: report on) faire un reportage sur; (feelings, mistake) cacher; (include) englober; (*discuss*) traiter ▶ *n* (*of book*, Comm) couverture *f*; (*of pan*) couvercle *m*; (*of furniture*) housse *f*; (*shelter*) abri *m*; **covers** *npl* (*on bed*) couvertures; **to take ~** se mettre à l'abri; **under ~** à l'abri; **under ~ of darkness** à la faveur de la nuit; **under separate ~** (Comm) sous pli séparé • **cover up** *vi*: **to ~ up for sb** (*fig*) couvrir qn • **coverage** *n* (*in media*) reportage *m* • **cover charge** *n* couvert *m* (*supplément à payer*) • **cover-up** *n* tentative *f* pour étouffer une affaire

cow [kaʊ] *n* vache *f* ▶ *vt* effrayer, intimider

coward ['kaʊəd] *n* lâche *m/f* • **cowardly** *adj* lâche

cowboy ['kaʊbɔɪ] *n* cow-boy *m*

cozy ['kəʊzɪ] *adj* (*us*) = **cosy**

crab [kræb] *n* crabe *m*

crack [kræk] *n* (*split*) fente *f*, fissure *f*; (*in cup, bone*) fêlure *f*; (*in wall*) lézarde *f*; (*noise*) craquement *m*, coup (*sec*); (*Drugs*) crack *m* ▶ *vt* fendre, fissurer; fêler; lézarder; (*whip*) faire claquer; (*nut*) casser; (*problem*) résoudre; (*code*) déchiffrer ▶ *cpd* (*athlete*) de première classe, d'élite • **crack down on** *vt fus* (*crime*) sévir contre, réprimer • **cracked** *adj* (*cup, bone*) fêlé(e); (*broken*) cassé(e); (*wall*) lézardé(e); (*surface*) craquelé(e); (*inf*) toqué(e), timbré(e) • **cracker** *n* (*also:* **Christmas cracker**) pétard *m*; (*biscuit*) biscuit (salé), craquelin *m*

crackle ['krækl] *vi* crépiter, grésiller

cradle ['kreɪdl] *n* berceau *m*

craft [krɑːft] *n* métier (artisanal); (*cunning*) ruse *f*, astuce *f*; (*boat: pl inv*) embarcation *f*, barque *f*;

(*plane: pl inv*) appareil *m* • **craftsman** (*irreg*) *n* artisan *m* ouvrier (qualifié) • **craftsmanship** *n* métier *m*, habileté *f*

cram [kræm] *vt*: **to ~ sth with** (*fill*) bourrer qch de; **to ~ sth into** (*put*) fourrer qch dans ▶ *vi* (*for exams*) bachoter

cramp [kræmp] *n* crampe *f*; **I've got ~ in my leg** j'ai une crampe à la jambe • **cramped** *adj* à l'étroit, très serré(e)

cranberry ['krænbərɪ] *n* canneberge *f*

crane [kreɪn] *n* grue *f*

crap [kræp] *n* (*infl: nonsense*) conneries *fpl* (*!*); (*: excrement*) merde *f* (*!*)

crash [kræʃ] *n* (*noise*) fracas *m*; (*of car, plane*) collision *f*; (*of business*) faillite *f* ▶ *vt* (*plane*) écraser ▶ *vi* (*plane*) s'écraser; (*two cars*) se percuter, s'emboutir; (*business*) s'effondrer; **to ~ into** se jeter *or* se fracasser contre • **crash course** *n* cours intensif • **crash helmet** *n* casque (protecteur)

crate [kreɪt] *n* cageot *m*; (*for bottles*) caisse *f*

crave [kreɪv] *vt, vi*: **to ~ (for)** avoir une envie irrésistible de

crawl [krɔːl] *vi* ramper; (*vehicle*) avancer au pas ▶ *n* (*Swimming*) crawl *m*

crayfish ['kreɪfɪʃ] *n* (*pl inv: freshwater*) écrevisse *f*; (*: saltwater*) langoustine *f*

crayon ['kreɪən] *n* crayon *m* (*de couleur*)

craze [kreɪz] *n* engouement *m*

crazy ['kreɪzɪ] *adj* fou (folle); **to be ~ about sb/sth** (*inf*) être fou de qn/qch

creak [kri:k] vi (hinge) grincer; (floor, shoes) craquer

cream [kri:m] n crème f ▶ adj (colour) crème inv • **cream cheese** n fromage m à la crème, fromage blanc • **creamy** adj crémeux(-euse)

crease [kri:s] n pli m ▶ vt froisser, chiffonner ▶ vi se froisser, se chiffonner

create [kri:'eɪt] vt créer • **creation** [kri:'eɪʃən] n création f • **creative** adj créatif(-ive) • **creator** n créateur(-trice)

creature ['kri:tʃə'] n créature f

crèche [kreʃ] n garderie f, crèche f

credentials [krɪ'denʃlz] npl (references) références fpl; (identity papers) pièce f d'identité

credibility [kredɪ'bɪlɪtɪ] n crédibilité f

credible ['kredɪbl] adj digne de foi, crédible

credit ['kredɪt] n crédit m; (recognition) honneur m; (Scol) unité f de valeur f ▶ vt (Comm) créditer; (believe: also: **give ~ to**) ajouter foi à, croire; **credits** npl (Cine) générique m; **to be in ~** (person, bank account) être créditeur(-trice); **to ~ sb with** (fig) prêter or attribuer à qn • **credit card** n carte f de crédit; **do you take credit cards?** acceptez-vous les cartes de crédit? • **credit crunch** n crise f du crédit • **credit rating** n indice m de solvabilité

creek [kri:k] n (inlet) crique f, anse f; (us: stream) ruisseau m, petit cours d'eau

creep [kri:p] (pt, pp **crept**) vi ramper

cremate [krɪ'meɪt] vt incinérer

crematorium (pl **crematoria**) [kremə'tɔ:rɪəm, -'tɔ:rɪə] n four m crématoire

crept [krept] pt, pp of **creep**

crescent ['kresnt] n croissant m; (street) rue f (en arc de cercle)

cress [kres] n cresson m

crest [krest] n crête f; (of coat of arms) timbre m

crew [kru:] n équipage m; (Cine) équipe f (de tournage) • **crew-neck** n col ras

crib [krɪb] n lit m d'enfant; (for baby) berceau m ▶ vt (inf) copier

cricket ['krɪkɪt] n (insect) grillon m, cri-cri m inv; (game) cricket m • **cricketer** n joueur m de cricket

crime [kraɪm] n crime m • **criminal** ['krɪmɪnl] adj, n criminel(le)

crimson ['krɪmzn] adj cramoisi(e)

cringe [krɪndʒ] vi avoir un mouvement de recul

cripple ['krɪpl] n (!) boiteux(-euse), infirme m/f ▶ vt (person) estropier, paralyser; (ship, plane) immobiliser; (production, exports) paralyser

crisis (pl **crises**) ['kraɪsɪs, -si:z] n crise f

crisp [krɪsp] adj croquant(e); (weather) vif (vive); (manner etc) brusque • **crisps** (BRIT) npl (pommes fpl) chips fpl • **crispy** adj croustillant(e)

criterion (pl **criteria**) [kraɪ'tɪərɪən, -'tɪərɪə] n critère m

critic ['krɪtɪk] n critique m/f • **critical** adj critique • **criticism** ['krɪtɪsɪzəm] n critique f • **criticize** ['krɪtɪsaɪz] vt critiquer

Croat ['krəuæt] adj, n = **Croatian**

Croatia [krəʊ'eɪʃə] n Croatie f
• **Croatian** adj croate ▶ n Croate m/f; (Ling) croate m

crockery ['krɔkəri] n vaisselle f

crocodile ['krɔkədaɪl] n crocodile m

crocus ['krəʊkəs] n crocus m

croissant ['krwasã] n croissant m

crook [krʊk] n (inf) escroc m; (of shepherd) houlette f • **crooked** ['krʊkɪd] adj courbé(e), tordu(e); (action) malhonnête

crop [krɔp] n (produce) culture f; (amount produced) récolte f; (riding crop) cravache f ▶ vt (hair) tondre • **crop up** vi surgir, se présenter, survenir

cross [krɔs] n croix f; (Biol) croisement m ▶ vt (street etc) traverser; (arms, legs, Biol) croiser; (cheque) barrer ▶ adj en colère, fâché(e) • **cross off** = **cross out** vt barrer, rayer • **cross over** vi traverser • **cross-Channel ferry** ['krɔs'tʃænl-] n ferry m qui fait la traversée de la Manche • **cross-country (race)** n cross(-country) m • **crossing** n (sea passage) traversée f; (also: **pedestrian crossing**) passage clouté; **how long does the crossing take?** combien de temps dure la traversée? • **crossing guard** n (us) contractuel qui fait traverser la rue aux enfants • **crossroads** n carrefour m • **crosswalk** n (us) passage clouté • **crossword** n mots mpl croisés

crotch [krɔtʃ] n (of garment) entrejambe m; (Anat) entrecuisse m

crouch [kraʊtʃ] vi s'accroupir; (hide) se tapir; (before springing) se ramasser

crouton ['kru:tɔn] n croûton m

crow [krəʊ] n (bird) corneille f; (of cock) chant m du coq, cocorico m ▶ vi (cock) chanter

crowd [kraʊd] n foule f ▶ vt bourrer, remplir ▶ vi affluer, s'attrouper, s'entasser • **crowded** adj bondé(e)

crowdfunding ['kraʊdfʌndɪŋ] n crowdfunding m, financement m participatif

crown [kraʊn] n couronne f; (of head) sommet m de la tête; (of hill) sommet m ▶ vt (also tooth) couronner • **crown jewels** npl joyaux mpl de la Couronne

crucial ['kru:ʃl] adj crucial(e), décisif(-ive)

crucifix ['kru:sɪfɪks] n crucifix m

crude [kru:d] adj (materials) brut(e); non raffiné(e); (basic) rudimentaire, sommaire; (vulgar) cru(e), grossier(-ière) ▶ n (also: ~ **oil**) (pétrole m) brut m

cruel ['kruəl] adj cruel(le) • **cruelty** n cruauté f

cruise [kru:z] n croisière f ▶ vi (ship) croiser; (car) rouler; (aircraft) voler

crumb [krʌm] n miette f

crumble ['krʌmbl] vt émietter ▶ vi (plaster etc) s'effriter; (land, earth) s'ébouler; (building) s'écrouler, crouler; (fig) s'effondrer

crumpet ['krʌmpɪt] n petite crêpe (épaisse)

crumple ['krʌmpl] vt froisser, friper

crunch [krʌntʃ] vt croquer; (underfoot) faire craquer, écraser; faire crisser ▶ n (fig) instant m or moment m critique, moment de vérité • **crunchy** adj croquant(e), croustillant(e)

crush [krʌʃ] n (crowd) foule f, cohue f; (love): **to have a ~ on sb** avoir le béguin pour qn; (drink): **lemon ~** citron pressé ▶ vt écraser; (crumple) froisser; (grind, break up: garlic, ice) piler; (: grapes) presser; (hopes) anéantir

crust [krʌst] n croûte f • **crusty** adj (bread) croustillant(e); (inf: person) revêche, bourru(e)

crutch [krʌtʃ] n béquille f; (of garment) entrejambe m; (Anat) entrecuisse m

cry [kraɪ] vi pleurer; (shout: also: ~ **out**) crier ▶ n cri m • **cry out** vi (call out, shout) pousser un cri ▶ vt crier

crystal ['krɪstl] n cristal m

cub [kʌb] n petit m (d'un animal); (also: ~ **scout**) louveteau m

Cuba ['kjuːbə] n Cuba m

cube [kjuːb] n cube m ▶ vt (Math) élever au cube

cubicle ['kjuːbɪkl] n (in hospital) box m; (at pool) cabine f

cuckoo ['kukuː] n coucou m

cucumber ['kjuːkʌmbəʳ] n concombre m

cuddle ['kʌdl] vt câliner, caresser ▶ vi se blottir l'un contre l'autre

cue [kjuː] n queue f de billard; (Theat etc) signal m

cuff [kʌf] n (BRIT: of shirt, coat etc) poignet m, manchette f; (us: on trousers) revers m; (blow) gifle f; **off the ~** adv à l'improviste • **cufflinks** n boutons m de manchette

cuisine [kwɪˈziːn] n cuisine f

cul-de-sac ['kʌldəsæk] n cul-de-sac m, impasse f

cull [kʌl] vt sélectionner ▶ n (of animals) abattage sélectif

culminate ['kʌlmɪneɪt] vi: **to ~ in** finir or se terminer par; (lead to) mener à

culprit ['kʌlprɪt] n coupable m/f

cult [kʌlt] n culte m

cultivate ['kʌltɪveɪt] vt cultiver

cultural ['kʌltʃərəl] adj culturel(le)

culture ['kʌltʃəʳ] n culture f

cumin ['kʌmɪn] n (spice) cumin m

cunning ['kʌnɪŋ] n ruse f, astuce f ▶ adj rusé(e), malin(-igne); (clever: device, idea) astucieux(-euse)

cup [kʌp] n tasse f; (prize, event) coupe f; (of bra) bonnet m

cupboard ['kʌbəd] n placard m

cup final n (BRIT Football) finale f de la coupe

curator [kjuəˈreɪtəʳ] n conservateur f (d'un musée etc)

curb [kəːb] vt refréner, mettre un frein à ▶ n (fig) frein m; (us) bord m du trottoir

curdle ['kəːdl] vi (se) cailler

cure [kjuəʳ] vt guérir; (Culin: salt) saler; (: smoke) fumer; (: dry) sécher ▶ n remède m

curfew ['kəːfjuː] n couvre-feu m

curiosity [kjuərɪˈɔsɪtɪ] n curiosité f

curious ['kjuərɪəs] adj curieux(-euse); **I'm ~ about him** il m'intrigue

curl [kəːl] n boucle f (de cheveux) ▶ vt, vi boucler; (tightly) friser • **curl up** vi s'enrouler; (person) se pelotonner • **curler** n bigoudi m, rouleau m • **curly** adj bouclé(e); (tightly curled) frisé(e)

currant ['kʌrnt] n raisin m de Corinthe, raisin sec; (fruit) groseille f

currency ['kʌrnsɪ] n monnaie f;
to gain ~ (fig) s'accréditer

current ['kʌrnt] n courant m ▶ adj
(common) courant(e); (tendency,
price, event) actuel(le) • **current
account** n (BRIT) compte courant
• **current affairs** npl (questions
fpl d')actualité f • **currently** adv
actuellement

curriculum (pl **curriculums** or
curricula) [kə'rɪkjuləm, -lə] n
programme m d'études
• **curriculum vitae** [-'viːtaɪ] n
curriculum vitae (CV) m

curry ['kʌrɪ] n curry m ▶ vt:
to ~ favour with chercher à gagner
la faveur or à s'attirer les bonnes
grâces de • **curry powder** n
poudre f de curry

curse [kəːs] vi jurer, blasphémer
▶ vt maudire ▶ n (spell)
malédiction f; (problem, scourge)
fléau m; (swearword) juron m

cursor ['kəːsəʳ] n (Comput) curseur m

curt [kəːt] adj brusque, sec (sèche)

curtain ['kəːtn] n rideau m

curve [kəːv] n courbe f; (in the
road) tournant m, virage m ▶ vi se
courber; (road) faire une courbe
• **curved** adj courbe

cushion ['kuʃən] n coussin m
▶ vt (fall, shock) amortir

custard ['kʌstəd] n (for pouring)
crème anglaise

custody ['kʌstədɪ] n (of child)
garde f; (for offenders): **to take sb
into ~** placer qn en détention
préventive

custom ['kʌstəm] n coutume f,
usage m; (Comm) clientèle f

customer ['kʌstəməʳ] n client(e)

customized ['kʌstəmaɪzd] adj
personnalisé(e); (car etc)
construit(e) sur commande

customs ['kʌstəmz] npl douane f
• **customs officer** n douanier m

cut [kʌt] (pt, pp **cut**) vt couper;
(meat) découper; (reduce) réduire
▶ vi couper ▶ n (gen) coupure f; (of
clothes) coupe f; (in salary etc)
réduction f; (of meat) morceau m;
to ~ a tooth percer une dent; **to
~ one's finger** se couper le doigt;
to get one's hair ~ se faire couper
les cheveux; **I've ~ myself** je me
suis coupé • **cut back** vt (plants)
tailler; (production, expenditure)
réduire • **cut down** vt (tree)
abattre; (reduce) réduire • **cut off**
vt (gen) couper; (troops) isoler • **cut out**
vt (picture etc) découper; (remove)
supprimer • **cut up** vt découper
• **cutback** n réduction f

cute [kjuːt] adj mignon(ne),
adorable

cutlery ['kʌtlərɪ] n couverts mpl

cutlet ['kʌtlɪt] n côtelette f

cut-price ['kʌt'praɪs], (us)
cut-rate ['kʌt'reɪt] adj au
rabais, à prix réduit

cutting ['kʌtɪŋ] adj (fig)
cinglant(e), mordant(e) ▶ n (BRIT: from
newspaper) coupure f (de journal);
(from plant) bouture f

CV n abbr = **curriculum vitae**

cyberbully ['saɪbəbulɪ] n
personne coupable de
cyberharcèlement • **cyberbullying**
n cyberharcèlement m

cyberspace ['saɪbəspeɪs] n
cyberespace m

cycle ['saɪkl] n cycle m; (bicycle)
bicyclette f, vélo m ▶ vi faire de la
bicyclette • **cycle hire** n location f
de vélos • **cycle lane** • **cycle path**
n piste f cyclable • **cycling** n
cyclisme m • **cyclist** n cycliste m/f

cyclone ['saɪkləun] n cyclone m

cylinder ['sɪlɪndəʳ] n cylindre m
cymbals ['sɪmblz] npl cymbales fpl
cynical ['sɪnɪkl] adj cynique
Cypriot ['sɪprɪət] adj cypriote, chypriote ▶ n Cypriote m/f, Chypriote m/f
Cyprus ['saɪprəs] n Chypre f
cyst [sɪst] n kyste m • **cystitis** [sɪs'taɪtɪs] n cystite f
czar [zɑːʳ] n tsar m
Czech [tʃɛk] adj tchèque ▶ n Tchèque m/f; (Ling) tchèque m • **Czech Republic** n: **the Czech Republic** la République tchèque

d

D [diː] n (Mus) ré m
dab [dæb] vt (eyes, wound) tamponner; (paint, cream) appliquer (par petites touches or rapidement)
dad, daddy [dæd, 'dædɪ] n papa m
daffodil ['dæfədɪl] n jonquille f
daft [dɑːft] adj (inf) idiot(e), stupide
dagger ['dægəʳ] n poignard m
daily ['deɪlɪ] adj quotidien(ne), journalier(-ière) ▶ adv tous les jours
dairy ['dɛərɪ] n (shop) crémerie f, laiterie f; (on farm) laiterie • **dairy produce** n produits laitiers
daisy ['deɪzɪ] n pâquerette f
dam [dæm] n (wall) barrage m; (water) réservoir m, lac m de retenue ▶ vt endiguer
damage ['dæmɪdʒ] n dégâts mpl, dommages mpl; (fig) tort m ▶ vt endommager, abîmer; (fig) faire du tort à; **damages** npl (Law) dommages-intérêts mpl

damn [dæm] *vt* condamner; (*curse*) maudire ▶ *n* (*inf*): **I don't give a ~** je m'en fous ▶ *adj* (*inf*: *also*: **~ed**): **this ~ ...** ce sacré or foutu ...; • (**it**)! zut!

damp [dæmp] *adj* humide ▶ *n* humidité *f* ▶ *vt* (*also*: **~en**: *cloth, rag*) humecter; (: *enthusiasm etc*) refroidir

dance [dɑːns] *n* danse *f*; (*ball*) bal *m* ▶ *vi* danser • **dance floor** *n* piste *f* de danse • **dancer** *n* danseur(-euse) • **dancing** *n* danse *f*

dandelion ['dændɪlaɪən] *n* pissenlit *m*

dandruff ['dændrəf] *n* pellicules *fpl*

D & T *n abbr* (BRIT Scol) = **design and technology**

Dane [deɪn] *n* Danois(e)

danger ['deɪndʒəʳ] *n* danger *m*; **~!** (*on sign*) danger!; **in ~** en danger; **he was in ~ of falling** il risquait de tomber • **dangerous** *adj* dangereux(-euse)

dangle ['dæŋgl] *vt* balancer ▶ *vi* pendre, se balancer

Danish ['deɪnɪʃ] *adj* danois(e) ▶ *n* (*Ling*) danois *m*

dare [dɛəʳ] *vt*: **to ~ sb to do** défier qn or mettre qn au défi de faire ▶ *vi*: **to ~ (to) do sth** oser faire qch; **I ~ say he'll turn up** il est probable qu'il viendra ▶ *adj* hardi(e), audacieux(-euse) ▶ *n* audace *f*, hardiesse *f*

dark [dɑːk] *adj* (*night, room*) obscur(e), sombre; (*colour, complexion*) foncé(e), sombre ▶ *n*: **in the ~** dans le noir; **to be in the ~ about** (*fig*) ignorer tout de; **after ~** après la tombée de la nuit • **darken** *vt* obscurcir, assombrir ▶ *vi* s'obscurcir, s'assombrir • **darkness** *n* obscurité *f* • **darkroom** *n* chambre noire

darling ['dɑːlɪŋ] *adj*, *n* chéri(e)

dart [dɑːt] *n* fléchette *f*; (*in sewing*) pince *f* ▶ *vi*: **to ~ towards** se précipiter or s'élancer vers • **dartboard** *n* cible *f* (de jeu de fléchettes) • **darts** *n* jeu *m* de fléchettes

dash [dæʃ] *n* (*sign*) tiret *m*; (*small quantity*) goutte *f*, larme *f* ▶ *vt* (*throw*) jeter or lancer violemment; (*hopes*) anéantir ▶ *vi*: **to ~ towards** se précipiter or se ruer vers

dashboard ['dæʃbɔːd] *n* (*Aut*) tableau *m* de bord

data ['deɪtə] *npl* données *fpl* • **database** *n* base *f* de données • **data processing** *n* traitement *m* des données

date [deɪt] *n* date *f*; (*with sb*) rendez-vous *m*; (*fruit*) datte *f* ▶ *vt* dater; (*person*) sortir avec; **~ of birth** date de naissance; **to ~** *adv* à ce jour; **out of ~** périmé(e); **up to ~** à la page, mis(e) à jour, moderne • **dated** *adj* démodé(e)

daughter ['dɔːtəʳ] *n* fille *f* • **daughter-in-law** *n* belle-fille *f*, bru *f*

daunting ['dɔːntɪŋ] *adj* décourageant(e), intimidant(e)

dawn [dɔːn] *n* aube *f*, aurore *f* ▶ *vi* (*day*) se lever, poindre; **it ~ed on him that ...** il lui vint à l'esprit que ...

day [deɪ] *n* jour *m*; (*as duration*) journée *f*; (*period of time, age*) époque *f*, temps *m*; **the ~ before** la veille, le jour précédent; **the ~ after, the following ~** le lendemain, le jour suivant;

the ~ before yesterday avant-hier; **the ~ after tomorrow** après-demain; **by ~** de jour • **day-care centre** ['deɪkeə-] n (for elderly etc) centre m d'accueil de jour; (for children) garderie f • **daydream** vi rêver (tout éveillé) • **daylight** n (lumière f du) jour m • **day return** n (BRIT) billet m d'aller-retour (valable pour la journée) • **daytime** n jour m, journée f • **day-to-day** adj (routine, expenses) journalier(-ière) • **day trip** n excursion f (d'une journée)

dazed [deɪzd] adj abruti(e)

dazzle ['dæzl] vt éblouir, aveugler • **dazzling** adj (light) aveuglant(e), éblouissant(e); (fig) éblouissant(e)

DC abbr (Elec) = **direct current**

dead [ded] adj mort(e); (numb) engourdi(e), insensible; (battery) à plat ▶ adv (completely) absolument, complètement; (exactly) juste; **he was shot ~** il a été tué d'un coup de revolver; **~ tired** éreinté(e), complètement fourbu(e); **to stop ~** s'arrêter pile or net; **the line is ~** (Tel) la ligne est coupée • **dead end** n impasse f • **deadline** n date f or heure f limite • **deadly** adj mortel(le); (weapon) meurtrier(-ière) • **Dead Sea** n: **the Dead Sea** la mer Morte

deaf [def] adj sourd(e) • **deafen** vt rendre sourd(e) • **deafening** adj assourdissant(e)

deal [diːl] n affaire f, marché m ▶ vt (pt, pp **dealt**) (blow) porter; (cards) donner, distribuer; **a great ~ of** beaucoup de • **deal with** fus (handle) s'occuper or se charger de; (be about) traiter de • **dealer** n

(Comm) marchand m; (Cards) donneur m • **dealings** npl (in goods, shares) opérations fpl, transactions fpl; (relations) relations fpl, rapports mpl

dealbreaker ['diːlbreɪkə'] n: **it was a ~** cela a fait capoter l'affaire

dealt [delt] pt, pp of **deal**

dean [diːn] n (Rel, BRIT Scol) doyen m; (US Scol) conseiller principal (conseillère principale) d'éducation

dear [dɪə'] adj cher (chère); (expensive) cher, coûteux(-euse) ▶ n: **my ~** mon cher (ma chère) ▶ excl: **~ me!** mon Dieu!; **D~ Sir/Madam** (in letter) Monsieur/Madame; **D~ Mr/Mrs X** Cher Monsieur/Chère Madame X • **dearly** adv (love) tendrement; (pay) cher

death [deθ] n mort f; (Admin) décès m • **death penalty** n peine f de mort • **death sentence** n condamnation f à mort

debate [dɪ'beɪt] n discussion f, débat m ▶ vt discuter, débattre

declutter [diː'klʌtə'] vt désencombrer

debit ['debɪt] n débit m ▶ vt: **to ~ a sum to sb or to sb's account** porter une somme au débit de qn, débiter qn d'une somme • **debit card** n carte f de paiement

debris ['debriː] n débris mpl, décombres mpl

debt [det] n dette f; **to be in ~** avoir des dettes, être endetté(e)

debug [diː'bʌg] vt (Comput) déboguer

debut ['deɪbjuː] n début(s) m(pl)

Dec. abbr (= December) déc

decade ['dekeɪd] n décennie f, décade f

decaffeinated [dɪˈkæfɪneɪtɪd] *adj* décaféiné(e)

decay [dɪˈkeɪ] *n (of food, wood etc)* décomposition *f*, pourriture *f*; *(of building)* délabrement *m*; *(also:* **tooth ~)** carie *f (dentaire)* ▶ *vi (rot)* se décomposer, pourrir; *(teeth)* se carier

deceased [dɪˈsiːst] *n*: **the ~** le (la) défunt(e)

deceit [dɪˈsiːt] *n* tromperie *f*, supercherie *f* • **deceive** [dɪˈsiːv] *vt* tromper

December [dɪˈsɛmbəʳ] *n* décembre *m*

decency [ˈdiːsənsɪ] *n* décence *f*

decent [ˈdiːsənt] *adj (proper)* décent(e), convenable

deception [dɪˈsɛpʃən] *n* tromperie *f*

deceptive [dɪˈsɛptɪv] *adj* trompeur(-euse)

decide [dɪˈsaɪd] *vt (subj: person)* décider; *(question, argument)* trancher, régler ▶ *vi* se décider, décider; **to ~ to do/that** décider de faire/que; **to ~ on** décider, se décider pour

decimal [ˈdɛsɪməl] *adj* décimal(e) ▶ *n* décimale *f*

decision [dɪˈsɪʒən] *n* décision *f*

decisive [dɪˈsaɪsɪv] *adj* décisif(-ive); *(manner, person)* décidé(e), catégorique

deck [dɛk] *n (Naut)* pont *m*; *(of cards)* jeu *m*; *(record deck)* platine *f*; *(of bus)*: **top ~** impériale *f* • **deckchair** *n* chaise longue

declaration [dɛkləˈreɪʃən] *n* déclaration *f*

declare [dɪˈklɛəʳ] *vt* déclarer

decline [dɪˈklaɪn] *n (decay)* déclin *m*; *(lessening)* baisse *f* ▶ *vt* refuser, décliner ▶ *vi* décliner; *(business)* baisser

declutter [diːˈklʌtəʳ] *vt* désencombrer

decorate [ˈdɛkəreɪt] *vt (adorn, give a medal to)* décorer; *(paint and paper)* peindre et tapisser
• **decoration** [dɛkəˈreɪʃən] *n (medal etc, adornment)* décoration *f*
• **decorator** *n* peintre *m* en bâtiment

decrease *n* [ˈdiːkriːs] diminution *f* ▶ *vt, vi* [diːˈkriːs] diminuer

decree [dɪˈkriː] *n (Pol, Rel)* décret *m*; *(Law)* arrêt *m*, jugement *m*

dedicate [ˈdɛdɪkeɪt] *vt* consacrer; *(book etc)* dédier • **dedicated** *adj (person)* dévoué(e); *(Comput)* spécialisé(e), dédié(e); **dedicated word processor** station *f* de traitement de texte • **dedication** [dɛdɪˈkeɪʃən] *n (devotion)* dévouement *m*; *(in book)* dédicace *f*

deduce [dɪˈdjuːs] *vt* déduire, conclure

deduct [dɪˈdʌkt] *vt*: **to ~ sth (from)** déduire qch (de), retrancher qch (de) • **deduction** [dɪˈdʌkʃən] *n (deducting, deducing)* déduction *f*; *(from wage etc)* prélèvement *m*, retenue *f*

deed [diːd] *n* action *f*, acte *m*; *(Law)* acte notarié, contrat *m*

deem [diːm] *vt (formal)* juger, estimer

deep [diːp] *adj* profond(e); *(voice)* grave ▶ *adv*: **spectators stood 20 ~** il y avait 20 rangs de spectateurs; **4 metres ~** de 4 mètres de profondeur; **how ~ is the water?** l'eau a quelle profondeur? • **deep-fry** *vt* faire frire (dans une friteuse) • **deeply** *adv* profondément; *(regret, interested)* vivement

deer [dɪəʳ] n (pl inv): **(red) ~** cerf m; **(fallow) ~** daim m; **(roe) ~** chevreuil m

default [dɪ'fɔ:lt] n (Comput: also: ~ value) valeur f par défaut; **by ~** (Law) par défaut, par contumace; (Sport) par forfait

defeat [dɪ'fi:t] n défaite f ▶ vt (team, opponents) battre

defect n ['di:fɛkt] défaut m ▶ vi [dɪ'fɛkt]: **to ~ to the enemy/the West** passer à l'ennemi/l'Ouest • **defective** [dɪ'fɛktɪv] adj défectueux(-euse)

defence, (us) **defense** [dɪ'fɛns] n défense f

defend [dɪ'fɛnd] vt défendre • **defendant** n défendeur(-deresse); (in criminal case) accusé(e), prévenu(e) • **defender** n défenseur m

defense [dɪ'fɛns] n (us) = **defence**

defensive [dɪ'fɛnsɪv] adj défensif(-ive) ▶ n: **on the ~** sur la défensive

defer [dɪ'fə:ʳ] vt (postpone) différer, ajourner

defiance [dɪ'faɪəns] n défi m; **in ~ of** au mépris de • **defiant** [dɪ'faɪənt] adj provocant(e), de défi; (person) rebelle, intraitable

deficiency [dɪ'fɪʃənsɪ] n (lack) insuffisance f; (: Med) carence f; (flaw) faiblesse f • **deficient** [dɪ'fɪʃənt] adj (inadequate) insuffisant(e); **to be deficient in** manquer de

deficit ['dɛfɪsɪt] n déficit m

define [dɪ'faɪn] vt définir

definite ['dɛfɪnɪt] adj (fixed) défini(e), (bien) déterminé(e); (clear, obvious) net(te), manifeste; (certain) sûr(e); **he was ~ about it** il a été catégorique • **definitely** adv sans aucun doute

definition [dɛfɪ'nɪʃən] n définition f; (clearness) netteté f

deflate [di:'fleɪt] vt dégonfler

deflect [dɪ'flɛkt] vt détourner, faire dévier

defraud [dɪ'frɔ:d] vt: **to ~ sb of sth** escroquer qch à qn

defriend [di:'frɛnd] vt (Internet) supprimer de sa liste d'amis

defrost [di:'frɒst] vt (fridge) dégivrer; (frozen food) décongeler

defuse [di:'fju:z] vt désamorcer

defy [dɪ'faɪ] vt défier; (efforts etc) résister à; **it defies description** cela défie toute description

degree [dɪ'gri:] n degré m; (Scol) diplôme m (universitaire); **a (first) ~ in maths** une licence en maths; **by ~s** (gradually) par degrés; **to some ~** jusqu'à un certain point, dans une certaine mesure

dehydrated [di:haɪ'dreɪtɪd] adj déshydraté(e); (milk, eggs) en poudre

de-icer ['di:'aɪsəʳ] n dégivreur m

delay [dɪ'leɪ] vt retarder; (payment) différer ▶ vi s'attarder ▶ n délai m, retard m; **to be ~ed** être en retard

delegate n ['dɛlɪgɪt] délégué(e) ▶ vt ['dɛlɪgeɪt] déléguer

delete [dɪ'li:t] vt rayer, supprimer; (Comput) effacer

deli ['dɛlɪ] n épicerie fine

deliberate adj [dɪ'lɪbərɪt] (intentional) délibéré(e); (slow) mesuré(e) ▶ vi [dɪ'lɪbəreɪt] délibérer, réfléchir • **deliberately** adv (on purpose) exprès, délibérément

delicacy ['dɛlɪkəsɪ] n délicatesse f; (choice food) mets fin or délicat, friandise f

delicate ['delɪkɪt] adj délicat(e)

delicatessen [delɪkə'tesn] n épicerie fine

delicious [dɪ'lɪʃəs] adj délicieux(-euse)

delight [dɪ'laɪt] n (grande) joie, grand plaisir ▸ vt enchanter; **she's a ~ to work with** c'est un plaisir de travailler avec elle; **to take ~ in** prendre grand plaisir à • **delighted** adj: **delighted (at or with sth)** ravi(e) (de qch); **to be delighted to do sth/that** être enchanté(e) or ravi(e) de faire qch/ que • **delightful** adj (person) adorable; (meal, evening) merveilleux(-euse)

delinquent [dɪ'lɪŋkwənt] adj, n délinquant(e)

deliver [dɪ'lɪvə'] vt (mail) distribuer; (goods) livrer; (message) remettre; (speech) prononcer; (Med: baby) mettre au monde • **delivery** n (of mail) distribution f; (of goods) livraison f; (of speaker) élocution f; (Med) accouchement m; **to take delivery of** prendre livraison de

delusion [dɪ'luːʒən] n illusion f

de luxe [də'lʌks] adj de luxe

delve [delv] vi: **to ~ into** fouiller dans

demand [dɪ'mɑːnd] vt réclamer, exiger ▸ n exigence f; (claim) revendication f; (Econ) demande f; **in ~** demandé(e), recherché(e); **on ~** sur demande • **demanding** adj (person) exigeant(e); (work) astreignant(e)

> ⚠ Be careful not to translate *to demand* by the French word *demander*.

demise [dɪ'maɪz] n décès m

demo ['deməu] n abbr (inf: = demonstration) (protest) manif f; (Comput) démonstration f

democracy [dɪ'mɔkrəsɪ] n démocratie f • **democrat** ['deməkræt] n démocrate m/f • **democratic** [demə'krætɪk] adj démocratique

demolish [dɪ'mɔlɪʃ] vt démolir

demolition [demə'lɪʃən] n démolition f

demon ['diːmən] n démon m

demonstrate ['demənstreɪt] vt démontrer, prouver; (show) faire une démonstration de ▸ vi: **to ~ (for/against)** manifester (en faveur de/ contre) • **demonstration** [demən'streɪʃən] n démonstration f; (Pol etc) manifestation f • **demonstrator** n (Pol etc) manifestant(e)

demote [dɪ'məut] vt rétrograder

den [den] n (of lion) tanière f; (room) repaire m

denial [dɪ'naɪəl] n (of accusation) démenti m; (of rights, guilt, truth) dénégation f

denim ['denɪm] n jean m; **denims** npl (blue-)jeans mpl

Denmark ['denmɑːk] n Danemark m

denomination [dɪnɔmɪ'neɪʃən] n (money) valeur f; (Rel) confession f

denounce [dɪ'nauns] vt dénoncer

dense [dens] adj dense; (inf: stupid) obtus(e)

density ['densɪtɪ] n densité f

dent [dent] n bosse f ▸ vt (also: **make a ~ in**) cabosser

dental ['dentl] adj dentaire • **dental floss** [-'flɔs] n fil m dentaire • **dental surgery** n cabinet m de dentiste

dentist ['dɛntɪst] n dentiste m/f

dentures ['dɛntʃəz] npl dentier msg

deny [dɪ'naɪ] vt nier; (refuse) refuser

deodorant [diː'əʊdərənt] n déodorant m

depart [dɪ'pɑːt] vi partir; **to ~ from** (fig: differ from) s'écarter de

department [dɪ'pɑːtmənt] n (Comm) rayon m; (Scol) section f; (Pol) ministère m, département m • **department store** n grand magasin

departure [dɪ'pɑːtʃə] n départ m; **a new ~** une nouvelle voie • **departure lounge** n salle f de départ

depend [dɪ'pɛnd] vi: **to ~ (up)on** dépendre de; (rely on) compter sur; **it ~s** cela dépend; **~ing on the result …** selon le résultat … • **dependant** n personne f à charge • **dependent** adj: **to be dependent (on)** dépendre (de) ▶ n = **dependant**

depict [dɪ'pɪkt] vt (in picture) représenter; (in words) (dé)peindre, décrire

deport [dɪ'pɔːt] vt déporter, expulser

deposit [dɪ'pɒzɪt] n (Chem, Comm, Geo) dépôt m; (of ore, oil) gisement m; (part payment) arrhes fpl, acompte m; (on bottle etc) consigne f; (for hired goods etc) cautionnement m, garantie f ▶ vt déposer • **deposit account** n compte m sur livret

depot ['dɛpəʊ] n dépôt m; (us Rail) gare f

depreciate [dɪ'priːʃɪeɪt] vi se déprécier, se dévaloriser

depress [dɪ'prɛs] vt déprimer; (press down) appuyer sur, abaisser; (wages etc) faire baisser • **depressed** adj (person) déprimé(e); (area) en déclin, touché(e) par le sous-emploi • **depressing** adj déprimant(e) • **depression** [dɪ'prɛʃən] n dépression f

deprive [dɪ'praɪv] vt: **to ~ sb of** priver qn de • **deprived** adj déshérité(e)

dept. abbr (= department) dép, dépt

depth [dɛpθ] n profondeur f; **to be in the ~s of despair** être au plus profond du désespoir; **to be out of one's ~** (BRIT: swimmer) ne plus avoir pied; (fig) être dépassé(e), nager

deputy ['dɛpjʊtɪ] n (second in command) adjoint(e); (Pol) député m; (us: also: **~ sheriff**) shérif adjoint ▶ adj: **~ head** (Scol) directeur(-trice) adjoint(e), sous-directeur(-trice)

derail [dɪ'reɪl] vt: **to be ~ed** dérailler

derelict ['dɛrɪlɪkt] adj abandonné(e), à l'abandon

derive [dɪ'raɪv] vt: **to ~ sth from** tirer qch de; trouver qch dans ▶ vi: **to ~ from** provenir de, dériver de

descend [dɪ'sɛnd] vt, vi descendre; **to ~ from** descendre de, être issu(e) de; **to ~ to** s'abaisser à • **descendant** n descendant(e) • **descent** n descente f; (origin) origine f

describe [dɪs'kraɪb] vt décrire • **description** [dɪs'krɪpʃən] n description f; (sort) sorte f, espèce f

desert n ['dɛzət] désert m ▶ vt [dɪ'zəːt] déserter, abandonner

d

deserve

▶ vi (Mil) déserter • **deserted** [dɪˈzɜːtɪd] adj désert(e)

deserve [dɪˈzɜːv] vt mériter

design [dɪˈzaɪn] n (sketch) plan m, dessin m; (layout, shape) conception f, ligne f; (pattern) dessin, motif(s) m(pl); (of dress, car) modèle m; (art) design m, stylisme m; (intention) dessein m ▶ vt dessiner; (plan) concevoir • **design and technology** n (BRIT Scol) technologie f

designate vt [ˈdezɪɡneɪt] désigner ▶ adj [ˈdezɪɡnɪt] désigné(e)

designer [dɪˈzaɪnəʳ] n (Archit, Art) dessinateur(-trice); (Industry) concepteur m, designer m; (Fashion) styliste m/f

desirable [dɪˈzaɪərəbl] adj (property, location, purchase) attrayant(e)

desire [dɪˈzaɪəʳ] n désir m ▶ vt désirer, vouloir

desk [desk] n (in office) bureau m; (for pupil) pupitre m; (BRIT: in shop, restaurant) caisse f; (in hotel, at airport) réception f • **desk-top publishing** [ˈdesktɒp-] n publication assistée par ordinateur, PAO f

despair [dɪsˈpɛəʳ] n désespoir m ▶ vi: **to ~ of** désespérer de

despatch [dɪsˈpætʃ] n, vt = **dispatch**

desperate [ˈdespərɪt] adj désespéré(e); (fugitive) prêt(e) à tout; **to be ~ for sth/to do sth** avoir désespérément besoin de qch/de faire qch • **desperately** adv désespérément; (very) terriblement, extrêmement • **desperation** [despəˈreɪʃən] n désespoir m; **in (sheer)**

desperation en désespoir de cause

despise [dɪsˈpaɪz] vt mépriser

despite [dɪsˈpaɪt] prep malgré, en dépit de

dessert [dɪˈzɜːt] n dessert m • **dessertspoon** n cuiller f à dessert

destination [destɪˈneɪʃən] n destination f

destined [ˈdestɪnd] adj: **~ for London** à destination de Londres

destiny [ˈdestɪnɪ] n destinée f, destin m

destroy [dɪsˈtrɔɪ] vt détruire; (injured horse) abattre; (dog) faire piquer

destruction [dɪsˈtrʌkʃən] n destruction f

destructive [dɪsˈtrʌktɪv] adj destructeur(-trice)

detach [dɪˈtætʃ] vt détacher • **detached** adj (attitude) détaché(e) • **detached house** n pavillon m, maison(nette) (individuelle)

detail [ˈdiːteɪl] n détail m ▶ vt raconter en détail, énumérer; **in ~** en détail • **detailed** adj détaillé(e)

detain [dɪˈteɪn] vt retenir; (in captivity) détenir

detect [dɪˈtekt] vt déceler, percevoir; (Med, Police) dépister; (Mil, Radar, Tech) détecter • **detection** [dɪˈtekʃən] n découverte f • **detective** n policier m; **private detective** détective privé • **detective story** n roman policier

detention [dɪˈtenʃən] n détention f; (Scol) retenue f, consigne f

deter [dɪˈtɜːʳ] vt dissuader

detergent [dɪˈtɜːdʒənt] n détersif m, détergent m

deteriorate [dɪ'tɪərɪəreɪt] *vi* se détériorer, se dégrader

determination [dɪtə:mɪ'neɪʃən] *n* détermination *f*

determine [dɪ'tə:mɪn] *vt* déterminer; **to ~ to do** résoudre de faire, se déterminer à faire • **determined** *adj* (*person*) déterminé(e), décidé(e); **determined to do** bien décidé à faire

deterrent [dɪ'terənt] *n* effet *m* de dissuasion; force *f* de dissuasion

detest [dɪ'test] *vt* détester, avoir horreur de

detour ['di:tuə'] *n* détour *m*; (*US Aut: diversion*) déviation *f*

detox ['di:tɔks] *n* détox *f*

detract [dɪ'trækt] *vt*: **to ~ from** (*quality, pleasure*) diminuer; (*reputation*) porter atteinte à

detrimental [detrɪ'mentl] *adj*: **~ to** préjudiciable *or* nuisible à

devastating ['devəsteɪtɪŋ] *adj* dévastateur(-trice); (*news*) accablant(e)

develop [dɪ'veləp] *vt* (*gen*) développer; (*disease*) commencer à souffrir de; (*resources*) mettre en valeur, exploiter; (*land*) aménager ▶ *vi* se développer; (*situation, disease: evolve*) évoluer; (*facts, symptoms: appear*) se manifester, se produire; **can you ~ this film?** pouvez-vous développer cette pellicule? • **developing country** *n* pays *m* en voie de développement • **development** *n* développement *m*; (*of land*) exploitation *f*; (*new fact, event*) rebondissement *m*, fait(s) nouveau(x)

device [dɪ'vaɪs] *n* (*apparatus*) appareil *m*, dispositif *m*

devil ['devl] *n* diable *m*; démon *m*

devious ['di:vɪəs] *adj* (*person*) sournois(e), dissimulé(e)

devise [dɪ'vaɪz] *vt* imaginer, concevoir

devote [dɪ'vəut] *vt*: **to ~ sth to** consacrer qch à • **devoted** *adj* dévoué(e); **to be devoted to** être dévoué(e) *or* très attaché(e) à; (*book etc*) être consacré(e) à • **devotion** *n* dévouement *m*, attachement *m*; (*Rel*) dévotion *f*, piété *f*

devour [dɪ'vauə'] *vt* dévorer

devout [dɪ'vaut] *adj* pieux(-euse)

dew [dju:] *n* rosée *f*

diabetes [daɪə'bi:ti:z] *n* diabète *m*

diabetic [daɪə'betɪk] *n* diabétique *m/f* ▶ *adj* (*person*) diabétique

diagnose [daɪəg'nəuz] *vt* diagnostiquer

diagnosis (*pl* **diagnoses**) [daɪəg'nəusɪs, -si:z] *n* diagnostic *m*

diagonal [daɪ'ægənl] *adj* diagonal(e) ▶ *n* diagonale *f*

diagram ['daɪəgræm] *n* diagramme *m*, schéma *m*

dial ['daɪəl] *n* cadran *m* ▶ *vt* (*number*) faire, composer

dialect ['daɪəlekt] *n* dialecte *m*

dialling code ['daɪəlɪŋ-], (*US*) **dial code** *n* indicatif *m* (téléphonique); **what's the ~ for Paris?** quel est l'indicatif de Paris?

dialling tone ['daɪəlɪŋ-], (*US*) **dial tone** *n* tonalité *f*

dialogue, (*US*) **dialog** ['daɪəlɔg] *n* dialogue *m*

diameter [daɪ'æmɪtə'] *n* diamètre *m*

diamond ['daɪəmənd] *n* diamant *m*; (*shape*) losange *m*; **diamonds** *npl* (*Cards*) carreau *m*

diaper ['daɪəpə'] *n* (*US*) couche *f*

diarrhoea, (US) **diarrhea**
[daɪəˈriːə] n diarrhée f

diary [ˈdaɪərɪ] n (daily account)
journal m; (book) agenda m

dice [daɪs] n (pl inv) dé m ▶ vt
(Culin) couper en dés or en cubes

dictate vt [dɪkˈteɪt] dicter
• **dictation** [dɪkˈteɪʃən] n
dictée f

dictator [dɪkˈteɪtəʳ] n dictateur m

dictionary [ˈdɪkʃənrɪ] n
dictionnaire m

did [dɪd] pt of **do**

didn't [dɪdnt] = **did not**

die [daɪ] vi mourir; **to be dying
for sth** avoir une envie folle de
qch; **to be dying to do sth**
mourir d'envie de faire qch • **die
down** vi se calmer, s'apaiser • **die
out** vi disparaître, s'éteindre

diesel [ˈdiːzl] n (vehicle) diesel m;
(also: ~ **oil**) carburant m diesel,
gas-oil m

diet [ˈdaɪət] n alimentation f;
(restricted food) régime m ▶ vi (also:
be on a ~) suivre un régime

differ [ˈdɪfəʳ] vi: **to ~ from sth** (be
different) être différent(e) de qch,
différer de qch; **to ~ from sb over
sth** ne pas être d'accord avec qn
au sujet de qch • **difference** n
différence f; (quarrel) différend m,
désaccord m • **different** adj
différent(e) • **differentiate**
[dɪfəˈrenʃɪeɪt] vi: **to
differentiate between** faire une
différence entre • **differently** adv
différemment

difficult [ˈdɪfɪkəlt] adj difficile
• **difficulty** n difficulté f

dig [dɪɡ] vt (pt, pp **dug**) (hole)
creuser; (garden) bêcher ▶ n (prod)
coup m de coude; (fig: remark)
coup de griffe or de patte;

(Archaeology) fouille f; **to ~ one's
nails into** enfoncer ses ongles
dans • **dig up** vt déterrer

digest vt [daɪˈdʒest] digérer ▶ n
[ˈdaɪdʒest] sommaire m, résumé
m • **digestion** [dɪˈdʒestʃən] n
digestion f

digit [ˈdɪdʒɪt] n (number) chiffre m
(de o à 9); (finger) doigt m • **digital**
adj (system, recording, radio)
numérique (watch) à affichage
numérique • **digital camera** n
appareil m photo numérique
• **digital TV** n télévision f
numérique

dignified [ˈdɪɡnɪfaɪd] adj digne

dignity [ˈdɪɡnɪtɪ] n dignité f

digs [dɪɡz] npl (BRIT inf) piaule f,
chambre meublée

dilemma [daɪˈlemə] n dilemme m

dill [dɪl] n aneth m

dilute [daɪˈluːt] vt diluer

dim [dɪm] adj (light, eyesight)
faible; (memory, outline) vague,
indécis(e); (room) sombre; (inf:
stupid) borné(e), obtus(e) ▶ vt
(light) réduire, baisser; (US Aut)
mettre en code, baisser

dime [daɪm] n (US) pièce f de 10
cents

dimension [daɪˈmenʃən] n
dimension f

diminish [dɪˈmɪnɪʃ] vt, vi
diminuer

din [dɪn] n vacarme m

dine [daɪn] vi dîner • **diner** n
(person) dîneur(-euse); (US: eating
place) petit restaurant

dinghy [ˈdɪŋɡɪ] n youyou m;
(inflatable) canot m pneumatique;
(also: **sailing ~**) voilier m,
dériveur m

dingy [ˈdɪndʒɪ] adj miteux(-euse),
minable

dining car ['daɪnɪŋ-] n (BRIT) voiture-restaurant f, wagon-restaurant m

dining room ['daɪnɪŋ-] n salle f à manger

dining table [daɪnɪŋ-] n table f de (la) salle à manger

dinkum ['dɪŋkəm] adj (AUST, NZ inf) vrai(e); **fair ~** vrai(e)

dinner ['dɪnər] n (evening meal) dîner m; (lunch) déjeuner m; (public) banquet m • **dinner jacket** n smoking m • **dinner party** n dîner m • **dinner time** n (evening) heure f du dîner; (midday) heure du déjeuner

dinosaur ['daɪnəsɔːr] n dinosaure m

dip [dɪp] n (slope) déclivité f; (in sea) baignade f, bain m; (Culin) ≈ sauce f ▶ vt tremper, plonger; (BRIT Aut: lights) mettre en code, baisser ▶ vi plonger

diploma [dɪ'pləʊmə] n diplôme m

diplomacy [dɪ'pləʊməsɪ] n diplomatie f

diplomat ['dɪpləmæt] n diplomate m • **diplomatic** [dɪplə'mætɪk] adj diplomatique

dipstick ['dɪpstɪk] n (BRIT Aut) jauge f de niveau d'huile

dire [daɪər] adj (poverty) extrême; (awful) affreux(-euse)

direct [daɪ'rɛkt] adj direct(e) ▶ vt (tell way) diriger, orienter; (letter, remark) adresser; (Cine, TV) réaliser; (Theat) mettre en scène; (order): **to ~ sb to do sth** ordonner à qn de faire qch ▶ adv directement; **can you ~ me to ...?** pouvez-vous m'indiquer le chemin de ...?
• **direct debit** n (BRIT Banking) prélèvement m automatique

direction [dɪ'rɛkʃən] n direction f; **directions** npl (to a place) indications fpl; **~s for use** mode m d'emploi; **sense of ~** sens m de l'orientation

directly [dɪ'rɛktlɪ] adv (in straight line) directement, tout droit; (at once) tout de suite, immédiatement

director [dɪ'rɛktər] n directeur m; (Theat) metteur m en scène; (Cine, TV) réalisateur(-trice)

directory [dɪ'rɛktərɪ] n annuaire m; (Comput) répertoire m
• **directory enquiries** n (US: directory assistance) (Tel: service) renseignements mpl

dirt [dəːt] n saleté f; (mud) boue f
• **dirty** adj sale; (joke) cochon(ne) ▶ vt salir

disability [dɪsə'bɪlɪtɪ] n invalidité f, infirmité f

disabled [dɪs'eɪbld] adj handicapé(e); (maimed) mutilé(e)

disadvantage [dɪsəd'vɑːntɪdʒ] n désavantage m, inconvénient m

disagree [dɪsə'griː] vi (differ) ne pas concorder; (be against, think otherwise): **to ~ (with)** ne pas être d'accord (avec) • **disagreeable** adj désagréable • **disagreement** n désaccord m, différend m

disappear [dɪsə'pɪər] vi disparaître • **disappearance** n disparition f

disappoint [dɪsə'pɔɪnt] vt décevoir • **disappointed** adj déçu(e) • **disappointing** adj décevant(e) • **disappointment** n déception f

disapproval [dɪsə'pruːvəl] n désapprobation f

disapprove [dɪsə'pruːv] vi: **to ~ of** désapprouver

disarm [dɪs'ɑ:m] vt désarmer
• **disarmament** [dɪs'ɑ:məmənt] n désarmement m

disaster [dɪ'zɑ:stə*] n catastrophe f, désastre m
• **disastrous** adj désastreux(-euse)

disbelief ['dɪsbə'li:f] n incrédulité f

disc [dɪsk] n disque m; (Comput) = **disk**

discard [dɪs'kɑ:d] vt (old things) se débarrasser de; (fig) écarter, renoncer à

discharge vt [dɪs'tʃɑ:dʒ] (duties) s'acquitter de; (waste etc) déverser; décharger; (patient) renvoyer (chez lui); (employee, soldier) congédier, licencier ▶ n ['dɪstʃɑ:dʒ] (Elec, Med) émission f; (dismissal) renvoi m licenciement m

discipline ['dɪsɪplɪn] n discipline f ▶ vt discipliner; (punish) punir

disc jockey n disque-jockey m (DJ)

disclose [dɪs'kləʊz] vt révéler, divulguer

disco ['dɪskəʊ] n abbr discothèque f

discoloured, (us) **discolored** [dɪs'kʌləd] adj décoloré(e), jauni(e)

discomfort [dɪs'kʌmfət] n malaise m, gêne f; (lack of comfort) manque m de confort

disconnect [dɪskə'nɛkt] vt (Elec, Radio) débrancher; (gas, water) couper

discontent [dɪskən'tɛnt] n mécontentement m

discontinue [dɪskən'tɪnju:] vt cesser, interrompre; **"~d"** (Comm) "fin de série"

discount n ['dɪskaʊnt] remise f, rabais m ▶ vt [dɪs'kaʊnt] (report etc) ne pas tenir compte de

discourage [dɪs'kʌrɪdʒ] vt décourager

discover [dɪs'kʌvə*] vt découvrir
• **discovery** n découverte f

discredit [dɪs'krɛdɪt] vt (idea) mettre en doute; (person) discréditer

discreet [dɪ'skri:t] adj discret(-ète)

discrepancy [dɪ'skrɛpənsɪ] n divergence f, contradiction f

discretion [dɪ'skrɛʃən] n discrétion f; **at the ~ of** à la discrétion de

discriminate [dɪ'skrɪmɪneɪt] vi: **to ~ between** établir une distinction entre, faire la différence entre; **to ~ against** pratiquer une discrimination contre • **discrimination** [dɪskrɪmɪ'neɪʃən] n discrimination f; (judgment) discernement m

discuss [dɪ'skʌs] vt discuter de; (debate) discuter • **discussion** [dɪ'skʌʃən] n discussion f

disease [dɪ'zi:z] n maladie f

disembark [dɪsɪm'bɑ:k] vt, vi débarquer

disgrace [dɪs'greɪs] n honte f; (disfavour) disgrâce f ▶ vt déshonorer, couvrir de honte
• **disgraceful** adj scandaleux(-euse), honteux(-euse)

disgruntled [dɪs'grʌntld] adj mécontent(e)

disguise [dɪs'gaɪz] n déguisement m ▶ vt déguiser; **in ~** déguisé(e)

disgust [dɪs'gʌst] n dégoût m, aversion f ▶ vt dégoûter, écœurer

disgusted [dɪs'gʌstɪd] *adj* dégoûté(e), écœuré(e)

disgusting [dɪs'gʌstɪŋ] *adj* dégoûtant(e)

dish [dɪʃ] *n* plat *m*; **to do** *or* **wash the ~es** faire la vaisselle • **dishcloth** *n* (*for drying*) torchon *m*; (*for washing*) lavette *f*

dishonest [dɪs'ɒnɪst] *adj* malhonnête

dishtowel ['dɪʃtauəl] *n* (*US*) torchon *m* (à vaisselle)

dishwasher ['dɪʃwɔʃər] *n* lave-vaisselle *m*

disillusion [dɪsɪ'luːʒən] *vt* désabuser, désenchanter

disinfectant [dɪsɪn'fɛktənt] *n* désinfectant *m*

disintegrate [dɪs'ɪntɪgreɪt] *vi* se désintégrer

disk [dɪsk] *n* (*Comput*) disquette *f*; **single-/double-sided ~** disquette une face/double face • **disk drive** *n* lecteur *m* de disquette • **diskette** *n* (*Comput*) disquette *f*

dislike [dɪs'laɪk] *n* aversion *f*, antipathie *f* ▶ *vt* ne pas aimer

dislocate ['dɪsləkeɪt] *vt* disloquer, déboîter

disloyal [dɪs'lɔɪəl] *adj* déloyal(e)

dismal ['dɪzml] *adj* (*gloomy*) lugubre, maussade; (*very bad*) lamentable

dismantle [dɪs'mæntl] *vt* démonter

dismay [dɪs'meɪ] *n* consternation *f* ▶ *vt* consterner

dismiss [dɪs'mɪs] *vt* congédier, renvoyer; (*idea*) écarter; (*Law*) rejeter • **dismissal** *n* renvoi *m*

disobedient [dɪsə'biːdɪənt] *adj* désobéissant(e), indiscipliné(e)

disobey [dɪsə'beɪ] *vt* désobéir à

disorder [dɪs'ɔːdər] *n* désordre *m*; (*rioting*) désordres *mpl*; (*Med*) troubles *mpl*

disorganized [dɪs'ɔːgənaɪzd] *adj* désorganisé(e)

disown [dɪs'əun] *vt* renier

dispatch [dɪs'pætʃ] *vt* expédier, envoyer ▶ *n* envoi *m*, expédition *f*; (*Mil, Press*) dépêche *f*

dispel [dɪs'pɛl] *vt* dissiper, chasser

dispense [dɪs'pɛns] *vt* (*medicine*) préparer (et vendre) • **dispense with** *vt fus* se passer de • **dispenser** *n* (*device*) distributeur *m*

disperse [dɪs'pəːs] *vt* disperser ▶ *vi* se disperser

display [dɪs'pleɪ] *n* (*of goods*) étalage *m*; affichage *m*; (*Comput: information*) visualisation *f*; (*: device*) visuel *m*; (*of feeling*) manifestation *f* ▶ *vt* montrer; (*goods*) mettre à l'étalage, exposer; (*results, departure times*) afficher; (*pej*) faire étalage de

displease [dɪs'pliːz] *vt* mécontenter, contrarier

disposable [dɪs'pəuzəbl] *adj* (*pack etc*) jetable; (*income*) disponible

disposal [dɪs'pəuzl] *n* (*of rubbish*) évacuation *f*, destruction *f*; (*of property etc: by selling*) vente *f*; (*: by giving away*) cession *f*; **at one's ~** à sa disposition

dispose [dɪs'pəuz] *vi*: **to ~ of** (*unwanted goods*) se débarrasser de, se défaire de; (*problem*) expédier • **disposition** [dɪspə'zɪʃən] *n* disposition *f*; (*temperament*) naturel *m*

disproportionate [dɪsprə'pɔːʃənət] *adj* disproportionné(e)

dispute [dɪs'pjuːt] n discussion f; (also: **industrial ~**) conflit m ▸ vt (question) contester; (matter) discuter

disqualify [dɪs'kwɒlɪfaɪ] vt (Sport) disqualifier; **to ~ sb for sth/from doing** rendre qn inapte à qch/à faire

disregard [dɪsrɪ'gɑːd] vt ne pas tenir compte de

disrupt [dɪs'rʌpt] vt (plans, meeting, lesson) perturber, déranger • **disruption** [dɪs'rʌpʃən] n perturbation f, dérangement m

dissatisfaction [dɪssætɪs'fækʃən] n mécontentement m, insatisfaction f

dissatisfied [dɪs'sætɪsfaɪd] adj: **~ (with)** insatisfait(e) (de)

dissect [dɪ'sekt] vt disséquer

dissent [dɪ'sent] n dissentiment m, différence f d'opinion

dissertation [dɪsə'teɪʃən] n (Scol) mémoire m

dissolve [dɪ'zɒlv] vt dissoudre ▸ vi se dissoudre, fondre; **to ~ in(to) tears** fondre en larmes

distance ['dɪstns] n distance f; **in the ~** au loin

distant ['dɪstnt] adj lointain(e), éloigné(e); (manner) distant(e), froid(e)

distil, (US) **distill** [dɪs'tɪl] vt distiller • **distillery** n distillerie f

distinct [dɪs'tɪŋkt] adj distinct(e); (clear) marqué(e); **as ~ from** par opposition à • **distinction** [dɪs'tɪŋkʃən] n distinction f; (in exam) mention f très bien • **distinctive** adj distinctif(-ive)

distinguish [dɪs'tɪŋgwɪʃ] vt distinguer; **to ~ o.s.** se distinguer • **distinguished** adj (eminent, refined) distingué(e)

distort [dɪs'tɔːt] vt déformer

distract [dɪs'trækt] vt distraire, déranger • **distracted** adj (not concentrating) distrait(e); (worried) affolé(e) • **distraction** [dɪs'trækʃən] n distraction f

distraught [dɪs'trɔːt] adj éperdu(e)

distress [dɪs'tres] n détresse f ▸ vt affliger • **distressing** adj douloureux(-euse), pénible

distribute [dɪs'trɪbjuːt] vt distribuer • **distribution** [dɪstrɪ'bjuːʃən] n distribution f • **distributor** n (gen, Tech) distributeur m; (Comm) concessionnaire m/f

district ['dɪstrɪkt] n (of country) région f; (of town) quartier m; (Admin) district m • **district attorney** n (US) ≈ procureur m de la République

distrust [dɪs'trʌst] n méfiance f, doute m ▸ vt se méfier de

disturb [dɪs'tɜːb] vt troubler; (inconvenience) déranger • **disturbance** n dérangement m; (political etc) troubles mpl • **disturbed** adj (worried, upset) agité(e), troublé(e); **to be emotionally disturbed** avoir des problèmes affectifs • **disturbing** adj troublant(e), inquiétant(e)

ditch [dɪtʃ] n fossé m; (for irrigation) rigole f ▸ vt (inf) abandonner; (person) plaquer

ditto ['dɪtəu] adv idem

dive [daɪv] n plongeon m; (of submarine) plongée f ▸ vi plonger; **to ~ into** (bag etc) plonger la main dans; (place) se précipiter dans • **diver** n plongeur m

diverse [daɪ'vɜːs] adj divers(e)

diversion [daɪˈvəːʃən] n (BRIT Aut) déviation f; (distraction, Mil) diversion f

diversity [daɪˈvəːsɪtɪ] n diversité f, variété f

divert [daɪˈvəːt] vt (BRIT: traffic) dévier; (plane) dérouter; (train, river) détourner

divide [dɪˈvaɪd] vt diviser; (separate) séparer ► vi se diviser • **divided highway** (US) n route f à quatre voies

divine [dɪˈvaɪn] adj divin(e)

diving [ˈdaɪvɪŋ] n plongée (sous-marine) • **diving board** n plongeoir m

division [dɪˈvɪʒən] n division f; (separation) séparation f; (Comm) service m

divorce [dɪˈvɔːs] n divorce m ► vt divorcer d'avec • **divorced** adj divorcé(e) • **divorcee** [dɪvɔːˈsiː] n divorcé(e)

DIY adj, n abbr (BRIT) = **do-it-yourself**

dizzy [ˈdɪzɪ] adj: **I feel ~** la tête me tourne, j'ai la tête qui tourne

DJ n abbr = **disc jockey**

DNA n abbr (= deoxyribonucleic acid) ADN m

---

do [duː]

► n (inf: party etc) soirée f, fête f
► aux vb (pt **did**, pp **done**) **1** (in negative constructions) non traduit; **I don't understand** je ne comprends pas
2 (to form questions) non traduit; **didn't you know?** vous ne le saviez pas?; **what do you think?** qu'en pensez-vous?
3 (for emphasis, in polite expressions): **people do make mistakes sometimes** on peut

toujours se tromper; **she does seem rather late** je trouve qu'elle est bien en retard; **do sit down/help yourself** asseyez-vous/servez-vous je vous en prie; **do take care!** faites bien attention à vous!
4 (used to avoid repeating vb): **she swims better than I do** elle nage mieux que moi; **do you agree? — yes, I do/no I don't** vous êtes d'accord? — oui/non; **she lives in Glasgow — so do I** elle habite Glasgow — moi aussi; **he didn't like it and neither did we** il n'a pas aimé ça, et nous non plus; **who broke it? — I did** qui l'a cassé? — c'est moi; **he asked me to help him and I did** il m'a demandé de l'aider, et c'est ce que j'ai fait
5 (in question tags): **you like him, don't you?** vous l'aimez bien, n'est-ce pas?; **I don't know him, do I?** je ne crois pas le connaître
► vt (pt **did**, pp **done**) **1** (gen: carry out, perform etc) faire; (visit: city, museum) faire, visiter; **what are you doing tonight?** qu'est-ce que vous faites ce soir?; **what do you do?** (job) que faites-vous dans la vie?; **what can I do for you?** que puis-je faire pour vous?; **to do the cooking/washing-up** faire la cuisine/la vaisselle; **to do one's teeth/hair/nails** se brosser les dents/se coiffer/se faire les ongles
2 (Aut etc: distance) faire; (: speed) faire du; **we've done 200 km already** nous avons déjà fait 200 km; **the car was doing 100** la voiture faisait du 100

(à l'heure); **he can do 100 in that car** il peut faire du 100 (à l'heure) dans cette voiture-là ▶ vi (*pt* **did**, *pp* **done**) **1** (*act, behave*) faire; **do as I do** faites comme moi

2 (*get on, fare*) marcher; **the firm is doing well** l'entreprise marche bien; **he's doing well/ badly at school** ça marche bien/mal pour lui à l'école; **how do you do?** comment allez-vous?; (*on being introduced*) enchanté(e)!

3 (*suit*) aller; **will it do?** est-ce que ça ira?

4 (*be sufficient*) suffire, aller; **will £10 do?** est-ce que 10 livres suffiront?; **that'll do** ça suffit, ça ira; **that'll do!** (*in annoyance*) ça va ou suffit comme ça!; **to make do (with)** se contenter (de)

• **do up** *vt* (*laces, dress*) attacher; (*buttons*) boutonner; (*zip*) fermer; (*renovate: room*) refaire; (*: house*) remettre à neuf

• **do with** *vt fus* (*need*): **I could do with a drink/some help** quelque chose à boire/un peu d'aide ne serait pas de refus; **it could do with a wash** ça ne lui ferait pas de mal d'être lavé; (*be connected with*): **that has nothing to do with you** cela ne vous concerne pas; **I won't have anything to do with it** je ne veux pas m'en mêler

• **do without** *vi* s'en passer; **if you're late for tea you'll do without** si vous êtes en retard pour le dîner il faudra vous en passer ▶ *vt fus* se passer de; **I can do without a car** je peux me passer de voiture

dock [dɔk] *n* dock *m*; (*wharf*) quai *m*; (*Law*) banc *m* des accusés ▶ *vi* se mettre à quai; (*Space*) s'arrimer; **docks** *npl* (*Naut*) docks

doctor ['dɔktə*] *n* médecin *m*, docteur *m*; (*PhD etc*) docteur ▶ *vt* (*drink*) frelater; **call a ~!** appelez un docteur *or* un médecin!
• **Doctor of Philosophy** *n* (*degree*) doctorat *m*; (*person*) titulaire *m/f* d'un doctorat

document ['dɔkjumənt] *n* document *m* • **documentary** [dɔkju'mɛntəri] *adj*, *n* documentaire (*m*) • **documentation** [dɔkjumən'teɪʃən] *n* documentation *f*

dodge [dɔdʒ] *n* truc *m*; combine *f* ▶ *vt* esquiver, éviter

dodgy ['dɔdʒɪ] *adj* (BRIT *inf: uncertain*) douteux(-euse); (*: shady*) louche

does [dʌz] *vb see* **do**

doesn't ['dʌznt] = **does not**

dog [dɔg] *n* chien(ne) ▶ *vt* (*follow closely*) suivre de près; (*fig: memory etc*) poursuivre, harceler • **doggy bag** ['dɔgɪ-] *n* petit sac pour emporter les restes

do-it-yourself ['duːɪtjɔː'sɛlf] *n* bricolage *m*

dole [dəʊl] *n* (BRIT: *payment*) allocation *f* de chômage; **on the ~** au chômage

doll [dɔl] *n* poupée *f*

dollar ['dɔlə*] *n* dollar *m*

dolphin ['dɔlfɪn] *n* dauphin *m*

dome [dəʊm] *n* dôme *m*

domestic [də'mɛstɪk] *adj* (*duty, happiness*) familial(e); (*policy, affairs, flight*) intérieur(e); (*animal*) domestique

dominant ['dɔmɪnənt] *adj* dominant(e)

down

dominate ['dɔmɪneɪt] vt dominer

domino ['dɔmɪnəʊ] (pl **dominoes**) n domino m • **dominoes** n (game) dominos mpl

donate [də'neɪt] vt faire don de, donner • **donation** [də'neɪʃən] n donation f, don m

done [dʌn] pp of **do**

dongle ['dɔŋgl] n (Comput) dongle m

donkey ['dɔŋkɪ] n âne m

donor ['dəʊnər] n (of blood etc) donneur(-euse); (to charity) donateur(-trice) • **donor card** n carte f de don d'organes

don't [dəʊnt] = **do not**

donut ['dəʊnʌt] (us) n = **doughnut**

doodle ['duːdl] vi gribouiller

doom [duːm] n (fate) destin m ▶ vt: **to be ~ed to failure** être voué(e) à l'échec

door [dɔːr] n porte f; (Rail, car) portière f • **doorbell** n sonnette f • **door handle** n poignée f de porte; (of car) poignée de portière • **doorknob** n poignée f or bouton m de porte • **doorstep** n pas m de (la) porte, seuil m • **doorway** n (embrasure f de) porte f

dope [dəʊp] n (inf: drug) drogue f; (: person) andouille f ▶ vt (horse etc) doper

dormitory ['dɔːmɪtrɪ] n (BRIT) dortoir m; (us: hall of residence) résidence f universitaire

DOS [dɔs] n abbr (= disk operating system) DOS m

dosage ['dəʊsɪdʒ] n dose f; dosage m; (on label) posologie f

dose [dəʊs] n dose f

dot [dɔt] n point m; (on material) pois m ▶ vt: **~ted with** parsemé(e)

de; **on the ~** à l'heure tapante • **dotcom** n point com m, pointcom m • **dotted line** ['dɔtɪd-] n ligne pointillée; **to sign on the dotted line** signer à l'endroit indiqué or sur la ligne pointillée

double ['dʌbl] adj double ▶ adv (twice): **to cost ~ (sth)** coûter le double (de qch) or deux fois plus (que qch) ▶ n double m; (Cine) doublure f ▶ vt doubler; (fold) plier en deux ▶ vi doubler; **on the ~, at the ~** au pas de course • **double back** vi (person) revenir sur ses pas • **double bass** n contrebasse f • **double bed** n grand lit • **double-check** vt, vi revérifier • **double-click** vi (Comput) double-cliquer • **double-cross** vt doubler, trahir • **double-decker** n autobus m à impériale • **double glazing** n (BRIT) double vitrage m • **double room** n chambre f pour deux • **doubles** n (Tennis) double m • **double yellow lines** npl (BRIT Aut) double bande jaune marquant l'interdiction de stationner

doubt [daʊt] n doute m ▶ vt douter de; **no ~** sans doute; **to ~ that** douter que + sub • **doubtful** adj douteux(-euse); (person) incertain(e) • **doubtless** adv sans doute, sûrement

dough [dəʊ] n pâte f • **doughnut** • (us) **donut** n beignet m

dove [dʌv] n colombe f

Dover ['dəʊvər] n Douvres

down [daʊn] n (fluff) duvet m ▶ adv en bas, vers le bas; (on the ground) par terre ▶ prep en bas de; (along) le long de ▶ vt (inf: drink) siffler; **to walk ~ a hill** descendre une colline; **to run ~ the street** descendre la rue en courant;

~ with X! à bas X! • **down-and-out** n (tramp) clochard(e) • **downfall** n chute f; ruine f • **downhill** adv: **to go downhill** descendre; (business) péricliter

Downing Street ['daʊnɪŋ-] n (BRIT): **10** ~ résidence du Premier ministre

Downing Street est une rue de Westminster (à Londres) où se trouvent la résidence officielle du Premier ministre (au numéro 10) et celle du ministre des Finances (au numéro 11). L'expression Downing Street est souvent utilisée pour désigner le gouvernement britannique.

down: • **download** vt (Comput) télécharger • **downloadable** adj (Comput) téléchargeable • **downright** adj (lie etc) effronté(e); (refusal) catégorique

Down's syndrome [daʊnz-] n trisomie f

down: • **downstairs** adv (on or to ground floor) au rez-de-chaussée; (on or to floor below) à l'étage inférieur • **down-to-earth** adj terre à terre inv • **downtown** adv en ville • **down under** adv en Australie or Nouvelle Zélande • **downward** ['daʊnwəd] adj, adv vers le bas • **downwards** ['daʊnwədz] adv vers le bas

doz. abbr = **dozen**

doze [dəʊz] vi sommeiller

dozen ['dʌzn] n douzaine f; **a ~ books** une douzaine de livres; **~s of** des centaines de

Dr. abbr (= doctor) Dr; (in street names); = **drive**

drab [dræb] adj terne, morne

draft [drɑːft] n (of letter, school work) brouillon m; (of literary work) ébauche f; (Comm) traite f; (us Mil: call-up) conscription f ▶ vt faire le brouillon de; (Mil: send) détacher; see also **draught**

drag [dræg] vt traîner; (river) draguer ▶ vi traîner ▶ n (inf) casse-pieds m/f; (: women's clothing): **in ~** (en) travesti; **to ~ and drop** (Comput) glisser-poser

dragonfly ['drægənflaɪ] n libellule f

drain [dreɪn] n égout m; (on resources) saignée f ▶ vt (land, marshes) assécher; (vegetables) égoutter; (reservoir etc) vider ▶ vi (water) s'écouler • **drainage** n (system) système m d'égouts; (act) drainage m • **drainpipe** n tuyau m d'écoulement

drama ['drɑːmə] n (art) théâtre m, art m dramatique; (play) pièce f; (event) drame m • **dramatic** [drə'mætɪk] adj (Theat) dramatique; (impressive) spectaculaire

drank [dræŋk] pt of **drink**

drape [dreɪp] vt draper; **drapes** npl (us) rideaux mpl

drastic ['dræstɪk] adj (measures) d'urgence, énergique; (change) radical(e)

draught, (us) **draft** [drɑːft] n courant m d'air; **on ~** (beer) à la pression • **draught beer** n bière f (à la) pression • **draughts** n (BRIT: game) (jeu m de) dames fpl

draw [drɔː] (vb: pt **drew**, pp **drawn**) vt tirer; (picture) dessiner; (attract) attirer; (line, circle) tracer; (money) retirer; (wages) toucher ▶ vi (Sport) faire match nul ▶ n match nul; (lottery) loterie f; (: picking of ticket) tirage m au sort • **draw out** vi (lengthen) s'allonger ▶ vt (money) retirer • **draw up** vi (stop) s'arrêter

▸ *vt* (*document*) établir, dresser; (*plan*) formuler, dessiner; (*chair*) approcher • **drawback** *n* inconvénient *m*, désavantage *m*
drawer [drɔːʳ] *n* tiroir *m*
drawing [ˈdrɔːɪŋ] *n* dessin *m* • **drawing pin** *n* (BRIT) punaise *f* • **drawing room** *n* salon *m*
drawn [drɔːn] *pp of* **draw**
dread [drɛd] *n* épouvante *f*, effroi *m* ▸ *vt* redouter, appréhender • **dreadful** *adj* épouvantable, affreux(-euse)
dream [driːm] *n* rêve *m* ▸ *vt*, *vi* (*pt* **dreamed**, *pp* **dreamt**) rêver • **dreamer** *n* rêveur(-euse)
dreamt [drɛmt] *pt*, *pp of* **dream**
dreary [ˈdrɪərɪ] *adj* triste; monotone
drench [drɛntʃ] *vt* tremper
dress [drɛs] *n* robe *f*; (*clothing*) habillement *m*, tenue *f* ▸ *vt* habiller; (*wound*) panser ▸ *vi*: **to get ~ed** s'habiller • **dress up** *vi* s'habiller; (*in fancy dress*) se déguiser • **dress circle** *n* (BRIT) premier balcon • **dresser** *n* (*furniture*) vaisselier *m*; (: US) coiffeuse *f*, commode *f* • **dressing** *n* (*Med*) pansement *m*; (*Culin*) sauce *f*, assaisonnement *m* • **dressing gown** *n* (BRIT) robe *f* de chambre • **dressing room** *n* (*Theat*) loge *f*; (*Sport*) vestiaire *m* • **dressing table** *n* coiffeuse *f* • **dressmaker** *n* couturière *f*
drew [druː] *pt of* **draw**
dribble [ˈdrɪbl] *vi* (*baby*) baver ▸ *vt* (*ball*) dribbler
dried [draɪd] *adj* (*fruit*, *beans*) sec (sèche); (*eggs*, *milk*) en poudre
drier [ˈdraɪəʳ] *n* = **dryer**
drift [drɪft] *n* (*of current etc*) force *f*; direction *f*; (*of snow*) rafale *f*; coulée *f* (*on ground*) congère *f*; (*general meaning*) sens général ▸ *vi* (*boat*) aller à la dérive, dériver; (*sand*, *snow*) s'amonceler, s'entasser
drill [drɪl] *n* perceuse *f*; (*bit*) foret *m*; (*of dentist*) roulette *f*, fraise *f*; (*Mil*) exercice *m* ▸ *vt* percer; (*troops*) entraîner ▸ *vi* (*for oil*) faire un *or* des forage(s)
drink [drɪŋk] *n* boisson *f*; (*alcoholic*) verre *m* ▸ *vt*, *vi* (*pt* **drank**, *pp* **drunk**) boire; **to have a ~** boire quelque chose, boire un verre; **a ~ of water** un verre d'eau; **would you like a ~?** tu veux boire quelque chose? • **drink-driving** *n* conduite *f* en état d'ivresse • **drinker** *n* buveur(-euse) • **drinking water** *n* eau *f* potable
drip [drɪp] *n* (*drop*) goutte *f*; (*Med*: *device*) goutte-à-goutte *m inv*; (: *liquid*) perfusion *f* ▸ *vi* tomber goutte à goutte; (*tap*) goutter
drive [draɪv] (*pt* **drove**, *pp* **driven**) *n* promenade *f or* trajet *m* en voiture; (*also*: **~way**) allée *f*; (*energy*) dynamisme *m*, énergie *f*; (*push*) effort (concerté) campagne *f*; (*Comput*: *also*: **disk ~**) lecteur *m* de disquette ▸ *vt* conduire; (*nail*) enfoncer; (*push*) chasser, pousser; (*Tech*: *motor*) actionner; entraîner ▸ *vi* (*be at the wheel*) conduire; (*travel by car*) aller en voiture; **left-/right-hand ~** (*Aut*) conduite *f* à gauche/droite; **to ~ sb mad** rendre qn fou (folle) • **drive out** *vt* (*force out*) chasser • **drive-in** *adj*, *n* (*esp US*) drive-in *m*
driven [ˈdrɪvn] *pp of* **drive**
driver [ˈdraɪvəʳ] *n* conducteur(-trice); (*of taxi*, *bus*) chauffeur *m* • **driver's license** *n* (US) permis *m* de conduire

d

driveway ['draɪweɪ] n allée f

driving ['draɪvɪŋ] n conduite f
• **driving instructor** n moniteur m d'auto-école • **driving lesson** n leçon f de conduite • **driving licence** n (BRIT) permis m de conduire • **driving test** n examen m du permis de conduire

drizzle ['drɪzl] n bruine f, crachin m

droop [druːp] vi (flower) commencer à se faner; (shoulders, head) tomber

drop [drɔp] n (of liquid) goutte f; (fall) baisse f; (also: **parachute ~**) saut m ▶ vt laisser tomber; (voice, eyes, price) baisser; (passenger) déposer ▶ vi tomber • **drop in** vi (inf: visit): **to ~ in (on)** faire un saut (chez), passer (chez) • **drop off** vi (sleep) s'assoupir ▶ vt (passenger) déposer • **drop out** vi (withdraw) se retirer; (student etc) abandonner, décrocher

drought [draut] n sécheresse f

drove [drəuv] pt of **drive**

drown [draun] vt noyer ▶ vi se noyer

drowsy ['drauzɪ] adj somnolent(e)

drug [drʌɡ] n médicament m; (narcotic) drogue f ▶ vt droguer; **to be on ~s** se droguer • **drug addict** n toxicomane m/f • **drug dealer** n revendeur(-euse) de drogue • **druggist** n (US) pharmacien(ne)-droguiste • **drugstore** n (US) pharmacie-droguerie f, drugstore m

drum [drʌm] n tambour m; (for oil, petrol) bidon m; **drums** npl (Mus) batterie f • **drummer** n (joueur m de) tambour m

drunk [drʌŋk] pp of **drink** ▶ adj ivre, soûl(e) ▶ n (also: **~ard**) ivrogne m/f; **to get ~** se soûler

• **drunken** adj ivre, soûl(e); (rage, stupor) ivrogne, d'ivrogne

dry [draɪ] adj sec (sèche); (day) sans pluie ▶ vt sécher; (clothes) faire sécher ▶ vi sécher • **dry off** vi, vt sécher • **dry up** vi (river, supplies) se tarir • **dry-cleaner's** n teinturerie f • **dry-cleaning** n (process) nettoyage m à sec • **dryer** n (tumble-dryer) sèche-linge m inv; (for hair) sèche-cheveux m inv

DSS n abbr (BRIT) = **Department of Social Security**

DTP n abbr (= desktop publishing) PAO f

dual ['djuəl] adj double • **dual carriageway** n (BRIT) route f à quatre voies

dubious ['djuːbɪəs] adj hésitant(e), incertain(e); (reputation, company) douteux(-euse)

duck [dʌk] n canard m ▶ vi se baisser vivement, baisser subitement la tête

due [djuː] adj (money, payment) dû (due); (expected) attendu(e); (fitting) qui convient ▶ adv: **~ north** droit vers le nord; **~ to** (because of) en raison de; (caused by) dû à; **the train is ~ at 8 a.m.** le train est attendu à 8 h; **she is ~ back tomorrow** elle doit rentrer demain; **he is ~ £10** on lui doit 10 livres; **to give sb his** or **her ~** être juste envers qn

duel ['djuəl] n duel m

duet [djuːˈet] n duo m

dug [dʌɡ] pt, pp of **dig**

duke [djuːk] n duc m

dull [dʌl] adj (boring) ennuyeux(-euse); (not bright) morne, terne; (sound, pain) sourd(e); (*weather, day*) gris(e), maussade ▶ *vt* (*pain, grief*) atténuer; (*mind, senses*) engourdir

dumb [dʌm] *adj* muet(te); (*stupid*) bête

dummy ['dʌmɪ] *n* (*tailor's model*) mannequin *m*; (*mock-up*) factice *m*, maquette *f*; (BRIT: *for baby*) tétine *f* ▶ *adj* faux (fausse), factice

dump [dʌmp] *n* (*also*: **rubbish ~**) décharge (publique); (*inf*: *place*) trou *m* ▶ *vt* (*put down*) déposer; déverser; (*get rid of*) se débarrasser de; (*Comput*) lister

dumpling ['dʌmplɪŋ] *n* boulette *f* (de pâte)

dune [dju:n] *n* dune *f*

dungarees [dʌŋgə'ri:z] *npl* bleu(s) *m(pl)*; (*for child, woman*) salopette *f*

dungeon ['dʌndʒən] *n* cachot *m*

duplex ['dju:plɛks] *n* (US: *also*: **~ apartment**) duplex *m*

duplicate ['dju:plɪkət] double *m* ▶ *vt* ['dju:plɪkeɪt] faire un double de; (*on machine*) polycopier; **in ~** en deux exemplaires, en double

durable ['djuərəbl] *adj* durable; (*clothes, metal*) résistant(e), solide

duration [djuə'reɪʃən] *n* durée *f*

during ['djuərɪŋ] *prep* pendant, au cours de

dusk [dʌsk] *n* crépuscule *m*

dust [dʌst] *n* poussière *f* ▶ *vt* (*furniture*) essuyer, épousseter; (*cake etc*) **to ~ with** saupoudrer de • **dustbin** *n* (BRIT) poubelle *f* • **duster** *n* chiffon *m* • **dustman** (*irreg*) *n* (BRIT) boueux *m*, éboueur *m* • **dustpan** *n* pelle *f* à poussière • **dusty** *adj* poussiéreux(-euse)

Dutch [dʌtʃ] *adj* hollandais(e), néerlandais(e) ▶ *n* (*Ling*)

hollandais *m*, néerlandais *m* ▶ *adv*: **to go ~** *or* **dutch** (*inf*) partager les frais; **the Dutch** *npl* les Hollandais, les Néerlandais • **Dutchman** (*irreg*) *n* Hollandais *m* • **Dutchwoman** (*irreg*) *n* Hollandaise *f*

duty ['dju:tɪ] *n* devoir *m*; (*tax*) droit *m*, taxe *f*; **on ~** de service; (*at night etc*) de garde; **off ~** libre, pas de service *or* de garde • **duty-free** *adj* exempté(e) de douane, hors-taxe

duvet ['du:veɪ] *n* (BRIT) couette *f*

DVD *n abbr* (= *digital versatile or video disc*) DVD *m* • **DVD burner** *n* graveur *m* de DVD • **DVD player** *n* lecteur *m* de DVD • **DVD writer** *n* graveur *m* de DVD

dwarf (*pl* **dwarves**) [dwɔ:f, dwɔ:vz] *n* (!) nain(e) ▶ *vt* écraser

dwell [dwel] (*pt, pp* **dwelt**) *vi* demeurer • **dwell on** *vt fus* s'étendre sur

dwelt [dwelt] *pt, pp of* **dwell**

dwindle ['dwɪndl] *vi* diminuer, décroître

dye [daɪ] *n* teinture *f* ▶ *vt* teindre

dying ['daɪɪŋ] *adj* mourant(e), agonisant(e)

dynamic [daɪ'næmɪk] *adj* dynamique

dynamite ['daɪnəmaɪt] *n* dynamite *f*

dyslexia [dɪs'leksɪə] *n* dyslexie *f*

dyslexic [dɪs'leksɪk] *adj, n* dyslexique *m/f*

dyspraxia [dɪs'præksɪə] *n* dyspraxie *f*

e

E [iː] n (Mus) mi m

each [iːtʃ] adj chaque ▶ pron chacun(e); **~ other** l'un l'autre; **they hate ~ other** ils se détestent (mutuellement); **they have 2 books ~** ils ont 2 livres chacun; **they cost £5 ~** ils coûtent 5 livres (la) pièce

eager ['iːgə'] adj (person, buyer) empressé(e); (keen: pupil, worker) enthousiaste; **to be ~ to do sth** (impatient) brûler de faire qch; (keen) désirer vivement faire qch; **to be ~ for** (event) désirer vivement; (vengeance, affection, information) être avide de

eagle ['iːgl] n aigle m

ear [ɪə'] n oreille f; (of corn) épi m • **earache** n mal m aux oreilles • **eardrum** n tympan m

earl [əːl] n comte m

earlier ['əːlɪə'] adj (date etc) plus rapproché(e); (edition etc) plus ancien(ne), antérieur(e) ▶ adv plus tôt

early ['əːlɪ] adv tôt, de bonne heure; (ahead of time) en avance; (near the beginning) au début ▶ adj précoce, qui se manifeste (or se fait) tôt or de bonne heure; (Christians, settlers) premier(-ière); (reply) rapide; (death) prématuré(e); (work) de jeunesse; **to have an ~ night/start** se coucher/partir tôt or de bonne heure; **in the ~** or **~ in the spring/19th century** au début or commencement du printemps/XIXᵉ siècle • **early retirement** n retraite anticipée

earmark ['ɪəmɑːk] vt: **to ~ sth for** réserver or destiner qch à

earn [əːn] vt gagner; (Comm: yield) rapporter; **to ~ one's living** gagner sa vie

earnest ['əːnɪst] adj sérieux(-euse) ▶ n: **in ~** adv sérieusement, pour de bon

earnings ['əːnɪŋz] npl salaire m; gains mpl; (of company etc) profits mpl, bénéfices mpl

ear: • **earphones** npl écouteurs mpl • **earplugs** npl boules fpl Quiès®; (to keep out water) protège-tympans mpl • **earring** n boucle f d'oreille

earth [əːθ] n (gen, also BRIT Elec) terre f ▶ vt (BRIT Elec) relier à la terre • **earthquake** n tremblement m de terre, séisme m

ease [iːz] n facilité f, aisance f; (comfort) bien-être m ▶ vt (soothe: mind) tranquilliser; (reduce: pain, problem) atténuer; (: tension) réduire; (loosen) relâcher, détendre; (help pass): **to ~ sth in/ out** faire pénétrer/sortir qch délicatement or avec douceur, faciliter la pénétration/la sortie de qch; **at ~** à l'aise; (Mil) au repos

easily ['iːzɪlɪ] adv facilement; (by far) de loin

east [iːst] n est m ▶ adj (wind) d'est; (side) est inv ▶ adv à l'est, vers l'est; **the E~** l'Orient m; (Pol) les pays *mpl* de l'Est • **eastbound** *adj* en direction de l'est; *(carriageway)* est *inv*

Easter ['i:stər] *n* Pâques *fpl*
• **Easter egg** *n* œuf *m* de Pâques

eastern ['i:stən] *adj* de l'est, oriental(e)

Easter Sunday *n* le dimanche de Pâques

easy ['i:zɪ] *adj* facile; *(manner)* aisé(e) ▶ *adv*: **to take it** or **things ~** *(rest)* ne pas se fatiguer; *(not worry)* ne pas (trop) s'en faire • **easy-going** *adj* accommodant(e), facile à vivre

eat *(pt* **ate**, *pp* **eaten**) [i:t, eɪt, 'i:tn] *vt, vi* manger; **can we have something to ~?** est-ce qu'on peut manger quelque chose?
• **eat out** *vi* manger au restaurant

eavesdrop ['i:vzdrɔp] *vi*: **to ~ (on)** écouter de façon indiscrète

e-bike ['i:baɪk] *n* VAE *m*

e-book ['i:buk] *n* livre *m* électronique

e-business ['i:bɪznɪs] *n* *(company)* entreprise *f* électronique; *(commerce)* commerce *m* électronique

eccentric [ɪk'sentrɪk] *adj, n* excentrique *m/f*

echo ['ekəʊ] *(pl* **echoes**) *n* écho *m* ▶ *vt* répéter ▶ *vi* résonner; faire écho

e-cigarette ['i:sɪgəret] *n* cigarette *f* électronique

eclipse [ɪ'klɪps] *n* éclipse *f*

eco-friendly [i:kəʊ'frendlɪ] *adj* non nuisible à l'environnement

ecological [i:kə'lɔdʒɪkəl] *adj* écologique

ecology [ɪ'kɔlədʒɪ] *n* écologie *f*

e-commerce ['i:kɔmə:s] *n* commerce *m* électronique

economic [i:kə'nɔmɪk] *adj* économique; *(profitable)* rentable

• **economical** *adj* économique; *(person)* économe • **economics** *n* *(Scol)* économie *f* politique ▶ *npl* *(of project etc)* côté *m* ou aspect *m* économique

economist [ɪ'kɔnəmɪst] *n* économiste *m/f*

economize [ɪ'kɔnəmaɪz] *vi* économiser, faire des économies

economy [ɪ'kɔnəmɪ] *n* économie *f* • **economy class** *n* *(Aviat)* classe *f* touriste • **economy class syndrome** *n* syndrome *m* de la classe économique

ecstasy ['ekstəsɪ] *n* extase *f*; *(Drugs)* ecstasy *m* • **ecstatic** [eks'tætɪk] *adj* extatique, en extase

eczema ['eksɪmə] *n* eczéma *m*

edge [edʒ] *n* bord *m*; *(of knife etc)* tranchant *m*, fil *m* ▶ *vt* border; **on ~** *(fig)* crispé(e), tendu(e)

edgy ['edʒɪ] *adj* crispé(e), tendu(e)

edible ['edɪbl] *adj* comestible; *(meal)* mangeable

Edinburgh ['edɪnbərə] *n* Édimbourg; *voir article* **"Edinburgh Festival"**

Le Festival d'Édimbourg (**Edinburgh Festival**), qui se tient chaque année durant trois semaines au mois d'août, est l'un des grands festivals culturels européens. Il est réputé pour son programme officiel mais aussi pour son festival 'off' ('the Fringe') qui propose des spectacles aussi bien traditionnels que résolument d'avant-garde. Pendant la durée du Festival se tient par ailleurs, sur l'esplanade du château, un grand spectacle de musique militaire, le 'Military Tattoo'.

edit ['ɛdɪt] vt (text, book) éditer; (report) préparer; (film) monter; (magazine) diriger; (achievement) être le rédacteur or la rédactrice en chef de • **edition** [ɪ'dɪʃən] n édition f • **editor** n (of newspaper) rédacteur(-trice), rédacteur(-trice) en chef; (of sb's work) éditeur(-trice); (also: **film editor**) monteur(-euse); (political/ foreign editor) rédacteur politique/au service étranger • **editorial** [ɛdɪ'tɔːrɪəl] adj de la rédaction ▶ n éditorial m

editable ['ɛdɪtəbəl] adj (text) modifiable

educate ['ɛdjukeɪt] vt (teach) instruire; (bring up) éduquer • **educated** ['ɛdjukeɪtɪd] adj (person) cultivé(e)

education [ɛdju'keɪʃən] n éducation f; (studies) études fpl; (teaching) enseignement m, instruction f • **educational** adj pédagogique; (institution) scolaire; (game, toy) éducatif(-ive)

eel [iːl] n anguille f

eerie ['ɪərɪ] adj inquiétant(e), spectral(e), surnaturel(le)

effect [ɪ'fɛkt] n effet m ▶ vt effectuer; **effects** npl (property) effets, affaires fpl; **to take ~** (Law) entrer en vigueur, prendre effet; (drug) agir, faire son effet; **in ~** en fait • **effective** adj efficace; (actual) véritable • **effectively** adv efficacement; (in reality) effectivement, en fait

efficiency [ɪ'fɪʃənsɪ] n efficacité f; (of machine, car) rendement m

efficient [ɪ'fɪʃənt] adj efficace; (machine, car) qui a un bon rendement • **efficiently** adv efficacement

effort ['ɛfət] n effort m • **effortless** adj sans effort, aisé(e); (achievement) facile

e.g. adv abbr (= exempli gratia) par exemple, p. ex.

egg [ɛg] n œuf m; **hard-boiled/ soft-boiled ~** œuf dur/à la coque • **eggcup** n coquetier m • **egg plant** (US) n aubergine f • **eggshell** n coquille f d'œuf • **egg white** n blanc m d'œuf • **egg yolk** n jaune m d'œuf

ego ['iːgəu] n (self-esteem) amour-propre m; (Psych) moi m

Egypt ['iːdʒɪpt] n Égypte f • **Egyptian** [ɪ'dʒɪpʃən] adj égyptien(ne) ▶ n Égyptien(ne)

Eiffel Tower ['aɪfəl-] n tour f Eiffel

eight [eɪt] num huit • **eighteen** num dix-huit • **eighteenth** num dix-huitième • **eighth** num huitième • **eightieth** ['eɪtɪθ] num quatre-vingtième

eighty ['eɪtɪ] num quatre-vingt(s)

Eire ['ɛərə] n République f d'Irlande

either ['aɪðə] adj l'un ou l'autre; (both, each) chaque ▶ pron: **~ (of them)** l'un ou l'autre ▶ adv non plus ▶ conj: **~ good or bad** soit bon soit mauvais; **on ~ side** de chaque côté; **I don't like ~** je n'aime ni l'un ni l'autre; **no, I don't ~** moi non plus; **which bike do you want? — I will do** quel vélo voulez-vous? — n'importe lequel; **answer with ~ yes or no** répondez par oui ou par non

eject [ɪ'dʒɛkt] vt (tenant etc) expulser; (object) éjecter

elaborate adj [ɪ'læbərɪt] compliqué(e), recherché(e), minutieux(-euse) ▶ vt [ɪ'læbəreɪt] élaborer ▶ vi entrer dans les détails

embark

elastic [ɪ'læstɪk] *adj, n* élastique *(m)* • **elastic band** *n* (BRIT) élastique *m*

elbow ['ɛlbəʊ] *n* coude *m*

elder ['ɛldə'] *adj* aîné(e) ▶ *n* (tree) sureau *m*; **one's ~s** ses aînés • **elderly** *adj* âgé(e) ▶ *npl*; **the elderly** les personnes âgées

eldest ['ɛldɪst] *adj, n*: **the ~ (child)** l'aîné(e) (des enfants)

elect [ɪ'lɛkt] *vt* élire; (choose): **to ~ to do** choisir de faire ▶ *adj*: **the president ~** le président désigné • **election** *n* élection *f* • **electoral** *adj* électoral(e) • **electorate** *n* électorat *m*

electric [ɪ'lɛktrɪk] *adj* électrique • **electrical** *adj* électrique • **electric blanket** *n* couverture chauffante • **electric fire** *n* (BRIT) radiateur *m* électrique • **electrician** [ɪlɛk'trɪʃən] *n* électricien *m* • **electricity** [ɪlɛk'trɪsɪtɪ] *n* électricité *f* • **electric shock** *n* choc *m* ou décharge *f* électrique • **electrify** [ɪ'lɛktrɪfaɪ] *vt* (Rail) électrifier; (audience) électriser

electronic [ɪlɛk'trɔnɪk] *adj* électronique • **electronic mail** *n* courrier *m* électronique • **electronics** *n* électronique *f*

elegance ['ɛlɪɡəns] *n* élégance *f*

elegant ['ɛlɪɡənt] *adj* élégant(e)

element ['ɛlɪmənt] *n* (gen) élément *m*; (of heater, kettle etc) résistance *f*

elementary [ɛlɪ'mɛntərɪ] *adj* élémentaire; (school, education) primaire • **elementary school** *n* (US) école *f* primaire

elephant ['ɛlɪfənt] *n* éléphant *m*

elevate ['ɛlɪveɪt] *vt* élever

elevator ['ɛlɪveɪtə'] *n* (in warehouse etc) élévateur *m*, monte-charge *m inv*; (US: lift) ascenseur *m*

eleven [ɪ'lɛvn] *num* onze • **eleventh** *num* onzième

eligible ['ɛlɪdʒəbl] *adj* éligible; (for membership) admissible; **an ~ young man** un beau parti; **to be ~ for sth** remplir les conditions requises pour qch

eliminate [ɪ'lɪmɪneɪt] *vt* éliminer

elm [ɛlm] *n* orme *m*

eloquent ['ɛləkwənt] *adj* éloquent(e)

else [ɛls] *adv*: **something ~** quelque chose d'autre, autre chose; **somewhere ~** ailleurs, autre part; **everywhere ~** partout ailleurs; **everyone ~** tous les autres; **nothing ~** rien d'autre; **where ~?** à quel autre endroit?; **little ~** pas grand-chose d'autre • **elsewhere** *adv* ailleurs, autre part

elusive [ɪ'lu:sɪv] *adj* insaisissable

email ['i:meɪl] *n abbr* (= electronic mail) (e-)mail *m*, courriel *m* ▶ *vt*: **to ~ sb** envoyer un (e-)mail ou un courriel à qn • **email account** *n* compte *m* (e-)mail • **email address** *n* adresse *f* (e-)mail ou électronique

embankment [ɪm'bæŋkmənt] *n* (of road, railway) remblai *m*, talus *m*; (of river) berge *f*, quai *m*; (dyke) digue *f*

embargo [ɪm'bɑ:ɡəʊ] *(pl* **embargoes)** *n* (Comm, Naut) embargo *m*; (prohibition) interdiction *f*

embark [ɪm'bɑ:k] *vi* embarquer ▶ *vt* embarquer; **to ~ on** (journey etc) commencer, entreprendre; (fig) se lancer ou s'embarquer dans

embarrass [ɪmˈbærəs] *vt*
embarrasser, gêner • **embarrassed**
adj gêné(e) • **embarrassing** *adj*
gênant(e), embarrassant(e)
• **embarrassment** *n* embarras *m*,
gêne *f*; (*embarrassing thing, person*)
source *f* d'embarras

embassy [ˈɛmbəsɪ] *n*
ambassade *f*

embrace [ɪmˈbreɪs] *vt* embrasser,
étreindre; (*include*) embrasser ▶ *vi*
s'embrasser, s'étreindre ▶ *n*
étreinte *f*

embroider [ɪmˈbrɔɪdəʳ] *vt* broder
• **embroidery** *n* broderie *f*

embryo [ˈɛmbrɪəʊ] *n* (*also fig*)
embryon *m*

emerald [ˈɛmərəld] *n* émeraude *f*

emerge [ɪˈmɜːdʒ] *vi* apparaître;
(*from room, car*) surgir; (*from sleep,
imprisonment*) sortir

emergency [ɪˈmɜːdʒənsɪ] *n*
(*crisis*) cas *m* d'urgence; (*Med*)
urgence *f*; **in an ~** en cas
d'urgence; **state of ~** état *m*
d'urgence • **emergency brake**
(*us*) *n* frein *m* à main
• **emergency exit** *n* sortie *f* de
secours • **emergency landing** *n*
atterrissage forcé • **emergency
room** *n* (*us Med*) urgences *fpl*
• **emergency services** *npl*; **the
emergency services** (*fire, police,
ambulance*) les services *mpl*
d'urgence

emigrate [ˈɛmɪgreɪt] *vi* émigrer
• **emigration** [ɛmɪˈgreɪʃən] *n*
émigration *f*

eminent [ˈɛmɪnənt] *adj*
éminent(e)

emissions [ɪˈmɪʃənz] *npl*
émissions *fpl*

emit [ɪˈmɪt] *vt* émettre

emoji [ɪˈməʊdʒɪ] *n* emoji *m*

emoticon [ɪˈməʊtɪkən] *n*
(*Comput*) émoticone *m*

emotion [ɪˈməʊʃən] *n* sentiment
m • **emotional** *adj* (*person*)
émotif(-ive), très sensible; (*needs*)
affectif(-ive); (*scene*) émouvant(e);
(*tone, speech*) qui fait appel aux
sentiments

emperor [ˈɛmpərəʳ] *n* empereur *m*

emphasis (*pl* **emphases**)
[ˈɛmfəsɪs, -siːz] *n* accent *m*; **to
lay** *or* **place ~ on sth** (*fig*) mettre
l'accent sur, insister sur

emphasize [ˈɛmfəsaɪz] *vt*
(*syllable, word, point*) appuyer *or*
insister sur; (*feature*) souligner,
accentuer

empire [ˈɛmpaɪəʳ] *n* empire *m*

employ [ɪmˈplɔɪ] *vt* employer
• **employee** [ɪmplɔɪˈiː] *n*
employé(e) • **employer** *n*
employeur(-euse) • **employment**
n emploi *m* • **employment
agency** *n* agence *f* or bureau *m* de
placement

empower [ɪmˈpaʊəʳ] *vt*: **to ~ sb
to do** autoriser *or* habiliter qn à
faire

empress [ˈɛmprɪs] *n* impératrice *f*

emptiness [ˈɛmptɪnɪs] *n* vide *m*;
(*of area*) aspect *m* désertique

empty [ˈɛmptɪ] *adj* vide; (*street,
area*) désert(e); (*threat, promise*) en
l'air, vain(e) ▶ *vt* vider ▶ *vi* se vider;
(*liquid*) s'écouler • **empty-handed**
adj les mains vides

EMU *n abbr* (= *European Monetary
Union*) UME *f*

emulsion [ɪˈmʌlʃən] *n* émulsion
f; (*also*: **~ paint**) peinture mate

enable [ɪˈneɪbl] *vt*: **to ~ sb to do**
permettre à qn de faire

enamel [ɪˈnæməl] *n* émail *m*;
(*also*: **~ paint**) (peinture *f*) laque *f*

enchanting [ɪnˈtʃɑːntɪŋ] *adj*
ravissant(e), enchanteur(-eresse)

encl. *abbr* (*on letters etc*: = *enclosed*)
ci-joint(e); (: = *enclosure*) PJ *f*

enclose [ɪnˈkləuz] *vt* (*land*)
clôturer; (*space, object*) entourer;
(*letter etc*): **to ~ (with)** joindre (à);
please find ~d veuillez trouver
ci-joint

enclosure [ɪnˈkləuʒəʳ] *n* enceinte *f*

encore [ɔŋˈkɔːʳ] *excl*, *n* bis (*m*)

encounter [ɪnˈkauntəʳ] *n*
rencontre *f* ▶ *vt* rencontrer

encourage [ɪnˈkʌrɪdʒ] *vt*
encourager

encouraging [ɪnˈkʌrɪdʒɪŋ] *adj*
encourageant(e)

encyclop(a)edia
[ɛnsaɪkləuˈpiːdɪə] *n*
encyclopédie *f*

end [ɛnd] *n* fin *f*; (*of table, street,
rope etc*) bout *m*, extrémité *f* ▶ *vt*
terminer; (*also*: **bring to an ~, put
an ~ to**) mettre fin à ▶ *vi* se
terminer, finir; **in the ~**
finalement; **on ~** (*object*) debout,
dressé(e); **to stand on ~** (*hair*) se
dresser sur la tête; **for hours on ~**
pendant des heures (et des
heures) • **end up** *vi*: **to ~ up in**
(*condition*) finir ou se terminer par;
(*place*) finir ou aboutir à

endanger [ɪnˈdeɪndʒəʳ] *vt*
mettre en danger; **an ~ed
species** une espèce en voie de
disparition

endearing [ɪnˈdɪərɪŋ] *adj*
attachant(e)

endeavour, (*US*) **endeavor**
[ɪnˈdɛvəʳ] *n* effort *m*; (*attempt*)
tentative *f* ▶ *vt*: **to ~ to do** tenter
 or s'efforcer de faire

ending [ˈɛndɪŋ] *n* dénouement *m*,
conclusion *f*; (*Ling*) terminaison *f*

endless [ˈɛndlɪs] *adj* sans fin,
interminable

endorse [ɪnˈdɔːs] *vt* (*cheque*)
endosser; (*approve*) appuyer,
approuver, sanctionner
• **endorsement** *n* (*approval*)
appui *m*, aval *m*; (*BRIT: on driving
licence*) contravention *f* (*portée au
permis de conduire*)

endurance [ɪnˈdjuərəns] *n*
endurance *f*

endure [ɪnˈdjuəʳ] *vt* (*bear*)
supporter, endurer ▶ *vi* (*last*) durer

enemy [ˈɛnəmɪ] *adj*, *n* ennemi(e)

energetic [ɛnəˈdʒɛtɪk] *adj*
énergique; (*activity*) très
actif(-ive), qui fait se dépenser
(*physiquement*)

energy [ˈɛnədʒɪ] *n* énergie *f*

enforce [ɪnˈfɔːs] *vt* (*law*)
appliquer, faire respecter

engaged [ɪnˈgeɪdʒd] *adj* (*BRIT:
busy, in use*) occupé(e); (*betrothed*)
fiancé(e); **to get ~** se fiancer; **the
line's ~** la ligne est occupée
• **engaged tone** *n* (*BRIT Tel*)
tonalité *f* occupé *inv*

engagement [ɪnˈgeɪdʒmənt] *n*
(*undertaking*) obligation *f*,
engagement *m*; (*appointment*)
rendez-vous *m inv*; (*to marry*)
fiançailles *fpl* • **engagement ring**
n bague *f* de fiançailles

engaging [ɪnˈgeɪdʒɪŋ] *adj*
engageant(e), attirant(e)

engine [ˈɛndʒɪn] *n* (*Aut*) moteur *m*;
(*Rail*) locomotive *f*

⚠ Be careful not to translate
engine by the French word
engin.

engineer [ɛndʒɪˈnɪəʳ] *n* ingénieur
m; (*BRIT: repairer*) dépanneur
m; (*Navy, US Rail*) mécanicien *m*;

• **engineering** n engineering m, ingénierie f; (of bridges, ships) génie m; (of machine) mécanique f

England ['ɪŋɡlənd] n Angleterre f

English ['ɪŋɡlɪʃ] adj anglais(e) ▶ n (Ling) anglais m; **the ~ npl** les Anglais • **English Channel** n: **the English Channel** la Manche
• **Englishman** (irreg) n Anglais m
• **Englishwoman** (irreg) n Anglaise f

engrave [ɪn'ɡreɪv] vt graver

engraving [ɪn'ɡreɪvɪŋ] n gravure f

enhance [ɪn'hɑːns] vt rehausser, mettre en valeur

enjoy [ɪn'dʒɔɪ] vt aimer, prendre plaisir à; (have benefit of: health, fortune) jouir de; (: success) connaître; **to ~ o.s.** s'amuser
• **enjoyable** adj agréable
• **enjoyment** n plaisir m

enlarge [ɪn'lɑːdʒ] vt accroître; (Phot) agrandir ▶ vi: **to ~ on** (subject) s'étendre sur
• **enlargement** n (Phot) agrandissement m

enlist [ɪn'lɪst] vt recruter; (support) s'assurer ▶ vi s'engager

enormous [ɪ'nɔːməs] adj énorme

enough [ɪ'nʌf] adj: **~ time/ books** assez or suffisamment de temps/livres ▶ adv: **big ~** assez or suffisamment grand ▶ pron: **have you got ~?** (en) avez-vous assez?; **~ to eat** assez à manger; **that's ~, thanks** cela suffit or c'est assez, merci; **I've had ~ of him** j'en ai assez de lui; **he has not worked ~** il n'a pas assez or suffisamment travaillé, il n'a pas travaillé assez or suffisamment; **... which, funnily** or **oddly** or **strangely ~ ...** qui, chose curieuse, ...

enquire [ɪn'kwaɪə^r] vt, vi = **inquire**

enquiry [ɪn'kwaɪərɪ] n = **inquiry**

enrage [ɪn'reɪdʒ] vt mettre en fureur or en rage, rendre furieux(-euse)

enrich [ɪn'rɪtʃ] vt enrichir

enrol, (us) **enroll** [ɪn'rəul] vt inscrire ▶ vi s'inscrire
• **enrolment** • (us) **enrollment** n inscription f

en route [ɔn'ruːt] adv en route, en chemin

en suite ['ɔnswiːt] adj: **with ~ bathroom** avec salle de bains en attenante

ensure [ɪn'ʃuə^r] vt assurer, garantir

entail [ɪn'teɪl] vt entraîner, nécessiter

enter ['entə^r] vt (room) entrer dans, pénétrer dans; (club, army) entrer à; (competition) s'inscrire à or pour; (sb for a competition) (faire) inscrire; (write down) inscrire, noter; (Comput) entrer, introduire ▶ vi entrer

enterprise ['entəpraɪz] n (company, undertaking) entreprise f; (initiative) (esprit m d') initiative f; **free ~** libre entreprise; **private ~** entreprise privée • **enterprising** adj entreprenant(e), dynamique; (scheme) audacieux(-euse)

entertain [entə'teɪn] vt amuser, distraire; (invite) recevoir (à dîner); (idea, plan) envisager
• **entertainer** n artiste m/f de variétés • **entertaining** adj amusant(e), distrayant(e)
• **entertainment** n (amusement) distraction f, divertissement m, amusement m; (show) spectacle m

enthusiasm [ɪn'θuːzɪæzəm] n enthousiasme m

enthusiast [ɪnˈθuːzɪæst] *n* enthousiaste *m/f* • **enthusiastic** [ɪnθuːzɪˈæstɪk] *adj* enthousiaste; **to be enthusiastic about** être enthousiasmé(e) par

entire [ɪnˈtaɪəʳ] *adj* (tout) entier(-ère) • **entirely** *adv* entièrement

entitle [ɪnˈtaɪtl] *vt*: **to ~ sb to sth** donner droit à qch à qn • **entitled** *adj* (book) intitulé(e); **to be entitled to do** avoir le droit de faire

entrance *n* [ˈɛntrns] entrée *f* ▸ *vt* [ɪnˈtrɑːns] enchanter, ravir; **where's the ~?** où est l'entrée?; **to gain ~ to** (university etc) être admis à • **entrance examination** *n* examen *m* d'entrée or d'admission • **entrance fee** *n* (to museum etc) prix *m* d'entrée; (to join club etc) droit *m* d'inscription • **entrance ramp** *n* (US Aut) bretelle *f* d'accès • **entrant** *n* (in race etc) participant(e), concurrent(e); (BRIT: in exam) candidat(e)

entrepreneur [ˈɒntrəprəˈnəːʳ] *n* entrepreneur *m*

entrust [ɪnˈtrʌst] *vt*: **to ~ sth to** confier qch à

entry [ˈɛntri] *n* entrée *f*; (in register, diary) inscription *f*; **"no ~"** "défense d'entrer", "entrée interdite"; (Aut) "sens interdit" • **entry phone** *n* (BRIT) interphone *m* (à l'entrée d'un immeuble)

envelope [ˈɛnvələup] *n* enveloppe *f*

envious [ˈɛnviəs] *adj* envieux(-euse)

environment [ɪnˈvaɪərnmənt] *n* (social, moral) milieu *m*; (natural world): **the ~** l'environnement *m*

• **environmental** [ɪnvaɪərnˈmɛntl] *adj* (of surroundings) du milieu; (issue, disaster) écologique • **environmentally** [ɪnvaɪərnˈmɛntli] *adv*: **environmentally sound/friendly** qui ne nuit pas à l'environnement

envisage [ɪnˈvɪzɪdʒ] *vt* (foresee) prévoir

envoy [ˈɛnvɔɪ] *n* envoyé(e); (diplomat) ministre *m* plénipotentiaire

envy [ˈɛnvi] *n* envie *f* ▸ *vt* envier; **to ~ sb sth** envier qch à qn

epic [ˈɛpɪk] *n* épopée *f* ▸ *adj* épique

epidemic [ɛpɪˈdɛmɪk] *n* épidémie *f*

epilepsy [ˈɛpɪlɛpsi] *n* épilepsie *f* • **epileptic** *adj*, *n* épileptique *m/f* • **epileptic fit** *n* crise *f* d'épilepsie

episode [ˈɛpɪsəud] *n* épisode *m*

equal [ˈiːkwl] *adj* égal(e) ▸ *vt* égaler; **~ to** (task) à la hauteur de • **equality** [iːˈkwɔlɪti] *n* égalité *f* • **equalize** *vt*, *vi* (Sport) égaliser • **equally** *adv* également; (share) en parts égales; (treat) de la même façon; (pay) autant; (just as) tout aussi

equation [ɪˈkweɪʃən] *n* (Math) équation *f*

equator [ɪˈkweɪtəʳ] *n* équateur *m*

equip [ɪˈkwɪp] *vt* équiper; **to ~ sb/sth with** équiper or munir qn/qch de • **equipment** *n* équipement *m*; (electrical etc) appareillage *m*, installation *f*

equivalent [ɪˈkwɪvələnt] *adj* équivalent(e) ▸ *n* équivalent *m*; **to be ~ to** équivaloir à, être équivalent(e) à

ER *abbr* (BRIT: = Elizabeth Regina) la reine Élisabeth; (US Med: = emergency room) urgences *fpl*

era [ˈɪərə] n ère f, époque f

erase [ɪˈreɪz] vt effacer • **eraser** n gomme f

e-reader [ˈiːriːdər] n liseuse f

erect [ɪˈrɛkt] adj droit(e) ▸ vt construire; (monument) ériger, élever; (tent etc) dresser
• **erection** [ɪˈrɛkʃən] n (Physiol) érection f; (of building) construction f

ERM n abbr (= Exchange Rate Mechanism) mécanisme m des taux de change

erode [ɪˈrəʊd] vt éroder; (metal) ronger

erosion [ɪˈrəʊʒən] n érosion f

erotic [ɪˈrɒtɪk] adj érotique

errand [ˈɛrnd] n course f, commission f

erratic [ɪˈrætɪk] adj irrégulier(-ière), inconstant(e)

error [ˈɛrər] n erreur f

erupt [ɪˈrʌpt] vi entrer en éruption; (fig) éclater • **eruption** [ɪˈrʌpʃən] n éruption f; (of anger, violence) explosion f

escalate [ˈɛskəleɪt] vi s'intensifier; (costs) monter en flèche

escalator [ˈɛskəleɪtər] n escalier roulant

escape [ɪˈskeɪp] n évasion f, fuite f; (of gas etc) fuite f ▸ vi s'échapper, fuir; (from jail) s'évader; (fig) s'en tirer; (leak) s'échapper ▸ vt échapper à; **to ~ from** (person) échapper à; (place) s'échapper de; (fig) fuir; **his name ~s me** son nom m'échappe

escort vt [ɪˈskɔːt] escorter ▸ n [ˈɛskɔːt] (Mil) escorte f

especially [ɪˈspɛʃlɪ] adv (particularly) particulièrement; (above all) surtout

espionage [ˈɛspiənɑːʒ] n espionnage m

essay [ˈɛseɪ] n (Scol) dissertation f; (Literature) essai m

essence [ˈɛsns] n essence f; (Culin) extrait m

essential [ɪˈsɛnʃl] adj essentiel(le); (basic) fondamental(e); **essentials** npl éléments essentiels • **essentially** adv essentiellement

establish [ɪˈstæblɪʃ] vt établir; (business) fonder, créer; (one's power etc) asseoir, affirmer
• **establishment** n établissement m; (founding) création f; (institution) établissement; **the Establishment** les pouvoirs établis; l'ordre établi

estate [ɪˈsteɪt] n (land) domaine m, propriété f; (Law) biens mpl, succession f; (BRIT: also: **housing ~**) lotissement m
• **estate agent** n (BRIT) agent immobilier • **estate car** n (BRIT) break m

estimate n [ˈɛstɪmət] estimation f; (Comm) devis m ▸ vt [ˈɛstɪmeɪt] estimer

etc abbr (= et cetera) etc

eternal [ɪˈtɜːnl] adj éternel(le)

eternity [ɪˈtɜːnɪtɪ] n éternité f

ethical [ˈɛθɪkl] adj moral(e)
• **ethics** [ˈɛθɪks] n éthique f ▸ npl moralité f

Ethiopia [iːθɪˈəʊpɪə] n Éthiopie f

ethnic [ˈɛθnɪk] adj ethnique; (clothes, food) folklorique, exotique, propre aux minorités ethniques non-occidentales
• **ethnic minority** n minorité f ethnique

e-ticket [ˈiːtɪkɪt] n billet m électronique

etiquette ['ɛtɪkɛt] *n*
convenances *fpl*, étiquette *f*

EU *n abbr* (= European Union) UE *f*

euro ['juərəʊ] *n* (currency) euro *m*

Europe ['juərəp] *n* Europe *f*
• **European** [juərə'pi:ən] *adj*
européen(ne) ▶ *n* Européen(ne)
• **European Community** *n*
Communauté européenne
• **European Union** *n* Union
européenne

Eurostar® ['juərəʊstɑ:ʳ] *n*
Eurostar® *m*

evacuate [ɪ'vækjʊeɪt] *vt* évacuer

evade [ɪ'veɪd] *vt* échapper à;
(question etc) éluder; (duties) se
dérober à

evaluate [ɪ'væljueɪt] *vt* évaluer

evaporate [ɪ'væpəreɪt] *vi*
s'évaporer; (fig: hopes, fear)
s'envoler; (anger) se dissiper

eve [i:v] *n*: **on the ~ of** à la veille
de

even ['i:vn] *adj* (level, smooth)
régulier(-ière); (equal) égal(e);
(number) pair(e) ▶ *adv* même; **~ if**
même si + indic; **~ though** alors
même que + cond; **~ more** encore
plus; **~ faster** encore plus vite;
~ so quand même; **not ~** pas
même; **~ he was there** même lui
était là; **~ on Sundays** même le
dimanche; **to get ~ with sb**
prendre sa revanche sur qn

evening ['i:vnɪŋ] *n* soir *m*; (as
duration, event) soirée *f*; **in the ~** le
soir • **evening class** *n* cours *m* du
soir • **evening dress** *n* (man's)
tenue *f* de soirée, smoking *m*;
(woman's) robe *f* de soirée

event [ɪ'vɛnt] *n* événement *m*;
(Sport) épreuve *f*; **in the ~ of** en
cas de • **eventful** *adj*
mouvementé(e)

eventual [ɪ'vɛntʃuəl] *adj* final(e)

⚠ Be careful not to translate
eventual by the French word
éventuel.

eventually [ɪ'vɛntʃuəlɪ] *adv*
finalement

⚠ Be careful not to translate
eventually by the French word
éventuellement.

ever ['ɛvəʳ] *adv* jamais; (at all
times) toujours; **why ~ not?** mais
enfin, pourquoi pas?; **the best ~**
le meilleur qu'on ait jamais vu;
have you ~ seen it? l'as-tu déjà
vu?, as-tu eu l'occasion or t'est-il
arrivé de le voir?; **~ since** (as adv)
depuis; (as conj) depuis que; **~ so
pretty** si joli • **evergreen** *n* arbre
m à feuilles persistantes

every ['ɛvrɪ]

adj **1** (each) chaque; **every one
of them** tous (sans exception);
**every shop in town was
closed** tous les magasins en ville
étaient fermés
2 (all possible) tous (toutes) les;
I gave you every assistance
j'ai fait tout mon possible pour
vous aider; **I have every
confidence in him** j'ai
entièrement or pleinement
confiance en lui; **we wish you
every success** nous vous
souhaitons beaucoup de succès
3 (showing recurrence) tous les;
every day tous les jours,
chaque jour; **every other car**
une voiture sur deux; **every
other/third day** tous les deux/
trois jours; **every now and
then** de temps en temps
• **everybody** *pron* = **everyone**

• **everyday** adj (expression) courant(e), d'usage courant; (use) courant; (clothes, life) de tous les jours; (occurrence, problem) quotidien(ne)
• **everyone** pron tout le monde, tous pl
• **everything** pron tout
• **everywhere** adv partout; **everywhere you go you meet ...** où qu'on aille on rencontre ...

evict [ɪˈvɪkt] vt expulser
evidence [ˈɛvɪdns] n (proof) preuve(s) f(pl); (of witness) témoignage m; (sign): **to show ~ of** donner des signes de; **to give ~** témoigner, déposer
evident [ˈɛvɪdnt] adj évident(e)
• **evidently** adv de toute évidence; (apparently) apparemment
evil [ˈiːvl] adj mauvais(e) ▶ n mal m
evoke [ɪˈvəuk] vt évoquer
evolution [iːvəˈluːʃən] n évolution f
evolve [ɪˈvɔlv] vt élaborer ▶ vi évoluer, se transformer
ewe [juː] n brebis f
ex [ɛks] n (inf): **my ex** mon ex
ex- [ɛks] prefix ex-
exact [ɪɡˈzækt] adj exact(e) ▶ vt: **to ~ sth (from)** (signature, confession) extorquer qch (à); (apology) exiger qch (de) • **exactly** adv exactement
exaggerate [ɪɡˈzædʒəreɪt] vt, vi exagérer • **exaggeration** [ɪɡzædʒəˈreɪʃən] n exagération f
exam [ɪɡˈzæm] n abbr (Scol): = **examination**
examination [ɪɡzæmɪˈneɪʃən] n (Scol, Med) examen m; **to take or sit an ~** (BRIT) passer un examen

examine [ɪɡˈzæmɪn] vt (gen) examiner; (Scol, Law: person) interroger • **examiner** n examinateur(-trice)
example [ɪɡˈzɑːmpl] n exemple m; **for ~** par exemple
exasperated [ɪɡˈzɑːspəreɪtɪd] adj exaspéré(e)
excavate [ˈɛkskəveɪt] vt (site) fouiller, excaver; (object) mettre au jour
exceed [ɪkˈsiːd] vt dépasser; (one's powers) outrepasser • **exceedingly** adv extrêmement
excel [ɪkˈsɛl] vi exceller ▶ vt surpasser; **to ~ o.s.** se surpasser
excellence [ˈɛksələns] n excellence f
excellent [ˈɛksələnt] adj excellent(e)
except [ɪkˈsɛpt] prep (also: **~ for, ~ing**) sauf, excepté, à l'exception de ▶ vt excepter; **~ if/when** sauf si/quand; **~ that** excepté que, si ce n'est que • **exception** [ɪkˈsɛpʃən] n exception f; **to take exception to** s'offusquer de • **exceptional** [ɪkˈsɛpʃənl] adj exceptionnel(le) • **exceptionally** [ɪkˈsɛpʃənəlɪ] adv exceptionnellement
excerpt [ˈɛksəːpt] n extrait m
excess [ɪkˈsɛs] n excès m • **excess baggage** n excédent m de bagages • **excessive** adj excessif(-ive)
exchange [ɪksˈtʃeɪndʒ] n échange m; (also: **telephone ~**) central m ▶ vt: **to ~ (for)** échanger (contre); **could I ~ this, please?** est-ce que je peux échanger ceci, s'il vous plaît? • **exchange rate** n taux m de change

excite [ɪkˈsaɪt] *vt* exciter • **excited** *adj* (tout) excité(e); **to get excited** s'exciter • **excitement** *n* excitation *f* • **exciting** *adj* passionnant(e)

exclaim [ɪkˈskleɪm] *vi* s'exclamer • **exclamation** [ɛksklə'meɪʃən] *n* exclamation *f* • **exclamation mark** *n* (*US*) **exclamation point** *n* point *m* d'exclamation

exclude [ɪkˈskluːd] *vt* exclure

excluding [ɪkˈskluːdɪŋ] *prep*: **~ VAT** la TVA non comprise

exclusion [ɪkˈskluːʒən] *n* exclusion *f*

exclusive [ɪkˈskluːsɪv] *adj* exclusif(-ive); (*club, district*) sélect(e); (*item of news*) en exclusivité; **~ of VAT** TVA non comprise • **exclusively** *adv* exclusivement

excruciating [ɪkˈskruːʃɪeɪtɪŋ] *adj* (*pain*) atroce, déchirant(e); (*embarrassing*) pénible

excursion [ɪkˈskəːʃən] *n* excursion *f*

excuse *n* [ɪkˈskjuːs] excuse *f* ▶ *vt* [ɪkˈskjuːz] (*forgive*) excuser; (*to ~ sb from* (*activity*) dispenser qn de; **~ me!** excusez-moi!, pardon!; **now if you will ~ me, ...** maintenant, si vous (le) permettez ...

ex-directory ['ɛksdɪ'rɛktərɪ] *adj* (*BRIT*) sur la liste rouge

executable [ɛksɪˈkjuːtəbl] *adj* (*Comput*) exécutable

execute ['ɛksɪkjuːt] *vt* exécuter • **execution** [ɛksɪˈkjuːʃən] *n* exécution *f*

executive [ɪgˈzɛkjutɪv] *n* (*person*) cadre *m*; (*managing group*) bureau *m*; (*Pol*) exécutif *m* ▶ *adj* exécutif(-ive); (*position, job*) de cadre

exempt [ɪgˈzɛmpt] *adj*: **~ from** exempté(e) *or* dispensé(e) de ▶ *vt*: **to ~ sb from** exempter *or* dispenser qn de

exercise ['ɛksəsaɪz] *n* exercice *m* ▶ *vt* exercer; (*patience etc*) faire preuve de; (*dog*) promener ▶ *vi* (*also*: **to take ~**) prendre de l'exercice • **exercise book** *n* cahier *m*

exert [ɪgˈzəːt] *vt* exercer, employer; **to ~ o.s.** se dépenser • **exertion** [ɪgˈzəːʃən] *n* effort *m*

exhale [ɛksˈheɪl] *vt* exhaler ▶ *vi* expirer

exhaust [ɪgˈzɔːst] *n* (*also*: **~ fumes**) gaz *mpl* d'échappement; (*also*: **~ pipe**) tuyau *m* d'échappement ▶ *vt* épuiser • **exhausted** *adj* épuisé(e) • **exhaustion** [ɪgˈzɔːstʃən] *n* épuisement *m*; **nervous exhaustion** fatigue nerveuse

exhibit [ɪgˈzɪbɪt] *n* (*Art*) objet exposé, pièce exposée; (*Law*) pièce à conviction ▶ *vt* (*Art*) exposer; (*courage, skill*) faire preuve de • **exhibition** [ɛksɪˈbɪʃən] *n* exposition *f*

exhilarating [ɪgˈzɪləreɪtɪŋ] *adj* grisant(e), stimulant(e)

exile ['ɛksaɪl] *n* exil *m*; (*person*) exilé(e) ▶ *vt* exiler

exist [ɪgˈzɪst] *vi* exister • **existence** *n* existence *f* • **existing** *adj* actuel(le)

exit ['ɛksɪt] *n* sortie *f* ▶ *vi* (*Comput, Theat*) sortir; **where's the ~?** où est la sortie? • **exit ramp** *n* (*US Aut*) bretelle *f* d'accès

exotic [ɪgˈzɔtɪk] *adj* exotique

expand [ɪkˈspænd] *vt* (*area*) agrandir; (*quantity*) accroître ▶ *vi* (*trade, etc*) se développer, s'accroître; (*gas, metal*) se dilater

expansion [ɪkˈspænʃən] n
(territorial, economic) expansion f;
(of trade, influence etc)
développement m; (of production)
accroissement m; (of population)
croissance f; (of gas, metal)
expansion, dilatation f

expect [ɪkˈspɛkt] vt (anticipate)
s'attendre à, s'attendre à ce que +
sub; (count on) compter sur,
escompter; (require) demander,
exiger; (suppose) supposer; (await:
also baby) attendre ▸ vi: **to be**
~ing (pregnant woman) être
enceinte • **expectation**
[ɛkspɛkˈteɪʃən] n (hope) attente f,
espérance(s) f(pl); (belief) attente

expedition [ɛkspəˈdɪʃən] n
expédition f

expel [ɪkˈspɛl] vt chasser,
expulser; (Scol) renvoyer, exclure

expenditure [ɪkˈspɛndɪtʃəʳ] n
(act of spending) dépense f; (money
spent) dépenses fpl

expense [ɪkˈspɛns] n (high cost)
coût m; (spending) dépense f, frais
mpl; **expenses** npl frais mpl;
dépenses fpl; **at the ~ of** (fig) aux
dépens de • **expense account** n
(note f de) frais mpl

expensive [ɪkˈspɛnsɪv] adj cher
(chère), coûteux(-euse); **it's too ~**
ça coûte trop cher

experience [ɪkˈspɪərɪəns] n
expérience f ▸ vt connaître;
(feeling) éprouver • **experienced**
adj expérimenté(e)

experiment [ɪkˈspɛrɪmənt] n
expérience f ▸ vi faire une
expérience • **experimental**
[ɪkspɛrɪˈmɛntl] adj expérimental(e)

expert [ˈɛkspəːt] adj expert(e) ▸ n
expert m • **expertise** [ɛkspəːˈtiːz]
n (grande) compétence

expire [ɪkˈspaɪəʳ] vi expirer
• **expiry** n expiration f • **expiry**
date n date f d'expiration; (on
label) à utiliser avant …

explain [ɪkˈspleɪn] vt expliquer
• **explanation** [ɛkspləˈneɪʃən] n
explication f

explicit [ɪkˈsplɪsɪt] adj explicite;
(definite) formel(le)

explode [ɪkˈspləʊd] vi exploser

exploit n [ˈɛksplɔɪt] exploit m ▸ vt
[ɪkˈsplɔɪt] exploiter
• **exploitation** [ɛksplɔɪˈteɪʃən] n
exploitation f

explore [ɪkˈsplɔːʳ] vt explorer;
(possibilities) étudier, examiner
• **explorer** n explorateur(-trice)

explosion [ɪkˈspləʊʒən] n
explosion f • **explosive**
[ɪkˈspləʊsɪv] adj explosif(-ive) ▸ n
explosif m

export vt [ɛkˈspɔːt] exporter ▸ n
[ˈɛkspɔːt] exportation f ▸ cpd
[ˈɛkspɔːt] d'exportation
• **exporter** n exportateur m

expose [ɪkˈspəʊz] vt exposer;
(unmask) démasquer, dévoiler
• **exposed** adj (land, house)
exposé(e) • **exposure** [ɪkˈspəʊʒəʳ]
n exposition f; (publicity)
couverture f; (Phot: speed) temps
m de) pose f; (: shot) pose; **to die**
of exposure (Med) mourir de froid

express [ɪkˈsprɛs] adj (definite)
formel(le), exprès(-esse); (BRIT:
letter etc) exprès inv • n (train)
rapide m ▸ vt exprimer
• **expression** [ɪkˈsprɛʃən] n
expression f • **expressway** n (US)
voie f express (à plusieurs files)

exquisite [ɛkˈskwɪzɪt] adj
exquis(e)

extend [ɪkˈstɛnd] vt (visit, street)
prolonger; remettre; (building)

agrandir; (offer) présenter, offrir; (hand, arm) tendre ▶ vi (land) s'étendre • **extension** n (of visit, street) prolongation f; (building) annexe f; (telephone: in offices) poste m; (: in private house) téléphone m supplémentaire • **extension cable** • **extension lead** n (Elec) rallonge f • **extensive** adj étendu(e), vaste; (damage, alterations) considérable; (inquiries) approfondi(e)

extent [ɪkˈstɛnt] n étendue f; **to some ~** dans une certaine mesure; **to the ~ of …** au point de …; **to what ~?** dans quelle mesure?, jusqu'à quel point?; **to such an ~ that …** à tel point que …

exterior [ɛkˈstɪərɪəʳ] adj extérieur(e) ▶ n extérieur m

external [ɛkˈstəːnl] adj externe

extinct [ɪkˈstɪŋkt] adj (volcano) éteint(e); (species) disparu(e) • **extinction** n extinction f

extinguish [ɪkˈstɪŋgwɪʃ] vt éteindre

extra [ˈɛkstrə] adj supplémentaire, de plus ▶ adv (in addition) en plus ▶ n supplément m; (perk) à-coté m; (Cine, Theat) figurant(e)

extract vt [ɪkˈstrækt] extraire; (tooth) arracher; (money, promise) soutirer ▶ n [ˈɛkstrækt] extrait m

extradite [ˈɛkstrədaɪt] vt extrader

extraordinary [ɪkˈstrɔːdnrɪ] adj extraordinaire

extravagance [ɪkˈstrævəgəns] n (excessive spending) prodigalités fpl; (thing bought) folie f, dépense excessive • **extravagant** adj extravagant(e); (in spending: person) prodigue, dépensier(-ière); (: tastes) dispendieux(-euse)

extreme [ɪkˈstriːm] adj, n extrême (m) • **extremely** adv extrêmement

extremist [ɪkˈstriːmɪst] adj, n extrémiste m/f

extrovert [ˈɛkstrəvəːt] n extraverti(e)

eye [aɪ] n œil m; (of needle) trou m, chas m ▶ vt examiner; **to keep an ~ on** surveiller • **eyeball** n globe m oculaire • **eyebrow** n sourcil m • **eye drops** npl gouttes fpl pour les yeux • **eyelash** n cil m • **eyelid** n paupière f • **eyeliner** n eye-liner m • **eye shadow** n ombre f à paupières • **eyesight** n vue f • **eye witness** n témoin m oculaire

e

f

F [ɛf] n (Mus) fa m

fabric ['fæbrɪk] n tissu m

fabulous ['fæbjuləs] adj fabuleux(-euse); (inf: super) formidable, sensationnel(le)

face [feɪs] n visage m, figure f; (expression) air m; (of clock) cadran m; (of cliff) paroi f; (of mountain) face f; (of building) façade f ▶ vt faire face à; (facts etc) accepter; ~ **down** (person) à plat ventre; (card) face en dessous; **to lose/save ~** perdre/sauver la face; **to pull a ~** faire une grimace; **in the ~ of** (difficulties etc) face à, devant; **on the ~ of it** à première vue; ~ **to ~** face à face • **face up to** vt fus faire face à, affronter • **face cloth** n (BRIT) gant m de toilette • **face pack** n (BRIT) masque m (de beauté)

facial ['feɪʃl] adj facial(e) ▶ n soin complet du visage

facilitate [fə'sɪlɪteɪt] vt faciliter

facilities [fə'sɪlɪtɪz] npl installations fpl, équipement m; **credit ~** facilités de paiement

fact [fækt] n fait m; **in ~** en fait

faction ['fækʃən] n faction f

factor ['fæktə'] n facteur m; (of sun cream) indice m (de protection); **I'd like a ~ 15 suntan lotion** je voudrais une crème solaire d'indice 15

factory ['fæktərɪ] n usine f, fabrique f

factual ['fæktjuəl] adj basé(e) sur les faits

faculty ['fækəltɪ] n faculté f; (US: teaching staff) corps enseignant

fad [fæd] n (personal) manie f; (craze) engouement m

fade [feɪd] vi se décolorer, passer; (light, sound) s'affaiblir; (flower) se faner • **fade away** vi (sound) s'affaiblir

fag [fæg] n (BRIT inf: cigarette) clope f

Fahrenheit ['fɑ:rənhaɪt] n Fahrenheit m inv

fail [feɪl] vt (exam) échouer à; (candidate) recaler; (subj: courage, memory) faire défaut à ▶ vi échouer; (eyesight, health, light: also: **be ~ing**) baisser, s'affaiblir; (brakes) lâcher; **to ~ to do sth** (neglect) négliger de or ne pas faire qch; (be unable) ne pas arriver or parvenir à faire qch; **without ~** à coup sûr; sans faute • **failing** n défaut m ▶ prep faute de; **failing that** à défaut, sinon • **failure** ['feɪljə'] n échec m; (person) raté(e); (mechanical etc) défaillance f

faint [feɪnt] adj faible; (recollection) vague; (mark) à peine visible ▶ n évanouissement m ▶ vi s'évanouir; **to feel ~** défaillir; **I haven't the ~est idea** je n'en ai pas la moindre idée • **faintly** adv faiblement; (vaguely) vaguement

fair [fɛəʳ] *adj* équitable, juste; (*hair*) blond(e); (*skin, complexion*) pâle, blanc, blanche); (*weather*) beau (belle); (*good enough*) assez bon(ne); (*sizeable*) considérable ▶ *adv*: **to play ~** jouer franc jeu ▶ *n* foire *f*; (BRIT: *funfair*) fête (foraine) • **fairground** *n* champ *m* de foire • **fair-haired** *adj* (*person*) aux cheveux clairs, blond(e) • **fairly** *adv* (*justly*) équitablement; (*quite*) assez • **fair trade** *n* commerce *m* équitable • **fairway** *n* (*Golf*) fairway *m*

fairy ['fɛərɪ] *n* fée *f* • **fairy tale** *n* conte *m* de fées

faith [feɪθ] *n* foi *f*; (*trust*) confiance *f*; (*sect*) culte *m*, religion *f* • **faithful** *adj* fidèle • **faithfully** *adv* fidèlement; **yours faithfully** (BRIT: *in letters*) veuillez agréer l'expression de mes salutations les plus distinguées

fake [feɪk] *n* (*painting etc*) faux *m*; (*person*) imposteur *m* ▶ *adj* faux (fausse) ▶ *vt* (*emotions*) simuler; (*painting*) faire un faux de

falcon ['fɔːlkən] *n* faucon *m*

fall [fɔːl] *n* chute *f*; (*decrease*) baisse *f*; (*us: autumn*) automne *m* ▶ *vi* (*pt* **fell**, *pp* **fallen**) tomber; (*price, temperature, dollar*) baisser; **falls** *npl* (*waterfall*) chute d'eau, cascade *f*; **to ~ flat** *vi* (*on one's face*) tomber de tout son long, s'étaler; (*joke*) tomber à plat; (*plan*) échouer • **fall apart** *vi* (*object*) tomber en morceaux • **fall down** *vi* (*person*) tomber; (*building*) s'effondrer, s'écrouler • **fall for** *vt fus* (*trick*) se laisser prendre à; (*person*) tomber amoureux(-euse) de • **fall off** *vi* tomber; (*diminish*) baisser, diminuer • **fall out** *vi* (*friends etc*) se brouiller; (*hair, teeth*)

tomber • **fall over** *vi* tomber (par terre) • **fall through** *vi* (*plan, project*) tomber à l'eau

fallen ['fɔːlən] *pp of* **fall**

fallout ['fɔːlaut] *n* retombées (radioactives)

false [fɔːls] *adj* faux (fausse); **under ~ pretences** sous un faux prétexte • **false alarm** *n* fausse alerte • **false teeth** *npl* (BRIT) fausses dents, dentier *m*

fame [feɪm] *n* renommée *f*, renom *m*

familiar [fə'mɪlɪəʳ] *adj* familier(-ière); **to be ~ with sth** connaître qch • **familiarize** [fə'mɪlɪəraɪz] *vt*: **to familiarize o.s. with** se familiariser avec

family ['fæmɪlɪ] *n* famille *f* • **family doctor** *n* médecin *m* de famille • **family planning** *n* planning familial

famine ['fæmɪn] *n* famine *f*

famous ['feɪməs] *adj* célèbre

fan [fæn] *n* (*folding*) éventail *m*; (*Elec*) ventilateur *m*; (*person*) fan *m*, admirateur(-trice); (*Sport*) supporter *m/f* ▶ *vt* éventer; (*fire, quarrel*) attiser

fanatic [fə'nætɪk] *n* fanatique *m/f*

fan belt *n* courroie *f* de ventilateur

fan club *n* fan-club *m*

fancy ['fænsɪ] *n* (*whim*) fantaisie *f*, envie *f*; (*imagination*) imagination *f* ▶ *adj* (*luxury*) de luxe; (*elaborate: jewellery, packaging*) fantaisie *inv* ▶ *vt* (*feel like, want*) avoir envie de; (*imagine*) imaginer; **to take a ~ to** se prendre d'affection pour; s'enticher de; **he fancies her** elle lui plaît • **fancy dress** *n* déguisement *m*, travesti *m*

fan heater *n* (BRIT) radiateur soufflant

fantasize ['fæntəsaɪz] vi fantasmer

fantastic [fæn'tæstɪk] adj fantastique

fantasy ['fæntəsɪ] n imagination f, fantaisie f; (unreality) fantasme m

fanzine ['fænziːn] n fanzine m

FAQ n abbr (= frequently asked question) FAQ f inv, faq f inv

far [fɑːʳ] adj (distant) lointain(e), éloigné(e) ▶ adv loin; the ~ side/end l'autre côté/bout; it's not ~ (from here) ce n'est pas loin (d'ici); ~ away, ~ off au loin, dans le lointain; ~ better beaucoup mieux; ~ from loin de; by ~ de loin, de beaucoup; go as ~ as the bridge allez jusqu'au pont; as ~ as I know pour autant que je sache; how ~ is it to ...? combien y a-t-il jusqu'à ...?; how ~ have you got with your work? où en êtes-vous dans votre travail?

farce [fɑːs] n farce f

fare [fɛəʳ] n (on trains, buses) prix m du billet; (in taxi) prix de la course; (food) table f, chère f; half ~ demi-tarif; full ~ plein tarif

Far East n: the ~ l'Extrême-Orient m

farewell [fɛə'wɛl] excl, n adieu m

farm [fɑːm] n ferme f ▶ vt cultiver • **farmer** n fermier(-ière) • **farmhouse** n (maison f de) ferme f • **farming** n agriculture f; (of animals) élevage m • **farmyard** n cour f de ferme

far-reaching ['fɑː'riːtʃɪŋ] adj d'une grande portée

fart [fɑːt] (inf!) vi péter

farther ['fɑːðəʳ] adv plus loin ▶ adj plus éloigné(e), plus lointain(e)

farthest ['fɑːðɪst] superlative of **far**

fascinate ['fæsɪneɪt] vt fasciner, captiver

fascinating ['fæsɪneɪtɪŋ] adj fascinant(e)

fascination [fæsɪ'neɪʃən] n fascination f

fascist ['fæʃɪst] adj, n fasciste m/f

fashion ['fæʃən] n mode f; (manner) façon f, manière f ▶ vt façonner; in ~ à la mode; out of ~ démodé(e) • **fashionable** adj à la mode • **fashion show** n défilé m de mannequins or de mode

fast [fɑːst] adj rapide; (clock): to be ~ avancer; (dye, colour) grand or bon teint inv ▶ adv vite, rapidement; (stuck, held) solidement ▶ n jeûne m ▶ vi jeûner; ~ asleep profondément endormi

fasten ['fɑːsn] vt attacher, fixer; (coat) attacher, fermer ▶ vi se fermer, s'attacher

fast food n fast food m, restauration f rapide

fat [fæt] adj gros(se) ▶ n graisse f; (on meat) gras m; (for cooking) matière grasse

fatal ['feɪtl] adj (mistake) fatal(e); (injury) mortel(le) • **fatality** [fə'tælɪtɪ] n (road death etc) victime f, décès m • **fatally** adv fatalement; (injured) mortellement

fate [feɪt] n destin m; (of person) sort m

father ['fɑːðəʳ] n père m • **Father Christmas** n le Père Noël • **father-in-law** n beau-père m

fatigue [fə'tiːg] n fatigue f

fattening ['fætnɪŋ] adj (food) qui fait grossir

fatty ['fætɪ] adj (food) gras(se) ▶ n (inf) gros (grosse)

faucet ['fɔːsɪt] n (US) robinet m

fault [fɔːlt] n faute f, (defect) défaut m; (Geo) faille f ▸ vt trouver des défauts à, prendre en défaut; **it's my ~** c'est de ma faute; **to find ~ with** trouver à redire or à critiquer à; **at ~** fautif(-ive), coupable • **faulty** adj défectueux(-euse)

fauna ['fɔːnə] n faune f

favour, (US) **favor** ['feɪvəʳ] n faveur f; (help) service m ▸ vt (proposition) être en faveur de; (pupil etc) favoriser; (team, horse) donner gagnant; **to do sb a ~** rendre un service à qn; **in ~ of** en faveur de; **to find ~ with sb** trouver grâce aux yeux de qn • **favourable** • (US) **favorable** adj favorable • **favourite** • (US) **favorite** ['feɪvrɪt] adj, n favori(te)

fawn [fɔːn] n (deer) faon m ▸ adj (also: **~-coloured**) fauve ▸ vi: **to ~ (up)on** flatter servilement

fax [fæks] n (document) télécopie f; (machine) télécopieur m ▸ vt envoyer par télécopie

FBI n abbr (US: = Federal Bureau of Investigation) FBI m

fear [fɪəʳ] n crainte f, peur f ▸ vt craindre; **for ~ of** de peur que + sub or de + infinitive • **fearful** adj craintif(-ive); (sight, noise) affreux(-euse), épouvantable • **fearless** adj intrépide

feasible ['fiːzəbl] adj faisable, réalisable

feast [fiːst] n festin m, banquet m; (Rel: also: **~ day**) fête f ▸ vi festoyer

feat [fiːt] n exploit m, prouesse f

feather ['feðəʳ] n plume f

feature ['fiːtʃəʳ] n caractéristique f; (article) chronique f, rubrique f ▸ vt (film) avoir pour vedette(s) ▸ vi figurer (en bonne place); **features** npl (of face) traits mpl; **a (special) ~ on sth/sb** un reportage sur qch/qn • **feature film** n long métrage

Feb. abbr (= February) fév

February ['fɛbruərɪ] n février m

fed [fɛd] pt, pp of **feed**

federal ['fɛdərəl] adj fédéral(e)

federation [fɛdə'reɪʃən] n fédération f

fed up adj: **to be ~ (with)** en avoir marre or plein le dos (de)

fee [fiː] n rémunération f; (of doctor, lawyer) honoraires mpl; (of school, college etc) frais mpl de scolarité; (for examination) droits mpl

feeble ['fiːbl] adj faible; (attempt, excuse) pauvre; (joke) piteux(-euse)

feed [fiːd] n (of animal) nourriture f, pâture f; (on printer) mécanisme m d'alimentation ▸ vt (pt, pp **fed**) (person) nourrir; (BRIT: baby: breastfeed) allaiter; (: with bottle) donner le biberon à; (horse etc) donner à manger à; (machine) alimenter; (data etc) enregistrer qch dans • **feedback** n (Elec) effet m Larsen; (from person) réactions fpl

feel [fiːl] n (sensation) sensation f; (impression) impression f ▸ vt (pt, pp **felt**) (touch) toucher; (explore) tâter, palper; (cold, pain) sentir; (grief, anger) ressentir, éprouver; (think, believe): **to ~ (that)** trouver que; **to ~ hungry/cold** avoir faim/froid; **to ~ lonely/better** se sentir seul/mieux; **I don't ~ well** je ne me sens pas bien; **it ~s soft** c'est doux au toucher; **to ~ like** (want) avoir envie de • **feeling** n (physical) sensation f; (emotion, *impression*) sentiment *m*; **to hurt sb's feelings** froisser qn

feet [fiːt] *npl of* **foot**

fell [fɛl] *pt of* **fall** ▸ *vt* (*tree*) abattre

fellow ['fɛləu] *n* type *m*; (*comrade*) compagnon *m*; (*of learned society*) membre *m* ▸ *cpd*: **their ~ prisoners/students** leurs camarades prisonniers/étudiants • **fellow citizen** *n* concitoyen(ne) • **fellow countryman** (*irreg*) *n* compatriote *m* • **fellow men** *npl* semblables *mpl* • **fellowship** *n* (*society*) association *f*; (*comradeship*) amitié *f*, camaraderie *f*; (*Scol*) sorte de bourse universitaire

felony ['fɛlənɪ] *n* crime *m*, forfait *m*

felt [fɛlt] *pt, pp of* **feel** ▸ *n* feutre *m* • **felt-tip** *n* (*also*: **felt-tip pen**) stylo-feutre *m*

female ['fiːmeɪl] *n* (*Zool*) femelle *f*; (*pej*: *woman*) bonne femme ▸ *adj* (*Biol*) femelle; (*sex, character*) féminin(e); (*vote etc*) des femmes

feminine ['fɛmɪnɪn] *adj* féminin(e)

feminist ['fɛmɪnɪst] *n* féministe *m/f*

fence [fɛns] *n* barrière *f* ▸ *vi* faire de l'escrime • **fencing** *n* (*sport*) escrime *f*

fend [fɛnd] *vi*: **to ~ for o.s.** se débrouiller (tout seul) • **fend off** *vt* (*attack etc*) parer; (*questions*) éluder

fender ['fɛndə'] *n* garde-feu *m inv*; (*on boat*) défense *f*; (*us*: *of car*) aile *f*

fennel ['fɛnl] *n* fenouil *m*

ferment *vi* [fə'mɛnt] fermenter ▸ *n* ['fəːmɛnt] (*fig*) agitation *f*, effervescence *f*

fern [fəːn] *n* fougère *f*

ferocious [fə'rəuʃəs] *adj* féroce

ferret ['fɛrɪt] *n* furet *m*

ferry ['fɛrɪ] *n* (*small*) bac *m*; (*large*: *also*: **~boat**) ferry(-boat *m*) *m* ▸ *vt* transporter

fertile ['fəːtaɪl] *adj* fertile; (*Biol*) fécond(e) • **fertilize** ['fəːtɪlaɪz] *vt* fertiliser; (*Biol*) féconder • **fertilizer** *n* engrais *m*

festival ['fɛstɪvəl] *n* (*Rel*) fête *f*; (*Art, Mus*) festival *m*

festive ['fɛstɪv] *adj* de fête; **the ~ season** (*BRIT*: *Christmas*) la période des fêtes

fetch [fɛtʃ] *vt* aller chercher; (*BRIT*: *sell for*) rapporter

fête [feɪt] *n* fête *f*, kermesse *f*

fetus ['fiːtəs] *n* (*US*) = **foetus**

feud [fjuːd] *n* querelle *f*, dispute *f*

fever ['fiːvə'] *n* fièvre *f* • **feverish** *adj* fiévreux(-euse), fébrile

few [fjuː] *adj* (*not many*) peu de ▸ *pron* peu; **a ~** (*as adj*) quelques; (*as pron*) quelques-uns(-unes) ▸ *pron*; **quite a ~ ...** *adj* un certain nombre de ..., pas mal de ...; **in the past ~ days** ces derniers jours • **fewer** *adj* moins de • **fewest** *adj* le moins nombreux

fiancé [fɪ'ɑ̃ːnseɪ] *n* fiancé *m* • **fiancée** *n* fiancée *f*

fiasco [fɪ'æskəu] *n* fiasco *m*

fib [fɪb] *n* bobard *m*

fibre, (*us*)**fiber** ['faɪbə'] *n* fibre *f* • **fibreglass** • (*us*) **Fiberglass**® *n* fibre *f* de verre

fickle ['fɪkl] *adj* inconstant(e), volage, capricieux(-euse)

fiction ['fɪkʃən] *n* romans *mpl*, littérature *f* romanesque; (*invention*) fiction *f* • **fictional** *adj* fictif(-ive)

fiddle ['fɪdl] *n* (*Mus*) violon *m*; (*cheating*) combine *f*, escroquerie *f* ▸ *vt* (*BRIT*: *accounts*) falsifier, maquiller • **fiddle with** vt fus tripoter

fidelity [fɪˈdɛlɪtɪ] n fidélité f

fidget [ˈfɪdʒɪt] vi se trémousser, remuer

field [fiːld] n champ m; (fig) domaine m, champ; (Sport: ground) terrain m • **field marshal** n maréchal m

fierce [fɪəs] adj (look, animal) féroce, sauvage; (wind, attack, person) (très) violent(e); (fighting, enemy) acharné(e)

fifteen [fɪfˈtiːn] num quinze • **fifteenth** num quinzième

fifth [fɪfθ] num cinquième

fiftieth [ˈfɪftɪɪθ] num cinquantième

fifty [ˈfɪftɪ] num cinquante • **fifty-fifty** adv moitié-moitié ▶ adj: **to have a fifty-fifty chance (of success)** avoir une chance sur deux (de réussir)

fig [fɪg] n figue f

fight [faɪt] (pt, pp **fought**) n (between persons) bagarre f; (argument) dispute f; (Mil) combat m; (against cancer etc) lutte f ▶ vt se battre contre; (cancer, alcoholism, emotion) combattre, lutter contre; (election) se présenter à ▶ vi se battre; (argue) se disputer; (fig): **to ~ (for/against)** lutter (pour/contre) • **fight back** vi rendre les coups; (after illness) reprendre le dessus ▶ vt (tears) réprimer • **fight off** vt repousser; (disease, sleep, urge) lutter contre • **fighting** n combats mpl; (brawls) bagarres fpl

figure [ˈfɪgər] n (Drawing, Geom) figure f; (number) chiffre m; (body, outline) silhouette f; (person's shape) ligne f, formes fpl; (person) personnage m ▶ vt (us: think)

supposer ▶ vi (appear) figurer; (us: make sense) s'expliquer • **figure out** vt (understand) arriver à comprendre; (plan) calculer

file [faɪl] n (tool) lime f; (dossier) dossier m; (folder) dossier, chemise f; (: binder) classeur m; (Comput) fichier m; (row) file f ▶ vt (nails, wood) limer; (papers) classer; (Law: claim) faire enregistrer; déposer • **filing cabinet** n classeur m (meuble)

Filipino [fɪlɪˈpiːnəu] adj philippin(e) ▶ n (person) Philippin(e)

fill [fɪl] vt remplir; (vacancy) pourvoir à ▶ n: **to eat one's ~** manger à sa faim; **to ~ with** remplir de • **fill in** vt (hole) boucher; (form) remplir • **fill out** vt (form, receipt) remplir • **fill up** vt remplir ▶ vi (Aut) faire le plein

fillet [ˈfɪlɪt] n filet m • **fillet steak** n filet m de bœuf, tournedos m

filling [ˈfɪlɪŋ] n (Culin) garniture f, farce f; (for tooth) plombage m • **filling station** n station-service f, station f d'essence

film [fɪlm] n film m; (Phot) pellicule f, film; (of powder, liquid) couche f, pellicule ▶ vt (scene) filmer ▶ vi tourner; **I'd like a 36-exposure ~** je voudrais une pellicule de 36 poses • **film star** n vedette f de cinéma

filter [ˈfɪltər] n filtre m ▶ vt filtrer • **filter lane** n (brit Aut: at traffic lights) voie f de dégagement; (: on motorway) voie f de sortie

filth [fɪlθ] n saleté f • **filthy** adj sale, dégoûtant(e); (language) ordurier(-ière), grossier(-ière)

fin [fɪn] n (of fish) nageoire f; (of shark) aileron m; (of diver) palme f

final ['faɪnl] *adj* final(e), dernier(-ière); (*decision, answer*) définitif(-ive) ▸ *n* (BRIT Sport) finale *f*; **finals** *npl* (*us*) (*Scol*) examens *mpl* de dernière année; (*Sport*) finale *f* • **finale** [fɪ'nɑːlɪ] *n* finale *m* • **finalist** *n* (*Sport*) finaliste *m/f* • **finalize** *vt* mettre au point • **finally** *adv* (*eventually*) enfin, finalement; (*lastly*) en dernier lieu

finance [faɪ'næns] *n* finance *f* ▸ *vt* financer; **finances** *npl* finances *fpl* • **financial** [faɪ'nænʃəl] *adj* financier(-ière) • **financial year** *n* année *f* budgétaire

find [faɪnd] *vt* (*pt, pp* **found**) trouver; (*lost object*) retrouver ▸ *n* trouvaille *f*, découverte *f*; **to ~ sb guilty** (*Law*) déclarer qn coupable • **find out** *vt* se renseigner sur; (*truth, secret*) découvrir; (*person*) démasquer ▸ *vi*: **to ~ out about** (*make enquiries*) se renseigner sur; (*by chance*) apprendre • **findings** *npl* (*Law*) conclusions *fpl*, verdict *m*; (*of report*) constatations *fpl*

fine [faɪn] *adj* (*weather*) beau (belle); (*excellent*) excellent(e); (*thin, subtle, not coarse*) fin(e); (*acceptable*) bien ▸ *inv* ▸ *adv* (*well*) très bien; (*small*) fin, finement ▸ *n* (*Law*) amende *f*; contravention *f* ▸ *vt* (*Law*) condamner à une amende; donner une contravention à; **he's ~** il va bien; **the weather is ~** il fait beau • **fine arts** *npl* beaux-arts *mpl*

finger ['fɪŋgə'] *n* doigt *m* ▸ *vt* palper, toucher; **index ~** index *m* • **fingernail** *n* ongle *m* (de la main) • **fingerprint** *n* empreinte digitale • **fingertip** *n* bout *m* du doigt

finish ['fɪnɪʃ] *n* fin *f*; (*Sport*) arrivée *f*; (*polish etc*) finition *f* ▸ *vt* finir, terminer ▸ *vi* finir, se terminer; **to ~ doing sth** finir de faire qch; **to ~ third** arriver or terminer troisième; **when does the show ~?** quand est-ce que le spectacle se termine? • **finish off** *vt* finir, terminer; (*kill*) achever • **finish up** *vi, vt* finir

Finland ['fɪnlənd] *n* Finlande *f* • **Finn** *n* Finnois(e), Finlandais(e) • **Finnish** *adj* finnois(e), finlandais(e) ▸ *n* (*Ling*) finnois *m*

fir [fə'] *n* sapin *m*

fire ['faɪə'] *n* feu *m*; (*accidental*) incendie *m*; (*heater*) radiateur *m* ▸ *vt* (*discharge*): **to ~ a gun** tirer un coup de feu; (*fig: interest*) enflammer, animer; (*inf: dismiss*) mettre à la porte, renvoyer ▸ *vi* (*shoot*) tirer, faire feu; **~! au feu!**; **on ~** en feu; **to set ~ to sth, set sth on ~** mettre le feu à qch • **fire alarm** *n* avertisseur *m* d'incendie • **firearm** *n* arme *f* à feu • **fire brigade** *n* (*régiment m* de sapeurs-)pompiers *mpl* • **fire engine** *n* (BRIT) pompe *f* à incendie • **fire escape** *n* escalier *m* de secours • **fire exit** *n* issue *f* or sortie *f* de secours • **fire extinguisher** *n* extincteur *m* • **fireman** (*irreg*) *n* pompier *m* • **fireplace** *n* cheminée *f* • **fire station** *n* caserne *f* de pompiers • **fire truck** *n* (*us*) = **fire engine** • **firewall** *n* (*Internet*) pare-feu *m* • **firewood** *n* bois *m* de chauffage • **fireworks** *npl* (*display*) feu(x) *m(pl)* d'artifice

firm [fəːm] *adj* ferme ▸ *n* compagnie *f*, firme *f* • **firmly** *adv* fermement

first [fəːst] *adj* premier(-ière) ▸ *adv* (*before other people*) le premier, la première; (*before other things*) en premier, d'abord; (*when listing reasons etc*) en premier lieu, premièrement; (*in the beginning*) au début ▸ *n* (*person: in race*) premier(-ière); (BRIT *Scol*) mention *f* très bien; (*Aut*) première *f*; **the ~ of January** le premier janvier; **at ~** au commencement, au début; **~ of all** tout d'abord, pour commencer • **first aid** *n* premiers secours *or* soins • **first-aid kit** *n* trousse *f* à pharmacie • **first-class** *adj* (*ticket etc*) de première classe; (*excellent*) excellent(e), exceptionnel(le); (*post*) en tarif prioritaire • **first-hand** *adj* de première main • **first lady** *n* (US) femme *f* du président • **firstly** *adv* premièrement, en premier lieu • **first name** *n* prénom *m* • **first-rate** *adj* excellent(e)

fiscal [ˈfɪskl] *adj* fiscal(e) • **fiscal year** *n* exercice financier

fish [fɪʃ] *n* (*pl inv*) poisson *m* ▸ *vt*, *vi* pêcher; **~ and chips** poisson frit et frites • **fisherman** (*irreg*) *n* pêcheur *m* • **fish fingers** *npl* (BRIT) bâtonnets *mpl* de poisson (congelés) • **fishing** *n* pêche *f*; **to go fishing** aller à la pêche • **fishing boat** *n* barque *f* de pêche • **fishing line** *n* ligne *f* (de pêche) • **fishmonger** *n* (BRIT) marchand *m* de poisson • **fishmonger's (shop)** *n* (BRIT) poissonnerie *f* • **fish sticks** *npl* (US) = **fish fingers** • **fishy** *adj* (*inf*) suspect(e), louche

fist [fɪst] *n* poing *m*

fit [fɪt] *adj* (*Med*, *Sport*) en (bonne) forme; (*proper*) convenable, approprié(e) ▸ *vt* (*subj: clothes*) aller à; (*put in, attach*) installer, poser; (*equip*) équiper, garnir,

munir; (*suit*) convenir à ▸ *vi* (*clothes*) aller; (*parts*) s'adapter; (*in space, gap*) entrer, s'adapter ▸ *n* (*Med*) accès *m*, crise *f*; (*of anger*) accès; (*of hysterics, jealousy*) crise; **~ to** (*ready to*) en état de; **~ for** (*worthy*) digne de; (*capable*) apte à; **to keep ~** se maintenir en forme; **this dress is a tight/good ~** cette robe est un peu juste/(me) va très bien; **a ~ of coughing** une quinte de toux; **by ~s and starts** par à-coups • **fit in** *vi* (*add up*) cadrer; (*integrate*) s'intégrer; (*to new situation*) s'adapter • **fitness** *n* (*Med*) forme *f* physique • **fitted** *adj* (*jacket, shirt*) ajusté(e) • **fitted carpet** *n* moquette *f* • **fitted kitchen** *n* (BRIT) cuisine équipée • **fitted sheet** *n* drap-housse *m* • **fitting** *adj* approprié(e) ▸ *n* (*of dress*) essayage *m*; (*of piece of equipment*) pose *f*, installation *f* • **fitting room** *n* (*in shop*) cabine *f* d'essayage • **fittings** *npl* installations *fpl*

five [faɪv] *num* cinq • **fiver** *n* (*inf*: US) billet de cinq dollars; (: BRIT) billet *m* de cinq livres

fix [fɪks] *vt* (*date, amount etc*) fixer; (*sort out*) arranger; (*mend*) réparer; (*make ready: meal, drink*) préparer ▸ *n*: **to be in a ~** être dans le pétrin • **fix up** *vt* (*meeting*) arranger; **to ~ sb up with sth** faire avoir qch à qn • **fixed** *adj* (*prices etc*) fixe • **fixture** *n* installation *f* (fixe); (*Sport*) rencontre *f* (au programme)

fizzy [ˈfɪzɪ] *adj* pétillant(e), gazeux(-euse)

flag [flæg] *n* drapeau *m*; (*also*: **~stone**) dalle *f* ▸ *vi* faiblir; fléchir • **flag down** *vt* héler, faire signe (de s'arrêter) à • **flagpole** *n* mât *m*

flair

flair [flɛəʳ] n flair m

flak [flæk] n (Mil) tir antiaérien; (inf: criticism) critiques fpl

flake [fleɪk] n (of rust, paint) écaille f; (of snow, soap powder) flocon m ▶ vi (also: ~ **off**) s'écailler

flamboyant [flæm'bɔɪənt] adj flamboyant(e), éclatant(e); (person) haut(e) en couleur

flame [fleɪm] n flamme f

flamingo [flə'mɪŋgəu] n flamant m (rose)

flammable ['flæməbl] adj inflammable

flan [flæn] n (BRIT) tarte f

flank [flæŋk] n flanc m ▶ vt flanquer

flannel ['flænl] n (BRIT: also: **face ~**) gant m de toilette; (fabric) flanelle f

flap [flæp] n (of pocket, envelope) rabat m ▶ vt (wings) battre (de) ▶ vi (sail, flag) claquer

flare [flɛəʳ] n (signal) signal lumineux; (Mil) fusée éclairante; (in skirt etc) évasement m; **flares** npl (trousers) pantalon m à pattes d'éléphant • **flare up** vi s'embraser; (fig: person) se mettre en colère, s'emporter; (: revolt) éclater

flash [flæʃ] n éclair m; (also: **news ~**) flash m (d'information); (Phot) flash ▶ vt (switch on) allumer (brièvement); (direct): **to ~ sth at** braquer qch sur; (send: message) câbler; (smile) lancer ▶ vi briller; jeter des éclairs; (light on ambulance etc) clignoter; **a ~ of lightning** un éclair; **in a ~** en un clin d'œil; **to ~ one's headlights** faire un appel de phares; **he ~ed by** or **past** il passa (devant nous) comme un éclair • **flashback** n

flashback m, retour m en arrière
• **flashbulb** n ampoule f de flash
• **flashlight** n lampe f de poche

flask [flɑːsk] n flacon m, bouteille f; (also: **vacuum ~**) bouteille f thermos®

flat [flæt] adj plat(e); (tyre) dégonflé(e), à plat; (beer) éventé(e); (battery) à plat; (denial) catégorique; (Mus) bémol inv; (: voice) faux (fausse) ▶ n (BRIT: apartment) appartement m; (Aut) crevaison f, pneu crevé; (Mus) bémol m; **~ out** (work) sans relâche; (race) à fond • **flatten** vt (also: **flatten out**) aplatir; (crop) coucher; (house, city) raser

flatter ['flætəʳ] vt flatter
• **flattering** adj flatteur(-euse); (clothes etc) seyant(e)

flaunt [flɔːnt] vt faire étalage de

flavour, (US)**flavor** ['fleɪvəʳ] n goût m, saveur f; (of ice cream etc) parfum m ▶ vt parfumer, aromatiser; **vanilla-~ed** à l'arôme de vanille, vanillé(e); **what ~s do you have?** quels parfums avez-vous? • **flavouring**
• (US) **flavoring** n arôme m (synthétique)

flaw [flɔː] n défaut m • **flawless** adj sans défaut

flea [fliː] n puce f • **flea market** n marché m aux puces

fled [flɛd] pt, pp of **flee**

flee [fliː] (pt, pp **fled**) vt fuir, s'enfuir de ▶ vi fuir, s'enfuir

fleece [fliːs] n (of sheep) toison f; (top) (laine f) polaire f ▶ vt (inf) voler, filouter

fleet [fliːt] n flotte f; (of lorries, cars etc) parc m; convoi m

fleeting ['fliːtɪŋ] adj fugace, fugitif(-ive); (visit) très bref (brève)

Flemish ['flemɪʃ] *adj* flamand(e) ► *n* (*Ling*) flamand *m*; **the ~** *npl* les Flamands

flesh [fleʃ] *n* chair *f*

flew [fluː] *pt of* **fly**

flex [fleks] *n* fil *m* or câble *m* électrique (souple) ► *vt* (*knee*) fléchir; (*muscles*) bander
• **flexibility** *n* flexibilité *f*
• **flexible** *adj* flexible; (*person, schedule*) souple • **flexitime** • (*US*) **flextime** *n* horaire *m* variable or à la carte

flexitarian [fleksɪ'tɛərɪən] *adj*, *n* flexitarien(ne)

flick [flɪk] *n* petit coup; (*with finger*) chiquenaude *f* ► *vt* donner un petit coup à; (*switch*) appuyer sur • **flick through** *vt fus* feuilleter

flicker ['flɪkəʳ] *vi* (*light, flame*) vaciller

flies [flaɪz] *npl of* **fly**

flight [flaɪt] *n* vol *m*; (*escape*) fuite *f*; (*also:* **~ of steps**) escalier *m*
• **flight attendant** *n* steward *m*, hôtesse *f* de l'air

flimsy ['flɪmzɪ] *adj* peu solide; (*clothes*) trop léger(-ère); (*excuse*) pauvre, mince

flinch [flɪntʃ] *vi* tressaillir; **to ~ from** se dérober à, reculer devant

fling [flɪŋ] *vt* (*pt, pp* **flung**) jeter, lancer

flint [flɪnt] *n* silex *m*; (*in lighter*) pierre *f* (à briquet)

flip [flɪp] *vt* (*throw*) donner une chiquenaude à; (*switch*) appuyer sur; (*US: pancake*) faire sauter; **to ~ sth over** retourner qch

flip-flops ['flɪpflɒps] *npl* (*esp BRIT*) tongs *fpl*

flipper ['flɪpəʳ] *n* (*of animal*) nageoire *f*; (*for swimmer*) palme *f*

flirt [fləːt] *vi* flirter ► *n* flirteur(-euse)

float [fləut] *n* flotteur *m*; (*in procession*) char *m*; (*sum of money*) réserve *f* ► *vi* flotter

flock [flɒk] *n* (*of sheep*) troupeau *m*; (*of birds*) vol *m*; (*of people*) foule *f*

flood [flʌd] *n* inondation *f*; (*of letters, refugees etc*) flot *m* ► *vt* inonder ► *vi* (*place*) être inondé; (*people*): **to ~ into** envahir
• **flooding** *n* inondation *f*
• **floodlight** *n* projecteur *m*

floor [flɔːʳ] *n* sol *m*; (*storey*) étage *m*; (*of sea, valley*) fond *m* ► *vt* (*knock down*) terrasser; (*baffle*) désorienter; **ground ~,** (*US*) **first ~** rez-de-chaussée *m*; **first ~,** (*US*) **second ~** premier étage; **what ~ is it on?** c'est à quel étage?
• **floorboard** *n* planche *f* (*du plancher*) • **flooring** *n* sol *m*; (*wooden*) plancher *m*; (*covering*) revêtement *m* de sol • **floor show** *n* spectacle *m* de variétés

flop [flɒp] *n* fiasco *m* ► *vi* (*fail*) faire fiasco; (*fall*) s'affaler, s'effondrer
• **floppy** *adj* lâche, flottant(e) ► *n* (*Comput: also:* **floppy disk**) disquette *f*

flora ['flɔːrə] *n* flore *f*

floral ['flɔːrl] *adj* floral(e); (*dress*) à fleurs

florist ['flɒrɪst] *n* fleuriste *m/f*
• **florist's (shop)** *n* magasin *m* or boutique *f* de fleuriste

flotation [fləu'teɪʃən] *n* (*of shares*) émission *f*; (*of company*) lancement *m* (en Bourse)

flour ['flauəʳ] *n* farine *f*

flourish ['flʌrɪʃ] *vi* prospérer ► *n* (*gesture*) moulinet *m*

flow [fləu] *n* (*of water, traffic etc*) écoulement *m*; (*tide, influx*) flux *m*;

(of blood, Elec) circulation f; (of river) courant m ▸ vi couler; (traffic) s'écouler; (robes, hair) flotter
flower ['flauə'] n fleur f ▸ vi fleurir
• **flower bed** n plate-bande f
• **flowerpot** n pot m (à fleurs)
flown [fləun] pp of **fly**
fl. oz. abbr = **fluid ounce**
flu [flu:] n grippe f
fluctuate ['flʌktjueɪt] vi varier, fluctuer
fluent ['flu:ənt] adj (speech, style) coulant(e), aisé(e); **he speaks ~ French, he's ~ in French** il parle le français couramment
fluff [flʌf] n duvet m; (on jacket, carpet) peluche f • **fluffy** adj duveteux(-euse); (toy) en peluche
fluid ['flu:ɪd] n fluide m; (in diet) liquide m ▸ adj fluide • **fluid ounce** n (BRIT) = 0.028 l; 0.05 pints
fluke [flu:k] n coup m de veine
flung [flʌŋ] pt, pp of **fling**
fluorescent [fluə'rɛsnt] adj fluorescent(e)
fluoride ['fluəraɪd] n fluor m
flurry ['flʌrɪ] n (of snow) rafale f, bourrasque f; **a ~ of activity** un affairement soudain
flush [flʌʃ] n (on face) rougeur f; (fig: of youth etc) éclat m ▸ vt nettoyer à grande eau ▸ vi rougir ▸ adj (level): **~ with** au ras de, de niveau avec; **to ~ the toilet** tirer la chasse (d'eau)
flute [flu:t] n flûte f
flutter ['flʌtə'] n (of panic, excitement) agitation f; (of wings) battement m ▸ vi (bird) battre des ailes, voleter
fly [flaɪ] (pt **flew**, pp **flown**) n (insect) mouche f; (on trousers: also: **flies**) braguette f ▸ vt (plane) piloter; (passengers, cargo)

transporter (par avion); (distance) parcourir ▸ vi voler; (passengers) aller en avion; (escape) s'enfuir, fuir; (flag) se déployer • **fly away**, **fly off** vi s'envoler • **fly-drive** n formule f avion plus voiture
• **flying** n (activity) aviation f; (action) vol m ▸ adj: **flying visit** visite f éclair inv; **with flying colours** haut la main • **flying saucer** n soucoupe volante
• **flyover** n (BRIT: overpass) pont routier
FM abbr (Radio: = frequency modulation) FM
foal [fəul] n poulain m
foam [fəum] n écume f; (on beer) mousse f; (also: **~ rubber**) caoutchouc m mousse ▸ vi (liquid) écumer; (soapy water) mousser
focus ['fəukəs] n (pl **focuses**) foyer m; (of interest) centre m ▸ vt (field glasses etc) mettre au point ▸ vi: **to ~ (on)** (with camera) régler la mise au point (sur); (with eyes) fixer son regard (sur); (fig: concentrate) se concentrer (sur); **out of/in ~** (picture) flou(e)/ net(te); (camera) pas au point/au point
foetus, (us) **fetus** ['fi:təs] n fœtus m
fog [fɒg] n brouillard m • **foggy** adj: **it's foggy** il y a du brouillard
• **fog lamp**, (us) **fog light** n (Aut) phare m anti-brouillard
foil [fɔɪl] vt déjouer, contrecarrer ▸ n feuille f de métal; (kitchen foil) papier m d'alu(minium); **to act as a ~ to** (fig) servir de repoussoir à
fold [fəuld] n (bend, crease) pli m; (Agr) parc m à moutons; (fig) bercail m ▸ vt plier; **to ~ one's arms** croiser les bras • **fold up** vi (map etc) se plier, se replier;

(business) fermer boutique ▶vt (map etc) plier, replier • **folder** n (for papers) chemise f; (: binder) classeur m; (Comput) dossier m • **folding** adj (chair, bed) pliant(e)

foliage ['fəʊlɪɪdʒ] n feuillage m

folk [fəʊk] npl gens mpl ▷ cpd folklorique; **folks** npl (inf: parents) famille f, parents mpl • **folklore** ['fəʊklɔːʳ] n folklore m • **folk music** n musique f folklorique; (contemporary) musique folk, folk m • **folk song** n chanson f folklorique; (contemporary) chanson folk inv

follow ['fɒləʊ] vt suivre; (on Twitter) s'abonner aux tweets de ▶vi suivre; (result) s'ensuivre; **to ~ suit** (fig) faire de même • **follow up** vt (letter, offer) donner suite à; (case) suivre • **follower** n disciple m/f, partisan(e) • **following** adj suivant(e) ▶ n partisans mpl, disciples mpl • **follow-up** n suite f; (on file, case) suivi m

fond [fɒnd] adj (memory, look) tendre, affectueux(-euse); (hopes, dreams) un peu fou (folle); **to be ~ of** aimer beaucoup

food [fuːd] n nourriture f • **food mixer** n mixeur m • **food poisoning** n intoxication f alimentaire • **food processor** n robot m de cuisine • **food stamp** n (us) bon m de nourriture (pour indigents)

fool [fuːl] n idiot(e); (Culin) mousse f de fruits ▶vt berner, duper • **fool about**, **fool around** vi (pej: waste time) traînailler, glandouiller; (: behave foolishly) faire l'idiot or l'imbécile • **foolish** adj idiot(e), stupide; (rash) imprudent(e) • **foolproof** adj (plan etc) infaillible

foot (pl **feet**) [fut, fiːt] n pied m; (of animal) patte f; (measure) pied (= 30.48 cm; 12 inches) ▶vt (bill) payer; **on ~** à pied • **footage** n (Cine: length) ≈ métrage n (: material) séquences fpl • **foot-and-mouth (disease)** [futənd'maʊθ-] n fièvre aphteuse • **football** n (ball) ballon m (de football); (sport: BRIT) football m; (: us) football américain • **footballer** n (BRIT) = **football player** • **football match** n (BRIT) match m de foot(ball) • **football player** n footballeur(-euse), joueur(-euse) de football; (us) joueur(-euse) de football américain • **footbridge** n passerelle f • **foothills** npl contreforts mpl • **foothold** n prise f (de pied) • **footing** n (fig) position f; **to lose one's footing** perdre pied • **footnote** n note f (en bas de page) • **footpath** n sentier m • **footprint** n trace f (de pied) • **footstep** n pas m • **footwear** n chaussures fpl

for [fɔːʳ]

▶prep 1 (indicating destination, intention, purpose) pour; **the train for London** le train pour (or à destination de) Londres; **he left for Rome** il est parti pour Rome; **he went for the paper** il est allé chercher le journal; **is this for me?** c'est pour moi?; **it's time for lunch** c'est l'heure du déjeuner; **what's it for?** ça sert à quoi?; **what for?** (why?) pourquoi?; (to what end?) pour quoi faire?, à quoi bon?; **for sale** à vendre; **to pray for peace** prier pour la paix 2 (on behalf of, representing) pour;

the MP for Hove le député de Hove; **to work for sb/sth** travailler pour qn/qch; **I'll ask him for you** je vais lui demander pour toi; **G for George** G comme Georges

3 (*because of*) pour; **for this reason** pour cette raison; **for fear of being criticized** de peur d'être critiqué

4 (*with regard to*) pour; **it's cold for July** il fait froid pour juillet; **a gift for languages** un don pour les langues

5 (*in exchange for*): **I sold it for £5** je l'ai vendu 5 livres; **to pay 50 pence for a ticket** payer un billet 50 pence

6 (*in favour of*) pour; **are you for or against us?** êtes-vous pour ou contre nous?; **I'm all for it** je suis tout à fait pour; **vote for X** votez pour X

7 (*referring to distance*) pendant, sur; **there are roadworks for 5 km** il y a des travaux sur or pendant 5 km; **we walked for miles** nous avons marché pendant des kilomètres

8 (*referring to time*) pendant; depuis; pour; **he was away for 2 years** il a été absent pendant 2 ans; **she will be away for a month** elle sera absente (pendant) un mois; **it hasn't rained for 3 weeks** ça fait 3 semaines qu'il ne pleut pas, il ne pleut pas depuis 3 semaines; **I have known her for years** je la connais depuis des années; **can you do it for tomorrow?** est-ce que tu peux le faire pour demain?

9 (*with infinitive clauses*): **it is not for me to decide** ce n'est pas à

moi de décider; **it would be best for you to leave** le mieux serait que vous partiez; **there is still time for you to do it** vous avez encore le temps de le faire; **for this to be possible ...** pour que cela soit possible ..

10 (*in spite of*): **for all that** malgré cela, néanmoins; **for all his work/efforts** malgré tout son travail/tous ses efforts; **for all his complaints, he's very fond of her** il a beau se plaindre, il l'aime beaucoup

▶ *conj* (*since, as: formal*) car

forbid (*pt* **forbad** *or* **forbade**, *pp* **forbidden**) [fə'bɪd, -'bæd, -'bɪdn] *vt* défendre, interdire; **to ~ sb to do** défendre or interdire à qn de faire • **forbidden** *adj* défendu(e)

force [fɔːs] *n* force *f* ▶ *vt* forcer; (*push*) pousser (de force); **to ~ o.s. to do** se forcer à faire; **in ~** (*rule, law, prices*) en vigueur; (*in large numbers*) en force • **forced** *adj* forcé(e) • **forceful** *adj* énergique

ford [fɔːd] *n* gué *m*

fore [fɔːʳ] *n*: **to the ~** en évidence • **forearm** *n* avant-bras *m inv* • **forecast** *n* prévision *f*; (*also:* **weather forecast**) prévisions *fpl* météorologiques, météo *f* ▶ *vt* (*irreg: like* **cast**) prévoir • **forecourt** *n* (*of garage*) devant *m* • **forefinger** *n* index *m* • **forefront** *n*: **in the forefront of** au premier rang or plan de • **foreground** *n* premier plan • **forehead** ['fɒrɪd] *n* front *m*

foreign ['fɒrɪn] *adj* étranger(-ère); (*trade*) extérieur(e); (*travel*) à l'étranger • **foreign currency** *n* devises étrangères • **foreigner** *n* étranger(-ère) • **foreign**

fortify

exchange n (system) change m; (money) devises fpl • **Foreign Office** n (BRIT) ministère m des Affaires étrangères • **Foreign Secretary** n (BRIT) ministre m des Affaires étrangères

fore: • **foreman** (irreg) n (in construction) contremaître m • **foremost** adj le (la) plus en vue, premier(-ière) ▶ adv: **first and foremost** avant tout, tout d'abord • **forename** n prénom m

forensic [fəˈrɛnsɪk] adj: **~ medicine** médecine légale

foresee (pt **foresaw**, pp **foreseen**) [fɔːˈsiː, -'sɔː, -'siːn] vt prévoir • **foreseeable** adj prévisible

foreseen [fɔːˈsiːn] pp of **foresee**

forest [ˈfɒrɪst] n forêt f • **forestry** n sylviculture f

forever [fəˈrɛvər] adv pour toujours; (fig: endlessly) continuellement

foreword [ˈfɔːwəːd] n avant-propos m inv

forfeit [ˈfɔːfɪt] vt perdre

forgave [fəˈgeɪv] pt of **forgive**

forge [fɔːdʒ] n forge f ▶ vt (signature) contrefaire; (wrought iron) forger; **to ~ money** (BRIT) fabriquer de la fausse monnaie • **forger** n faussaire m • **forgery** n faux m, contrefaçon f

forget (pt **forgot**, pp **forgotten**) [fəˈgɛt, -'gɒt, -'gɒtn] vt, vi oublier; **I've forgotten my key/passport** j'ai oublié ma clé/mon passeport • **forgetful** adj distrait(e), étourdi(e)

forgive (pt **forgave**, pp **forgiven**) [fəˈgɪv, -ˈgeɪv, -ˈgɪvn] vt pardonner; **to ~ sb for sth/for doing sth** pardonner qch à qn/à qn de faire qch

forgot [fəˈgɒt] pt of **forget**

forgotten [fəˈgɒtn] pp of **forget**

fork [fɔːk] n (for eating) fourchette f; (for gardening) fourche f; (of roads) bifurcation f ▶ vi (road) bifurquer

forlorn [fəˈlɔːn] adj (deserted) abandonné(e); (hope, attempt) désespéré(e)

form [fɔːm] n forme f; (Scol) classe f; (questionnaire) formulaire m ▶ vt former; (habit) contracter; **to ~ part of sth** faire partie de qch; **on top ~** en pleine forme

formal [ˈfɔːməl] adj (offer, receipt) en bonne et due forme; (person) cérémonieux(-euse); (occasion, dinner) officiel(le); (garden) à la française; (clothes) de soirée • **formality** [fɔːˈmælɪti] n formalité f

format [ˈfɔːmæt] n format m ▶ vt (Comput) formater • **formatting** n (Comput) formatage m

formation [fɔːˈmeɪʃən] n formation f

former [ˈfɔːmər] adj ancien(ne); (before in time) précédent(e); **the ~ ... the latter** le premier ... le second, celui-là ... celui-ci • **formerly** adv autrefois

formidable [ˈfɔːmɪdəbl] adj redoutable

formula [ˈfɔːmjulə] n formule f

fort [fɔːt] n fort m

forthcoming [fɔːθˈkʌmɪŋ] adj qui va paraître ou avoir lieu prochainement; (character) ouvert(e), communicatif(-ive); (available) disponible

fortieth [ˈfɔːtiɪθ] num quarantième

fortify [ˈfɔːtɪfaɪ] vt (city) fortifier; (person) remonter

fortnight ['fɔːtnaɪt] n (BRIT) quinzaine f, quinze jours mpl • **fortnightly** adj bimensuel(le) ▶ adv tous les quinze jours

fortress ['fɔːtrɪs] n forteresse f

fortunate ['fɔːtʃənɪt] adj heureux(-euse); (person) chanceux(-euse); **it is ~ that** c'est une chance que, il est heureux que • **fortunately** adv heureusement, par bonheur

fortune ['fɔːtʃən] n chance f; (wealth) fortune f • **fortune-teller** n diseuse f de bonne aventure

forty ['fɔːtɪ] num quarante

forum ['fɔːrəm] n forum m, tribune f

forward ['fɔːwəd] adj (movement, position) en avant, vers l'avant; (not shy) effronté(e); (in time) en avance ▶ adv (also: ~s) en avant ▶ n (Sport) avant m ▶ vt (letter) faire suivre; (parcel, goods) expédier; (fig) promouvoir, favoriser; **to move ~** avancer • **forwarding address** n adresse f de réexpédition • **forward slash** n barre f oblique

fossick ['fɒsɪk] vi (AUST, NZ inf) chercher; **to ~ around for** fouiner (inf) pour trouver

fossil ['fɒsl] adj, n fossile m

foster ['fɒstə'] vt (encourage) encourager, favoriser; (child) élever (sans adopter) • **foster child** n enfant élevé dans une famille d'accueil

fought [fɔːt] pt, pp of **fight**

foul [faul] adj (weather, smell, food) infect(e); (language) ordurier(-ière) ▶ n (Football) faute f ▶ vt (dirty) salir, encrasser; **he's got a ~ temper** il a un caractère de chien • **foul play** n (Law) acte criminel

found [faund] pt, pp of **find** ▶ vt (establish) fonder • **foundation** [faun'deɪʃən] n (act) fondation f; (base) fondement m; (also: **foundation cream**) fond m de teint; **foundations** npl (of building) fondations fpl

founder ['faundə'] n fondateur m ▶ vi couler, sombrer

fountain ['fauntɪn] n fontaine f • **fountain pen** n stylo m (à encre)

four [fɔː'] num quatre; **on all ~s** à quatre pattes • **four-letter word** n obscénité f, gros mot • **four-poster** n (also: **four-poster bed**) lit m à baldaquin • **fourteen** num quatorze • **fourteenth** num quatorzième • **fourth** num quatrième ▶ n (Aut: also: **fourth gear**) quatrième f • **four-wheel drive** n (Aut: car) voiture f à quatre roues motrices

fowl [faul] n volaille f

fox [fɒks] n renard m ▶ vt mystifier

foyer ['fɔɪeɪ] n (in hotel) vestibule m; (Theat) foyer m

fracking ['frækɪŋ] n fracturation f hydraulique

fraction ['frækʃən] n fraction f

fracture ['fræktʃə'] n fracture f ▶ vt fracturer

fragile ['frædʒaɪl] adj fragile

fragment ['frægmənt] n fragment m

fragrance ['freɪgrəns] n parfum m

frail [freɪl] adj fragile, délicat(e); (person) frêle

frame [freɪm] n (of building) charpente f; (of human, animal) charpente, ossature f; (of picture) cadre m; (of door, window) encadrement m, chambranle m; (of spectacles: also: ~s) monture f

▶ vt (picture) encadrer; **~ of mind**
disposition f d'esprit • **framework**
n structure f

France [frɑːns] n la France

franchise ['fræntʃaɪz] n (Pol)
droit m de vote; (Comm) franchise f

frank [fræŋk] adj franc (franche)
▶ vt (letter) affranchir • **frankly**
adv franchement

frantic ['fræntɪk] adj (hectic)
frénétique; (distraught) hors de soi

fraud [frɔːd] n supercherie f,
fraude f, tromperie f; (person)
imposteur m

fraught [frɔːt] adj (tense: person)
très tendu(e); (: situation) pénible;
~ with (difficulties etc) chargé(e)
de, plein(e) de

fray [freɪ] vt effilocher ▶ vi
s'effilocher

freak [friːk] n (eccentric person)
phénomène m; (unusual event)
hasard m extraordinaire; (pej:
fanatic): **health food ~** fana m/f or
obsédé(e) de l'alimentation saine
▶ adj (storm) exceptionnel(le);
(accident) bizarre

freckle ['frɛkl] n tache f de
rousseur

free [friː] adj libre; (gratis)
gratuit(e) ▶ vt (prisoner etc) libérer;
(jammed object or person) dégager;
is this seat ~? la place est libre?;
~ (of charge) gratuitement
• **freedom** n liberté f
• **Freefone®** n numéro vert
• **free gift** n prime f • **free kick** n
(Sport) coup franc • **freelance** adj
(journalist etc) indépendant(e),
free-lance inv ▶ adv en free-lance
• **freely** adv librement; (liberally)
libéralement • **Freepost®** n
(BRIT) port payé • **free-range** adj
(egg) de ferme; (chicken) fermier

• **Freeview®** ['friːvjuː] n (BRIT)
télévision f numérique terrestre,
≈ TNT f • **freeway** n (US)
autoroute f • **free will** n libre
arbitre m; **of one's own free will**
de son plein gré

freeze [friːz] (pt **froze**, pp **frozen**)
vi geler ▶ vt geler; (food) congeler;
(prices, salaries) bloquer, geler ▶ n
gel m; (of prices, salaries) blocage m
• **freezer** n congélateur m
• **freezing** adj: **freezing (cold)**
(room etc) glacial(e); (person, hands)
gelé(e), glacé(e) ▶ n: **3 degrees
below freezing** 3 degrés
au-dessous de zéro; **it's freezing**
il fait un froid glacial • **freezing
point** n point m de congélation

freight [freɪt] n (goods) fret m,
cargaison f; (money charged) fret,
prix m du transport • **freight
train** n (US) train m de
marchandises

French [frɛntʃ] adj français(e)
▶ n (Ling) français m; **the ~** npl les
Français; **what's the ~ (word)
for ...?** comment dit-on ... en
français? • **French bean** n (BRIT)
haricot vert • **French bread** n
pain m français • **French
dressing** n (Culin) vinaigrette f
• **French fried potatoes**,
• **French fries** (US) npl (pommes
de terre fpl) frites fpl • **Frenchman**
(irreg) n Français m • **French stick**
n ≈ baguette f • **French window**
n porte-fenêtre f • **Frenchwoman**
(irreg) n Française f

frenzy ['frɛnzɪ] n frénésie f

frequency ['friːkwənsɪ] n
fréquence f

frequent adj ['friːkwənt]
fréquent(e) ▶ vt [frɪ'kwɛnt]
fréquenter • **frequently**
['friːkwəntlɪ] adv fréquemment

fresh [freʃ] *adj* frais (fraîche); *(new)* nouveau (nouvelle); *(cheeky)* familier(-ière), culotté(e)
• **freshen** *vi (wind, air)* fraîchir
• **freshen up** *vi* faire un brin de toilette • **fresher** *n (BRIT University: inf)* bizuth *m*, étudiant(e) de première année
• **freshly** *adv* nouvellement, récemment • **freshman** *(irreg) n (US)* = **fresher** • **freshwater** *adj (fish)* d'eau douce

fret [fret] *vi* s'agiter, se tracasser

friction ['frɪkʃən] *n* friction *f*, frottement *m*

Friday ['fraɪdɪ] *n* vendredi *m*

fridge [frɪdʒ] *n (BRIT)* frigo *m*, frigidaire® *m*

fried [fraɪd] *adj* frit(e); **~ egg** œuf *m* sur le plat

friend [frend] *n* ami(e) ▶ *vt (Internet)* ajouter comme ami(e)
• **friendly** *adj* amical(e); *(kind)* sympathique, gentil(le); *(place)* accueillant(e); *(Pol: country)* ami(e) ▶ *n (also:* **friendly match**) match amical • **friendship** *n* amitié *f*

fries [fraɪz] *(esp US) npl* = **chips**

frigate ['frɪgɪt] *n* frégate *f*

fright [fraɪt] *n* peur *f*, effroi *m*; **to give sb a ~** faire peur à qn; **to take ~** prendre peur, s'effrayer
• **frighten** *vt* effrayer, faire peur à
• **frightened** *adj*: **to be frightened (of)** avoir peur (de)
• **frightening** *adj* effrayant(e)
• **frightful** *adj* affreux(-euse)

frill [frɪl] *n (of dress)* volant *m*; *(of shirt)* jabot *m*

fringe [frɪndʒ] *n (BRIT: of hair)* frange *f*; *(edge: of forest etc)* bordure *f*

Frisbee® ['frɪzbɪ] *n* Frisbee® *m*

fritter ['frɪtə] *n* beignet *m*

frivolous ['frɪvələs] *adj* frivole

fro [frəu] *adv see* **to**

frock [frɔk] *n* robe *f*

frog [frɔg] *n* grenouille *f*
• **frogman** *(irreg) n* homme-grenouille *m*

---

from [frɔm]

prep **1** *(indicating starting place, origin etc)* de; **where do you come from?, where are you from?** d'où venez-vous?; **where has he come from?** d'où arrive-t-il?; **from London to Paris** de Londres à Paris; **to escape from sb/sth** échapper à qn/qch; **a letter/telephone call from my sister** une lettre/un appel de ma sœur; **to drink from the bottle** boire à (même) la bouteille; **tell him from me that ...** dites-lui de ma part que ...

2 *(indicating time)* (à partir) de; **from one o'clock to** *or* **until** *or* **till two** d'une heure à deux heures; **from January (on)** à partir de janvier

3 *(indicating distance)* de; **the hotel is one kilometre from the beach** l'hôtel est à un kilomètre de la plage

4 *(indicating price, number etc)* de; **prices range from £10 to £50** les prix varient entre 10 livres et 50 livres; **the interest rate was increased from 9% to 10%** le taux d'intérêt est passé de 9% à 10%

5 *(indicating difference)* de; **he can't tell red from green** il ne peut pas distinguer le rouge du vert; **to be different from sb/sth** être différent de qn/qch 6 (*because of, on the basis of*): **from what he says** d'après ce qu'il dit; **weak from hunger** affaibli par la faim

front [frʌnt] *n* (*of house, dress*) devant *m*; (*of coach, train*) avant *m*; (*promenade: also:* **sea ~**) bord *m* de mer; (*Mil, Pol, Meteorology*) front *m*; (*fig: appearances*) contenance *f*, façade *f* ▸ *adj* de devant; (*seat, wheel*) avant *inv* ▸ *vi*: **in ~ (of)** devant • **front door** *n* porte *f* d'entrée; (*of car*) portière *f* avant • **frontier** ['frʌntɪə*r*] *n* frontière *f* • **front page** *n* première page • **front-wheel drive** *n* traction *f* avant

frost [frɔst] *n* gel *m*, gelée *f*; (*also:* **hoar~**) givre *m* • **frostbite** *n* gelures *fpl* • **frosting** *n* (*esp us: on cake*) glaçage *m* • **frosty** *adj* (*window*) couvert(e) de givre; (*weather, welcome*) glacial(e)

froth [frɔθ] *n* mousse *f*; écume *f*

frown [fraʊn] *n* froncement *m* de sourcils ▸ *vi* froncer les sourcils

froze [frəʊz] *pt of* **freeze**

frozen ['frəʊzn] *pp of* **freeze** ▸ *adj* (*food*) congelé(e); (*person, also assets*) gelé(e)

fruit [fruːt] *n* (*pl inv*) fruit *m* • **fruit juice** *n* jus *m* de fruit • **fruit machine** *n* (*BRIT*) machine *f* à sous • **fruit salad** *n* salade *f* de fruits

frustrate [frʌs'treɪt] *vt* frustrer • **frustrated** *adj* frustré(e)

fry [fraɪ] (*pt, pp* **fried**) *vt* (faire) frire ▸ *n*: **small ~** le menu fretin • **frying pan** *n* poêle *f* (à frire)

ft. *abbr* = **foot; feet**

fudge [fʌdʒ] *n* (*Culin*) sorte de confiserie à base de sucre, de beurre et de lait

fuel [fjʊəl] *n* (*for heating*) combustible *m*; (*for engine*) carburant *m* • **fuel tank** *n* (*in vehicle*) réservoir *m* de or à carburant

fulfil, (*us*) **fulfill** [fʊl'fɪl] *vt* (*function, condition*) remplir; (*order*) exécuter; (*wish, desire*) satisfaire, réaliser

full [fʊl] *adj* plein(e); (*details, hotel, bus*) complet(-ète); (*busy: day*) chargé(e); (*skirt*) ample, large ▸ *adv*: **to know ~ well that** savoir fort bien que; **I'm ~ (up)** j'ai bien mangé; **~ employment/fare** plein emploi/tarif; **a ~ two hours** deux bonnes heures; **at ~ speed** à toute vitesse; **in ~** (*reproduce, quote, pay*) intégralement; (*write name etc*) en toutes lettres • **full-length** *adj* (*portrait*) en pied; (*coat*) long(ue); **full-length film** long métrage • **full moon** *n* pleine lune • **full-scale** *adj* (*model*) grandeur nature *inv*; (*search, retreat*) complet(-ète), total(e) • **full stop** *n* point *m* • **full-time** *adj, adv* (*work*) à plein temps • **fully** *adv* entièrement, complètement

fumble ['fʌmbl] *vi* fouiller, tâtonner • **fumble with** *vt fus* tripoter

fume [fjuːm] *vi* (*rage*) rager • **fumes** [fjuːmz] *npl* vapeurs *fpl*, émanations *fpl*, gaz *mpl*

fun [fʌn] *n* amusement *m*, divertissement *m*; **to have ~** s'amuser; **for ~** pour rire; **to make ~ of** se moquer de

function ['fʌŋkʃən] *n* fonction *f*; (*reception, dinner*) cérémonie *f*, soirée officielle ▸ *vi* fonctionner

fund

fund [fʌnd] n caisse f, fonds m; (source, store) source f, mine f; **funds** npl (money) fonds mpl

fundamental [fʌndə'mɛntl] adj fondamental(e)

funeral ['fjuːnərəl] n enterrement m, obsèques fpl (more formal occasion) • **funeral director** n entrepreneur m des pompes funèbres • **funeral parlour** n (BRIT) dépôt m mortuaire

funfair ['fʌnfɛəʳ] n (BRIT) fête (foraine)

fungus (pl **fungi**) ['fʌŋɡəs, -ɡaɪ] n champignon m; (mould) moisissure f

funnel ['fʌnl] n entonnoir m; (of ship) cheminée f

funny ['fʌnɪ] adj amusant(e), drôle; (strange) curieux(-euse), bizarre

fur [fəːʳ] n fourrure f; (BRIT: in kettle etc) (dépôt m de) tartre m • **fur coat** n manteau m de fourrure

furious ['fjuərɪəs] adj furieux(-euse); (effort) acharné(e)

furnish ['fəːnɪʃ] vt meubler; (supply) fournir • **furnishings** npl mobilier m, articles mpl d'ameublement

furniture ['fəːnɪtʃəʳ] n meubles mpl, mobilier m; **piece of ~** meuble m

furry ['fəːrɪ] adj (animal) à fourrure; (toy) en peluche

further ['fəːðəʳ] adj supplémentaire, autre; nouveau (nouvelle) ▶ adv plus loin; (more) davantage; (moreover) de plus ▶ vt faire avancer or progresser, promouvoir • **further education** n enseignement m postscolaire (recyclage, formation professionnelle)

• **furthermore** adv de plus, en outre

furthest ['fəːðɪst] superlative of **far**

fury ['fjuərɪ] n fureur f

fuse, (us) **fuze** [fjuːz] n fusible m; (for bomb etc) amorce f, détonateur m ▶ vt, vi (metal) fondre; (BRIT Elec): **to ~ the lights** faire sauter les fusibles or les plombs • **fuse box** n boîte f à fusibles

fusion ['fjuːʒən] n fusion f

fuss [fʌs] n (anxiety, excitement) chichis mpl, façons fpl; (commotion) tapage m; (complaining, trouble) histoire(s) f(pl): **to make a ~** faire des façons (or des histoires); **to make a ~ of sb** dorloter qn • **fussy** adj (person) tatillon(ne), difficile, chichiteux(-euse); (dress, style) tarabiscoté(e)

future ['fjuːtʃəʳ] adj futur(e) ▶ n avenir m; (Ling) futur m; **futures** npl (Comm) opérations fpl à terme; **in (the) ~** à l'avenir

fuze [fjuːz] n, vt, vi (us) = **fuse**

fuzzy ['fʌzɪ] adj (Phot) flou(e); (hair) crépu(e)

FYI abbr = **for your information**

g

G [dʒiː] n (Mus) sol m

g. abbr (= gram) g

gadget ['gædʒɪt] n gadget m

Gaelic ['geɪlɪk] adj, n (Ling) gaélique (m)

gag [gæg] n (on mouth) bâillon m; (joke) gag m ▶ vt (prisoner etc) bâillonner

gain [geɪn] n (improvement) gain m; (profit) gain, profit m ▶ vt gagner ▶ vi (watch) avancer; **to ~ from/ by** gagner de/à; **to ~ on sb** (catch up) rattraper qn; **to ~ 3lbs (in weight)** prendre 3 livres; **to ~ ground** gagner du terrain

gal. abbr = **gallon**

gala ['gɑːlə] n gala m

galaxy ['gæləksɪ] n galaxie f

gale [geɪl] n coup m de vent

gall bladder ['gɔːl-] n vésicule f biliaire

gallery ['gælərɪ] n (also: **art ~**) musée m; (private) galerie f; (in theatre) dernier balcon

gallon ['gælən] n gallon m (Brit = 4.543 l; US = 3.785 l)

gallop ['gæləp] n galop m ▶ vi galoper

gallstone ['gɔːlstəun] n calcul m (biliaire)

gamble ['gæmbl] n pari m, risque calculé ▶ vt, vi jouer; **to ~ on** (fig) miser sur • **gambler** n joueur m • **gambling** n jeu m

game [geɪm] n jeu m; (event) match m; (of tennis, chess, cards) partie f; (Hunting) gibier m ▶ adj (willing): **to be ~ (for)** être prêt(e) (à or pour); **games** npl (Scol) sport m; (sport event) jeux; **big ~** gros gibier • **games console** ['geɪmz-] n console f de jeux vidéo • **game show** n jeu télévisé

gammon ['gæmən] n (bacon) quartier m de lard fumé; (ham) jambon fumé or salé

gang [gæŋ] n bande f; (of workmen) équipe f

gangster ['gæŋstə'] n gangster m

gap [gæp] n trou m; (in time) intervalle m; (difference): **~ (between)** écart m (entre)

gape [geɪp] vi (person) être or rester bouche bée; (hole, shirt) être ouvert(e)

gap year n année que certains étudiants prennent pour voyager ou pour travailler avant d'entrer à l'université

garage ['gærɑːʒ] n garage m • **garage sale** n vide-grenier m

garbage ['gɑːbɪdʒ] n (US: rubbish) ordures fpl, détritus mpl; (inf: nonsense) âneries fpl • **garbage can** n (US) poubelle f, boîte f à ordures • **garbage collector** n (US) éboueur m

garden ['gɑːdn] n jardin m; **gardens** npl (public) jardin public; (private) parc m • **garden centre** (BRIT) n pépinière f, jardinerie f • **gardener** n jardinier m • **gardening** n jardinage m

garlic ['gɑːlɪk] n ail m

garment ['gɑːmənt] n vêtement m

garnish ['gɑːnɪʃ] (Culin) vt garnir ▶ n décoration f

gas [gæs] n gaz m; (US: gasoline) essence f ▶ vt asphyxier; **I can smell ~** ça sent le gaz • **gas cooker** n (BRIT) cuisinière f à gaz • **gas cylinder** n bouteille f de gaz • **gas fire** n (BRIT) radiateur m à gaz

gasket ['gæskɪt] n (Aut) joint m de culasse

gasoline ['gæsəliːn] n (US) essence f

gasp [gɑːsp] n halètement m; (of shock etc): **she gave a small ~ of pain** la douleur lui coupa le souffle ▶ vi haleter; (fig) avoir le souffle coupé

gas: • **gas pedal** n (US) accélérateur m • **gas station** n (US) station-service f • **gas tank** n (US Aut) réservoir m d'essence

gastric band ['gæstrɪk-] n anneau m gastrique

gate [geɪt] n (of garden) portail m; (of field, at level crossing) barrière f; (of building, town, at airport) porte f

gateau (pl **gateaux**) ['gætəu, -z] n gros gâteau à la crème

gatecrash ['geɪtkræʃ] vt s'introduire sans invitation dans

gateway ['geɪtweɪ] n porte f

gather ['gæðə'] vt (flowers, fruit) cueillir; (pick up) ramasser; (assemble: objects) rassembler; (: people) réunir; (: information) recueillir; (understand) comprendre; (Sewing) froncer ▶ vi (assemble) se rassembler; **to ~ speed** prendre de la vitesse • **gathering** n rassemblement m

gauge [geɪdʒ] n (instrument) jauge f ▶ vt jauger; (fig) juger de

gave [geɪv] pt of **give**

gay [geɪ] adj (homosexual) homosexuel(le); (colour) gai, vif (vive)

gaze [geɪz] n regard m fixe ▶ vi: **to ~ at** fixer du regard

GB abbr = **Great Britain**

GCSE n abbr (BRIT: = General Certificate of Secondary Education) examen passé à l'âge de 16 ans sanctionnant les connaissances de l'élève

gear [gɪə'] n matériel m, équipement m; (Tech) engrenage m; (Aut) vitesse f ▶ vt (fig: adapt) adapter; **top** or (US) **high/low ~** quatrième (or cinquième)/ première vitesse; **in ~** en prise • **gear up** vi: **to ~ up (to do)** se préparer (à faire) • **gear box** n boîte f de vitesse • **gear lever** n levier m de vitesse • **gear shift** (US) • **gear stick** (BRIT) n = **gear lever**

geese [giːs] npl of **goose**

gel [dʒɛl] n gelée f

gem [dʒɛm] n pierre précieuse

Gemini ['dʒɛmɪnaɪ] n les Gémeaux mpl

gender ['dʒɛndə'] n genre m; (person's sex) sexe m

gene [dʒiːn] n (Biol) gène m

general ['dʒɛnərl] n général m ▶ adj général(e); **in ~** en général • **general anaesthetic** • (US) **general anesthetic** n anesthésie générale • **general election** n élection(s) législative(s) • **generalize** vi généraliser • **generally** adv généralement • **general practitioner** n généraliste m/f • **general store** n épicerie f

generate ['dʒɛnəreɪt] vt engendrer; (electricity) produire

generation [dʒenə'reiʃən] *n* génération *f*; (*of electricity etc*) production *f*

generator ['dʒenəreitəʳ] *n* générateur *m*

generosity [dʒenə'rɔsiti] *n* générosité *f*

generous ['dʒenərəs] *adj* généreux(-euse); (*copious*) copieux(-euse)

genetic [dʒi'netik] *adj* génétique; **~ engineering** ingénierie *f* génétique; **~ fingerprinting** système *m* d'empreinte génétique • **genetically modified** *adj* (*food etc*) génétiquement modifié(e) • **genetics** *n* génétique *f*

Geneva [dʒi'ni:və] *n* Genève *f*

genitals ['dʒenitlz] *npl* organes génitaux

genius ['dʒi:niəs] *n* génie *m*

genome ['dʒi:nəum] *n* génome *m*

gent [dʒent] *n abbr* (BRIT *inf*) = **gentleman**

gentle ['dʒentl] *adj* doux (douce); (*breeze, touch*) léger(-ère)

gentleman ['dʒentlmən] (*irreg*) *n* monsieur *m*; (*well-bred man*) gentleman *m*

gently ['dʒentli] *adv* doucement

gents [dʒents] *n* W.-C. *mpl* (pour hommes)

genuine ['dʒenjuin] *adj* véritable, authentique; (*person, emotion*) sincère • **genuinely** *adv* sincèrement, vraiment

geographic(al) [dʒiə'græfik(l)] *adj* géographique

geography [dʒi'ɔgrəfi] *n* géographie *f*

geology [dʒi'ɔlədʒi] *n* géologie *f*

geometry [dʒi'ɔmitri] *n* géométrie *f*

geranium [dʒi'reiniəm] *n* géranium *m*

geriatric [dʒeri'ætrik] *adj* gériatrique ▶ *n* patient(e) gériatrique

germ [dʒə:m] *n* (*Med*) microbe *m*

German ['dʒə:mən] *adj* allemand(e) ▶ *n* Allemand(e); (*Ling*) allemand *m* • **German measles** *n* rubéole *f*

Germany ['dʒə:məni] *n* Allemagne *f*

gesture ['dʒestjəʳ] *n* geste *m*

g

---

get [get]

(*pt, pp* **got**, (us) *pp* **gotten**)
▶ *vi* **1** (*become, be*) devenir; **to get old/tired** devenir vieux/fatigué, vieillir/se fatiguer; **to get drunk** s'enivrer; **to get dirty** se salir; **to get married** se marier; **when do I get paid?** quand est-ce que je serai payé?; **it's getting late** il se fait tard **2** (*go*): **to get to/from** aller à/ de; **to get home** rentrer chez soi; **how did you get here?** comment es-tu arrivé ici? **3** (*begin*) commencer or se mettre à; **to get to know sb** apprendre à connaître qn; **I'm getting to like him** je commence à l'apprécier; **let's get going** or **started** allons-y **4** (*modal aux vb*): **you've got to do it** il faut que vous le fassiez; **I've got to tell the police** je dois le dire à la police
▶ *vt* **1**: **to get sth done** (*do*) faire qch; (*have done*) faire faire qch; **to get sth/sb ready** préparer qch/qn; **to get one's hair cut** se faire couper les cheveux; **to get the car going** or **to go**

(faire) démarrer la voiture; **to get sb to do sth** faire faire qch à qn **2** (obtain: money, permission, results) obtenir, avoir; (buy) acheter; (find: job, flat) trouver; (fetch: person, doctor, object) aller chercher; **to get sth for sb** procurer qch à qn; **get me Mr Jones, please** (on phone) passez-moi Mr Jones, s'il vous plaît; **can I get you a drink?** est-ce que je peux vous servir à boire? **3** (receive: present, letter) recevoir, avoir; (acquire: reputation) avoir; (: prize) obtenir; **what did you get for your birthday?** qu'est-ce que tu as eu pour ton anniversaire?; **how much did you get for the painting?** combien avez-vous vendu le tableau? **4** (catch) prendre, saisir, attraper; (hit: target etc) atteindre; **to get sb by the arm/throat** prendre or saisir or attraper qn par le bras/à la gorge; **get him!** arrête-le!; **the bullet got him in the leg** il a pris la balle dans la jambe **5** (take, move): **to get sth to sb** faire parvenir qch à qn; **do you think we'll get it through the door?** on arrivera à le faire passer par la porte? **6** (catch, take: plane, bus etc) prendre; **where do I get the train for Birmingham?** où prend-on le train pour Birmingham? **7** (understand) comprendre, saisir; (hear) entendre; **I've got it!** j'ai compris; **I don't get your meaning** je ne vois or comprends pas ce que vous voulez dire; **I didn't get your name** je n'ai pas entendu votre nom

8 (have, possess): **to have got** avoir; **how many have you got?** vous en avez combien? **9** (illness) avoir; **I've got a cold** j'ai le rhume; **she got pneumonia and died** elle a fait une pneumonie et elle en est morte

• **get away** vi partir, s'en aller; (escape) s'échapper
• **get away with** vt fus (punishment) en être quitte pour; (crime etc) se faire pardonner
• **get back** vi (return) rentrer ▶ vt récupérer, recouvrer; **when do we get back?** quand serons-nous de retour?
• **get in** vi entrer; (arrive home) rentrer; (train) arriver
• **get into** vt fus entrer dans; (car, train etc) monter dans; (clothes) mettre, enfiler, endosser; **to get into bed/a rage** se mettre au lit/en colère
• **get off** vi (from train etc) descendre; (depart: person, car) s'en aller ▶ vt (remove: clothes, stain) enlever ▶ vt fus (train, bus) descendre de; **where do I get off?** où est-ce que je dois descendre?
• **get on** vi (at exam etc) se débrouiller; (agree): **to get on (with)** s'entendre (avec); **how are you getting on?** comment ça va? ▶ vt fus monter dans; (horse) monter sur
• **get out** vi sortir; (of vehicle) descendre ▶ vt sortir
• **get out of** vt fus sortir de; (duty etc) échapper à, se soustraire à
• **get over** vt fus (illness) se remettre de
• **get through** vi (Tel) avoir la

communication; **to get through to sb** atteindre qn
• **get up** vi (rise) se lever ▶ vt fus monter

getaway ['gɛtəweɪ] n fuite f

Ghana ['gɑːnə] n Ghana m

ghastly ['gɑːstlɪ] adj atroce, horrible

ghetto ['gɛtəu] n ghetto m

ghost [gəust] n fantôme m, revenant m

giant ['dʒaɪənt] n géant(e) ▶ adj géant(e), énorme

gift [gɪft] n cadeau m; (donation, talent) don m • **gifted** adj doué(e)
• **gift shop** • (US) **gift store** n boutique f de cadeaux • **gift token**
• **gift voucher** n chèque-cadeau m

gig [gɪg] n (inf: concert) concert m

gigabyte ['dʒɪgəbaɪt] n gigaoctet m

gigantic [dʒaɪˈgæntɪk] adj gigantesque

giggle ['gɪgl] vi pouffer, ricaner sottement

gills [gɪlz] npl (of fish) ouïes fpl, branchies fpl

gilt [gɪlt] n dorure f ▶ adj doré(e)

gimmick ['gɪmɪk] n truc m

gin [dʒɪn] n gin m

ginger ['dʒɪndʒər] n gingembre m

gipsy ['dʒɪpsɪ] n = **gypsy**

giraffe [dʒɪˈrɑːf] n girafe f

girl [gəːl] n fille f, fillette f; (young unmarried woman) jeune fille; (daughter) fille; **an English ~** une jeune Anglaise • **girl band** n girls band m • **girlfriend** n (of girl) amie f; (of boy) petite amie • **Girl Guide** n (BRIT) éclaireuse f; (Roman Catholic) guide f • **Girl Scout** n (US) = **Girl Guide**

gist [dʒɪst] n essentiel m

give [gɪv] (pt **gave**, pp **given**) vt donner ▶ vi (break) céder; (stretch: fabric) se prêter; **to ~ sb sth, ~ sth to sb** donner qch à qn; (gift) offrir qch à qn; (message) transmettre qch à qn; **to ~ sb a call/kiss** appeler/ embrasser qn; **to ~ a cry/sigh** pousser un cri/un soupir • **give away** vt donner; (give free) faire cadeau de; (betray) donner, trahir; (disclose) révéler • **give back** vt rendre • **give in** vi céder ▶ vt donner • **give out** vt (food etc) distribuer • **give up** vi renoncer ▶ vt renoncer à; **to ~ up smoking** arrêter de fumer; **to ~ o.s. up** se rendre

given ['gɪvn] pp of **give** ▶ adj (fixed: time, amount) donné(e), déterminé(e) ▶ conj: **~ the circumstances ...** étant donné les circonstances ..., vu les circonstances ...; **~ that ...** étant donné que ...

glacier ['glæsɪər] n glacier m

glad [glæd] adj content(e)
• **gladly** ['glædlɪ] adv volontiers

glamorous ['glæmərəs] adj (person) séduisant(e); (job) prestigieux(-euse)

glamour, (US) **glamor** ['glæmər] n éclat m, prestige m

glance [glɑːns] n coup m d'œil
▶ vi: **to ~ at** jeter un coup d'œil à

gland [glænd] n glande f

glare [glɛər] n (of anger) regard furieux; (of light) lumière éblouissante; (of publicity) feux mpl ▶ vi briller d'un éclat aveuglant; **to ~ at** lancer un regard or des regards furieux à • **glaring** adj (mistake) criant(e), qui saute aux yeux

glass [glɑːs] n verre m; **glasses** npl (spectacles) lunettes fpl

glaze [gleɪz] vt (door) vitrer; (pottery) vernir ▶ n vernis m

gleam [gliːm] vi luire, briller

glen [glɛn] n vallée f

glide [glaɪd] vi glisser; (Aviat, bird) planer • **glider** n (Aviat) planeur m

glimmer ['glɪmər] n lueur f

glimpse [glɪmps] n vision passagère, aperçu m ▶ vt entrevoir, apercevoir

glint [glɪnt] vi étinceler

glisten ['glɪsn] vi briller, luire

glitter ['glɪtər] vi scintiller, briller

global ['gləʊbl] adj (world-wide) mondial(e); (overall) global(e) • **globalization** n mondialisation f • **global warming** n réchauffement m de la planète

globe [gləʊb] n globe m

gloom [gluːm] n obscurité f; (sadness) tristesse f, mélancolie f • **gloomy** adj (person) morose; (place, outlook) sombre

glorious ['glɔːrɪəs] adj glorieux(-euse); (beautiful) splendide

glory ['glɔːrɪ] n gloire f; splendeur f

gloss [glɔs] n (shine) brillant m, vernis m; (also: ~ **paint**) peinture brillante

glossary ['glɔsərɪ] n glossaire m, lexique m

glossy ['glɔsɪ] adj brillant(e), luisant(e) ▶ n (also: ~ **magazine**) revue f de luxe

glove [glʌv] n gant m • **glove compartment** n (Aut) boîte f à gants, vide-poches m inv

glow [gləʊ] vi rougeoyer; (face) rayonner; (eyes) briller

glucose ['gluːkəʊs] n glucose m

glue [gluː] n colle f ▶ vt coller

glute [gluːt] n (inf) fessier m

GM abbr (= genetically modified) génétiquement modifié(e)

gm abbr (= gram) g

GM crop n culture f OGM

GMO n abbr (= genetically modified organism) OGM m

GMT abbr (= Greenwich Mean Time) GMT

gnaw [nɔː] vt ronger

go [gəʊ] (pt **went**, pp **gone**) vi aller; (depart) partir, s'en aller; (work) marcher; (break) céder; (time) passer; (be sold): **to go for £10** se vendre 10 livres; (become): **to go pale/mouldy** pâlir/moisir ▶ n (pl **goes**): **to have a go (at)** essayer (de faire); **to be on the go** être en mouvement; **whose go is it?** à qui est-ce de jouer?; **he's going to do it** il va le faire, il est sur le point de le faire; **to go for a walk** aller se promener; **to go dancing/shopping** aller danser/faire les courses; **to go and see sb, go to see sb** aller voir qn; **how did it go?** comment est-ce que ça s'est passé?; **to go round the back/by the shop** passer par derrière/devant le magasin; **... to go** (us: food) ... à emporter • **go ahead** vi (take place) avoir lieu; (get going) y aller • **go away** vi partir, s'en aller • **go back** vi rentrer; revenir; (go again) retourner • **go by** vi (years, time) passer, s'écouler ▶ vt fus s'en tenir à; (believe) en croire • **go down** vi descendre; (number, price, amount) baisser; (ship) couler; (sun) se coucher ▶ vt fus descendre • **go for** vt fus (fetch) aller chercher; (like) aimer; (attack) s'en prendre à; attaquer • **go in** vi entrer • **go into** vt fus entrer dans; (investigate) étudier, examiner; (embark on) se lancer dans • **go off** vi partir, s'en aller; (food) se gâter; (milk) tourner; (bomb) sauter; (alarm clock) sonner; (alarm) se déclencher; (lights etc) s'éteindre; (event) se dérouler ▶ vt fus ne plus aimer; **the gun went off** le coup est parti • **go on** vi continuer; (happen) se passer; (lights) s'allumer ▶ vt fus: **to go on doing** continuer à faire • **go out** vi sortir; (fire, light) s'éteindre; (tide) descendre; **to go out with sb** sortir avec qn • **go over** vi, vt fus (check) revoir, vérifier • **go past** vt fus: **to go past sth** passer devant qch • **go round** vi (circulate: news, rumour) circuler; (revolve) tourner; (suffice) suffire (pour tout le monde); (visit): **to go round to sb's place** passer chez qn; aller chez qn; (make a detour): **to go round (by)** faire un détour (par) • **go through** vt fus (town etc) traverser; (search through) fouiller; (suffer) subir • **go up** vi monter; (price) augmenter ▶ vt fus gravir • **go with** vt fus aller avec • **go without** vt fus se passer de

go-ahead ['ɡəʊəhɛd] adj dynamique, entreprenant(e) ▶ n feu vert

goal [ɡəʊl] n but m • **goalkeeper** n gardien m de but • **goal-post** n poteau m de but

goat [ɡəʊt] n chèvre f

gobble ['ɡɔbl] vt (also: ~ **down**, ~ **up**) engloutir

god [ɡɔd] n dieu m; **God** Dieu • **godchild** n filleul(e) • **goddaughter** n filleule f • **goddess** n déesse f • **godfather** n parrain m • **godmother** n marraine f • **godson** n filleul m

goggles ['ɡɔɡlz] npl (for skiing etc) lunettes (protectrices); (for swimming) lunettes de piscine

going ['ɡəʊɪŋ] n (conditions) état m du terrain ▶ adj: **the ~ rate** le tarif (en vigueur)

gold [ɡəʊld] n or m ▶ adj en or; (reserves) d'or • **golden** adj (made of gold) en or; (gold in colour) doré(e) • **goldfish** n poisson m rouge • **goldmine** n mine f d'or • **gold-plated** adj plaqué(e) or inv

golf [ɡɔlf] n golf m • **golf ball** n balle f de golf; (on typewriter) boule f • **golf club** n club m de golf; (stick) club m, crosse f de golf • **golf course** n terrain m de golf • **golfer** n joueur(-euse) de golf

gone [ɡɔn] pp of **go**

gong [ɡɔŋ] n gong m

good [ɡʊd] adj bon(ne); (kind) gentil(le); (child) sage; (weather) beau (belle) ▶ n bien m; **goods** npl marchandise f, articles mpl; ~! bon!, très bien!; **to be ~** être bon en; **to be ~ for** être bon pour; **it's no ~ complaining** cela ne sert à rien de se plaindre; **to make ~** (deficit) combler; (losses) compenser; **for ~** (for ever) pour de bon, une fois pour toutes; **would you be ~ enough to ...?** auriez-vous la bonté or l'amabilité de ...?; **is this any ~?** (will it do?) est-ce que ceci fera l'affaire?, est-ce que cela peut vous rendre service?; (what's it like?) quelle est la qualité de ça vaut?; **a ~ deal (of)** beaucoup (de); **a ~ many** beaucoup (de); **~ morning/afternoon!** bonjour!; **~ evening!** bonsoir!; **~ night!** bonsoir!; (on going to bed) bonne nuit! • **goodbye** excl au revoir!; **to say goodbye to sb** dire au revoir à qn • **Good Friday** n Vendredi saint • **good-looking** adj beau (belle), bien inv • **good-natured** adj (person) qui a un bon naturel

• **goodness** n (of person) bonté f;
for goodness sake! je vous en
prie!; **goodness gracious! mon**
Dieu! • **goods train** n (BRIT) train
m de marchandises • **goodwill** n
bonne volonté

google ['gu:gl] vi faire une
recherche Google® ▶ vt googler

goose (pl **geese**) [gu:s, gi:s] n oie f

gooseberry ['guzbərɪ] n groseille
f à maquereau; **to play ~** (BRIT)
tenir la chandelle

goose bumps, goose pimples
npl chair f de poule

gorge [gɔ:dʒ] n gorge f ▶ vt: **to
~ o.s. (on)** se gorger (de)

gorgeous ['gɔ:dʒəs] adj
splendide, superbe

gorilla [gə'rɪlə] n gorille m

gosh [gɔʃ] (inf) excl mince alors!

gospel ['gɔspl] n évangile m

gossip ['gɔsɪp] n (chat) bavardages
mpl; (malicious) commérage m,
cancans mpl; (person) commère f
▶ vi bavarder; cancaner, faire des
commérages • **gossip column** n
(Press) échos mpl

got [gɔt] pt, pp of **get**

gotten ['gɔtn] (US) pp of **get**

gourmet ['guəmeɪ] n gourmet m,
gastronome m/f

govern ['gʌvən] vt gouverner;
(influence) déterminer
• **government** n gouvernement
m; (BRIT: ministers) ministère m
• **governor** n (of colony, state,
bank) gouverneur m; (of school,
hospital etc)
administrateur(-trice); (BRIT: of
prison) directeur(-trice)

gown [gaun] n robe f; (of teacher,
BRIT: of judge) toge f

GP n abbr (Med) = **general
practitioner**

GPS n abbr (= global positioning
system) GPS m

grab [græb] vt saisir, empoigner
▶ vi: **to ~ at** essayer de saisir

grace [greɪs] n grâce f ▶ vt
(honour) honorer; (adorn) orner; **5
days' ~** un répit de 5 jours
• **graceful** adj gracieux(-euse),
élégant(e) • **gracious** ['greɪʃəs]
adj bienveillant(e)

grade [greɪd] n (Comm: quality)
qualité f; (: size) calibre m; (: type)
catégorie f; (in hierarchy) grade m,
échelon m; (Scol) note f; (US: school
class) classe f; (: gradient) pente f
▶ vt classer; (by size) calibrer
• **grade crossing** n (US) passage
m à niveau • **grade school** n (US)
école f primaire

gradient ['greɪdɪənt] n
inclinaison f, pente f

gradual ['grædjuəl] adj
graduel(le), progressif(-ive)
• **gradually** adv peu à peu,
graduellement

graduate n ['grædjuɪt]
diplômé(e) d'université; (US: of
high school) diplômé(e) de fin
d'études ▶ vi ['grædjueɪt] obtenir
un diplôme d'université (or de fin
d'études) • **graduation**
[grædju'eɪʃən] n cérémonie f de
remise des diplômes

graffiti [grə'fi:tɪ] npl graffiti mpl

graft [grɑ:ft] n (Agr, Med) greffe f;
(bribery) corruption f ▶ vt greffer;
hard ~ (BRIT inf) boulot acharné

grain [greɪn] n (single piece) grain
m; (no pl: cereals) céréales fpl; (US:
corn) blé m

gram [græm] n gramme m

grammar ['græmə'] n
grammaire f • **grammar school** n
(BRIT) ≈ lycée m

gramme [græm] n = **gram**

gran [græn] (inf) n (BRIT) mamie f (inf), mémé f (inf)

grand [grænd] adj magnifique, splendide; (gesture etc) noble • **grandad** n (inf) = **granddad** • **grandchild** (pl **grandchildren**) n petit-fils m, petite-fille f; **grandchildren** npl petits-enfants • **granddad** n (inf) papy m (inf), papi m (inf), pépé m (inf) • **granddaughter** n petite-fille f • **grandfather** n grand-père m • **grandma** n (inf) = **gran** • **grandmother** n grand-mère f • **grandpa** n (inf) = **granddad** • **grandparents** npl grands-parents mpl • **grand piano** n piano m à queue • **Grand Prix** [grã'priː] n (Aut) grand prix automobile m • **grandson** n petit-fils m

granite [grænɪt] n granit m

granny [grænɪ] n (inf) = **gran**

grant [grɑːnt] vt accorder; (a request) accéder à; (admit) concéder ▶ n (Scol) bourse f; (Admin) subside m, subvention f; **to take sth for ~ed** considérer qch comme acquis; **to take sb for ~ed** considérer qn comme faisant partie du décor

granule [grænjuːl] n granule m • **granular** adj granulaire; (detailed) détaillé(e)

grape [greɪp] n raisin m

grapefruit [greɪpfruːt] n pamplemousse m

graph [grɑːf] n graphique m, courbe f • **graphic** [græfɪk] adj graphique; (vivid) vivant(e) • **graphics** n (art) arts mpl graphiques; (process) graphisme m ▶ npl (drawings) illustrations fpl

grasp [grɑːsp] vt saisir ▶ n (grip) prise f; (fig) compréhension f, connaissance f

grass [grɑːs] n herbe f; (lawn) gazon m • **grasshopper** n sauterelle f

grate [greɪt] n grille f de cheminée ▶ vi grincer ▶ vt (Culin) râper

grateful [greɪtful] adj reconnaissant(e)

grater [greɪtə'] n râpe f

gratitude [grætɪtjuːd] n gratitude f

grave [greɪv] n tombe f ▶ adj grave, sérieux(-euse)

gravel [grævl] n gravier m

gravestone [greɪvstəun] n pierre tombale

graveyard [greɪvjɑːd] n cimetière m

gravity [grævɪtɪ] n (Physics) gravité f; pesanteur f; (seriousness) gravité

gravy [greɪvɪ] n jus m (de viande), sauce f (au jus de viande)

gray [greɪ] adj (us) = **grey**

graze [greɪz] vi paître, brouter ▶ vt (touch lightly) frôler, effleurer; (scrape) écorcher ▶ n écorchure f

grease [griːs] n (fat) graisse f; (lubricant) lubrifiant m ▶ vt graisser; lubrifier • **greasy** adj gras(se), graisseux(-euse); (hands, clothes) graisseux

great [greɪt] adj grand(e); (heat, pain etc) très fort(e), intense; (inf) formidable • **Great Britain** n Grande-Bretagne f • **great-grandfather** n arrière-grand-père m • **great-grandmother** n arrière-grand-mère f • **greatly** adv très, grandement; (with verbs) beaucoup

Greece [griːs] n Grèce f

greed [griːd] n (also: **~iness**) avidité f; (for food) gourmandise f • **greedy** adj avide; (for food) gourmand(e)

Greek [griːk] adj grec (grecque) ▶ n Grec (Grecque); (Ling) grec m

green [griːn] adj vert(e); (inexperienced) (bien) jeune, naïf(-ive); (ecological: product etc) écologique ▶ n (colour) vert m; (on golf course) green m; (stretch of grass) pelouse f, **greens** npl (vegetables) légumes verts • **green card** n (Aut) carte verte; (us: work permit) permis m de travail • **greengage** n reine-claude f • **greengrocer** n (BRIT) marchand m de fruits et légumes • **greengrocer's (shop)** n magasin m de fruits et légumes • **greenhouse** n serre f; **the greenhouse effect** l'effet m de serre

Greenland ['griːnlənd] n Groenland m

green salad n salade verte

green tax n écotaxe f

greet [griːt] vt accueillir • **greeting** n salutation f; **Christmas/birthday greetings** souhaits mpl de Noël/de bon anniversaire • **greeting(s) card** n carte f de vœux

grew [gruː] pt of **grow**

grey, (us) **gray** [greɪ] adj gris(e); (dismal) sombre • **grey-haired**, (us) **gray-haired** adj aux cheveux gris • **greyhound** n lévrier m

grid [grɪd] n grille f; (Elec) réseau m • **gridlock** n (traffic jam) embouteillage m

grief [griːf] n chagrin m, douleur f

grievance ['griːvəns] n doléance f, grief m; (cause for complaint) grief

grieve [griːv] vi avoir du chagrin; se désoler ▶ vt faire de la peine à, affliger; **to ~ for sb** pleurer qn

grill [grɪl] n (on cooker) gril m; (also: **mixed ~**) grillade(s) f(pl) ▶ vt (Culin) griller; (inf: question) cuisiner

grille [grɪl] n grillage m; (Aut) calandre f

grim [grɪm] adj sinistre, lugubre; (serious, stern) sévère

grime [graɪm] n crasse f

grin [grɪn] n large sourire m ▶ vi sourire

grind [graɪnd] (pt, pp **ground**) vt écraser; (coffee, pepper etc) moudre; (us: meat) hacher ▶ n (work) corvée f

grip [grɪp] n (handclasp) poigne f; (control) prise f; (handle) poignée f; (holdall) sac m de voyage ▶ vt saisir, empoigner; (viewer, reader) captiver; **to come to ~s with** se colleter avec, en venir aux prises avec; **to ~ the road** (Aut) adhérer à la route • **gripping** adj prenant(e), palpitant(e)

grit [grɪt] n gravillon m; (courage) cran m ▶ vt (road) sabler; **to ~ one's teeth** serrer les dents

grits [grɪts] npl gruau m de maïs

groan [grəun] n (of pain) gémissement m ▶ vi gémir

grocer ['grəusə'] n épicier m • **groceries** npl provisions fpl • **grocer's (shop)** • **grocery** n épicerie f

groin [grɔɪn] n aine f

groom [gruːm] n (for horses) palefrenier m; (also: **bride~**) marié m ▶ vt (horse) panser; (fig): **to ~ sb for** former qn pour

groove [gruːv] n sillon m, rainure f

grope [grəup] vi tâtonner; **to ~ for** chercher à tâtons

gross [grəus] adj grossier(-ière); (Comm) brut(e) • **grossly** adv (greatly) très, grandement

grotesque [grə'tɛsk] adj grotesque

ground [graund] pt, pp of **grind** ▶ n sol m, terre f; (land) terrain m, terres fpl; (Sport) terrain; (reason: gen pl) raison f; (us: also: ~ **wire**) terre f ▶ vt (plane) empêcher de décoller, retenir au sol; (us Elec) équiper d'une prise de terre; **grounds** npl (gardens etc) parc m, domaine m; (of coffee) marc m; **on the ~, to the ~** par terre; **to gain/lose ~** gagner/perdre du terrain • **ground floor** n (BRIT) rez-de-chaussée m • **groundsheet** n (BRIT) tapis m de sol • **groundwork** n préparation f

group [gru:p] n groupe m ▶ vt (also: ~ **together**) grouper ▶ vi (also: ~ **together**) se grouper

grouse [graus] n (pl inv: bird) grouse f (sorte de coq de bruyère) ▶ vi (complain) rouspéter, râler

grovel [ˈgrɔvl] vi (fig): **to ~ (before)** ramper (devant)

grow (pt **grew**, pp **grown**) [grəu, gru:, grəun] vi (plant) pousser, croître; (person) grandir; (increase) augmenter, se développer; (become) devenir; **to ~ rich/weak** s'enrichir/s'affaiblir ▶ vt cultiver, faire pousser; (hair, beard) laisser pousser • **grow on** vt fus: **that painting is ~ing on me** je finirai par aimer ce tableau • **grow up** vi grandir

growl [graul] vi grogner

grown [grəun] pp of **grow** • **grown-up** n adulte m/f, grande personne

growth [grəuθ] n croissance f, développement m; (what has grown) pousse f; poussée f; (Med) grosseur f, tumeur f

grub [grʌb] n larve f; (inf: food) bouffe f

grubby [ˈgrʌbɪ] adj crasseux(-euse)

grudge [grʌdʒ] n rancune f ▶ vt: **to ~ sb sth** (in giving) donner qch à qn à contre-cœur; (resent) reprocher qch à qn; **to bear sb a ~ (for)** garder rancune or en vouloir à qn (de)

gruelling, (us) **grueling** [ˈgruəlɪŋ] adj exténuant(e)

gruesome [ˈgru:səm] adj horrible

grumble [ˈgrʌmbl] vi rouspéter, ronchonner

grumpy [ˈgrʌmpɪ] adj grincheux(-euse)

grunt [grʌnt] vi grogner

guarantee [gærən'ti:] n garantie f ▶ vt garantir

guard [gɑ:d] n garde f; (one man) garde m; (BRIT Rail) chef m de train; (safety device: on machine) dispositif m de sûreté; (also: **fire~**) garde-feu m inv ▶ vt garder, surveiller; (protect): **to ~ sb/sth (against** or **from)** protéger qn/qch (contre); **to be on one's ~** (fig) être sur ses gardes • **guardian** n gardien(ne); (of minor) tuteur(-trice)

guerrilla [gəˈrɪlə] n guérillero m

guess [gɛs] vi deviner ▶ vt deviner; (estimate) évaluer; (us) croire, penser ▶ n supposition f, hypothèse f; **to take** or **have a ~** essayer de deviner

guest [gɛst] n invité(e); (in hotel) client(e) • **guest house** n pension f • **guest room** n chambre f d'amis

g

guidance ['gaɪdəns] n (advice)
conseils mpl
guide [gaɪd] n (person) guide m/f;
(book) guide m; (also: **Girl G~**)
éclaireuse f; (Roman Catholic)
guide f ▶ vt guider; **is there an
English-speaking ~?** est-ce que
l'un des guides parle anglais?
• **guidebook** n guide m • **guide
dog** n chien m d'aveugle • **guided
tour** n visite guidée; **what time
does the guided tour start?** la
visite guidée commence à quelle
heure? • **guidelines** npl (advice)
instructions générales, conseils mpl
guild [gɪld] n (Hist) corporation f;
(sharing interests) cercle m,
association f
guilt [gɪlt] n culpabilité f • **guilty**
adj coupable
guinea pig ['gɪnɪ-] n cobaye m
guitar [gɪ'tɑːʳ] n guitare f
• **guitarist** n guitariste m/f
gulf [gʌlf] n golfe m; (abyss)
gouffre m
gull [gʌl] n mouette f
gulp [gʌlp] vi avaler sa salive;
(from emotion) avoir la gorge
serrée, s'étrangler ▶ vt (also:
~ down) avaler
gum [gʌm] n (Anat) gencive f;
(glue) colle f; (also: **chewing-~**)
chewing-gum m ▶ vt coller
gun [gʌn] n (small) revolver m,
pistolet m; (rifle) fusil m, carabine f;
(cannon) canon m • **gunfire** n
fusillade f • **gunman** (irreg) n
bandit armé • **gunpoint** n: **at
gunpoint** sous la menace du
pistolet (or fusil) • **gunpowder** n
poudre f à canon • **gunshot** n
coup m de feu
gush [gʌʃ] vi jaillir; (fig) se
répandre en effusions

gust [gʌst] n (of wind) rafale f
gut [gʌt] n intestin m, boyau m;
guts npl (inf: Anat) boyaux mpl;
(: courage) cran m
gutter ['gʌtəʳ] n (of roof)
gouttière f; (in street) caniveau m
guy [gaɪ] n (inf: man) type m; (also:
~rope) corde f; (figure) effigie de Guy
Fawkes
Guy Fawkes' Night [gaɪ'fɔːks-]
n voir article **"Guy Fawkes' Night"**

> **Guy Fawkes' Night**, que l'on
> appelle également 'bonfire
> night', commémore l'échec du
> complot (le 'Gunpowder Plot')
> contre James Iᵉʳ et son parlement
> le 5 novembre 1605. L'un des
> conspirateurs, Guy Fawkes,
> avait été surpris dans les caves
> du parlement alors qu'il
> s'apprêtait à y mettre le feu.
> Chaque année pour le 5
> novembre, beaucoup de
> Britanniques font un feu de
> joie et un feu d'artifice dans
> leur jardin. La plupart des
> municipalités font de même,
> mais dans un parc et de façon
> plus officielle.

gym [dʒɪm] n (also: **~nasium**)
gymnase m; (also: **~nastics**) gym f
• **gymnasium** n gymnase m
• **gymnast** n gymnaste m/f
• **gymnastics** n, npl gymnastique
f • **gym shoes** npl chaussures fpl
de gym (nastique)
gynaecologist, (US)
gynecologist [gaɪnɪ'kɔlədʒɪst]
n gynécologue m/f
gypsy ['dʒɪpsɪ] n gitan(e),
bohémien(ne)

h

haberdashery [hæbə'dæʃərɪ] n (BRIT) mercerie f

habit ['hæbɪt] n habitude f; (costume: Rel) habit m

habitat ['hæbɪtæt] n habitat m

hack [hæk] vt hacher, tailler ▶ n (pej: writer) nègre m • **hacker** n (Comput) pirate m (informatique)

had [hæd] pt, pp of **have**

haddock ['hædək] (pl **haddock** or **haddocks**) n églefin m; **smoked ~** haddock m

hadn't ['hædnt] = **had not**

haemorrhage, (US) **hemorrhage** ['hemərɪdʒ] n hémorragie f

haemorrhoids, (US) **hemorrhoids** ['hemərɔɪdz] npl hémorroïdes fpl

haggle ['hægl] vi marchander

Hague [heɪg] n: **The ~** La Haye

hail [heɪl] n grêle f ▶ vt (call) héler; (greet) acclamer ▶ vi grêler • **hailstone** n grêlon m

hair [hɛər] n cheveux mpl; (on body) poils mpl; (of animal) pelage m; (single hair: on head) cheveu m; (: on body, of animal) poil m; **to do** one's ~ se coiffer • **hairband** n (elasticated) bandeau m; (plastic) serre-tête m • **hairbrush** n brosse f à cheveux • **haircut** n coupe f (de cheveux) • **hairdo** n coiffure f • **hairdresser** n coiffeur(-euse) • **hairdresser's** n salon m de coiffure, coiffeur m • **hair dryer** n sèche-cheveux m, séchoir m • **hair gel** n gel m pour cheveux • **hair spray** n laque f (pour les cheveux) • **hairstyle** n coiffure f • **hairy** adj poilu(e), chevelu(e); (inf: frightening) effrayant(e)

haka ['ha:kə] n (NZ) haka m

hake [heɪk] (pl **hake** or **hakes**) n colin m, merlu m

half [ha:f] n (pl **halves**) moitié f; (of beer: also: ~ **pint**) ≈ demi m; (Rail, bus: also: ~ **fare**) demi-tarif m; (Sport: of match) mi-temps f ▶ adj demi(e) ▶ adv (à) moitié, à demi; ~ **an hour** une demi-heure; ~ **a dozen** une demi-douzaine; ~ **a pound** une demi-livre, ≈ 250 g; **two and a ~** deux et demi; **to cut sth in ~** couper qch en deux • **half board** n (BRIT: in hotel) demi-pension f • **half-brother** n demi-frère m • **half day** n demi-journée f • **half fare** n demi-tarif m • **half-hearted** adj tiède, sans enthousiasme • **half-hour** n demi-heure f • **half-price** adj à moitié prix ▶ adv (also: **at half-price**) à moitié prix • **half term** n (BRIT Scol) vacances fpl (de demi-trimestre) • **half-time** n mi-temps f • **halfway** adv à mi-chemin; **halfway through sth** au milieu de qch

hall [hɔ:l] n salle f; (entrance way: big) hall m; (: small) entrée f; (us: corridor) couloir m; (mansion) château m, manoir m

hallmark ['hɔːlmɑːk] n poinçon m; (fig) marque f

hallo [hə'ləʊ] excl = **hello**

hall of residence n (BRIT) pavillon m or résidence f universitaire

Hallowe'en, Halloween ['hæləʊ'iːn] n veille f de la Toussaint

Fête d'origine païenne, **Hallowe'en** est célébré au Royaume-Uni et aux États-Unis le 31 octobre, veille de la Toussaint. De nombreuses coutumes américaines ont été adoptées par les Britanniques. Ainsi, il est courant de confectionner des lanternes à partir d'une citrouille évidée dans laquelle on a découpé un visage menaçant. Les enfants se déguisent en sorcières, fantômes, etc., et vont de porte en porte quémander des sucreries en menaçant les réfractaires de leur jouer un mauvais tour.

hallucination [həluːsɪ'neɪʃən] n hallucination f

hallway ['hɔːlweɪ] n (entrance) vestibule m; (corridor) couloir m

halo ['heɪləʊ] n (of saint etc) auréole f

halt [hɔːlt] n halte f, arrêt m ▶ vt faire arrêter; (progress etc) interrompre ▶ vi faire halte, s'arrêter

halve [hɑːv] vt (apple etc) partager or diviser en deux; (reduce by half) réduire de moitié

halves [hɑːvz] npl of **half**

ham [hæm] n jambon m

hamburger ['hæmbəːgəʳ] n hamburger m

hamlet ['hæmlɪt] n hameau m

hammer ['hæməʳ] n marteau m ▶ vt (nail) enfoncer; (fig) éreinter, démolir ▶ vi (at door) frapper à coups redoublés; **to ~ a point home to sb** faire rentrer qch dans la tête de qn

hammock ['hæmək] n hamac m

hamper ['hæmpəʳ] vt gêner ▶ n panier m (d'osier)

hamster ['hæmstəʳ] n hamster m

hamstring ['hæmstrɪŋ] n (Anat) tendon m du jarret

hand [hænd] n main f; (of clock) aiguille f; (handwriting) écriture f; (at cards) jeu m; (worker) ouvrier(-ière) ▶ vt passer, donner; **to give sb a ~** donner un coup de main à qn; **at ~** à portée de la main; **in ~** (situation) en main; (work) en cours; **to be on ~** (person) être disponible; (emergency services) se tenir prêt(e) (à intervenir); **to ~** (information etc) sous la main, à portée de la main; **on the one ~ ..., on the other ~** d'une part ..., d'autre part • **hand down** vt passer; (tradition, heirloom) transmettre; (us: sentence, verdict) prononcer • **hand in** vt remettre • **hand out** vt distribuer • **hand over** vt remettre; (powers etc) transmettre • **handbag** n sac m à main • **hand baggage** n = **hand luggage** • **handbook** n manuel m • **handbrake** n frein m à main • **handcuffs** npl menottes fpl • **handful** n poignée f • **handheld** adj (device) portatif(ive)

handicap ['hændɪkæp] n handicap m ▶ vt handicaper

handkerchief ['hæŋkətʃɪf] n mouchoir m

handle ['hændl] n (of door etc) poignée f; (of cup etc) anse f; (of knife etc) manche m; (of saucepan) queue f; (for winding) manivelle f ▶ vt toucher, manier; (deal with) s'occuper de; (treat: people) prendre; **"~ with care"** "fragile"; **to fly off the ~** s'énerver • **handlebar(s)** n(pl) guidon m

hand: • **hand luggage** n bagages mpl à main • **handmade** adj fait(e) à la main • **handout** n (money) aide f, don m; (leaflet) prospectus m; (at lecture) polycopié m • **hands-free** adj mains libres inv ▶ n (also: **hands-free kit**) kit m mains libres inv

handsome ['hænsəm] adj beau (belle); (profit) considérable

handwriting ['hændraɪtɪŋ] n écriture f

handy ['hændɪ] adj (person) adroit(e); (close at hand) sous la main; (convenient) pratique

hang [hæŋ] (pt, pp hung) vt accrocher; (criminal) pendre ▶ vi pendre; (hair, drapery) tomber ▶ n: **to get the ~ of (doing) sth** (inf) attraper le coup pour faire qch • **hang about** • **hang around** vi traîner • **hang down** vi pendre • **hang on** vi (wait) attendre • **hang out** vt (washing) étendre (dehors) ▶ vi (inf: live) habiter, percher; (: spend time) traîner • **hang round** vi = **hang about** • **hang up** vi (Tel) raccrocher ▶ vt (coat, painting etc) accrocher, suspendre

hanger ['hæŋəᵣ] n cintre m, portemanteau m

hang-gliding ['hæŋglaɪdɪŋ] n vol m libre or sur aile delta

hangover ['hæŋəʊvəᵣ] n (after drinking) gueule f de bois

hankie, hanky ['hæŋkɪ] n abbr = **handkerchief**

happen ['hæpən] vi arriver, se passer, se produire; **what's ~ing?** que se passe-t-il?; **she ~ed to be free** il s'est trouvé (or se trouvait) qu'elle était libre; **as it ~s** justement

happily ['hæpɪlɪ] adv heureusement; (cheerfully) joyeusement

happiness ['hæpɪnɪs] n bonheur m

happy ['hæpɪ] adj heureux(-euse); **~ with** (arrangements etc) satisfait(e) de; **to be ~ to do** faire volontiers; **~ birthday!** bon anniversaire!

harass ['hærəs] vt accabler, tourmenter • **harassment** n tracasseries fpl

harbour, (US) **harbor** ['hɑːbəᵣ] n port m ▶ vt héberger, abriter; (hopes, suspicions) entretenir

hard [hɑːd] adj dur(e); (question, problem) difficile; (facts, evidence) concret(-ète) ▶ adv (work) dur; (think, try) sérieusement; **to look ~ at** regarder fixement; (thing) regarder de près; **no ~ feelings!** sans rancune!; **to be ~ of hearing** être dur(e) d'oreille; **to be ~ done by** être traité(e) injustement • **hardback** n livre relié • **hardboard** n Isorel® m • **hard disk** n (Comput) disque dur • **harden** vt durcir; (fig) endurcir ▶ vi (substance) durcir

hardly ['hɑːdlɪ] adv (scarcely) à peine; (harshly) durement; **~ anywhere/ever** presque nulle part/jamais

hard: • **hardship** n (difficulties) épreuves fpl; (deprivation)

privations *fpl* • **hard shoulder** *n*
(BRIT *Aut*) accotement stabilisé
• **hard-up** *adj* (*inf*) fauché(e)
• **hardware** *n* quincaillerie *f*;
(Comput, Mil) matériel *m*
• **hardware shop** • (us)
hardware store *n* quincaillerie *f*
• **hard-working** *adj*
travailleur(-euse)

hardy ['hɑːdɪ] *adj* robuste; (*plant*)
résistant(e) au gel

hare [hɛəʳ] *n* lièvre *m*

harm [hɑːm] *n* mal *m*; (*wrong*) tort
m ▸ *vt* (*person*) faire du mal ou du
tort à; (*thing*) endommager; **out
of ~'s way** à l'abri du danger, en
lieu sûr • **harmful** *adj* nuisible
• **harmless** *adj* inoffensif(-ive)

harmony ['hɑːmənɪ] *n*
harmonie *f*

harness ['hɑːnɪs] *n* harnais *m* ▸ *vt*
(*horse*) harnacher; (*resources*)
exploiter

harp [hɑːp] *n* harpe *f* ▸ *vi*: **to ~ on
about** revenir toujours sur

harsh [hɑːʃ] *adj* (*hard*) dur(e);
(*severe*) sévère; (*unpleasant: sound*)
discordant(e); (*: light*) cru(e)

harvest ['hɑːvɪst] *n* (*of corn*)
moisson *f*; (*of fruit*) récolte *f*; (*of
grapes*) vendange *f* ▸ *vt*
moissonner; récolter; vendanger

has [hæz] *vb see* **have**

hashtag ['hæʃtæg] *n* (*on Twitter*)
mot-dièse *m*, hashtag *m*

hasn't ['hæznt] = **has not**

hassle ['hæsl] *n* (*inf: fuss*)
histoire(s) *f(pl)*

haste [heɪst] *n* hâte *f*,
précipitation *f* • **hasten** ['heɪsn]
vt hâter, accélérer ▸ *vi* se hâter,
s'empresser • **hastily** *adv* à la
hâte; (*leave*) précipitamment
• **hasty** *adj* (*decision, action*)

hâtif(-ive); (*departure, escape*)
précipité(e)

hat [hæt] *n* chapeau *m*

hatch [hætʃ] *n* (Naut: *also*: **~way**)
écoutille *f*; (BRIT: *also*: **service ~**)
passe-plats *m inv* ▸ *vi* éclore

hatchback ['hætʃbæk] *n* (Aut)
modèle *m* avec hayon arrière

hate [heɪt] *vt* haïr, détester ▸ *n*
haine *f* • **hatred** ['heɪtrɪd] *n*
haine *f*

haul [hɔːl] *vt* traîner, tirer ▸ *n* (*of
fish*) prise *f*; (*of stolen goods etc*)
butin *m*

haunt [hɔːnt] *vt* (*subj: ghost, fear*)
hanter; (*: person*) fréquenter ▸ *n*
repaire *m* • **haunted** *adj* (*castle
etc*) hanté(e); (*look*) égaré(e),
hagard(e)

---

have [hæv]

(*pt, pp* **had**)
▸ *aux vb* 1 (*gen*) avoir; être;
to have eaten/slept avoir
mangé/dormi; **to have
arrived/gone** être arrivé(e)/
allé(e); **having finished** or
when he had finished, he left
quand il a eu fini, il est parti;
we'd already eaten nous
avions déjà mangé
2 (*in tag questions*): **you've done
it, haven't you?** vous l'avez fait,
n'est-ce pas?
3 (*in short answers and questions*):
no I haven't!/yes we have!
mais non!/mais si!; **so have I**
ah oui, oui c'est vrai!; **I've been
there before, have you?** j'y suis
déjà allé, et vous?
▸ *modal aux vb* (*be obliged*): **to
have (got) to do sth** devoir
faire qch, être obligé(e) de faire
qch; **she has (got) to do it** elle

doit le faire, il faut qu'elle le fasse; **you mustn't tell her** vous n'êtes pas obligé de le lui dire; (*must not*) ne le lui dites surtout pas; **do you have to book?** il faut réserver?

▶ *vt* **1** (*possess*) avoir; **he has (got) blue eyes/dark hair** il a les yeux bleus/les cheveux bruns **2** (*referring to meals etc*): **to have breakfast** prendre le petit déjeuner; **to have dinner/ lunch** dîner/déjeuner; **to have a drink** prendre un verre; **to have a cigarette** fumer une cigarette

3 (*receive*) avoir, recevoir; (*obtain*) avoir; **may I have your address?** puis-je avoir votre adresse?; **you can have it for £5** vous pouvez l'avoir pour 5 livres; **I must have it for tomorrow** il me le faut pour demain; **to have a baby** avoir un bébé

4 (*maintain, allow*): **I won't have it!** ça ne se passera pas comme ça!; **we can't have that** nous ne tolérerons pas ça

5 (*by sb else*): **to have sth done** faire faire qch; **to have one's hair cut** se faire couper les cheveux; **to have sb do sth** faire faire qch à qn

6 (*experience, suffer*) avoir; **to have a cold/flu** avoir un rhume/la grippe; **to have an operation** se faire opérer; **she had her bag stolen** elle s'est fait voler son sac

7 (+*noun*): **to have a swim/ walk** nager/se promener; **to have a bath/shower** prendre un bain/une douche; **let's have a look** regardons; **to have a**

meeting se réunir; **to have a party** organiser une fête; **let me have a try** laisse-moi essayer

haven ['heɪvn] *n* port *m*; (*fig*) havre *m*
haven't ['hævnt] = **have not**
havoc ['hævək] *n* ravages *mpl*
Hawaii [hə'waɪ:] *n* (îles *fpl*) Hawaï *m*
hawk [hɔːk] *n* faucon *m*
hawthorn ['hɔːθɔːn] *n* aubépine *f*
hay [heɪ] *n* foin *m* • **hay fever** *n* rhume *m* des foins • **haystack** *n* meule *f* de foin
hazard ['hæzəd] *n* (*risk*) danger *m*, risque *m* ▶ *vt* risquer, hasarder
• **hazardous** *adj* hasardeux(-euse), risqué(e) • **hazard warning lights** *npl* (*Aut*) feux *mpl* de détresse
haze [heɪz] *n* brume *f*
hazel ['heɪzl] *n* (*tree*) noisetier *m* ▶ *adj* (*eyes*) noisette *inv* • **hazelnut** *n* noisette *f*
hazy ['heɪzɪ] *adj* brumeux(-euse); (*idea*) vague
he [hiː] *pron* il; **it is he who ...** c'est lui qui ...; **here he is** le voici
head [hɛd] *n* tête *f*; (*leader*) chef *m*; (*of school*) directeur(-trice); (*of secondary school*) proviseur *m* ▶ *vt* (*list*) être en tête de; (*group, company*) être à la tête de; **~s or tails** pile ou face; **~ first** la tête la première; **~ over heels in love** follement or éperdument amoureux(-euse); **to ~ the ball** faire une tête • **head for** *vt fus* se diriger vers; (*disaster*) aller à
• **head off** *vt* (*threat, danger*) détourner • **headache** *n* mal *m* de tête; **to have a headache** avoir mal à la tête • **heading** *n* titre *m*;

(subject title) rubrique f • **headlamp**
(BRIT) n =**headlight** • **headlight**
n phare m • **headline** n titre m
• **head office** n siège m, bureau m
central • **headphones** npl casque
m (à écouteurs) • **headquarters**
npl (of business) bureau or siège
central; (Mil) quartier général
• **headroom** n (in car) hauteur f de
plafond; (under bridge) hauteur
limite • **headscarf** n foulard m
• **headset** n =**headphones**
• **headteacher** n directeur(-trice);
(of secondary school) proviseur m
• **head waiter** n maître m d'hôtel

heal [hi:l] vt, vi guérir

health [hɛlθ] n santé f • **health
care** n services médicaux
• **health centre** n (BRIT) centre m
de santé • **health food** n
aliment(s) naturel(s) • **Health
Service** n: **the Health Service**
(BRIT) ≈ la Sécurité Sociale
• **healthy** adj (person) en bonne
santé; (climate, food, attitude etc)
sain(e)

heap [hi:p] n tas m • vt (also: ~ **up**)
entasser, amonceler; **she ~ed her
plate with cakes** elle a chargé
son assiette de gâteaux; ~**s (of)**
(inf: lots) des tas (de)

hear [hɪəʳ] (pt, pp **heard**) vt
entendre; (news) apprendre • vi
entendre; **to ~ about** entendre
parler de; (have news of) avoir des
nouvelles de; **to ~ from sb**
recevoir des nouvelles de qn

heard [hə:d] pt, pp of **hear**

hearing ['hɪərɪŋ] n (sense) ouïe f;
(of witnesses) audition f; (of a case)
audience f • **hearing aid** n
appareil m acoustique

hearse [hə:s] n corbillard m

heart [hɑ:t] n cœur m; **hearts** npl
(Cards) cœur; **at ~** au fond; **by ~**

(learn, know) par cœur; **to lose/
take ~** perdre/prendre courage
• **heart attack** n crise f cardiaque
• **heartbeat** n battement m de
cœur • **heartbroken** adj: **to be
heartbroken** avoir beaucoup de
chagrin • **heartburn** n brûlures
fpl d'estomac • **heart disease** n
maladie f cardiaque

hearth [hɑ:θ] n foyer m,
cheminée f

heartless ['hɑ:tlɪs] adj (person)
sans cœur, insensible; (treatment)
cruel(le)

hearty ['hɑ:tɪ] adj
chaleureux(-euse); (appetite)
solide; (dislike) cordial(e); (meal)
copieux(-euse)

heat [hi:t] n chaleur f; (Sport: also:
qualifying ~) éliminatoire f • vt
chauffer • **heat up** vi (liquid)
chauffer; (room) se réchauffer • vt
réchauffer • **heated** adj
chauffé(e); (fig) passionné(e),
échauffé(e), excité(e) • **heater** n
appareil m de chauffage; radiateur
m; (in car) chauffage m; (water
heater) chauffe-eau m

heather ['hɛðəʳ] n bruyère f

heating ['hi:tɪŋ] n chauffage m

heatwave ['hi:tweɪv] n vague f
de chaleur

heaven ['hɛvn] n ciel m, paradis
m; (fig) paradis • **heavenly** adj
céleste, divin(e)

heavily ['hɛvɪlɪ] adv lourdement;
(drink, smoke) beaucoup; (sleep,
sigh) profondément

heavy ['hɛvɪ] adj lourd(e); (work,
rain, user, eater) gros(se); (drinker,
smoker) grand(e); (schedule, week)
chargé(e)

Hebrew ['hi:bru:] adj hébraïque
• n (Ling) hébreu m

heritage

Hebrides ['hɛbrɪdiːz] *npl*; **the ~** les Hébrides *fpl*

hectare ['hɛktɑːʳ] *n* (*BRIT*) hectare *m*

hectic ['hɛktɪk] *adj* (*schedule*) très chargé(e); (*day*) mouvementé(e); (*lifestyle*) trépidant(e)

he'd [hiːd] = **he would; he had**

hedge [hɛdʒ] *n* haie *f* ▸ *vi* se dérober ▸ *vt*: **to ~ one's bets** (*fig*) se couvrir

hedgehog ['hɛdʒhɔg] *n* hérisson *m*

heed [hiːd] *vt* (*also*: **take ~ of**) tenir compte de, prendre garde à

heel [hiːl] *n* talon *m* ▸ *vt* retalonner

hefty ['hɛftɪ] *adj* (*person*) costaud(e); (*parcel*) lourd(e); (*piece, price*) gros(se)

height [haɪt] *n* (*of person*) taille *f*, grandeur *f*; (*of object*) hauteur *f*; (*of plane, mountain*) altitude *f*; (*high ground*) hauteur, éminence *f*; (*fig: of glory, fame, power*) sommet *m*; (*: of luxury, stupidity*) comble *m*; **at the ~ of summer** au cœur de l'été • **heighten** *vt* hausser, surélever; (*fig*) augmenter

heir [ɛəʳ] *n* héritier *m* • **heiress** *n* héritière *f*

held [hɛld] *pt, pp of* **hold**

helicopter ['hɛlɪkɔptəʳ] *n* hélicoptère *m*

hell [hɛl] *n* enfer *m*; **oh ~!** (*inf*) merde!

he'll [hiːl] = **he will; he shall**

hello [hə'ləu] *excl* bonjour!; (*to attract attention*) hé!; (*surprise*) tiens!

helmet ['hɛlmɪt] *n* casque *m*

help [hɛlp] *n* aide *f*; (*cleaner etc*) femme *f* de ménage ▸ *vt, vi* aider; **~!** au secours!; **~ yourself** servez-vous; **can you ~ me?**

pouvez-vous m'aider?; **can I ~ you?** (*in shop*) vous désirez?; **he can't ~ it** il n'y peut rien • **help out** *vi* aider ▸ *vt*: **to ~ sb out** aider qn • **helper** *n* aide *m/f*, assistant(e) • **helpful** *adj* serviable, obligeant(e); (*useful*) utile • **helping** *n* portion *f* • **helpless** *adj* impuissant(e); (*baby*) sans défense • **helpline** *n* service *m* d'assistance téléphonique; (*free*) = numéro vert

hem [hɛm] *n* ourlet *m* ▸ *vt* ourler

hemisphere ['hɛmɪsfɪəʳ] *n* hémisphère *m*

hemorrhage ['hɛmərɪdʒ] *n* (*us*) = **haemorrhage**

hemorrhoids ['hɛmərɔɪdz] *npl* (*us*) = **haemorrhoids**

hen [hɛn] *n* poule *f*; (*female bird*) femelle *f*

hence [hɛns] *adv* (*therefore*) d'où, de là; **2 years ~** d'ici 2 ans

hen night, hen party *n* soirée *f* entre filles (*avant le mariage de l'une d'elles*)

hepatitis [hɛpə'taɪtɪs] *n* hépatite *f*

her [həːʳ] *pron* (*direct*) la, l' + *vowel or h mute*; (*indirect*) lui; (*stressed, after prep*) elle ▸ *adj* son (sa), ses *pl*; *see also* **me, my**

herb [həːb] *n* herbe *f* • **herbal** *adj* à base de plantes • **herbal tea** *n* tisane *f*

herd [həːd] *n* troupeau *m*

here [hɪəʳ] *adv* ici; (*time*) alors ▸ *excl* tiens!, tenez!; **~!** (*present*) présent!; **~ is, ~ are** voici; **~ he/ she is** le (la) voici

hereditary [hɪ'rɛdɪtrɪ] *adj* héréditaire

heritage ['hɛrɪtɪdʒ] *n* héritage *m*, patrimoine *m*

hernia ['hə:nɪə] n hernie f

hero ['hɪərəʊ] (pl **heroes**) n héros m • **heroic** [hɪ'rəʊɪk] adj héroïque

heroin ['herəʊɪn] n héroïne f (drogue)

heroine ['herəʊɪn] n héroïne f (femme)

heron ['herən] n héron m

herring ['herɪŋ] n hareng m

hers [hə:z] pron le sien(ne), les siens (siennes); see also **mine¹**

herself [hə:'self] pron (reflexive) se; (emphatic) elle-même; (after prep) elle; see also **oneself**

he's [hi:z] = **he is; he has**

hesitant ['hezɪtənt] adj hésitant(e), indécis(e)

hesitate ['hezɪteɪt] vi: **to ~ (about/to do)** hésiter (sur/à faire) • **hesitation** [hezɪ'teɪʃən] n hésitation f

heterosexual ['hetərəʊ'seksjuəl] adj, n hétérosexuel(le)

hexagon ['heksəgən] n hexagone m

hey [heɪ] excl hé!

heyday ['heɪdeɪ] n: **the ~ of** l'âge m d'or de, les beaux jours de

HGV n abbr = **heavy goods vehicle**

hi [haɪ] excl salut!; (to attract attention) hé!

hibernate ['haɪbəneɪt] vi hiberner

hiccough, hiccup ['hɪkʌp] vi hoqueter ▶ n: **to have (the) ~s** avoir le hoquet

hid [hɪd] pt of **hide**

hidden ['hɪdn] pp of **hide** ▶ adj: **~ agenda** intentions non déclarées

hide [haɪd] (pt **hid**, pp **hidden**) n (skin) peau f ▶ vt cacher ▶ vi: **to ~ (from sb)** se cacher (de qn)

hideous ['hɪdɪəs] adj hideux(-euse), atroce

hiding ['haɪdɪŋ] n (beating) correction f, volée f de coups; **to be in ~** (concealed) se tenir caché(e)

hi-fi ['haɪfaɪ] adj, n abbr (= high fidelity) hi-fi f inv

high [haɪ] adj haut(e); (speed, respect, number) grand(e); (price) élevé(e); (wind) fort(e), violent(e); (voice) aigu(ë) ▶ adv haut, en haut; **20 m ~** haut(e) de 20 m; **~ in the air** haut dans le ciel • **highchair** n (child's) chaise haute • **high-class** adj (neighbourhood, hotel) chic inv, de grand standing • **higher education** n études supérieures • **high heels** npl talons hauts, hauts talons • **high jump** n (Sport) saut m en hauteur • **highlands** ['haɪləndz] npl région montagneuse; **the Highlands** (in Scotland) les Highlands mpl • **highlight** n (fig: of event) point culminant ▶ vt (emphasize) faire ressortir, souligner; **highlights** npl (in hair) reflets mpl • **highlighter** n (pen) surligneur (lumineux) • **highly** adv extrêmement, très; (unlikely) fort; (recommended, skilled, qualified) hautement; **to speak highly of** dire beaucoup de bien de • **highness** n: **His/Her Highness** son Altesse f • **high-rise** n (also: **high-rise block, high-rise building**) tour f (d'habitation) • **high school** n lycée m; (us) établissement m d'enseignement supérieur • **high season** n (BRIT) haute saison

- **high street** *n* (BRIT) grand-rue *f*
- **high-tech** (*inf*) *adj* de pointe
- **highway** *n* (BRIT) route *f*; (US) route nationale • **Highway Code** *n* (BRIT) code *m* de la route

hijack ['haɪdʒæk] *vt* détourner (*par la force*) • **hijacker** *n* auteur *m* d'un détournement d'avion, pirate *m* de l'air

hike [haɪk] *vi* faire des excursions à pied ▶ *n* excursion *f* à pied, randonnée *f* • **hiker** *n* promeneur(-euse), excursionniste *m/f* • **hiking** *n* excursions *fpl* à pied, randonnée *f*

hilarious [hɪ'lɛərɪəs] *adj* (*behaviour, event*) désopilant(e)

hill [hɪl] *n* colline *f*; (*fairly high*) montagne *f*; (*on road*) côte *f*
- **hillside** *n* (flanc *m* de) coteau *m*
- **hill walking** *n* randonnée *f* de basse montagne • **hilly** *adj* vallonné(e), montagneux(-euse)

him [hɪm] *pron* (*direct*) le, l' + *vowel or h mute*; (*stressed, indirect, after prep*) lui; *see also* **me** • **himself** *pron* (*reflexive*) se; (*emphatic*) lui-même; (*after prep*) lui; *see also* **oneself**

hind [haɪnd] *adj* de derrière

hinder ['hɪndə'] *vt* gêner; (*delay*) retarder

hindsight ['haɪndsaɪt] *n*: **with (the benefit of) ~** avec du recul, rétrospectivement

Hindu ['hɪnduː] *n* Hindou(e)
- **Hinduism** *n* (*Rel*) hindouisme *m*

hinge [hɪndʒ] *n* charnière *f* ▶ *vi* (*fig*): **to ~ on** dépendre de

hint [hɪnt] *n* allusion *f*; (*advice*) conseil *m*; (*clue*) indication *f* ▶ *vt*: **to ~ that** insinuer que ▶ *vi*: **to ~ at** faire une allusion à

hip [hɪp] *n* hanche *f*

hippie, hippy ['hɪpɪ] *n* hippie *m/f*

hippo ['hɪpəu] (*pl* **hippos**) *n* hippopotame *m*

hippopotamus (*pl* **hippopotamuses** *or* **hippopotami**) [hɪpə'pɔtəməs, hɪpə'pɔtəmaɪ] *n* hippopotame *m*

hippy ['hɪpɪ] *n* = **hippie**

hipster ['hɪpstə'] *n* (*inf*: *fashionable person*) hipster *m*

hire ['haɪə'] *vt* (BRIT: *car, equipment*) louer; (*worker*) embaucher, engager ▶ *n* location *f*; **for ~** à louer; (*taxi*) libre; **I'd like to ~ a car** je voudrais louer une voiture • **hire(d) car** *n* (BRIT) voiture *f* de location • **hire purchase** *n* (BRIT) achat *m* (*or* vente *f*) à tempérament *or* crédit

his [hɪz] *pron* le sien/ne, les siens (siennes) ▶ *adj* son (sa), ses *pl*; **mine¹**; **my**

Hispanic [hɪs'pænɪk] *adj* (*in US*) hispano-américain(e) ▶ *n* Hispano-Américain(e)

hiss [hɪs] *vi* siffler

historian [hɪ'stɔːrɪən] *n* historien(ne)

historic(al) [hɪ'stɔrɪk(l)] *adj* historique

history ['hɪstərɪ] *n* histoire *f*

hit [hɪt] *vt* (*pt, pp* **hit**) frapper; (*reach: target*) atteindre, toucher; (*collide with: car*) entrer en collision avec, heurter; (*fig: affect*) toucher ▶ *n* coup *m*; (*success*) succès *m*; (*song*) tube *m*; (*to website*) visite *f*; (*on search engine*) résultat *m* de recherche; **to ~ it off with sb** bien s'entendre avec qn • **hit back** *vi*: **to ~ back at sb** prendre sa revanche sur qn

hitch [hɪtʃ] *vt* (*fasten*) accrocher, attacher; (*also: ~ up*) remonter d'une saccade ▸ vi faire de l'autostop ▸ vi (difficulty) anicroche f, contretemps m; **to ~ a lift** faire du stop • **hitch-hike** vi faire de l'auto-stop • **hitch-hiker** n auto-stoppeur(-euse) • **hitch-hiking** n auto-stop m, stop m (inf)

hi-tech [ˈhaɪˈtɛk] adj de pointe

hitman [ˈhɪtmæn] (irreg) n (inf) tueur m à gages

HIV n abbr (= human immunodeficiency virus) HIV m, VIH m; **~-negative** séronégatif(-ive); **~-positive** séropositif(-ive)

hive [haɪv] n ruche f

hoard [hɔːd] n (of food) provisions fpl, réserves fpl; (of money) trésor m ▸ vt amasser

hoarse [hɔːs] adj enroué(e)

hoax [həʊks] n canular m

hob [hɒb] n plaque chauffante

hobble [ˈhɒbl] vi boitiller

hobby [ˈhɒbɪ] n passe-temps favori

hobo [ˈhəʊbəʊ] n (US) vagabond m

hockey [ˈhɒkɪ] n hockey m • **hockey stick** n crosse f de hockey

hog [hɒg] n porc (châtré) ▸ vt (fig) accaparer; **to go the whole ~** aller jusqu'au bout

Hogmanay [ˈhɒgmənˈeɪ] n réveillon m du jour de l'An, Saint-Sylvestre f

La Saint-Sylvestre ou 'New Year's Eve' se nomme **Hogmanay** en Écosse, où traditionnellement elle faisait l'objet de célébrations plus importantes que Noël. À cette occasion, la famille et les amis se réunissent pour entendre sonner les douze coups de minuit et fêter le 'first-footing', une coutume qui veut qu'on se rende chez ses amis et voisins en apportant quelque chose à boire (du whisky en général) et un morceau de charbon en gage de prospérité pour la nouvelle année.

hoist [hɔɪst] n palan m ▸ vt hisser

hold [həʊld] (pt, pp **held**) vt tenir; (contain) contenir; (meeting) tenir; (keep back) retenir; (believe) considérer; (possess) avoir ▸ vi (withstand pressure) tenir (bon); (be valid) valoir; (of telephone) attendre ▸ n prise f; (find) influence f; (Naut) cale f; **to catch or get (a) ~ of** saisir; **to get ~ of** (find) trouver; **~ the line!** (Tel) ne quittez pas!; **to ~ one's own** (fig) (bien) se défendre • **hold back** vt retenir; (secret) cacher • **hold on** vi tenir bon; (wait) attendre; **~ on!** (Tel) ne quittez pas!; **to ~ on to sth** (grasp) se cramponner à qch; (keep) conserver ou garder qch • **hold out** vt offrir ▸ vi (resist): **to ~ out (against)** résister (devant), tenir bon (devant) • **hold up** vt (raise) soutenir; (support) soutenir; (delay) retarder; (: traffic) ralentir; (rob) braquer • **holdall** n (BRIT) fourre-tout m inv • **holder** n (container) support m; (of ticket, record) détenteur(-trice); (of office, title, passport etc) titulaire m/f

hole [həʊl] n trou m

holiday [ˈhɒlədɪ] n (BRIT: vacation) vacances fpl; (day off) jour m de congé; (public) jour férié; **to be on ~** être en vacances; **I'm here on ~** je suis ici en vacances • **holiday camp** n (also: **holiday centre**) camp m de vacances • **holiday job** n (BRIT) boulot m (inf) de vacances • **holiday-maker** n (BRIT) vacancier(-ière) • **holiday resort** n centre m de villégiature or de vacances

Holland ['hɔlənd] n Hollande f

hollow ['hɔləʊ] adj creux(-euse); (fig) faux (fausse) ► n creux m; (in land) dépression f (de terrain), cuvette f ► vt: **to ~ out** creuser, évider

holly ['hɔlɪ] n houx m

holocaust ['hɔləkɔ:st] n holocauste m

holy ['həʊlɪ] adj saint(e); (bread, water) bénit(e); (ground) sacré(e)

home [həʊm] n foyer m, maison f; (country) pays natal, patrie f; (institution) maison ► adj de famille; (Econ, Pol) national(e), intérieur(e); (Sport: team) qui reçoit; (: match, win) sur leur (or notre) terrain ► adv chez soi, à la maison; au pays natal; (right in: nail etc) à fond; **at ~** chez soi, à la maison; **to go** (or **come**) **~** rentrer (chez soi), rentrer à la maison (or au pays); **make yourself at ~** faites comme chez vous • **home address** n domicile permanent • **homeland** n patrie f • **homeless** adj sans foyer, sans abri • **homely** adj (plain) simple, sans prétention; (welcoming) accueillant(e) • **home-made** adj fait(e) à la maison • **home match** n match m à domicile • **Home Office** n (BRIT) ministère m de l'Intérieur • **home owner** n propriétaire occupant • **home page** n (Comput) page f d'accueil • **Home Secretary** n (BRIT) ministre m de l'Intérieur • **homesick** adj: **to be homesick** avoir le mal du pays; (missing one's family) s'ennuyer de sa famille

• **home town** n ville natale
• **homework** n devoirs mpl

homicide ['hɔmɪsaɪd] n (US) homicide m

homoeopathic, (US) **homeopathic** [həʊmɪəʊ'pæθɪk] adj (medicine) homéopathique; (doctor) homéopathe

homoeopathy, (US) **homeopathy** [həʊmɪ'ɔpəθɪ] n homéopathie f

homosexual [hɔməʊ'sɛksjʊəl] adj, n homosexuel(le)

honest ['ɔnɪst] adj honnête; (sincere) franc (franche) • **honestly** adv honnêtement; franchement • **honesty** n honnêteté f

honey ['hʌnɪ] n miel m • **honeymoon** n lune f de miel, voyage m de noces; **we're on honeymoon** nous sommes en voyage de noces • **honeysuckle** n chèvrefeuille m

Hong Kong ['hɔŋ'kɔŋ] n Hong Kong

honorary ['ɔnərərɪ] adj honoraire; (duty, title) honorifique; **~ degree** diplôme m honoris causa

honour, (US) **honor** ['ɔnər] vt honorer ► n honneur m; **to graduate with ~s** obtenir sa licence avec mention • **honourable**, (US) **honorable** adj honorable • **honours degree** n (Scol) ≈ licence f avec mention

hood [hʊd] n capuchon m; (of cooker) hotte f; (BRIT Aut) capote f; (US Aut) capot m • **hoodie** ['hʊdɪ] n (top) sweat m à capuche

hoof (pl hoofs or hooves) [hu:f, hu:vz] n sabot m

hook [huk] n crochet m; (on dress) agrafe f; (for fishing) hameçon m ▶vt accrocher; **off the ~** (Tel) décroché

hooligan ['hu:lɪgən] n voyou m

hoop [hu:p] n cerceau m

hoot [hu:t] vi (BRIT Aut) klaxonner; (siren) mugir; (owl) hululer

Hoover® ['hu:vəʳ] (BRIT) n aspirateur m ▶vt: **to hoover** (room) passer l'aspirateur dans; (carpet) passer l'aspirateur sur

hooves ['hu:vz] npl of **hoof**

hop [hɔp] vi sauter; (on one foot) sauter à cloche-pied; (bird) sautiller

hope [həup] vt, vi espérer ▶n espoir m; **I ~ so** je l'espère; **I ~ not** j'espère que non • **hopeful** adj (person) plein(e) d'espoir; (situation) prometteur(-euse), encourageant(e) • **hopefully** adv (expectantly) avec espoir, avec optimisme; (one hopes) avec un peu de chance • **hopeless** adj désespéré(e); (useless) nul(le)

hops [hɔps] npl houblon m

horizon [hə'raɪzn] n horizon m • **horizontal** [hɔrɪ'zɔntl] adj horizontal(e)

hormone ['hɔ:məun] n hormone f

horn [hɔ:n] n corne f; (Mus) cor m; (Aut) klaxon m

horoscope ['hɔrəskəup] n horoscope m

horrendous [hə'rendəs] adj horrible, affreux(-euse)

horrible ['hɔrɪbl] adj horrible, affreux(-euse)

horrid ['hɔrɪd] adj (person) détestable; (weather, place, smell) épouvantable

horrific [hə'rɪfɪk] adj horrible

horrifying ['hɔrɪfaɪɪŋ] adj horrifiant(e)

horror ['hɔrəʳ] n horreur f • **horror film** n film m d'épouvante

hors d'œuvre [ɔ:'də:vrə] n hors d'œuvre m

horse [hɔ:s] n cheval m • **horseback: on horseback** adj, adv à cheval • **horse chestnut** n (nut) marron m (d'Inde); (tree) marronnier m (d'Inde) • **horsepower** n puissance f (en chevaux); (unit) cheval-vapeur m (CV) • **horse-racing** n courses fpl de chevaux • **horseradish** n raifort m • **horse riding** n (BRIT) équitation f

hose [həuz] n tuyau m; (also: **garden ~**) tuyau d'arrosage • **hosepipe** n tuyau m; (in garden) tuyau d'arrosage

hospital ['hɔspɪtl] n hôpital m; **in ~** à l'hôpital; **where's the nearest ~?** où est l'hôpital le plus proche?

hospitality [hɔspɪ'tælɪtɪ] n hospitalité f

host [həust] n hôte m; (TV, Radio) présentateur(-trice); (large number): **a ~ of** une foule de; (Rel) hostie f

hostage ['hɔstɪdʒ] n otage m

hostel ['hɔstl] n foyer m; (also: **youth ~**) auberge f de jeunesse

hostess ['həustɪs] n hôtesse f; (BRIT: also: **air ~**) hôtesse de l'air; (TV, Radio) présentatrice f

hostile ['hɔstaɪl] adj hostile

hostility [hɔ'stɪlɪtɪ] n hostilité f

hot [hɔt] adj chaud(e); (as opposed to only warm) très chaud(e); (spicy) fort(e); (fig: contest) acharné(e);

(*topic*) brûlant(e); (*temper*) violent(e), passionné(e); **to be ~** (*person*) avoir chaud; (*thing*) être (très) chaud; **it's ~** (*weather*) il fait chaud • **hot dog** n hot-dog m

hotel [həu'tɛl] n hôtel m

hotspot ['hɔtspɔt] n (*Comput: also*: **wireless ~**) borne f wifi, hotspot m

hot-water bottle [hɔt'wɔ:tə-] n bouillotte f

hound [haund] vt poursuivre avec acharnement ▶ n chien courant

hour ['auəʳ] n heure f • **hourly** adj toutes les heures; (*rate*) horaire

house n [haus] maison f; (*Pol*) chambre f; (*Theat*) salle f; auditoire m ▶ vt [hauz] (*person*) loger, héberger; **on the ~** (*fig*) aux frais de la maison • **household** n (*Admin etc*) ménage m; (*people*) famille f, maisonnée f • **householder** n propriétaire m/f; (*head of house*) chef m de famille • **housekeeper** n gouvernante f • **housekeeping** n (*work*) ménage m • **housewife** (*irreg*) n ménagère f; femme f au foyer • **house wine** n cuvée f maison or du patron • **housework** n (travaux mpl du) ménage m

housing ['hauzɪŋ] n logement m • **housing development**, **housing estate** (BRIT) n (*blocks of flats*) cité f; (*houses*) lotissement m

hover ['hɔvəʳ] vi planer • **hovercraft** n aéroglisseur m, hovercraft m

how [hau] adv comment; **~ are you?** comment allez-vous?; **~ do you do?** bonjour; (*on being introduced*) enchanté(e); **~ long**

have you been here? depuis combien de temps êtes-vous là?; **~ lovely/awful!** que or comme c'est joli/affreux!; **~ much time/ many people?** combien de temps/gens?; **~ much does it cost?** ça coûte combien?; **~ old are you?** quel âge avez-vous?; **~ tall is he?** combien mesure-t-il?; **~ is school?** ça va à l'école?; **~ was the film?** comment était le film?

however [hau'ɛvəʳ] conj pourtant, cependant ▶ adv: **~ I do it** de quelque manière que je m'y prenne; **~ cold it is** même s'il fait très froid; **~ did you do it?** comment y êtes-vous donc arrivé?

howl [haul] n hurlement m ▶ vi hurler; (*wind*) mugir

H.P. n abbr (BRIT) = **hire purchase**

h.p. abbr (Aut) = **horsepower**

HQ n abbr (= headquarters) QG m

hr abbr (= hour) h

hrs abbr (= hours) h

HTML n abbr (= hypertext markup language) HTML m

hubcap ['hʌbkæp] n (Aut) enjoliveur m

huddle ['hʌdl] vi: **to ~ together** se blottir les uns contre les autres

huff [hʌf] n: **in a ~** fâché(e)

hug [hʌg] vt serrer dans ses bras; (*shore, kerb*) serrer ▶ n: **to give sb a ~** serrer qn dans ses bras

huge [hju:dʒ] adj énorme, immense

hull [hʌl] n (*of ship*) coque f

hum [hʌm] vt (*tune*) fredonner ▶ vi fredonner; (*insect*) bourdonner; (*plane, tool*) vrombir

human ['hju:mən] adj humain(e) ▶ n (*also*: **~ being**) être humain

humane [hju:'meɪn] adj humain(e), humanitaire

h

humanitarian [hjuːˈmænɪˈtɛərɪən] *adj* humanitaire

humanity [hjuːˈmænɪtɪ] *n* humanité *f*

human rights *npl* droits *mpl* de l'homme

humble ['hʌmbl] *adj* humble, modeste

humid ['hjuːmɪd] *adj* humide • **humidity** [hjuːˈmɪdɪtɪ] *n* humidité *f*

humiliate [hjuːˈmɪlɪeɪt] *vt* humilier

humiliating [hjuːˈmɪlɪeɪtɪŋ] *adj* humiliant(e)

humiliation [hjuːˈmɪlɪeɪʃən] *n* humiliation *f*

hummus ['huməs] *n* houmous *m*, hoummous *m*

humorous ['hjuːmərəs] *adj* humoristique

humour, *(us)* **humor** ['hjuːməʳ] *n* humour *m*; *(mood)* humeur *f* ▶ *vt (person)* faire plaisir à; se prêter aux caprices de

hump [hʌmp] *n* bosse *f*

hunch [hʌntʃ] *n (premonition)* intuition *f*

hundred ['hʌndrəd] *num* cent; **~s of** des centaines de • **hundredth** ['hʌndrədɪθ] *num* centième

hung [hʌŋ] *pt, pp of* **hang**

Hungarian [hʌŋˈɡɛərɪən] *adj* hongrois(e) ▶ *n* Hongrois(e); *(Ling)* hongrois *m*

Hungary ['hʌŋɡərɪ] *n* Hongrie *f*

hunger ['hʌŋɡəʳ] *n* faim *f* ▶ *vi*: **to ~ for** avoir faim de, désirer ardemment

hungry ['hʌŋɡrɪ] *adj* affamé(e); **to be ~** avoir faim; **~ for** *(fig)* avide de

hunt [hʌnt] *vt (seek)* chercher; *(Sport)* chasser ▶ *vi (search)*: **to**

~ for chercher (partout); *(Sport)* chasser ▶ *n (Sport)* chasse *f* • **hunter** *n* chasseur *m* • **hunting** *n* chasse *f*

hurdle ['həːdl] *n (Sport)* haie *f*; *(fig)* obstacle *m*

hurl [həːl] *vt* lancer (avec violence); *(abuse, insults)* lancer

hurrah, **hurray** [hʊˈrɑː, hʊˈreɪ] *excl* hourra!

hurricane ['hʌrɪkən] *n* ouragan *m*

hurry ['hʌrɪ] *n* hâte *f*, précipitation *f* ▶ *vi* se presser, se dépêcher ▶ *vt (person)* faire presser, faire se dépêcher; *(work)* presser; **to be in a ~** être pressé(e); **to do sth in a ~** faire qch en vitesse • **hurry up** *vi* se dépêcher

hurt [həːt] *(pt, pp* **hurt***)* *vt (cause pain to)* faire mal à; *(injure, fig)* blesser ▶ *vi* faire mal ▶ *adj* blessé(e); **my arm ~s** j'ai mal au bras; **to ~ o.s.** se faire mal

husband ['hʌzbənd] *n* mari *m*

hush [hʌʃ] *n* calme *m*, silence *m* ▶ *vt* faire taire; **~!** chut!

husky ['hʌskɪ] *adj (voice)* rauque ▶ *n* chien *m* esquimau *or* de traîneau

hut [hʌt] *n* hutte *f*; *(shed)* cabane *f*

hyacinth ['haɪəsɪnθ] *n* jacinthe *f*

hydrofoil ['haɪdrəfɔɪl] *n* hydrofoil *m*

hydrogen ['haɪdrədʒən] *n* hydrogène *m*

hygiene ['haɪdʒiːn] *n* hygiène *f* • **hygienic** [haɪˈdʒiːnɪk] *adj* hygiénique

hymn [hɪm] *n* hymne *m*; cantique *m*

hype [haɪp] *n (inf)* matraquage *m* publicitaire *or* médiatique

hyperconnectivity
['haɪpəkɒnek'tɪvəti] *n*
hyperconnectivité *f*

hyperlink ['haɪpəlɪŋk] *n*
hyperlien *m*

hypermarket ['haɪpəmɑːkɪt]
(BRIT) *n* hypermarché *m*

hyperventilation
[haɪpəventɪ'leɪʃən] *n*
hyperventilation *f*

hyphen ['haɪfn] *n* trait *m* d'union

hypnotize ['hɪpnətaɪz] *vt*
hypnotiser

hypocrite ['hɪpəkrɪt] *n*
hypocrite *m/f*

hypocritical [hɪpə'krɪtɪkl] *adj*
hypocrite

hypothesis (*pl* **hypotheses**)
[haɪ'pɒθɪsɪs, -siːz] *n* hypothèse *f*

hysterical [hɪ'sterɪkl] *adj*
hystérique; (*funny*) hilarant(e)

hysterics [hɪ'sterɪks] *npl*; **to be
in/have ~** (*anger, panic*) avoir une
crise de nerfs; (*laughter*) attraper
un fou rire

◆

i

I [aɪ] *pron* je; (*before vowel*) j';
(*stressed*) moi

ice [aɪs] *n* glace *f*; (*on road*) verglas
m ▶ *vt* (*cake*) glacer ▶ *vi* (*also:
~ over*) geler; (*also: ~ up*) se givrer
• **iceberg** *n* iceberg *m* • **ice cream**
n glace *f* • **ice cube** *n* glaçon *m*
• **ice hockey** *n* hockey *m* sur glace

Iceland ['aɪslənd] *n* Islande *f*
• **Icelander** *n* Islandais(e)
• **Icelandic** [aɪs'lændɪk] *adj*
islandais(e) ▶ *n* (*Ling*) islandais *m*

ice: • **ice lolly** *n* (BRIT) esquimau *m*
• **ice rink** *n* patinoire *f* • **ice
skating** *n* patinage *m* (sur glace)

icing ['aɪsɪŋ] *n* (*Culin*) glaçage *m*
• **icing sugar** *n* (BRIT) sucre *m*
glace

icon ['aɪkɒn] *n* icône *f*

ICT *n abbr* (BRIT Scol: = *information
and communications technology*) TIC
fpl

icy ['aɪsɪ] *adj* glacé(e); (*road*)
verglacé(e); (*weather, temperature*)
glacial(e)

I'd [aɪd] = **I would; I had**

ID card *n* carte *f* d'identité

idea [aɪ'dɪə] *n* idée *f*

ideal [aɪˈdɪəl] n idéal m ▸ adj idéal(e) • **ideally** [aɪˈdɪəlɪ] adv (preferably) dans l'idéal; (perfectly): **he is ideally suited to the job** il est parfait pour ce poste

identical [aɪˈdɛntɪkl] adj identique

identification [aɪdɛntɪfɪˈkeɪʃən] n identification f; **means of ~** pièce f d'identité

identify [aɪˈdɛntɪfaɪ] vt identifier

identity [aɪˈdɛntɪtɪ] n identité f • **identity card** n carte f d'identité • **identity theft** n usurpation f d'identité

ideology [aɪdɪˈɔlədʒɪ] n idéologie f

idiom [ˈɪdɪəm] n (phrase) expression f idiomatique; (style) style m

idiot [ˈɪdɪət] n idiot(e), imbécile m/f

idle [ˈaɪdl] adj (doing nothing) sans occupation, désœuvré(e); (lazy) oisif(-ive), paresseux(-euse); (unemployed) au chômage; (machinery) au repos; (question, pleasures) vain(e), futile ▸ vi (engine) tourner au ralenti

idol [ˈaɪdl] n idole f

idyllic [ɪˈdɪlɪk] adj idyllique

i.e. abbr (= id est: that is) c. à d., c'est-à-dire

if [ɪf] conj si; **if necessary** si nécessaire, le cas échéant; **if so** si c'est le cas; **if not** sinon; **if only I could!** si seulement je pouvais!; see also **as**; **even**

ignite [ɪgˈnaɪt] vt mettre le feu à, enflammer ▸ vi s'enflammer

ignition [ɪgˈnɪʃən] n (Aut) allumage m; **to switch on/off the ~** mettre/couper le contact

ignorance [ˈɪgnərəns] n ignorance f

ignorant [ˈɪgnərənt] adj ignorant(e); **to be ~ of** (subject) ne rien connaître en; (events) ne pas être au courant de

ignore [ɪgˈnɔːʳ] vt ne tenir aucun compte de; (mistake) ne pas relever; (person: pretend to not see) faire semblant de ne pas reconnaître; (: pay no attention to) ignorer

ill [ɪl] adj (sick) malade; (bad) mauvais(e) ▸ n mal m ▸ adv: **to speak/think ~ of sb** dire/penser du mal de qn; **to be taken ~** tomber malade

I'll [aɪl] = **I will**; **I shall**

illegal [ɪˈliːgl] adj illégal(e)

illegible [ɪˈlɛdʒɪbl] adj illisible

illegitimate [ɪlɪˈdʒɪtɪmət] adj illégitime

ill health n mauvaise santé

illiterate [ɪˈlɪtərət] adj illettré(e)

illness [ˈɪlnɪs] n maladie f

illuminate [ɪˈluːmɪneɪt] vt (room, street) éclairer; (for special effect) illuminer

illusion [ɪˈluːʒən] n illusion f

illustrate [ˈɪləstreɪt] vt illustrer

illustration [ɪləˈstreɪʃən] n illustration f

I'm [aɪm] = **I am**

image [ˈɪmɪdʒ] n image f; (public face) image de marque

imaginary [ɪˈmædʒɪnərɪ] adj imaginaire

imagination [ɪmædʒɪˈneɪʃən] n imagination f

imaginative [ɪˈmædʒɪnətɪv] adj imaginatif(-ive); (person) plein(e) d'imagination

imagine [ɪˈmædʒɪn] vt s'imaginer; (suppose) imaginer, supposer

imam [ɪˈmɑːm] n imam m

imbalance [ɪmˈbæləns] *n* déséquilibre *m*

imitate [ˈɪmɪteɪt] *vt* imiter • **imitation** [ɪmɪˈteɪʃən] *n* imitation *f*

immaculate [ɪˈmækjulət] *adj* impeccable; (*Rel*) immaculé(e)

immature [ɪməˈtjʊəʳ] *adj* (*fruit*) qui n'est pas mûr(e); (*person*) qui manque de maturité

immediate [ɪˈmiːdɪət] *adj* immédiat(e) • **immediately** *adv* (*at once*) immédiatement; **immediately next to** juste à côté de

immense [ɪˈmɛns] *adj* immense, énorme

immerse [ɪˈməːs] *vt* immerger, plonger; **to be ~d in** (*fig*) être plongé dans

immigrant [ˈɪmɪɡrənt] *n* immigrant(e); (*already established*) immigré(e) • **immigration** [ɪmɪˈɡreɪʃən] *n* immigration *f*

imminent [ˈɪmɪnənt] *adj* imminent(e)

immoral [ɪˈmɔrl] *adj* immoral(e)

immortal [ɪˈmɔːtl] *adj, n* immortel(le)

immune [ɪˈmjuːn] *adj*: **~ (to)** immunisé(e) (contre) • **immune system** *n* système *m* immunitaire

immunize [ˈɪmjunaɪz] *vt* immuniser

impact [ˈɪmpækt] *n* choc *m*, impact *m*; (*fig*) impact

impair [ɪmˈpɛəʳ] *vt* détériorer, diminuer

impartial [ɪmˈpɑːʃl] *adj* impartial(e)

impatience [ɪmˈpeɪʃəns] *n* impatience *f*

impatient [ɪmˈpeɪʃənt] *adj* impatient(e); **to get** or **grow ~** s'impatienter

impeccable [ɪmˈpɛkəbl] *adj* impeccable, parfait(e)

impending [ɪmˈpɛndɪŋ] *adj* imminent(e)

imperative [ɪmˈpɛrətɪv] *adj* (*need*) urgent(e), pressant(e); (*tone*) impérieux(-euse) ▶ *n* (*Ling*) impératif *m*

imperfect [ɪmˈpəːfɪkt] *adj* imparfait(e); (*goods etc*) défectueux(-euse) ▶ *n* (*Ling: also:* **~ tense**) imparfait *m*

imperial [ɪmˈpɪərɪəl] *adj* impérial(e); (*BRIT: measure*) légal(e)

impersonal [ɪmˈpəːsənl] *adj* impersonnel(le)

impersonate [ɪmˈpəːsəneɪt] *vt* se faire passer pour; (*Theat*) imiter

impetus [ˈɪmpətəs] *n* impulsion *f*; (*of runner*) élan *m*

implant [ɪmˈplɑːnt] *vt* (*Med*) implanter; (*fig: idea, principle*) inculquer

implement *n* [ˈɪmplɪmənt] outil *m*, instrument *m*; (*for cooking*) ustensile *m* ▶ *vt* [ˈɪmplɪmɛnt] exécuter

implicate [ˈɪmplɪkeɪt] *vt* impliquer, compromettre

implication [ɪmplɪˈkeɪʃən] *n* implication *f*; **by ~** indirectement

implicit [ɪmˈplɪsɪt] *adj* implicite; (*complete*) absolu(e), sans réserve

imply [ɪmˈplaɪ] *vt* (*hint*) suggérer, laisser entendre; (*mean*) indiquer, supposer

impolite [ɪmpəˈlaɪt] *adj* impoli(e)

import *vt* [ɪmˈpɔːt] importer ▶ *n* [ˈɪmpɔːt] (*Comm*) importation *f*; (*meaning*) portée *f*, signification *f*

importance [ɪmˈpɔːtns] *n* importance *f*

important [ɪmˈpɔːtnt] *adj*
important(e); **it's not ~** c'est sans
importance, ce n'est pas important

importer [ɪmˈpɔːtə*] *n*
importateur(-trice)

impose [ɪmˈpəuz] *vt* imposer ▶ *vi*:
to ~ on sb abuser de la gentillesse
de qn • **imposing** *adj*
imposant(e), impressionnant(e)

impossible [ɪmˈpɔsɪbl] *adj*
impossible

impotent [ˈɪmpətnt] *adj*
impuissant(e)

impoverished [ɪmˈpɔvərɪʃt] *adj*
pauvre, appauvri(e)

impractical [ɪmˈpræktɪkl] *adj*
pas pratique; (*person*) qui manque
d'esprit pratique

impress [ɪmˈpres] *vt*
impressionner, faire impression
sur; (*mark*) imprimer, marquer; **to
~ sth on sb** faire bien comprendre
qch à qn

impression [ɪmˈpreʃən] *n*
impression *f*; (*of stamp, seal*)
empreinte *f*; (*imitation*) imitation
f; **to be under the ~ that** avoir
l'impression que

impressive [ɪmˈpresɪv] *adj*
impressionnant(e)

imprison [ɪmˈprɪzn] *vt*
emprisonner, mettre en prison
• **imprisonment** *n*
emprisonnement *m*; (*period*):
**to sentence sb to 10 years'
imprisonment** condamner qn à
10 ans de prison

improbable [ɪmˈprɔbəbl] *adj*
improbable; (*excuse*) peu plausible

improper [ɪmˈprɔpə*] *adj*
(*unsuitable*) déplacé(e), de
mauvais goût; (*indecent*)
indécent(e); (*dishonest*)
malhonnête

improve [ɪmˈpruːv] *vt* améliorer
▶ *vi* s'améliorer; (*pupil etc*) faire des
progrès • **improvement** *n*
amélioration *f*; (*of pupil etc*)
progrès *m*

improvise [ˈɪmprəvaɪz] *vt, vi*
improviser

impulse [ˈɪmpʌls] *n* impulsion *f*;
on ~ impulsivement, sur un coup
de tête • **impulsive** [ɪmˈpʌlsɪv]
adj impulsif(-ive)

---

in [ɪn]

▶ *prep* **1** (*indicating place, position*)
dans; **in the house/the fridge**
dans la maison/le frigo; **in the
garden** dans le or au jardin; **in
town** en ville; **in the
country** à la campagne; **in
school** à l'école; **in here/there**
ici/là

2 (*with place names, of town,
region, country*): **in London** à
Londres; **in England** en
Angleterre; **in Japan** au Japon;
in the United States aux
États-Unis

3 (*indicating time: during*): **in
spring** au printemps; **in
summer** en été; **in May/2005**
en mai/2005; **in the afternoon**
(dans) l'après-midi; **at 4 o'clock
in the afternoon** à 4 heures de
l'après-midi

4 (*indicating time: in the space of*)
en; (*: future*) dans; **I did it in
3 hours/days** je l'ai fait en
3 heures/jours; **I'll see you in
2 weeks** or **in 2 weeks' time** je
te verrai dans 2 semaines

5 (*indicating manner etc*) à; **in a
loud/soft voice** à voix haute/
basse; **in pencil** au crayon; **in
writing** par écrit; **in French** en
français; **the boy in the blue**

shirt le garçon à or avec la chemise bleue
6 (*indicating circumstances*): **in the sun** au soleil; **in the shade** à l'ombre; **in the rain** sous la pluie; **a change in policy** un changement de politique
7 (*indicating mood, state*): **in tears** en larmes; **in anger** sous le coup de la colère; **in despair** au désespoir; **in good condition** en bon état; **to live in luxury** vivre dans le luxe
8 (*with ratios, numbers*): **1 in 10 households, 1 household in 10** 1 ménage sur 10; **20 pence in the pound** 20 pence par livre sterling; **they lined up in twos** ils se mirent en rangs (deux) par deux; **in hundreds** par centaines
9 (*referring to people, works*) chez; **the disease is common in children** c'est une maladie courante chez les enfants; **in (the works of) Dickens** chez Dickens, dans (l'œuvre de) Dickens
10 (*indicating profession etc*) dans; **to be in teaching** être dans l'enseignement
11 (*after superlative*) de; **the best pupil in the class** le meilleur élève de la classe
12 (*with present participle*): **in saying this** en disant ceci
▶ *adv*: **to be in** (*person: at home, work*) être là; (*train, ship, plane*) être arrivé(e); (*in fashion*) être à la mode; **to ask sb in** inviter qn à entrer; **to run/limp etc in** entrer en courant/boitant etc
▶ *n*: **the ins and outs (of)** (*of proposal, situation etc*) les tenants et aboutissants (de)

inability [ɪnəˈbɪlɪtɪ] *n* incapacité *f*; **~ to pay** incapacité de payer

inaccurate [ɪnˈækjʊrət] *adj* inexact(e); (*person*) qui manque de précision

inadequate [ɪnˈædɪkwət] *adj* insuffisant(e), inadéquat(e)

inadvertently [ɪnədˈvɜːtntlɪ] *adv* par mégarde

inappropriate [ɪnəˈprəʊprɪət] *adj* inopportun(e), mal à propos; (*word, expression*) impropre

inaugurate [ɪˈnɔːgjʊreɪt] *vt* inaugurer; (*president, official*) investir de ses fonctions

inauthentic [ɪnɔːˈθentɪk] *adj* (*document*) non authentique; (*person, feeling*) artificiel(le)

Inc. *abbr* = **incorporated**

incapable [ɪnˈkeɪpəbl] *adj*: **~ (of)** incapable (de)

incense *n* [ˈɪnsɛns] encens *m* ▶ *vt* [ɪnˈsɛns] (*anger*) mettre en colère

incentive [ɪnˈsentɪv] *n* encouragement *m*, raison *f* de se donner de la peine

inch [ɪntʃ] *n* pouce *m* (= 25 mm; 12 in a foot); **within an ~ of** à deux doigts de; **he wouldn't give an ~** (*fig*) il n'a pas voulu céder d'un pouce

incidence [ˈɪnsɪdns] *n* (*of crime, disease*) fréquence *f*

incident [ˈɪnsɪdnt] *n* incident *m*

incidentally [ɪnsɪˈdentəlɪ] *adv* (*by the way*) à propos

inclination [ɪnklɪˈneɪʃən] *n* inclination *f*; (*desire*) envie *f*

incline *n* [ˈɪnklaɪn] pente *f*, plan incliné ▶ *vt* [ɪnˈklaɪn] incliner ▶ *vi* (*surface*) s'incliner; **to be ~d to do** (*have a tendency to do*) avoir tendance à faire

include [ɪnˈkluːd] *vt* inclure, comprendre; **service is/is not ~d**

le service est compris/n'est pas compris • **including** *prep* y compris • **inclusion** *n* inclusion *f* • **inclusive** *adj* inclus(e), compris(e); **inclusive of tax** taxes comprises

income ['ɪnkʌm] *n* revenu *m*; *(from property etc)* rentes *fpl* • **income support** *n* (BRIT) ≈ revenu *m* minimum d'insertion, RMI *m* • **income tax** *n* impôt *m* sur le revenu

incoming ['ɪnkʌmɪŋ] *adj (passengers, mail)* à l'arrivée; *(government, tenant)* nouveau (nouvelle)

incompatible [ɪnkəm'pætɪbl] *adj* incompatible

incompetence [ɪn'kɒmpɪtns] *n* incompétence *f*, incapacité *f*

incompetent [ɪn'kɒmpɪtnt] *adj* incompétent(e), incapable

incomplete [ɪnkəm'pliːt] *adj* incomplet(-ète)

inconsistent [ɪnkən'sɪstənt] *adj* qui manque de constance; *(work)* irrégulier(-ère); *(statement)* peu cohérent(e); ~ **with** en contradiction avec

inconvenience [ɪnkən'viːnjəns] *n* inconvénient *m*; *(trouble)* dérangement *m* ▶ *vt* déranger

inconvenient [ɪnkən'viːnjənt] *adj* malcommode; *(time, place)* mal choisi(e), qui ne convient pas; *(visitor)* importun(e)

incorporate [ɪn'kɔːpəreɪt] *vt* incorporer; *(contain)* contenir

incorporated [ɪn'kɔːpəreɪtɪd] *adj*: ~ **company** (US) ≈ société *f* anonyme

incorrect [ɪnkə'rekt] *adj* incorrect(e); *(opinion, statement)* inexact(e)

increase *n* ['ɪnkriːs] augmentation *f* ▶ *vi*, *vt* [ɪn'kriːs] augmenter • **increasingly** *adv* de plus en plus

incredible [ɪn'kredɪbl] *adj* incroyable • **incredibly** *adv* incroyablement

incur [ɪn'kəːʳ] *vt (expenses)* encourir; *(anger, risk)* s'exposer à; *(debt)* contracter; *(loss)* subir

indecent [ɪn'diːsnt] *adj* indécent(e), inconvenant(e)

indeed [ɪn'diːd] *adv (confirming, agreeing)* en effet, effectivement; *(for emphasis)* vraiment; *(furthermore)* d'ailleurs; **yes ~!** certainement!

indefinitely [ɪn'defɪnɪtlɪ] *adv (wait)* indéfiniment

independence [ɪndɪ'pendns] *n* indépendance *f* • **Independence Day** *n* (US) fête de l'Indépendance américaine

> L'**Independence Day** est la fête nationale aux États-Unis, le 4 juillet. Il commémore l'adoption de la déclaration d'Indépendance, en 1776, écrite par Thomas Jefferson et proclamant la séparation des 13 colonies américaines de la Grande-Bretagne.

independent [ɪndɪ'pendnt] *adj* indépendant(e); *(radio)* libre • **independent school** *n* (BRIT) école privée

index ['ɪndeks] *(pl* **indexes**) *(in book)* index *m*; *(in library etc)* catalogue *m*; *(pl* **indices**) *(ratio, sign)* indice *m*

India ['ɪndɪə] *n* Inde *f* • **Indian** *adj* indien(ne) ▶ *n* Indien(ne); **(American) Indian** Indien(ne) (d'Amérique)

indicate ['ɪndɪkeɪt] vt indiquer ▶ vi (BRIT Aut): **to ~ left/right** mettre son clignotant à gauche/à droite • **indication** [ɪndɪ'keɪʃən] n indication f, signe m • **indicative** [ɪn'dɪkətɪv] adj: **to be indicative of sth** être symptomatique de qch ▶ n (Ling) indicatif m • **indicator** n (sign) indicateur m; (Aut) clignotant m

indices ['ɪndɪsiːz] npl of **index**

indict [ɪn'daɪt] vt accuser • **indictment** n accusation f

indifference [ɪn'dɪfrəns] n indifférence f

indifferent [ɪn'dɪfrənt] adj indifférent(e); (poor) médiocre, quelconque

indigenous [ɪn'dɪdʒɪnəs] adj indigène

indigestion [ɪndɪ'dʒestʃən] n indigestion f, mauvaise digestion

indignant [ɪn'dɪgnənt] adj: **~ (at sth/with sb)** indigné(e) (de qch/contre qn)

indirect [ɪndɪ'rekt] adj indirect(e)

indispensable [ɪndɪ'spensəbl] adj indispensable

individual [ɪndɪ'vɪdjuəl] n individu m ▶ adj individuel(le); (characteristic) particulier(-ière), original(e) • **individually** adv individuellement

Indonesia [ɪndə'niːziə] n Indonésie f

indoor ['ɪndɔːʳ] adj d'intérieur; (plant) d'appartement; (swimming pool) couvert(e); (sport, games) pratiqué(e) en salle • **indoors** [ɪn'dɔːz] adv à l'intérieur

induce [ɪn'djuːs] vt (persuade) persuader; (bring about) provoquer; (labour) déclencher

indulge [ɪn'dʌldʒ] vt (whim) céder à, satisfaire; (child) gâter ▶ vi: **to ~ in sth** (luxury) s'offrir qch, se permettre qch; (fantasies etc) se livrer à qch • **indulgent** adj indulgent(e)

industrial [ɪn'dʌstrɪəl] adj industriel(le); (injury) du travail; (dispute) ouvrier(-ière) • **industrial estate** n (BRIT) zone industrielle • **industrialist** n industriel m • **industrial park** n (US) zone industrielle

industry ['ɪndʌstrɪ] n industrie f; (diligence) zèle m, application f

inefficient [ɪnɪ'fɪʃənt] adj inefficace

inequality [ɪnɪ'kwɔlɪtɪ] n inégalité f

inevitable [ɪn'evɪtəbl] adj inévitable • **inevitably** adv inévitablement, fatalement

inexpensive [ɪnɪk'spensɪv] adj bon marché inv

inexperienced [ɪnɪk'spɪərɪənst] adj inexpérimenté(e)

inexplicable [ɪnɪk'splɪkəbl] adj inexplicable

infamous ['ɪnfəməs] adj infâme, abominable

infant ['ɪnfənt] n (baby) nourrisson m; (young child) petit(e) enfant

infantry ['ɪnfəntrɪ] n infanterie f

infant school n (BRIT) classes fpl préparatoires (entre 5 et 7 ans)

infect [ɪn'fekt] vt (wound) infecter; (person, blood) contaminer • **infection** [ɪn'fekʃən] n infection f; (contagion) contagion f • **infectious** [ɪn'fekʃəs] adj infectieux(-euse); (also fig) contagieux(-euse)

infer [ɪn'fəːʳ] vt: **to ~ (from)** conclure (de), déduire (de)

inferior [ɪn'fɪərɪəʳ] adj inférieur(e); (goods) de qualité inférieure ▶ n inférieur(e); (in rank) subalterne m/f

infertile [ɪn'fə:taɪl] adj stérile

infertility [ɪnfə:'tɪlɪtɪ] n infertilité f, stérilité f

infested [ɪn'festɪd] adj: ~ **(with)** infesté(e) (de)

infinite ['ɪnfɪnɪt] adj infini(e); (time, money) illimité(e)
• **infinitely** adv infiniment

infirmary [ɪn'fə:mərɪ] n hôpital m; (in school, factory) infirmerie f

inflamed [ɪn'fleɪmd] adj enflammé(e)

inflammation [ɪnflə'meɪʃən] n inflammation f

inflatable [ɪn'fleɪtəbl] adj gonflable

inflate [ɪn'fleɪt] vt (tyre, balloon) gonfler; (fig: exaggerate) grossir; (: increase) gonfler • **inflation** [ɪn'fleɪʃən] n (Econ) inflation f

inflexible [ɪn'fleksɪbl] adj inflexible, rigide

inflict [ɪn'flɪkt] vt: **to ~ on** infliger à

influence ['ɪnfluəns] n influence f ▶ vt influencer; **under the ~ of alcohol** en état d'ébriété
• **influential** [ɪnflu'ɛnʃl] adj influent(e)

influenza [ɪnflu'ɛnzə] n grippe f

influx ['ɪnflʌks] n afflux m

info ['ɪnfəu] (inf) n (= information) renseignements mpl

inform [ɪn'fɔ:m] vt: **to ~ sb (of)** informer or avertir qn (de) ▶ vi: **to ~ on sb** dénoncer qn, informer contre qn

informal [ɪn'fɔ:ml] adj (person, manner, party) simple; (visit, discussion) dénué(e) de formalités;

(announcement, invitation) non officiel(le); (colloquial) familier(-ère)

information [ɪnfə'meɪʃən] n information(s) f(pl); renseignements mpl; (knowledge) connaissances fpl; **a piece of ~** un renseignement • **information office** n bureau m de renseignements • **information technology** n informatique f

informative [ɪn'fɔ:mətɪv] adj instructif(-ive)

infra-red [ɪnfrə'rɛd] adj infrarouge

infrastructure ['ɪnfrəstrʌktʃəʳ] n infrastructure f

infrequent [ɪn'fri:kwənt] adj peu fréquent(e), rare

infuriate [ɪn'fjuərɪeɪt] vt mettre en fureur

infuriating [ɪn'fjuərɪeɪtɪŋ] adj exaspérant(e)

ingenious [ɪn'dʒi:nɪəs] adj ingénieux(-euse)

ingredient [ɪn'gri:dɪənt] n ingrédient m; (fig) élément m

inhabit [ɪn'hæbɪt] vt habiter
• **inhabitant** n habitant(e)

inhale [ɪn'heɪl] vt inhaler; (perfume) respirer; (smoke) avaler ▶ vi (breathe in) aspirer; (in smoking) avaler la fumée • **inhaler** n inhalateur m

inherent [ɪn'hɪərənt] adj: ~ **(in** or **to)** inhérent(e) (à)

inherit [ɪn'herɪt] vt hériter (de)
• **inheritance** n héritage m

inhibit [ɪn'hɪbɪt] vt (Psych) inhiber; (growth) freiner
• **inhibition** [ɪnhɪ'bɪʃən] n inhibition f

initial [ɪ'nɪʃl] adj initial(e) ▶ n initiale f ▶ vt parafer; **initials** npl

initiales *fpl*; *(as signature)* parafe *m*
• **initially** *adv* initialement, au
début

initiate [ɪ'nɪʃɪeɪt] *vt (start)*
entreprendre; amorcer;
(enterprise) lancer; *(person)* initier;
to ~ proceedings against sb
(Law) intenter une action à qn,
engager des poursuites contre qn

initiative [ɪ'nɪʃətɪv] *n* initiative *f*

inject [ɪn'dʒɛkt] *vt* injecter;
(person): **to ~ sb with sth** faire une
piqûre de qch à qn • **injection**
[ɪn'dʒɛkʃən] *n* injection *f*, piqûre *f*

injure ['ɪndʒə*] *vt* blesser;
(damage: reputation etc)
compromettre; **to ~ o.s.** se
blesser • **injured** *adj (person, leg
etc)* blessé(e) • **injury** *n* blessure *f*;
(wrong) tort *m*

injustice [ɪn'dʒʌstɪs] *n* injustice *f*

ink [ɪŋk] *n* encre *f* • **ink-jet printer**
['ɪŋkdʒɛt-] *n* imprimante *f* à jet
d'encre

inland *adj* ['ɪnlənd] intérieur(e)
▸ *adv* [ɪn'lænd] à l'intérieur, dans
les terres • **Inland Revenue** *n*
(BRIT) fisc *m*

in-laws ['ɪnlɔːz] *npl*
beaux-parents *mpl*; belle-famille

inmate ['ɪnmeɪt] *n (in prison)*
détenu(e); *(in asylum)* interné(e)

inn [ɪn] *n* auberge *f*

inner ['ɪnə*] *adj* intérieur(e)
• **inner-city** *adj (schools, problems)*
de quartiers déshérités

inning ['ɪnɪŋ] *n (us Baseball)* tour
m de batte; **innings** *npl (Cricket)*
tour de batte

innocence ['ɪnəsns] *n*
innocence *f*

innocent ['ɪnəsnt] *adj* innocent(e)

innovation [ɪnəu'veɪʃən] *n*
innovation *f*

innovative ['ɪnəu'veɪtɪv] *adj*
novateur(-trice); *(product)*
innovant(e)

in-patient ['ɪnpeɪʃənt] *n* malade
hospitalisé(e)

input ['ɪnput] *n (contribution)*
contribution *f*; *(resources)*
ressources *fpl*; *(Comput)* entrée *f*
(de données); (: *data)* données *fpl*
▸ *vt (Comput)* introduire, entrer

inquest ['ɪnkwɛst] *n* enquête
(criminelle); *(coroner's)* enquête
judiciaire

inquire [ɪn'kwaɪə*] *vi* demander
▸ *vt* demander; **to ~ about**
s'informer de, se renseigner sur;
to ~ when/where/whether
demander quand/où/si • **inquiry**
n demande *f* de renseignements;
(Law) enquête *f*, investigation *f*;
"inquiries" "renseignements"

ins. *abbr* = **inches**

insane [ɪn'seɪn] *adj* fou (folle);
(Med) aliéné(e)

insanity [ɪn'sænɪtɪ] *n* folie *f*;
(Med) aliénation (mentale)

insect ['ɪnsɛkt] *n* insecte *m*
• **insect repellent** *n* crème *f*
anti-insectes

insecure [ɪnsɪ'kjuə*] *adj (person)*
anxieux(-euse); *(job)* précaire;
(building etc) peu sûr(e)

insecurity [ɪnsɪ'kjuərɪtɪ] *n*
insécurité *f*

insensitive [ɪn'sɛnsɪtɪv] *adj*
insensible

insert *vt* [ɪn'səːt] insérer ▸ *n*
['ɪnsəːt] insertion *f*

inside ['ɪn'saɪd] *n* intérieur *m* ▸ *adj*
intérieur(e); *(Comput)* à l'intérieur,
dedans ▸ *prep* à l'intérieur de; *(of
time)*: **~ 10 minutes** en moins de
10 minutes; **to go ~** rentrer
• **inside lane** *n (Aut: in Britain)*

insight 590

voie f de gauche; (: in US, Europe)
voie f de droite • **inside out** adv à
l'envers; (know) à fond; **to turn
sth inside out** retourner qch

insight ['ɪnsaɪt] n perspicacité f;
(glimpse, idea) aperçu m

insignificant [ɪnsɪg'nɪfɪkənt] adj
insignifiant(e)

insincere [ɪnsɪn'sɪəʳ] adj
hypocrite

insist [ɪn'sɪst] vi insister; **to ~ on
doing** insister pour faire; **to ~ on
sth** exiger qch; **to ~ that** insister
pour que + sub; (claim) maintenir
or soutenir que • **insistent** adj
insistant(e), pressant(e); (noise,
action) ininterrompu(e)

insomnia [ɪn'sɒmnɪə] n
insomnie f

inspect [ɪn'spekt] vt inspecter;
(BRIT: ticket) contrôler
• **inspection** [ɪn'spekʃən] n
inspection f; (BRIT: of tickets)
contrôle m • **inspector** n
inspecteur(-trice); (BRIT: on buses,
trains) contrôleur(-euse)

inspiration [ɪnspə'reɪʃən] n
inspiration f • **inspire** [ɪn'spaɪəʳ]
vt inspirer • **inspiring** adj
inspirant(e)

instability [ɪnstə'bɪlɪtɪ] n
instabilité f

install, (US) **instal** [ɪn'stɔːl] vt
installer • **installation**
[ɪnstə'leɪʃən] n installation f

instalment, (US) **installment**
[ɪn'stɔːlmənt] n (payment)
acompte m, versement partiel; (of
TV serial etc) épisode m; **in ~s** (pay)
à tempérament; (receive) en
plusieurs fois

instance ['ɪnstəns] n exemple m;
for ~ par exemple; **in the first ~**
tout d'abord, en premier lieu

instant ['ɪnstənt] n instant m
▶ adj immédiat(e), urgent(e);
(coffee, food) instantané(e), en
poudre • **instantly** adv
immédiatement, tout de suite
• **instant messaging** n
messagerie f instantanée

instead [ɪn'sted] adv au lieu de
cela; **~ of** au lieu de; **~ of sb** à la
place de qn

instinct ['ɪnstɪŋkt] n instinct m
• **instinctive** adj instinctif(-ive)

institute ['ɪnstɪtjuːt] n institut m
▶ vt instituer, établir; (inquiry)
ouvrir; (proceedings) entamer

institution [ɪnstɪ'tjuːʃən] n
institution f; (school)
établissement m (scolaire); (for
care) établissement m (psychiatrique
etc)

instruct [ɪn'strʌkt] vt: **to ~ sb in
sth** enseigner qch à qn; **to ~ sb to
do** charger qn or ordonner à qn de
faire • **instruction** [ɪn'strʌkʃən]
n instruction f; **instructions** npl
(orders) directives fpl;
instructions for use mode m
d'emploi • **instructor** n
professeur m; (for skiing, driving)
moniteur m

instrument ['ɪnstrumənt] n
instrument m • **instrumental**
[ɪnstru'mentl] adj (Mus)
instrumental(e); **to be
instrumental in sth/in doing
sth** contribuer à qch/à faire qch

insufficient [ɪnsə'fɪʃənt] adj
insuffisant(e)

insulate ['ɪnsjuleɪt] vt isoler;
(against sound) insonoriser
• **insulation** [ɪnsju'leɪʃən] n
isolation f; (against sound)
insonorisation f

insulin ['ɪnsjulɪn] n insuline f

insult n ['ɪnsʌlt] insulte f, affront m ▸ vt [ɪn'sʌlt] insulter, faire un affront à • **insulting** adj insultant(e), injurieux(-euse)

insurance [ɪn'ʃuərəns] n assurance f; **fire/life** ~ assurance-incendie/-vie • **insurance company** n compagnie f or société f d'assurances • **insurance policy** n police f d'assurance

insure [ɪn'ʃuə^r] vt assurer; **to ~ (o.s.) against** (fig) parer à

intact [ɪn'tækt] adj intact(e)

intake ['ɪnteɪk] n (Tech) admission f; (consumption) consommation f; (BRIT Scol): **an ~ of 200 a year** 200 admissions par an

integral ['ɪntɪgrəl] adj (whole) intégral(e); (part) intégrant(e)

integrate ['ɪntɪgreɪt] vt intégrer ▸ vi s'intégrer

integrity [ɪn'tegrɪtɪ] n intégrité f

intellect ['ɪntəlekt] n intelligence f • **intellectual** [ɪntə'lektjuəl] adj, n intellectuel(le)

intelligence [ɪn'telɪdʒəns] n intelligence f; (Mil) informations fpl, renseignements mpl

intelligent [ɪn'telɪdʒənt] adj intelligent(e)

intend [ɪn'tend] vt (gift etc): **to ~ sth for** destiner qch à; **to ~ to do** avoir l'intention de faire

intense [ɪn'tens] adj intense; (person) véhément(e)

intensify [ɪn'tensɪfaɪ] vt intensifier

intensity [ɪn'tensɪtɪ] n intensité f

intensive [ɪn'tensɪv] adj intensif(-ive) • **intensive care** n: **to be in intensive care** être en réanimation • **intensive care unit** n service m de réanimation

intent [ɪn'tent] n intention f ▸ adj attentif(-ive), absorbé(e); **to all ~s and purposes** en fait, pratiquement; **to be ~ on doing sth** être (bien) décidé à faire qch

intention [ɪn'tenʃən] n intention f • **intentional** adj intentionnel(le), délibéré(e)

interact [ɪntər'ækt] vi avoir une action réciproque; (people) communiquer • **interaction** [ɪntər'ækʃən] n interaction f • **interactive** [adj] (Comput) interactif, conversationnel(le)

intercept [ɪntə'sept] vt intercepter; (person) arrêter au passage

interchange n ['ɪntətʃeɪndʒ] (exchange) échange m; (on motorway) échangeur m

intercourse ['ɪntəkɔːs] n: **sexual ~** rapports sexuels

interest ['ɪntrɪst] n intérêt m; (Comm: stake, share) participation f, intérêts mpl ▸ vt intéresser • **interested** adj intéressé(e); **to be interested in sth** s'intéresser à qch; **I'm interested in going** ça m'intéresse d'y aller • **interesting** adj intéressant(e) • **interest rate** n taux m d'intérêt

interface ['ɪntəfeɪs] n (Comput) interface f

interfere [ɪntə'fɪə^r] vi: **to ~ in** (quarrel) s'immiscer dans; (other people's business) se mêler de; **to ~ with** (object) tripoter, toucher à; (plans) contrecarrer; (duty) être en conflit avec • **interference** n (gen) ingérence f; (Radio, TV) parasites mpl

interim ['ɪntərɪm] adj provisoire; (post) intérimaire ▸ n: **in the ~** dans l'intérim

interior [ɪn'tɪərɪə] n intérieur m
▶ adj intérieur(e); (minister,
department) de l'intérieur • **interior
design** n architecture f d'intérieur

intermediate [ɪntə'miːdɪət] adj
intermédiaire; (Scol: course, level)
moyen(ne)

intermission [ɪntə'mɪʃən] n
pause f; (Theat, Cine) entracte m

intern vt [ɪn'təːn] interner ▶ n
['ɪntəːn] (US) interne m/f

internal [ɪn'təːnl] adj interne;
(dispute, reform etc) intérieur(e)
• **Internal Revenue Service** n
(US) fisc m

international [ɪntə'næʃənl] adj
international(e) ▶ n (BRIT Sport)
international m

Internet [ɪntə'net] n: **the ~**
l'Internet m • **Internet café** n
cybercafé m • **Internet Service
Provider** n fournisseur m d'accès
à Internet • **Internet user** n
internaute m/f

interpret [ɪn'təːprɪt] vt interpréter
▶ vi servir d'interprète
• **interpretation** [ɪntəːprɪ'teɪʃən]
n interprétation f • **interpreter** n
interprète m/f; **could you act
as an interpreter for us?**
pourriez-vous nous servir
d'interprète?

interrogate [ɪn'terəgeɪt] vt
interroger; (suspect etc) soumettre
à un interrogatoire
• **interrogation** [ɪnterəʊ'geɪʃən]
n interrogation f; (by police)
interrogatoire m

interrogative [ɪntə'rɔgətɪv] adj
interrogateur(-trice) ▶ n (Ling)
interrogatif m

interrupt [ɪntə'rʌpt] vt, vi
interrompre • **interruption**
[ɪntə'rʌpʃən] n interruption f

intersection [ɪntə'sekʃən] n (of
roads) croisement m

interstate [ɪntəːsteɪt] (US) n
autoroute f (qui relie plusieurs
États)

interval ['ɪntəvl] n intervalle m;
(BRIT: Theat) entracte m; (: Sport)
mi-temps f; **at ~s** par intervalles

intervene [ɪntə'viːn] vi (time)
s'écouler (entre-temps); (event)
survenir; (person) intervenir

interview ['ɪntəvjuː] n (Radio,
TV) interview f; (for job) entrevue f
▶ vt interviewer, avoir une
entrevue avec • **interviewer** n
(Radio, TV) interviewer m

intimate adj ['ɪntɪmət] intime;
(friendship) profond(e); (knowledge)
approfondi(e) ▶ vt ['ɪntɪmeɪt]
suggérer, laisser entendre;
(announce) faire savoir

intimidate [ɪn'tɪmɪdeɪt] vt
intimider

intimidating [ɪn'tɪmɪdeɪtɪŋ] adj
intimidant(e)

into ['ɪntu] prep dans; **~ pieces/
French** en morceaux/français

intolerant [ɪn'tɔlrnt] adj: **~ (of)**
intolérant(e) (de)

intranet [ɪn'trænet] n intranet m

intransitive [ɪn'trænsɪtɪv] adj
intransitif(-ive)

intricate [ɪn'trɪkət] adj
complexe, compliqué(e)

intrigue [ɪn'triːg] n intrigue f
▶ vt intriguer • **intriguing** adj
fascinant(e)

introduce [ɪntrə'djuːs] vt
introduire; (TV show etc)
présenter; **to ~ sb (to sb)**
présenter qn (à qn); **to ~ sb to**
(pastime, technique) initier qn à
• **introduction** [ɪntrə'dʌkʃən] n
introduction f; (of person)

présentation f; (to new experience) initiation f • **introductory** [ɪntrə'dʌktərɪ] adj préliminaire, introductif(-ive)

intrude [ɪn'truːd] vi (person) être importun(e); **to ~ on** or **into** (conversation etc) s'immiscer dans • **intruder** n intrus(e)

intuition [ɪntjuː'ɪʃən] n intuition f

inundate ['ɪnʌndeɪt] vt: **to ~ with** inonder de

invade [ɪn'veɪd] vt envahir

invalid n ['ɪnvəlɪd] malade m/f; (with disability) invalide m/f ▶ adj [ɪn'vælɪd] (not valid) invalide, non valide

invaluable [ɪn'væljuəbl] adj inestimable, inappréciable

invariably [ɪn'vɛərɪəblɪ] adv invariablement; **she is ~ late** elle est toujours en retard

invasion [ɪn'veɪʒən] n invasion f

invent [ɪn'vɛnt] vt inventer • **invention** [ɪn'vɛnʃən] n invention f • **inventor** n inventeur(-trice)

inventory ['ɪnvəntrɪ] n inventaire m

inverted commas [ɪn'vəːtɪd-] npl (BRIT) guillemets mpl

invest [ɪn'vɛst] vt investir ▶ vi: **to ~ in** placer de l'argent or investir dans; (fig: acquire) s'offrir, faire l'acquisition de

investigate [ɪn'vɛstɪgeɪt] vt étudier, examiner; (crime) faire une enquête sur • **investigation** [ɪnvɛstɪ'geɪʃən] n (of crime) enquête f, investigation f

investigator [ɪn'vɛstɪgeɪtə'] n investigateur(-trice); **private ~** détective privé

investment [ɪn'vɛstmənt] n investissement m, placement m

investor [ɪn'vɛstə'] n épargnant(e); (shareholder) actionnaire m/f

invisible [ɪn'vɪzɪbl] adj invisible

invitation [ɪnvɪ'teɪʃən] n invitation f

invite [ɪn'vaɪt] vt inviter; (opinions etc) demander • **invitee** [ɪnvaɪ'tiː] n invité(e) • **inviting** adj engageant(e), attrayant(e)

invoice ['ɪnvɔɪs] n facture f ▶ vt facturer

involve [ɪn'vɔlv] vt (entail) impliquer; (concern) concerner; (require) nécessiter; **to ~ sb in** (theft etc) impliquer qn dans; (activity, meeting) faire participer qn à • **involved** adj (complicated) complexe; **to be involved in** (take part) participer à • **involvement** n (personal role) rôle m; (participation) participation f; (enthusiasm) enthousiasme m

inward ['ɪnwəd] adj (movement) vers l'intérieur; (thought, feeling) profond(e), intime ▶ adv = **inwards** • **inwards** adv vers l'intérieur

iPlayer® ['aɪpleɪə'] n service de radiotélévision de rattrapage de la BBC

iPod® ['aɪpɔd] n iPod® m

IQ n abbr (= intelligence quotient) Q.I. m

IRA n abbr (= Irish Republican Army) IRA f

Iran [ɪ'rɑːn] n Iran m • **Iranian** [ɪ'reɪnɪən] adj iranien(ne) ▶ n Iranien(ne)

Iraq [ɪ'rɑːk] n Irak m • **Iraqi** adj irakien(ne) ▶ n Irakien(ne)

Ireland ['aɪələnd] n Irlande f

iris, irises ['aɪrɪs, -ɪz] n iris m

Irish ['aɪrɪʃ] adj irlandais(e) ▶ npl; **the ~** les Irlandais • **Irishman** (irreg) n Irlandais m • **Irishwoman** (irreg) n Irlandaise f

iron ['aɪən] n fer m; (for clothes) fer m à repasser ▶ adj de or en fer ▶ vt (clothes) repasser

ironic(al) [aɪ'rɒnɪk(l)] adj ironique • **ironically** adv ironiquement

ironing ['aɪənɪŋ] n (activity) repassage m; (clothes: ironed) linge repassé; (: to be ironed) linge à repasser • **ironing board** n planche f à repasser

irony ['aɪrənɪ] n ironie f

irrational [ɪ'ræʃənl] adj irrationnel(le); (person) qui n'est pas rationnel

irregular [ɪ'regjələ'] adj irrégulier(-ière); (surface) inégal(e); (action, event) peu orthodoxe

irrelevant [ɪ'reləvənt] adj sans rapport, hors de propos

irresistible [ɪrɪ'zɪstɪbl] adj irrésistible

irresponsible [ɪrɪ'spɒnsɪbl] adj (act) irréfléchi(e); (person) qui n'a pas le sens des responsabilités

irrigation [ɪrɪ'geɪʃən] n irrigation f

irritable ['ɪrɪtəbl] adj irritable

irritate ['ɪrɪteɪt] vt irriter • **irritating** adj irritant(e) • **irritation** [ɪrɪ'teɪʃən] n irritation f

IRS n abbr (us) = **Internal Revenue Service**

is [ɪz] vb see **be**

ISDN n abbr (= Integrated Services Digital Network) RNIS m

Islam ['ɪzlɑːm] n Islam m • **Islamic** [ɪz'læmɪk] adj islamique

island ['aɪlənd] n île f; (also: **traffic ~**) refuge m (pour piétons) • **islander** n habitant(e) d'une île, insulaire m/f

isle [aɪl] n île f

isn't ['ɪznt] = **is not**

isolated ['aɪsəleɪtɪd] adj isolé(e)

isolation [aɪsə'leɪʃən] n isolement m

ISP n abbr = **Internet Service Provider**

Israel ['ɪzreɪl] n Israël m • **Israeli** [ɪz'reɪlɪ] adj israélien(ne) ▶ n Israélien(ne)

issue ['ɪʃuː] n question f, problème m; (of banknotes) émission f; (of newspaper) numéro m; (of book) publication f, parution f ▶ vt (rations, equipment) distribuer; (orders) donner; (statement) publier, faire; (certificate, passport) délivrer; (banknotes, cheques, stamps) émettre, mettre en circulation; **at ~** en jeu, en cause; **to take ~ with sb (over sth)** exprimer son désaccord avec qn (sur qch)

IT n abbr = **information technology**

---

it [ɪt]

pron 1 (specific: subject) il (elle); (: direct object) le (la, l'); (: indirect object) lui; **it's on the table** c'est or il (or elle) est sur la table; **I can't find it** je n'arrive pas à le trouver; **give it to me** donne-le-moi

2 (after prep): **about/from/of it** en; **I spoke to him about it** je lui en ai parlé; **what did you learn from it?** qu'est-ce que vous en avez retiré?; **I'm proud of it** j'en suis fier; **in/to it** y; **put the book in it** mettez-y le livre; **he agreed to it** il y a consenti; **did you go to it?** (party, concert etc) est-ce que vous y êtes allé(s)?

3 (impersonal) il; ce, cela, ça; **it's Friday tomorrow** demain, c'est vendredi or nous sommes vendredi; **it's 6 o'clock** il est 6 heures; **how far is it? — it's 10 miles** c'est loin? — c'est à 10 miles; **who is it? — it's me** qui est-ce? — c'est moi; **it's raining** il pleut

Italian [ɪˈtæljən] *adj* italien(ne) ▸ *n* Italien(ne); (*Ling*) italien *m*

italics [ɪˈtælɪks] *npl* italique *m*

Italy [ˈɪtəlɪ] *n* Italie *f*

itch [ɪtʃ] *n* démangeaison *f* ▸ *vi* (*person*) éprouver des démangeaisons; (*part of body*) démanger; **I'm ~ing to do** l'envie me démange de faire • **itchy** *adj*: **my back is itchy** j'ai le dos qui me démange

it'd [ˈɪtd] = **it would; it had**

item [ˈaɪtəm] *n* (*gen*) article *m*; (*on agenda*) question *f*, point *m*; (*also: news ~*) nouvelle *f*

itinerary [aɪˈtɪnərərɪ] *n* itinéraire *m*

it'll [ˈɪtl] = **it will; it shall**

its [ɪts] *adj* son (sa), ses *pl*

it's [ɪts] = **it is; it has**

itself [ɪtˈsɛlf] *pron* (*reflexive*) se; (*emphatic*) lui-même (elle-même)

ITV *n abbr* (BRIT: = *Independent Television*) chaîne de télévision commerciale

I've [aɪv] = **I have**

ivory [ˈaɪvərɪ] *n* ivoire *m*

ivy [ˈaɪvɪ] *n* lierre *m*

jab [dʒæb] *vt*: **to ~ sth into** enfoncer or planter qch dans ▸ *n* (*Med: inf*) piqûre *f*

jack [dʒæk] *n* (*Aut*) cric *m*; (*Cards*) valet *m*

jacket [ˈdʒækɪt] *n* veste *f*, veston *m*; (*of book*) couverture *f*, jaquette *f* • **jacket potato** *n* pomme *f* de terre en robe des champs

jackpot [ˈdʒækpɒt] *n* gros lot

Jacuzzi® [dʒəˈkuːzɪ] *n* jacuzzi® *m*

jagged [ˈdʒægɪd] *adj* dentelé(e)

jail [dʒeɪl] *n* prison *f* ▸ *vt* emprisonner, mettre en prison • **jail sentence** *n* peine *f* de prison

jam [dʒæm] *n* confiture *f*; (*also: traffic ~*) embouteillage *m* ▸ *vt* (*passage etc*) encombrer, obstruer; (*mechanism, drawer etc*) bloquer, coincer; (*Radio*) brouiller ▸ *vi* (*mechanism, sliding part*) se coincer, se bloquer; (*gun*) s'enrayer; **to be in a ~** (*inf*) être dans le pétrin; **to ~ sth into** (*stuff*) entasser or comprimer qch dans; (*thrust*) enfoncer qch dans

Jamaica [dʒəˈmeɪkə] *n* Jamaïque *f*

jammed [dʒæmd] *adj* (*window etc*) coincé(e)

janitor ['dʒænɪtə'] *n* (*caretaker*) concierge *m*

January ['dʒænjuərɪ] *n* janvier *m*

Japan [dʒə'pæn] *n* Japon *m* • **Japanese** [dʒæpə'ni:z] *adj* japonais(e) ▶ *n* (*pl inv*) Japonais(e); (*Ling*) japonais *m*

jar [dʒɑː'] *n* (*stone, earthenware*) pot *m*; (*glass*) bocal *m* ▶ *vi* (*sound*) produire un son grinçant *or* discordant; (*colours etc*) détonner, jurer

jargon ['dʒɑːgən] *n* jargon *m*

javelin ['dʒævlɪn] *n* javelot *m*

jaw [dʒɔː] *n* mâchoire *f*

jazz [dʒæz] *n* jazz *m*

jealous ['dʒeləs] *adj* jaloux(-ouse) • **jealousy** ['dʒeləsɪ] *n* jalousie *f*

jeans [dʒiːnz] *npl* jean *m*

jeggings ['dʒegɪnz] *npl* jeggins *m*

Jello® ['dʒeləu] (*us*) gelée *f*

jelly ['dʒelɪ] *n* (*dessert*) gelée *f*; (*us: jam*) confiture *f* • **jellyfish** *n* méduse *f*

jeopardize ['dʒepədaɪz] *vt* mettre en danger *or* péril

jerk [dʒɜːk] *n* secousse *f*, saccade *f*; (*of muscle*) spasme *m*; (*inf*) pauvre type *m* ▶ *vt* (*shake*) donner une secousse à; (*pull*) tirer brusquement ▶ *vi* (*vehicles*) cahoter

jersey ['dʒɜːzɪ] *n* tricot *m*; (*fabric*) jersey *m*

Jesus ['dʒiːzəs] *n* Jésus *m*

jet [dʒet] *n* (*of gas, liquid*) jet *m*; (*Aviat*) avion *m* à réaction, jet *m* • **jet lag** *n* décalage *m* horaire • **jet-ski** *vi* faire du jet-ski *or* scooter des mers

jetty ['dʒetɪ] *n* jetée *f*, digue *f*

Jew [dʒuː] *n* Juif *m*

jewel ['dʒuːəl] *n* bijou *m*, joyau *m*; (*in watch*) rubis *m* • **jeweller** • (*us*) **jeweler** *n* bijoutier(-ière), joaillier *m* • **jeweller's (shop)** *n* (*BRIT*) bijouterie *f*, joaillerie *f* • **jewellery** • (*us*) **jewelry** *n* bijoux *mpl*

Jewish ['dʒuːɪʃ] *adj* juif (juive)

jigsaw ['dʒɪgsɔː] *n* (*also:* **~ puzzle**) puzzle *m*

jilbab ['dʒɪlbæb] *n* jilbab *m*

job [dʒɔb] *n* (*chore, task*) travail *m*, tâche *f*; (*employment*) emploi *m*, poste *m*, place *f*; **it's a good ~ that ...** c'est heureux *or* c'est une chance que ... + *sub*; **just the ~!** (c'est) juste *or* exactement ce qu'il faut! • **job centre** (*BRIT*) *n* ≈ ANPE *f*, ≈ Agence nationale pour l'emploi • **jobless** *adj* sans travail, au chômage

jockey ['dʒɔkɪ] *n* jockey *m* ▶ *vi*: **to ~ for position** manœuvrer pour être bien placé

jog [dʒɔg] *vt* secouer ▶ *vi* (*Sport*) faire du jogging; **to ~ sb's memory** rafraîchir la mémoire de qn • **jogging** *n* jogging *m*

join [dʒɔɪn] *vt* (*put together*) unir, assembler; (*become member of*) s'inscrire à; (*meet*) rejoindre, retrouver; (*queue*) se joindre à ▶ *vi* (*roads, rivers*) se rejoindre, se rencontrer ▶ *n* raccord *m* • **join in** *vi* se mettre de la partie ▶ *vt fus* se mêler à • **join up** *vi* (*meet*) se rejoindre; (*Mil*) s'engager

joiner ['dʒɔɪnə'] (*BRIT*) *n* menuisier *m*

joint [dʒɔɪnt] *n* (*Tech*) jointure *f*, joint *m*; (*Anat*) articulation *f*, jointure; (*BRIT Culin*) rôti *m*; (*inf: place*) boîte *f*; (*of cannabis*) joint

▶ adj commun(e); (committee) mixte, paritaire; (winner) ex aequo
• **joint account** n compte joint
• **jointly** adv ensemble, en commun

joke [dʒəʊk] n plaisanterie f; (also: **practical ~**) farce f ▶ vi plaisanter; **to play a ~ on** jouer un tour à, faire une farce à • **joker** n (Cards) joker m

jolly ['dʒɒlɪ] adj gai(e), enjoué(e); (enjoyable) amusant(e), plaisant(e) ▶ adv (BRIT inf) rudement, drôlement

jolt [dʒəʊlt] n cahot m, secousse f; (shock) choc m ▶ vt cahoter, secouer

Jordan [dʒɔː'dən] n (country) Jordanie f

journal ['dʒɜːnl] n journal m
• **journalism** n journalisme m
• **journalist** n journaliste m/f

journey ['dʒɜːnɪ] n voyage m; (distance covered) trajet m; **the ~ takes two hours** le trajet dure deux heures; **how was your ~?** votre voyage s'est bien passé?

joy [dʒɔɪ] n joie f • **joyrider** n voleur(-euse) de voiture (qui fait une virée dans le véhicule volé) • **joy stick** n (Aviat) manche m à balai; (Comput) manche à balai, manette f (de jeu)

Jr abbr = **junior**

judge [dʒʌdʒ] n juge m ▶ vt juger; (estimate: weight, size etc) apprécier; (consider) estimer

judo ['dʒuːdəʊ] n judo m

jug [dʒʌɡ] n pot m, cruche f

juggle ['dʒʌɡl] vi jongler • **juggler** n jongleur n

juice [dʒuːs] n jus m • **juicy** adj juteux(-euse)

July [dʒuː'laɪ] n juillet m

jumble ['dʒʌmbl] n fouillis m ▶ vt (also: **~ up, ~ together**) mélanger, brouiller • **jumble sale** n (BRIT) vente f de charité

Les **jumble sales** ont lieu dans les églises, salles des fêtes ou halls d'écoles, et l'on y vend des articles de toutes sortes, en général bon marché et surtout d'occasion, pour collecter des fonds pour une œuvre de charité, une école (par exemple, pour acheter des ordinateurs), ou encore une église (pour en réparer le toit par exemple).

jumbo ['dʒʌmbəʊ] adj (also: **~ jet**) (avion) gros porteur (à réaction)

jump [dʒʌmp] vi sauter, bondir; (with fear etc) sursauter; (increase) monter en flèche ▶ vt sauter, franchir ▶ n saut m, bond m; (with fear etc) sursaut m; (fence) obstacle m; **to ~ the queue** (BRIT) passer avant son tour

jumper ['dʒʌmpə'] n (BRIT: pullover) pull-over m; (US: pinafore dress) robe-chasuble f

jump leads, (US) **jumper cables** npl câbles mpl de démarrage

Jun. abbr = **June; junior**

junction ['dʒʌŋkʃən] n (BRIT: of roads) carrefour m; (of rails) embranchement m

June [dʒuːn] n juin m

jungle ['dʒʌŋɡl] n jungle f

junior ['dʒuːnɪə'] adj, n: **he's ~ to me (by two years), he's my ~ (by two years)** il est mon cadet (de deux ans), il est plus jeune que moi (de deux ans); **he's ~ to me** (seniority) il est en dessous de moi (dans la hiérarchie), j'ai plus

junk

d'ancienneté que lui • **junior high school** n (US) ≈ collège m d'enseignement secondaire; see also **high school** • **junior school** n (BRIT) école f primaire

junk [dʒʌŋk] n (rubbish) camelote f; (cheap goods) bric-à-brac m inv • **junk food** n snacks vite prêts (sans valeur nutritive)

junkie ['dʒʌŋkɪ] n (inf) junkie m, drogué(e)

junk mail n prospectus mpl; (Comput) messages mpl publicitaires

Jupiter ['dʒuːpɪtəʳ] n (planet) Jupiter f

jurisdiction [dʒuərɪs'dɪkʃən] n juridiction f; **it falls** or **comes within/outside our ~** cela est/n'est pas de notre compétence or ressort

jury ['dʒuərɪ] n jury m

just [dʒʌst] adj juste ▶ adv: **he's ~ done it/left** il vient de le faire/partir; **~ right/two o'clock** exactement or juste ce qu'il faut/deux heures; **we were ~ going** nous partions; **I was ~ about to phone** j'allais téléphoner; **~ as he was leaving** au moment or à l'instant précis où il partait; **~ before/enough/here** juste avant/assez/là; **it's ~ me/a mistake** ce n'est que moi/(rien) qu'une erreur; **~ missed/caught** manqué/attrapé de justesse; **~ listen to this!** écoutez un peu ça!; **she's ~ as clever as you** elle est tout aussi intelligente que vous; **it's ~ as well that you ...** heureusement que vous ...; **~ a minute!, ~ one moment!** un instant (s'il vous plaît)!

justice ['dʒʌstɪs] n justice f; (US: judge) juge m de la Cour suprême

justification [dʒʌstɪfɪ'keɪʃən] n justification f

justify ['dʒʌstɪfaɪ] vt justifier

jut [dʒʌt] vi (also: ~ **out**) dépasser, faire saillie

juvenile ['dʒuːvənaɪl] adj juvénile; (court, books) pour enfants ▶ n adolescent(e)

K

K, k [keɪ] abbr (= one thousand) K

kangaroo [kæŋgəˈruː] n kangourou m

karaoke [kɑːrəˈəʊki] n karaoké m

karate [kəˈrɑːti] n karaté m

kebab [kəˈbæb] n kebab m

keel [kiːl] n quille f; **on an even ~** (fig) à flot

keen [kiːn] adj (eager) plein(e) d'enthousiasme; (interest, desire, competition) vif (vive); (eye, intelligence) pénétrant(e); (edge) effilé(e); **to be ~ to do** or **on doing sth** désirer vivement faire qch, tenir beaucoup à faire qch; **to be ~ on sth/sb** aimer beaucoup qch/qn

keep [kiːp] (pt, pp kept) vt (retain, preserve) garder; (hold back) retenir; (shop, accounts, promise, diary) tenir; (support) entretenir; (chickens, bees, pigs etc) élever ▶ n (of castle) donjon m; (food etc): **enough for his ~** assez pour (assurer) sa subsistance; **to ~ doing sth** (continue) continuer à faire qch; (repeatedly) ne pas arrêter de faire qch; **to ~ sb from doing/sth from happening** empêcher qn de faire or que qn (ne) fasse/que qch (n')arrive; **to ~ sb happy/a place tidy** faire que qn soit content/qu'un endroit reste propre; **to ~ sth to o.s.** garder qch pour soi, tenir qch secret; **to ~ sth from sb** cacher qch à qn; **to ~ time** (clock) être à l'heure, ne pas retarder; **for ~s** (inf) pour de bon, pour toujours • **keep away** vt: **to ~ sth/sb away from sb** tenir qch/qn éloigné de qn ▶ vi: **to ~ away (from)** ne pas s'approcher (de) • **keep back** vt (crowds, tears, money) retenir; (conceal: information): **to ~ sth back from sb** cacher qch à qn ▶ vi rester en arrière • **keep off** vt (dog, person) éloigner ▶ vi: **if the rain ~s off** s'il ne pleut pas; **~ your hands off!** pas touche! (inf); **"~ off the grass"** "pelouse interdite" • **keep on** vi continuer; **to ~ on doing** continuer à faire; **don't ~ on about it!** arrête (d'en parler)! • **keep out** vt empêcher d'entrer ▶ vi (stay out) rester en dehors; **"~ out"** "défense d'entrer" • **keep up** vi (fig: in comprehension) suivre ▶ vt continuer, maintenir; **to ~ up with sb** (in work etc) se maintenir au même niveau que qn; (in race etc) aller aussi vite que qn • **keeper** n gardien(ne) • **keep-fit** n gymnastique f (d'entretien) • **keeping** n (care) garde f; **in keeping with** en harmonie avec

kennel [ˈkɛnl] n niche f; **kennels** npl (for boarding) chenil m

Kenya [ˈkɛnjə] n Kenya m

kept [kɛpt] pt, pp of **keep**

kerb [kɜːb] n (BRIT) bordure f du trottoir • **kerbside** n bord m du trottoir

kerosene [ˈkɛrəsiːn] n kérosène m

ketchup [ˈkɛtʃəp] n ketchup m

kettle [ˈkɛtl] n bouilloire f

key [kiː] n (gen, Mus) clé f; (of piano, typewriter) touche f; (on map) légende f ▸ adj (factor, role, area) clé inv ▸ vt (also: ~ **in**) (text) saisir; **can I have my ~?** je peux avoir ma clé?; **a ~ issue** un problème fondamental • **keyboard** n clavier m ▸ vt saisir • **keyhole** n trou m de la serrure • **keyring** n porte-clés m

kg abbr (= kilogram) K

khaki ['kɑːkɪ] adj, n kaki m

kick [kɪk] vt donner un coup de pied à ▸ vi (horse) ruer ▸ n coup m de pied; (inf: thrill): **he does it for ~s** il le fait parce que ça l'excite, il le fait pour le plaisir; **to ~ the habit** (inf) arrêter • **kick off** vi (Sport) donner le coup d'envoi • **kick-off** n (Sport) coup m d'envoi

kid [kɪd] n (inf: child) gamin(e), gosse m/f; (animal, leather) chevreau m ▸ vi (inf) plaisanter, blaguer

kidnap ['kɪdnæp] vt enlever, kidnapper • **kidnapping** n enlèvement m

kidney ['kɪdnɪ] n (Anat) rein m; (Culin) rognon m • **kidney bean** n haricot m rouge

kill [kɪl] vt tuer ▸ n mise à mort; **to ~ time** tuer le temps • **killer** n tueur(-euse); (murderer) meurtrier(-ière) • **killing** n meurtre m; (of group of people) tuerie f, massacre m; (inf): **to make a killing** se remplir les poches, réussir un beau coup

kiln [kɪln] n four m

kilo ['kiːləu] n kilo m • **kilobyte** n (Comput) kilo-octet m • **kilogram(me)** n kilogramme m • **kilometre**, (us) **kilometer** ['kɪləmiːtəʳ] n kilomètre m • **kilowatt** n kilowatt m

kilt [kɪlt] n kilt m

kin [kɪn] n see **next-of-kin**

kind [kaɪnd] adj gentil(le), aimable ▸ n sorte f, espèce f; (species) genre m; **to be two of a ~** (Comm) se ressembler; **in ~** (Comm) en nature; ~ **of** (inf: rather) plutôt; **a ~ of** une sorte de; **what ~ of ...?** quelle sorte de ...?

kindergarten ['kɪndəgɑːtn] n jardin m d'enfants

kindly ['kaɪndlɪ] adj bienveillant(e), plein(e) de gentillesse ▸ adv avec bonté; **will you ~ ...** auriez-vous la bonté de m'obligeance de ...

kindness ['kaɪndnɪs] n (quality) bonté f, gentillesse f

king [kɪŋ] n roi m • **kingdom** n royaume m • **kingfisher** n martin-pêcheur m • **king-size(d) bed** n grand lit m (de 1,95 m de large)

kiosk ['kiːɔsk] n kiosque m; (BRIT: also: **telephone ~**) cabine f (téléphonique)

kipper ['kɪpəʳ] n hareng fumé et salé

kiss [kɪs] n baiser m ▸ vt embrasser; **to ~ (each other)** s'embrasser • **kiss of life** n (BRIT) bouche à bouche m

kit [kɪt] n équipement m, matériel m; (set of tools etc) trousse f; (for assembly) kit m

kitchen ['kɪtʃɪn] n cuisine f

kite [kaɪt] n (toy) cerf-volant m

kitten ['kɪtn] n petit chat, chaton m

kitty ['kɪtɪ] n (money) cagnotte f

kiwi ['kiːwiː] n (also: ~ **fruit**) kiwi m

km abbr (= kilometre) km

km/h abbr (= kilometres per hour) km/h

knack [næk] n: **to have the ~ (of doing)** avoir le coup (pour faire)

knee [niː] *n* genou *m* • **kneecap** *n* rotule *f*

kneel [niːl] (*pt, pp* **knelt**) *vi* (*also*: ~ **down**) s'agenouiller

knelt [nɛlt] *pt, pp of* **kneel**

knew [njuː] *pt of* **know**

knickers ['nɪkəz] *npl* (BRIT) culotte *f* (de femme)

knife (*pl* **knives**) [naɪf, naɪvz] *n* couteau *m* ▶ *vt* poignarder, frapper d'un coup de couteau

knight [naɪt] *n* chevalier *m*; (Chess) cavalier *m*

knit [nɪt] *vt* tricoter ▶ *vi* tricoter; (broken bones) se ressouder; **to ~ one's brows** froncer les sourcils • **knitting** *n* tricot *m* • **knitting needle** *n* aiguille *f* à tricoter • **knitwear** *n* tricots *mpl*, lainages *mpl*

knives [naɪvz] *npl of* **knife**

knob [nɔb] *n* bouton *m*; (BRIT): **a ~ of butter** une noix de beurre

knock [nɔk] *vt* frapper; (bump into) heurter; (inf: fig) dénigrer ▶ *vi* (at door etc): **to ~ at/on** frapper à/sur ▶ *n* coup *m* • **knock down** *vt* renverser; (price) réduire • **knock off** *vi* (inf: finish) s'arrêter (de travailler) ▶ *vt* (vase, object) faire tomber; (inf: steal) piquer; (fig: from price etc): **to ~ off £10** faire une remise de 10 livres • **knock out** *vt* assommer; (Boxing) mettre k.-o.; (in competition) éliminer • **knock over** *vt* (object) faire tomber; (pedestrian) renverser • **knockout** *n* (Boxing) knock-out *m*, K.-O. *m*; **knockout competition** (BRIT) compétition *f* avec épreuves éliminatoires

knot [nɔt] *n* (gen) nœud *m* ▶ *vt* nouer

know [nəʊ] (*pt* **knew**, *pp* **known**) *vt* savoir; (person, place) connaître; **to ~ that** savoir que; **to ~ how to do** savoir faire; **to ~ how to swim** savoir nager; **to ~ about/of sth** (event) être au courant de qch; (subject) connaître qch; **I don't ~** je ne sais pas; **do you ~ where I can ...?** savez-vous où je peux ...? • **know-all** *n* (BRIT pej) je-sais-tout *m/f* • **know-how** *n* savoir-faire *m*, technique *f*, compétence *f* • **knowing** *adj* (look etc) entendu(e) • **knowingly** *adv* (on purpose) sciemment; (smile, look) d'un air entendu • **know-it-all** *n* (US) = **know-all**

knowledge ['nɔlɪdʒ] *n* connaissance *f*; (learning) connaissances, savoir *m*; **without my ~** à mon insu • **knowledgeable** *adj* bien informé(e)

known [nəʊn] *pp of* **know** ▶ *adj* (thief, facts) notoire; (expert) célèbre

knuckle ['nʌkl] *n* articulation *f* (des phalanges), jointure *f*

koala [kəʊˈɑːlə] *n* (also: ~ **bear**) koala *m*

Koran [kɔˈrɑːn] *n* Coran *m*

Korea [kəˈrɪə] *n* Corée *f* • **Korean** *adj* coréen(ne) ▶ *n* Coréen(ne)

kosher ['kəʊʃəʳ] *adj* kascher *inv*

Kosovar, Kosovan ['kɔsəvɑːʳ, 'kɔsəvən] *adj* kosovar(e)

Kosovo ['kɔsəvəʊ] *n* Kosovo *m*

Kuwait [kuˈweɪt] *n* Koweït *m*

k

L *abbr* (BRIT Aut: = learner) signale un conducteur débutant

l. *abbr* (= litre) l

lab [læb] *n abbr* (= laboratory) labo *m*

label ['leɪbl] *n* étiquette *f*; (brand: of record) marque *f* ▶ *vt* étiqueter

labor *etc* ['leɪbəʳ] (US) *n* = **labour**

laboratory [ləˈbɒrətərɪ] *n* laboratoire *m*

Labor Day *n* (US, CANADA) fête *f* du travail (le premier lundi de septembre)

> **Labor Day** aux États-Unis et au Canada est fixé au premier lundi de septembre. Institué par le Congrès en 1894 après avoir été réclamé par les mouvements ouvriers pendant deux ans, il a perdu une grande partie de son caractère politique pour devenir un jour férié assez ordinaire et l'occasion de partir en long week-end avant la rentrée des classes.

labor union *n* (US) syndicat *m*

Labour ['leɪbəʳ] *n* (BRIT Pol: also: **the ~ Party**) le parti travailliste, les travaillistes *mpl*

labour, (US) **labor** ['leɪbəʳ] *n* (work) travail *m*; (workforce) main-d'œuvre *f* ▶ *vi*: **to ~ (at)** travailler dur (à), peiner (sur) ▶ *vt*: **to ~ a point** insister sur un point; **in ~** (Med) en travail • **labourer** • (US) **laborer** *n* manœuvre *m*; **farm labourer** ouvrier *m* agricole

lace [leɪs] *n* dentelle *f*; (of shoe etc) lacet *m* ▶ *vt* (shoe: also: **~ up**) lacer

lack [læk] *n* manque *m* ▶ *vt* manquer de; **through** or **for ~ of** faute de, par manque de; **to be ~ing** manquer, faire défaut; **to be ~ing in** manquer de

lacquer ['lækəʳ] *n* laque *f*

lacy ['leɪsɪ] *adj* (made of lace) en dentelle; (like lace) comme de la dentelle

lad [læd] *n* garçon *m*, gars *m*

ladder ['lædəʳ] *n* échelle *f*; (BRIT: in tights) maille filée ▶ *vt*, *vi* (BRIT: tights) filer

ladle ['leɪdl] *n* louche *f*

lady ['leɪdɪ] *n* dame *f*; **"ladies and gentlemen …"** "Mesdames (et) Messieurs …"; **young ~** jeune fille *f*; (married) jeune femme *f*; **the ladies' (room)** les toilettes *fpl* des dames • **ladybird** • (US) **ladybug** *n* coccinelle *f*

lag [læg] *n* retard *m* ▶ *vi* (also: **~ behind**) rester en arrière, traîner; (fig) rester à la traîne ▶ *vt* (pipes) calorifuger

lager ['lɑːgəʳ] *n* bière blonde

lagoon [ləˈguːn] *n* lagune *f*

laid [leɪd] *pt*, *pp of* **lay** • **laid back** *adj* (inf) relaxe, décontracté(e)

lain [leɪn] *pp of* **lie**

lake [leɪk] *n* lac *m*

lamb [læm] *n* agneau *m*

lame [leɪm] *adj* (also fig) boiteux(-euse)

lament [lə'mɛnt] n lamentation f
▶ vt pleurer, se lamenter sur

laminator ['læmɪneɪtə'] n
plastifieuse f

lamp [læmp] n lampe f
• **lamppost** n (BRIT) réverbère m
• **lampshade** n abat-jour m inv

land [lænd] n (as opposed to sea)
terre f (ferme); (country) pays m;
(soil) terre; (piece of land) terrain m;
(estate) terre(s), domaine(s) m(pl)
▶ vi (from ship) débarquer; (Aviat)
atterrir; (fig: fall) (re)tomber ▶ vt
(passengers, goods) débarquer;
(obtain) décrocher; **to ~ sb with
sth** (inf) coller qch à qn • **landing**
n (from ship) débarquement m;
(Aviat) atterrissage m; (of staircase)
palier m • **landing card** n carte f
de débarquement • **landlady** n
propriétaire f, logeuse f; (of pub)
patronne f • **landline** n ligne f fixe
• **landlord** n propriétaire m,
logeur m; (of pub etc) patron m
• **landmark** n (point m de) repère
m; **to be a landmark** (fig) faire
date or époque • **landowner** n
propriétaire foncier or terrien
• **landscape** n paysage m
• **landslide** n (Geo) glissement m
(de terrain); (fig: Pol) raz-de-marée
(électoral)

lane [leɪn] n (in country) chemin m;
(Aut: of road) voie f; (: line of traffic)
file f; (in race) couloir m

language ['læŋgwɪdʒ] n langue
f; (way one speaks) langage m;
what ~s do you speak? quelles
langues parlez-vous?; **bad ~**
grossièretés fpl, langage grossier
• **language laboratory** n
laboratoire m de langues
• **language school** n école f de
langue

lantern ['læntn] n lanterne f

lap [læp] n (of track) tour m (de
piste); (of body): **in** or **on one's ~**
sur les genoux ▶ vt (also: ~ **up**)
laper ▶ vi (waves) clapoter

lapel [lə'pɛl] n revers m

lapse [læps] n défaillance f; (in
behaviour) écart m (de conduite)
▶ vi (Law) cesser d'être en vigueur;
(contract) expirer; **to ~ into bad
habits** prendre de mauvaises
habitudes; **~ of time** laps m de
temps, intervalle m

laptop (computer) ['læptɔp-] n
(ordinateur m) portable m

lard [lɑːd] n saindoux m

larder ['lɑːdə'] n garde-manger
m inv

large [lɑːdʒ] adj grand(e); (person,
animal) gros (grosse); **at ~** (free) en
liberté; (generally) en général; pour
la plupart; see also **by** • **largely**
adv en grande partie; (principally)
surtout • **large-scale** adj (map,
drawing etc) à grande échelle; (fig)
important(e)

lark [lɑːk] n (bird) alouette f; (joke)
blague f, farce f

larrikin ['lærɪkɪn] n (AUST, NZ inf)
fripon m (inf)

laryngitis [lærɪn'dʒaɪtɪs] n
laryngite f

lasagne [lə'zænjə] n lasagne f

laser ['leɪzə'] n laser m • **laser
printer** n imprimante f laser

lash [læʃ] n coup m de fouet; (also:
eye~) cil m ▶ vt fouetter; (tie)
attacher • **lash out** vi: **to ~ out
(at** or **against sb/sth)** attaquer
violemment (qn/qch)

lass [læs] n (BRIT) (jeune) fille f

last [lɑːst] adj dernier(-ière) ▶ adv
en dernier; (most recently) la
dernière fois; (finally) finalement
▶ vi durer; **~ week** la semaine

dernière; **~ night** (*evening*) hier soir; (*night*) la nuit dernière; **at ~** enfin; **• but one** avant-dernier(-ière) **• lastly** *adv* en dernier lieu, pour finir **• last-minute** *adj* de dernière minute

latch [lætʃ] *n* loquet *m* **• latch onto** *vt fus* (*cling to: person, group*) s'accrocher à; (*: idea*) se mettre en tête

late [leɪt] *adj* (*not on time*) en retard; (*far on in day etc*) tardif(-ive); (*: edition, delivery*) dernier(-ière); (*dead*) défunt(e) ▶ *adv* tard; (*behind time, schedule*) en retard; **to be 10 minutes ~** avoir 10 minutes de retard; **sorry I'm ~** désolé d'être en retard; **it's too ~** il est trop tard; **of ~** dernièrement; **in ~ May** vers la fin (du mois) de mai, fin mai; **the ~ Mr X** feu M. X. **• latecomer** *n* retardataire *m/f* **• lately** *adv* récemment **• later** *adj* (*date etc*) ultérieur(e); (*version etc*) plus récent(e) ▶ *adv* plus tard **• latest** ['leɪtɪst] *adj* tout(e) dernier(-ière); **at the latest** au plus tard

lather ['lɑːðə^r] *n* mousse *f* (de savon) ▶ *vt* savonner

Latin ['lætɪn] *n* latin *m* ▶ *adj* latin(e) **• Latin America** *n* Amérique latine **• Latin American** *adj* latino-américain(e), d'Amérique latine ▶ *n* Latino-Américain(e)

latitude ['lætɪtjuːd] *n* (*also fig*) latitude *f*

latter ['lætə^r] *adj* deuxième, dernier(-ière) ▶ *n*: **the ~** ce dernier, celui-ci

laugh [lɑːf] *n* rire *m* ▶ *vi* rire; **(to do sth) for a ~** (faire qch) pour rire **• laugh at** *vt fus* se moquer de;

(*joke*) rire de **• laughter** *n* rire *m*; (*of several people*) rires *mpl*

launch [lɔːntʃ] *n* lancement *m*; (*also:* **motor ~**) vedette *f* ▶ *vt* (*ship, rocket, plan*) lancer **• launch into** *vt fus* se lancer dans

launder ['lɔːndə^r] *vt* laver; (*fig: money*) blanchir

Launderette® [lɔːn'drɛt], (*US*) **Laundromat®** ['lɔːndrəmæt] *n* laverie *f* (automatique)

laundry ['lɔːndrɪ] *n* (*clothes*) linge *m*; (*business*) blanchisserie *f*; (*room*) buanderie *f*; **to do the ~** faire la lessive

lava ['lɑːvə] *n* lave *f*

lavatory ['lævətərɪ] *n* toilettes *fpl*

lavender ['lævəndə^r] *n* lavande *f*

lavish ['lævɪʃ] *adj* (*amount*) copieux(-euse); (*person: giving freely*): **~ with** prodigue de ▶ *vt*: **to ~ sth on sb** prodiguer qch à qn; (*money*) dépenser qch sans compter pour qn

law [lɔː] *n* loi *f*; (*science*) droit *m* **• lawful** *adj* légal(e), permis(e) **• lawless** *adj* (*action*) illégal(e); (*place*) sans loi

lawn [lɔːn] *n* pelouse *f* **• lawnmower** *n* tondeuse *f* à gazon

lawsuit ['lɔːsuːt] *n* procès *m*

lawyer ['lɔːjə^r] *n* (*consultant, with company*) juriste *m*; (*for sales, wills etc*) ≈ notaire *m*; (*partner, in court*) ≈ avocat *m*

lax [læks] *adj* relâché(e)

laxative ['læksətɪv] *n* laxatif *m*

lay [leɪ] *pt of* **lie** ▶ *adj* laïque; (*not expert*) profane ▶ *vt* (*pt, pp* **laid**) poser; (*eggs*) pondre; (*trap*) tendre; (*plans*) élaborer; **to ~ the table** mettre la table **• lay down**

vt poser; (*rules etc*) établir; **to ~ down the law** (*fig*) faire la loi
• **lay off** vt (*workers*) licencier
• **lay on** vt (*provide: meal etc*) fournir • **lay out** vt (*design*) dessiner, concevoir; (*display*) disposer; (*spend*) dépenser
• **lay-by** n (BRIT) aire f de stationnement (sur le bas-côté)

layer ['leɪə'] n couche f

layman ['leɪmən] (*irreg*) n (*Rel*) laïque m; (*non-expert*) profane m

layout ['leɪaut] n disposition f, plan m, agencement m; (*Press*) mise f en page

lazy ['leɪzɪ] adj paresseux(-euse)

lb. abbr (*weight*) = **pound**

lead[1] [li:d] (*pt, pp* **led**) n (*front position*) tête f; (*distance, time ahead*) avance f; (*clue*) piste f; (*Elec*) fil m; (*for dog*) laisse f; (*Theat*) rôle principal ▶ vt (*guide*) mener, conduire; (*be leader of*) être à la tête de ▶ vi (*Sport*) mener, être en tête; **to ~ to** (*road, pipe*) mener à, conduire à; (*result in*) conduire à; aboutir à; **to be in the ~** (*Sport: in race*) mener, être en tête; (*in match*) mener (à la marque); **to ~ sb to do sth** amener qn à faire qch; **to ~ the way** montrer le chemin • **lead up to** vt conduire à; (*in conversation*) en venir à

lead[2] [lɛd] n (*metal*) plomb m; (*in pencil*) mine f

leader ['li:də'] n (*of team*) chef m; (*of party etc*) dirigeant(e), leader m; (*Sport: in league*) leader; (*: in race*) coureur m de tête • **leadership** n (*position*) direction f; **under the leadership of ...** sous la direction de ...; **qualities of leadership** qualités fpl de chef ou de meneur

lead-free ['lɛdfri:] adj sans plomb

leading ['li:dɪŋ] adj de premier plan; (*main*) principal(e); (*in race*) de tête

lead singer [li:d-] n (*in pop group*) (chanteur m) vedette f

leaf (*pl* **leaves**) [li:f, li:vz] n feuille f; (*of table*) rallonge f; **to turn over a new ~** (*fig*) changer de conduite ou d'existence • **leaf through** vt (*book*) feuilleter

leaflet ['li:flɪt] n prospectus m, brochure f; (*Pol, Rel*) tract m • **leafleting** n (*for company*) distribution f de prospectus; (*for political party*) tractage m

leak [li:k] n (*lit, fig*) fuite f ▶ vi (*pipe, liquid etc*) fuir; (*shoes*) prendre l'eau; (*ship*) faire eau ▶ vt (*liquid*) répandre; (*information*) divulguer

lean [li:n] (*pt, pp* **leaned** or **leant**) adj maigre ▶ vt: **to ~ sth on** appuyer qch sur ▶ vi (*slope*) pencher; (*rest*): **to ~ against** s'appuyer contre; être appuyé(e) contre; **to ~ on** s'appuyer sur • **lean forward** vi se pencher en avant • **lean over** vi se pencher • **leaning** n: **leaning (towards)** penchant m (pour)

leant [lɛnt] pt, pp of **lean**

leap [li:p] (*pt, pp* **leaped** or **leapt**) n bond m, saut m ▶ vi bondir, sauter

leapt [lɛpt] pt, pp of **leap**

leap year n année f bissextile

learn [lə:n] (*pt, pp* **learned** or **learnt**) vt, vi apprendre; **to ~ (how) to do sth** apprendre à faire qch; **to ~ about sth** (*Scol*) étudier qch; (*hear, read*) apprendre qch • **learner** n débutant(e); (BRIT: also: **learner driver**) (conducteur(-trice)) • **learning** n savoir m

learnt [lɜːnt] pp of **learn**

lease [liːs] n bail m ▶ vt louer à bail

leash [liːʃ] n laisse f

least [liːst] adj: **the ~** (+ noun) le (la) plus petit(e), le (la) moindre; (smallest amount of) le moins de ▶ pron: **(the) ~** le moins ▶ adv (+ verb) le moins; (+ adj): **the ~** le (la) moins; **the ~ money** le moins d'argent; **the ~ expensive** le (la) moins cher (chère) **the ~ possible effort** le moins d'effort possible; **at ~** au moins; (or rather) du moins; **you could at ~ have written** tu aurais au moins pu écrire; **not in the ~** pas le moins du monde

leather [ˈlɛðər] n cuir m

leave [liːv] (pt, pp **left**) vt laisser; (go away from) quitter; (forget) oublier ▶ vi partir, s'en aller ▶ n (time off) congé m; (Mil, also consent) permission f; **what time does the train/bus ~?** le train/le bus part à quelle heure?; **to ~ sth to sb** (money etc) laisser qch à qn; **to be left** rester; **there's some milk left over** il reste du lait; **~ it to me!** laissez-moi faire!, je m'en occupe!; **on ~** en permission • **leave behind** vt (also fig) laisser; (forget) laisser, oublier • **leave out** vt oublier, omettre • **leaver** n (BRIT: from EU) partisan de la sortie de l'Union européenne

leaves [liːvz] npl of **leaf**

Lebanon [ˈlɛbənən] n Liban m

lecture [ˈlɛktʃər] n conférence f; (Scol) cours (magistral) ▶ vi donner des cours; enseigner ▶ vt

(scold) sermonner, réprimander; **to give a ~ (on)** faire une conférence (sur), faire un cours (sur) • **lecture hall** n amphithéâtre m • **lecturer** n (speaker) conférencier(-ière); (BRIT: at university) professeur m/f (d'université), prof m/f de fac (inf) • **lecture theatre** n = **lecture hall**

⚠ Be careful not to translate lecture by the French word lecture.

led [lɛd] pt, pp of **lead**[1]

ledge [lɛdʒ] n (of window, on wall) rebord m; (of mountain) saillie f, corniche f

leek [liːk] n poireau m

left [lɛft] pt, pp of **leave** ▶ adj gauche ▶ adv à gauche ▶ n gauche f; **there are two ~** il en reste deux; **on the ~, to the ~** à gauche; **the L~** (Pol) la gauche • **left-hand** adj: **the left-hand side** la gauche, le côté gauche • **left-hand drive** n (vehicle) véhicule m avec la conduite à gauche • **left-handed** adj gaucher(-ère); (scissors etc) pour gauchers • **left-luggage locker** n (BRIT) (casier m à) consigne f automatique • **left-luggage (office)** n (BRIT) consigne f • **left-overs** npl restes mpl • **left-wing** adj (Pol) de gauche

leg [lɛg] n jambe f; (of animal) patte f; (of furniture) pied m; (Culin: of chicken) cuisse f; (of journey) étape f; **1st/2nd ~** (Sport) match m aller/ retour; **~ of lamb** (Culin) gigot m d'agneau

legacy [ˈlɛgəsɪ] n (also fig) héritage m, legs m

legal [ˈliːgl] adj (permitted by law) légal(e); (relating to law) juridique • **legal holiday** (US) n jour férié

• **legalize** vt légaliser • **legally**
adv légalement

legend ['lɛdʒənd] n légende f
• **legendary** ['lɛdʒəndərɪ] adj
légendaire

leggings ['lɛgɪŋz] npl caleçon m

legible ['lɛdʒəbl] adj lisible

legislation [lɛdʒɪs'leɪʃən] n
législation f

legislative ['lɛdʒɪslətɪv] adj
législatif(-ive)

legitimate [lɪ'dʒɪtɪmət] adj
légitime

leisure ['lɛʒə*] n (free time) temps
libre, loisirs mpl; **at** ~ (tout) à
loisir; **at your** ~ (later) à tête
reposée • **leisure centre** n (BRIT)
centre m de loisirs • **leisurely** adj
tranquille, fait(e) sans se presser

lemon ['lɛmən] n citron m
• **lemonade** n (fizzy) limonade f
• **lemon tea** n thé m au citron

lend [lɛnd] (pt, pp **lent**) vt: **to**
~ **sth (to sb)** prêter qch (à qn);
could you ~ **me some money?**
pourriez-vous me prêter de l'argent?

length [lɛŋθ] n longueur f;
(section: of road, pipe etc) morceau
m, bout m; ~ **of time** durée f; **it is**
2 metres ~ cela fait 2 mètres de
long; **at** ~ (at last) enfin, à la fin;
(lengthily) longuement
• **lengthen** vt allonger, prolonger
▶ vi s'allonger • **lengthways** adv
dans le sens de la longueur, en
long • **lengthy** adj (très) long
(longue)

lens [lɛnz] n lentille f; (of
spectacles) verre m; (of camera)
objectif m

Lent [lɛnt] n carême m

lent [lɛnt] pt, pp of **lend**

lentil ['lɛntl] n lentille f

Leo ['liːəu] n le Lion

leopard ['lɛpəd] n léopard m

leotard ['liːətɑːd] n justaucorps m

leprosy ['lɛprəsɪ] n lèpre f

lesbian ['lɛzbɪən] n lesbienne f
▶ adj lesbien(ne)

less [lɛs] adj moins de ▶ pron, adv
moins ▶ prep: ~ **tax/10%**
discount avant impôt/moins
10% de remise; ~ **than that/you**
moins que cela/vous; ~ **than half**
moins de la moitié; ~ **than ever**
moins que jamais; ~ **and** ~ de
moins en moins; **the** ~ **he**
works ... moins il travaille ...
• **lessen** vi diminuer, s'amoindrir,
s'atténuer ▶ vt diminuer, réduire,
atténuer • **lesser** ['lɛsə*] adj
moindre; **to a lesser extent** or
degree à un degré moindre

lesson ['lɛsn] n leçon f; **to teach**
sb a ~ (fig) donner une bonne
leçon à qn

let [lɛt] (pt, pp **let**) vt laisser; (BRIT:
lease) louer; **to** ~ **sb do sth** laisser
qn faire qch; **to** ~ **sb know sth**
faire savoir qch à qn, prévenir qn
de qch; **to** ~ **go** lâcher prise; **to**
~ **go of sth, to** ~ **sth go** lâcher
qch; ~**'s go** allons-y; ~ **him come**
qu'il vienne; **"to** ~**" (BRIT) "à louer"
• **let down** vt (lower) baisser;
(BRIT: tyre) dégonfler; (disappoint)
décevoir • **let in** vt laisser entrer;
(visitor etc) faire entrer • **let off** vt
(allow to leave) laisser partir; (not
punish) ne pas punir; (firework etc)
faire partir; (bomb) faire exploser
• **let out** vt laisser sortir; (scream)
laisser échapper; (BRIT: rent out)
louer

lethal ['liːθl] adj mortel(le),
fatal(e); (weapon) meurtrier(-ère)

letter ['lɛtə*] n lettre f • **letterbox**
n (BRIT) boîte f aux or à lettres

lettuce ['lɛtɪs] n laitue f, salade f
leukaemia, (us) **leukemia** [lu:'ki:mɪə] n leucémie f
level ['lɛvl] adj (flat) plat(e), plan(e), uni(e); (horizontal) horizontal(e) ▶ n niveau m ▶ vt niveler, aplanir; **A ~s** npl (BRIT) ≈ baccalauréat m; **to be ~ with** être au même niveau que; **to draw ~ with** (runner, car) arriver à la hauteur de, rattraper; **on the ~** (fig: honest) régulier(-ière) • **level crossing** n (BRIT) passage m à niveau
lever ['li:və'] n levier m • **leverage** n (influence): **leverage (on** or **with)** prise f (sur)
levy ['lɛvɪ] n taxe f, impôt m ▶ vt (tax) lever; (fine) infliger
liability [laɪə'bɪlɪtɪ] n responsabilité f; (handicap) handicap m
liable ['laɪəbl] adj (subject): **~ to** sujet(te) à, passible de; (responsible): **~ (for)** responsable (de); (likely): **~ to do** susceptible de faire
liaise [li:'eɪz] vi: **to ~ with** assurer la liaison avec
liar ['laɪə'] n menteur(-euse)
libel ['laɪbl] n diffamation f; (document) écrit m diffamatoire ▶ vt diffamer
liberal ['lɪbərl] adj libéral(e); (generous): **~ with** prodigue de, généreux(-euse) avec ▶ n: **L~** (Pol) libéral(e) • **Liberal Democrat** n (BRIT) libéral(e)-démocrate m/f
liberate ['lɪbəreɪt] vt libérer
liberation [lɪbə'reɪʃən] n libération f
liberty ['lɪbətɪ] n liberté f; **to be at ~** (criminal) être en liberté; **at ~ to do** libre de faire; **to take the**

~ of prendre la liberté de, se permettre de
Libra ['li:brə] n la Balance
librarian [laɪ'brɛərɪən] n bibliothécaire m/f
library ['laɪbrərɪ] n bibliothèque f

⚠ Be careful not to translate library by the French word librairie.

Libya ['lɪbɪə] n Libye f
lice [laɪs] npl of **louse**
licence, (us) **license** ['laɪsns] n autorisation f, permis m; (Comm) licence f; (Radio, TV) redevance f; **driving ~**, (us) **driver's license** permis m (de conduire)
license ['laɪsns] n (us) = **licence**
• **licensed** adj (for alcohol) patenté(e) pour la vente des spiritueux, qui a une patente de débit de boissons; (car) muni(e) de la vignette • **license plate** n (us Aut) plaque f minéralogique
• **licensing hours** (BRIT) npl heures fpl d'ouvertures (des pubs)
lick [lɪk] vt lécher; (inf: defeat) écraser, flanquer une piquette or raclée à; **to ~ one's lips** (fig) se frotter les mains
lid [lɪd] n couvercle m; (eyelid) paupière f
lie [laɪ] n mensonge m ▶ vi (pt, pp **lied**) (tell lies) mentir; (pt, **lay**, pp **lain**) (rest) être étendu(e) or allongé(e) or couché(e); (object: be situated) se trouver, être; **to ~ low** (fig) se cacher, rester caché(e); **to tell ~s** mentir • **lie about** • **lie around** vi (things) traîner; (BRIT: person) traînasser, flemmarder • **lie down** vi se coucher, s'étendre
Liechtenstein ['lɪktənstaɪn] n Liechtenstein m

609

likely

lie-in ['laɪɪn] n (BRIT): **to have a ~** faire la grasse matinée

lieutenant [lef'tenənt, US luː'tenənt] n lieutenant m

life (pl **lives**) [laɪf, laɪvz] n vie f; **to come to ~** (fig) s'animer • **life assurance** n (BRIT) = **life insurance** • **lifeboat** n canot m or chaloupe f de sauvetage • **lifeguard** n surveillant m de baignade • **life insurance** n assurance-vie f • **life jacket** n gilet m or ceinture f de sauvetage • **lifelike** adj qui semble vrai(e) or vivant(e), ressemblant(e); (painting) réaliste • **life preserver** n (US) gilet m or ceinture f de sauvetage • **life sentence** n condamnation f à vie or à perpétuité • **lifestyle** n style m de vie • **lifetime** n: **in his lifetime** de son vivant

lift [lɪft] vt soulever, lever; (end) supprimer, lever ▶ vi (fog) se lever ▶ n (BRIT: elevator) ascenseur m; **to give sb a ~** (BRIT) emmener or prendre qn en voiture; **can you give me a ~ to the station?** pouvez-vous m'emmener à la gare? • **lift up** vt soulever • **lift-off** n décollage m

light [laɪt] n lumière f; (lamp) lampe f; (Aut: rear light) feu m; (: headlamp) phare m; (for cigarette etc): **have you got a ~?** avez-vous du feu? ▶ vt (pt, pp **lit**) (candle, cigarette, fire) allumer; (room) éclairer ▶ adj (room, colour) clair(e); (not heavy, also fig) léger(-ère); (not strenuous) peu fatigant(e); **lights** npl (traffic lights) feux mpl; **to come to ~** être dévoilé(e) or découvert(e); **in the ~ of** à la lumière de; étant donné • **light up** vi s'allumer; (face) s'éclairer;

(smoke) allumer une cigarette or une pipe etc ▶ vt (illuminate) éclairer, illuminer • **light bulb** n ampoule f • **lighten** vt (light up) éclairer; (make lighter) éclaircir; (make less heavy) alléger • **lighter** n (also: **cigarette lighter**) briquet m • **light-hearted** adj gai(e), joyeux(-euse), enjoué(e) • **lighthouse** n phare m • **lighting** n éclairage m; (in theatre) éclairages • **lightly** adv légèrement; **to get off lightly** s'en tirer à bon compte

lightning ['laɪtnɪŋ] n foudre f; (flash) éclair m

lightweight ['laɪtweɪt] adj (suit) léger(-ère) ▶ n (Boxing) poids léger

like [laɪk] vt aimer (bien) ▶ prep comme ▶ adj semblable, pareil(le) ▶ n: **the ~** (pej) (d')autres du même genre or acabit; **his ~s and dislikes** ses goûts mpl or préférences fpl; **I would ~, I'd ~** je voudrais, j'aimerais; **would you ~ a coffee?** voulez-vous du café?; **to be/look ~ sb/sth** ressembler à qn/qch; **what's he ~?** comment est-il?; **what does it look ~?** de quoi est-ce que ça a l'air?; **what does it taste ~?** quel goût est-ce que ça a?; **that's just ~ him** c'est bien de lui, ça lui ressemble; **do it ~ this** fais-le comme ceci; **it's nothing ~ ...** ce n'est pas du tout comme ... • **likeable** adj sympathique, agréable

likelihood ['laɪklɪhʊd] n probabilité f

likely ['laɪklɪ] adj (result, outcome) probable; (excuse) plausible; **he's ~ to leave** il va sûrement partir, il risque fort de partir; **not ~!** (inf) pas de danger!

likewise ['laɪkwaɪz] *adv* de même, pareillement

liking ['laɪkɪŋ] *n (for person)* affection *f*; *(for thing)* penchant *m*, goût *m*; **to be to sb's ~** être au goût de qn, plaire à qn

lilac ['laɪlæk] *n* lilas *m*

Lilo® ['laɪləu] *n* matelas *m* pneumatique

lily ['lɪlɪ] *n* lis *m*; **~ of the valley** muguet *m*

limb [lɪm] *n* membre *m*

limbo ['lɪmbəu] *n*: **to be in ~** *(fig)* être tombé(e) dans l'oubli

lime [laɪm] *n (tree)* tilleul *m*; *(fruit)* citron vert, lime *f*; *(Geo)* chaux *f*

limelight ['laɪmlaɪt] *n*: **in the ~** *(fig)* en vedette, au premier plan

limestone ['laɪmstəun] *n* pierre *f* à chaux; *(Geo)* calcaire *m*

limit ['lɪmɪt] *n* limite *f* ▸ *vt* limiter • **limited** *adj* limité(e), restreint(e); **to be limited to** se limiter à, ne concerner que

limousine ['lɪməzi:n] *n* limousine *f*

limp [lɪmp] *n*: **to have a ~** boiter ▸ *vi* boiter ▸ *adj* mou (molle)

line [laɪn] *n (gen)* ligne *f*; *(stroke)* trait *m*; *(wrinkle)* ride *f*; *(rope)* corde *f*; *(wire)* fil *m*; *(of person)* vers *m*; *(row, series)* rangée *f*; *(of people)* file *f*; *(railway track)* voie *f*; *(Comm: series of goods)* article(s) *m(pl)*, ligne de produits; *(work)* métier *m* ▸ *vt (subj: trees, crowd)* border; **to ~ (with)** *(clothes)* doubler (de); *(box)* garnir or tapisser (de); **to stand in ~** *(us)* faire la queue; **in ~ with** en accord avec, en conformité

avec; **in a ~** aligné(e) • **line up** *vi* s'aligner, se mettre en rang(s); *(in queue)* faire la queue ▸ *vt* aligner; *(event)* prévoir; *(find)* trouver; **to have sb/sth ~d up** avoir qn/qch en vue or de prévu(e)

linear ['lɪnɪər] *adj* linéaire

linen ['lɪnɪn] *n* linge *m* (de corps or de maison); *(cloth)* lin *m*

liner ['laɪnər] *n (ship)* paquebot *m* de ligne; *(for bin)* sac-poubelle *m*

line-up ['laɪnʌp] *n (us: queue)* file *f*; *(also:* **police ~**) parade *f* d'identification; *(Sport)* (composition *f* de l')équipe *f*

linger ['lɪŋgər] *vi* s'attarder; traîner; *(smell, tradition)* persister

lingerie ['lænʒəri:] *n* lingerie *f*

linguist ['lɪŋgwɪst] *n* linguiste *m/f*; **to be a good ~** être doué(e) pour les langues • **linguistic** *adj* linguistique

lining ['laɪnɪŋ] *n* doublure *f*; *(of brakes)* garniture *f*

link [lɪŋk] *n (connection)* lien *m*, rapport *m*; *(Internet)* lien; *(of a chain)* maillon *m* ▸ *vt* relier, lier, unir; **links** *npl (Golf)* (terrain *m* de) golf *m* • **link up** *vt* relier ▸ *vi (people)* se rejoindre; *(companies etc)* s'associer

lion ['laɪən] *n* lion *m* • **lioness** lionne *f*

lip [lɪp] *n* lèvre *f*; *(of cup etc)* rebord *m* • **lip-read** *vi (irreg: like* **read**) lire sur les lèvres • **lip salve** [-sælv] *n* pommade *f* pour les lèvres, pommade rosat • **lipstick** *n* rouge *m* à lèvres

liqueur [lɪ'kjuər] *n* liqueur *f*

liquid ['lɪkwɪd] *n* liquide *m* ▸ *adj* liquide • **liquidizer** ['lɪkwɪdaɪzər] *n (BRIT Culin)* mixer *m*

liquor ['lıkər] n spiritueux m, alcool m • **liquor store** (US) n magasin m de vins et spiritueux

Lisbon ['lızbən] n Lisbonne

lisp [lısp] n zézaiement m ▸ vi zézayer

list [lıst] n liste f ▸ vt (write down) inscrire; (make list of) faire la liste de; (enumerate) énumérer

listen ['lısn] vi écouter; **to ~ to** écouter • **listener** n auditeur(-trice)

lit [lıt] pt, pp of **light**

liter ['li:tər] n (US) = **litre**

literacy ['lıtərəsı] n degré m d'alphabétisation, fait m de savoir lire et écrire; (BRIT Scol) enseignement m de la lecture et de l'écriture

literal ['lıtərl] adj littéral(e) • **literally** adv littéralement; (really) réellement

literary ['lıtərərı] adj littéraire

literate ['lıtərət] adj qui sait lire et écrire; (educated) instruit(e)

literature ['lıtrıtʃər] n littérature f; (brochures etc) copie f publicitaire

litre, (US) **liter** ['li:tər] n litre m

litter ['lıtər] n (rubbish) détritus mpl; (dirtier) ordures fpl; (young animals) portée f • **litter bin** n (BRIT) poubelle f

little ['lıtl] adj (small) petit(e); (not much): ~ **milk** peu de lait ▸ adv peu; **a** ~ un peu (de); **a** ~ **milk** un peu de lait; **a** ~ **bit** un peu, ~ **by** ~ petit à petit, peu à peu • **little finger** n auriculaire m, petit doigt

live¹ [laıv] adj (animal) vivant(e), en vie; (wire) sous tension; (broadcast) (transmis(e)) en direct; (unexploded) non explosé(e)

live² [lıv] vi vivre; (reside) vivre, habiter; **to ~ in London** habiter (à) Londres; **where do you ~?** où habitez-vous? • **live together** vi vivre ensemble, cohabiter • **live up to** vt fus se montrer à la hauteur de

liveblog ['laıvblɒg] n blog m en direct ▸ vt, vi bloguer en direct

livelihood ['laıvlıhud] n moyens mpl d'existence

lively ['laıvlı] adj vif (vive), plein(e) d'entrain; (place, book) vivant(e)

liven up ['laıvn-] vt (room etc) égayer; (discussion, evening) animer ▸ vi s'animer

liver ['lıvər] n foie m

lives [laıvz] npl of **life**

livestock ['laıvstɒk] n cheptel m, bétail m

livestream ['laıvstri:m] n diffusion f en direct sur Internet ▸ vt diffuser en direct sur Internet

living ['lıvıŋ] adj vivant(e), en vie ▸ n: **to earn** or **make a** ~ gagner sa vie • **living room** n salle f de séjour

lizard ['lızəd] n lézard m

load [ləud] n (weight) poids m; (thing carried) chargement m, charge f; (Elec, Tech) charge f ▸ vt charger; (also: ~ **up**): **to** ~ (**with**) (lorry, ship) charger (de); (gun, camera) charger (avec); **a** ~ **of**, ~**s of** (fig) un or des tas de, des masses de; **to talk a** ~ **of rubbish** (inf) dire des bêtises • **loaded** adj (dice) pipé(e); (question) insidieux(-euse); (inf: rich) bourré(e) de fric

loaf (pl **loaves**) [ləuf, ləuvz] n pain m, miche f ▸ vi (also: ~ **about**, ~ **around**) fainéanter, traîner

loan [ləʊn] n prêt m ▸ vt prêter; **on ~** prêté(e), en prêt

loathe [ləʊð] vt détester, avoir en horreur

loaves [ləʊvz] npl of **loaf**

lobby ['lɔbɪ] n hall m, entrée f; (Pol) groupe m de pression, lobby m ▸ vt faire pression sur

lobster ['lɔbstər] n homard m

local ['ləʊkl] adj local(e) ▸ n (BRIT: pub) pub m or café m du coin; **the locals** npl les gens mpl du pays or du coin • **local anaesthetic** • (US) **local anesthetic** n anesthésie locale • **local authority** n collectivité locale, municipalité f • **local government** n administration locale or municipale • **locally** ['ləʊkəlɪ] adv localement; dans les environs or la région

locate [ləʊ'keɪt] vt (find) trouver, repérer; (situate) situer; **to be ~d in** être situé e or en

location [ləʊ'keɪʃən] n emplacement m; **on ~** (Cine) en extérieur

⚠️ Be careful not to translate location by the French word location.

loch [lɔx] n lac m, loch m

lock [lɔk] n (of door, box) serrure f; (of canal) écluse f; (of hair) mèche f, boucle f ▸ vt (with key) fermer à clé ▸ vi (door etc) fermer à clé; (wheels) se bloquer • **lock in** vt enfermer • **lock out** vt enfermer dehors; (on purpose) mettre à la porte • **lock up** vt (person) enfermer; (house) fermer à clé ▸ vi tout fermer (à clé)

locker ['lɔkər] n casier m; (in station) consigne f automatique

• **locker-room** ['lɔkərruːm] (US) n (Sport) vestiaire m

locksmith ['lɔksmɪθ] n serrurier m

locomotive [ləʊkə'məʊtɪv] n locomotive f

locum ['ləʊkəm] n (Med) suppléant(e) de médecin etc

lodge [lɔdʒ] n pavillon m (de gardien); (also: **hunting ~**) pavillon de chasse ▸ vi (person): **to ~ with** être logé(e) chez, être en pension chez; (bullet) se loger ▸ vt (appeal etc) présenter; déposer; **to ~ a complaint** porter plainte • **lodger** n locataire m/f; (with room and meals) pensionnaire m/f

lodging ['lɔdʒɪŋ] n logement m

loft [lɔft] n grenier m; (apartment) grenier aménagé en appartement (gén dans ancien entrepôt ou fabrique)

log [lɔg] n (of wood) bûche f; (Naut) livre m or journal m de bord; (of car) ≈ carte grise ▸ vt enregistrer • **log in**, **log on** vi (Comput) ouvrir une session, entrer dans le système • **log off**, **log out** vi (Comput) clore une session, sortir du système

logic ['lɔdʒɪk] n logique f • **logical** adj logique

login ['lɔgɪn] n (Comput) identifiant m

Loire [lwɑː] n: **the (River) ~** la Loire

lollipop ['lɔlɪpɔp] n sucette f • **lollipop man/lady** (irreg) (BRIT) n contractuel(le) qui fait traverser la rue aux enfants

lolly ['lɔlɪ] n (inf: ice) esquimau m; (: lollipop) sucette f

London ['lʌndən] n Londres • **Londoner** n Londonien(ne)

lone [ləʊn] adj solitaire

look

loneliness [ˈləʊnlɪnɪs] n solitude f, isolement m

lonely [ˈləʊnlɪ] adj seul(e); (childhood etc) solitaire; (place) solitaire, isolé(e)

long [lɒŋ] adj long (longue) ▶ adv longtemps ▶ vi: **to ~ for sth/to do sth** avoir très envie de qch/de faire qch, attendre qch avec impatience/attendre avec impatience de faire qch; **how ~ is this river/course?** quelle est la longueur de ce fleuve/la durée de ce cours?; **6 metres ~** (long) de 6 mètres; **6 months ~** qui dure 6 mois, de 6 mois; **all night ~** toute la nuit; **he ~er comes** il ne vient plus; **I can't stand it any ~er** je ne peux plus le supporter; **~ before** longtemps avant; **before ~** (+future) avant peu, dans peu de temps; (+past) peu de temps après; **don't be ~!** fais vite!, dépêche-toi!; **I shan't be ~** je n'en ai pas pour longtemps; **at ~ last** enfin; **so ~ as** = **as ~ as** à condition que + sub • **long-distance** adj (race) de fond; (call) interurbain(e) • **long-haul** adj (flight) long-courrier • **longing** n désir m, envie f; (nostalgia) nostalgie f ▶ adj plein(e) d'envie ou de nostalgie

longitude [ˈlɒŋɡɪtjuːd] n longitude f

long: • **long jump** n saut m en longueur • **long-life** adj (batteries etc) longue durée inv; (milk) longue conservation • **long-sighted** adj (BRIT) presbyte; (fig) prévoyant(e) • **long-standing** adj de longue date • **long-term** adj à long terme

loo [luː] n (BRIT inf) W.-C. mpl, petit coin

look [lʊk] vi regarder; (seem) sembler, paraître, avoir l'air; (building etc): **to ~ south/on to the sea** donner au sud/sur la mer ▶ n regard m; (appearance) air m, allure f, aspect m; **looks** npl (good looks) physique m, beauté f; **to ~ like** ressembler à; **to have a ~** regarder; **to have a ~ at sth** jeter un coup d'œil à qch; **~ (here)!** (annoyance) écoutez!; **look after** vt fus s'occuper de; (luggage etc: watch over) garder, surveiller • **look around** vi regarder autour de soi • **look at** vt fus regarder; (problem etc) examiner • **look back** vi: **to ~ back at sth/sb** se retourner pour regarder qch/qn; **to ~ back on** (event, period) évoquer, repenser à • **look down on** vt fus (fig) regarder de haut, dédaigner • **look for** vt fus chercher; **we're ~ing for a hotel/restaurant** nous cherchons un hôtel/restaurant • **look forward to** vt fus attendre avec impatience; **~ing forward to hearing from you** (in letter) dans l'attente de vous lire • **look into** vt fus (matter, possibility) examiner, étudier • **look on** vi regarder (en spectateur) • **look out** vi (beware): **to ~ out (for)** prendre garde (à), faire attention (à); **~ out!** attention! • **look out for** vt fus (seek) être à la recherche de; (try to spot) guetter • **look round** vt fus (house, shop) faire le tour de ▶ vi (turn) regarder derrière soi, se retourner • **look through** vt fus (papers, book) examiner; (: briefly) parcourir • **look up** vi lever les yeux; (improve) s'améliorer ▶ vt (word) chercher • **look up to** vt fus avoir du respect pour • **lookout** n (tower etc) poste m de guet;

(*person*) guetteur *m*; **to be on the lookout for** (*n*) guetter

loom [luːm] *vi* (*also*: **~ up**) surgir; (*event*) paraître imminent(e); (*threaten*) menacer

loony ['luːnɪ] *adj*, *n* (*inf*) timbré(e), cinglé(e) *m/f*

loop [luːp] *n* boucle *f* ▶ *vt*: **to ~ sth round sth** passer qch autour de qch • **loophole** *n* (*fig*) porte *f* de sortie; échappatoire *f*

loose [luːs] *adj* (*knot, screw*) desserré(e); (*clothes*) vague, ample, lâche; (*hair*) dénoué(e), épars(e); (*not firmly fixed*) pas solide; (*morals, discipline*) relâché(e); (*translation*) approximatif(-ive) ▶ *n*: **to be on the ~** être en liberté; **~ connection** (*Elec*) mauvais contact; **to be at a ~ end** *or* (*US*) **at ~ ends** (*fig*) ne pas trop savoir quoi faire • **loosely** *adv* sans serrer; (*imprecisely*) approximativement • **loosen** *vt* desserrer, relâcher, défaire

loot [luːt] *n* butin *m* ▶ *vt* piller

lop-sided ['lɔp'saɪdɪd] *adj* de travers, asymétrique

lord [lɔːd] *n* seigneur *m*; **L~ Smith** lord Smith; **the L~** (*Rel*) le Seigneur; **my L~** (*to noble*) Monsieur le comte/le baron; (*to judge*) Monsieur le juge; (*to bishop*) Monseigneur; **good L~!** mon Dieu! • **Lords** *npl* (*Brit Pol*): **the (House of) Lords** la Chambre des Lords

lorry ['lɔrɪ] *n* (*Brit*) camion *m* • **lorry driver** *n* (*Brit*) camionneur *m*, routier *m*

lose [luːz] (*pt*, *pp* **lost**) *vt* perdre ▶ *vi* perdre; **I've lost my wallet/passport** j'ai perdu mon portefeuille/passeport; **to**

~ (time) (*clock*) retarder • **lose out** *vi* être perdant(e) • **loser** *n* perdant(e)

loss [lɔs] *n* perte *f*; **to make a ~** enregistrer une perte; **to be at a ~** être perplexe *or* embarrassé(e)

lost [lɔst] *pt*, *pp* of **lose** ▶ *adj* perdu(e); **to get ~** vi se perdre; **I'm ~** je me suis perdu; **~ and found property** *n* (*US*) objets trouvés; **~ and found** *n* (*US*) (*bureau m des*) objets trouvés • **lost property** *n* (*Brit*) objets trouvés; **lost property office** *or* **department** (*bureau m des*) objets trouvés

lot [lɔt] *n* (*at auctions, set*) lot *m*; (*destiny*) sort *m*, destinée *f*; **the ~** (*everything*) le tout; (*everyone*) tous *mpl*, toutes *fpl*; **a ~** beaucoup; **a ~ of** beaucoup de; **~s of** des tas de; **to draw ~s (for sth)** tirer (qch) au sort

lotion ['ləʊʃən] *n* lotion *f*

lottery ['lɔtərɪ] *n* loterie *f*

loud [laʊd] *adj* bruyant(e), sonore; (*voice*) fort(e); (*condemnation etc*) vigoureux(-euse); (*gaudy*) voyant(e), tapageur(-euse) ▶ *adv* (*speak etc*) fort; **out ~** tout haut • **loudly** *adv* fort, bruyamment • **loudspeaker** *n* haut-parleur *m*

lounge [laʊndʒ] *n* salon *m*; (*of airport*) salle *f*; (*Brit*: *also*: **~ bar**) (salle de) café *m or* bar *m* ▶ *vi* (*also*: **~ about, ~ around**) se prélasser, paresser

louse (*pl* **lice**) [laʊs, laɪs] *n* pou *m*

lousy ['laʊzɪ] (*inf*) *adj* (*bad quality*) infect(e), moche; **I feel ~** je suis mal fichu(e)

love [lʌv] *n* amour *m* ▶ *vt* aimer; (*caringly, kindly*) aimer beaucoup;

I **~ chocolate** j'adore le chocolat; **to ~ to do** aimer beaucoup or adorer faire; **"15 ~"** (*Tennis*) 15 à rien or zéro"; **to be/fall in ~ with** être/tomber amoureux(-euse) de; **to make ~** faire l'amour; **~ from Anne, ~, Anne** affectueusement, Anne; **I ~ you** je t'aime • **love affair** n liaison (amoureuse) • **love life** n vie sentimentale

lovely ['lʌvlɪ] *adj* (*pretty*) ravissant(e); (*friend, wife*) charmant(e); (*holiday, surprise*) très agréable, merveilleux(-euse)

lover ['lʌvəʳ] n amant m; (*person in love*) amoureux(-euse); (*amateur*): **a ~ of** un(e) ami(e) de, un(e) amoureux(-euse) de

loving ['lʌvɪŋ] *adj* affectueux(-euse), tendre, aimant(e)

low [ləu] *adj* bas (basse); (*quality*) mauvais(e), inférieur(e) ▸ *adv* bas ▸ n (*Meteorology*) dépression f; **to feel ~** se sentir déprimé(e); **he's very ~** (*ill*) il est bien bas or très affaibli; **to turn (down) ~** vt baisser; **to be ~ on** (*supplies etc*) être à court de; **to reach a new** or **an all-time ~** tomber au niveau le plus bas • **low-alcohol** *adj* à faible teneur en alcool, peu alcoolisé(e) • **low-calorie** *adj* hypocalorique

lower ['ləuəʳ] *adj* inférieur(e) ▸ vt baisser; (*resistance*) diminuer; **to ~ o.s. to** s'abaisser à

low-fat ['ləu'fæt] *adj* maigre

loyal ['lɔɪəl] *adj* loyal(e), fidèle • **loyalty** n loyauté f, fidélité f • **loyalty card** n carte de fidélité

L-plates ['ɛlpleɪts] npl (BRIT) plaques fpl (obligatoires) d'apprenti conducteur

Lt *abbr* (= *lieutenant*) Lt.

Ltd *abbr* (*Comm*: = *limited*) ≈ SA

luck [lʌk] n chance f; **bad ~** malchance f, malheur m; **good ~!** bonne chance!; **bad** or **hard** or **tough ~!** pas de chance! • **luckily** *adv* heureusement, par bonheur • **lucky** *adj* (*person*) qui a de la chance; (*coincidence*) heureux(-euse); (*number etc*) qui porte bonheur

lucrative ['lu:krətɪv] *adj* lucratif(-ive), rentable, qui rapporte

ludicrous ['lu:dɪkrəs] *adj* ridicule, absurde

luggage ['lʌgɪdʒ] n bagages mpl; **our ~ hasn't arrived** nos bagages ne sont pas arrivés; **could you send someone to collect our ~?** pourriez-vous envoyer quelqu'un chercher nos bagages? • **luggage rack** n (*in train*) porte-bagages m inv; (*on car*) galerie f

lukewarm ['lu:kwɔ:m] *adj* tiède

lull [lʌl] n accalmie f; (*in conversation*) pause f ▸ vt: **to ~ sb to sleep** bercer qn pour qu'il s'endorme; **to be ~ed into a false sense of security** s'endormir dans une fausse sécurité

lullaby ['lʌləbaɪ] n berceuse f

lumber ['lʌmbəʳ] n (*wood*) bois m de charpente; (*junk*) bric-à-brac m inv ▸ vt (BRIT inf): **to ~ sb with sth/sb** coller or refiler qch/qn à qn

luminous ['lu:mɪnəs] *adj* lumineux(-euse)

lump [lʌmp] n morceau m; (*in sauce*) grumeau m; (*swelling*) grosseur f ▸ vt (*also*: **~ together**) réunir, mettre en tas • **lump sum** n somme globale or forfaitaire • **lumpy** *adj* (*sauce*) qui a des grumeaux; (*bed*) défoncé(e), peu confortable

lunatic ['luːnətɪk] n (!) fou (folle), dément(e) ▸ adj fou (folle), dément(e)

lunch [lʌntʃ] n déjeuner m ▸ vi déjeuner • **lunch break** • **lunch hour** n pause f de midi, heure f du déjeuner • **lunchtime** n: **it's lunchtime** c'est l'heure du déjeuner

lung [lʌŋ] n poumon m

lure [luə˞] n (attraction) attrait m, charme m; (in hunting) appât m, leurre m ▸ vt attirer or persuader par la ruse

lurk [ləːk] vi se tapir, se cacher

lush [lʌʃ] adj luxuriant(e)

lust [lʌst] n (sexual) désir (sexuel); (Rel) luxure f; (fig): ~ **for** soif f de

Luxembourg ['lʌksəmbəːg] n Luxembourg m

luxurious [lʌg'zjuəriəs] adj luxueux(-euse)

luxury ['lʌkʃəri] n luxe m ▸ cpd de luxe

Lycra® ['laɪkrə] n Lycra® m

lying ['laɪɪŋ] n mensonge(s) m(pl) ▸ adj (statement, story) mensonger(-ère), faux (fausse); (person) menteur(-euse)

Lyons ['ljɔ̃] n Lyon

lyrics ['lɪrɪks] npl (of song) paroles fpl

m. abbr (= metre) m; (= million) M; (= mile) mi

ma [maː] (inf) n maman f

M.A. n abbr (Scol) = **Master of Arts**

mac [mæk] n (BRIT) imper(méable m) m

macaroni [mækə'rəʊnɪ] n macaronis mpl

Macedonia [mæsɪ'dəʊnɪə] n Macédoine f • **Macedonian** [mæsɪ'dəʊnɪən] adj macédonien(ne) ▸ n Macédonien(ne); (Ling) macédonien m

machine [mə'ʃiːn] n machine f ▸ vt (dress etc) coudre à la machine; (Tech) usiner • **machine gun** n mitrailleuse f • **machinery** n machinerie f, machines fpl; (fig) mécanisme(s) m(pl) • **machine washable** adj (garment) lavable en machine

macho ['mætʃəʊ] adj macho inv

mackerel ['mækrl] n (pl inv) maquereau m

mackintosh ['mækɪntɔʃ] n (BRIT) imperméable m

mad [mæd] *adj* fou (folle); (*foolish*) insensé(e); (*angry*) furieux(-euse); **to be ~ (keen) about** *or* **on sth** (*inf*) être follement passionné de qch, être fou de qch

Madagascar [mædə'gæskə^r] *n* Madagascar *m*

madam ['mædəm] *n* madame *f*

mad cow disease *n* maladie *f* des vaches folles

made [meɪd] *pt, pp of* **make** • **made-to-measure** *adj* (*BRIT*) fait(e) sur mesure • **made-up** ['meɪdʌp] *adj* (*story*) inventé(e), fabriqué(e)

madly ['mædlɪ] *adv* follement; **~ in love** éperdument amoureux(-euse)

madman ['mædmən] (*irreg*) *n* fou *m*, aliéné *m*

madness ['mædnɪs] *n* folie *f*

Madrid [mə'drɪd] *n* Madrid

Mafia ['mæfɪə] *n* maf(f)ia *f*

mag [mæg] *n abbr* (*BRIT inf*: = *magazine*) magazine *m*

magazine [mægə'ziːn] *n* (*Press*) magazine *m*, revue *f*; (*Radio, TV*) magazine

maggot ['mægət] *n* ver *m*, asticot *m*

magic ['mædʒɪk] *n* magie *f* ▸ *adj* magique • **magical** *adj* magique; (*experience, evening*) merveilleux(-euse) • **magician** [mə'dʒɪʃən] *n* magicien(ne)

magistrate ['mædʒɪstreɪt] *n* magistrat *m*; juge *m*

magnet ['mægnɪt] *n* aimant *m* • **magnetic** [mæg'netɪk] *adj* magnétique

magnificent [mæg'nɪfɪsnt] *adj* superbe, magnifique; (*splendid: robe, building*) somptueux(-euse), magnifique

magnify ['mægnɪfaɪ] *vt* grossir; (*sound*) amplifier • **magnifying glass** *n* loupe *f*

magpie ['mægpaɪ] *n* pie *f*

mahogany [mə'hɒgənɪ] *n* acajou *m*

maid [meɪd] *n* bonne *f*; (*in hotel*) femme *f* de chambre; **old ~** (*pej*) vieille fille

maiden name *n* nom *m* de jeune fille

mail [meɪl] *n* poste *f*; (*letters*) courrier *m* ▸ *vt* envoyer (par la poste); **by ~** par la poste • **mailbox** *n* (*US, also Comput*) boîte *f* aux lettres • **mailing list** *n* liste *f* d'adresses • **mailman** (*irreg*) *n* (*US*) facteur *m* • **mail-order** *n* vente *f* or achat *m* par correspondance

main [meɪn] *adj* principal(e) ▸ *n* (*pipe*) conduite principale, canalisation *f*; **the ~s** (*Elec*) le secteur; **the ~ thing** l'essentiel *m*; **in the ~** dans l'ensemble • **main course** *n* (*Culin*) plat *m* de résistance • **mainland** *n* continent *m* • **mainly** *adv* principalement, surtout • **main road** *n* grand axe, route nationale • **mainstream** *n* (*fig*) courant principal • **main street** *n* rue *f* principale

maintain [meɪn'teɪn] *vt* entretenir; (*continue*) maintenir, préserver; (*affirm*) soutenir • **maintenance** ['meɪntənəns] *n* entretien *m*; (*Law: alimony*) pension *f* alimentaire

maisonette [meɪzə'net] *n* (*BRIT*) appartement *m* en duplex

maize [meɪz] *n* (*BRIT*) maïs *m*

majesty ['mædʒɪstɪ] *n* majesté *f*; (*title*): **Your M~** Votre Majesté

major [ˈmeɪdʒər] n (Mil)
commandant m ▶ adj (important)
important(e); (most important)
principal(e); (Mus) majeur(e) ▶ vi
(us Scol): **to ~ (in)** se spécialiser (en)

Majorca [məˈjɔːkə] n Majorque f

majority [məˈdʒɒrɪtɪ] n majorité f

make [meɪk] vt (pt, pp **made**)
faire; (manufacture) faire,
fabriquer; (earn) gagner; (decision)
prendre; (friend) se faire; (speech)
faire, prononcer; (cause to be): **to
~ sb sad** etc rendre qn triste etc;
(force): **to ~ sb do sth** obliger qn à
faire qch, faire faire qch à qn;
(equal): **2 and 2 = 4** 2 et 2 font 4 ▶ n
(manufacture) fabrication f; (brand)
marque f; **to ~ the bed** faire le lit;
to ~ a fool of sb (ridicule)
ridiculiser qn; (trick) avoir ou duper
qn; **to ~ a profit** faire un ou des
bénéfice(s); **to ~ a loss** essuyer
une perte; **to ~ it** (in time etc) y
arriver; (succeed) réussir; **what
time do you ~ it?** quelle heure
avez-vous?; **I ~ it £249** d'après
mes calculs ça fait 249 livres; **to be
made of** être en; **to ~ do with** se
contenter de; se débrouiller avec
• **make off** vi filer • **make out** vt
(write out: cheque) faire; (decipher)
déchiffrer; (understand)
comprendre; (see) distinguer;
(claim, imply) prétendre, vouloir
faire croire • **make up** vt (invent)
inventer, imaginer; (constitute)
constituer; (parcel, bed) faire ▶ vi
se réconcilier; (with cosmetics) se
maquiller, se farder; **to be made
up of** se composer de • **make up
for** vt fus compenser; (lost time)
rattraper • **makeover**
[ˈmeɪkəʊvər] n (by beautician)
soins mpl de maquillage; (change of
image) changement m d'image

• **maker** n fabricant m; (of film,
programme) réalisateur(-trice)

• **makeshift** adj provisoire,
improvisé(e) • **make-up** n
maquillage m

making [ˈmeɪkɪŋ] n (fig): **in the ~**
en formation or gestation; **to
have the ~s of** (actor, athlete)
avoir l'étoffe de

malaria [məˈlɛərɪə] n malaria f,
paludisme m

Malaysia [məˈleɪzɪə] n Malaisie f

male [meɪl] n (Biol, Elec) mâle m
▶ adj (sex, attitude) masculin(e);
(animal) mâle; (child etc) du sexe
masculin

malicious [məˈlɪʃəs] adj
méchant(e), malveillant(e)

⚠ Be careful not to translate
malicious by the French word
malicieux.

malignant [məˈlɪgnənt] adj
(Med) malin(-igne)

mall [mɔːl] n (also: **shopping ~**)
centre commercial

mallet [ˈmælɪt] n maillet m

malnutrition [mælnjuːˈtrɪʃən]
n malnutrition f

malpractice [mælˈpræktɪs] n
faute professionnelle; négligence f

malt [mɔːlt] n malt m ▶ cpd
(whisky) pur malt

Malta [ˈmɔːltə] n Malte f
• **Maltese** [mɔːlˈtiːz] adj
maltais(e) ▶ n (pl inv) Maltais(e)

mammal [ˈmæml] n
mammifère m

mammoth [ˈmæməθ] n
mammouth m ▶ adj géant(e),
monstre

man (pl **men**) [mæn, mɛn] n
homme m; (Sport) joueur m;
(Chess) pièce f ▶ vt (Naut: ship)

garnir d'hommes; (*machine*) assurer le fonctionnement de; (*Mil: gun*) servir; (: *post*) être de service à; **an old ~** un vieillard; **~ and wife** mari et femme
manage ['mænɪdʒ] *vi* se débrouiller; (*succeed*) y arriver, réussir ▸ *vt* (*business*) gérer; (*team, operation*) diriger; (*control: ship*) manier, manœuvrer; (: *person*) savoir s'y prendre avec; **to ~ to do** se débrouiller pour faire; (*succeed*) réussir à faire • **manageable** *adj* maniable; (*task etc*) faisable; (*number*) raisonnable
• **management** *n* (*running*) administration *f*, direction *f*; (*people in charge: of business, firm*) dirigeants *mpl*, cadres *mpl*; (: *of hotel, shop, theatre*) direction
• **manager** *n* (*of business*) directeur *m*; (*of institution etc*) administrateur *m*; (*of department, unit*) responsable *m/f*, chef *m*; (*of hotel etc*) gérant *m*; (*Sport*) manager *m*; (*of artist*) impresario *m* • **manageress** *n* directrice *f*; (*of hotel etc*) gérante *f* • **managerial** [mænɪ'dʒɪərɪəl] *adj* directorial(e); (*skills*) de cadre, de gestion
• **managing director** *n* directeur général
mandarin ['mændərɪn] *n* (*also: ~ orange*) mandarine *f*
mandate ['mændeɪt] *n* mandat *m*
mandatory ['mændətərɪ] *adj* obligatoire
mane [meɪn] *n* crinière *f*
maneuver [mə'nu:vəʳ] (*us*) *vt* = **manoeuvre**
mangetout ['mɔnʒ'tu:] *n* mange-tout *m inv*
mango ['mæŋgəʊ] (*pl* **mangoes**) *n* mangue *f*

man: • **manhole** *n* trou *m* d'homme
• **manhood** *n* (*age*) âge *m* d'homme; (*manliness*) virilité *f*
mania ['meɪnɪə] *n* manie *f*
• **maniac** ['meɪnɪæk] *n* maniaque *m/f*; (*fig*) fou (folle)
manic ['mænɪk] *adj* maniaque
manicure ['mænɪkjʊəʳ] *n* manucure *f*
manifest ['mænɪfest] *vt* manifester ▸ *adj* manifeste, évident(e)
manifesto [mænɪ'festəʊ] *n* (*Pol*) manifeste *m*
manipulate [mə'nɪpjuleɪt] *vt* manipuler; (*system, situation*) exploiter
man: • **mankind** [mæn'kaɪnd] *n* humanité *f*, genre humain
• **manly** *adj* viril(e) • **man-made** *adj* artificiel(le); (*fibre*) synthétique
manner ['mænəʳ] *n* manière *f*, façon *f*; (*behaviour*) attitude *f*, comportement *m*; **manners** *npl*: **(good) ~s** (bonnes) manières; **bad ~s** mauvaises manières; **all ~ of** toutes sortes de
manoeuvre, (*us*) **maneuver** [mə'nu:vəʳ] *vt* (*move*) manœuvrer; (*manipulate: person*) manipuler; (: *situation*) exploiter ▸ *n* manœuvre *f*
manpower ['mænpaʊəʳ] *n* main-d'œuvre *f*
mansion ['mænʃən] *n* château *m*, manoir *m*
manslaughter ['mænslɔ:təʳ] *n* homicide *m* involontaire
mantelpiece ['mæntlpi:s] *n* cheminée *f*
manual ['mænjuəl] *adj* manuel(le) ▸ *n* manuel *m*

m

manufacture [mænjuˈfæktʃəʳ] vt fabriquer ▶ n fabrication f • **manufacturer** n fabricant m

manure [məˈnjuəʳ] n fumier m; (artificial) engrais m

manuscript [ˈmænjuskrɪpt] n manuscrit m

many [ˈmɛnɪ] adj beaucoup de, de nombreux(-euses) ▶ pron beaucoup, un grand nombre; **a great ~** un grand nombre (de); **~ a ...** bien des ..., plus d'un(e) ...

map [mæp] n carte f; (of town) plan m; **can you show it to me on the ~?** pouvez-vous me l'indiquer sur la carte? • **map out** vt tracer; (fig: task) planifier

maple [ˈmeɪpl] n érable m

mar [maːʳ] vt gâcher, gâter

marathon [ˈmærəθən] n marathon m

marble [ˈmaːbl] n marbre m; (toy) bille f

March [maːtʃ] n mars m

march [maːtʃ] vi marcher au pas; (demonstrators) défiler ▶ n marche f; (demonstration) manifestation f

mare [mɛəʳ] n jument f

margarine [maːdʒəˈriːn] n margarine f

margin [ˈmaːdʒɪn] n marge f • **marginal** adj marginal(e); **marginal seat** (Pol) siège disputé • **marginally** adv très légèrement, sensiblement

marigold [ˈmærɪɡəuld] n souci m

marijuana [mærɪˈwaːnə] n marijuana f

marina [məˈriːnə] n marina f

marine [məˈriːn] adj marin(e) ▶ n fusilier marin; (US) marine m

marital [ˈmærɪtl] adj matrimonial(e) • **marital status** n situation f de famille

maritime [ˈmærɪtaɪm] adj maritime

marjoram [ˈmaːdʒərəm] n marjolaine f

mark [maːk] n marque f; (of skid etc) trace f; (BRIT Scol) note f; (oven temperature): **(gas) ~ 4** thermostat m 4 ▶ vt (also Sport: player) marquer; (stain) tacher; (BRIT Scol) corriger, noter; **to ~ time** marquer le pas • **marked** adj (obvious) marqué(e), net(te) • **marker** n (sign) jalon m; (bookmark) signet m

market [ˈmaːkɪt] n marché m ▶ vt (Comm) commercialiser • **marketing** n marketing m • **marketplace** n place f du marché; (Comm) marché m • **market research** n étude f de marché

marmalade [ˈmaːməleɪd] n confiture f d'oranges

maroon [məˈruːn] vt: **to be ~ed** être abandonné(e); (fig) être bloqué(e) ▶ adj (colour) bordeaux inv

marquee [maːˈkiː] n chapiteau m

marriage [ˈmærɪdʒ] n mariage m • **marriage certificate** n extrait m d'acte de mariage

married [ˈmærɪd] adj marié(e); (life, love) conjugal(e)

marrow [ˈmærəu] n (of bone) moelle f; (vegetable) courge f

marry [ˈmærɪ] vt épouser, se marier avec; (subj: father, priest etc) marier ▶ vi (also: **get married**) se marier

Mars [mɑːz] n (planet) Mars f

Marseilles [mɑːˈseɪl] n Marseille

marsh [mɑːʃ] n marais m, marécage m

marshal [ˈmɑːʃl] n maréchal m; (us: fire, police) ≈ capitaine m; (for demonstration, meeting) membre m du service d'ordre ▶ vt rassembler

martyr [ˈmɑːtə*] n martyr(e)

marvel [ˈmɑːvl] n merveille f ▶ vi: **to ~ (at)** s'émerveiller (de)
• **marvellous** • (us) **marvelous** adj merveilleux(-euse)

Marxism [ˈmɑːksɪzəm] n marxisme m

Marxist [ˈmɑːksɪst] adj, n marxiste (m/f)

marzipan [ˈmɑːzɪpæn] n pâte f d'amandes

mascara [mæsˈkɑːrə] n mascara m

mascot [ˈmæskət] n mascotte f

masculine [ˈmæskjulɪn] adj masculin(e) ▶ n masculin m

mash [mæʃ] vt (Culin) faire une purée de • **mashed potato(es)** n(pl) purée f de pommes de terre

mask [mɑːsk] n masque m ▶ vt masquer

mason [ˈmeɪsn] n (also: **stone~**) maçon m; (also: **free~**) franc-maçon m • **masonry** n maçonnerie f

mass [mæs] n multitude f, masse f; (Physics) masse f; (Rel) messe f ▶ cpd (communication) de masse; (unemployment) massif(-ive) ▶ vi se masser; **masses** npl: **the ~es** les masses; **~es of** (inf) des tas de

massacre [ˈmæsəkə*] n massacre m

massage [ˈmæsɑːʒ] n massage m ▶ vt masser

massive [ˈmæsɪv] adj énorme, massif(-ive)

mass media npl mass-media mpl

mass-produce [ˈmæsprəˈdjuːs] vt fabriquer en série

mast [mɑːst] n mât m; (Radio, TV) pylône m

master [ˈmɑːstə*] n maître m; (in secondary school) professeur m; (in primary school) instituteur m; (title for boys): **M~ X** Monsieur X ▶ vt maîtriser; (learn) apprendre à fond; **M~ of Arts/Science (MA/ MSc)** n ≈ titulaire m/f d'une licence (en lettres/sciences); **M~ of Arts/Science degree (MA/MSc)** n ≈ licence f
• **mastermind** n esprit supérieur ▶ vt diriger, être le cerveau de
• **masterpiece** n chef-d'œuvre m

masturbate [ˈmæstəbeɪt] vi se masturber

mat [mæt] n petit tapis; (also: **door~**) paillasson m; (also: **table~**) set m de table ▶ adj = **matt**

match [mætʃ] n allumette f; (game) match m, partie f; (fig) égal(e) ▶ vt (also: **~ up**) assortir; (go well with) aller bien avec, s'assortir à; (equal) égaler, valoir ▶ vi être assorti(e); **to be a good ~** être bien assorti(e)
• **matchbox** n boîte f d'allumettes
• **matching** adj assorti(e)

mate [meɪt] n (inf) copain (copine); (animal) partenaire m/f, mâle (femelle); (in merchant navy) second m ▶ vi s'accoupler

material [məˈtɪərɪəl] n (substance) matière f, matériau m; (cloth) tissu m, étoffe f; (information, data) données fpl ▶ adj matériel(le); (relevant: evidence) pertinent(e); **materials** npl (equipment) matériaux mpl

materialize [məˈtɪərɪəlaɪz] vi se matérialiser, se réaliser

maternal [məˈtəːnl] adj maternel(le)

maternity [mə'tə:nɪtɪ] n
maternité f • **maternity hospital**
n maternité f • **maternity leave**
n congé m de maternité

math [mæθ] n (US: = mathematics)
maths fpl

mathematical [mæθə'mætɪkl]
adj mathématique

mathematician [mæθəmə'tɪʃən]
n mathématicien(ne)

mathematics [mæθə'mætɪks]
n mathématiques fpl

maths [mæθs] n abbr (BRIT:
= mathematics) maths fpl

matinée ['mætɪneɪ] n matinée f

matron ['meɪtrən] n (in hospital)
infirmière-chef f; (in school)
infirmière f

matt [mæt] adj mat(e)

matter ['mætər] n question f;
(Physics) matière f, substance f;
(Med: pus) pus m ▶ vi importer;
matters npl (affairs, situation) la
situation; **it doesn't ~** cela n'a
pas d'importance; (I don't mind)
cela ne fait rien; **what's the ~?**
qu'est-ce qu'il y a?, qu'est-ce que ne
va pas?; **no ~ what** quoi qu'il
arrive; **as a ~ of course** tout
naturellement; **as a ~ of fact** en
fait; **reading ~** (BRIT) de quoi lire,
de la lecture

mattress ['mætrɪs] n matelas m

mature [mə'tjuər] adj mûr(e);
(cheese) fait(e); (wine) arrivé(e) à
maturité ▶ vi mûrir; (cheese, wine)
se faire • **mature student** n
étudiant(e) plus âgé(e) que la
moyenne • **maturity** n maturité f

maul [mɔ:l] vt lacérer

mauve [məuv] adj mauve

max abbr = **maximum**

maximize ['mæksɪmaɪz] vt
(profits etc, chances) maximiser

maximum (pl **maxima**)
['mæksɪməm, -mə] adj
maximum ▶ n maximum m

May [meɪ] n mai m

may [meɪ] (conditional **might**) vi
(indicating possibility): **he ~ come** il
se peut qu'il vienne; (be allowed
to): **~ I smoke?** puis-je fumer?;
(wishes): **~ God bless you!** (que)
Dieu vous bénisse!; **you ~ as well
go** vous feriez aussi bien d'y aller

maybe ['meɪbi:] adv peut-être;
~ he'll ... peut-être qu'il ...

May Day n le Premier mai

mayhem ['meɪhem] n grabuge m

mayonnaise [meɪə'neɪz] n
mayonnaise f

mayor [mɛər] n maire m
• **mayoress** n (female mayor)
maire m; (wife of mayor) épouse f
du maire

maze [meɪz] n labyrinthe m,
dédale m

MD n abbr (Comm) = **managing
director**

me [mi:] pron me, m' + vowel or h
mute; (stressed, after prep) moi; **it's
me** c'est moi; **he heard me** il m'a
entendu; **give me a book**
donnez-moi un livre; **it's for me**
c'est pour moi

meadow ['mɛdəu] n prairie f, pré m

meagre, (US)**meager** ['mi:gər]
adj maigre

meal [mi:l] n repas m; (flour)
farine f • **mealtime** n heure f du
repas

mean [mi:n] adj (with money) avare,
radin(e); (unkind) mesquin(e),
méchant(e); (shabby) misérable;
(average) moyen(ne) ▶ vt (signify)
signifier, vouloir dire; (refer to) faire allusion à,
parler de; (intend): **to ~ to do** avoir

l'intention de faire ▶ n moyenne f;
means npl (way, money) moyens
mpl; **to be ~t for** être destiné(e) à;
do you ~ it? vous êtes sérieux?;
what do you ~? que voulez-vous
dire?; **by ~s of** (instrument) au
moyen de; **by all ~s** je vous en prie

meaning ['mi:nɪŋ] n signification f,
sens m • **meaningful** adj
significatif(-ive); (relationship)
valable • **meaningless** adj
dénué(e) de sens

meant [mɛnt] pt, pp of **mean**

meantime ['mi:ntaɪm] adv (also:
in the ~) pendant ce temps

meanwhile ['mi:nwaɪl] adv
=**meantime**

measles ['mi:zlz] n rougeole f

measure ['mɛʒə'] vt, vi mesurer
▶ n mesure f; (ruler) règle f
(graduée)

measurements ['mɛʒəmənts]
npl mesures fpl; **chest/hip ~** tour
m de poitrine/hanches

meat [mi:t] n viande f; **I don't
eat ~** je ne mange pas de viande;
cold ~s (BRIT) viandes froides
• **meatball** n boulette f de viande

Mecca ['mɛkə] n la Mecque

mechanic [mɪ'kænɪk] n
mécanicien m; **can you send a ~?**
pouvez-vous nous envoyer un
mécanicien? • **mechanical** adj
mécanique

mechanism ['mɛkənɪzəm] n
mécanisme m

medal ['mɛdl] n médaille f
• **medallist** • (US) **medalist** n
(Sport) médaillé(e)

meddle ['mɛdl] vi: **to ~ in** se
mêler de, s'occuper de; **to ~ with**
toucher à

media ['mi:dɪə] npl media mpl
▶ npl of **medium**

mediaeval [mɛdɪ'i:vl] adj
=**medieval**

mediate ['mi:dɪeɪt] vi servir
d'intermédiaire

medical ['mɛdɪkl] adj médical(e)
▶ n (also: **~ examination**) visite
médicale; (private) examen
médical • **medical certificate** n
certificat médical

medicalize ['mɛdɪkəlaɪz] vt
médicaliser

medicated ['mɛdɪkeɪtɪd] adj
traitant(e), médicamenteux(-euse)

medication [mɛdɪ'keɪʃən] n
(drugs etc) médication f

medicine ['mɛdsɪn] n médecine
f; (drug) médicament m

medieval [mɛdɪ'i:vl] adj
médiéval(e)

mediocre [mi:dɪ'əukə'] adj
médiocre

meditate ['mɛdɪteɪt] vi:
to ~ (on) méditer (sur)

meditation [mɛdɪ'teɪʃən] n
méditation f

Mediterranean
[mɛdɪtə'reɪnɪən] adj
méditerranéen(ne); **the ~ (Sea)**
la (mer) Méditerranée

medium ['mi:dɪəm] adj
moyen(ne) ▶ n (pl **media**) (means)
moyen m; (person) médium m;
the happy ~ le juste milieu
• **medium-sized** adj de taille
moyenne • **medium wave** n
(Radio) ondes moyennes, petites
ondes

meek [mi:k] adj doux (douce),
humble

meet [mi:t] (pt, pp **met**) vt
rencontrer; (by arrangement)
retrouver, rejoindre; (for the first
time) faire la connaissance de;
(go and fetch) **I'll ~ you at the**

m

station j'irai te chercher à la gare; (*opponent, danger, problem*) faire face à; (*requirements*) satisfaire à, répondre à ▸ vi (*friends*) se rencontrer; se retrouver; (*in session*) se réunir; (*join: lines, roads*) se joindre; **nice ~ing you** ravi d'avoir fait votre connaissance • **meet up** vi: **to ~ up with sb** rencontrer qn • **meet with** vt fus (*difficulty*) rencontrer; **to ~ with success** être couronné(e) de succès • **meeting** n (*of group of people*) réunion f; (*between individuals*) rendez-vous m; **she's at** or **in a meeting** (*Comm*) elle est en réunion • **meeting place** n lieu m de (la) réunion; (*for appointment*) lieu de rendez-vous
megabyte ['mɛgəbaɪt] n (*Comput*) méga-octet m
megaphone ['mɛgəfəʊn] n porte-voix m inv
megapixel ['mɛgəpɪksl] n mégapixel m
megastore ['mɛgəstɔː'] n mégastore m
melancholy ['mɛlənkəlɪ] n mélancolie f ▸ adj mélancolique
melody ['mɛlədɪ] n mélodie f
melon ['mɛlən] n melon m
melt [mɛlt] vi fondre ▸ vt faire fondre
member ['mɛmbə'] n membre m; **M~ of the European Parliament** eurodéputé m; **M~ of Parliament** (*BRIT*) député m • **membership** n (*becoming a member*) adhésion f; admission f; (*members*) membres mpl, adhérents mpl • **membership card** n carte f de membre
meme [miːm] n (*Internet*) mème m
memento [mə'mɛntəʊ] n souvenir m

memo ['mɛməʊ] n note f (de service)
memorable ['mɛmərəbl] adj mémorable
memorandum (*pl* **memoranda**) [mɛmə'rændəm, -də] n note f (de service)
memorial [mɪ'mɔːrɪəl] n mémorial m ▸ adj commémoratif(-ive)
memorize ['mɛməraɪz] vt apprendre or retenir par cœur
memory ['mɛmərɪ] n (*also Comput*) mémoire f; (*recollection*) souvenir m; **in ~ of** à la mémoire de • **memory card** n (*for digital camera*) carte f mémoire • **memory stick** n (*Comput: flash pen*) clé f USB; (*: card*) carte f mémoire
men [mɛn] npl of **man**
menace ['mɛnɪs] n menace f; (*inf: nuisance*) peste f, plaie f ▸ vt menacer
mend [mɛnd] vt réparer; (*darn*) raccommoder, repriser ▸ n: **on the ~** en voie de guérison; **to ~ one's ways** s'amender
meningitis [mɛnɪn'dʒaɪtɪs] n méningite f
menopause ['mɛnəʊpɔːz] n ménopause f
men's room (*US*) n: **the ~ les** toilettes fpl pour hommes
menstruation [mɛnstru'eɪʃən] n menstruation f
menswear ['mɛnzwɛə'] n vêtements mpl d'hommes
mental ['mɛntl] adj mental(e) • **mental hospital** n hôpital m psychiatrique • **mentality** [mɛn'tælɪtɪ] n mentalité f • **mentally** adv: **to be mentally handicapped** être handicapé(e)

mental(e); **the mentally ill** les malades mentaux

menthol ['mɛnθɒl] n menthol m

mention ['mɛnʃən] n mention f ▶ vt mentionner, faire mention de; **don't ~ it!** je vous en prie, il n'y a pas de quoi!

menu ['mɛnjuː] n (set menu, Comput) menu m; (list of dishes) carte f

MEP n abbr = **Member of the European Parliament**

mercenary ['mɜːsɪnərɪ] adj (person) intéressé(e), mercenaire ▶ n mercenaire m

merchandise ['mɜːtʃəndaɪz] n marchandises fpl

merchant ['mɜːtʃənt] n négociant m, marchand m • **merchant bank** n (Brit) banque f d'affaires • **merchant navy** • (us) **merchant marine** n marine marchande

merciless ['mɜːsɪlɪs] adj impitoyable, sans pitié

mercury ['mɜːkjʊrɪ] n mercure m

mercy ['mɜːsɪ] n pitié f, merci f; (Rel) miséricorde f; **at the ~ of** à la merci de

mere [mɪə'] adj simple; (chance) pur(e); **a ~ two hours** seulement deux heures • **merely** adv simplement, purement

merge [mɜːdʒ] vt unir; (Comput) fusionner, interclasser ▶ vi (colours, shapes, sounds) se mêler; (roads) se joindre; (Comm) fusionner • **merger** n (Comm) fusion f

meringue [mə'ræŋ] n meringue f

merit ['mɛrɪt] n mérite m, valeur f ▶ vt mériter

mermaid ['mɜːmeɪd] n sirène f

merry ['mɛrɪ] adj gai(e); **M~ Christmas!** joyeux Noël! • **merry-go-round** n manège m

mesh [mɛʃ] n mailles fpl

mess [mɛs] n désordre m, fouillis m, pagaille f; (muddle: of life) gâchis m; (: of economy) pagaille f; (dirt) saleté f; (Mil) mess m, cantine f; **to be (in) a ~** être en désordre; **to be/get o.s. in a ~** (fig) être/se mettre dans le pétrin • **mess about** • **mess around** (inf) vi perdre son temps • **mess up** vt (inf: dirty) salir; (: spoil) gâcher • **mess with** (inf) vt fus (challenge, confront) se frotter à; (interfere with) toucher à

message ['mɛsɪdʒ] n message m; **can I leave a ~?** est-ce que je peux laisser un message?; **are there any ~s for me?** est-ce que j'ai des messages?

messenger ['mɛsɪndʒə'] n messager m

Messrs, Messrs. ['mɛsəz] abbr (on letters: = messieurs) MM

messy ['mɛsɪ] adj (dirty) sale; (untidy) en désordre

met [mɛt] pt, pp of **meet**

metabolism [mɛ'tæbəlɪzəm] n métabolisme m

metal ['mɛtl] n métal m ▶ cpd en métal • **metallic** [mɛ'tælɪk] adj métallique

metaphor ['mɛtəfə'] n métaphore f

meteor ['miːtɪə'] n météore m • **meteorite** ['miːtɪəraɪt] n météorite m/f

meteorology [miːtɪə'rɒlədʒɪ] n météorologie f

meter ['miːtə'] n (instrument) compteur m; (also: **parking ~**) parc(o)mètre m; (us: unit)

m

= **metre** ▶ vt (US Post) affranchir à la machine

method ['mɛθəd] n méthode f
• **methodical** [mɪ'θɒdɪkl] adj méthodique

methylated spirit ['mɛθɪleɪtɪd-] n (BRIT) alcool m à brûler

meticulous [mɛ'tɪkjʊləs] adj méticuleux(-euse)

metre, (US) **meter** ['mi:tə'] n mètre m

metric ['mɛtrɪk] adj métrique

metro ['mɛtrəʊ] n métro m

metropolitan [mɛtrə'pɒlɪtən] adj métropolitain(e); **the M~ Police** (BRIT) la police londonienne

Mexican ['mɛksɪkən] adj mexicain(e) ▶ n Mexicain(e)

Mexico ['mɛksɪkəʊ] n Mexique m

mg abbr (= milligram) mg

mice [maɪs] npl of **mouse**

micro... ['maɪkrəʊ] prefix micro...
• **microchip** n (Elec) puce f
• **microphone** n microphone m
• **microscope** n microscope m

mid [mɪd] adj: **~ May** la mi-mai; **~ afternoon** le milieu de l'après-midi; **in ~ air** en plein ciel; **he's in his ~ thirties** il a dans les trente-cinq ans • **midday** n midi m

middle ['mɪdl] n milieu m; (waist) ceinture f, taille f ▶ adj du milieu; (average) moyen(ne); **in the ~ of the night** au milieu de la nuit • **middle-aged** adj d'un certain âge, n'est plus jeune • **Middle Ages** npl: **the Middle Ages** le moyen âge • **middle class(es)** n(pl): **the middle class(es)** ≈ les classes moyennes • **middle-class**

adj bourgeois(e) • **Middle East** n: **the Middle East** le Proche-Orient, le Moyen-Orient • **middle name** n second prénom • **middle school** n (US) école pour les enfants de 12 à 14 ans, ≈ collège m; (BRIT) école pour les enfants de 8 à 14 ans

midge [mɪdʒ] n moucheron m

midget ['mɪdʒɪt] n (!) nain(e)

midnight ['mɪdnaɪt] n minuit m

midst [mɪdst] n: **in the ~ of** au milieu de

midsummer [mɪd'sʌmə'] n milieu m de l'été

midway [mɪd'weɪ] adj, adv: **~ (between)** à mi-chemin (entre); **~ through ...** au milieu de ..., en plein(e) ...

midweek [mɪd'wi:k] adv au milieu de la semaine, en pleine semaine

midwife (pl **midwives**) ['mɪdwaɪf, -vz] n sage-femme f

midwinter [mɪd'wɪntə'] n milieu m de l'hiver

might [maɪt] vb see **may** ▶ n puissance f, force f • **mighty** adj puissant(e)

migraine ['mi:greɪn] n migraine f

migrant ['maɪgrənt] n (bird, animal) migrateur m; (person) migrant(e) ▶ adj migrateur(-trice); migrant(e); (worker) saisonnier(-ière)

migrate [maɪ'greɪt] vi migrer

migration [maɪ'greɪʃən] n migration f

mike [maɪk] n abbr (= microphone) micro m

mild [maɪld] adj doux (douce); (reproach, infection) léger(-ère); (illness) bénin(-igne); (interest) modéré(e); (taste) peu relevé(e) • **mildly** ['maɪldlɪ] adv doucement;

légèrement; **to put it mildly** (inf) c'est le moins qu'on puisse dire

mile [maɪl] n mil(l)e m (= 1609 m) • **mileage** n distance f en milles, ≈ kilométrage m • **mileometer** [maɪˈlɒmɪtəʳ] n compteur m kilométrique • **milestone** n borne f, (fig) jalon m

military [ˈmɪlɪtərɪ] adj militaire

militia [mɪˈlɪʃə] n milice f

milk [mɪlk] n lait m ▶ vt (cow) traire; (fig: person) dépouiller, plumer; (: situation) exploiter à fond • **milk chocolate** n chocolat m au lait • **milkman** (irreg) n laitier m • **milky** adj (drink) au lait; (colour) laiteux(-euse)

mill [mɪl] n moulin m; (factory) usine f, fabrique f; (spinning mill) filature f; (flour mill) minoterie f ▶ vt moudre, broyer ▶ vi (also: ~ **about**) grouiller

millennium (pl **millenniums** or **millennia**) [mɪˈlɛnɪəm, -ˈlɛnɪə] n millénaire m

milli... [ˈmɪlɪ] prefix milli... • **milligram(me)** n milligramme m • **millilitre** n • (US) **milliliter** n millilitre m • **millimetre** n • (US) **millimeter** n millimètre m

million [ˈmɪljən] n million m; **a ~ pounds** un million de livres sterling • **millionaire** [mɪljəˈnɛəʳ] n millionnaire m • **millionth** num millionième

milometer [maɪˈlɒmɪtəʳ] n = **mileometer**

mime [maɪm] n mime m ▶ vt, vi mimer

mimic [ˈmɪmɪk] n imitateur(-trice) m ▶ vt, vi imiter, contrefaire

min. abbr (= minute(s)) mn.; (= minimum) min.

mince [mɪns] vt hacher ▶ n (BRIT Culin) viande hachée, hachis m • **mincemeat** n hachis de fruits secs utilisés en pâtisserie; (US) viande hachée, hachis m • **mince pie** n sorte de tarte aux fruits secs

mind [maɪnd] n esprit m ▶ vt (attend to, look after) s'occuper de; (be careful) faire attention à; (object to): **I don't ~ the noise** je ne crains pas le bruit, le bruit ne me dérange pas; **it is on my ~** cela me préoccupe; **to change one's ~** changer d'avis; **to my ~** à mon avis, selon moi; **to bear sth in ~** tenir compte de qch; **to have sb/sth in ~** avoir qn/qch en tête; **to make up one's ~** se décider; **do you ~ if ...?** est-ce que cela vous gêne si ...?; **I don't ~** cela ne me dérange pas; (don't care) ça m'est égal; **~ you, ...** remarquez, ...; **never ~** peu importe, ça ne fait rien; (don't worry) ne vous en faites pas; **"~ the step"** "attention à la marche" • **mindfulness** n pleine conscience f • **mindless** adj irréfléchi(e); (violence, crime) insensé(e); (boring: job) idiot(e)

mine¹ [maɪn] pron le (la) mien(ne), les miens (miennes); **a friend of ~** un de mes amis, un ami à moi; **this book is ~** ce livre est à moi

mine² [maɪn] n mine f ▶ vt (coal) extraire; (ship, beach) miner • **minefield** n champ m de mines • **miner** n mineur m

mineral [ˈmɪnərəl] adj minéral(e) ▶ n minéral m • **mineral water** n eau minérale f

mingle [ˈmɪŋɡl] vi: **to ~ with** se mêler à

miniature ['mɪnətʃəʳ] adj (en) miniature ▶ n miniature f

minibar ['mɪnibɑːʳ] n minibar m

minibus ['mɪnibʌs] n minibus m

minicab ['mɪnikæb] n (BRIT) taxi m indépendant

minimal ['mɪnɪml] adj minimal(e) • **minimalistic** [mɪnɪmə'lɪstɪk] adj minimaliste

minimize ['mɪnɪmaɪz] vt (reduce) réduire au minimum; (play down) minimiser

minimum ['mɪnɪməm] n (pl **minima**) minimum m ▶ adj minimum

mining ['maɪnɪŋ] n exploitation minière

miniskirt ['mɪnɪskəːt] n mini-jupe f

minister ['mɪnɪstəʳ] n (BRIT Pol) ministre m; (Rel) pasteur m

ministry ['mɪnɪstrɪ] n (BRIT Pol) ministère m; (Rel): **to go into the ~** devenir pasteur

minor ['maɪnəʳ] adj petit(e), de peu d'importance; (Mus, poet, problem) mineur(e) ▶ n (Law) mineur(e)

minority [maɪ'nɒrɪtɪ] n minorité f

mint [mɪnt] n (plant) menthe f; (sweet) bonbon m à la menthe ▶ vt (coins) battre; **the (Royal) M~, the (US) M~** ≈ l'hôtel m de la Monnaie; **in ~ condition** à l'état de neuf

minus ['maɪnəs] n (also: **~ sign**) signe m moins ▶ prep moins; **12 ~ 6 equals 6** 12 moins 6 égal 6; **~ 24°C** moins 24°C

minute¹ ['mɪnɪt] n minute f; **minutes** npl (of meeting) procès-verbal m, compte rendu; **wait a ~!** (attendez) un instant!; **at the last ~** à la dernière minute

minute² [maɪ'njuːt] adj minuscule; (detailed) minutieux(-euse); **in ~ detail** par le menu

miracle ['mɪrəkl] n miracle m

miraculous [mɪ'rækjʊləs] adj miraculeux(-euse)

mirage ['mɪrɑːʒ] n mirage m

mirror ['mɪrəʳ] n miroir m, glace f; (in car) rétroviseur m

misbehave [mɪsbɪ'heɪv] vi mal se conduire

misc. abbr = **miscellaneous**

miscarriage ['mɪskærɪdʒ] n (Med) fausse couche; **~ of justice** erreur f judiciaire

miscellaneous [mɪsɪ'leɪnɪəs] adj (items, expenses) divers(es); (selection) varié(e)

mischief ['mɪstʃɪf] n (naughtiness) sottises fpl; (playfulness) espièglerie f; (harm) mal m, dommage m; (maliciousness) méchanceté f • **mischievous** ['mɪstʃɪvəs] adj (playful, naughty) coquin(e), espiègle

miscommunication [mɪskəmjuːnɪ'keɪʃən] n mauvaise communication f

misconception ['mɪskən'sepʃən] n idée fausse

misconduct [mɪs'kɒndʌkt] n inconduite f; **professional ~** faute professionnelle

miser ['maɪzəʳ] n avare m/f

miserable ['mɪzərəbl] adj (person, expression) malheureux(-euse); (conditions) misérable; (weather) maussade; (offer, donation) minable; (failure) pitoyable

misery ['mɪzərɪ] n (unhappiness) tristesse f; (pain) souffrances fpl; (wretchedness) misère f

misfortune [mɪs'fɔːtʃən] n malchance f, malheur m

misgiving [mɪs'gɪvɪŋ] n (apprehension) craintes fpl; **to have ~s about** sth avoir des doutes quant à qch

misguided [mɪs'gaɪdɪd] adj malavisé(e)

mishap [ˈmɪshæp] n mésaventure f

misinterpret [mɪsɪn'tɜːprɪt] vt mal interpréter

misjudge [mɪs'dʒʌdʒ] vt méjuger, se méprendre sur le compte de

mislay [mɪs'leɪ] vt (irreg: like **lay**) égarer

mislead [mɪs'liːd] vt (irreg: like **lead¹**) induire en erreur • **misleading** adj trompeur(-euse)

misplace [mɪs'pleɪs] vt égarer; **to be ~d** (trust etc) être mal placé(e)

misprint [ˈmɪsprɪnt] n faute f d'impression

misrepresent [mɪsreprɪ'zent] vt présenter sous un faux jour

Miss [mɪs] n Mademoiselle

miss [mɪs] vt (fail to get, attend, see) manquer, rater; (regret the absence of): **I ~ him/it** il/cela me manque ▶ vi manquer ▶ n (shot) coup manqué; **we ~ed our train** nous avons raté notre train; **you can't ~ it** vous ne pouvez pas vous tromper • **miss out** vt (BRIT) oublier • **miss out on** vt fus (fun, party) rater, manquer; (chance, bargain) laisser passer

missile [ˈmɪsaɪl] n (Aviat) missile m; (object thrown) projectile m

missing [ˈmɪsɪŋ] adj manquant(e); (after escape, disaster: person) disparu(e); **to go ~** disparaître; **~ in action** (Mil) porté(e) disparu(e)

mission [ˈmɪʃən] n mission f; **on a ~ to sb** en mission auprès de qn • **missionary** n missionnaire m/f

misspell [ˈmɪs'spel] vt (irreg: like **spell**) mal orthographier

mist [mɪst] n brume f ▶ vi (also: **~ over, ~ up**) devenir brumeux(-euse); (BRIT: windows) s'embuer

mistake [mɪs'teɪk] n erreur f, faute f ▶ vt (irreg: like **take**) (meaning) mal comprendre; (intentions) se méprendre sur; **to ~ for** prendre pour; **by ~** par erreur, par inadvertance; **to make a ~** (in writing) faire une faute; (in calculating etc) faire une erreur; **there must be some ~** il doit y avoir une erreur, se tromper • **mistaken** pp of **mistake** ▶ adj (idea etc) erroné(e); **to be mistaken** faire erreur, se tromper

mister [ˈmɪstər] n (inf) Monsieur m; see **Mr**

mistletoe [ˈmɪsltəʊ] n gui m

mistook [mɪs'tʊk] pt of **mistake**

mistress [ˈmɪstrɪs] n maîtresse f; (BRIT: in primary school) institutrice f; (: in secondary school) professeur m

mistrust [mɪs'trʌst] vt se méfier de

misty [ˈmɪstɪ] adj brumeux(-euse); (glasses, window) embué(e)

misunderstand [mɪsʌndə'stænd] vt, vi (irreg: like **understand**) mal comprendre • **misunderstanding** n méprise f, malentendu m; **there's been a misunderstanding** il y a eu un malentendu

misunderstood [mɪsʌndə'stʊd] pt, pp of **misunderstand** ▶ adj (person) incompris(e)

m

misuse n [mɪsˈjuːs] mauvais emploi; (of power) abus m ▶ vt [mɪsˈjuːz] mal employer; abuser de

mitt(en) [ˈmɪt(n)] n moufle f; (fingerless) mitaine f

mix [mɪks] vt mélanger; (sauce, drink etc) préparer ▶ vi se mélanger; (socialize): **he doesn't ~ well** il est peu sociable ▶ n mélange m; **to ~ sth with sth** mélanger qch à qch; **cake ~** préparation f pour gâteau • **mix up** vt mélanger; (confuse) confondre; **to be ~ed up in sth** être mêlé(e) à qch ou impliqué(e) dans qch • **mixed** adj (feelings, reactions) contradictoire; (school, marriage) mixte • **mixed grill** n (BRIT) assortiment m de grillades • **mixed salad** n salade f de crudités • **mixed-up** adj (person) désorienté(e), embrouillé(e) • **mixer** n (for food) batteur m, mixeur m; (drink) boisson gazeuse (servant à couper un alcool); (person): **he is a good mixer** il est très sociable • **mixture** n assortiment m, mélange m; (Med) préparation f • **mix-up** n: **there was a mix-up** il y a eu confusion

ml abbr (= millilitre(s)) ml

mm abbr (= millimetre) mm

moan [məʊn] n gémissement m ▶ vi gémir; (inf: complain): **to ~ (about)** se plaindre (de)

moat [məʊt] n fossé m, douves fpl

mob [mɒb] n foule f; (disorderly) cohue f ▶ vt assaillir • **mobbing** n harcèlement m collectif, mobbing m

mobile [ˈməʊbaɪl] adj mobile ▶ n (Art) mobile m; (BRIT inf: phone) (téléphone m) portable m, mobile m • **mobile home** n caravane f • **mobile phone** n (téléphone m) portable m, mobile m

mobility [məʊˈbɪlɪtɪ] n mobilité f

mobilize [ˈməʊbɪlaɪz] vt, vi mobiliser

mock [mɒk] vt ridiculiser; (laugh at) se moquer de ▶ adj faux (fausse); **mocks** npl (BRIT Scol) examens blancs • **mockery** n moquerie f, raillerie f

mod cons [ˈmɒdˈkɒnz] npl abbr (BRIT) = **modern conveniences**; see **convenience**

mode [məʊd] n mode m; (of transport) moyen m

model [ˈmɒdl] n modèle m; (person: for fashion) mannequin m; (: for artist) modèle ▶ vt (with clay etc) modeler ▶ vi travailler comme mannequin • adj (railway: toy) modèle réduit inv; (child, factory) modèle; **to ~ clothes** présenter des vêtements; **to ~ o.s. on** imiter

modem [ˈməʊdɛm] n modem m

moderate adj [ˈmɒdərət] modéré(e); (amount, change) peu important(e) ▶ vi [ˈmɒdəreɪt] se modérer, se calmer ▶ vt [ˈmɒdəreɪt] modérer

moderation [mɒdəˈreɪʃən] n modération f, mesure f; **in ~** à dose raisonnable, pris(e) or pratiqué(e) modérément

modern [ˈmɒdən] adj moderne • **modernize** vt moderniser • **modern languages** npl langues vivantes

modest [ˈmɒdɪst] adj modeste • **modesty** n modestie f

modification [mɒdɪfɪˈkeɪʃən] n modification f

modify [ˈmɒdɪfaɪ] vt modifier

module [ˈmɒdjuːl] n module m

mohair [ˈməʊhɛər] n mohair m

Mohammed [məˈhæmɛd] n Mahomet m

moist [mɔɪst] *adj* humide, moite
• **moisture** ['mɔɪstʃə^r] *n*
humidité *f*; *(on glass)* buée *f*
• **moisturizer** ['mɔɪstʃəraɪzə^r] *n*
crème hydratante

mojo ['məʊdʒəʊ] *n (us inf)* mojo
m, charisme *m*

mold *etc* [məʊld] *(US) n* = **mould**

mole [məʊl] *n (animal, spy)* taupe
f; *(spot)* grain *m* de beauté

molecule ['mɔlɪkjuːl] *n*
molécule *f*

molest [məʊ'lest] *vt (assault
sexually)* attenter à la pudeur de

molten ['məʊltən] *adj* fondu(e);
(rock) en fusion

mom [mɔm] *n (us)* = **mum**

moment ['məʊmənt] *n* moment
m, instant *m*; **at the ~** en ce
moment • **momentarily** *adv*
momentanément; *(us: soon)*
bientôt • **momentary** *adj*
momentané(e), passager(-ère)
• **momentous** [məʊ'mentəs] *adj*
important(e), capital(e)

momentum [məʊ'mentəm] *n*
élan *m*, vitesse acquise; *(fig)*
dynamique *f*; **to gather ~** prendre
de la vitesse; *(fig)* gagner du
terrain

mommy ['mɔmɪ] *n (us: mother)*
maman *f*

Monaco ['mɔnəkəʊ] *n* Monaco *f*

monarch ['mɔnək] *n* monarque
m • **monarchy** *n* monarchie *f*

monastery ['mɔnəstərɪ] *n*
monastère *m*

Monday ['mʌndɪ] *n* lundi *m*

monetary ['mʌnɪtərɪ] *adj*
monétaire

money ['mʌnɪ] *n* argent *m*; **to
make ~** *(person)* gagner de
l'argent; *(business)* rapporter
• **money belt** *n* ceinture-

portefeuille *f* • **money order** *n*
mandat *m*

mongrel ['mʌŋɡrəl] *n (dog)*
bâtard *m*

monitor ['mɔnɪtə^r] *n (TV, Comput)*
écran *m*, moniteur *m* ▶ *vt* contrôler;
(foreign station) être à l'écoute de;
(progress) suivre de près

monk [mʌŋk] *n* moine *m*

monkey ['mʌŋkɪ] *n* singe *m*

monologue ['mɔnəlɔɡ] *n*
monologue *m*

monopoly [mə'nɔpəlɪ] *n*
monopole *m*

monosodium glutamate
[mɔnə'səʊdɪəm 'ɡluːtəmeɪt] *n*
glutamate *m* de sodium

monotonous [mə'nɔtənəs] *adj*
monotone

monsoon [mɔn'suːn] *n*
mousson *f*

monster ['mɔnstə^r] *n* monstre *m*

month [mʌnθ] *n* mois *m*
• **monthly** *adj* mensuel(le) ▶ *adv*
mensuellement

Montreal [mɔntrɪ'ɔːl] *n*
Montréal *f*

monument ['mɔnjumənt] *n*
monument *m*

mood [muːd] *n* humeur *f*,
disposition *f*; **to be in a good/
bad ~** être de bonne/mauvaise
humeur • **moody** *adj (variable)*
d'humeur changeante, lunatique;
(sullen) morose, maussade

moon [muːn] *n* lune *f*
• **moonlight** *n* clair *m* de lune

moor [mʊə^r] *n* lande *f* ▶ *vt (ship)*
amarrer ▶ *vi* mouiller

moose [muːs] *n (pl inv)* élan *m*

mop [mɔp] *n* balai *m* à laver; *(for
dishes)* lavette *f* à vaisselle ▶ *vt*
éponger, essuyer; **~ of hair**
tignasse *f* • **mop up** *vt* éponger

mope

mope [məup] *vi* avoir le cafard, se morfondre

moped ['məuped] *n* cyclomoteur *m*

moral ['mɒrl] *adj* moral(e) ▶ morale *f*; **morals** *npl* moralité *f*

morale [mɒ'rɑːl] *n* moral *m*

morality [mə'rælıtı] *n* moralité *f*

morbid ['mɔːbɪd] *adj* morbide

---

more [mɔːʳ]

▶ *adj* 1 (*greater in number etc*) plus (de), davantage (de); **more people/work (than)** plus de gens/de travail (que)
2 (*additional*) encore (de); **do you want (some) more tea?** voulez-vous un peu plus de thé?; **is there any more wine?** reste-t-il du vin?; **I have no** or **I don't have any more money** je n'ai plus d'argent; **it'll take a few more weeks** ça prendra encore quelques semaines
▶ *pron* plus, davantage; **more than 10** plus de 10; **it cost more than we expected** cela a coûté plus que prévu; **I want more** j'en veux plus or davantage; **is there any more?** est-ce qu'il en reste?; **there's no more** il n'y en a plus; **a little more** un peu plus; **many/much more** beaucoup plus, bien davantage
▶ *adv* plus; **more dangerous/easily (than)** plus dangereux/facilement (que); **more and more expensive** de plus en plus cher; **more or less** plus ou moins; **more than ever** plus que jamais; **once more** encore une fois, une fois de plus

---

moreover [mɔː'rəuvəʳ] *adv* de plus

morgue [mɔːg] *n* morgue *f*

morning ['mɔːnɪŋ] *n* matin *m*; (*as duration*) matinée *f* ▶ *cpd* matinal(e); (*paper*) du matin; **in the ~** le matin; **7 o'clock in the ~** 7 heures du matin • **morning sickness** *n* nausées matinales

Moroccan [mə'rɒkən] *adj* marocain(e) ▶ *n* Marocain(e)

Morocco [mə'rɒkəu] *n* Maroc *m*

moron ['mɔːrɒn] *n* (!) idiot(e), minus *m/f*

morphine ['mɔːfiːn] *n* morphine *f*

morris dancing ['mɒrɪs-] *n* (BRIT) danses folkloriques anglaises

Le **morris dancing** est une danse folklorique anglaise traditionnelle réservée aux hommes. Habillés tout en blanc et portant des clochettes, ils exécutent différentes figures avec des mouchoirs et de longs bâtons. Cette danse est très populaire dans les fêtes de village.

Morse [mɔːs] *n* (*also:* **~ code**) morse *m*

mortal ['mɔːtl] *adj*, *n* mortel(le)

mortar ['mɔːtəʳ] *n* mortier *m*

mortgage ['mɔːgɪdʒ] *n* hypothèque *f*; (*loan*) prêt *m* (or crédit *m*) hypothécaire ▶ *vt* hypothéquer

mortician [mɔː'tɪʃən] *n* (US) entrepreneur *m* de pompes funèbres

mortified ['mɔːtɪfaɪd] *adj* mort(e) de honte

mortuary ['mɔːtjuərɪ] *n* morgue *f*

mosaic [məu'zeɪɪk] *n* mosaïque *f*

Moscow ['mɒskəu] *n* Moscou

Moslem ['mɒzləm] *adj*, *n* = **Muslim**

mosque [mɒsk] *n* mosquée *f*

mosquito [mɒs'kiːtəʊ] (*pl* **mosquitoes**) *n* moustique *m*

moss [mɒs] *n* mousse *f*

most [məʊst] *adj* (*majority of*) la plupart de; (*greatest amount of*) le plus de ▶ *pron* la plupart ▶ *adv* le plus; (*very*) très, extrêmement; **the ~** le plus; **~ fish** la plupart des poissons; **the ~ beautiful woman in the world** la plus belle femme du monde; **~ of** (*with plural*) la plupart de; (*with singular*) la plus grande partie de; **~ of them** la plupart d'entre eux; **~ of the time** la plupart du temps; **I saw ~** (*a lot but not all*) j'en ai vu la plupart; (*more than anyone else*) c'est moi qui en ai vu le plus; **at the (very) ~** au plus; **to make the ~ of** profiter au maximum de
• **mostly** *adv* (*chiefly*) surtout, principalement; (*usually*) généralement

MOT *n abbr* (BRIT: = Ministry of Transport): **the ~ (test)** visite technique (annuelle) obligatoire des véhicules à moteur

motel [məʊ'tɛl] *n* motel *m*

moth [mɒθ] *n* papillon *m* de nuit; (*in clothes*) mite *f*

mother ['mʌðəʳ] *n* mère *f* ▶ *vt* (*pamper, protect*) dorloter
• **motherhood** *n* maternité *f*
• **mother-in-law** *n* belle-mère *f*
• **mother-of-pearl** *n* nacre *f*
• **Mother's Day** *n* fête *f* des Mères
• **mother-to-be** *n* future maman
• **mother tongue** *n* langue maternelle

motif [məʊ'tiːf] *n* motif *m*

motion ['məʊʃən] *n* mouvement *m*; (*gesture*) geste *m*; (*at meeting*) motion *f* ▶ *vt*, *vi*: **to ~ (to) sb to do** faire signe à qn de faire
• **motionless** *adj* immobile, sans mouvement • **motion picture** *n* film *m*

motivate ['məʊtɪveɪt] *vt* motiver

motivation [məʊtɪ'veɪʃən] *n* motivation *f*

motive ['məʊtɪv] *n* motif *m*, mobile *m*

motor ['məʊtəʳ] *n* moteur *m*; (BRIT inf: *vehicle*) auto *f*
• **motorbike** *n* moto *f*
• **motorboat** *n* bateau *m* à moteur • **motorcar** *n* (BRIT) automobile *f* • **motorcycle** *n* moto *f* • **motorcyclist** *n* motocycliste *m/f* • **motoring** (BRIT) *n* tourisme *m* automobile • **motorist** *n* automobiliste *m/f* • **motor racing** *n* (BRIT) course *f* automobile • **motorway** *n* (BRIT) autoroute *f*

motto ['mɒtəʊ] (*pl* **mottoes**) *n* devise *f*

mould, (US) **mold** [məʊld] *n* moule *m*; (*mildew*) moisissure *f* ▶ *vt* mouler, modeler; (*fig*) façonner ▶ **mouldy**, (US) **moldy** *adj* moisi(e); (*smell*) de moisi

mound [maʊnd] *n* monticule *m*, tertre *m*

mount [maʊnt] *n* (*hill*) mont *m*, montagne *f*; (*horse*) monture *f*; (*for picture*) carton *m* de montage ▶ *vt* monter; (*horse*) monter à; (*bike*) monter sur; (*picture*) monter sur carton ▶ *vi* (*inflation, tension*) augmenter • **mount up** *vi* s'élever, monter; (*bills, problems, savings*) s'accumuler

mountain ['maʊntɪn] *n* montagne *f* ▶ *cpd* de (la) montagne • **mountain bike** *n* VTT *m*, vélo *m* tout terrain

- **mountaineer** n alpiniste m/f
- **mountaineering** n alpinisme m
- **mountainous** adj montagneux(-euse) • **mountain range** n chaîne f de montagnes

mourn [mɔːn] vt pleurer ▸ vi: **to ~ for sb** pleurer qn; **to ~ for sth** se lamenter sur qch • **mourner** n parent(e) or ami(e) du défunt; personne f en deuil or venue rendre hommage au défunt • **mourning** n deuil m; **in mourning** en deuil

mouse (pl **mice**) [maus, maɪs] n (also Comput) souris f • **mouse mat** n (Comput) tapis m de souris

moussaka [muˈsɑːkə] n moussaka f

mousse [muːs] n mousse f

moustache [məsˈtɑːʃ] n, (us) **mustache** [ˈmʌstæʃ] n moustache(s) f(pl)

mouth (pl **mouths**) [mauθ, mauðz] n bouche f; (of dog, cat) gueule f; (of river) embouchure f; (of hole, cave) ouverture f • **mouthful** n bouchée f • **mouth organ** n harmonica m • **mouthpiece** n (of musical instrument) bec m, embouchure f; (spokesperson) porte-parole m inv • **mouthwash** n eau f dentifrice

move [muːv] n (movement) mouvement m; (in game) coup m; (: turn to play) tour m; (change of house) déménagement m; (change of job) changement m d'emploi ▸ vt déplacer, bouger; (emotionally) émouvoir; (Pol: resolution etc) proposer ▸ vi (gen) bouger, remuer; (traffic) circuler; (also: ~ **house**) déménager; (in game) jouer; **can you ~ your car, please?** pouvez-vous déplacer votre voiture, s'il vous plaît?; **to ~ sb to do sth** pousser or inciter

qn à faire qch; **to get a ~ on** se dépêcher, se remuer • **move back** vi revenir, retourner • **move in** vi (to a house) emménager; (police, soldiers) intervenir • **move off** vi s'éloigner, s'en aller • **move on** vi se remettre en route • **move out** vi (of house) déménager • **move over** vi se pousser, se déplacer • **move up** vi avancer; (employee) avoir de l'avancement; (pupil) passer dans la classe supérieure • **movement** n mouvement m

movie [ˈmuːvɪ] n film m; **movies** npl: **the ~s** le cinéma • **movie theater** (us) n cinéma m

moving [ˈmuːvɪŋ] adj en mouvement; (touching) émouvant(e)

mow (pt **mowed**, pp **mowed** or **mown**) [məu, -d, -n] vt faucher; (lawn) tondre • **mower** n (also: **lawnmower**) tondeuse f à gazon

mown [məun] pp of **mow**

Mozambique [məuzəmˈbiːk] n Mozambique m

MP n abbr (BRIT) = **Member of Parliament**

MP3 n mp3 m • **MP3 player** n baladeur m numérique, lecteur m mp3

mpg n abbr = **miles per gallon** (30 mpg = 9,4 l. aux 100 km)

m.p.h. abbr = **miles per hour** (60 mph = 96 km/h)

Mr, (us) **Mr.** [ˈmɪstə] n: **~ X** Monsieur X, M. X

Mrs, (us) **Mrs.** [ˈmɪsɪz] n: **~ X** Madame X, Mme X

Ms, (us) **Ms.** [mɪz] n (Miss or Mrs): **~ X** Madame X, Mme X

MSP n abbr (= Member of the Scottish Parliament) député m au Parlement écossais

Mt *abbr (Geo: = mount)* Mt

much [mʌtʃ] *adj* beaucoup de ▶ *adv, n, pron* beaucoup; **we don't have ~ time** nous n'avons pas beaucoup de temps; **how ~ is it?** combien est-ce que ça coûte?; **it's not ~** ce n'est pas beaucoup; **too ~** trop (de); **so ~** tant (de); **I like it very/so ~** j'aime beaucoup/ tellement ça; **as ~ as** autant de; **that's ~ better** c'est beaucoup mieux

muck [mʌk] *n (mud)* boue *f; (dirt)* ordures *fpl* • **muck up** *vt (inf: ruin)* gâcher, esquinter; *(: dirty)* salir; *(: exam, interview)* se planter à • **mucky** *adj (dirty)* boueux(-euse), sale

mucus ['mjuːkəs] *n* mucus *m*

mud [mʌd] *n* boue *f*

muddle ['mʌdl] *n (mess)* pagaille *f*, fouillis *m; (mix-up)* confusion *f* ▶ *vt (also:* **~ up***)* brouiller, embrouiller; **to get in a ~** *(while explaining etc)* s'embrouiller

muddy ['mʌdɪ] *adj* boueux(-euse)

mudguard ['mʌdɡɑːd] *n* garde-boue *m inv*

muesli ['mjuːzlɪ] *n* muesli *m*

muffin ['mʌfɪn] *n (roll)* petit pain rond et plat; *(cake)* petit gâteau ou chocolat ou aux fruits

muffled ['mʌfld] *adj* étouffé(e), voilé(e)

muffler ['mʌflər] *n (scarf)* cache-nez *m inv; (us Aut)* silencieux *m*

mug [mʌɡ] *n (cup)* tasse *f (sans soucoupe); (: for beer)* chope *f; (inf: face)* bouille *f; (: fool)* poire *f* ▶ *vt (assault)* agresser • **mugger** ['mʌɡər] *n* agresseur *m* • **mugging** *n* agression *f*

muggy ['mʌɡɪ] *adj* lourd(e), moite

mule [mjuːl] *n* mule *f*

multicoloured, *(us)* **multicolored** ['mʌltɪkʌləd] *adj* multicolore

multigrain ['mʌltɪɡreɪn] *adj* multicéréales

multimedia ['mʌltɪ'miːdɪə] *adj* multimédia *inv*

multinational [mʌltɪ'næʃənl] *n* multinationale *f* ▶ *adj* multinational(e)

multiple ['mʌltɪpl] *adj* multiple ▶ *n* multiple *m* • **multiple choice (test)** *n* QCM *m*, questionnaire *m* à choix multiple • **multiple sclerosis** [-sklɪ'rəusɪs] *n* sclérose *f* en plaques

multiplex (cinema) ['mʌltɪpleks-] *n (cinéma m)* multisalles *m*

multiplication [mʌltɪplɪ'keɪʃən] *n* multiplication *f*

multiply ['mʌltɪplaɪ] *vt* multiplier ▶ *vi* se multiplier

multistorey ['mʌltɪ'stɔːrɪ] *adj (brit: building)* à étages; *(: car park)* à étages ou niveaux multiples

mum [mʌm] *n (brit)* maman *f* ▶ *adj:* **to keep ~** ne pas souffler mot

mumble ['mʌmbl] *vt, vi* marmotter, marmonner

mummy ['mʌmɪ] *n (brit: mother)* maman *f; (embalmed)* momie *f*

mumps [mʌmps] *n* oreillons *mpl*

munch [mʌntʃ] *vt, vi* mâcher

municipal [mjuː'nɪsɪpl] *adj* municipal(e)

mural ['mjuərl] *n* peinture murale

murder ['məːdər] *n* meurtre *m*, assassinat *m* ▶ *vt* assassiner • **murderer** *n* meurtrier *m*, assassin *m*

murky ['mɜːkɪ] *adj* sombre, ténébreux(-euse); (*water*) trouble

murmur ['mɜːməʳ] *n* murmure *m* ▶ *vt, vi* murmurer

muscle ['mʌsl] *n* muscle *m*; (*fig*) force *f* • **muscular** ['mʌskjʊləʳ] *adj* musculaire; (*person, arm*) musclé(e)

museum [mju:'zɪəm] *n* musée *m*

mushroom ['mʌʃrʊm] *n* champignon *m* ▶ *vi* (*fig*) pousser comme un (*or* des) champignon(s)

music ['mju:zɪk] *n* musique *f* • **musical** *adj* musical(e); (*person*) musicien(ne) ▶ *n* (*show*) comédie musicale • **musical instrument** *n* instrument *m* de musique • **musician** [mju:'zɪʃən] *n* musicien(ne)

Muslim ['mʌzlɪm] *adj, n* musulman(e)

muslin ['mʌzlɪn] *n* mousseline *f*

mussel ['mʌsl] *n* moule *f*

must [mʌst] *aux vb* (*obligation*): **I ~ do it** je dois le faire, il faut que je le fasse; (*probability*): **he ~ be there by now** il doit y être maintenant, il y est probablement maintenant; (*suggestion, invitation*): **you ~ come and see me** il faut que vous veniez me voir ▶ *n* nécessité *f*, impératif *m*; **it's a ~** c'est indispensable; **I ~ have made a mistake** j'ai dû me tromper

mustache ['mʌstæʃ] *n* (*us*) = **moustache**

mustard ['mʌstəd] *n* moutarde *f*

mustn't ['mʌsnt] = **must not**

mute [mju:t] *adj, n* muet(te)

mutilate ['mju:tɪleɪt] *vt* mutiler

mutiny ['mju:tɪnɪ] *n* mutinerie *f* ▶ *vi* se mutiner

mutter ['mʌtəʳ] *vt, vi* marmonner, marmotter

mutton ['mʌtn] *n* mouton *m*

mutual ['mju:tʃʊəl] *adj* mutuel(le), réciproque; (*benefit, interest*) commun(e)

muzzle ['mʌzl] *n* museau *m*; (*protective device*) muselière *f*; (*of gun*) gueule *f* ▶ *vt* museler

my [maɪ] *adj* mon (ma), mes *pl*; **my house/car/gloves** ma maison/ma voiture/mes gants; **I've washed my hair/cut my finger** je me suis lavé les cheveux/coupé le doigt; **is this my pen or yours?** c'est mon stylo ou c'est le vôtre?

myself [maɪ'sɛlf] *pron* (*reflexive*) me; (*emphatic*) moi-même; (*after prep*) moi; *see also* **oneself**

mysterious [mɪs'tɪərɪəs] *adj* mystérieux(-euse)

mystery ['mɪstərɪ] *n* mystère *m*

mystical ['mɪstɪkl] *adj* mystique

mystify ['mɪstɪfaɪ] *vt* (*deliberately*) mystifier; (*puzzle*) ébahir

myth [mɪθ] *n* mythe *m* • **mythology** [mɪ'θɒlədʒɪ] *n* mythologie *f*

n

n/a abbr (= not applicable) n.a.

nag [næg] vt (scold) être toujours après, reprendre sans arrêt

nail [neɪl] n (human) ongle m; (metal) clou m ▸ vt clouer; **to ~ sth to sth** clouer qch à qch; **to ~ sb down to a date/price** contraindre qn à accepter or donner une date/un prix • **nailbrush** n brosse f à ongles • **nailfile** n lime f à ongles • **nail polish** n vernis m à ongles • **nail polish remover** n dissolvant m • **nail scissors** npl ciseaux mpl à ongles • **nail varnish** n (BRIT) = **nail polish**

naïve [naɪˈiːv] adj naïf(-ive)

naked [ˈneɪkɪd] adj nu(e)

name [neɪm] n nom m; (reputation) réputation f ▸ vt nommer; (identify: accomplice etc) citer; (price, date) fixer, donner; **by ~** par son nom; de nom; **in the ~ of** au nom de; **what's your ~?** comment vous appelez-vous?, quel est votre nom? • **namely** adv à savoir

nanny [ˈnænɪ] n bonne f d'enfants

nap [næp] n (sleep) (petit) somme

napkin [ˈnæpkɪn] n serviette f (de table)

nappy [ˈnæpɪ] n (BRIT) couche f

narcotics [nɑːˈkɒtɪkz] npl (illegal drugs) stupéfiants mpl

narrative [ˈnærətɪv] n récit m ▸ adj narratif(-ive)

narrator [nəˈreɪtəʳ] n narrateur(-trice)

narrow [ˈnærəʊ] adj étroit(e); (fig) restreint(e), limité(e) ▸ vi (road) devenir plus étroit, se rétrécir; (gap, difference) se réduire; **to have a ~ escape** l'échapper belle • **narrow down** vt restreindre • **narrowly** adv: **he narrowly missed injury/the tree** il a failli se blesser/rentrer dans l'arbre; **he only narrowly missed the target** il a manqué la cible de peu or de justesse • **narrow-minded** adj à l'esprit étroit, borné(e); (attitude) borné(e)

nasal [ˈneɪzl] adj nasal(e)

nasty [ˈnɑːstɪ] adj (person: malicious) méchant(e); (: rude) très désagréable; (smell) dégoûtant(e); (wound, situation) mauvais(e), vilain(e)

nation [ˈneɪʃən] n nation f

national [ˈnæʃənl] adj national(e) ▸ n (abroad) ressortissant(e); (when home) national(e) • **national anthem** n hymne national • **national dress** n costume national • **National Health Service** n (BRIT) service national de santé, ≈ Sécurité Sociale • **National Insurance** n (BRIT) ≈ Sécurité Sociale • **nationalist** adj, n nationaliste m/f • **nationality** [næʃəˈnælɪtɪ] n nationalité f • **nationalize** vt nationaliser • **national park** n

parc national • **National Trust** n
(BRIT) ≈ Caisse f nationale des
monuments historiques et des
sites

Le **National Trust** est un
organisme indépendant, à but
non lucratif, dont la mission est
de protéger et de mettre en
valeur les monuments et les
sites britanniques en raison de
leur intérêt historique ou de leur
beauté naturelle.

nationwide ['neɪʃənwaɪd] adj
s'étendant à l'ensemble du pays;
(problem) à l'échelle du pays entier
native ['neɪtɪv] n habitant(e) du
pays, autochtone m/f ▶ adj du
pays, indigène; (country) natal(e);
(language) maternel(le); (ability)
inné(e) • **Native American** n
Indien(ne) d'Amérique ▶ adj
amérindien(ne) • **native speaker**
n locuteur natif
NATO ['neɪtəu] n abbr (= North
Atlantic Treaty Organization)
OTAN f
natural ['nætʃrəl] adj naturel(le)
• **natural gas** n gaz naturel
• **natural history** n histoire
naturelle • **naturally** adv
naturellement • **natural resources**
npl ressources naturelles
nature ['neɪtʃəʳ] n nature f; **by ~**
par tempérament, de nature
• **nature reserve** n (BRIT) réserve
naturelle
naughty ['nɔːtɪ] adj (child)
vilain(e), pas sage
nausea ['nɔːsɪə] n nausée f
naval ['neɪvl] adj naval(e)
navel ['neɪvl] n nombril m
navigate ['nævɪgeɪt] vt (steer)
diriger, piloter ▶ vi naviguer; (Aut)

indiquer la route à suivre
• **navigation** [nævɪ'geɪʃən] n
navigation f
navy ['neɪvɪ] n marine f
navy-blue ['neɪvɪ'bluː] adj bleu
marine inv
Nazi ['nɑːtsɪ] n Nazi(e)
NB abbr (= nota bene) NB
near [nɪəʳ] adj proche ▶ adv près
▶ prep (also: ~ to) près de ▶ vt
approcher de; **in the ~ future**
dans un proche avenir • **nearby**
[nɪə'baɪ] adj proche ▶ adv tout
près, à proximité • **nearly** adv
presque; **I nearly fell** j'ai failli
tomber; **it's not nearly big
enough** ce n'est vraiment pas
assez grand, c'est loin d'être assez
grand • **near-sighted** adj myope
neat [niːt] adj (person, work)
soigné(e); (room etc) bien tenu(e)
or rangé(e); (solution, plan) habile;
(spirits) pur(e) • **neatly** adv avec
soin or ordre; (skilfully) habilement
necessarily ['nɛsɪsərɪlɪ] adv
nécessairement; **not ~** pas
nécessairement or forcément
necessary ['nɛsɪsrɪ] adj
nécessaire; **if ~** si besoin est, le cas
échéant
necessity [nɪ'sɛsɪtɪ] n nécessité
f; chose nécessaire or essentielle
neck [nɛk] n cou m; (of horse,
garment) encolure f; (of bottle)
goulot m; **~ and ~** à égalité
• **necklace** ['nɛklɪs] n collier m
• **necktie** ['nɛktaɪ] n (esp US)
cravate f
nectarine ['nɛktərɪn] n brugnon
m, nectarine f
need [niːd] n besoin m ▶ vt avoir
besoin de; **to ~ to do** devoir faire;
avoir besoin de faire; **you don't
~ to go** vous n'avez pas besoin or

vous n'êtes pas obligé de partir; **a signature is ~ed** il faut une signature; **there's no ~ to do ...** il n'y a pas lieu de faire ..., il n'est pas nécessaire de faire ...

needle ['niːdl] n aiguille f ▸ vt (inf) asticoter, tourmenter

needless ['niːdlɪs] adj inutile; **~ to say, ...** inutile de dire que ...

needlework ['niːdlwəːk] n (activity) travaux mpl d'aiguille; (object) ouvrage m

needn't ['niːdnt] = **need not**

needy ['niːdɪ] adj nécessiteux(-euse)

negative ['nɛgətɪv] n (Phot, Elec) négatif m; (Ling) terme m de négation ▸ adj négatif(-ive)

neglect [nɪ'glɛkt] vt négliger; (garden) ne pas entretenir; (duty) manquer à ▸ n (of person, duty, garden) le fait de négliger; (state of) ~ abandon m; **to ~ to do sth** négliger or omettre de faire qch; **to ~ one's appearance** se négliger

negotiate [nɪ'gəuʃieɪt] vi négocier ▸ vt négocier; (obstacle) franchir, négocier; **to ~ with sb for sth** négocier avec qn en vue d'obtenir qch

negotiation [nɪgəuʃɪ'eɪʃən] n négociation f, pourparlers mpl

negotiator [nɪ'gəuʃɪeɪtəʳ] n négociateur(-trice)

neighbour, (us) **neighbor** ['neɪbəʳ] n voisin(e)
• **neighbourhood** • (us) **neighborhood** n (place) quartier m; (people) voisinage m
• **neighbouring** • (us) **neighboring** adj voisin(e), avoisinant(e)

neither ['naɪðəʳ] adj, pron aucun(e) (des deux), ni l'un(e) ni

l'autre ▸ conj: **~ do I** moi non plus ▸ adv: **~ good nor bad** ni bon ni mauvais; **~ of them** ni l'un ni l'autre

neon ['niːɔn] n néon m

Nepal [nɪ'pɔːl] n Népal m

nephew ['nevjuː] n neveu m

nerve [nəːv] n nerf m; (bravery) sang-froid m, courage m; (cheek) aplomb m, toupet m; **nerves** npl (nervousness) nervosité f; **he gets on my ~s** il m'énerve

nervous ['nəːvəs] adj nerveux(-euse); (anxious) inquiet(-ète), plein(e) d'appréhension; (timid) intimidé(e)
• **nervous breakdown** n dépression nerveuse

nest [nɛst] n nid m ▸ vi (se) nicher, faire son nid

Net [nɛt] n (Comput): **the ~** (Internet) le Net

net [nɛt] n filet m; (fabric) tulle f ▸ adj net(te) ▸ vt (fish etc) prendre au filet • **netball** n netball m

Netherlands ['nɛðələndz] npl: **the ~** les Pays-Bas mpl

nett [nɛt] adj = **net**

nettle ['nɛtl] n ortie f

network ['nɛtwəːk] n réseau m; **there's no ~ coverage here** (Tel) il n'y a pas de réseau ici

neurotic [njuə'rɔtɪk] adj névrosé(e)

neuter ['njuːtəʳ] adj neutre ▸ vt (cat etc) châtrer, couper

neutral ['njuːtrəl] adj neutre ▸ n (Aut) point mort

never ['nɛvəʳ] adv (ne ...) jamais; **I ~ went** je n'y suis pas allé; **I've ~ been to Spain** je ne suis jamais allé en Espagne; **~ again** plus jamais; **~ in my life** jamais de ma vie; see also **mind • never-ending**

n

adj interminable • **nevertheless** [nevəðə'les] adv néanmoins, malgré tout

new [nju:] adj nouveau (nouvelle); (brand new) neuf (neuve) • **New Age** n New Age m • **newborn** adj nouveau-né(e) • **newcomer** ['nju:kʌmə'] n nouveau venu (nouvelle venue) • **newly** adv nouvellement, récemment

news [nju:z] n nouvelle(s) f(pl); (Radio, TV) informations fpl, actualités fpl; **a piece of ~** une nouvelle • **news agency** n agence f de presse • **newsagent** n (BRIT) marchand m de journaux • **newscaster** n (Radio, TV) présentateur(-trice) • **newsletter** n bulletin m • **newspaper** n journal m • **newsreader** n = **newscaster**

newt [nju:t] n triton m

New Year n Nouvel An; **Happy ~!** Bonne Année! • **New Year's Day** n le jour de l'An • **New Year's Eve** n la Saint-Sylvestre

New York [-'jɔːk] n New York

New Zealand [-'ziːlənd] n Nouvelle-Zélande f • **New Zealander** n Néo-Zélandais(e)

next [nekst] adj (in time) prochain(e); (seat, room) voisin(e), d'à côté; (meeting, bus stop) suivant(e) ▶ adv la fois suivante; la prochaine fois; (afterwards) ensuite; **~ to** prep à côté de; **~ to nothing** presque rien; **~ time** adv la prochaine fois; **the ~ day** le lendemain, le jour suivant or d'après; **~ year** l'année prochaine; **~ please!** (at doctor's etc) au suivant!; **the week after ~** dans deux semaines • **next door** adv à côté ▶ adj (neighbour) d'à côté

• **next-of-kin** n parent m le plus proche

NHS n abbr (BRIT) = **National Health Service**

nibble ['nɪbl] vt grignoter

nice [naɪs] adj (holiday, trip, taste) agréable; (flat, picture) joli(e); (person) gentil(le); (distinction, point) subtil(e) • **nicely** adv agréablement; joliment; gentiment; subtilement

niche [niːʃ] n (Archit) niche f

nick [nɪk] n (indentation) encoche f; (wound) entaille f; (BRIT inf): **in good ~** en bon état ▶ vt (cut): **to ~ o.s.** se couper; (BRIT inf: steal) faucher, piquer; **in the ~ of time** juste à temps

nickel ['nɪkl] n nickel m; (US) pièce de 5 cents

nickname ['nɪkneɪm] n surnom m ▶ vt surnommer

nicotine ['nɪkətiːn] n nicotine f

niece [niːs] n nièce f

Nigeria [naɪ'dʒɪərɪə] n Nigéria m/f

night [naɪt] n nuit f; (evening) soir m; **at ~** la nuit; **by ~** de nuit; **last ~** (evening) hier soir; (night-time) la nuit dernière • **night club** n boîte f de nuit • **nightdress** n chemise f de nuit • **nightie** ['naɪtɪ] n chemise f de nuit • **nightlife** n vie f nocturne • **nightly** adj (news) du soir; (by night) nocturne ▶ adv (every evening) tous les soirs; (every night) toutes les nuits • **nightmare** n cauchemar m • **night school** n cours mpl du soir • **night shift** n équipe f de nuit • **night-time** n nuit f

nil [nɪl] n (BRIT Sport) zéro m

nine [naɪn] num neuf • **nineteen** num dix-neuf • **nineteenth**

[naɪn'tiːnθ] *num* dix-neuvième
• **ninetieth** ['naɪntiːɪθ] *num*
quatre-vingt-dixième • **ninety**
num quatre-vingt-dix
ninth [naɪnθ] *num* neuvième
nip [nɪp] *vt* pincer ▸ *vi* (BRIT *inf*): **to
~ out/down/up** sortir/
descendre/monter en vitesse
nipple ['nɪpl] *n* (*Anat*) mamelon
m, bout *m* du sein
nitrogen ['naɪtrədʒən] *n* azote *m*

no [nəu]

▸ *adv* (*opposite of "yes"*) non; **are
you coming? — no (I'm not)**
est-ce que vous venez? — non;
**would you like some more?
— no thank you** vous en voulez
encore? — non merci
▸ *adj* (*not any*) (ne …) pas de, (ne …)
aucun(e); **I have no money/
books** je n'ai pas d'argent/de
livres; **no student would have
done it** aucun étudiant ne
l'aurait fait; **"no smoking"**
"défense de fumer"; **"no dogs"**
"les chiens ne sont pas admis"
▸ *n* (*pl* **noes**) non *m*

nobility [nəu'bɪlɪtɪ] *n* noblesse *f*
noble ['nəubl] *adj* noble
nobody ['nəubədɪ] *pron* (ne …)
personne
nod [nɔd] *vi* faire un signe de (la)
tête (*affirmatif ou amical*); (*sleep*)
somnoler ▸ *vt*: **to ~ one's head**
faire un signe de (la) tête; (*in
agreement*) faire signe que oui ▸ *n*
signe *m* de (la) tête • **nod off** *vi*
s'assoupir
noise [nɔɪz] *n* bruit *m*; **I can't
sleep for the ~** je n'arrive pas à
dormir à cause du bruit • **noisy**
adj bruyant(e)

nominal ['nɔmɪnl] *adj* (*rent, fee*)
symbolique; (*value*) nominal(e)
nominate ['nɔmɪneɪt] *vt*
(*propose*) proposer; (*appoint*)
nommer • **nomination**
[nɔmɪ'neɪʃən] *n* nomination *f*
• **nominee** [nɔmɪ'niː] *n* candidat
agréé; personne nommée
none [nʌn] *pron* aucun(e); **~ of
you** aucun d'entre vous, personne
parmi vous; **I have ~ left** je n'en ai
plus; **he's ~ the worse for it** il ne
s'en porte pas plus mal
nonetheless ['nʌnðə'lɛs] *adv*
néanmoins
non-fiction [nɔn'fɪkʃən] *n*
littérature *f* non romanesque
nonsense ['nɔnsəns] *n*
absurdités *fpl*, idioties *fpl*; **~!** ne
dites pas d'idioties!
non: • **non-smoker** *n* non-fumeur
m • **non-smoking** *adj*
non-fumeur • **non-stick** *adj* qui
n'attache pas
noodles ['nuːdlz] *npl* nouilles *fpl*
noon [nuːn] *n* midi *m*
no-one ['nəuwʌn] *pron* = **nobody**
nor [nɔːr] *conj* = **neither** ▸ *adv see*
neither
norm [nɔːm] *n* norme *f*
normal ['nɔːml] *adj* normal(e)
• **normally** *adv* normalement
Normandy ['nɔːmәndɪ] *n*
Normandie *f*
north [nɔːθ] *n* nord *m* ▸ *adj* nord
inv; (*wind*) du nord ▸ *adv* au or vers
le nord • **North Africa** *n* Afrique *f*
du Nord • **North African** *adj*
nord-africain(e), d'Afrique du Nord
▸ *n* Nord-Africain(e) • **North
America** *n* Amérique *f* du Nord
• **North American** *n*
Nord-Américain(e) ▸ *adj*
nord-américain(e), d'Amérique du

n

Nord • **northbound** ['nɔːθbaund] adj (traffic) en direction du nord; (carriageway) nord inv • **north-east** n nord-est m • **northern** ['nɔːðən] adj du nord, septentrional(e) • **Northern Ireland** n Irlande f du Nord • **North Korea** n Corée f du Nord • **North Pole** n: **the North Pole** le pôle Nord • **North Sea** n: **the North Sea** la mer du Nord • **north-west** n nord-ouest m

Norway ['nɔːweɪ] n Norvège f • **Norwegian** [nɔːˈwiːdʒən] adj norvégien(ne) ▶ n Norvégien(ne); (Ling) norvégien m

nose [nəuz] n nez m; (of dog, cat) museau m; (fig) flair m • **nose about** • **nose around** vi fouiner or fureter (partout) • **nosebleed** n saignement m de nez • **nosey** adj (inf) curieux(-euse)

nostalgia [nɔsˈtældʒɪə] n nostalgie f

nostalgic [nɔsˈtældʒɪk] adj nostalgique

nostril ['nɔstrɪl] n narine f; (of horse) naseau m

nosy ['nəuzɪ] (inf) adj = **nosey**

not [nɔt] adv (ne ...) pas; **he is ~ or isn't here** il n'est pas ici; **you must ~ or mustn't do that** tu ne dois pas faire ça; **I hope ~** j'espère que non; **~ at all** pas du tout; (after thanks) de rien; **it's too late, isn't it?** c'est trop tard, n'est-ce pas?; **~ yet/now** pas encore/maintenant; see also **only**

notable ['nəutəbl] adj notable • **notably** adv (particularly) en particulier; (markedly) spécialement

notch [nɔtʃ] n encoche f

note [nəut] n note f; (letter) mot m; (banknote) billet m ▶ vt (also: **~ down**) noter; (notice) constater

• **notebook** n carnet m; (for shorthand etc) bloc-notes m • **noted** ['nəutɪd] adj réputé(e) • **notepad** n bloc-notes m • **notepaper** n papier m à lettres

nothing ['nʌθɪŋ] n rien m; **he does** ~ il ne fait rien; **~ new** rien de nouveau; **for ~** (free) pour rien, gratuitement; (in vain) pour rien; **~ at all** rien du tout; **~ much** pas grand-chose

notice ['nəutɪs] n (announcement, warning) avis m ▶ vt remarquer, s'apercevoir de; **advance ~** préavis m; **at short ~** dans un délai très court; **until further ~** jusqu'à nouvel ordre; **to give ~, hand in one's ~** (employee) donner sa démission, démissionner; **to take ~ of** prêter attention à; **to bring sth to sb's ~** porter qch à la connaissance de qn • **noticeable** adj visible

notice board n (BRIT) panneau m d'affichage

notify ['nəutɪfaɪ] vt: **to ~ sb of sth** avertir qn de qch

notion ['nəuʃən] n idée f; (concept) notion f; **notions** npl (us: haberdashery) mercerie f

notorious [nəuˈtɔːrɪəs] adj notoire (souvent en mal)

notwithstanding [nɔtwɪθˈstændɪŋ] adv néanmoins ▶ prep en dépit de

nought [nɔːt] n zéro m

noun [naun] n nom m

nourish ['nʌrɪʃ] vt nourrir • **nourishment** n nourriture f

Nov. abbr (= November) nov

novel ['nɔvl] n roman m ▶ adj nouveau (nouvelle), original(e) • **novelist** n romancier m • **novelty** n nouveauté f

November [nəʊ'vɛmbə^r] n
novembre m

novice ['nɒvɪs] n novice m/f

now [naʊ] adv maintenant ▸ conj:
~ **(that)** maintenant (que); **right**
~ tout de suite; **by** ~ à l'heure qu'il
est; **that's the fashion just** ~
c'est la mode en ce moment or
maintenant; ~ **and then,** ~ **and
again** de temps en temps; **from**
~ **on** dorénavant • **nowadays**
['naʊədeɪz] adv de nos jours

nowhere ['nəʊwɛə^r] adv (ne ...)
nulle part

nozzle ['nɒzl] n (of hose) jet m,
lance f; (of vacuum cleaner) suceur m

nr abbr (BRIT) = **near**

nuclear ['nju:klɪə^r] adj nucléaire

nucleus (pl **nuclei**) ['nju:klɪəs,
'nju:klɪaɪ] n noyau m

nude [nju:d] adj nu(e) ▸ n (Art) nu
m; **in the** ~ (tout(e)) nu(e)

nudge [nʌdʒ] vt donner un (petit)
coup de coude à

nudist ['nju:dɪst] n nudiste m/f

nudity ['nju:dɪtɪ] n nudité f

nuisance ['nju:sns] n: **it's a** ~
c'est (très) ennuyeux or gênant;
he's a ~ il est assommant or
casse-pieds; **what a** ~! quelle
barbe!

numb [nʌm] adj engourdi(e);
(with fear) paralysé(e)

number ['nʌmbə^r] n nombre m;
(numeral) chiffre m; (of house, car,
telephone, newspaper) numéro m
▸ vt numéroter; (amount to)
compter; **a** ~ **of** un certain
nombre de; **they were seven in** ~
ils étaient (au nombre de) sept;
to be ~ed among compter parmi
• **number plate** n (BRIT Aut)
plaque f minéralogique or
d'immatriculation • **Number Ten**

n (BRIT: 10 Downing Street) résidence
du Premier ministre

numerical [nju:'mɛrɪkl] adj
numérique

numerous ['nju:mərəs] adj
nombreux(-euse)

nun [nʌn] n religieuse f, sœur f

nurse [nə:s] n infirmière f; (also:
~**maid**) bonne f d'enfants ▸ vt
(patient, cold) soigner

nursery ['nə:sərɪ] n (room)
nursery f; (institution) crèche f,
garderie f; (for plants) pépinière f
• **nursery rhyme** n comptine f,
chansonnette f pour enfants
• **nursery school** n école
maternelle • **nursery slope** n
(BRIT Ski) piste f pour débutants

nursing ['nə:sɪŋ] n (profession)
profession f d'infirmière; (care)
soins mpl • **nursing home** n
clinique f; (for convalescence)
maison f de convalescence or de
repos; (for old people) maison f de
retraite

nurture ['nə:tʃə^r] vt élever

nut [nʌt] n (of metal) écrou m;
(fruit: walnut) noix f; (: hazelnut)
noisette f; (: peanut) cacahuète f
(terme générique en anglais)

nutmeg ['nʌtmɛg] n (noix f)
muscade f

nutrient ['nju:trɪənt] n
substance nutritive

nutrition [nju:'trɪʃən] n nutrition
f, alimentation f

nutritious [nju:'trɪʃəs] adj
nutritif(-ive), nourrissant(e)

nuts [nʌts] (inf) adj dingue

NVQ n abbr (BRIT) = **National
Vocational Qualification**

nylon ['naɪlɒn] n nylon m ▸ adj
de or en nylon

n

O

oak [əuk] n chêne m ▶ cpd de or en (bois de) chêne

O.A.P. n abbr (BRIT) = **old age pensioner**

oar [ɔːʳ] n aviron m, rame f

oasis (pl **oases**) [əuˈeɪsɪs, əuˈeɪsiːz] n oasis f

oath [əuθ] n serment m; (swear word) juron m; **on** (BRIT) or **under ~** sous serment; assermenté(e)

oatmeal [ˈəutmiːl] n flocons mpl d'avoine

oats [əuts] n avoine f

obedience [əˈbiːdɪəns] n obéissance f

obedient [əˈbiːdɪənt] adj obéissant(e)

obese [əuˈbiːs] adj obèse

obesity [əuˈbiːsɪtɪ] n obésité f

obey [əˈbeɪ] vt obéir à; (instructions, regulations) se conformer à ▶ vi obéir

obituary [əˈbɪtjuərɪ] n nécrologie f

object n [ˈɔbdʒɪkt] objet m; (purpose) but m, objet; (Ling) complément m d'objet ▶ vi [əbˈdʒɛkt]: **to ~ to** (attitude) désapprouver; (proposal) protester contre, élever une objection contre; **I ~!** je proteste!; **he ~ed that ...** il a fait valoir or a objecté que ...; **money is no ~** l'argent n'est pas un problème • **objection** [əbˈdʒɛkʃən] n objection f; **if you have no objection** si vous n'y voyez pas d'inconvénient • **objective** n objectif m ▶ adj objectif(-ive)

obligation [ɔblɪˈgeɪʃən] n obligation f, devoir m; (debt) dette f (de reconnaissance)

obligatory [əˈblɪgətərɪ] adj obligatoire

oblige [əˈblaɪdʒ] vt (force): **to ~ sb to do** obliger or forcer qn à faire; (do a favour) rendre service à, obliger; **to be ~d to sb for sth** être obligé(e) à qn de qch

oblique [əˈbliːk] adj oblique; (allusion) indirect(e)

obliterate [əˈblɪtəreɪt] vt effacer

oblivious [əˈblɪvɪəs] adj: **~ of** oublieux(-euse) de

oblong [ˈɔblɔŋ] adj oblong(ue) ▶ n rectangle m

obnoxious [əbˈnɔkʃəs] adj odieux(-euse); (smell) nauséabond(e)

oboe [ˈəubəu] n hautbois m

obscene [əbˈsiːn] adj obscène

obscure [əbˈskjuəʳ] adj obscur(e) ▶ vt obscurcir; (hide: sun) cacher

observant [əbˈzɜːvnt] adj observateur(-trice)

observation [ɔbzəˈveɪʃən] n observation f; (by police etc) surveillance f

observatory [əbˈzɜːvətrɪ] n observatoire m

observe [əbˈzɜːv] vt observer; (remark) faire observer or remarquer • **observer** n observateur(-trice)

obsess [əb'sɛs] vt obséder • **obsession** [əb'sɛʃən] n obsession f • **obsessive** adj obsédant(e)

obsolete ['ɔbsəliːt] adj dépassé(e), périmé(e)

obstacle ['ɔbstəkl] n obstacle m

obstinate ['ɔbstɪnɪt] adj obstiné(e); (pain, cold) persistant(e)

obstruct [əb'strʌkt] vt (block) boucher, obstruer; (hinder) entraver • **obstruction** [əb'strʌkʃən] n obstruction f; (to plan, progress) obstacle m

obtain [əb'teɪn] vt obtenir

obvious ['ɔbvɪəs] adj évident(e), manifeste • **obviously** adv manifestement; **obviously!** bien sûr!; **obviously not!** évidemment pas!, bien sûr que non!

occasion [ə'keɪʒən] n occasion f; (event) événement m • **occasional** adj pris(e) (or fait(e) etc) de temps en temps; (worker, spending) occasionnel(le) • **occasionally** adv de temps en temps, quelquefois

occult [ɔ'kʌlt] adj occulte ▶ n: **the ~** le surnaturel

occupant ['ɔkjupənt] n occupant m

occupation [ɔkju'peɪʃən] n occupation f; (job) métier m, profession f

occupy ['ɔkjupaɪ] vt occuper; **to ~ o.s. with** or **by doing** s'occuper à faire

occur [ə'kəːʳ] vi se produire; (difficulty, opportunity) se présenter; (phenomenon, error) se rencontrer; **to ~ to sb** venir à

l'esprit de qn • **occurrence** [ə'kʌrəns] n (existence) présence f, existence f; (event) cas m, fait m

OCD [əusiː'diː] n abbr (= obsessive compulsive disorder) TOC m

ocean ['əuʃən] n océan m

o'clock [ə'klɔk] adv: **it is 5 ~** il est 5 heures

Oct. abbr (= October) oct

October [ɔk'təubəʳ] n octobre m

octopus ['ɔktəpəs] n pieuvre f

odd [ɔd] adj (strange) bizarre, curieux(-euse); (number) impair(e); (not of a set) dépareillé(e); **60-~** 60 et quelques; **at ~ times** de temps en temps; **the ~ one out** l'exception f • **oddly** adv bizarrement, curieusement • **odds** npl (in betting) cote f; **it makes no odds** cela n'a pas d'importance; **odds and ends** de petites choses; **at odds** en désaccord

odometer [ɔ'dɔmɪtəʳ] n (US) odomètre m

odour, (US) **odor** ['əudəʳ] n odeur f

---

of [ɔv, əv]

prep **1** (gen) de; **a friend of ours** un de nos amis; **a boy of 10** un garçon de 10 ans; **that was kind of you** c'était gentil de votre part

2 (expressing quantity, amount, dates etc) de; **a kilo of flour** un kilo de farine; **how much of this do you need?** combien vous en faut-il?; **there were three of them** (people) ils étaient 3; (objects) il y en avait 3; **three of us went** 3 d'entre nous y sont allé(e)s; **the 5th of July** le 5 juillet; **a quarter of 4** (US)

4 heures moins le quart **3** (*from, out of*) en, de; **a statue of marble** une statue de *or* en marbre; **made of wood** (fait) en bois

off [ɔf] *adj, adv* (*engine*) coupé(e); (*light, TV*) éteint(e); (*tap*) fermé(e); (*BRIT: food*) mauvais(e), avancé(e); (: *milk*) tourné(e); (*absent*) absent(e); (*cancelled*) annulé(e); (*removed*): **the lid was ~** le couvercle était retiré *or* n'était pas mis; (*away*): **to run/drive ~** partir en courant/en voiture ▸ *prep* de; **to be ~** (*to leave*) partir, s'en aller; **to be ~ sick** être absent pour cause de maladie; **a day ~** un jour de congé; **to have an ~ day** n'être pas en forme; **he had his coat ~** il avait enlevé son manteau; **10% ~** (*Comm*) 10% de rabais; **5 km ~ (the road)** à 5 km (de la route); **~ the coast** au large de la côte; **it's a long way ~** c'est loin (d'ici); **I'm ~ meat** je ne mange plus de viande; je n'aime plus la viande; **on the ~ chance** à tout hasard; **~ and on, on and ~** de temps à autre

offence, (*US*) **offense** [ə'fɛns] *n* (*crime*) délit *m*, infraction *f*; **to take ~ at** se vexer de, s'offenser de

offend [ə'fɛnd] *vt* (*person*) offenser, blesser • **offender** *n* délinquant(e); (*against regulations*) contrevenant(e)

offense [ə'fɛns] *n* (*US*) = **offence**

offensive [ə'fɛnsɪv] *adj* offensant(e), choquant(e); (*smell etc*) très déplaisant(e); (*weapon*) offensif(-ive) ▸ *n* (*Mil*) offensive *f*

offer [ˈɔfə*] *n* offre *f*, proposition *f* ▸ *vt* offrir, proposer; **"on ~"** (*Comm*) "en promotion"

offhand [ɔfˈhænd] *adj* désinvolte ▸ *adv* spontanément

office [ˈɔfɪs] *n* (*place*) bureau *m*; (*position*) charge *f*, fonction *f*; **doctor's ~** (*US*) cabinet (médical); **to take ~** entrer en fonctions • **office block** *n* (*US*) **office building** *n* immeuble *m* de bureaux • **office hours** *npl* heures *fpl* de bureau; (*US Med*) heures de consultation

officer [ˈɔfɪsə*] *n* (*Mil etc*) officier *m*; (*also:* **police ~**) agent *m* (de police); (*of organization*) membre *m* du bureau directeur

office worker *n* employé(e) de bureau

official [əˈfɪʃl] *adj* (*authorized*) officiel(le) ▸ *n* officiel *m*; (*civil servant*) fonctionnaire *m/f*; (*of railways, post office, town hall*) employé(e)

off: • **off-licence** *n* (*BRIT: shop*) débit *m* de vins et de spiritueux • **off-line** *adj* (*Comput*) (en mode) autonome; (: *switched off*) non connecté(e) • **off-peak** *adj* aux heures creuses; (*electricity, ticket*) au tarif heures creuses • **off-putting** *adj* (*BRIT*) (*remark*) rébarbatif(-ive); (*person*) rebutant(e), peu engageant(e) • **off-season** *adj, adv* hors-saison *inv*

offset [ˈɔfsɛt] *vt* (*irreg: like* **set**) (*counteract*) contrebalancer, compenser

offshore [ɔfˈʃɔː*] *adj* (*breeze*) de terre; (*island*) proche du littoral; (*fishing*) côtier(-ière)

offside [ˈɔfsaɪd] *adj* (*Sport*) hors jeu; (*Aut: in Britain*) de droite; (: *in US, Europe*) de gauche

offspring [ˈɔfsprɪŋ] *n*

progéniture f

often ['ɔfn] adv souvent; **how ~ do you go?** vous y allez tous les combien?; **every so ~** de temps en temps, de temps à autre

oh [əu] excl ôl, oh!, ah!

oil [ɔɪl] n huile f; (petroleum) pétrole m; (for central heating) mazout m ▶ vt (machine) graisser • **oil filter** n (Aut) filtre m à huile • **oil painting** n peinture f à l'huile • **oil refinery** n raffinerie f de pétrole • **oil rig** n derrick m; (at sea) plate-forme pétrolière • **oil slick** n nappe f de mazout • **oil tanker** n (ship) pétrolier m; (truck) camion-citerne m • **oil well** n puits m de pétrole • **oily** adj huileux(-euse); (food) gras(se)

ointment ['ɔɪntmənt] n onguent m

O.K., okay ['əu'keɪ] (inf) excl d'accord! ▶ vt approuver, donner son accord à ▶ adj (not bad) pas mal; **is it ~?, it are ~?** ça va?

old [əuld] adj vieux (vieille); (person) vieux, âgé(e); (former) ancien(ne), vieux; **how ~ are you?** quel âge avez-vous?; **he's 10 years ~** il a 10 ans, il est âgé de 10 ans; **~er brother/sister** frère/sœur aîné(e); vieux **old age** n vieillesse f • **old-age pensioner** n (BRIT) retraité(e) • **old-fashioned** adj démodé(e); (person) vieux jeu inv • **old people's home** n (esp BRIT) maison f de retraite

oligarch ['ɔlɪgɑːk] n oligarque m/f

olive ['ɔlɪv] n (fruit) olive f; (tree) olivier m ▶ adj (also: **~-green**) (vert) olive inv • **olive oil** n huile f d'olive

Olympic [əu'lɪmpɪk] adj olympique; **the ~ Games, the ~s** les Jeux mpl olympiques

omelet(te) ['ɔmlɪt] n omelette f

omen ['əumən] n présage m

ominous ['ɔmɪnəs] adj menaçant(e), inquiétant(e); (event) de mauvais augure

omit [əu'mɪt] vt omettre

on [ɔn]

▶ prep 1 (indicating position) sur; **on the table** sur la table; **on the wall** sur le ou au mur; **on the left** à gauche 2 (indicating means, method, condition etc): **on foot** à pied; **on the train/plane** (be) dans le train/l'avion; (go) en train/ avion; **on the telephone/ radio/television** au téléphone/à la radio/à la télévision; **to be on drugs** se droguer; **on holiday,** (US) **on vacation** en vacances 3 (referring to time): **on Friday** vendredi; **on Fridays** le vendredi; **on June 20th** le 20 juin; **a week on Friday** vendredi en huit; **on arrival** à l'arrivée; **on seeing this** en voyant cela 4 (about, concerning) sur, de; **a book on Balzac/physics** un livre sur Balzac/de physique ▶ adv 1 (referring to dress): **to have one's coat on** avoir (mis) son manteau; **to put one's coat on** mettre son manteau; **what's she got on?** qu'est-ce qu'elle porte? 2 (referring to covering): **screw the lid on tightly** vissez bien le couvercle 3 (further, continuously): **to walk etc on** continuer à marcher etc; **from that day on** depuis ce jour ▶ adj 1 (in operation: machine) en marche; (: *radio, TV, light*) allumé(e); (: *tap, gas*) ouvert(e); (: *brakes*) mis(e); **is the meeting still on?** (*not cancelled*) est-ce que la réunion a bien lieu?; **when is this film on?** quand passe ce film? 2 (*inf*) **that's not on!** (*not acceptable*) ceia ne se fait pas!; (*not possible*) pas question!

once [wʌns] *adv* une fois; (*formerly*) autrefois ► *conj* une fois que + *sub*; ~ **he had left/it was done** une fois qu'il fut parti/que ce fut terminé; **at** ~ tout de suite, immédiatement; (*simultaneously*) à la fois; **all at** ~ *adv* tout d'un coup; ~ **a week** une fois par semaine; ~ **more** encore une fois; ~ **and for all** une fois pour toutes; ~ **upon a time there was …** il y avait une fois …, il était une fois …

oncoming ['ɔnkʌmɪŋ] *adj* (*traffic*) venant en sens inverse

one [wʌn]

► *num* un(e); **one hundred and fifty** cent cinquante; **one by one** un(e) à or par un(e); **one day** un jour ► *adj* 1 (*sole*) seul(e), unique; **the one book which** l'unique or le seul livre qui; **the one man who** le seul (homme) qui 2 (*same*) même; **they came in the one car** ils sont venus dans la même voiture ► *pron* 1: **this one** celui-ci (celle-ci); **that one** celui-là (celle-là); **I've already got one/a red one** j'en ai déjà un(e)/un(e) rouge; **which one do you want?** lequel voulez-vous?

2: **one another** l'un(e) l'autre; **to look at one another** se regarder 3 (*impersonal*) on; **one never knows** on ne sait jamais; **to cut one's finger** se couper le doigt; **one needs to eat** il faut manger

one-off [wʌn'ɔf] *n* (BRIT *inf*) exemplaire *m* unique
oneself [wʌn'sɛlf] *pron* se; (*after prep, also emphatic*) soi-même; **to hurt** ~ se faire mal; **to keep sth for** ~ garder qch pour soi; **to talk to** ~ se parler à soi-même; **by** ~ tout seul
one-: • **one-shot** *n* (US) *n* = **one-off** • **one-sided** *adj* (*argument, decision*) unilatéral(e) • **onesie** [wʌnzɪ] *n* grenouillère *f* • **one-to-one** *adj* (*relationship*) univoque • **one-way** *adj* (*street, traffic*) à sens unique
ongoing ['ɔngəʊɪŋ] *adj* en cours; (*relationship*) suivi(e)
onion ['ʌnjən] *n* oignon *m*
online, on-line ['ɔnlaɪn] *adj* (*Comput*) en ligne; (: *switched on*) connecté(e) ► *adv*: **to go** ~ se connecter à Internet
onlooker ['ɔnlʊkə*] *n* spectateur(-trice)
only ['əʊnlɪ] *adv* seulement ► *adj* seul(e), unique ► *conj* seulement, mais; **an** ~ **child** un enfant unique; **not** ~ **… but also** non seulement … mais aussi; **I** ~ **took one** j'en ai seulement pris un, je n'en ai pris qu'un
on-screen [ɔn'skri:n] *adj* à l'écran
onset ['ɔnsɛt] *n* début *m*; (*of winter, old age*) approche *f*

onto ['ɔntʊ] *prep* sur
onward(s) ['ɔnwəd(z)] *adv*
(*move*) en avant; **from that time ~**
à partir de ce moment
oops [ʊps] *excl* houp!
ooze [uːz] *vi* suinter
opaque [əʊ'peɪk] *adj* opaque
open ['əʊpn] *adj* ouvert(e); (*car*)
découvert(e); (*road, view*)
dégagé(e); (*meeting*) public(-ique);
(*admiration*) manifeste ▶ *vt* ouvrir
▶ *vi* (*flower, eyes, door, debate*)
s'ouvrir; (*shop, bank, museum*)
ouvrir; (*book etc*: *commence*)
commencer, débuter; **is it ~ to
the public?** est-ce ouvert au
public?; **what time do you ~?**
à quelle heure ouvrez-vous?; **in
the ~ (air)** en plein air • **open up**
vt ouvrir; (*blocked road*) dégager
▶ *vi* s'ouvrir • **open-air** *adj* en plein
air • **opening** *n* ouverture *f*;
(*opportunity*) occasion *f*; (*work*)
débouché *m*; (*job*) poste vacant
• **opening hours** *npl* heures *fpl*
d'ouverture • **open learning** *n*
enseignement universitaire à la carte,
notamment par correspondance;
(*distance learning*) télé-
enseignement *m* • **openly** *adv*
ouvertement • **open-minded** *adj*
à l'esprit ouvert • **open-necked**
adj à col ouvert • **open-plan** *adj*
sans cloisons • **Open University**
n (BRIT) cours universitaires par
correspondance

> **L'Open University**, fondée
> en 1969, est un organisme
> d'enseignement universitaire à
> distance. Cet enseignement
> comprend des cours en ligne,
> des devoirs envoyés par
> l'étudiant à son directeur
> d'études, et un séjour obligatoire
> en université d'été. Il faut
> préparer un certain nombre
> d'unités de valeur dans un délai
> donné et obtenir la moyenne à
> un certain nombre d'entre elles
> pour recevoir le diplôme visé.
> Avec plus de 250 000 inscrits,
> dont 50 000 étudiants
> étrangers, l'*Open University* est le
> plus grand organisme
> d'enseignement du Royaume-Uni et l'un des plus
> grands du monde. Il obtient
> régulièrement d'excellents
> résultats, tant en ce qui
> concerne la qualité des
> enseignements dispensés que
> le niveau de satisfaction des
> étudiants.

opera ['ɔpərə] *n* opéra *m* • **opera
house** *n* opéra *m* • **opera singer**
n chanteur(-euse) d'opéra
operate ['ɔpəreɪt] *vt* (*machine*)
faire marcher, faire fonctionner
▶ *vi* fonctionner; **to ~ on sb (for)**
(*Med*) opérer qn (de)
operating room *n* (US Med) salle
f d'opération
operating theatre *n* (BRIT Med)
salle *f* d'opération
operation [ɔpə'reɪʃən] *n*
opération *f*; (*of machine*)
fonctionnement *m*; **to have an
~ (for)** se faire opérer (de); **to be
in ~** (*machine*) être en service;
(*system*) être en vigueur
• **operational** *adj*
opérationnel(le); (*ready for use*) en
état de marche
operative ['ɔpərətɪv] *adj*
(*measure*) en vigueur ▶ *n* (*in
factory*) ouvrier(-ière)
operator ['ɔpəreɪtə*] *n* (*of
machine*) opérateur(-trice); (*Tel*)
téléphoniste *m/f*

opinion [ə'pɪnjən] n opinion f, avis m; **in my ~** à mon avis • **opinion poll** n sondage m d'opinion

opponent [ə'pəʊnənt] n adversaire m/f

opportunity [ɔpə'tjuːnɪtɪ] n occasion f; **to take the ~ to do** or **of doing** profiter de l'occasion pour faire

oppose [ə'pəʊz] vt s'opposer à; **to be ~d to sth** être opposé(e) à qch; **as ~d to** par opposition à

opposite ['ɔpəzɪt] adj opposé(e); (house etc) d'en face ▶ adv en face ▶ prep en face de ▶ n opposé m, contraire m; (of word) contraire

opposition [ɔpə'zɪʃən] n opposition f

oppress [ə'prɛs] vt opprimer

opt [ɔpt] vi: **to ~ for** opter pour; **to ~ to do** choisir de faire; **to opt out** vi: **to ~ out of** choisir de ne pas participer à or de ne pas faire

optician [ɔp'tɪʃən] n opticien(ne)

optimism ['ɔptɪmɪzəm] n optimisme m

optimist ['ɔptɪmɪst] n optimiste m/f • **optimistic** [ɔptɪ'mɪstɪk] adj optimiste

optimum ['ɔptɪməm] adj optimum

option ['ɔpʃən] n choix m, option f; (Scol) matière f à option • **optional** adj facultatif(-ive)

or [ɔːʳ] conj ou; (with negative): **he hasn't seen or heard anything** il n'a rien vu ni entendu; **~ else** sinon; ou bien

oral ['ɔːrəl] adj oral(e) ▶ n oral m

orange ['ɔrɪndʒ] n (fruit) orange f ▶ adj orange inv • **orange juice** n jus m d'orange

orbit ['ɔːbɪt] n orbite f ▶ vt graviter autour de

orchard ['ɔːtʃəd] n verger m

orchestra ['ɔːkɪstrə] n orchestre m; (us: seating) (fauteuils mpl d')orchestre

orchid ['ɔːkɪd] n orchidée f

ordeal [ɔː'diːl] n épreuve f

order ['ɔːdəʳ] n ordre m; (Comm) commande f ▶ vt ordonner; (Comm) commander; **in ~** en ordre; (document) en règle; **out of ~** (not in correct order) en désordre; (machine) hors service; (telephone) en dérangement; **a machine in working ~** une machine en état de marche; **in ~ to do/that** pour faire/que + sub; **could I ~ now, please?** je peux commander, s'il vous plaît?; **to be on ~** être en commande; **to ~ sb to do** ordonner à qn de faire • **order form** n bon m de commande • **orderly** n (Mil) ordonnance f; (Med) garçon m de salle ▶ adj (room) en ordre; (mind) méthodique; (person) qui a de l'ordre

ordinary ['ɔːdnrɪ] adj ordinaire, normal(e); (pej) ordinaire, quelconque; **out of the ~** exceptionnel(le)

ore [ɔːʳ] n minerai m

oregano [ɔrɪ'gɑːnəʊ] n origan m

organ ['ɔːgən] n organe m; (Mus) orgue m, orgues fpl

organic [ɔː'gænɪk] adj organique; (crops etc) biologique, naturel(le)

organism ['ɔːgənɪzəm] n organisme m

organization [ɔːgənaɪ'zeɪʃən] n organisation f

organize ['ɔːgənaɪz] vt organiser • **organized** [ɔːgənaɪzd] adj (planned) organisé(e); (efficient) bien organisé • **organizer** n organisateur(-trice)

orgasm ['ɔːgæzəm] n orgasme m

orgy ['ɔːdʒɪ] n orgie f

oriental [ɔːrɪ'entl] adj oriental(e)

orientation [ɔːrɪen'teɪʃən] n (attitudes) tendance f; (in job) orientation f; (of building) orientation, exposition f

origin ['ɒrɪdʒɪn] n origine f

original [ə'rɪdʒɪnl] adj original(e); (earliest) originel(le) ▸ n original m
• **originally** adv (at first) à l'origine

originate [ə'rɪdʒɪneɪt] vi: to ~ from être originaire de; (suggestion) provenir de; to ~ in (custom) prendre naissance dans, avoir son origine dans

Orkney ['ɔːknɪ] n (also: the ~s, the ~ Islands) les Orcades fpl

ornament ['ɔːnəmənt] n ornement m; (trinket) bibelot m
• **ornamental** [ɔːnə'mentl] adj décoratif(-ive); (garden) d'agrément

ornate [ɔː'neɪt] adj très orné(e)

orphan ['ɔːfn] n orphelin(e)

orthodox ['ɔːθədɒks] adj orthodoxe

orthopaedic, (us) **orthopedic** [ɔːθə'piːdɪk] adj orthopédique

osteopath ['ɒstɪəpæθ] n ostéopathe m/f

ostrich ['ɒstrɪtʃ] n autruche f

other ['ʌðə'] adj autre ▸ pron: the ~ (one) l'autre; ~s (other people) d'autres ▸ adv: ~ than autrement que; à part; the ~ day l'autre jour
• **otherwise** adv, conj autrement

Ottawa ['ɒtəwə] n Ottawa

otter ['ɒtə'] n loutre f

ouch [autʃ] excl aïe!

ought [ɔːt] aux vb: I ~ to do it je devrais le faire, il faudrait que je le fasse; this ~ to have been corrected cela aurait dû être

corrigé; he ~ to win (probability) il devrait gagner

ounce [auns] n once f (28.35g; 16 in a pound)

our ['auə'] adj notre, nos pl; see also **my** • **ours** pron le (la) nôtre, les nôtres; see also **mine¹**
• **ourselves** pl pron (reflexive, after preposition) nous; (emphatic) nous-mêmes; see also **oneself**

oust [aust] vt évincer

out [aut] adv dehors; (published, not at home etc) sorti(e); (light, fire) éteint(e); ~ **there** là-bas; **he's** ~ (absent) il est sorti; **to be** ~ **in one's calculations** s'être trompé dans ses calculs; **to run/back** etc ~ sortir en courant/en reculant etc; ~ **loud** adv à haute voix; ~ **of** prep (outside) en dehors de; (because of: anger etc) par; (from among): **10** ~ **of 10** 10 sur 10; (without): ~ **of petrol** sans essence, à court d'essence; ~ **of order** (machine) en panne; (Tel: line) en dérangement
• **outback** n (in Australia) intérieur m • **outbound** adj: **outbound (from/for)** en partance (de/pour)
• **outbreak** n (of violence) éruption f, explosion f; (of disease) de nombreux cas; **the outbreak of war south of the border** la guerre qui s'est déclarée au sud de la frontière • **outburst** n explosion f, accès m • **outcast** n exilé(e); (socially) paria m
• **outcome** n issue f, résultat m
• **outcry** n tollé (général)
• **outdated** adj démodé(e)
• **outdoor** adj de or en plein air
• **outdoors** adv dehors; au grand air

outer ['autə'] adj extérieur(e)
• **outer space** n espace m cosmique

o

outfit ['autfɪt] n (clothes) tenue f
out: • **outgoing** adj (president, tenant) sortant(e); (character) ouvert(e), extraverti(e)
• **outgoings** npl (BRIT: expenses) dépenses fpl • **outhouse** n appentis m, remise f

outing ['autɪŋ] n sortie f; excursion f

out: • **outlaw** n hors-la-loi m inv ▶ vt (person) mettre hors la loi; (practice) proscrire • **outlay** n dépenses fpl; (investment) mise f de fonds • **outlet** n (for liquid etc) issue f, sortie f; (for emotion) exutoire m; (also: **retail outlet**) point m de vente; (us Elec) prise f de courant • **outline** n (shape) contour m; (summary) esquisse f, grandes lignes ▶ vt (fig: theory, plan) exposer à grands traits
• **outlook** n perspective f; (point of view) attitude f • **outnumber** vt surpasser en nombre
• **out-of-date** adj (passport, ticket) périmé(e); (theory, idea) dépassé(e); (custom) désuet(-ète); (clothes) démodé(e)
• **out-of-doors** adv = **outdoors**
• **out-of-the-way** adj loin de tout
• **out-of-town** adj (shopping centre etc) en périphérie
• **outpatient** n malade m/f en consultation externe • **outpost** n avant-poste m • **output** n rendement m, production f; (Comput) sortie f ▶ vt (Comput) sortir

outrage ['autreɪdʒ] n (anger) indignation f; (violent act) atrocité f, acte m de violence; (scandal) scandale m ▶ vt outrager
• **outrageous** [aut'reɪdʒəs] adj atroce; (scandalous) scandaleux(-euse)

outright adv [aut'raɪt] complètement; (deny, refuse) catégoriquement; (ask) carrément; (kill) sur le coup ▶ adj ['autraɪt] complet(-ète); catégorique

outset ['autset] n début m

outside [aut'saɪd] n extérieur m ▶ adj extérieur(e) ▶ adv (au) dehors, à l'extérieur ▶ prep hors de, à l'extérieur de; (in front of) devant; **at the ~** (fig) au plus or maximum
• **outside lane** n (Aut: in Britain) voie f de droite; (: in US, Europe) voie de gauche • **outside line** n (Tel) ligne extérieure • **outsider** n (stranger) étranger(-ère)

out: • **outsize** adj énorme; (clothes) grande taille inv
• **outskirts** npl faubourgs mpl
• **outspoken** adj très franc (franche) • **outstanding** adj remarquable, exceptionnel(le); (unfinished: work, business) en suspens, en souffrance; (debt) impayé(e); (problem) non réglé(e)

outward ['autwəd] adj (sign, appearances) extérieur(e); (journey) (d')aller ▶ adv vers l'extérieur
• **outwards** adv (esp BRIT) = **outward**

outweigh [aut'weɪ] vt l'emporter sur

oval ['əuvl] adj, n ovale m

ovary ['əuvərɪ] n ovaire m

oven ['ʌvn] n four m • **oven glove** n gant m de cuisine • **ovenproof** adj allant au four • **oven-ready** adj prêt(e) à cuire

over ['əuvə'] adv (par-)dessus ▶ adj (finished) fini(e), terminé(e); (too much) en plus ▶ prep sur; par-dessus; (above) au-dessus de; (on the other side of) de l'autre côté de; (more than) plus de; (during) overreact

pendant; (about, concerning): **they fell out ~ money/her** ils se sont brouillés pour des questions d'argent/à cause d'elle; **~ here** ici; **~ there** là-bas; **all ~** (everywhere) partout; **~ and ~ (again)** à plusieurs reprises; **~ and above** en plus de; **to ask sb ~** inviter qn (à passer); **to fall ~** tomber; **to turn sth ~** retourner qch

overall ['əuvərɔ:l] adj (length) total(e); (study, impression) d'ensemble ▶ n (BRIT) blouse f ▶ adv [əuvər'ɔ:l] dans l'ensemble, en général; **overalls** npl (boiler suit) bleus mpl (de travail)

overboard ['əuvəbɔ:d] adv (Naut) par-dessus bord

overcame [əuvə'keim] pt of **overcome**

overcast ['əuvəka:st] adj couvert(e)

overcharge [əuvə'tʃa:dʒ] vt: **to ~ sb for sth** faire payer qch trop cher à qn

overcoat ['əuvəkəut] n pardessus m

overcome [əuvə'kʌm] vt (irreg: like **come**) (defeat) triompher de; (difficulty) surmonter ▶ adj (emotionally) bouleversé(e); **~ with grief** accablé(e) de douleur

over: • **overcrowded** adj bondé(e); (city, country) surpeuplé(e) • **overdo** vt (irreg: like **do**) exagérer; (overcook) trop cuire; **to overdo it, to overdo things** (work too hard) en faire trop, se surmener • **overdone** [əuvə'dʌn] adj (vegetables, steak) trop cuit(e) • **overdose** n dose excessive • **overdraft** n découvert m • **overdrawn** adj (account) à découvert • **overdue** adj en retard; (bill) impayé(e);

(change) qui tarde • **overestimate** vt surestimer

overflow vi [əuvə'fləu] déborder ▶ n ['əuvəfləu] (also: **~ pipe**) tuyau m d'écoulement, trop-plein m

overgrown [əuvə'grəun] adj (garden) envahi(e) par la végétation

overhaul vt [əuvə'hɔ:l] réviser ▶ n ['əuvəhɔ:l] révision f

overhead adv [əuvə'hed] au-dessus ▶ adj ['əuvəhed] aérien(ne); (lighting) vertical(e) ▶ n ['əuvəhed] (US) = **overheads** • **overhead projector** n rétroprojecteur m • **overheads** npl (BRIT) frais généraux

over: • **overhear** vt (irreg: like **hear**) entendre (par hasard) • **overheat** vi (engine) chauffer • **overland** adj, adv par voie de terre • **overlap** vi se chevaucher • **overleaf** adv au verso • **overload** vt surcharger • **overlook** vt (have view of) donner sur; (miss) oublier, négliger; (forgive) fermer les yeux sur

overnight adv [əuvə'nait] (happen) durant la nuit; (fig) soudain ▶ adj ['əuvənait] d'une (or de) nuit; soudain(e); **to stay ~ (with sb)** passer la nuit (chez qn) • **overnight bag** n nécessaire m de voyage

overpass ['əuvəpa:s] n (US: for cars) pont autoroutier; (for pedestrians) passerelle f, pont m

overpower [əuvə'pauə'] vt vaincre; (fig) accabler • **overpowering** adj irrésistible; (heat, stench) suffocant(e)

over: • **overreact** [əuvəri:'ækt] vi réagir de façon excessive

• **overrule** vt (decision) annuler; (claim) rejeter; (person) rejeter l'avis de • **overrun** vt (irreg: like **run**) (Mil: country etc) occuper; (time limit etc) dépasser ▸ vi dépasser le temps imparti

overseas [əuvəˈsiːz] adv outre-mer; (abroad) à l'étranger ▸ adj (trade) extérieur(e); (visitor) étranger(-ère)

oversee [əuvəˈsiː] vt (irreg: like **see**) surveiller

overshadow [əuvəˈʃædəu] vt (fig) éclipser

oversight [ˈəuvəsaɪt] n omission f, oubli m

oversleep [əuvəˈsliːp] vi (irreg: like **sleep**) se réveiller (trop) tard

overspend [əuvəˈspɛnd] vi (irreg: like **spend**) dépenser de trop

overt [əuˈvəːt] adj non dissimulé(e)

overtake [əuvəˈteɪk] vt (irreg: like **take**) dépasser; (BRIT Aut) dépasser, doubler

over-: • **overthrow** vt (irreg: like **throw**) (government) renverser • **overtime** n heures fpl supplémentaires • **overturn** vt renverser; (decision, plan) annuler ▸ vi se retourner • **overweight** adj (person) trop gros(se) • **overwhelm** vt (subj: emotion) accabler, submerger; (enemy, opponent) écraser • **overwhelming** adj (victory, defeat) écrasant(e); (desire) irrésistible

owe [əu] vt devoir; **to ~ sb sth, to ~ sth to sb** devoir qch à qn; **how much do I ~ you?** combien est-ce que je vous dois? • **owing to** prep à cause de, en raison de

owl [aul] n hibou m

own [əun] vt posséder ▸ adj propre; **a room of my ~** une chambre à moi, ma propre chambre; **to get one's ~ back** prendre sa revanche; **on one's ~** tout(e) seul(e) • **own up** vi avouer • **owner** n propriétaire m/f • **ownership** n possession f

ox (pl **oxen**) [ɔks, ˈɔksn] n bœuf m

Oxbridge [ˈɔksbrɪdʒ] n (BRIT) les universités d'Oxford et de Cambridge

oxen [ˈɔksən] npl of **ox**

oxygen [ˈɔksɪdʒən] n oxygène m

oyster [ˈɔɪstər] n huître f

oz. abbr = **ounce; ounces**

ozone [ˈəuzəun] n ozone m • **ozone friendly** adj qui n'attaque pas ou qui préserve la couche d'ozone • **ozone layer** n couche f d'ozone

P

p *abbr* (BRIT) = **penny; pence**

P.A. *n abbr* = **personal assistant; public address system**

p.a. *abbr* = **per annum**

pace [peɪs] *n* pas *m*; (*speed*) allure *f*, vitesse *f* ▸ *vi*: **to ~ up and down** faire les cent pas; **to keep ~ with** aller à la même vitesse que; (*events*) se tenir au courant de • **pacemaker** *n* (*Med*) stimulateur *m* cardiaque; (*Sport*: *also*: **pacesetter**) meneur(-euse) de train

Pacific [pə'sɪfɪk] *n*: **the ~ (Ocean)** le Pacifique, l'océan *m* Pacifique

pacifier ['pæsɪfaɪər] *n* (US: *dummy*) tétine *f*

pack [pæk] *n* paquet *m*; (*of hounds*) meute *f*; (*of thieves, wolves etc*) bande *f*; (*of cards*) jeu *m*; (US: *of cigarettes*) paquet *m*; (*back pack*) sac *m* à dos ▸ *vt* (*goods*) empaqueter, emballer; (*in suitcase etc*) emballer; (*box*) remplir; (*cram*) entasser ▸ *vi*: **to ~ (one's bags)** faire ses bagages • **pack in** (BRIT *inf*) *vi* (*machine*) tomber en panne ▸ *vt* (*boyfriend*) plaquer; **~ it in!** laisse

tomber! • **pack off** *vt*: **to ~ sb off to** expédier qn à • **pack up** *vi* (BRIT *inf*: *machine*) tomber en panne; (*person*) se tirer ▸ *vt* (*belongings*) ranger; (*goods, presents*) empaqueter, emballer

package ['pækɪdʒ] *n* paquet *m*; (*also*: **~ deal**) (*agreement*) marché global; (*purchase*) forfait *m*; (*Comput*) progiciel *m* ▸ *vt* (*goods*) conditionner • **package holiday** *n* (BRIT) vacances organisées • **package tour** *n* voyage organisé

packaging ['pækɪdʒɪŋ] *n* (*wrapping materials*) emballage *m*

packed [pækt] *adj* (*crowded*) bondé(e) • **packed lunch** (BRIT) *n* repas froid

packet ['pækɪt] *n* paquet *m*

packing ['pækɪŋ] *n* emballage *m*

pact [pækt] *n* pacte *m*, traité *m*

pad [pæd] *n* bloc(-notes *m*) *m*; (*to prevent friction*) tampon *m* ▸ *vt* rembourrer • **padded** *adj* (*jacket*) matelassé(e); (*bra*) rembourré(e)

paddle ['pædl] *n* (*oar*) pagaie *f*; (US: *for table tennis*) raquette *f* de ping-pong ▸ *vi* (*with feet*) barboter, faire trempette ▸ *vt*: **to ~ a canoe** *etc* pagayer • **paddling pool** *n* petit bassin

paddock ['pædək] *n* enclos *m*; (*Racing*) paddock *m*

padlock ['pædlɔk] *n* cadenas *m*

paedophile, (US) **pedophile** ['pi:dəufaɪl] *n* pédophile *m*

page [peɪdʒ] *n* (*of book*) page *f*; (*also*: **~ boy**) (*at wedding*) garçon *m* d'honneur ▸ *vt* (*in hotel etc*) (faire) appeler

pager ['peɪdʒər] *n* bip *m* (*inf*), Alphapage®

paid [peɪd] *pt, pp of* **pay** ▶ *adj*
(work, official) rémunéré(e);
(holiday) payé(e); **to put ~ to**
(BRIT) mettre fin à, mettre par
terre

pain [peɪn] *n* douleur *f*; (inf:
nuisance) plaie *f*; **to be in ~**
souffrir, avoir mal; **to take ~s to
do** se donner du mal pour faire
• **painful** *adj* douloureux(-euse);
(difficult) difficile, pénible
• **painkiller** *n* calmant *m*,
analgésique *m* • **painstaking**
['peɪnzteɪkɪŋ] *adj* (person)
soigneux(-euse); (work) soigné(e)

paint [peɪnt] *n* peinture *f* ▶ *vt*
peindre; **to ~ the door blue**
peindre la porte en bleu
• **paintbrush** *n* pinceau *m*
• **painter** *n* peintre *m* • **painting**
n peinture *f*; (picture) tableau *m*

pair [pɛə^r] *n* (of shoes, gloves etc)
paire *f*; (of people) couple *m*; **~ of
scissors** (paire de) ciseaux *mpl*;
~ of trousers pantalon *m*

pajamas [pə'dʒɑːməz] *npl* (US)
pyjama *m*

Pakistan [pɑːkɪ'stɑːn] *n* Pakistan
m • **Pakistani** *adj* pakistanais(e)
▶ *n* Pakistanais(e)

pal [pæl] *n* (inf) copain (copine)

palace ['pæləs] *n* palais *m*

pale [peɪl] *adj* pâle; **~ blue** *adj* bleu
pâle *inv*

Palestine ['pælɪstaɪn] *n*
Palestine *f* • **Palestinian**
[pælɪs'tɪnɪən] *adj* palestinien(ne)
▶ *n* Palestinien(ne)

palm [pɑːm] *n* (Anat) paume *f*;
(also: **~ tree**) palmier *m* ▶ *vt*: **to
~ sth off on sb** (inf) refiler qch à qn

pamper ['pæmpə^r] *vt* gâter,
dorloter

pamphlet ['pæmflət] *n* brochure *f*

pan [pæn] *n* (also: **sauce~**)
casserole *f*; (also: **frying ~**)
poêle *f*

pancake ['pænkeɪk] *n* crêpe *f*

panda ['pændə] *n* panda *m*

pandemic [pæn'dɛmɪk] *n*
pandémie *f*

pane [peɪn] *n* carreau *m* (de
fenêtre), vitre *f*

panel ['pænl] *n* (of wood, cloth etc)
panneau *m*; (Radio, TV) panel *m*,
invités *mpl*; (for interview, exams)
jury *m*

panhandler ['pænhændlə^r] *n*
(us inf) mendiant(e)

panic ['pænɪk] *n* panique *f*,
affolement *m* ▶ *vi* s'affoler,
paniquer

panini [pə'niːni] *n* panini *m*

panorama [pænə'rɑːmə] *n*
panorama *m*

pansy ['pænzɪ] *n* (Bot) pensée *f*

pant [pænt] *vi* haleter

panther ['pænθə^r] *n* panthère *f*

panties ['pæntɪz] *npl* slip *m*,
culotte *f*

pantomime ['pæntəmaɪm] *n*
(BRIT) spectacle *m* de Noël

Une **pantomime** (à ne pas
confondre avec le mot tel qu'on
l'utilise en français), que l'on
appelle également de façon
familière 'panto', est un genre de
farce où le personnage principal
est souvent un jeune garçon et
où il y a toujours une 'dame',
c'est-à-dire une vieille femme
jouée par un homme, et un
méchant. La plupart du temps,
l'histoire est basée sur un conte
de fées comme Cendrillon ou Le
Chat botté, et le public est
encouragé à participer en

prévenant le héros d'un danger imminent. Ce genre de spectacle, qui s'adresse surtout aux enfants, vise également un public d'adultes au travers des nombreuses plaisanteries faisant allusion à des faits d'actualité.

pants [pænts] *npl* (BRIT: *woman's*) culotte *f*, slip *m*; (: *man's*) slip, caleçon *m*; (: *trousers*) pantalon *m*

pantyhose ['pæntɪhəʊz] *npl* (US) collant *m*

paper ['peɪpə'] *n* papier *m*; (*also:* **wall~**) papier peint; (*also:* **news~**) journal *m*; (*academic essay*) article *m*; (*exam*) épreuve écrite ▶ *adj* en or de papier ▶ *vt* tapisser (de papier peint); **papers** *npl* (*also:* **identity ~s**) papiers *mpl* (d'identité)
• **paperback** *n* livre broché or non relié; (*small*) livre *m* de poche
• **paper bag** *n* sac *m* en papier
• **paper clip** *n* trombone *m*
• **paper shop** *n* (BRIT) marchand *m* de journaux • **paperwork** *n* papiers *mpl*; (*pej*) paperasserie *f*

paprika ['pæprɪkə] *n* paprika *m*

par [pɑː'] *n* pair *m*; (*Golf*) normale *f* du parcours; **on a ~ with** à égalité avec, au même niveau que

paracetamol [pærə'siːtəmɔl] *n* (BRIT) paracétamol *m*

parachute ['pærəʃuːt] *n* parachute *m*

parade [pə'reɪd] *n* défilé *m* ▶ *vt* (*fig*) faire étalage de ▶ *vi* défiler

paradise ['pærədaɪs] *n* paradis *m*

paradox ['pærədɔks] *n* paradoxe *m*

paraffin ['pærəfɪn] *n* (BRIT): **~ (oil)** pétrole (lampant)

paragraph ['pærəɡrɑːf] *n* paragraphe *m*

parallel ['pærəlɛl] *adj*: **~ (with** or **to)** parallèle (à); (*fig*) analogue (à) ▶ *n* (*line*) parallèle *f*; (*fig*, *Geo*) parallèle *m*

paralysed ['pærəlaɪzd] *adj* paralysé(e)

paralysis (*pl* **paralyses**) [pə'rælɪsɪs, -siːz] *n* paralysie *f*

paramedic [pærə'mɛdɪk] *n* auxiliaire *m/f* médical(e)

paranoid ['pærənɔɪd] *adj* (*Psych*) paranoïaque; (*neurotic*) paranoïde

parasite ['pærəsaɪt] *n* parasite *m*

parcel ['pɑːsl] *n* paquet *m*, colis *m* ▶ *vt* (*also:* **~ up**) empaqueter

pardon ['pɑːdn] *n* pardon *m*; (*Law*) grâce *f* ▶ *vt* pardonner à; (*Law*) gracier; **~!** pardon!; **~ me!** (*after burping etc*) excusez-moi!; **I beg your ~!** (*I'm sorry*) pardon!, je suis désolé!; **(I beg your) ~?**, (US) **~ me?** (*what did you say?*) pardon?

parent ['pɛərənt] *n* (*father*) père *m*; (*mother*) mère *f*; **parents** *npl* parents *mpl* • **parental** [pə'rɛntl] *adj* parental(e), des parents

Paris ['pærɪs] *n* Paris

parish ['pærɪʃ] *n* paroisse *f*; (BRIT: *civil*) ≈ commune *f*

Parisian [pə'rɪzɪən] *adj* parisien(ne), de Paris ▶ *n* Parisien(ne)

park [pɑːk] *n* parc *m*, jardin public ▶ *vt* garer ▶ *vi* se garer; **can I ~ here?** est-ce que je peux me garer ici?

parking ['pɑːkɪŋ] *n* stationnement *m*; **"no ~"** "stationnement interdit"
• **parking lot** *n* (US) parking *m*,

parc m de stationnement
• **parking meter** n parc(o)mètre m • **parking ticket** n P.-V. m

> ⚠ Be careful not to translate *parking* by the French word *parking*.

parkour [pɑːˈkuəʳ] n parkour m

parkway [ˈpɑːkweɪ] n (us) route f express (*en site vert ou aménagé*)

parliament [ˈpɑːləmənt] n parlement m • **parliamentary** [pɑːləˈmɛntərɪ] adj parlementaire

Parmesan [pɑːmɪˈzæn] n (*also:* ~ **cheese**) Parmesan m

parole [pəˈrəʊl] n: **on** ~ en liberté conditionnelle

parrot [ˈpærət] n perroquet m

parsley [ˈpɑːslɪ] n persil m

parsnip [ˈpɑːsnɪp] n panais m

parson [ˈpɑːsn] n ecclésiastique m; (*Church of England*) pasteur m

part [pɑːt] n partie f; (*of machine*) pièce f; (*Theat*) rôle m; (*of serial*) épisode m; (us: *in hair*) raie f ▶ adv = **partly** ▶ vt séparer ▶ vi (*people*) se séparer; (*crowd*) s'ouvrir; **to take** ~ **in** participer à, prendre part à; **to take sb's** ~ prendre le parti de qn, prendre parti pour qn; **for my** ~ en ce qui me concerne; **for the most** ~ en grande partie; dans la plupart des cas; **in** ~ en partie; **to take sth in good/bad** ~ prendre qch du bon/mauvais côté • **part with** vt fus (*person*) se séparer de; (*possessions*) se défaire de

partial [ˈpɑːʃl] adj (*incomplete*) partiel(le); **to be** ~ **to** aimer, avoir un faible pour

participant [pɑːˈtɪsɪpənt] n (*in competition, campaign*) participant(e)

participate [pɑːˈtɪsɪpeɪt] vi: **to** ~ **(in)** participer (à), prendre part (à)

particle [ˈpɑːtɪkl] n particule f; (*of dust*) grain m

particular [pəˈtɪkjʊləʳ] adj (*specific*) particulier(-ière); (*special*) particulier, spécial(e); (*fussy*) difficile, exigeant(e); (*careful*) méticuleux(-euse); **in** ~ en particulier, surtout • **particularly** adv particulièrement; (*in particular*) en particulier • **particulars** npl détails mpl; (*information*) renseignements mpl

parting [ˈpɑːtɪŋ] n séparation f; (BRIT: *in hair*) raie f

partition [pɑːˈtɪʃən] n (Pol) partition f, division f; (*wall*) cloison f

partly [ˈpɑːtlɪ] adv en partie, partiellement

partner [ˈpɑːtnəʳ] n (Comm) associé(e); (Sport) partenaire m/f; (*spouse*) conjoint(e); (*lover*) ami(e); (*at dance*) cavalier(-ière) • **partnership** n association f

partridge [ˈpɑːtrɪdʒ] n perdrix f

part-time [ˈpɑːtˈtaɪm] adj, adv à mi-temps, à temps partiel

party [ˈpɑːtɪ] n (Pol) parti m; (*celebration*) fête f; (: *formal*) réception f; (: *in evening*) soirée f; (*group*) groupe m; (Law) partie f

pass [pɑːs] vt (*time, object*) passer; (*place*) passer devant; (*friend*) croiser; (*exam*) être reçu(e) à, réussir; (*overtake*) dépasser; (*approve*) approuver, accepter ▶ vi passer; (Scol) être reçu(e) or admis(e), réussir ▶ n (*permit*) laissez-passer m inv; (*membership card*) carte f d'accès or d'abonnement; (in mountains) col m; (Sport) passe f; (Scol: also: ~ **mark**); **to get a ~** être reçu(e) (sans mention); **to ~ sb sth** passer qch à qn; **could you ~ the salt/oil, please?** pouvez-vous me passer le sel/l'huile, s'il vous plaît?; **to make a ~ at sb** (inf) faire des avances à qn • **pass away** vi mourir • **pass by** vi passer ▶ vt (ignore) négliger • **pass on** vt (hand on): **to ~ on (to)** transmettre (à) • **pass out** vi s'évanouir • **pass over** vt (ignore) passer sous silence • **pass up** vt (opportunity) laisser passer • **passable** adj (road) praticable; (work) acceptable

⚠ Be careful not to translate to pass an exam by the French expression passer un examen.

passage ['pæsɪdʒ] n (also ~**way**) couloir m; (gen, in book) passage m; (by boat) traversée f

passenger ['pæsɪndʒəʳ] n passager(-ère)

passer-by [pɑːsə'baɪ] n passant(e)

passing place n (Aut) aire f de croisement

passion ['pæʃən] n passion f • **passionate** adj passionné(e) • **passion fruit** n fruit m de la passion

passive ['pæsɪv] adj (also Ling) passif(-ive)

passport ['pɑːspɔːt] n passeport m • **passport control** n contrôle m des passeports • **passport office** n bureau m de délivrance des passeports

password ['pɑːswɜːd] n mot m de passe

past [pɑːst] prep (in front of) devant; (further than) au delà de, plus loin que; après; (later than) après ▶ adv: **to run ~** passer en courant ▶ adj passé(e); (president etc) ancien(ne) ▶ n passé m; **he's ~ forty** il a dépassé la quarantaine, il a plus de or passé quarante ans; **ten/quarter ~ eight** (BRIT) huit heures dix/un or et quart; **for the ~ few/3 days** depuis quelques jours/3 jours; ces derniers/3 derniers jours

pasta ['pæstə] n pâtes fpl

paste [peɪst] n pâte f; (Culin: meat) pâté m (à tartiner); (: tomato) purée f, concentré m; (glue) colle f (de pâte) ▶ vt coller

pastel ['pæstl] adj pastel inv ▶ n (Art: pencil) crayon m) pastel m; (: drawing) (dessin m au) pastel; (colour) ton m pastel inv

pasteurized ['pæstəraɪzd] adj pasteurisé(e)

pastime ['pɑːstaɪm] n passe-temps m inv, distraction f

pastor ['pɑːstəʳ] n pasteur m

pastry ['peɪstrɪ] n pâte f; (cake) pâtisserie f

pasture ['pɑːstʃəʳ] n pâturage m

pasty¹ n ['pæstɪ] petit pâté (en croûte)

pasty² ['peɪstɪ] adj (complexion) terreux(-euse)

pat [pæt] vt donner une petite tape à; (dog) caresser

patch [pætʃ] n (of material) pièce f; (eye patch) cache m; (spot) tache f; (of land) parcelle f; (on tyre) rustine f ▶ vt (clothes) rapiécer; **a bad ~** (BRIT) une période difficile • **patchy** adj inégal(e); (incomplete) fragmentaire

pâté ['pæteɪ] n pâté m, terrine f

P

patent ['peɪtnt, US 'pætnt] n
brevet m (d'invention) ▶ vt faire
breveter ▶ adj patent(e),
manifeste

paternal [pə'tɜːnl] adj
paternel(le)

paternity leave [pə'tɜːnɪtɪ-] n
congé m de paternité

path [pɑːθ] n chemin m, sentier m;
(in garden) allée f; (of missile)
trajectoire f

pathetic [pə'θetɪk] adj (pitiful)
pitoyable; (very bad) lamentable,
minable

pathway ['pɑːθweɪ] n chemin m,
sentier m; (in garden) allée f

patience ['peɪʃns] n patience f;
(BRIT Cards) réussite f

patient ['peɪʃnt] n malade m/f; (of
dentist etc) patient(e) ▶ adj
patient(e)

patio ['pætɪəʊ] n patio m

patriotic [pætrɪ'ɔtɪk] adj
patriotique; (person) patriote

patrol [pə'trəʊl] n patrouille f ▶ vt
patrouiller dans • **patrol car** n
voiture f de police

patron ['peɪtrən] n (in shop)
client(e); (of charity) patron(ne);
~ of the arts mécène m

patronizing ['pætrənaɪzɪŋ] adj
condescendant(e)

pattern ['pætən] n (Sewing)
patron m; (design) motif m
• **patterned** adj à motifs

pause [pɔːz] n pause f, arrêt m ▶ vi
faire une pause, s'arrêter

pave [peɪv] vt paver, daller; **to
~ the way for** ouvrir la voie à

pavement ['peɪvmənt] n (BRIT)
trottoir m; (US) chaussée f

pavilion [pə'vɪlɪən] n pavillon m;
(Sport) stand m

paving ['peɪvɪŋ] n (material) pavé m

paw [pɔː] n patte f

pawn [pɔːn] n (Chess, also fig) pion
m ▶ vt mettre en gage
• **pawnbroker** n prêteur m sur
gages

pay [peɪ] (pt, pp **paid**) n salaire m;
(of manual worker) paie f ▶ vt payer
▶ vi payer; (be profitable) être
rentable; **can I ~ by credit card?**
est-ce que je peux payer par carte
de crédit?; **to ~ attention (to)**
prêter attention (à); **to ~ sb a
visit** rendre visite à qn; **to ~ one's
respects to sb** présenter ses
respects à qn • **pay back** vt
rembourser • **pay for** vt fus payer
• **pay in** vt verser • **pay off** vt
(debts) régler, acquitter; (person)
rembourser ▶ vi (scheme, decision)
se révéler payant(e) • **pay out** vt
(money) payer, sortir de sa poche
• **pay up** vt (amount) payer
• **payable** adj payable; **to make
a cheque payable to sb** établir
un chèque à l'ordre de qn
• **pay-as-you-go** adj (mobile
phone) à carte prépayée • **payday**
n jour m de paie • **pay envelope** n
(US) paie f • **payment** n paiement m;
(of bill) règlement m; (of deposit,
cheque) versement m; **monthly
payment** mensualité f • **payout**
n (from insurance) dédommagement
m; (in competition) prix m • **pay
packet** n (BRIT) paie f • **pay
phone** n cabine f téléphonique,
téléphone public • **pay raise** n
(US) = **pay rise** • **pay rise** n (BRIT)
augmentation f (de salaire)
• **payroll** n registre m du
personnel • **pay slip** n (BRIT)
bulletin m de paie, feuille f de paie
• **pay television** n chaînes fpl
payantes • **paywall** n (Comput)
mur m (payant)

PC n abbr = **personal computer**; (BRIT) = **police constable** ▶ adj abbr = **politically correct**

p.c. abbr = **per cent**

pcm n abbr (= per calendar month) par mois

PDA n abbr (= personal digital assistant) agenda m électronique

PE n abbr (= physical education) EPS f

pea [pi:] n (petit) pois

peace [pi:s] n paix f; (calm) calme m, tranquillité f • **peaceful** adj paisible, calme

peach [pi:tʃ] n pêche f

peacock ['pi:kɔk] n paon m

peak [pi:k] n (mountain) pic m, cime f; (of cap) visière f; (fig: highest level) maximum m; (: of career, fame) apogée m • **peak hours** npl heures fpl d'affluence or de pointe

peanut ['pi:nʌt] n arachide f, cacahuète f • **peanut butter** n beurre m de cacahuète

pear [pɛəʳ] n poire f

pearl [pə:l] n perle f

peasant ['pɛznt] n paysan(ne)

peat [pi:t] n tourbe f

pebble ['pɛbl] n galet m, caillou m

peck [pɛk] vt (also: ~ **at**) donner un coup de bec à; (food) picorer ▶ n coup m de bec; (kiss) bécot m • **peckish** adj (BRIT inf): **I feel peckish** je mangerais bien quelque chose, j'ai la dent

peculiar [pɪ'kju:lɪəʳ] adj (odd) étrange, bizarre, curieux(-euse); (particular) particulier(-ière); ~ **to** particulier à

pedal ['pɛdl] n pédale f ▶ vi pédaler

pedestal ['pɛdəstl] n piédestal m

pedestrian [pɪ'dɛstrɪən] n piéton m • **pedestrian crossing**

n (BRIT) passage clouté • **pedestrianized** adj: **a pedestrianized street** une rue piétonne • **pedestrian precinct** •(US) **pedestrian zone** n zone piétonne

pedigree ['pɛdɪgri:] n ascendance f; (of animal) pedigree m ▶ cpd (animal) de race

pedophile ['pi:dəʊfaɪl] (US) n = **paedophile**

pee [pi:] vi (inf) faire pipi, pisser

peek [pi:k] vi jeter un coup d'œil (furtif)

peel [pi:l] n pelure f, épluchure f; (of orange, lemon) écorce f ▶ vt peler, éplucher ▶ vi (paint etc) s'écailler; (wallpaper) se décoller; (skin) peler

peep [pi:p] n (look) coup d'œil furtif; (sound) pépiement m ▶ vi jeter un coup d'œil (furtif)

peeps [pi:ps] npl (inf) copains mpl; **hey ~, what's up?** salut la compagnie, ça boume?

peer [pɪəʳ] vi: to ~ **at** regarder attentivement, scruter ▶ n (noble) pair m; (equal) pair, égal(e)

peg [pɛg] n (for coat etc) patère f; (BRIT: also: **clothes ~**) pince f à linge

pelican ['pɛlɪkən] n pélican m • **pelican crossing** n (BRIT Aut) feu m à commande manuelle

pelt [pɛlt] vt: to ~ **sb (with)** bombarder qn (de) ▶ vi (rain) tomber à seaux; (inf: run) courir à toutes jambes ▶ n peau f

pelvis ['pɛlvɪs] n bassin m

pen [pɛn] n (for writing) stylo m; (for sheep) parc m

penalty ['pɛnltɪ] n pénalité f; sanction f; (fine) amende f; (Sport) pénalisation f; (Football) penalty m; (Rugby) pénalité f

P

pence [pɛns] *npl of* **penny**

pencil ['pɛnsl] *n* crayon *m* • **pencil in** *vt* noter provisoirement • **pencil case** *n* trousse *f* (d'écolier) • **pencil sharpener** *n* taille-crayon(s) *m inv*

pendant ['pɛndnt] *n* pendentif *m*

pending ['pɛndɪŋ] *prep* en attendant ▸ *adj* en suspens

penetrate ['pɛnɪtreɪt] *vt* pénétrer dans; (*enemy territory*) entrer en

pen friend *n* (BRIT) correspondant(e)

penguin ['pɛŋgwɪn] *n* pingouin *m*

penicillin [pɛnɪ'sɪlɪn] *n* pénicilline *f*

peninsula [pə'nɪnsjulə] *n* péninsule *f*

penis ['piːnɪs] *n* pénis *m*, verge *f*

penitentiary [pɛnɪ'tɛnʃərɪ] *n* (US) prison *f*

penknife ['pɛnnaɪf] *n* canif *m*

penniless ['pɛnɪlɪs] *adj* sans le sou

penny (*pl* **pennies** *or* **pence**) ['pɛnɪ, 'pɛnsɪz, pɛns] *n* (BRIT) penny *m*; (US) cent *m*

pen pal *n* correspondant(e)

pension ['pɛnʃən] *n* (*from company*) retraite *f* • **pensioner** *n* (BRIT) retraité(e)

pentagon ['pɛntəgən] *n*: **the P~** (US Pol) le Pentagone

penthouse ['pɛnthaus] *n* appartement *m* (de luxe) en attique

penultimate [pɪ'nʌltɪmət] *adj* pénultième, avant-dernier(-ière)

people ['piːpl] *npl* gens *mpl*; personnes *fpl*; (*inhabitants*) population *f*; (*Pol*) peuple *m* ▸ *n* (*nation, race*) peuple *m*; **several ~ came** plusieurs personnes sont

venues; **~ say that ...** on dit or les gens disent que ...

pepper ['pɛpə'] *n* poivre *m*; (*vegetable*) poivron *m* ▸ *vt* (*Culin*) poivrer • **peppermint** *n* (*sweet*) pastille *f* de menthe

per [pəː'] *prep* par; (*miles etc*) à l'heure; (*fee*) (de) l'heure; **~ kilo** *etc* le kilo *etc*; **~ day/person** par jour/personne; **~ annum** par an

perceive [pə'siːv] *vt* percevoir; (*notice*) remarquer, s'apercevoir de

per cent *adv* pour cent

percentage [pə'sɛntɪdʒ] *n* pourcentage *m*

perception [pə'sɛpʃən] *n* perception *f*; (*insight*) sensibilité *f*

perch [pəːtʃ] *n* (*fish*) perche *f*; (*for bird*) perchoir *m* ▸ *vi* (se) percher

percussion [pə'kʌʃən] *n* percussion *f*

perennial [pə'rɛnɪəl] *n* (Bot) (plante *f*) vivace *f*, plante pluriannuelle

perfect ['pəːfɪkt] *adj* parfait(e) ▸ *n* (*also*: **~ tense**) parfait *m* ▸ *vt* [pə'fɛkt] (*technique, skill, work of art*) parfaire; (*method, plan*) mettre au point • **perfection** [pə'fɛkʃən] *n* perfection *f* • **perfectly** ['pəːfɪktlɪ] *adv* parfaitement

perform [pə'fɔːm] *vt* (*carry out*) exécuter; (*concert etc*) jouer, donner ▸ *vi* (*actor, musician*) jouer • **performance** *n* représentation *f*, spectacle *m*; (*of an artist*) interprétation *f*; (*Sport: of car, engine*) performance *f*; (*of company, economy*) résultats *mpl* • **performer** *n* artiste *m/f*

perfume ['pəːfjuːm] *n* parfum *m*

perhaps [pə'hæps] *adv* peut-être

perimeter [pə'rɪmɪtə^r] n périmètre m

period ['pɪərɪəd] n période f; (Hist) époque f; (Scol) cours m; (full stop) point m; (Med) règles fpl ▸ adj (costume, furniture) d'époque • **periodical** [pɪərɪ'ɔdɪkl] n périodique m • **periodically** adv périodiquement

perish ['perɪʃ] vi périr, mourir; (decay) se détériorer

perjury ['pə:dʒərɪ] n (Law: in court) faux témoignage; (breach of oath) parjure m

perk [pə:k] n (inf) avantage m, à-côté m

perm [pə:m] n (for hair) permanente f

permanent ['pə:mənənt] adj permanent(e) • **permanently** adv de façon permanente; (move abroad) définitivement; (open, closed) en permanence; (tired, unhappy) constamment

permission [pə'mɪʃən] n permission f, autorisation f

permit n ['pə:mɪt] permis m

perplex [pə'pleks] vt (person) rendre perplexe

persecute ['pə:sɪkju:t] vt persécuter

persecution [pə:sɪ'kju:ʃən] n persécution f

persevere [pə:sɪ'vɪə^r] vi persévérer

Persian ['pə:ʃən] adj persan(e); **the ~ Gulf** le golfe Persique

persist [pə'sɪst] vi: **to ~ (in doing)** persister (à faire), s'obstiner (à faire) • **persistent** adj persistant(e), tenace

person ['pə:sn] n personne f; **in ~** en personne • **personal** adj personnel(le) • **personal**

assistant n secrétaire personnel(le) • **personal computer** n ordinateur individuel, PC m • **personality** [pə:sə'nælɪtɪ] n personnalité f • **personally** adv personnellement; **to take sth personally** se sentir visé(e) par qch • **personal organizer** n agenda (personnel); (electronic) agenda électronique • **personal stereo** n Walkman® m, baladeur m

personnel [pə:sə'nɛl] n personnel m

perspective [pə'spektɪv] n perspective f

perspiration [pə:spɪ'reɪʃən] n transpiration f

persuade [pə'sweɪd] vt: **to ~ sb to do sth** persuader qn de faire qch, amener or décider qn à faire qch

persuasion [pə'sweɪʒən] n persuasion f; (creed) conviction f

persuasive [pə'sweɪsɪv] adj persuasif(-ive)

perverse [pə'və:s] adj pervers(e); (contrary) entêté(e), contrariant(e)

pervert n ['pə:və:t] perverti(e) ▸ vt [pə'və:t] pervertir; (words) déformer

pessimism ['pesɪmɪzəm] n pessimisme m

pessimist ['pesɪmɪst] n pessimiste m/f • **pessimistic** [pesɪ'mɪstɪk] adj pessimiste

pest [pest] n animal m (or insecte m) nuisible; (fig) fléau m

pester ['pestə^r] vt importuner, harceler

pesticide ['pestɪsaɪd] n pesticide m

pet [pɛt] n animal familier ▶ cpd (favourite) favori(e) ▶ vt (stroke) caresser, câliner; **teacher's ~** chouchou m du professeur; **~ hate** bête noire

petal ['pɛtl] n pétale m

petite [pə'tiːt] adj menue(e)

petition [pə'tɪʃn] n pétition f

petrified ['pɛtrɪfaɪd] adj (fig) mort(e) de peur

petrol ['pɛtrəl] n (BRIT) essence f; **I've run out of ~** je suis en panne d'essence

> ⚠ Be careful not to translate petrol by the French word pétrole.

petroleum [pə'trəʊliəm] n pétrole m

petrol: • petrolhead n (inf) accro m/f de la bagnole • **petrol pump** n (BRIT: in car, at garage) pompe f à essence • **petrol station** n (BRIT) station-service f • **petrol tank** n (BRIT) réservoir m d'essence

petticoat ['pɛtɪkəʊt] n jupon m

petty ['pɛtɪ] adj (mean) mesquin(e); (unimportant) insignifiant(e), sans importance

pew [pjuː] n banc m (d'église)

pewter ['pjuːtər] n étain m

phantom ['fæntəm] n fantôme m

pharmacist ['fɑːməsɪst] n pharmacien(ne)

pharmacy ['fɑːməsɪ] n pharmacie f

phase [feɪz] n phase f, période f • **phase in** vt introduire progressivement • **phase out** vt supprimer progressivement

Ph.D. abbr = **Doctor of Philosophy**

pheasant ['fɛznt] n faisan m

phenomena [fə'nɔmɪnə] npl of **phenomenon**

phenomenal [fɪ'nɔmɪnl] adj phénoménal(e)

phenomenon (pl **phenomena**) [fə'nɔmɪnən, -nə] n phénomène m

Philippines ['fɪlɪpiːnz] npl (also: **Philippine Islands**): **the ~** les Philippines fpl

philosopher [fɪ'lɔsəfər] n philosophe m

philosophical [fɪlə'sɔfɪkl] adj philosophique

philosophy [fɪ'lɔsəfɪ] n philosophie f

phlegm [flɛm] n flegme m

phobia ['fəʊbjə] n phobie f

phone [fəʊn] n téléphone m ▶ vt téléphoner à ▶ vi téléphoner; **to be on the ~** avoir le téléphone; (be calling) être au téléphone • **phone back** vt, vi rappeler • **phone up** vt téléphoner à ▶ vi téléphoner • **phone book** n annuaire m • **phone box** n (US) **phone booth** n cabine f téléphonique • **phone call** n coup m de fil or de téléphone • **phonecard** n télécarte f • **phone number** n numéro m de téléphone

phonetics [fə'nɛtɪks] n phonétique f

phoney ['fəʊnɪ] adj faux (fausse), factice; (person) pas franc (franche)

photo ['fəʊtəʊ] n photo f • **photo album** n album m de photos • **photobomb** vt (inf) s'incruster sur la photo de • **photocopier** n copieur m • **photocopy** n photocopie f ▶ vt photocopier

photograph ['fəʊtəgrɑːf] n photographie f ▶ vt photographier • **photographer** [fə'tɒgrəfər] n photographe m/f • **photography** [fə'tɒgrəfɪ] n photographie f

phrase [freɪz] n expression f; (Ling) locution f ▶ vt exprimer • **phrase book** n recueil d'expressions (pour touristes)

physical ['fɪzɪkl] adj physique • **physical education** n éducation f physique • **physically** adv physiquement

physician [fɪ'zɪʃən] n médecin m

physicist ['fɪzɪsɪst] n physicien(ne)

physics ['fɪzɪks] n physique f

physiotherapist [fɪzɪəʊ'θerəpɪst] n kinésithérapeute m/f

physiotherapy [fɪzɪəʊ'θerəpɪ] n kinésithérapie f

physique [fɪ'ziːk] n (appearance) physique m; (health etc) constitution f

pianist ['piːənɪst] n pianiste m/f

piano [pɪ'ænəʊ] n piano m

pick [pɪk] n (tool: also: **~-axe**) pic m, pioche f ▶ vt choisir; (gather) cueillir; (remove) prendre; (lock) forcer; **take your ~** faites votre choix; **the ~ of** le meilleur(e) de; **to ~ one's nose** se mettre les doigts dans le nez; **to ~ one's teeth** se curer les dents; **to ~ a quarrel with sb** chercher noise à qn • **pick on** vt fus (person) harceler • **pick out** vt choisir; (distinguish) distinguer • **pick up** vi (improve) remonter, s'améliorer ▶ vt ramasser; (collect) prendre; (Aut: give lift to) prendre; (learn) apprendre; (Radio) capter;

to ~ up speed prendre de la vitesse; **to ~ o.s. up** se relever

pickle ['pɪkl] n (also: **~s**) (as condiment) pickles mpl ▶ vt conserver dans du vinaigre or dans de la saumure; **in a ~** (fig) dans le pétrin

pickpocket ['pɪkpɒkɪt] n pickpocket m

pick-up ['pɪkʌp] n (also: **~ truck**) pick-up m inv

picnic ['pɪknɪk] n pique-nique m ▶ vi pique-niquer • **picnic area** n aire f de pique-nique

picture ['pɪktʃər] n (also TV) image f; (painting) peinture f, tableau m; (photograph) photo(graphie) f; (drawing) dessin m; (film) film m; (fig: description) description f ▶ vt (imagine) se représenter; **pictures** npl: **the ~s** (BRIT) le cinéma; **to take a ~ of sb/sth** prendre qn/ qch en photo; **would you take a ~ of us, please?** pourriez-vous nous prendre en photo, s'il vous plaît? • **picture frame** n cadre m • **picture messaging** n picture messaging m, messagerie f d'images

picturesque [pɪktʃə'resk] adj pittoresque

pie [paɪ] n tourte f; (of fruit) tarte f; (of meat) pâté m en croûte

piece [piːs] n morceau m; (item): **a ~ of furniture/advice** un meuble/conseil ▶ vt: **to ~ together** rassembler; **to take to ~s** démonter

pie chart n graphique m à secteurs, camembert m

pier [pɪər] n jetée f

pierce [pɪəs] vt percer, transpercer • **pierced** adj (ears) percé(e)

P

pig [pɪg] *n* cochon *m*, porc *m*; (*pej:
unkind person*) mufle *m*; (: *greedy
person*) goinfre *m*

pigeon ['pɪdʒən] *n* pigeon *m*

piggy bank ['pɪgɪ-] *n* tirelire *f*

pigsty ['pɪgstaɪ] *n* porcherie *f*

pigtail ['pɪgteɪl] *n* natte *f*, tresse *f*

pike [paɪk] *n* (*fish*) brochet *m*

pilchard ['pɪltʃəd] *n* pilchard *m*
(*sorte de sardine*)

pile [paɪl] *n* (*pillar, of books*) pile *f*;
(*heap*) tas *m*; (*of carpet*) épaisseur *f*;
piles *npl* hémorroïdes *fpl* • **pile up**
vi (*accumulate*) s'entasser,
s'accumuler ▶ *vt* (*put in heap*)
empiler, entasser; (*accumulate*)
accumuler • **pile-up** *n* (*Aut*)
télescopage *m*, collision *f* en série

pilgrim ['pɪlgrɪm] *n* pèlerin *m*;
voir article **"Pilgrim Fathers"**

Les **Pilgrim Fathers** ('Pères
pèlerins') sont un groupe de
puritains qui quittèrent
l'Angleterre en 1620 pour fuir les
persécutions religieuses. Ayant
traversé l'Atlantique à bord du
'Mayflower', ils fondèrent New
Plymouth en Nouvelle-
Angleterre, dans ce qui est
aujourd'hui le Massachusetts.
Ces Pères pèlerins sont considérés
comme les fondateurs des
États-Unis, et l'on commémore
chaque année, le jour du
'Thanksgiving', la réussite de leur
première récolte.

pilgrimage ['pɪlgrɪmɪdʒ] *n*
pèlerinage *m*

pill [pɪl] *n* pilule *f*; **the ~** la pilule

pillar ['pɪlə'] *n* pilier *m*

pillow ['pɪləu] *n* oreiller *m*
• **pillowcase** • **pillowslip** *n* taie *f*
d'oreiller

pilot ['paɪlət] *n* pilote *m* ▶ *cpd*
(*scheme etc*) pilote,
expérimental(e) ▶ *vt* piloter
• **pilot light** *n* veilleuse *f*

pimple ['pɪmpl] *n* bouton *m*

PIN *n abbr* (= *personal identification
number*) code *m* confidentiel

pin [pɪn] *n* épingle *f*; (*Tech*) cheville
f ▶ *vt* épingler; **~s and needles**
fourmis *fpl*; **to ~ sb down** (*fig*)
coincer qn; **to ~ sth on sb** (*fig*)
mettre qch sur le dos de qn

pinafore ['pɪnəfɔː'] *n* tablier *m*

pinch [pɪntʃ] *n* pincement *m*; (*of
salt etc*) pincée *f* ▶ *vt* pincer; (*inf:
steal*) piquer, chiper ▶ *vi* (*shoe*)
serrer; **at a ~** à la rigueur

pine [paɪn] *n* (*also:* **~ tree**) pin *m*
▶ *vi*: **to ~ for** aspirer à, désirer
ardemment

pineapple ['paɪnæpl] *n*
ananas *m*

ping [pɪŋ] *n* (*noise*) tintement *m*
• **ping-pong®** *n* ping-pong® *m*

pink [pɪŋk] *adj* rose ▶ *n* (*colour*)
rose *m*

pinpoint ['pɪnpɔɪnt] *vt* indiquer
(*avec précision*)

pint [paɪnt] *n* pinte *f* (*Brit* = 0,57 l;
US = 0,47 l); (*BRIT inf*) ≈ demi *m*,
≈ pot *m*

pioneer [paɪə'nɪə'] *n* pionnier *m*

pious ['paɪəs] *adj* pieux(-euse)

pip [pɪp] *n* (*seed*) pépin *m*; **pips** *npl*:
the ~s (*BRIT: time signal on radio*)
le top

pipe [paɪp] *n* tuyau *m*, conduite *f*;
(*for smoking*) pipe *f* ▶ *vt* amener par
tuyau • **pipeline** *n* (*for gas*)
gazoduc *m*, pipeline *m*; (*for oil*)
oléoduc *m*, pipeline *m* • **piper** *n*
(*flautist*) joueur(-euse) de pipeau;
(*of bagpipes*) joueur(-euse) de
cornemuse

pirate ['paɪərət] n pirate m ▶ vt (CD, video, book) pirater

Pisces ['paɪsiːz] n les Poissons mpl

piss [pɪs] vi (infl) pisser (!) • **pissed** adj (infl: BRIT: drunk) bourré(e); (: US: angry) furieux(-euse)

pistol ['pɪstl] n pistolet m

piston ['pɪstən] n piston m

pit [pɪt] n trou m, fosse f; (also: **coal ~**) puits m de mine; (also: **orchestra ~**) fosse f d'orchestre; (US: fruit stone) noyau m ▶ vt: to **~ o.s.** or **one's wits against** se mesurer à

pitch [pɪtʃ] n (BRIT Sport) terrain m; (Mus) ton m; (fig: degree) degré m; (tar) poix f ▶ vt (throw) lancer; (tent) dresser ▶ vi (fall): to **~ into/ off** tomber dans/de • **pitch-black** adj noir(e) comme poix

pitfall ['pɪtfɔːl] n piège m

pith [pɪθ] n (of orange etc) intérieur m de l'écorce

pitiful ['pɪtɪful] adj (touching) pitoyable; (contemptible) lamentable

pity ['pɪtɪ] n pitié f ▶ vt plaindre; **what a ~!** quel dommage!

pizza ['piːtsə] n pizza f

placard ['plækɑːd] n affiche f; (in march) pancarte f

place [pleɪs] n endroit m, lieu m; (proper position, job, rank, seat) place f; (home): **at/to his ~** chez lui ▶ vt (position) placer, mettre; (identify) situer; reconnaître; **to take ~** avoir lieu; **to change ~s with sb** changer de place avec qn; **out of ~** (not suitable) déplacé(e), inopportun(e); **in the first ~** d'abord, en premier • **place mat** n set m de table; (in linen etc) napperon m • **placement** n (during studies) stage m

placid ['plæsɪd] adj placide

plague [pleɪg] n (Med) peste f ▶ vt (fig) tourmenter

plaice [pleɪs] n (pl inv) carrelet m

plain [pleɪn] adj (in one colour) uni(e); (clear) clair(e), évident(e); (simple) simple; (not handsome) quelconque, ordinaire ▶ adv franchement, carrément ▶ n plaine f • **plain chocolate** n chocolat m à croquer • **plainly** adv clairement; (frankly) carrément, sans détours

plaintiff ['pleɪntɪf] n plaignant(e)

plait [plæt] n tresse f, natte f

plan [plæn] n plan m; (scheme) projet m ▶ vt (think in advance) projeter; (prepare) organiser ▶ vi faire des projets; **to ~ to do** projeter de faire

plane [pleɪn] n (Aviat) avion m; (also: **~ tree**) platane m; (tool) rabot m; (Art, Math etc) plan m; (fig) niveau m, plan ▶ vt (with tool) raboter

planet ['plænɪt] n planète f

plank [plæŋk] n planche f

planning ['plænɪŋ] n planification f; **family ~** planning familial

plant [plɑːnt] n plante f; (machinery) matériel m; (factory) usine f ▶ vt planter; (bomb) déposer, poser; (microphone, evidence) cacher

plantation [plæn'teɪʃən] n plantation f

plaque [plæk] n plaque f

plaster ['plɑːstə] n plâtre m; (also: **~ of Paris**) plâtre à mouler; (BRIT: also: **sticking ~**) pansement adhésif ▶ vt plâtrer; (cover): to **~ with** couvrir de • **plaster cast** n (Med) plâtre m; (model, statue) moule m

P

plastic ['plæstɪk] n plastique m
▶ adj (made of plastic) en plastique
• **plastic bag** n sac m en plastique
• **plastic surgery** n chirurgie f
esthétique

plate [pleɪt] n (dish) assiette f;
(sheet of metal, on door, Phot)
plaque f; (in book) gravure f;
(dental) dentier m

plateau (pl **plateaus** or **plateaux**)
['plætəu, -z] n plateau m

platform ['plætfɔːm] n (at
meeting) tribune f; (stage) estrade
f; (Rail) quai m; (Pol) plateforme f

platinum ['plætɪnəm] n
platine m

platoon [plə'tuːn] n peloton m

platter ['plætəʳ] n plat m

plausible ['plɔːzɪbl] adj plausible;
(person) convaincant(e)

play [pleɪ] n jeu m; (Theat) pièce f
(de théâtre) ▶ vt (game) jouer à;
(team, opponent) jouer contre;
(instrument) jouer de; (part, piece of
music, note) jouer; (CD etc) passer
▶ vi jouer; **to ~ safe** ne prendre
aucun risque • **play back** vt
repasser, réécouter • **play up** vi
(cause trouble) faire des siennes
• **player** n joueur(-euse); (Mus)
musicien(ne) • **playful** adj
enjoué(e) • **playground** n cour f
de récréation; (in park) aire f de
jeux • **playgroup** n garderie f
• **playing card** n carte f à jouer
• **playing field** n terrain m de
sport • **playschool** n
= **playgroup** • **playtime** n (Scol)
récréation f • **playwright** n
dramaturge m

plc abbr (BRIT: = public limited
company) ≈ SARL f

plea [pliː] n (request) appel m;
(Law) défense f

plead [pliːd] vt plaider; (give as
excuse) invoquer ▶ vi (Law) plaider;
(beg): **to ~ with sb (for sth)**
implorer qn (d'accorder qch);
to ~ guilty/not guilty plaider
coupable/non coupable

pleasant ['plɛznt] adj agréable

please [pliːz] excl s'il te (or vous)
plaît ▶ vt plaire à ▶ vi (think fit):
do as you ~ faites comme il vous
plaira; **~ yourself!** (inf) (faites)
comme vous voulez! • **pleased**
adj: **pleased (with)** content(e)
(de); **pleased to meet you**
enchanté (de faire votre
connaissance)

pleasure ['plɛʒəʳ] n plaisir m;
"it's a ~" "je vous en prie"

pleat [pliːt] n pli m

pledge [plɛdʒ] n (promise)
promesse f ▶ vt promettre

plentiful ['plɛntɪful] adj
abondant(e), copieux(-euse)

plenty ['plɛntɪ] n: **~ of** beaucoup
de; (sufficient) (bien) assez de

pliers ['plaɪəz] npl pinces fpl

plight [plaɪt] n situation f
critique

plod [plɔd] vi avancer
péniblement; (fig) peiner

plonk [plɔŋk] (inf) n (BRIT: wine)
pinard m, piquette f ▶ vt: **to ~ sth
down** poser brusquement qch

plot [plɔt] n complot m,
conspiration f; (of story, play)
intrigue f; (of land) lot m de terrain,
lopin m ▶ vt (mark out) tracer point
par point; (Naut) pointer; (make
graph of) faire le graphique de;
(conspire) comploter ▶ vi
comploter

plough, (US) **plow** [plau] n
charrue f ▶ vt (earth) labourer;
to ~ money into investir dans

ploy [plɔɪ] n stratagème m

pls abbr (= please) SVP m

pluck [plʌk] vt (fruit) cueillir; (musical instrument) pincer; (bird) plumer; **to ~ one's eyebrows** s'épiler les sourcils; **to ~ up courage** prendre son courage à deux mains

plug [plʌg] n (stopper) bouchon m, bonde f; (Elec) prise f de courant; (Aut: also: **spark(ing) ~**) bougie f ▶ vt (hole) boucher; (inf: advertise) faire du battage pour, matraquer • **plug in** vt (Elec) brancher • **plughole** n (BRIT) trou m (d'écoulement)

plum [plʌm] n (fruit) prune f

plumber ['plʌmə˙] n plombier m

plumbing ['plʌmɪŋ] n (trade) plomberie f; (piping) tuyauterie f

plummet ['plʌmɪt] vi (person, object) plonger; (sales, prices) dégringoler

plump [plʌmp] adj rondelet(te), dodu(e), bien en chair • **plump for** vt fus (inf: choose) se décider pour

plunge [plʌndʒ] n plongeon m; (fig) chute f ▶ vt plonger ▶ vi (fall) tomber, dégringoler; (dive) plonger; **to take the ~** se jeter à l'eau

pluperfect [pluː'pəːfɪkt] n (Ling) plus-que-parfait m

plural ['pluərl] adj pluriel(le) ▶ n pluriel m

plus [plʌs] n (also: **~ sign**) signe m plus; (advantage) atout m ▶ prep plus; **ten/twenty ~** plus de dix/ vingt

ply [plaɪ] n (of wool) fil m ▶ vt (a trade) exercer ▶ vi (ship) faire la navette; **to ~ sb with drink** donner continuellement à boire à qn • **plywood** n contreplaqué m

P.M. n abbr (BRIT) = **prime minister**

p.m. adv abbr (= post meridiem) de l'après-midi

PMS n abbr (= premenstrual syndrome) syndrome prémenstruel

PMT n abbr (= premenstrual tension) syndrome prémenstruel

pneumatic drill [njuː'mætɪk-] n marteau-piqueur m

pneumonia [njuː'məunɪə] n pneumonie f

poach [pəutʃ] vt (cook) pocher; (steal) pêcher (or chasser) sans permis ▶ vi braconner ▶ **poached** adj (egg) poché(e)

P.O. Box n abbr = **post office box**

pocket ['pɔkɪt] n poche f ▶ vt empocher; **to be (£5) out of ~** (BRIT) en être de sa poche (par 5 livres) • **pocketbook** n (US: wallet) portefeuille m • **pocket money** n argent m de poche

pod [pɔd] n cosse f

podcast ['pɔdkɑːst] n podcast m ▶ vi podcaster

podiatrist [pɔ'diːətrɪst] n (US) pédicure m/f

poem ['pəuɪm] n poème m

poet ['pəuɪt] n poète m • **poetic** [pəu'ɛtɪk] adj poétique • **poetry** n poésie f

poignant ['pɔɪnjənt] adj poignant(e)

point [pɔɪnt] n point m; (tip) pointe f (in time) moment m; (in space) endroit m; (subject, idea) sujet m; (purpose) but m; (also: **decimal ~**): **2 ~ 3 (2.3)** 2 virgule 3 (2,3); (BRIT Elec: also: **power ~**) prise f (de courant) ▶ vt (show) indiquer; (gun etc): **to ~ sth at** braquer or diriger qch sur ▶ vi: **to ~ at** montrer du doigt; **points** npl

P

(*Rail*) aiguillage *m*; **to make a ~ of doing sth** ne pas manquer de faire qch; **to get/miss the ~** comprendre/ne pas comprendre; **to come to the ~** en venir au fait; **there's no ~ (in doing)** cela ne sert à rien (de faire); **to be on the ~ of doing sth** être sur le point de faire qch • **point out** *vt* (*mention*) faire remarquer, souligner • **point-blank** *adv* (*fig*) catégoriquement; (*also*: **at point-blank range**) à bout portant • **pointed** *adj* (*shape*) pointu(e); (*remark*) plein(e) de sous-entendus • **pointer** *n* (*needle*) aiguille *f*; (*clue*) indication *f*; (*advice*) tuyau *m* • **pointless** *adj* inutile, vain(e) • **point of view** *n* point *m* de vue

poison ['pɔɪzn] *n* poison *m* ▶ *vt* empoisonner • **poisonous** *adj* (*snake*) venimeux(-euse); (*substance, plant*) vénéneux(-euse); (*fumes*) toxique

poke [pəʊk] *vt* (*jab with finger, stick etc*) piquer; pousser du doigt; (*put*): **to ~ sth in(to)** fourrer or enfoncer qch dans • **poke about** *vi* fureter • **poke out** *vi* (*stick out*) sortir

poker ['pəʊkə'] *n* tisonnier *m*; (*Cards*) poker *m*

Poland ['pəʊlənd] *n* Pologne *f*

polar ['pəʊlə'] *adj* polaire • **polar bear** *n* ours blanc

Pole [pəʊl] *n* Polonais(e)

pole [pəʊl] *n* (*of wood*) mât *m*, perche *f*; (*Elec*) poteau *m*; (*Geo*) pôle *m* • **pole bean** *n* (*us*) haricot *m* (à rames) • **pole vault** *n* saut *m* à la perche

police [pə'liːs] *npl* police *f* ▶ *vt* maintenir l'ordre dans • **police car** *n* voiture *f* de police • **police**

constable *n* (*BRIT*) agent *m* de police • **police force** *n* police *f*, forces *fpl* de l'ordre • **policeman** (*irreg*) *n* agent *m* de police, policier *m* • **police officer** *n* agent *m* de police • **police station** *n* commissariat *m* de police • **policewoman** (*irreg*) *n* femme-agent *f*

policy ['pɔlɪsɪ] *n* politique *f*; (*also*: **insurance ~**) police *f* (d'assurance)

polio ['pəʊlɪəʊ] *n* polio *f*

Polish ['pəʊlɪʃ] *adj* polonais(e) ▶ *n* (*Ling*) polonais *m*

polish ['pɔlɪʃ] *n* (*for shoes*) cirage *m*; (*for floor*) cire *f*, encaustique *f*; (*for nails*) vernis *m*; (*shine*) éclat *m*, poli *m*; (*fig: refinement*) raffinement *m* ▶ *vt* (*put polish on: shoes, wood*) cirer; (*make shiny*) astiquer, faire briller • **polish off** *vt* (*food*) liquider • **polished** *adj* (*fig*) raffiné(e)

polite [pə'laɪt] *adj* poli(e) • **politeness** *n* politesse *f*

political [pə'lɪtɪkl] *adj* politique • **politically** *adv* politiquement; **politically correct** politiquement correct(e)

politician [pɔlɪ'tɪʃən] *n* homme/femme politique, politicien(ne)

politics ['pɔlɪtɪks] *n* politique *f*

poll [pəʊl] *n* scrutin *m*, vote *m*; (*also*: **opinion ~**) sondage *m* (d'opinion) ▶ *vt* (*votes*) obtenir

pollen ['pɔlən] *n* pollen *m*

polling station *n* (*BRIT*) bureau *m* de vote

pollute [pə'luːt] *vt* polluer

pollution [pə'luːʃən] *n* pollution *f*

polo ['pəʊləʊ] *n* polo *m* • **polo-neck** *adj* à col roulé ▶ *n* (*sweater*) pull *m* à col roulé • **polo shirt** *n* polo *m*

polyester [pɒlɪ'ɛstəʳ] *n* polyester *m*

polystyrene [pɒlɪ'staɪriːn] *n* polystyrène *m*

polythene [pɒlɪθiːn] *n* (BRIT) polyéthylène *m* • **polythene bag** *n* sac *m* en plastique

pomegranate ['pɒmɪɡrænɪt] *n* grenade *f*

pompous ['pɒmpəs] *adj* pompeux(-euse)

pond [pɒnd] *n* étang *m*; (stagnant) mare *f*

ponder ['pɒndəʳ] *vt* considérer, peser

pony ['pəʊnɪ] *n* poney *m* • **ponytail** *n* queue *f* de cheval • **pony trekking** *n* (BRIT) randonnée *f* équestre *or* à cheval

poodle ['puːdl] *n* caniche *m*

pool [puːl] *n* (of rain) flaque *f*; (pond) mare *f*; (artificial) bassin *m*; (also: **swimming ~**) piscine *f*; (sth shared) fonds commun; (billiards) poule *f* ▶ *vt* mettre en commun; **pools** *npl* (football) ≈ loto sportif

poor [pʊəʳ] *adj* pauvre; (mediocre) médiocre, faible, mauvais(e) ▶ *npl*: **the ~** les pauvres *mpl* • **poorly** *adv* (badly) mal, médiocrement ▶ *adj* souffrant(e), malade

pop [pɒp] *n* (noise) bruit sec; (Mus) musique *f* pop; (inf: drink) soda *m*; (US inf: father) papa *m* ▶ *vt* (put) fourrer, mettre (rapidement) ▶ *vi* éclater; (cork) sauter • **pop in** *vi* entrer en passant • **pop out** *vi* sortir • **popcorn** *n* pop-corn *m*

pope [pəʊp] *n* pape *m*

poplar ['pɒpləʳ] *n* peuplier *m*

popper ['pɒpəʳ] *n* (BRIT) bouton-pression *m*

poppy ['pɒpɪ] *n* (wild) coquelicot *m*; (cultivated) pavot *m*

Popsicle® ['pɒpsɪkl] *n* (US) esquimau *m* (glace)

pop star *n* pop star *f*

popular ['pɒpjʊləʳ] *adj* populaire; (fashionable) à la mode • **popularity** [pɒpjʊ'lærɪtɪ] *n* popularité *f*

population [pɒpjʊ'leɪʃən] *n* population *f*

pop-up *adj* (Comput: menu, window) pop up *inv* ▶ *n* pop up *m* *inv*, fenêtre *f* pop up

porcelain ['pɔːslɪn] *n* porcelaine *f*

porch [pɔːtʃ] *n* porche *m*; (US) véranda *f*

pore [pɔːʳ] *n* pore *m* ▶ *vi*: **to ~ over** s'absorber dans, être plongé(e) dans

pork [pɔːk] *n* porc *m* • **pork chop** *n* côte *f* de porc • **pork pie** *n* pâté *m* de porc en croûte

porn [pɔːn] *adj* (inf) porno ▶ *n* (inf) porno *m* • **pornographic** [pɔːnə'ɡræfɪk] *adj* pornographique • **pornography** [pɔː'nɔɡrəfɪ] *n* pornographie *f*

porridge ['pɒrɪdʒ] *n* porridge *m*

port [pɔːt] *n* (harbour) port *m*; (Naut: left side) bâbord *m*; (wine) porto *m*; (Comput) port *m*, accès *m*; **~ of call** (port d')escale *f*

portable ['pɔːtəbl] *adj* portatif(-ive)

porter ['pɔːtəʳ] *n* (for luggage) porteur *m*; (doorkeeper) gardien(ne); portier *m*

portfolio [pɔːt'fəʊlɪəʊ] *n* portefeuille *m*; (of artist) portfolio *m*

portion ['pɔːʃən] *n* portion *f*, part *f*

portrait ['pɔːtreɪt] *n* portrait *m*

portray [pɔːˈtreɪ] vt faire le portrait de; (in writing) dépeindre, représenter; (subj: actor) jouer

Portugal [ˈpɔːtjʊgl] n Portugal m

Portuguese [pɔːtjʊˈgiːz] adj portugais(e) ▶ n (pl inv) Portugais(e) m/f; (Ling) portugais m

pose [pəuz] n pose f ▶ vi poser; (pretend): **to ~ as** se faire passer pour ▶ vt poser; (problem) créer

posh [pɔʃ] adj (inf) chic inv

position [pəˈzɪʃən] n position f; (job, situation) situation f ▶ vt mettre en position or en position

positive [ˈpɔzɪtɪv] adj positif(-ive); (certain) sûr(e), certain(e); (definite) formel(le), catégorique • **positively** adv (affirmatively, enthusiastically) de façon positive; (inf: really) carrément

possess [pəˈzɛs] vt posséder • **possession** [pəˈzɛʃən] n possession f; **possessions** npl (belongings) affaires fpl • **possessive** adj possessif(-ive)

possibility [pɔsɪˈbɪlɪtɪ] n possibilité f; (event) éventualité f

possible [ˈpɔsɪbl] adj possible; **as big as ~** aussi gros que possible • **possibly** adv (perhaps) peut-être; **I cannot possibly come** il m'est impossible de venir

post [pəust] n (BRIT: mail) courrier m; (: letters, delivery) courrier m; (job, situation) poste m; (pole) poteau m; (Internet) post ▶ vt (Internet) poster; (BRIT: send by post) poster; (appoint) affecter à; **where can I ~ these cards?** où est-ce que je peux poster ces cartes postales? • **postage** n tarifs mpl d'affranchissement

• **postal** adj postal(e) • **postal order** n mandat(-poste m) m

• **postbox** n (BRIT) boîte f aux lettres (publique) • **postcard** n carte postale • **postcode** n (BRIT) code postal

poster [ˈpəustəʳ] n affiche f

postgraduate [ˈpəustˈgrædjuət] n ≈ étudiant(e) de troisième cycle

postman [ˈpəustmən] (irreg) (BRIT) n facteur m

postmark [ˈpəustmɑːk] n cachet m (de la poste)

post-mortem [pəustˈmɔːtəm] n autopsie f

post office n (building) bureau m de poste; (organization): **the Post Office** les postes fpl

postpone [pəsˈpəun] vt remettre (à plus tard), reculer

posture [ˈpɔstʃəʳ] n posture f; (fig) attitude f

postwoman [pəustˈwumən] (irreg) (BRIT) n factrice f

pot [pɔt] n (for cooking) marmite f, casserole f; (teapot) théière f; (for coffee) cafetière f; (for plants, jam) pot m; (inf: marijuana) herbe f ▶ vt (plant) mettre en pot; **to go to ~** (inf) aller à vau-l'eau

potato [pəˈteɪtəu] (pl **potatoes**) n pomme f de terre • **potato peeler** n épluche-légumes m

potent [ˈpəutnt] adj puissant(e); (drink) fort(e), très alcoolisé(e); (man) viril

potential [pəˈtɛnʃl] adj potentiel(le) ▶ n potentiel m

pothole [ˈpɔthəul] n (in road) nid m de poule; (BRIT: underground) gouffre m, caverne f

pot plant n plante f d'appartement

potter ['pɒtə^r] n potier m ▸ vi (BRIT): **to ~ around** or **about** bricoler • **pottery** n poterie f

potty ['pɒtɪ] n (child's) pot m

pouch [pautʃ] n (Zool) poche f; (for tobacco) blague f; (for money) bourse f

poultry ['pəʊltrɪ] n volaille f

pounce [pauns] vi: **to ~ (on)** bondir (sur), fondre (sur)

pound [paund] n livre f (weight = 453g, 16 ounces; money = 100 pence); (for dogs, cars) fourrière f ▸ vt (beat) bourrer de coups, marteler; (crush) piler, pulvériser ▸ vi (heart) battre violemment, taper
• **pound sterling** n livre f sterling

pour [pɔː^r] vt verser ▸ vi couler à flots; (rain) pleuvoir à verse; **to ~ sb a drink** verser or servir à boire à qn • **pour in** vi (people) affluer, se précipiter; (news, letters) arriver en masse • **pour out** vi (people) sortir en masse ▸ vt vider; (fig) déverser; (serve: a drink) verser • **pouring** adj: **pouring rain** pluie f torrentielle

pout [paut] vi faire la moue

poverty ['pɒvətɪ] n pauvreté f, misère f

powder ['paudə^r] n poudre f ▸ vt poudrer • **powdered milk** n lait m en poudre

power ['pauə^r] n (strength, nation) puissance f, force f; (ability, Pol: of party, leader) pouvoir m; (of speech, thought) faculté f; (Elec) courant m; **to be in ~** être au pouvoir
• **power cut** n (BRIT) coupure f de courant • **power failure** n panne f de courant • **powerful** adj puissant(e); (performance etc) très fort(e) • **powerless** adj impuissant(e) • **power point** n

(BRIT) prise f de courant
• **power station** n centrale f électrique

p.p. abbr (= per procurationem: by proxy) p.p.

PR n abbr = **public relations**

practical ['præktɪkl] adj pratique
• **practical joke** n farce f
• **practically** adv (almost) pratiquement

practice ['præktɪs] n pratique f; (of profession) exercice m; (at football etc) entraînement m; (business) cabinet m ▸ vt, vi (US) = **practise**; **in ~** (in reality) en pratique; **out of ~** rouillé(e)

practise, (US) **practice** ['præktɪs] vt (work at: piano, backhand etc) s'exercer à, travailler; (train for: sport) s'entraîner à; (a sport, religion, method) pratiquer; (profession) exercer ▸ vi s'exercer, travailler; (train) s'entraîner; (lawyer, doctor) exercer • **practising** • (US) **practicing** adj (Christian etc) pratiquant(e); (lawyer) en exercice

practitioner [præk'tɪʃənə^r] n praticien(ne)

pragmatic [præg'mætɪk] adj pragmatique

prairie ['prɛərɪ] n savane f

praise [preɪz] n éloge(s) m(pl), louange(s) f(pl) ▸ vt louer, faire l'éloge de

pram [præm] n (BRIT) landau m, voiture f d'enfant

prank [præŋk] n farce f

prawn [prɔːn] n crevette f (rose)
• **prawn cocktail** n cocktail m de crevettes

pray [preɪ] vi prier • **prayer** [prɛə^r] n prière f

P

preach [priːtʃ] vi prêcher
• **preacher** n prédicateur m;
(us: clergyman) pasteur m

precarious [prɪˈkɛərɪəs] adj
précaire

precaution [prɪˈkɔːʃən] n
précaution f

precede [prɪˈsiːd] vt, vi précéder
• **precedent** [ˈprɛsɪdənt] n
précédent m • **preceding**
[prɪˈsiːdɪŋ] adj qui précède (or
précédait)

precinct [ˈpriːsɪŋkt] n (us: district)
circonscription f, arrondissement
m; **pedestrian ~** (BRIT) zone
piétonnière; **shopping ~** (BRIT)
centre commercial

precious [ˈprɛʃəs] adj
précieux(-euse)

precise [prɪˈsaɪs] adj précis(e)
• **precisely** adv précisément

precision [prɪˈsɪʒən] n précision f

predator [ˈprɛdətər] n prédateur
m, rapace m

predecessor [ˈpriːdɪsɛsər] n
prédécesseur m

predicament [prɪˈdɪkəmənt] n
situation f difficile

predict [prɪˈdɪkt] vt prédire
• **predictable** adj prévisible
• **prediction** [prɪˈdɪkʃən] n
prédiction f

predominantly
[prɪˈdɒmɪnəntlɪ] adv en majeure
partie; (especially) surtout

preface [ˈprɛfəs] n préface f

prefect [ˈpriːfɛkt] n (BRIT: in
school) élève chargé de certaines
fonctions de discipline

prefer [prɪˈfɜːr] vt préférer
• **preferable** [ˈprɛfrəbl] adj
préférable • **preferably** [ˈprɛfrəblɪ]
adv de préférence • **preference**
[ˈprɛfrəns] n préférence f

prefix [ˈpriːfɪks] n préfixe m

pregnancy [ˈprɛgnənsɪ] n
grossesse f

pregnant [ˈprɛgnənt] adj
enceinte; (animal) pleine

prehistoric [ˈpriːhɪsˈtɒrɪk] adj
préhistorique

prejudice [ˈprɛdʒudɪs] n préjugé
m • **prejudiced** (person)
plein(e) de préjugés; (in a matter)
partial(e)

preliminary [prɪˈlɪmɪnərɪ] adj
préliminaire

prelude [ˈprɛljuːd] n prélude m

premature [ˈprɛmətʃuər] adj
prématuré(e)

premier [ˈprɛmɪər] adj
premier(-ière), principal(e) ▶ n
(Pol: Prime Minister) premier
ministre; (Pol: President) chef m de
l'État

premiere [ˈprɛmɪɛər] n première f

Premier League n première
division

premises [ˈprɛmɪsɪz] npl locaux
mpl; **on the ~** sur les lieux; sur
place

premium [ˈpriːmɪəm] n prime f;
to be at a ~ (fig: housing etc) être
très demandé(e), être rarissime

premonition [prɛməˈnɪʃən] n
prémonition f

preoccupied [prɪˈɒkjupaɪd] adj
préoccupé(e)

prepaid [priːˈpeɪd] adj payé(e)
d'avance

preparation [prɛpəˈreɪʃən] n
préparation f; **preparations** npl
(for trip, war) préparatifs mpl

preparatory school n (BRIT)
école primaire privée; (us) lycée
privé

prepare [prɪˈpɛər] vt préparer
▶ vi: **to ~ for** se préparer à

prepared [prɪˈpɛəd] adj: ~ **for** préparé(e) à; ~ **to** prêt(e) à
preposition [prepəˈzɪʃən] n préposition f
prep school n = preparatory school
prerequisite [priːˈrekwɪzɪt] n condition f préalable
preschool [ˈpriːskuːl] adj préscolaire; (child) d'âge préscolaire
prescribe [prɪˈskraɪb] vt prescrire
prescription [prɪˈskrɪpʃən] n (Med) ordonnance f; (: medicine) médicament m (obtenu sur ordonnance); **could you write me a ~?** pouvez-vous me faire une ordonnance?
presence [ˈprezns] n présence f; **in sb's ~** en présence de qn; **~ of mind** présence d'esprit
present [ˈprɛznt] adj présent(e); (current) présent, actuel(le) ▶ n cadeau m; (actuality) présent m ▶ vt [prɪˈzɛnt] présenter; (prize, medal) remettre; (give) ~ **sb with sth** offrir qch à qn; **at** ~ en ce moment; **to give sb a** ~ offrir un cadeau à qn • **presentable** [prɪˈzɛntəbl] adj présentable • **presentation** [preznˈteɪʃən] n présentation f; (ceremony) remise f du cadeau (or de la médaille etc) • **present-day** adj contemporain(e), actuel(le) • **presenter** [prɪˈzɛntə] n (BRIT Radio, TV) présentateur(-trice) • **presently** adv (soon) tout à l'heure, bientôt; (with verb in past) peu après; (at present) en ce moment
preservation [prezəˈveɪʃən] n préservation f, conservation f

preservative [prɪˈzəːvətɪv] n agent m de conservation
preserve [prɪˈzəːv] vt (keep safe) préserver, protéger; (maintain) conserver, garder; (food) mettre en conserve ▶ n (for game, fish) réserve f; (often pl: jam) confiture f
preside [prɪˈzaɪd] vi présider
president [ˈprezɪdənt] n président(e) • **presidential** [prezɪˈdenʃl] adj présidentiel(le)
press [prɛs] n (tool, machine, newspapers) presse f; (for wine) pressoir m ▶ vt (push) appuyer sur; (squeeze) presser, serrer; (clothes: iron) repasser; (insist): **to ~ sth on sb** presser qn d'accepter qch; (urge, entreat): **to ~ sb to do** or **into doing sth** pousser qn à faire qch ▶ vi appuyer; **we are ~ed for time** le temps nous manque; **to ~ for sth** faire pression pour obtenir qch • **press conference** n conférence f de presse • **pressing** adj urgent(e), pressant(e) • **press stud** n (BRIT) bouton-pression m • **press-up** n (BRIT) traction f
pressure [ˈprɛʃə] n pression f; (stress) tension f; **to put ~ on sb (to do sth)** faire pression sur qn (pour qu'il fasse qch) • **pressure cooker** n cocotte-minute® f • **pressure group** n groupe m de pression
prestige [presˈtiːʒ] n prestige m
prestigious [presˈtɪdʒəs] adj prestigieux(-euse)
presumably [prɪˈzjuːməblɪ] adv vraisemblablement
presume [prɪˈzjuːm] vt présumer, supposer

P

pretence, (us) **pretense**
[prɪ'tɛns] n (claim) prétention f;
under false ~s sous de faux prétextes
fallacieux

pretend [prɪ'tɛnd] vt (feign)
feindre, simuler ▸ vi (feign) faire
semblant

pretense [prɪ'tɛns] n (us)
= **pretence**

pretentious [prɪ'tɛnʃəs] adj
prétentieux(-euse)

pretext ['pri:tɛkst] n prétexte m

pretty ['prɪtɪ] adj joli(e) ▸ adv
assez

prevail [prɪ'veɪl] vi (win)
l'emporter, prévaloir; (be usual)
avoir cours • **prevailing** adj
(widespread) courant(e),
répandu(e); (wind) dominant(e)

prevalent ['prɛvələnt] adj
répandu(e), courant(e)

prevent [prɪ'vɛnt] vt: **to ~ (from
doing)** empêcher (de faire)
• **prevention** [prɪ'vɛnʃən] n
prévention f • **preventive** adj
préventif(-ive)

preview ['pri:vju:] n (of film)
avant-première f

previous ['pri:vɪəs] adj (last)
précédent(e); (earlier) antérieur(e)
• **previously** adv précédemment,
auparavant

prey [preɪ] n proie f ▸ vi: **to ~ on**
s'attaquer à; **it was ~ing on his
mind** le rongeait or minait

price [praɪs] n prix m ▸ vt (goods)
fixer le prix de • **priceless** adj sans
prix, inestimable • **price list** n
tarif m

prick [prɪk] n (sting) piqûre f ▸ vt
piquer; **to ~ up one's ears**
dresser or tendre l'oreille

prickly ['prɪklɪ] adj piquant(e),
épineux(-euse); (fig: person) irritable

pride [praɪd] n fierté f; (pej) orgueil
m ▸ vt: **to ~ o.s. on** se flatter de;
s'enorgueillir de

priest [pri:st] n prêtre m

primarily ['praɪmərɪlɪ] adv
principalement, essentiellement

primary ['praɪmərɪ] adj primaire;
(first in importance) premier(-ière),
primordial(e) ▸ n (us: election)
(élection f) primaire f • **primary
school** n (brit) école f primaire

prime [praɪm] adj primordial(e),
fondamental(e); (excellent)
excellent(e) ▸ vt (fig) mettre au
courant ▸ n: **in the ~ of life** dans
la fleur de l'âge • **Prime Minister**
n Premier ministre

primitive ['prɪmɪtɪv] adj
primitif(-ive)

primrose ['prɪmrəuz] n
primevère f

prince [prɪns] n prince m

princess [prɪn'sɛs] n princesse f

principal ['prɪnsɪpl] adj
principal(e) ▸ n (head teacher)
directeur m, principal m
• **principally** adv principalement

principle ['prɪnsɪpl] n principe m;
in ~ en principe; **on ~** par principe

print [prɪnt] n (mark) empreinte f;
(letters) caractères mpl; (fabric)
imprimé m; (Art) gravure f,
estampe f; (Phot) épreuve f ▸ vt
imprimer; (publish) publier; (write
in capitals) écrire en majuscules;
out of ~ épuisé(e) • **print out** vt
(Comput) imprimer • **printer** n
(machine) imprimante f; (person)
imprimeur m • **printout** n
(Comput) sortie f imprimante

prior ['praɪə*] adj antérieur(e),
précédent(e); (more important)
prioritaire ▸ adv: **~ to doing**
avant de faire

priority [praɪˈɒrɪtɪ] n priorité f; **to have** or **take ~ over sth/sb** avoir la priorité sur qch/qn

prison [ˈprɪzn] n prison f ▸ cpd pénitentiaire • **prisoner** n prisonnier(-ière) • **prisoner of war** n prisonnier(-ière) de guerre

pristine [ˈprɪstiːn] adj virginal(e)

privacy [ˈprɪvəsɪ] n intimité f, solitude f

private [ˈpraɪvɪt] adj (not public) privé(e); (personal) personnel(le); (house, car, lesson) particulier(-ière); (quiet: place) tranquille ▸ n soldat m de deuxième classe; **"~"** (on envelope) "personnelle"; (on door) "privé"; **in ~** en privé • **privately** adv en privé; (within oneself) intérieurement • **private property** n propriété privée • **private school** n école privée

privatize [ˈpraɪvɪtaɪz] vt privatiser

privilege [ˈprɪvɪlɪdʒ] n privilège m

prize [praɪz] n prix m ▸ adj (example, idiot) parfait(e); (bull, novel) primé(e) ▸ vt priser, faire grand cas de • **prize-giving** n distribution f des prix • **prizewinner** n gagnant(e)

pro [prəʊ] n (inf: Sport) professionnel(le) ▸ prep pro; **pros** npl: **the ~s and cons** le pour et le contre

probability [prɒbəˈbɪlɪtɪ] n probabilité f; **in all ~** très probablement

probable [ˈprɒbəbl] adj probable

probably [ˈprɒbəblɪ] adv probablement

probation [prəˈbeɪʃən] n: **on ~** (employee) à l'essai; (Law) en liberté surveillée

probe [prəʊb] n (Med, Space) sonde f; (enquiry) enquête f, investigation f ▸ vt sonder, explorer

problem [ˈprɒbləm] n problème m

procedure [prəˈsiːdʒəʳ] n (Admin, Law) procédure f; (method) marche f à suivre, façon f de procéder

proceed [prəˈsiːd] vi (go forward) avancer; (act) procéder; (continue): **to ~ (with)** continuer, poursuivre; **to ~ to do** se mettre à faire • **proceedings** npl (measures) mesures fpl; (Law: against sb) poursuites fpl; (meeting) réunion f, séance f; (records) compte rendu; actes mpl • **proceeds** [ˈprəʊsiːdz] npl produit m, recette f

process [ˈprəʊsɛs] n processus m; (method) procédé m ▸ vt traiter

procession [prəˈsɛʃən] n défilé m, cortège m; **funeral ~** (on foot) cortège funèbre; (in cars) convoi m mortuaire

proclaim [prəˈkleɪm] vt déclarer, proclamer

prod [prɒd] vt pousser

produce n [ˈprɒdjuːs] (Agr) produits mpl ▸ vt [prəˈdjuːs] produire; (show) présenter; (cause) provoquer, causer; (Theat) monter, mettre en scène; (TV: programme) réaliser; (: play, film) mettre en scène; (Radio: programme) réaliser; (: play) mettre en ondes • **producer** n (Theat) metteur m en scène; (Agr, Comm, Cine) producteur m; (TV: of programme) réalisateur m; (: of play, film) metteur m en scène; (Radio: of programme) réalisateur m; (: of play) metteur m en ondes

P

product ['prɒdʌkt] n produit m
• **production** [prə'dʌkʃən] n production f; (Theat) mise en scène • **productive** [prə'dʌktɪv] adj productif(-ive) • **productivity** [prɒdʌk'tɪvɪtɪ] n productivité f

Prof. [prɒf] abbr (= professor) Prof

profession [prə'fɛʃən] n profession f • **professional** n professionnel(le) ▶ adj professionnel(le); (work) de professionnel

professor [prə'fɛsə'] n professeur m (titulaire d'une chaire); (us: teacher) professeur

profile ['prəʊfaɪl] n profil m

profit ['prɒfɪt] n (from trading) bénéfice m; (advantage) profit m ▶ vi: **to ~ (by or from)** profiter (de) • **profitable** adj lucratif(-ive), rentable

profound [prə'faʊnd] adj profond(e)

programme, (us) **program** ['prəʊgræm] n (Comput) programme m; (Radio, TV) émission f ▶ vt programmer • **programmer**, (us) **programer** n programmeur(-euse) • **programming**, (us) **programing** n programmation f

progress n ['prəʊgrɛs] progrès m(pl) ▶ vi [prə'grɛs] progresser, avancer; **in ~** en cours • **progressive** [prə'grɛsɪv] adj progressif(-ive); (person) progressiste

prohibit [prə'hɪbɪt] vt interdire, défendre

project n ['prɒdʒɛkt] (plan) projet m, plan m; (venture) opération f, entreprise f; (Scol: research) étude f, dossier m ▶ vt [prə'dʒɛkt] projeter ▶ vi [prə'dʒɛkt] (stick out) faire saillie, s'avancer • **projection** [prə'dʒɛkʃən] n projection f; (overhang) saillie f • **projector** [prə'dʒɛktə'] n projecteur m

prolific [prə'lɪfɪk] adj prolifique

prolong [prə'lɒŋ] vt prolonger

prom [prɒm] n abbr = **promenade**; (ball) bal m d'étudiants; **the P~s** série de concerts de musique classique

Le **prom** (abréviation de promenade) est un bal organisé à l'intention des élèves pour fêter la fin de leurs années de lycée. Cet événement d'origine américaine occupe une place très importante dans la culture du pays et dans la vie des lycéens, avec les traditions et les conventions que cela implique. Depuis le début du XXIe siècle, les proms connaissent également un grand succès au Royaume-Uni, même s'ils ne revêtent pas encore l'importance culturelle de leur équivalent américain.

promenade [prɒmə'nɑːd] n (by sea) esplanade f, promenade f

prominent ['prɒmɪnənt] adj (standing out) proéminent(e); (important) important(e)

promiscuous [prə'mɪskjuəs] adj (sexually) de mœurs légères

promise ['prɒmɪs] n promesse f ▶ vt, vi promettre • **promising** adj prometteur(-euse)

promote [prə'məʊt] vt promouvoir; (new product) lancer • **promotion** [prə'məʊʃən] n promotion f

prompt [prɒmpt] adj rapide ▶ n (Comput) message m (de guidage) ▶ vt (cause) entraîner, provoquer;

(*Theat*) souffler (son rôle *or* ses répliques) à; **at 8 o'clock** ~ à 8 heures précises; **to ~ sb to do** inciter *or* pousser qn à faire • **promptly** *adv* (*quickly*) rapidement, sans délai; (*on time*) ponctuellement

prone [prəʊn] *adj* (*lying*) couché(e) (face contre terre); (*liable*): **~ to** enclin(e) à

prong [prɒŋ] *n* (*of fork*) dent *f*

pronoun ['prəʊnaʊn] *n* pronom *m*

pronounce [prə'naʊns] *vt* prononcer; **how do you ~ it?** comment est-ce que ça se prononce?

pronunciation [prənʌnsɪ'eɪʃən] *n* prononciation *f*

proof [pruːf] *n* preuve *f* ▶ *adj*: **~ against** à l'épreuve de

prop [prɒp] *n* support *m*, étai *m*; (*fig*) soutien *m* ▶ *vt* (*also*: **~ up**) étayer, soutenir; **props** *npl* accessoires *mpl*

propaganda [prɒpə'gændə] *n* propagande *f*

propeller [prə'pelər] *n* hélice *f*

proper ['prɒpər] *adj* (*suited, right*) approprié(e), bon (bonne); (*seemly*) correct(e), convenable; (*authentic*) vrai(e), véritable; (*referring to place*): **the village** ~ le village proprement dit • **properly** *adv* correctement, convenablement • **proper noun** *n* nom *m* propre

property ['prɒpətɪ] *n* (*possessions*) biens *mpl*; (*house etc*) propriété *f*; (*land*) terres *fpl*, domaine *m*

prophecy ['prɒfɪsɪ] *n* prophétie *f*

prophet ['prɒfɪt] *n* prophète *m*

proportion [prə'pɔːʃən] *n* proportion *f*; (*share*) part *f*; partie *f*;

proportions *npl* (*size*) dimensions *fpl* • **proportional** *adj* • **proportionate** *adj* proportionnel(le)

proposal [prə'pəʊzl] *n* proposition *f*, offre *f*; (*plan*) projet *m*; (*of marriage*) demande *f* en mariage

propose [prə'pəʊz] *vt* proposer, suggérer ▶ *vi* faire sa demande en mariage; **to ~ to do** avoir l'intention de faire

proposition [prɒpə'zɪʃən] *n* proposition *f*

proprietor [prə'praɪətər] *n* propriétaire *m/f*

prose [prəʊz] *n* prose *f*; (*Scol: translation*) thème *m*

prosecute ['prɒsɪkjuːt] *vt* poursuivre • **prosecution** [prɒsɪ'kjuːʃən] *n* poursuites *fpl* judiciaires; (*accusing side: in criminal case*) accusation *f*; (*: in civil case*) la partie plaignante • **prosecutor** *n* (*lawyer*) procureur *m*; (*also*: **public prosecutor**) ministère public; (*us: plaintiff*) plaignant(e)

prospect *n* ['prɒspɛkt] perspective *f*; (*hope*) espoir *m*, chances *fpl* ▶ *vt*, *vi* [prə'spɛkt] prospecter; **prospects** *npl* (*for work etc*) possibilités *fpl* d'avenir, débouchés *mpl* • **prospective** [prə'spɛktɪv] *adj* (*possible*) éventuel(le); (*future*) futur(e)

prospectus [prə'spɛktəs] *n* prospectus *m*

prosper ['prɒspər] *vi* prospérer • **prosperity** [prɒ'spɛrɪtɪ] *n* prospérité *f* • **prosperous** *adj* prospère

prostitute ['prɒstɪtjuːt] *n* prostituée *f*; **male ~** prostitué *m*

protect [prəˈtɛkt] vt protéger • **protection** [prəˈtɛkʃən] n protection f • **protective** adj protecteur(-trice); (clothing) de protection

protein [ˈprəʊtiːn] n protéine f

protest n [ˈprəʊtɛst] protestation f ▶ vi [prəˈtɛst]: **to ~** protester contre/à propos de; **to ~ (that)** protester que

Protestant [ˈprɔtɪstənt] adj, n protestant(e)

protester, protestor [prəˈtɛstə*] n (in demonstration) manifestant(e)

protractor [prəˈtræktə*] n (Geom) rapporteur m

proud [praud] adj fier(-ère); (pej) orgueilleux(-euse)

prove [pruːv] vt prouver, démontrer ▶ vi: **to ~ correct** etc s'avérer juste etc; **to ~ o.s.** montrer ce dont on est capable

proverb [ˈprɔvəːb] n proverbe m

provide [prəˈvaɪd] vt fournir; **to ~ sb with sth** fournir qch à qn • **provide for** vt fus (person) subvenir aux besoins de; (future event) prévoir • **provided** conj: **provided (that)** à condition que + sub • **providing** [prəˈvaɪdɪŋ] conj à condition que + sub

province [ˈprɔvɪns] n province f; (fig) domaine m • **provincial** [prəˈvɪnʃəl] adj provincial(e)

provision [prəˈvɪʒən] n (supplying) fourniture f; approvisionnement m; (stipulation) disposition f; **provisions** npl (food) provisions fpl • **provisional** adj provisoire

provocative [prəˈvɔkətɪv] adj provocateur(-trice), provocant(e)

provoke [prəˈvəʊk] vt provoquer

prowl [praul] vi (also: **~ about, ~ around**) rôder

proximity [prɔkˈsɪmɪtɪ] n proximité f

proxy [ˈprɔksɪ] n: **by ~** par procuration

prudent [ˈpruːdnt] adj prudent(e)

prune [pruːn] n pruneau m ▶ vt élaguer

pry [praɪ] vi: **to ~ into** fourrer son nez dans

PS n abbr (= postscript) PS m

pseudonym [ˈsjuːdənɪm] n pseudonyme m

PSHE n abbr (BRIT Scol: = personal, social and health education) cours d'éducation personnelle, sanitaire et sociale préparant à la vie adulte

psychiatric [saɪkɪˈætrɪk] adj psychiatrique

psychiatrist [saɪˈkaɪətrɪst] n psychiatre m/f

psychic [ˈsaɪkɪk] adj (also: **~al**) (méta)psychique; (person) doué(e) de télépathie or d'un sixième sens

psychoanalysis (pl **psychoanalyses**) [saɪkəʊəˈnælɪsɪs, -siːz] n psychanalyse f

psychological [saɪkəˈlɔdʒɪkl] adj psychologique

psychologist [saɪˈkɔlədʒɪst] n psychologue m/f

psychology [saɪˈkɔlədʒɪ] n psychologie f

psychotherapy [saɪkəʊˈθɛrəpɪ] n psychothérapie f

pt abbr = pint; pints; point; points

PTO abbr (= please turn over) TSVP

PTV abbr (US) = **pay television**

pub [pʌb] n abbr (= public house) pub m

puberty ['pjuːbətɪ] *n* puberté *f*

public ['pʌblɪk] *adj* public(-ique)
▶ *n* public *m*; **in ~** en public; **to
make ~** rendre public

publication [pʌblɪ'keɪʃən] *n*
publication *f*

public: • **public company** *n*
société *f* anonyme • **public
convenience** *n* (BRIT) toilettes *fpl*
• **public holiday** *n* (BRIT) jour férié
• **public house** *n* (BRIT) pub *m*

publicity [pʌb'lɪsɪtɪ] *n* publicité *f*

publicize ['pʌblɪsaɪz] *vt* (*make
known*) faire connaître, rendre
public; (*advertise*) faire de la
publicité pour

public: • **public limited
company** *n* ≈ société *f* anonyme
(SA) (*cotée en Bourse*) • **publicly**
adv publiquement, en public
• **public opinion** *n* opinion
publique • **public relations** *n or
npl* relations publiques (RP)
• **public school** *n* (BRIT) école
privée; (US) école publique
• **public transport** *n* (US) **public
transportation** *n* transports *mpl*
en commun

publish ['pʌblɪʃ] *vt* publier
• **publisher** *n* éditeur *m*
• **publishing** *n* (*industry*) édition *f*

pub lunch *n* repas *m* de bistrot

pudding ['pʊdɪŋ] *n* (BRIT: *dessert*)
dessert *m*, entremets *m*; (*sweet
dish*) pudding *m*, gâteau *m*

puddle ['pʌdl] *n* flaque *f* d'eau

puff [pʌf] *n* bouffée *f* ▶ *vt* (*also:
~ out: sails, cheeks*) gonfler ▶ *vi*
(*pant*) haleter • **puff pastry** • (US)
puff paste *n* pâte feuilletée

pull [pʊl] *n* (*tug*): **to give sth a ~**
tirer sur qch ▶ *vt* (*trigger*)
presser; (*strain: muscle, tendon*) se
claquer ▶ *vi* tirer; **to ~ to pieces**

mettre en morceaux; **to ~ one's
punches** (*also fig*) ménager son
adversaire; **to ~ one's weight**
y mettre du sien; **to ~ o.s.
together** se ressaisir; **to ~ sb's
leg** (*fig*) faire marcher qn • **pull
apart** *vt* (*break*) mettre en pièces,
démantibuler • **pull away** *vi*
(*vehicle: move off*) partir; (*draw
back*) s'éloigner • **pull back** *vt*
(*lever etc*) tirer sur; (*curtains*) ouvrir
▶ *vi* (*refrain*) s'abstenir; (*Mil:
withdraw*) se retirer • **pull down**
vt baisser, abaisser; (*house*)
démolir • **pull in** *vi* (Aut) se
ranger; (*Rail*) entrer en gare • **pull
off** *vt* enlever, ôter; (*deal etc*)
conclure • **pull out** *vi* démarrer,
partir; (Aut: *come out of line*)
déboîter ▶ *vt* (*from bag, pocket*)
sortir; (*remove*) arracher • **pull
over** *vi* (Aut) se ranger • **pull up**
vi (*stop*) s'arrêter ▶ *vt* remonter;
(*uproot*) déraciner, arracher

pulley ['pʊlɪ] *n* poulie *f*

pullover ['pʊləʊvə] *n* pull-over
m, tricot *m*

pulp [pʌlp] *n* (*of fruit*) pulpe *f*; (*for
paper*) pâte *f* à papier

pulpit ['pʊlpɪt] *n* chaire *f*

pulse [pʌls] *n* (*of blood*) pouls *m*;
(*of heart*) battement *m*; **pulses** *npl*
(Culin) légumineuses *fpl*

puma ['pjuːmə] *n* puma *m*

pump [pʌmp] *n* pompe *f*; (*shoe*)
escarpin *m* ▶ *vt* pomper • **pump
up** *vt* gonfler

pumpkin ['pʌmpkɪn] *n* potiron
m, citrouille *f*

pun [pʌn] *n* jeu *m* de mots,
calembour *m*

punch [pʌntʃ] *n* (*blow*) coup *m* de
poing; (*tool*) poinçon *m*; (*drink*)
punch *m* ▶ *vt* (*make a hole in*)

poinçonner, perforer; (hit): **to
~ sb/sth** donner un coup de poing
à qn/sur qch • **punch-up** n (BRIT
inf) bagarre f

punctual ['pʌŋktjuəl] adj
ponctuel(le)

punctuation [pʌŋktju'eɪʃən] n
ponctuation f

puncture ['pʌŋktʃə⁎] n (BRIT)
crevaison f ▶ vt crever

punish ['pʌnɪʃ] vt punir
• **punishment** n punition f,
châtiment m

punk [pʌŋk] n (person: also:
~ **rocker**) punk m/f; (music: also:
~ **rock**) le punk; (US inf: hoodlum)
voyou m

pup [pʌp] n chiot m

pupil ['pju:pl] n élève m/f; (of eye)
pupille f

puppet ['pʌpɪt] n marionnette f,
pantin m

puppy ['pʌpɪ] n chiot m, petit
chien

purchase ['pə:tʃɪs] n achat m ▶ vt
acheter

pure [pjuə⁎] adj pur(e) • **purely**
adv purement

purify ['pjuərɪfaɪ] vt purifier,
épurer

purity ['pjuərɪtɪ] n pureté f

purple ['pə:pl] adj violet(te); (face)
cramoisi(e)

purpose ['pə:pəs] n intention f,
but m; **on ~** exprès

purr [pə:⁎] vi ronronner

purse [pə:s] n (BRIT: for money)
porte-monnaie m inv; (US:
handbag) sac m (à main) ▶ vt
serrer, pincer

pursue [pə'sju:] vt poursuivre

pursuit [pə'sju:t] n poursuite f;
(occupation) occupation f, activité f

pus [pʌs] n pus m

push [puʃ] n poussée f ▶ vt
pousser; (button) appuyer sur; (fig:
product) mettre en avant, faire de
la publicité pour ▶ vi pousser; **to
~ for** (better pay, conditions)
réclamer • **push in** vi s'introduire
de force • **push off** vi (inf) filer,
ficher le camp • **push on** vi
(continue) continuer • **push over**
vt renverser • **push through** vi (in
crowd) se frayer un chemin
• **pushchair** n (BRIT) poussette f
• **pusher** n (also: **drug pusher**)
revendeur(-euse) (de drogue),
ravitailleur(-euse) (en drogue)
• **push-up** n (US) traction f

pussy(-cat) ['pusɪ-] n (inf)
minet m

put [put] (pt, pp **put**) vt mettre;
(place) poser, placer; (say) dire,
exprimer; (a question) poser; (case,
view) exposer, présenter;
(estimate) estimer • **put aside** vt
mettre de côté • **put away** vt
(store) ranger • **put back** vt
(replace) remettre, replacer;
(postpone) remettre • **put by** vt
(money) mettre de côté,
économiser • **put down** vt (parcel
etc) poser, déposer; (in writing)
mettre par écrit, inscrire;
(suppress: revolt etc) réprimer,
écraser; (attribute) attribuer;
(animal) abattre; (cat, dog) faire
piquer • **put forward** vt (ideas)
avancer, proposer • **put in** vt
(complaint) soumettre; (time,
effort) consacrer • **put off** vt
(postpone) remettre à plus tard,
ajourner; (discourage) dissuader
• **put on** vt (clothes, lipstick, CD)
mettre; (light etc) allumer; (play
etc) monter; (weight) prendre;
(assume: accent, manner) prendre
• **put out** vt (take outside) mettre

dehors; (*one's hand*) tendre; (*light etc*) éteindre; (*person: inconvenience*) déranger, gêner • **put through** *vt* (Tel: *caller*) mettre en communication; (: *call*) passer; (*plan*) faire accepter • **put together** *vt* mettre ensemble; (*assemble: furniture*) monter, assembler; (: *meal*) préparer • **put up** *vt* (*raise*) lever, relever, remonter; (*hang*) accrocher; (*build*) construire, ériger; (*increase*) augmenter; (*accommodate*) loger • **put up with** *vt fus* supporter

putt [pʌt] *n* putt *m* • **putting green** *n* green *m*

puzzle ['pʌzl] *n* énigme *f*, mystère *m*; (*game*) jeu *m*, casse-tête *m*; (*jigsaw*) puzzle *m*; (*also*: **crossword ~**) mots croisés ▶ *vt* intriguer, rendre perplexe ▶ *vi*: **to ~ over** chercher à comprendre • **puzzled** *adj* perplexe • **puzzling** *adj* déconcertant(e), inexplicable

pyjamas [pɪ'dʒɑːməz] *npl* (BRIT) pyjama *m*

pylon ['paɪlən] *n* pylône *m*

pyramid ['pɪrəmɪd] *n* pyramide *f*

Pyrenees [pɪrə'niːz] *npl* Pyrénées *fpl*

q

quack [kwæk] *n* (*of duck*) coin-coin *m* inv; (*pej: doctor*) charlatan *m*

quadruple [kwɔ'druːpl] *vt*, *vi* quadrupler

quail [kweɪl] *n* (Zool) caille *f* ▶ *vi*: **to ~ at** or **before** reculer devant

quaint [kweɪnt] *adj* bizarre; (*old-fashioned*) désuet(-ète); (*picturesque*) au charme vieillot, pittoresque

quake [kweɪk] *vi* trembler ▶ *n* *abbr* = **earthquake**

qualification [kwɔlɪfɪ'keɪʃən] *n* (*often pl: degree etc*) diplôme *m*; (*training*) qualification(s) *f(pl)*; (*ability*) compétence(s) *f(pl)*; (*limitation*) réserve *f*, restriction *f*

qualified ['kwɔlɪfaɪd] *adj* (*trained*) qualifié(e); (*professionally*) diplômé(e); (*fit, competent*) compétent(e), qualifié(e); (*limited*) conditionnel(le)

qualify ['kwɔlɪfaɪ] *vt* qualifier; (*modify*) atténuer, nuancer ▶ *vi*: **to ~ (as)** obtenir son diplôme (de); **to ~ (for)** remplir les conditions requises (pour); (Sport) se qualifier (pour)

q

quality ['kwɒlɪtɪ] n qualité f

qualm [kwɑ:m] n doute m; scrupule m

quantify ['kwɒntɪfaɪ] vt quantifier

quantity ['kwɒntɪtɪ] n quantité f

quarantine ['kwɒrntiːn] n quarantaine f

quarrel ['kwɒrl] n querelle f, dispute f ▶ vi se disputer, se quereller

quarry ['kwɒrɪ] n (for stone) carrière f; (animal) proie f, gibier m

quart [kwɔːt] n ≈ litre m

quarter ['kwɔːtə*] n quart m; (of year) trimestre m; (district) quartier m; (us, CANADA: 25 cents) (pièce f de) vingt-cinq cents mpl ▶ vt partager en quartiers ou en quatre; (Mil) caserner, cantonner; **quarters** npl logement m; (Mil) quartiers mpl, cantonnement m; **a ~ of an hour** un quart d'heure
• **quarter final** n quart m de finale
• **quarterly** adj trimestriel(le) ▶ adv tous les trois mois

quartet(te) [kwɔːˈtet] n quatuor m; (jazz players) quartette m

quartz [kwɔːts] n quartz m

quay [kiː] n (also: **~side**) quai m

queasy ['kwiːzɪ] adj: **to feel ~** avoir mal au cœur

Quebec [kwɪˈbɛk] n (city) Québec; (province) Québec m

queen [kwiːn] n (gen) reine f; (Cards etc) dame f

queer [kwɪə*] adj étrange, curieux(-euse); (suspicious) louche ▶ n (!) homosexuel m

quench [kwɛntʃ] vt: **to ~ one's thirst** se désaltérer

query ['kwɪərɪ] n question f ▶ vt (disagree with, dispute) mettre en doute, questionner

quest [kwɛst] n recherche f, quête f

question ['kwɛstʃən] n question f ▶ vt (person) interroger; (plan, idea) mettre en question ou en doute; **beyond ~** sans aucun doute; **out of the ~** hors de question
• **questionable** adj discutable
• **question mark** n point m d'interrogation • **questionnaire** [kwɛstʃəˈneə*] n questionnaire m

queue [kjuː] (BRIT) n queue f, file f ▶ vi (also: **~ up**) faire la queue

quiche [kiːʃ] n quiche f

quick [kwɪk] adj rapide; (mind) vif (vive); (agile) agile, vif (vive) ▶ n: **cut to the ~** (fig) touché(e) au vif; **be ~!** dépêche-toi! • **quickly** adv (fast) vite, rapidement; (immediately) tout de suite

quid [kwɪd] n (pl inv: BRIT inf) livre f

quiet ['kwaɪət] adj tranquille, calme; (voice) bas(se); (ceremony, colour) discret(-ète) ▶ n tranquillité f, calme m; (silence) silence m • **quietly** adv tranquillement; (silently) silencieusement; (discreetly) discrètement

quilt [kwɪlt] n édredon m; (continental quilt) couette f

quirky ['kwɜːkɪ] adj singulier(-ère)

quit [kwɪt] (pt, pp **quit** or **quitted**) vt quitter ▶ vi (give up) abandonner, renoncer; (resign) démissionner

quite [kwaɪt] adv (rather) assez, plutôt; (entirely) complètement, tout à fait; **~ a few of them** un assez grand nombre d'entre eux; **that's not ~ right** ce n'est pas tout à fait juste; **~ (so)!** exactement!

quits [kwɪts] *adj*: **~ (with)** quitte (envers); **let's call it ~** restons-en là

quiver ['kwɪvər] *vi* trembler, frémir

quiz [kwɪz] *n* (*on TV*) jeu-concours *m* (télévisé); (*in magazine etc*) test *m* de connaissances ▶ *vt* interroger

quota ['kwəʊtə] *n* quota *m*

quotation [kwəʊ'teɪʃən] *n* citation *f*; (*estimate*) devis *m* • **quotation marks** *npl* guillemets *mpl*

quote [kwəʊt] *n* citation *f*; (*estimate*) devis *m* ▶ *vt* (*sentence, author*) citer; (*price*) donner, soumettre ▶ *vi*: **to ~ from** citer; **quotes** *npl* (*inverted commas*) guillemets *mpl*

r

rabbi ['ræbaɪ] *n* rabbin *m*

rabbit ['ræbɪt] *n* lapin *m*

rabies ['reɪbiːz] *n* rage *f*

RAC *n abbr* (*BRIT*: = *Royal Automobile Club*) ≈ ACF *m*

rac(c)oon [rə'kuːn] *n* raton *m* laveur

race [reɪs] *n* (*species*) race *f*; (*competition, rush*) course *f* ▶ *vt* (*person*) faire la course avec ▶ *vi* (*compete*) faire la course, courir; (*pulse*) battre très vite • **race car** *n* (*US*) = **racing car** • **racecourse** *n* champ *m* de courses • **racehorse** *n* cheval *m* de course • **racetrack** *n* piste *f*

racial ['reɪʃl] *adj* racial(e)

racing ['reɪsɪŋ] *n* courses *fpl* • **racing car** *n* (*BRIT*) voiture *f* de course • **racing driver** *n* (*BRIT*) pilote *m* de course

racism ['reɪsɪzəm] *n* racisme *m* • **racist** ['reɪsɪst] *adj*, *n* raciste *m/f*

rack [ræk] *n* (*for guns, tools*) râtelier *m*; (*for clothes*) portant *m*; (*for bottles*) casier *m*; (*also*: **luggage ~**) filet *m* à bagages; (*also*: **roof ~**) galerie *f*; (*also*: **dish ~**)

égouttoir m ▶ vt tourmenter;
to ~ one's brains se creuser la
cervelle

racket ['rækɪt] n (for tennis)
raquette f; (noise) tapage m,
vacarme m; (swindle) escroquerie f

racquet ['rækɪt] n raquette f

radar ['reɪdɑːʳ] n radar m

radiation [reɪdɪ'eɪʃən] n
rayonnement m; (radioactive)
radiation f

radiator ['reɪdɪeɪtəʳ] n
radiateur m

radical ['rædɪkl] adj radical(e)

radio ['reɪdɪəʊ] n radio f ▶ vt
(person) appeler par radio; **on the
~** à la radio • **radioactive** adj
radioactif(-ive) • **radio station** n
station f de radio

radish ['rædɪʃ] n radis m

RAF n abbr (BRIT) = **Royal Air
Force**

raffle ['ræfl] n tombola f

raft [rɑːft] n (craft: also: **life ~**)
radeau m; (logs) train m de flottage

rag [ræɡ] n chiffon m; (pej:
newspaper) feuille f, torchon m; (for
charity) attractions organisées par les
étudiants au profit d'œuvres de
charité; **rags** npl haillons mpl

rage [reɪdʒ] n (fury) rage f, fureur f
▶ vi (person) être fou (folle) de rage;
(storm) faire rage, être
déchaîné(e); **it's all the ~** cela fait
fureur

ragged ['ræɡɪd] adj (edge)
inégal(e), qui accroche; (clothes)
en loques; (appearance)
déguenillé(e)

raid [reɪd] n (Mil) raid m; (criminal)
hold-up m inv; (by police) descente
f, rafle f ▶ vt faire un raid sur or
un hold-up dans or une
descente dans

rail [reɪl] n (on stair) rampe f; (on
bridge, balcony) balustrade f; (of
ship) bastingage m; (for train) rail m
• **railcard** n (BRIT) carte f de
chemin de fer • **railing(s)** n(pl)
grille f • **railway** • (US) **railroad** n
chemin de fer; (track) voie f
ferrée • **railway line** n (BRIT) ligne
f de chemin de fer; (track) voie
ferrée • **railway station** n (BRIT)
gare f

rain [reɪn] n pluie f ▶ vi pleuvoir;
in the ~ sous la pluie; **it's ~ing** il
pleut • **rainbow** n arc-en-ciel m
• **raincoat** n imperméable m
• **raindrop** n goutte f de pluie
• **rainfall** n chute f de pluie;
(measurement) hauteur f des
précipitations • **rainforest** n
forêt tropicale • **rainy** adj
pluvieux(-euse)

raise [reɪz] n augmentation f
▶ vt (lift) lever; hausser; (increase)
augmenter; (morale) remonter;
(standards) améliorer; (a protest,
doubt) provoquer, causer; (a
question) soulever; (cattle, family)
élever; (crop) faire pousser;
(army, funds) rassembler; (loan)
obtenir; **to ~ one's voice** élever
la voix

raisin ['reɪzn] n raisin sec

rake [reɪk] n (tool) râteau m;
(person) débauché m ▶ vt (garden)
ratisser

rally ['rælɪ] n (Pol etc) meeting m,
rassemblement m; (Aut) rallye m;
(Tennis) échange m ▶ vt
rassembler, rallier; (support)
gagner ▶ vi (sick person) aller
mieux; (Stock Exchange)
reprendre

RAM [ræm] n abbr (Comput:
= random access memory)
mémoire vive

ram [ræm] n bélier m ▶vt (push) enfoncer; (crash into: vehicle) emboutir; (: lamppost etc) percuter

Ramadan [ræməˈdæn] n Ramadan m

ramble [ˈræmbl] n randonnée f ▶vi (walk) se promener, faire une randonnée; (pej: also: ~ **on**) discourir, pérorer • **rambler** n promeneur(-euse), randonneur(-euse) • **rambling** adj (speech) décousu(e); (house) plein(e) de coins et de recoins; (Bot) grimpant(e)

ramp [ræmp] n (incline) rampe f; (Aut) dénivellation f; (in garage) pont m; **on/off~** (us Aut) bretelle f d'accès

rampage [ˈræmpeɪdʒ] n: **to be on the ~** se déchaîner

ran [ræn] pt of **run**

ranch [rɑːntʃ] n ranch m

random [ˈrændəm] adj fait(e) or établi(e) au hasard; (Comput, Math) aléatoire ▶n: **at ~** au hasard

rang [ræŋ] pt of **ring**

range [reɪndʒ] n (of mountains) chaîne f; (of missile, voice) portée f; (of products) choix m, gamme f; (also: **shooting ~**) champ m de tir; (also: **kitchen ~**) fourneau m (de cuisine) ▶vt (place) mettre en rang, placer ▶vi: **to ~ over** couvrir; **to ~ from ... to** aller de ... à

ranger [ˈreɪndʒəʳ] n garde m forestier

rank [ræŋk] n rang m; (Mil) grade m; (BRIT: also: **taxi ~**) station f de taxis ▶vi: **to ~ among** compter or se classer parmi ▶adj (smell) nauséabond(e); **the ~ and file** (fig) la masse, la base

ransom [ˈrænsəm] n rançon f; **to hold sb to ~** (fig) exercer un chantage sur qn • **ransomware** n (Comput) logiciel m de rançon, rançongiciel m

rant [rænt] vi fulminer

rap [ræp] n (music) rap m ▶vt (door) frapper sur or à; (table etc) taper sur

rape [reɪp] n viol m; (Bot) colza m ▶vt violer

rapid [ˈræpɪd] adj rapide • **rapidly** adv rapidement • **rapids** npl (Geo) rapides mpl

rapist [ˈreɪpɪst] n auteur m d'un viol

rapport [ræˈpɔː] n entente f

rare [rɛəʳ] adj rare; (Culin: steak) saignant(e) • **rarely** adv rarement

rash [ræʃ] adj imprudent(e), irréfléchi(e) ▶n (Med) rougeur f, éruption f; (of events) série f (noire)

rasher [ˈræʃəʳ] n fine tranche (de lard)

raspberry [ˈrɑːzbərɪ] n framboise f

rat [ræt] n rat m

rate [reɪt] n (ratio) taux m, pourcentage m; (speed) vitesse f, rythme m; (price) tarif m ▶vt (price) évaluer, estimer; (people) classer; **rates** npl (BRIT: property tax) impôts locaux; **to ~ sb/sth as** considérer qn/qch comme

rather [ˈrɑːðəʳ] adv (somewhat) assez, plutôt; (to some extent) un peu; **it's ~ expensive** c'est assez cher; (too much) c'est un peu cher; **there's ~ a lot** il y en a beaucoup; **I would** or **I'd ~ go** j'aimerais mieux or je préférerais partir; **or ~** (more accurately) ou plutôt

r

rating ['reɪtɪŋ] n (assessment) évaluation f; (score) classement m; (Finance) cote f; ratings npl (Radio) indice(s) m(pl) d'écoute; (TV) Audimat® m

ratio ['reɪʃɪəʊ] n proportion f; **in the ~ of 100 to 1** dans la proportion de 100 contre 1

ration ['ræʃən] n ration f ▶ vt rationner; **rations** npl (food) vivres mpl

rational ['ræʃənl] adj raisonnable, sensé(e); (solution, reasoning) logique; (Med: person) lucide

rat race n foire f d'empoigne

rattle ['rætl] n (of door, window) battement m; (of coins, chain) cliquetis m; (of train, engine) bruit m de ferraille; (for baby) hochet m ▶ vi cliqueter; (car, bus): **to ~ along** rouler en faisant un bruit de ferraille ▶ vt agiter (bruyamment); (inf: disconcert) décontenancer

rave [reɪv] vi (in anger) s'emporter; (with enthusiasm) s'extasier; (Med) délirer ▶ n (inf: party) rave f, soirée f techno

raven ['reɪvən] n grand corbeau

ravine [rə'viːn] n ravin m

raw [rɔː] adj (uncooked) cru(e); (not processed) brut(e); (sore) à vif, irrité(e); (inexperienced) inexpérimenté(e); **~ materials** matières premières

ray [reɪ] n rayon m; **~ of hope** lueur f d'espoir

razor ['reɪzəʳ] n rasoir m; **razor blade** n lame f de rasoir

Rd abbr = **road**

RE n abbr (BRIT: = religious education) instruction religieuse

re [riː] prep concernant

reach [riːtʃ] n portée f, atteinte f; (of river etc) étendue f ▶ vt atteindre, arriver à; (conclusion, decision) parvenir à ▶ vi s'étendre; **out of/within ~** (object) hors de/à portée • **reach out** vt tendre ▶ vi: **to ~ out (for)** allonger le bras (pour prendre)

react [riː'ækt] vi réagir • **reaction** [riː'ækʃən] n réaction f • **reactor** [riː'æktəʳ] n réacteur m

read [riːd] (pt, pp **read** [rɛd]) vi lire ▶ vt lire; (understand) comprendre, interpréter; (study) étudier; (meter) relever; (subj: instrument etc) indiquer, marquer • **read out** vt lire à haute voix • **reader** n lecteur(-trice)

readily ['rɛdɪlɪ] adv volontiers, avec empressement; (easily) facilement

reading ['riːdɪŋ] n lecture f; (understanding) interprétation f; (on instrument) indications fpl

ready ['rɛdɪ] adj prêt(e); (willing) prêt, disposé(e); (available) disponible ▶ n: **at the ~** (Mil) prêt à faire feu; **when will my photos be ~?** quand est-ce que mes photos seront prêtes?; **to get ~** (as vi) se préparer; (as vt) préparer • **ready-cooked** adj précuit(e) • **ready-made** adj tout(e) faite(e)

real [rɪəl] adj (world, life) réel(le); (genuine) véritable; (proper) vrai(e) ▶ adv (us inf: very) vraiment • **real ale** n bière traditionnelle • **real estate** n biens fonciers or immobiliers • **realistic** [rɪə'lɪstɪk] adj réaliste • **reality** [riː'ælɪtɪ] n réalité f • **reality TV** n téléréalité f

realization [rɪəlaɪ'zeɪʃən] n (awareness) prise f de conscience; (fulfilment, also of asset) réalisation f

realize ['rɪəlaɪz] *vt* (*understand*) se rendre compte de, prendre conscience de ; (*a project, Comm: asset*) réaliser

really ['rɪəlɪ] *adv* vraiment ; **~?** vraiment ?, c'est vrai ?

realm [rɛlm] *n* royaume *m* ; (*fig*) domaine *m*

realtor ['rɪəltɔː'] *n* (*US*) agent immobilier

reappear [riːə'pɪə'] *vi* réapparaître, reparaître

rear [rɪə'] *adj* de derrière, arrière *inv* ; (*Aut: wheel etc*) arrière ▶ *n* arrière *m* ▶ *vt* (*cattle, family*) élever ▶ *vi* (*also: ~ up: animal*) se cabrer

rearrange [riːə'reɪndʒ] *vt* réarranger

rear: • **rear-view mirror** *n* (*Aut*) rétroviseur *m* • **rear-wheel drive** *n* (*Aut*) traction *f* arrière

reason ['riːzn] *n* raison *f* ▶ *vi*: **to ~ with sb** raisonner qn, faire entendre raison à qn ; **it stands to ~ that** il va sans dire que • **reasonable** *adj* raisonnable ; (*not bad*) acceptable • **reasonably** *adv* (*behave*) raisonnablement ; (*fairly*) assez • **reasoning** *n* raisonnement *m*

reassurance [riːə'ʃʊərəns] *n* (*factual*) assurance *f*, garantie *f* ; (*emotional*) réconfort *m*

reassure [riːə'ʃʊə'] *vt* rassurer

rebate ['riːbeɪt] *n* (*on tax etc*) dégrèvement *m*

rebel *n* ['rɛbl] rebelle *m/f* ▶ *vi* [rɪ'bɛl] se rebeller, se révolter • **rebellion** [rɪ'bɛljən] *n* rébellion *f*, révolte *f* • **rebellious** [rɪ'bɛljəs] *adj* rebelle

rebuild [riː'bɪld] *vt* (*irreg: like* **build**) reconstruire

recall *vt* [rɪ'kɔːl] rappeler ; (*remember*) se rappeler, se souvenir de ▶ *n* ['riːkɔl] rappel *m* ; (*ability to remember*) mémoire *f*

receipt [rɪ'siːt] *n* (*document*) reçu *m* ; (*for parcel etc*) accusé *m* de réception ; (*act of receiving*) réception *f* ; **receipts** *npl* (*Comm*) recettes *fpl* ; **can I have a ~, please?** je peux avoir un reçu, s'il vous plaît ?

receive [rɪ'siːv] *vt* recevoir ; (*guest*) recevoir, accueillir • **receiver** *n* (*Tel*) récepteur *m*, combiné *m* ; (*Radio*) récepteur ; (*of stolen goods*) receleur *m* ; (*for bankruptcies*) administrateur *m* judiciaire

recent ['riːsnt] *adj* récent(e) • **recently** *adv* récemment

reception [rɪ'sɛpʃən] *n* réception *f* ; (*welcome*) accueil *m*, réception • **reception desk** *n* réception *f* • **receptionist** *n* réceptionniste *m/f*

recession [rɪ'sɛʃən] *n* (*Econ*) récession *f*

recharge [riː'tʃɑːdʒ] *vt* (*battery*) recharger

recipe ['rɛsɪpɪ] *n* recette *f*

recipient [rɪ'sɪpɪənt] *n* (*of payment*) bénéficiaire *m/f* ; (*of letter*) destinataire *m/f*

recital [rɪ'saɪtl] *n* récital *m*

recite [rɪ'saɪt] *vt* (*poem*) réciter

reckless ['rɛkləs] *adj* (*driver etc*) imprudent(e) ; (*spender etc*) insouciant(e)

reckon ['rɛkən] *vt* (*count*) calculer, compter ; (*consider*) considérer, estimer ; (*think*): **I ~ (that) ...** je pense (que) ..., j'estime (que) ...

reclaim [rɪ'kleɪm] *vt* (*land: from sea*) assécher ; (*demand back*) réclamer (le remboursement ou

r

la restitution de); (*waste materials*) récupérer

recline [rɪˈklaɪn] *vi* être allongé(e) or étendu(e)

recognition [rɛkəgˈnɪʃən] *n* reconnaissance *f*; **transformed beyond ~** méconnaissable

recognize [ˈrɛkəgnaɪz] *vt*: **to ~ (by/as)** reconnaître (à/comme étant)

recollection [rɛkəˈlɛkʃən] *n* souvenir *m*

recommend [rɛkəˈmɛnd] *vt* recommander; **can you ~ a good restaurant?** pouvez-vous me conseiller un bon restaurant? • **recommendation** [rɛkəmɛnˈdeɪʃən] *n* recommandation *f*

reconcile [ˈrɛkənsaɪl] *vt* (*two people*) réconcilier; (*two facts*) concilier, accorder; **to ~ o.s. to** se résigner à

reconfigure [riːkənˈfɪgəʳ] *vt* reconfigurer

reconsider [riːkənˈsɪdəʳ] *vt* reconsidérer

reconstruct [riːkənˈstrʌkt] *vt* (*building*) reconstruire; (*crime, system*) reconstituer

record *n* [ˈrɛkɔːd] rapport *m*, récit *m*; (*of meeting etc*) procès-verbal *m*; (*register*) registre *m*; (*file*) dossier *m*; (*Comput*) article *m*; (*also*: **police ~**) casier *m* judiciaire; (*Mus*: *disc*) disque *m*; (*Sport*) record *m* ▶ *adj* [ˈrɛkɔːd] record *inv* ▶ *vt* [rɪˈkɔːd] (*set down*) noter; (*Mus*: *song etc*) enregistrer; **public ~s** archives *fpl*; **in ~ time** dans un temps record • **recorded delivery** *n* (*BRIT Post*): **to send sth recorded delivery** ≈ envoyer qch en recommandé • **recorder** *n*

(*Mus*) flûte *f* à bec • **recording** *n* (*Mus*) enregistrement *m* • **record player** *n* tourne-disque *m*

recount [rɪˈkaʊnt] *vt* raconter

recover [rɪˈkʌvəʳ] *vt* récupérer ▶ *vi* (*from illness*) se rétablir; (*from shock*) se remettre • **recovery** *n* récupération *f*; rétablissement *m*; (*Econ*) redressement *m*

recreate [riːkrɪˈeɪt] *vt* recréer

recreation [rɛkrɪˈeɪʃən] *n* (*leisure*) récréation *f*, détente *f* • **recreational drug** *n* drogue récréative • **recreational vehicle** *n* (*US*) camping-car *m*

recruit [rɪˈkruːt] *n* recrue *f* ▶ *vt* recruter • **recruitment** *n* recrutement *m*

rectangle [ˈrɛktæŋgl] *n* rectangle *m* • **rectangular** [rɛkˈtæŋgjuləʳ] *adj* rectangulaire

rectify [ˈrɛktɪfaɪ] *vt* (*error*) rectifier, corriger

rector [ˈrɛktəʳ] *n* (*Rel*) pasteur *m*

recur [rɪˈkəːʳ] *vi* se reproduire; (*idea, opportunity*) se retrouver; (*symptoms*) réapparaître • **recurring** *adj* (*problem*) périodique, fréquent(e); (*Math*) périodique

recyclable [riːˈsaɪkləbl] *adj* recyclable

recycle [riːˈsaɪkl] *vt*, *vi* recycler

recycling [riːˈsaɪklɪŋ] *n* recyclage *m*

red [rɛd] *n* rouge *m*; (*Pol*: *pej*) rouge *m/f* ▶ *adj* rouge; (*hair*) roux (rousse); **in the ~** (*account*) à découvert; (*business*) en déficit • **Red Cross** *n* Croix-Rouge *f* • **redcurrant** *n* groseille *f* (rouge)

redeem [rɪˈdiːm] *vt* (*debt*) rembourser; (*sth in pawn*) dégager; (*fig, also Rel*) racheter

red: • **red-haired** adj roux (rousse)
• **redhead** n roux (rousse)
• **red-hot** adj chauffé(e) au rouge, brûlant(e) • **red light** n: **to go through a red light** (Aut) brûler un feu rouge • **red-light district** n quartier mal famé

red meat n viande f rouge

reduce [rɪ'djuːs] vt réduire; (lower) abaisser; **"~ speed now"** (Aut) "ralentir"; **to ~ sb to tears** faire pleurer qn • **reduced** adj réduit(e); **"greatly reduced prices"** "gros rabais"; **at a reduced price** (goods) au rabais; (ticket etc) à prix réduit
• **reduction** [rɪ'dʌkʃən] n réduction f; (of price) baisse f; (discount) rabais m; réduction; **is there a reduction for children/ students?** y a-t-il une réduction pour les enfants/les étudiants?

redundancy [rɪ'dʌndənsɪ] n (BRIT) licenciement m, mise f au chômage

redundant [rɪ'dʌndnt] adj (BRIT: worker) licencié(e), mis(e) au chômage; (detail, object) superflu(e); **to be made ~** (worker) être licencié, être mis au chômage

reed [riːd] n (Bot) roseau m

reef [riːf] n (at sea) récif m, écueil m

reel [riːl] n bobine f; (Fishing) moulinet m; (Cine) bande f; (dance) quadrille m écossais ▶ vi (sway) chanceler

ref [rɛf] n abbr (inf: = referee) arbitre m

refectory [rɪ'fɛktərɪ] n réfectoire m

refer [rɪ'fəː] vt: **to ~ sb to** (inquirer, patient) adresser qn à; (reader: to text) renvoyer qn à ▶ vi:

to ~ to (allude to) parler de, faire allusion à; (consult) se reporter à; (apply to) s'appliquer à

referee [rɛfə'riː] n arbitre m; (BRIT: for job application) répondant(e) ▶ vt arbitrer

reference ['rɛfrəns] n référence f, renvoi m; (mention) allusion f, mention f; (for job application: letter) références; lettre f de recommandation; **with ~ to** en ce qui concerne; (Comm: in letter) me référant à • **reference number** n (Comm) numéro m de référence

refill vt [riː'fɪl] remplir à nouveau; (pen, lighter etc) recharger ▶ n ['riː'fɪl] (for pen etc) recharge f

refine [rɪ'faɪn] vt (sugar, oil) raffiner; (taste) affiner; (idea, theory) peaufiner • **refined** adj (person, taste) raffiné(e) • **refinery** n raffinerie f

reflect [rɪ'flɛkt] vt (light, image) réfléchir, refléter ▶ vi (think) réfléchir, méditer; **it ~s badly on him** cela le discrédite; **it ~s well on him** c'est tout à son honneur • **reflection** [rɪ'flɛkʃən] n réflexion f; (image) reflet m; **on reflection** réflexion faite

reflex ['riːflɛks] adj, n réflexe (m)

reform [rɪ'fɔːm] n réforme f ▶ vt réformer

refrain [rɪ'freɪn] vi: **to ~ from doing** s'abstenir de faire ▶ n refrain m

refresh [rɪ'frɛʃ] vt rafraîchir; (subj: food, sleep etc) redonner des forces à • **refreshing** adj (drink) rafraîchissant(e); (sleep) réparateur(-trice) • **refreshments** npl rafraîchissements mpl

refrigerator [rɪ'frɪdʒəreɪtə'] n réfrigérateur m, frigidaire m

refuel [ri:'fjuəl] *vi* se ravitailler en carburant

refuge [ˈrɛfjuːdʒ] *n* refuge *m*; **to take ~ in** se réfugier dans • **refugee** [rɛfjuˈdʒiː] *n* réfugié(e)

refund *n* [ˈriːfʌnd] remboursement *m* ▶ *vt* [riˈfʌnd] rembourser

refurbish [riːˈfəːbɪʃ] *vt* remettre à neuf

refusal [riˈfjuːzəl] *n* refus *m*; **to have first ~ on sth** avoir droit de préemption sur qch

refuse¹ [ˈrɛfjuːs] *n* ordures *fpl*, détritus *mpl*

refuse² [riˈfjuːz] *vt, vi* refuser; **to ~ to do sth** refuser de faire qch

regain [riˈɡeɪn] *vt (lost ground)* regagner; *(strength)* retrouver

regard [riˈɡɑːd] *n* respect *m*, estime *f*, considération *f* ▶ *vt* considérer; **to give one's ~s to** faire ses amitiés à; **"with kindest ~s"** "bien amicalement"; **as ~s, with ~ to** en ce qui concerne • **regarding** *prep* en ce qui concerne • **regardless** *adv* quand même; **regardless of** sans se soucier de

regenerate [riˈdʒɛnəreɪt] *vt* régénérer ▶ *vi* se régénérer

reggae [ˈrɛɡeɪ] *n* reggae *m*

regiment [ˈrɛdʒɪmənt] *n* régiment *m*

region [ˈriːdʒən] *n* région *f*; **in the ~ of** *(fig)* aux alentours de • **regional** *adj* régional(e)

register [ˈrɛdʒɪstəʳ] *n* registre *m*; *(also:* **electoral ~)** liste électorale ▶ *vt* enregistrer, inscrire; *(birth)* déclarer; *(vehicle)* immatriculer; *(letter)* envoyer en recommandé; *(subj: instrument)* marquer ▶ *vi*

s'inscrire; *(at hotel)* signer le registre; *(make impression)* être (bien) compris(e) • **registered** *adj (BRIT: letter)* recommandé(e) • **registered trademark** *n* marque déposée

registrar [ˈrɛdʒɪstrɑːʳ] *n* officier *m* de l'état civil

registration [rɛdʒɪsˈtreɪʃən] *n (act)* enregistrement *m*; *(of student)* inscription *f*; *(BRIT Aut: also:* **~ number)** numéro *m* d'immatriculation

registry office [ˈrɛdʒɪstrɪ-] *n (BRIT)* bureau *m* de l'état civil; **to get married in a ~** se marier à la mairie

regret [riˈɡrɛt] *n* regret *m* ▶ *vt* regretter • **regrettable** *adj* regrettable, fâcheux(-euse)

regular [ˈrɛɡjuləʳ] *adj* régulier(-ière); *(usual)* habituel(le), normal(e); *(soldier)* de métier; *(Comm: size)* ordinaire ▶ *n (client etc)* habitué(e) • **regularly** *adv* régulièrement

regulate [ˈrɛɡjuleɪt] *vt* régler • **regulation** [rɛɡjuˈleɪʃən] *n (rule)* règlement *m*; *(adjustment)* réglage *m*

rehabilitation [ˈriːəbɪlɪˈteɪʃən] *n (of offender)* réhabilitation *f*; *(of addict)* réadaptation *f*

rehearsal [riˈhəːsəl] *n* répétition *f*

rehearse [riˈhəːs] *vt* répéter

reign [reɪn] *n* règne *m* ▶ *vi* régner

reimburse [riːɪmˈbəːs] *vt* rembourser

rein [reɪn] *n (for horse)* rêne *f*

reincarnation [riːɪnkɑːˈneɪʃən] *n* réincarnation *f*

reindeer [ˈreɪndɪəʳ] *n (pl inv)* renne *m*

reinforce [riːɪnˈfɔːs] vt renforcer
• **reinforcements** npl (Mil) renfort(s) m(pl)

reinstate [riːɪnˈsteɪt] vt rétablir, réintégrer

reject n [ˈriːdʒɛkt] (Comm) article m de rebut ▶ vt [rɪˈdʒɛkt] refuser; (idea) rejeter • **rejection** [rɪˈdʒɛkʃən] n rejet m, refus m

rejoice [rɪˈdʒɔɪs] vi: **to ~ (at** or **over)** se réjouir (de)

relate [rɪˈleɪt] vt (tell) raconter; (connect) établir un rapport entre ▶ vi: **to ~ to** (connect) se rapporter à; **to ~ sb** (interact) entretenir des rapports avec qn • **related** adj apparenté(e); **related to** (subject) lié(e) à • **relating to** prep concernant

relation [rɪˈleɪʃən] n (person) parent(e); (link) rapport m, lien m; **relations** npl (relatives) famille f • **relationship** n rapport m, lien m; (personal ties) relations fpl, rapports; (also: **family relationship**) lien de parenté; (affair) liaison f

relative [ˈrɛlətɪv] n parent(e) ▶ adj relatif(-ive); (respective) respectif(-ive) • **relatively** adv relativement

relax [rɪˈlæks] vi (muscle) se relâcher; (person: unwind) se détendre ▶ vt relâcher; (mind, person) détendre • **relaxation** [riːlækˈseɪʃən] n relâchement m; (of mind) détente f; (recreation) détente, délassement m • **relaxed** adj relâché(e); détendu(e) • **relaxing** adj délassant(e)

relay [ˈriːleɪ] n (Sport) course f de relais ▶ vt (message) retransmettre, relayer

release [rɪˈliːs] n (from prison, obligation) libération f; (of gas etc) émission f; (of film etc) sortie f; (new recording) disque m ▶ vt (prisoner) libérer; (book, film) sortir; (report, news) rendre public, publier; (gas etc) émettre, dégager; (free: from wreckage etc) dégager; (Tech: catch, spring etc) déclencher; (let go: person, animal) relâcher; (: hand, object) lâcher; (: grip, brake) desserrer

relegate [ˈrɛləgeɪt] vt reléguer; (BRIT Sport): **to be ~d** descendre dans une division inférieure

relent [rɪˈlɛnt] vi se laisser fléchir • **relentless** adj implacable; (non-stop) continuel(le)

relevant [ˈrɛləvənt] adj (question) pertinent(e); (corresponding) approprié(e); (fact) significatif(-ive); (information) utile

reliable [rɪˈlaɪəbl] adj (person, firm) sérieux(-euse), fiable; (method, machine) fiable; (news, information) sûr(e)

relic [ˈrɛlɪk] n (Rel) relique f; (of the past) vestige m

relief [rɪˈliːf] n (from pain, anxiety) soulagement m; (help, supplies) secours m(pl); (Art, Geo) relief m

relieve [rɪˈliːv] vt (pain, patient) soulager; (fear, worry) dissiper; (bring help) secourir; (take over from: gen) relayer; (: guard) relever; **to ~ sb of sth** débarrasser qn de qch; **to ~ o.s.** (euphemism) se soulager, faire ses besoins • **relieved** adj soulagé(e)

religion [rɪˈlɪdʒən] n religion f

religious [rɪˈlɪdʒəs] adj religieux(-euse); (book) de piété • **religious education** n instruction religieuse

r

relish ['relɪʃ] n (Culin) condiment m; (enjoyment) délectation f ▸ vt (food etc) savourer; **to ~ doing** se délecter à faire

relocate [ri:ləu'keɪt] vt (business) transférer ▸ vi se transférer, s'installer or s'établir ailleurs

reluctance [rɪ'lʌktəns] n répugnance f

reluctant [rɪ'lʌktənt] adj peu disposé(e), qui hésite
• **reluctantly** adv à contrecœur, sans enthousiasme

rely on [rɪ'laɪ-] vt fus (be dependent on) dépendre de; (trust) compter sur

remain [rɪ'meɪn] vi rester
• **remainder** n reste m; (Comm) fin f de série • **remainer** n (BRIT: in EU) partisan du maintien dans l'Union européenne • **remaining** adj qui reste • **remains** npl restes mpl

remand [rɪ'mɑ:nd] n: **on ~** en détention préventive ▸ vt: **to be ~ed in custody** être placé(e) en détention préventive

remark [rɪ'mɑ:k] n remarque f, observation f ▸ vt (faire) remarquer, dire • **remarkable** adj remarquable

remarry [ri:'mærɪ] vi se remarier

remedy ['remədɪ] n: **~ (for)** remède m (contre or à) ▸ vt remédier à

remember [rɪ'membəʳ] vt se rappeler, se souvenir de; (send greetings): **~ me to him** saluez-le de ma part • Remembrance Day [rɪ'membrəns-] n (BRIT) ≈ (le jour de) l'Armistice m, ≈ le 11 novembre

Remembrance Day ou **Remembrance Sunday** est le dimanche le plus proche du 11 novembre, date à laquelle la Première Guerre mondiale a officiellement pris fin. Il est

l'occasion de rendre hommage aux victimes des deux guerres mondiales. À 11h, heure de la signature de l'armistice avec l'Allemagne, en 1918, on observe deux minutes de silence. Certains membres de la famille royale et du gouvernement déposent des gerbes de coquelicots au cénotaphe de Whitehall, et des couronnes sont placées sur les monuments aux morts dans toute la Grande-Bretagne. Par ailleurs, beaucoup de Britanniques portent des coquelicots artificiels fabriqués par des anciens combattants blessés au combat, et vendus au profit des blessés de guerre et de leur famille.

remind [rɪ'maɪnd] vt: **to ~ sb of sth** rappeler qch à qn; **to ~ sb to do** faire penser à qn à faire, rappeler à qn qu'il doit faire
• **reminder** n (Comm: letter) rappel m; (note etc) pense-bête m; (souvenir) souvenir m

reminiscent [remɪ'nɪsnt] adj: **~ of** qui rappelle, qui fait penser à

remnant ['remnənt] n reste m, restant m; (of cloth) coupon m

remorse [rɪ'mɔ:s] n remords m

remortgage [ri:'mɔ:gɪdʒ] vt: **to ~ one's house/home** renégocier son prêt immobilier

remote [rɪ'məut] adj éloigné(e), lointain(e); (person) distant(e); (possibility) vague • **remote control** n télécommande f • **remotely** adv au loin; (slightly) très vaguement

removal [rɪ'mu:vəl] n (taking away) enlèvement m; suppression

f; (BRIT: *from house*) déménagement *m*; (*from office: dismissal*) renvoi *m*; (*of stain*) nettoyage *m*; (*Med*) ablation *f*
• **removal man** (*irreg*) *n* (BRIT) déménageur *m* • **removal van** *n* (BRIT) camion *m* de déménagement

remove [rɪ'muːv] *vt* enlever, retirer; (*employee*) renvoyer; (*stain*) faire partir; (*abuse*) supprimer; (*doubt*) chasser

Renaissance [rɪ'neɪsɑ̃s] *n*: the **~** la Renaissance

rename [riː'neɪm] *vt* rebaptiser

render ['rɛndər] *vt* rendre

rendezvous ['rɔndɪvuː] *n* rendez-vous *m* inv

renew [rɪ'njuː] *vt* renouveler; (*negotiations*) reprendre; (*acquaintance*) renouer • **renewable** *adj* (*energy*) renouvelable

renovate ['rɛnəveɪt] *vt* rénover; (*work of art*) restaurer

renowned [rɪ'naʊnd] *adj* renommé(e)

rent [rɛnt] *n* loyer *m* ▶ *vt* louer • **rental** *n* (*for television, car*) (prix *m* de) location *f*

reoffend [riːə'fɛnd] *vi* récidiver

reorganize [riː'ɔːgənaɪz] *vt* réorganiser

rep [rɛp] *n abbr* (Comm) = **representative**

repair [rɪ'pɛər] *n* réparation *f* ▶ *vt* réparer; **in good/bad** ~ en bon/mauvais état; **where can I get this ~ed?** où est-ce que je peux faire réparer ceci? • **repair kit** *n* trousse *f* de réparations

repay [riː'peɪ] *vt* (*irreg: like* **pay**) (*money, creditor*) rembourser; (*sb's efforts*) récompenser • **repayment** *n* remboursement *m*

repeat [rɪ'piːt] *n* (Radio, TV) reprise *f* ▶ *vt* répéter; (*promise, attack, also* Comm: *order*) renouveler; (Scol: *a class*) redoubler ▶ *vi* répéter; **can you ~ that, please?** pouvez-vous répéter, s'il vous plaît?
• **repeatedly** *adv* souvent, à plusieurs reprises • **repeat prescription** *n* (BRIT): **I'd like a repeat prescription** je voudrais renouveler mon ordonnance

repellent [rɪ'pɛlənt] *adj* repoussant(e) ▶ *n*: **insect ~** insectifuge *m*

repercussions [riːpə'kʌʃənz] *npl* répercussions *fpl*

repetition [rɛpɪ'tɪʃən] *n* répétition *f*

repetitive [rɪ'pɛtɪtɪv] *adj* (*movement, work*) répétitif(-ive); (*speech*) plein(e) de redites

replace [rɪ'pleɪs] *vt* (*put back*) remettre, replacer; (*take the place of*) remplacer • **replacement** *n* (*substitution*) remplacement *m*; (*person*) remplaçant(e)

replay ['riːpleɪ] *n* (*of match*) match rejoué(e); (*of tape, film*) répétition *f*

replica ['rɛplɪkə] *n* réplique *f*, copie exacte

reply [rɪ'plaɪ] *n* réponse *f* ▶ *vi* répondre

report [rɪ'pɔːt] *n* rapport *m*; (Press *etc*) reportage *m*; (BRIT: *also*: **school ~**) bulletin *m* (scolaire); (*of gun*) détonation *f* ▶ *vt* rapporter, faire un compte rendu de; (Press *etc*) faire un reportage sur; (*notify: accident*) signaler; (: *culprit*) dénoncer ▶ *vi* (*make a report*) faire un rapport; **I'd like to ~ a theft** je voudrais signaler un vol; **to ~ (to sb)** (*present o.s.*) se présenter (chez qn) • **report card** n (US, SCOTTISH) bulletin m (scolaire) • **reportedly** adv: **she is reportedly living in Spain** elle habiterait en Espagne; **he reportedly told them to ...** il leur aurait dit de ... • **reporter** n reporter m

represent [rɛprɪˈzɛnt] vt représenter; (view, belief) présenter, expliquer; (describe): **to ~ sth as** présenter or décrire qch comme • **representation** [rɛprɪzɛnˈteɪʃən] n représentation f • **representative** n représentant(e); (US Pol) député m ▶ adj représentatif(-ive), caractéristique

repress [rɪˈprɛs] vt réprimer • **repression** [rɪˈprɛʃən] n répression f

reprimand [ˈrɛprɪmɑːnd] n réprimande f ▶ vt réprimander

reproduce [riːprəˈdjuːs] vt reproduire ▶ vi se reproduire • **reproduction** [riːprəˈdʌkʃən] n reproduction f

reptile [ˈrɛptaɪl] n reptile m

republic [rɪˈpʌblɪk] n république f • **republican** adj, n républicain(e)

reputable [ˈrɛpjutəbl] adj de bonne réputation; (occupation) honorable

reputation [rɛpjuˈteɪʃən] n réputation f

request [rɪˈkwɛst] n demande f; (formal) requête f ▶ vt: **to ~ (of or from sb)** demander (à qn) • **request stop** n (BRIT) (for bus) arrêt m facultatif

require [rɪˈkwaɪəʳ] vt (need: subj: person) avoir besoin de; (: thing, situation) nécessiter, demander; (want) exiger; (order): **to ~ sb to do**

sth/sth of sb exiger que qn fasse qch/qch de qn • **requirement** n (need) exigence f, besoin m; (condition) condition f (requise)

resat [riːˈsæt] pt, pp of **resit**

rescue [ˈrɛskjuː] n (from accident) sauvetage m; (help) secours mpl ▶ vt sauver

research [rɪˈsəːtʃ] n recherche(s) f(pl) ▶ vt faire des recherches sur

resemblance [rɪˈzɛmbləns] n ressemblance f

resemble [rɪˈzɛmbl] vt ressembler à

resent [rɪˈzɛnt] vt être contrarié(e) par • **resentful** adj irrité(e), plein(e) de ressentiment • **resentment** n ressentiment m

reservation [rɛzəˈveɪʃən] n (booking) réservation f; **to make a ~ (in a hotel/a restaurant/on a plane)** réserver or retenir une chambre/une table/une place • **reservation desk** n (US: in hotel) réception f

reserve [rɪˈzəːv] n réserve f; (Sport) remplaçant(e) ▶ vt (seats etc) réserver, retenir • **reserved** adj réservé(e)

reservoir [ˈrɛzəvwɑːʳ] n réservoir m

reshuffle [riːˈʃʌfl] n: **Cabinet ~** (Pol) remaniement ministériel

residence [ˈrɛzɪdəns] n résidence f • **residence permit** n (BRIT) permis m de séjour

resident [ˈrɛzɪdənt] n (of country) résident(e); (of area, house) habitant(e); (in hotel) pensionnaire m ▶ adj résidant(e) • **residential** [rɛzɪˈdɛnʃəl] adj de résidence; (area) résidentiel(le); (course) avec hébergement sur place

residue ['rezɪdjuː] n reste m; (Chem, Physics) résidu m

resign [rɪ'zaɪn] vt (one's post) se démettre de ▶ vi démissionner; **to ~ o.s. to** (endure) se résigner à • **resignation** [rezɪg'neɪʃən] n (from post) démission f; (state of mind) résignation f

resin ['rezɪn] n résine f

resist [rɪ'zɪst] vt résister à • **resistance** n résistance f

resit vt [riː'sɪt] (irreg: like **sit**) (BRIT: exam) repasser ▶ n ['riːsɪt] deuxième session f (d'un examen)

resolution [rezə'luːʃən] n résolution f

resolve [rɪ'zɒlv] n résolution f ▶ vt (problem) résoudre; (decide): **to ~ to do** résoudre or décider de faire

resort [rɪ'zɔːt] n (seaside town) station f balnéaire; (for skiing) station de ski; (recourse) recours m ▶ vi: **to ~ to** avoir recours à; **in the last ~** en dernier ressort

resource [rɪ'sɔːs] n ressource f • **resourceful** adj ingénieux(-euse), débrouillard(e)

respect [rɪs'pekt] n respect m ▶ vt respecter • **respectable** adj respectable; (quite good: result etc) honorable • **respectful** adj respectueux(-euse) • **respective** adj respectif(-ive) • **respectively** adv respectivement

respite ['respaɪt] n répit m

respond [rɪs'pɒnd] vi répondre; (react) réagir • **response** [rɪs'pɒns] n réponse f; (reaction) réaction f

responsibility [rɪspɒnsɪ'bɪlɪtɪ] n responsabilité f

responsible [rɪs'pɒnsɪbl] adj (liable): **~ (for)** responsable (de);

(person) digne de confiance; (job) qui comporte des responsabilités • **responsibly** adv avec sérieux

responsive [rɪs'pɒnsɪv] adj (student, audience) réceptif(-ive); (brakes, steering) sensible

rest [rest] n repos m; (stop) arrêt m, pause f; (Mus) silence m; (support) support m, appui m; (remainder) reste m, restant m ▶ vi se reposer; (be supported): **to ~ on** appuyer or reposer sur ▶ vt (lean): **to ~ sth on/against** appuyer qch sur/contre; **the ~ of them** les autres

restaurant ['restərɒŋ] n restaurant m • **restaurant car** n (BRIT Rail) wagon-restaurant m

restless ['restlɪs] adj agité(e)

restoration [restə'reɪʃən] n (of building) restauration f; (of stolen goods) restitution f

restore [rɪ'stɔː] vt (building) restaurer; (sth stolen) restituer; (peace, health) rétablir; (to former state) ramener à

restrain [rɪs'treɪn] vt (feeling) contenir; (person): **to ~ (from doing)** retenir (de faire) • **restraint** n (restriction) contrainte f; (moderation) retenue f; (of style) sobriété f

restrict [rɪs'trɪkt] vt restreindre, limiter • **restriction** [rɪs'trɪkʃən] n restriction f, limitation f

rest room n (US) toilettes fpl

restructure [riː'strʌktʃə] vt restructurer

result [rɪ'zʌlt] n résultat m ▶ vi: **to ~ in** aboutir à, se terminer par; **as a ~ of** à la suite de

resume [rɪ'zjuːm] vt (work, journey) reprendre ▶ vi (work etc) reprendre

résumé ['reɪzjuːmeɪ] n (summary) résumé m; (us: curriculum vitae) curriculum vitae m inv

resuscitate [rɪ'sʌsɪteɪt] vt (Med) réanimer

retail ['riːteɪl] adj de or au détail ▶ adv au détail • **retailer** n détaillant(e)

retain [rɪ'teɪn] vt (keep) garder, conserver

retaliation [rɪtælɪ'eɪʃən] n représailles fpl, vengeance f

retire [rɪ'taɪə'] vi (give up work) prendre sa retraite; (withdraw) se retirer, partir; (go to bed) (aller) se coucher • **retired** adj (person) retraité(e) • **retirement** n retraite f

retort [rɪ'tɔːt] vi riposter

retreat [rɪ'triːt] n retraite f ▶ vi battre en retraite

retrieve [rɪ'triːv] vt (sth lost) récupérer; (situation, honour) sauver; (error, loss) réparer; (Comput) rechercher

retrospect ['retrəspekt] n: **in ~** rétrospectivement, après coup • **retrospective** [retrə'spektɪv] adj rétrospectif(-ive); (law) rétroactif(-ive) ▶ n (Art) rétrospective f

return [rɪ'tɜːn] n (going or coming back) retour m; (of sth stolen etc) restitution f; (Finance: from land, shares) rapport m ▶ cpd (journey) de retour; (BRIT: ticket) aller et retour; (match) retour ▶ vi (person etc: come back) revenir; (: go back) retourner ▶ vt rendre; (bring back) rapporter; (send back) renvoyer; (put back) remettre; (Pol: candidate) élire; **returns** npl (Comm) recettes fpl; (Finance) bénéfices mpl; **many happy ~s (of the day)!** bon

anniversaire!; **by ~ (of post)** par retour (du courrier); **in ~ (for)** en échange (de); **a ~ (ticket) for ...** un billet aller et retour pour ...
• **return ticket** n (esp BRIT) billet m aller-retour

retweet [riː'twiːt] vt (on Twitter) retweeter

reunion [riː'juːnɪən] n réunion f

reunite [riːjuː'naɪt] vt réunir

revamp [riː'væmp] vt (house) retaper; (firm) réorganiser

reveal [rɪ'viːl] vt (make known) révéler; (display) laisser voir
• **revealing** adj révélateur(-trice); (dress) au décolleté généreux or suggestif

revel ['rɛvl] vi: **to ~ in sth/in doing** se délecter de qch/à faire

revelation [rɛvə'leɪʃən] n révélation f

revenge [rɪ'vɛndʒ] n vengeance f; (in game etc) revanche f ▶ vt venger; **to take ~ (on)** se venger (sur)

revenue ['rɛvənjuː] n revenu m

Reverend ['rɛvərənd] adj: **the ~ John Smith** (Anglican) le révérend John Smith; (Catholic) l'abbé (John) Smith; (Protestant) le pasteur (John) Smith

reversal [rɪ'vɜːsl] n (of opinion) revirement m; (of order) renversement m; (of direction) changement m

reverse [rɪ'vɜːs] n contraire m, opposé m; (back) dos m, envers m; (of paper) revers m; (of coin) revers m; (Aut: also: **~ gear**) marche f arrière ▶ adj (order, direction) opposé(e), inverse ▶ vt (order, position) changer, inverser; (direction, policy) changer complètement; (decision)

annuler; (roles) renverser ▶ vi (BRIT Aut) faire marche arrière
• **reversing lights** npl (BRIT Aut) feux mpl de marche arrière or de recul

revert [rɪ'vɜːt] vi: **to ~ to** revenir à, retourner à

review [rɪ'vjuː] n revue f; (of book, film) critique f; (of situation, policy) examen m, bilan m; (us: examination) examen ▶ vt passer en revue; faire la critique de; examiner

revise [rɪ'vaɪz] vt réviser, modifier; (manuscript) revoir, corriger ▶ vi (study) réviser
• **revision** [rɪ'vɪʒən] n révision f

revival [rɪ'vaɪvəl] n reprise f; (recovery) rétablissement m; (of faith) renouveau m

revive [rɪ'vaɪv] vt (person) ranimer; (custom) rétablir; (economy) relancer; (hope, courage) raviver, faire renaître; (play, fashion) reprendre ▶ vi (person) reprendre connaissance; (: from ill health) se rétablir; (hope etc) renaître; (activity) reprendre

revolt [rɪ'vəʊlt] n révolte f ▶ vi se révolter, se rebeller ▶ vt révolter, dégoûter • **revolting** adj dégoûtant(e)

revolution [revə'luːʃən] n révolution f; (of wheel etc) tour m, révolution • **revolutionary** adj, n révolutionnaire (m/f)

revolve [rɪ'vɒlv] vi tourner

revolver [rɪ'vɒlvə] n revolver m

reward [rɪ'wɔːd] n récompense f ▶ vt: **to ~ (for)** récompenser (de) • **rewarding** adj (fig) qui (en) vaut la peine, gratifiant(e)

rewind [riː'waɪnd] vt (irreg: like **wind**²) (tape) réembobiner

rewritable [riː'raɪtəbl] adj (CD, DVD) réinscriptible

rewrite [riː'raɪt] (irreg: like **write**) vt récrire

rheumatism ['ruːmətɪzəm] n rhumatisme m

Rhine [raɪn] n: **the (River) ~** le Rhin

rhinoceros [raɪ'nɒsərəs] n rhinocéros m

rhubarb ['ruːbɑːb] n rhubarbe f

rhyme [raɪm] n rime f; (verse) vers mpl

rhythm ['rɪðm] n rythme m

rib [rɪb] n (Anat) côte f

ribbon ['rɪbən] n ruban m; **in ~s** (torn) en lambeaux

rice [raɪs] n riz m • **rice pudding** n riz au lait

rich [rɪtʃ] adj riche; (gift, clothes) somptueux(-euse); **to be ~ in sth** être riche en qch

rid [rɪd] (pt, pp **rid**) vt: **to ~ sb of** débarrasser qn de; **to get ~ of** se débarrasser de

ridden ['rɪdn] pp of **ride**

riddle ['rɪdl] n (puzzle) énigme f ▶ vt: **to be ~d with** être criblé(e) de; (fig) être en proie à

ride [raɪd] (pt **rode**, pp **ridden**) n promenade f, tour m; (distance covered) trajet m ▶ vi (as sport) monter (à cheval), faire du cheval; (go somewhere: on horse, bicycle) aller (à cheval or bicyclette etc); (travel: on bicycle, motor cycle, bus) rouler ▶ vt (a horse) monter; (distance) parcourir, faire; **to ~ a horse/bicycle** monter à cheval/à bicyclette; **to take sb for a ~** (fig) faire marcher qn; (cheat) rouler qn • **rider** n cavalier(-ière); (in race) jockey m; (on bicycle) cycliste m/f; (on motorcycle) motocycliste m/f

r

ridge [rɪdʒ] n (of hill) faîte m; (of roof, mountain) arête f; (on object) strie f

ridicule ['rɪdɪkjuːl] n ridicule m; dérision f ▶ vt ridiculiser, tourner en dérision • **ridiculous** [rɪ'dɪkjuləs] adj ridicule

riding ['raɪdɪŋ] n équitation f • **riding school** n manège m, école f d'équitation

rife [raɪf] adj répandu(e); ~ **with** abondant(e) en

rifle ['raɪfl] n fusil m (à canon rayé) ▶ vt vider, dévaliser

rift [rɪft] n fente f, fissure f; (fig: disagreement) désaccord m

rig [rɪg] n (also: **oil** ~: on land) derrick m; (: at sea) plate-forme pétrolière f ▶ vt (election etc) truquer

right [raɪt] adj (true) juste, exact(e); (correct) bon (bonne); (suitable) approprié(e), convenable; (just) juste, équitable; (morally good) bien inv; (not left) droit(e) ▶ n (moral good) bien m; (title, claim) droit m; (not left) droite f ▶ adv (answer) correctement; (treat) bien, comme il faut; (not on the left) à droite ▶ vt redresser ▶ excl bon!; **do you have the ~ time?** avez-vous l'heure juste or exacte?; **to be ~** (person) avoir raison; (answer) être juste or correct(e); **by ~s** en toute justice; **on the ~** à droite; **to be in the ~** avoir raison; ~ **in the middle** en plein milieu; ~ **away** immédiatement • **right angle** n (Math) angle droit • **rightful** adj (heir) légitime • **right-hand** adj: **the right-hand side** la droite • **right-hand drive** n conduite f à droite; (vehicle) véhicule m avec la conduite à droite • **right-handed** adj (person) droitier(-ière) • **rightly** adv bien, correctement; (with reason) à juste titre • **right of way** n (on path etc) droit m de passage; (Aut) priorité f • **right-wing** adj (Pol) de droite

rigid ['rɪdʒɪd] adj rigide; (principle, control) strict(e)

rigorous ['rɪgərəs] adj rigoureux(-euse)

rim [rɪm] n bord m; (of spectacles) monture f; (of wheel) jante f

rind [raɪnd] n (of bacon) couenne f; (of lemon, orange) écorce f, zeste m; (of cheese) croûte f

ring [rɪŋ] n anneau m; (on finger) bague f; (also: **wedding** ~) alliance f; (of people, objects) cercle m; (of spies) réseau m; (of smoke etc) rond m; (arena) piste f, arène f; (for boxing) ring m; (sound of bell) sonnerie f ▶ vi (pt **rang**, pp **rung**) (telephone, bell) sonner; (person: by telephone) téléphoner; (ears) bourdonner; (also: ~ **out**: voice, words) retentir ▶ vt (also: ~ **up**) téléphoner à, appeler; **to ~ the bell** sonner; **to give sb a ~** (Tel) passer un coup de téléphone or de fil à qn • **ring back** vt, vi (BRIT Tel) rappeler • **ring off** vi (BRIT Tel) raccrocher • **ring up** vt (BRIT Tel) téléphoner à, appeler • **ringing tone** n (BRIT Tel) tonalité f d'appel • **ringleader** n (of gang) chef m, meneur m • **ring road** n (BRIT) rocade f; (motorway) périphérique m • **ringtone** n (on mobile) sonnerie f (de téléphone portable)

rink [rɪŋk] n (also: **ice ~**) patinoire f

rinse [rɪns] n rinçage m ▶ vt rincer

riot ['raɪət] n émeute f, bagarres fpl ▶ vi (demonstrators) manifester avec violence; (population) se soulever, se révolter; **to run ~** se déchaîner

rip [rɪp] *n* déchirure *f* ▶ *vt* déchirer ▶ *vi* se déchirer • **rip off** *vt* (*inf*: *cheat*) arnaquer • **rip up** *vt* déchirer

ripe [raɪp] *adj* (*fruit*) mûr(e); (*cheese*) fait(e)

rip-off ['rɪpɔf] *n* (*inf*): **it's a ~!** c'est du vol manifeste!, c'est de l'arnaque!

ripple ['rɪpl] *n* ride *f*, ondulation *f*; (*of applause, laughter*) cascade *f* ▶ *vi* se rider, onduler

rise [raɪz] *n* (*slope*) côte *f*, pente *f*; (*hill*) élévation *f*; (*increase: in wages*: BRIT) augmentation *f*; (: *in prices, temperature*) hausse *f*, augmentation; (*fig: to power etc*) ascension *f* ▶ *vi* (*pt* **rose**, *pp* **risen**) s'élever, monter; (*prices, numbers*) augmenter, monter; (*waters, river*) monter; (*sun, wind, person: from chair, bed*) se lever; (*also: ~ up: tower, building*) s'élever; (: *rebel*) se révolter; se rebeller; (*in rank*) s'élever; **to give ~ to** donner lieu à; **to ~ to the occasion** se montrer à la hauteur • **risen** ['rɪzn] *pp of* **rise** • **rising** *adj* (*increasing: number, prices*) en hausse; (*tide*) montant(e); (*sun, moon*) levant(e)

risk [rɪsk] *n* risque *m* ▶ *vt* risquer; **to take** *or* **run the ~ of doing** courir le risque de faire; **at ~** en danger; **at one's own ~** à ses risques et périls • **risky** *adj* risqué(e)

rite [raɪt] *n* rite *m*; **the last ~s** les derniers sacrements

ritual ['rɪtjuəl] *adj* rituel(le) ▶ *n* rituel *m*

rival ['raɪvl] *n* rival(e); (*in business*) concurrent(e) ▶ *adj* rival(e); qui

fait concurrence ▶ *vt* (*match*) égaler • **rivalry** *n* rivalité *f*; (*in business*) concurrence *f*

river ['rɪvə'] *n* rivière *f*; (*major: also fig*) fleuve *m* ▶ *cpd* (*port, traffic*) fluvial(e); **up/down ~** en amont/ aval • **riverbank** *n* rive *f*, berge *f*

rivet ['rɪvɪt] *n* rivet *m* ▶ *vt* (*fig*) river, fixer

Riviera [rɪvɪ'eərə] *n*: **the (French) ~** la Côte d'Azur

road [rəud] *n* route *f*; (*in town*) rue *f*; (*fig*) chemin, voie *f* ▶ *cpd* (*accident*) de la route; **major/ minor ~** route principale *or* à priorité/voie secondaire; **which ~ do I take for …?** quelle route dois-je prendre pour aller à …? • **roadblock** *n* barrage routier • **road map** *n* carte routière • **road rage** *n* comportement très agressif de certains usagers de la route • **road safety** *n* sécurité routière • **roadside** *n* bord *m* de la route, bas-côté *m* • **road sign** *n* panneau *m* de signalisation • **road tax** *n* (BRIT Aut) taxe *f* sur les automobiles • **roadworks** *npl* travaux *mpl* (de réfection des routes)

roam [rəum] *vi* errer, vagabonder

roar [rɔː'] *n* rugissement *m*; (*of crowd*) hurlements *mpl*; (*of vehicle, thunder, storm*) grondement *m* ▶ *vi* rugir; hurler; gronder; **to ~ with laughter** rire à gorge déployée

roast [rəust] *n* rôti *m* ▶ *vt* (*meat*) (faire) rôtir; (*coffee*) griller, torréfier • **roast beef** *n* rôti *m* de bœuf, rosbif *m*

rob [rɔb] *vt* (*person*) voler; (*bank*) dévaliser; **to ~ sb of sth** voler *or* dérober qch à qn; (*fig: deprive*) priver qn de qch • **robber** *n* bandit *m*, voleur *m* • **robbery** *n* vol *m*

robe

robe [rəub] n (for ceremony etc) robe f; (also: **bath~**) peignoir m; (us: rug) couverture f ▶ vt revêtir (d'une robe)

robin ['rɔbɪn] n rouge-gorge m

robot ['rəubɔt] n robot m

robust [rəu'bʌst] adj robuste; (material, appetite) solide

rock [rɔk] n (substance) roche f, roc m; (boulder) rocher m, roche; (us: small stone) caillou m; (BRIT: sweet) ≈ sucre m d'orge ▶ vt (swing gently: cradle) balancer; (: child) bercer; (shake) ébranler, secouer ▶ vi se balancer, être ébranlé(e) or secoué(e); **on the ~s** (drink) avec des glaçons; (marriage etc) en train de craquer • **rock and roll** n rock (and roll) m, rock'n'roll m • **rock climbing** n varappe f

rocket ['rɔkɪt] n fusée f; (Mil) fusée, roquette f; (Culin) roquette f

rocking chair ['rɔkɪŋ-] n fauteuil m à bascule

rocky ['rɔkɪ] adj (hill) rocheux(-euse); (path) rocailleux(-euse)

rod [rɔd] n (metallic) tringle f; (Tech) tige f; (wooden) baguette f; (also: **fishing ~**) canne f à pêche

rode [rəud] pt of **ride**

rodent ['rəudnt] n rongeur m

rogue [rəug] n coquin(e)

role [rəul] n rôle m • **role-model** n modèle m à émuler

roll [rəul] n rouleau m; (of banknotes) liasse f; (also: **bread ~**) petit pain; (register) liste f; (sound: of drums etc) roulement m ▶ vt rouler; (also: **~ up**) (string) enrouler; (also: **~ out**: pastry) étendre au rouleau, abaisser ▶ vi rouler • **roll over** vi se retourner • **roll up** vi (inf: arrive) arriver,

s'amener ▶ vt (carpet, cloth, map) rouler; (sleeves) retrousser • **roller** n rouleau m; (wheel) roulette f; (for road) rouleau compresseur; (for hair) bigoudi m • **roller coaster** n montagnes fpl russes • **roller skates** npl patins mpl à roulettes • **roller-skating** n patin m à roulettes; **to go roller-skating** faire du patin à roulettes • **rolling pin** n rouleau m à pâtisserie

ROM [rɔm] n abbr (Comput: = read-only memory) mémoire morte, ROM f

Roman ['rəumən] adj romain(e) ▶ n Romain(e) • **Roman Catholic** adj, n catholique (m/f)

romance [rə'mæns] n (love affair) idylle f; (charm) poésie f; (novel) roman m à l'eau de rose

Romania [rəu'meɪnɪə] n = **Rumania**

Roman numeral n chiffre romain

romantic [rə'mæntɪk] adj romantique; (novel, attachment) sentimental(e)

Rome [rəum] n Rome

roof [ru:f] n toit m; (of tunnel, cave) plafond m ▶ vt couvrir (d'un toit); **the ~ of the mouth** la voûte du palais • **roof rack** n (Aut) galerie f

rook [ruk] n (bird) freux m; (Chess) tour f

room [ru:m] n (in house) pièce f; (also: **bed~**) chambre f (à coucher); (in school etc) salle f; (space) place f • **roommate** n camarade m/f de chambre • **room service** n service m des chambres (dans un hôtel) • **roomy** adj spacieux(-euse); (garment) ample

rooster ['ru:stər] n coq m

root [ru:t] n (Bot, Math) racine f; (fig: of problem) origine f, fond m ▶ vi (plant) s'enraciner

rope [rəup] n corde f; (Naut) cordage m ▶ vt (tie up or together) attacher; (climbers: also: ~ together) encorder; (area: also: ~ off) interdire l'accès de; (: divide off) séparer; **to know the ~s** (fig) être au courant, connaître les ficelles

rort [rɔ:t] n (AUST, NZ inf) arnaque f (inf) ▶ vt escroquer

rose [rəuz] pt of **rise** ▶ n rose f; (also: ~bush) rosier m

rosé ['rəuzeɪ] n rosé m

rosemary ['rəuzmərɪ] n romarin m

rosy ['rəuzɪ] adj rose; **a ~ future** un bel avenir

rot [rɒt] n (decay) pourriture f; (fig: pej: nonsense) idioties fpl, balivernes fpl ▶ vt, vi pourrir

rota ['rəutə] n liste f, tableau m de service

rotate [rəu'teɪt] vt (revolve) faire tourner; (change round: crops) alterner; (: jobs) faire à tour de rôle ▶ vi (revolve) tourner

rotten ['rɒtn] adj (decayed) pourri(e); (dishonest) corrompu(e); (inf: bad) mauvais(e), moche; **to feel ~** (ill) être mal fichu(e)

rough [rʌf] adj (cloth, skin) rêche, rugueux(-euse); (terrain) accidenté(e); (path) rocailleux(-euse); (voice) rauque, rude; (person, manner: coarse) rude, fruste; (: violent) brutal(e); (district, weather) mauvais(e); (sea) houleux(-euse); (plan) ébauché(e); (guess) approximatif(-ive) ▶ n (Golf) rough m ▶ vt: **to ~ it** vivre à

la dure; **to sleep ~** (BRIT) coucher à la dure • **roughly** adv (handle) rudement, brutalement; (speak) avec brusquerie; (make) grossièrement; (approximately) à peu près, en gros

roulette [ru:'let] n roulette f

round [raund] adj rond(e) ▶ n rond m, cercle m; (BRIT: of toast) tranche f; (duty: of policeman, milkman etc) tournée f; (: of doctor) visites fpl; (game: of cards, in competition) partie f; (Boxing) round m; (of talks) série f ▶ vt (corner) tourner ▶ adv: **right ~**, **all ~** tout autour; **~ of ammunition** cartouche f; **~ of applause** applaudissements mpl; **~ of drinks** tournée f; **the long way ~** (par) le chemin le plus long; **all (the) year ~** toute l'année; **it's just ~ the corner** (fig) c'est tout près; **to go ~ to sb's (house)** aller chez qn; **go ~ the back** passez par derrière; **enough to go ~** assez pour tout le monde; **she arrived ~ (about) noon** (BRIT) elle est arrivée vers midi; **~ the clock** 24 heures sur 24 • **round off** vt (speech etc) terminer • **round up** vt rassembler; (criminals) effectuer une rafle de; (prices) arrondir (au chiffre supérieur) • **roundabout** n (BRIT: Aut) rond-point m (à sens giratoire); (: at fair) manège m de chevaux de bois) ▶ adj (route, means) détourné(e) • **round trip** n (voyage m) aller et retour m • **roundup** n rassemblement m; (of criminals) rafle f

rouse [rauz] vt (wake up) réveiller; (stir up) susciter, provoquer; (interest) éveiller; (suspicions) susciter, éveiller

route

route [ruːt] *n* itinéraire *m*; (*of bus*) parcours *m*; (*of trade, shipping*) route *f*

router ['ruːtəʳ] *n* (*Comput*) routeur *m*

routine [ruːˈtiːn] *adj* (*work*) ordinaire, courant(e); (*procedure*) d'usage ▶ *n* (*habits*) habitudes *fpl*; (*pej*) train-train *m*; (*Theat*) numéro *m*

row¹ [rəu] *n* (*line*) rangée *f*; (*of people, seats, Knitting*) rang *m*; (*behind one another: of cars, people*) file *f* ▶ *vi* (*in boat*) ramer; (*as sport*) faire de l'aviron ▶ *vt* (*boat*) faire aller à la rame *or* à l'aviron; **in a ~** (*fig*) d'affilée

row² [rau] *n* (*noise*) vacarme *m*; (*dispute*) dispute *f*, querelle *f*; (*scolding*) réprimande *f*, savon *m* ▶ *vi* (*also*: **to have a ~**) se disputer, se quereller

rowboat ['rəubəut] *n* (*US*) canot *m* (à rames)

rowing ['rəuɪŋ] *n* canotage *m*; (*as sport*) aviron *m* • **rowing boat** *n* (*BRIT*) canot *m* (à rames)

royal ['rɔɪəl] *adj* royal(e) • **royalty** *n* (*royal persons*) (membres *mpl* de la) famille royale; (*payment: to author*) droits *mpl* d'auteur; (*: to inventor*) royalties *fpl*

rpm *abbr* (= *revolutions per minute*) t/mn (= *tours/minute*)

R.S.V.P. *abbr* (= *répondez s'il vous plaît*) RSVP

Rt. Hon. *abbr* (BRIT: = *Right Honourable*) titre donné aux députés de la Chambre des communes

rub [rʌb] *n*: **to give sth a ~** donner un coup de chiffon *or* de torchon à qch ▶ *vt* frotter; (*person*) frictionner; (*hands*) se frotter; **to ~ sb up** (BRIT) *or* **to ~ sb** (US) **the wrong way** prendre qn à rebrousse-poil • **rub in** *vt* (*ointment*) faire pénétrer • **rub off** *vi* partir • **rub out** *vt* effacer

rubber ['rʌbəʳ] *n* caoutchouc *m*; (BRIT: *eraser*) gomme *f* (à effacer) • **rubber band** *n* élastique *m* • **rubber gloves** *npl* gants *mpl* en caoutchouc

rubbish ['rʌbɪʃ] *n* (*from household*) ordures *fpl*; (*fig: pej*) choses *fpl* sans valeur; camelote *f*; (*nonsense*) bêtises *fpl*, idioties *fpl* • **rubbish bin** *n* (BRIT) boîte *f* à ordures, poubelle *f* • **rubbish dump** *n* (BRIT: *in town*) décharge publique, dépotoir *m*

rubble ['rʌbl] *n* décombres *mpl*; (*smaller*) gravats *mpl*; (*Constr*) blocage *m*

ruby ['ruːbɪ] *n* rubis *m*

rucksack ['rʌksæk] *n* sac *m* à dos

rudder ['rʌdəʳ] *n* gouvernail *m*

rude [ruːd] *adj* (*impolite: person*) impoli(e); (*: word, manners*) grossier(-ière); (*shocking*) indécent(e), inconvenant(e)

ruffle ['rʌfl] *vt* (*hair*) ébouriffer; (*clothes*) chiffonner; (*fig: person*): **to get ~d** s'énerver

rug [rʌg] *n* petit tapis; (BRIT: *blanket*) couverture *f*

rugby ['rʌgbɪ] *n* (*also*: **~ football**) rugby *m*

rugged ['rʌgɪd] *adj* (*landscape*) accidenté(e); (*features, character*) rude

ruin ['ruːɪn] *n* ruine *f* ▶ *vt* ruiner; (*spoil: clothes*) abîmer; (*: event*) gâcher; **ruins** *npl* (*of building*) ruine(s)

rule [ruːl] *n* règle *f*; (*regulation*) règlement *m*; (*government*) autorité *f*, gouvernement *m* ▶ *vt* (*country*) gouverner; (*person*) dominer; (*decide*) décider ▶ vi commander; **as a ~** normalement, en règle générale • **rule out** vt exclure • **ruler** n (*sovereign*) souverain(e); (*leader*) chef m (d'État); (*for measuring*) règle f • **ruling** adj (*party*) au pouvoir; (*class*) dirigeant(e) ▶ n (*Law*) décision f

rum [rʌm] n rhum m

Rumania [ruːˈmeɪnɪə] n Roumanie f • **Rumanian** adj roumain(e) ▶ n Roumain(e); (*Ling*) roumain m

rumble [ˈrʌmbl] n grondement m; (*of stomach, pipe*) gargouillement m ▶ vi gronder; (*stomach, pipe*) gargouiller

rumour, (*us*) **rumor** [ˈruːmə] n rumeur f, bruit m (qui court) ▶ vt: **it is ~ed that** le bruit court que

rump steak n romsteck m

run [rʌn] (*pt* ran, *pp* run) n (*race*) course f; (*outing*) tour m ou promenade f (en voiture); (*distance travelled*) parcours m, trajet m; (*series*) suite f, série f; (*Theat*) série de représentations; (*Ski*) piste f; (*Cricket, Baseball*) point m; (*in tights, stockings*) maille filée, échelle f ▶ vt (*business*) diriger; (*competition, course*) organiser; (*hotel, house*) tenir; (*race*) participer à; (*Comput: program*) exécuter; (*pass: hand, finger*): **to ~ sth over** promener ou passer qch sur; (*water, bath*) faire couler; (*Press: feature*) publier ▶ vi courir; (*pass: road etc*) passer; (*work: machine, factory*) marcher; (*bus, train*) circuler; (*continue: play*) se jouer, être à l'affiche; (*: contract*) être valide ou en vigueur; (*flow: river, bath, nose*) couler; (*colours, washing*) déteindre; (*in election*)

être candidat, se présenter; **at a ~** au pas de course; **to go for a ~** aller courir ou faire un peu de course à pied; (*in car*) faire un tour ou une promenade (en voiture); **there was a ~ on** (*meat, tickets*) les gens se sont rués sur; **in the long** ~ à la longue; **on the ~** en fuite; **I'll ~ you to the station** je vais vous emmener ou conduire à la gare; **to ~ a risk** courir un risque • **run after** vt fus (*to catch up*) courir après; (*chase*) poursuivre • **run away** vi s'enfuir • **run down** vt (*Aut: knock over*) renverser; (*BRIT: reduce: production*) réduire progressivement; (*: factory/shop*) réduire progressivement la production/ l'activité de; (*criticize*) critiquer, dénigrer; **to be ~ down** (*tired*) être fatigué(e) ou à plat • **run into** vt fus (*meet: person*) rencontrer par hasard; (*: trouble*) se heurter à; (*collide with*) heurter • **run off** vi s'enfuir ▶ vt (*water*) laisser s'écouler; (*copies*) tirer • **run out** vi (*person*) sortir en courant; (*liquid*) couler; (*lease*) expirer; (*money*) être épuisé(e) • **run out of** vt fus se trouver à court de • **run over** vt (*Aut*) écraser ▶ vt fus (*revise*) revoir, reprendre • **run through** vt fus (*recap*) reprendre, revoir; (*play*) répéter • **run up** vi: **to ~ up against** (*difficulties*) se heurter à • **runaway** adj (*horse*) emballé(e); (*truck*) fou (folle); (*person*) fugitif(-ive); (*child*) fugueur(-euse)

rung [rʌŋ] pp of **ring** ▶ n (*of ladder*) barreau m

runner [ˈrʌnə] n (*in race: person*) coureur(-euse); (*: horse*) partant m; (*on sledge*) patin m; (*for drawer etc*) coulisseau m • **runner bean** n (*BRIT*)

haricot *m* (à rames) • **runner-up**
n second(e)

running ['rʌnɪŋ] *n* (in race etc)
course *f*; (of business, organization)
direction *f*, gestion *f* ▶ *adj* (water)
courant(e); (commentary) suivi(e);
6 days ~ 6 jours de suite; **to be
in/out of the ~ for sth** être/ne
pas être sur les rangs pour qch

runny ['rʌnɪ] *adj* qui coule

run-up ['rʌnʌp] *n* (BRIT): **~ to sth**
période *f* précédant qch

runway ['rʌnweɪ] *n* (Aviat) piste *f*
(d'envol or d'atterrissage)

rupture ['rʌptʃə*r*] *n* (Med) hernie *f*

rural ['ruərl] *adj* rural(e)

rush [rʌʃ] *n* (of crowd, Comm:
sudden demand) ruée *f*; (hurry) hâte
f; (of anger, joy) accès *m*; (current)
flot *m*; (Bot) jonc *m* ▶ *vt* (hurry)
transporter or envoyer d'urgence
▶ *vi* se précipiter; **to ~ sth off** (do
quickly) faire qch à la hâte • **rush
hour** *n* heures *fpl* de pointe or
d'affluence

Russia ['rʌʃə] *n* Russie *f* • **Russian**
adj russe ▶ *n* Russe *m/f*; (Ling)
russe *m*

rust [rʌst] *n* rouille *f* ▶ *vi* rouiller

rusty ['rʌstɪ] *adj* rouillé(e)

ruthless ['ru:θlɪs] *adj* sans pitié,
impitoyable

RV *n abbr* (US) = **recreational
vehicle**

rye [raɪ] *n* seigle *m*

S

Sabbath ['sæbəθ] *n* (Jewish)
sabbat *m*; (Christian) dimanche *m*

sabotage ['sæbətɑːʒ] *n* sabotage
m ▶ *vt* saboter

saccharin(e) ['sækərɪn] *n*
saccharine *f*

sachet ['sæʃeɪ] *n* sachet *m*

sack [sæk] *n* (bag) sac *m* ▶ *vt*
(dismiss) renvoyer, mettre à la
porte; (plunder) piller, mettre à
sac; **to get the ~** être renvoyé(e)
or mis(e) à la porte

sacred ['seɪkrɪd] *adj* sacré(e)

sacrifice ['sækrɪfaɪs] *n* sacrifice *m*
▶ *vt* sacrifier

sad [sæd] *adj* (unhappy) triste;
(deplorable) triste, fâcheux(-euse);
(inf: pathetic: thing) triste,
lamentable; (: person) minable

saddle ['sædl] *n* selle *f* ▶ *vt* (horse)
seller; **to be ~d with sth** (inf)
avoir qch sur les bras

sadistic [sə'dɪstɪk] *adj* sadique

sadly ['sædlɪ] *adv* tristement;
(unfortunately) malheureusement;
(seriously) fort

sadness ['sædnɪs] *n* tristesse *f*

s.a.e. n abbr (BRIT: = stamped addressed envelope) enveloppe affranchie pour la réponse

safari [sə'fɑːrɪ] n safari m

safe [seɪf] adj (out of danger) hors de danger, en sécurité; (not dangerous) sans danger; (cautious) prudent(e); (sure: bet) assuré(e) ▶ n coffre-fort m; **~ and sound** sain(e) et sauf; **(just) to be on the ~ side** pour plus de sûreté, par précaution • **safely** adv (assume, say) sans risque d'erreur; (drive, arrive) sans accident • **safe sex** n rapports sexuels protégés

safety ['seɪftɪ] n sécurité f • **safety belt** n ceinture f de sécurité • **safety pin** n épingle f de sûreté or de nourrice

saffron ['sæfrən] n safran m

sag [sæg] vi s'affaisser, fléchir; (hem, breasts) pendre

sage [seɪdʒ] n (herb) sauge f; (person) sage m

Sagittarius [sædʒɪ'tɛərɪəs] n le Sagittaire

Sahara [sə'hɑːrə] n: **the ~ (Desert)** le (désert du) Sahara m

said [sɛd] pt, pp of **say**

sail [seɪl] n (on boat) voile f; (trip): **to go for a ~** faire un tour en bateau ▶ vt (boat) manœuvrer, piloter ▶ vi (travel: ship) avancer, naviguer; (set off) partir, prendre la mer; (Sport) faire de la voile; **they ~ed into Le Havre** ils sont entrés dans le port du Havre • **sailboat** n (us) bateau m à voiles, voilier m • **sailing** n (Sport) voile f; **to go sailing** faire de la voile • **sailing boat** n bateau m à voiles, voilier m • **sailor** n marin m, matelot m

saint [seɪnt] n saint(e)

sake [seɪk] n: **for the ~ of** (out of concern for) pour (l'amour de), dans l'intérêt de; (out of consideration for) par égard pour

salad ['sæləd] n salade f • **salad cream** n (BRIT) (sorte f de) mayonnaise f • **salad dressing** n vinaigrette f

salami [sə'lɑːmɪ] n salami m

salary ['sælərɪ] n salaire m, traitement m

sale [seɪl] n vente f; (at reduced prices) soldes mpl; (total amount sold) chiffre m de ventes; **"for ~"** "à vendre"; **on ~** en vente • **sales assistant** n (us) **sales clerk** n vendeur(-euse) • **salesman** (irreg) n (in shop) vendeur m • **salesperson** (irreg) n (in shop) vendeur(-euse) • **sales rep** n (Comm) représentant(e) m/f • **saleswoman** (irreg) n (in shop) vendeuse f

saline ['seɪlaɪn] adj salin(e)

saliva [sə'laɪvə] n salive f

salmon ['sæmən] n (pl inv) saumon m

salon ['sælɔn] n salon m

saloon [sə'luːn] n (us) bar m; (BRIT Aut) berline f; (ship's lounge) salon m

salt [sɔːlt] n sel m ▶ vt saler • **saltwater** adj (fish etc) (d'eau) de mer • **salty** adj salé(e)

salute [sə'luːt] n salut m; (of guns) salve f ▶ vt saluer

salvage ['sælvɪdʒ] n (saving) sauvetage m; (things saved) biens sauvés or récupérés ▶ vt sauver, récupérer

Salvation Army [sæl'veɪʃən-] n Armée f du Salut

same [seɪm] adj même ▶ pron: **the ~** le (la) même, les mêmes;

S

the ~ **book as** le même livre que; **at the ~ time** en même temps; (yet) néanmoins; **all** or **just the ~** tout de même, quand même; **to do the ~** faire de même, en faire autant; **to do the ~ as sb** faire comme qn; **and the ~ to you!** et à vous de même!; (after insult) toi-même!

sample ['sɑːmpl] n échantillon m; (Med) prélèvement m ▸ vt (food, wine) goûter

sanction ['sæŋkʃən] n approbation f, sanction f ▸ vt cautionner, sanctionner; **sanctions** npl (Pol) sanctions

sanctuary ['sæŋktjuərɪ] n (holy place) sanctuaire m; (refuge) asile m; (for wildlife) réserve f

sand [sænd] n sable m; **sands** npl (beach) plage f (de sable) ▸ vt (also: ~ **down**: wood etc) poncer

sandal ['sændl] n sandale f

sand: • **sandbox** n (us: for children) tas m de sable • **sand castle** n château m de sable • **sand dune** n dune f de sable • **sandpaper** n papier m de verre • **sandpit** n (BRIT: for children) tas m de sable • **sandstone** n grès m

sandwich ['sændwɪtʃ] n sandwich m ▸ vt (also: ~ **in**) intercaler; **~ed between** pris en sandwich entre; **cheese/ham ~** sandwich au fromage/jambon

sandy ['sændɪ] adj sablonneux(-euse); (colour) sable inv, blond roux inv

sane [seɪn] adj (person) sain(e) d'esprit; (outlook) sensé(e), sain(e)

sang [sæŋ] pt of **sing**

sanitary towel, (us) **sanitary napkin** ['sænɪtərɪ-] n serviette f hygiénique

sanity ['sænɪtɪ] n santé mentale; (common sense) bon sens

sank [sæŋk] pt of **sink**

Santa Claus [sæntə'klɔːz] n le Père Noël

sap [sæp] n (of plants) sève f ▸ vt (strength) saper, miner

sapphire ['sæfaɪəʳ] n saphir m

sarcasm ['sɑːkæzm] n sarcasme m, raillerie f

sarcastic [sɑː'kæstɪk] adj sarcastique

sardine [sɑː'diːn] n sardine f

SASE n abbr (us: = self-addressed stamped envelope) enveloppe affranchie pour la réponse

sat [sæt] pt, pp of **sit**

Sat. abbr (= Saturday) sa

satchel ['sætʃl] n cartable m

satellite ['sætəlaɪt] n satellite m • **satellite dish** n antenne f parabolique • **satellite navigation system** n système m de navigation par satellite • **satellite television** n télévision f par satellite

satin ['sætɪn] n satin m ▸ adj en or de satin, satiné(e)

satire ['sætaɪəʳ] n satire f

satisfaction [sætɪs'fækʃən] n satisfaction f

satisfactory [sætɪs'fæktərɪ] adj satisfaisant(e)

satisfied ['sætɪsfaɪd] adj satisfait(e); **to be ~ with sth** être satisfait de qch

satisfy ['sætɪsfaɪ] vt satisfaire, contenter; (convince) convaincre, persuader

Saturday ['sætədɪ] n samedi m

sauce [sɔːs] n sauce f • **saucepan** n casserole f

saucer ['sɔːsəʳ] n soucoupe f

Saudi Arabia ['saʊdɪ-] n Arabie f
Saoudite

sauna ['sɔːnə] n sauna m

sausage ['sɒsɪdʒ] n saucisse f;
(salami etc) saucisson m
• **sausage roll** n friand m

sautéed ['səʊteɪd] adj sauté(e)

savage ['sævɪdʒ] adj (cruel, fierce)
brutal(e), féroce; (primitive)
primitif(-ive), sauvage ▶ n
sauvage m/f ▶ vt attaquer
férocement

save [seɪv] vt (person, belongings)
sauver; (money) mettre de côté,
économiser; (time) (faire) gagner;
(keep) garder; (Comput)
sauvegarder; (Sport: stop) arrêter;
(avoid: trouble) éviter ▶ vi (also:
~ up) mettre de l'argent de côté
▶ n (Sport) arrêt m (du ballon)
▶ prep sauf, à l'exception de

saving ['seɪvɪŋ] n économie f;
savings npl économies fpl

savings account n compte m
d'épargne

savings and loan association
(us) n ≈ société f de crédit
immobilier

savoury, (us) **savory** ['seɪvərɪ]
adj savoureux(-euse); (dish: not
sweet) salé(e)

saw [sɔː] pt of **see** ▶ n (tool) scie f
▶ vt (pt **sawed**, pp **sawed** or **sawn**)
scier • **sawdust** n sciure f

sawn [sɔːn] pp of **saw**

saxophone ['sæksəfəʊn] n
saxophone m

say [seɪ] vt (pt, pp **said**) dire ▶ n:
to have one's ~ dire ce qu'on a à
dire; **to have a ~** avoir voix au
chapitre; **could you ~ that
again?** pourriez-vous répéter ce
que vous venez de dire?; **to ~ yes/
no** dire oui/non; **my watch ~s**

3 o'clock ma montre indique
3 heures, il est 3 heures à ma
montre; **that is to ~** c'est-à-dire;
that goes without ~ing cela va
sans dire, cela va de soi • **saying** n
dicton m, proverbe m

scab [skæb] n croûte f; (pej) jaune m

scaffolding ['skæfəldɪŋ] n
échafaudage m

scald [skɔːld] n brûlure f ▶ vt
ébouillanter

scale [skeɪl] n (offish) écaille f; (Mus)
gamme f; (of ruler, thermometer etc)
graduation f, échelle (graduée);
(of salaries, fees etc) barème m; (of
map, also size, extent) échelle ▶ vt
(mountain) escalader; **scales** npl
balance f; (larger) bascule f; (also:
bathroom ~s) pèse-personne m
inv; **~ of charges** tableau m des
tarifs; **on a large ~** sur une
grande échelle, en grand

scallion ['skæljən] n (us: salad
onion) ciboule f

scallop ['skɒləp] n coquille f
Saint-Jacques; (Sewing) feston m

scalp [skælp] n cuir chevelu ▶ vt
scalper

scalpel ['skælpl] n scalpel m

scam [skæm] n (inf) arnaque f

scampi ['skæmpɪ] npl
langoustines (frites), scampi mpl

scan [skæn] vt (examine) scruter,
examiner; (glance at quickly)
parcourir; (TV, Radar) balayer ▶ n
(Med) scanographie f

scandal ['skændl] n scandale m;
(gossip) ragots mpl

Scandinavia [skændɪ'neɪvɪə] n
Scandinavie f • **Scandinavian** adj
scandinave ▶ n Scandinave m/f

scanner ['skænə] n (Radar, Med)
scanner m, scanographe m;
(Comput) scanner

S

scapegoat ['skeɪpgəʊt] n bouc m émissaire

scar [skɑːʳ] n cicatrice f ▸ vt laisser une cicatrice or une marque à

scarce [skɛəs] adj rare, peu abondant(e); **to make o.s. ~** (inf) se sauver • **scarcely** adv à peine, presque pas

scare [skɛəʳ] n peur f, panique f ▸ vt effrayer, faire peur à; **to ~ sb stiff** faire une peur bleue à qn; **bomb ~** alerte f à la bombe
• **scarecrow** n épouvantail m
• **scared** adj: **to be scared** avoir peur

scarf (pl **scarves**) [skɑːf, skɑːvz] n (long) écharpe f; (square) foulard m

scarlet ['skɑːlɪt] adj écarlate

scarves [skɑːvz] npl of **scarf**

scary ['skɛərɪ] adj (inf) effrayant(e); (film) qui fait peur

scatter ['skætəʳ] vt éparpiller, répandre; (crowd) disperser ▸ vi se disperser

scenario [sɪ'nɑːrɪəʊ] n scénario m

scene [siːn] n (Theat, fig etc) scène f; (of crime, accident) lieu(x) m (pl), endroit m; (sight, view) spectacle m, vue f • **scenery** n (Theat) décor(s) m (pl); (landscape) paysage m • **scenic** adj offrant de beaux paysages or panoramas

scent [sɛnt] n parfum m, odeur f; (fig: track) piste f

sceptical, (us)**skeptical** ['skɛptɪkl] adj sceptique

schedule ['ʃɛdjuːl, us 'skɛdjuːl] n programme m, plan m; (of trains) horaire m; (of prices etc) barème m, tarif m ▸ vt prévoir; **on ~** à l'heure (prévue); à la date prévue; **to be ahead of/behind ~** avoir de

l'avance/du retard • **scheduled flight** n vol régulier

scheme [skiːm] n plan m, projet m; (plot) complot m, combine f; (arrangement) arrangement m, classification f; (pension scheme etc) régime m ▸ vt, vi comploter, manigancer

schizophrenic [skɪtsə'frɛnɪk] adj schizophrène

scholar ['skɒləʳ] n érudit(e); (pupil) boursier(-ère)
• **scholarship** n érudition f; (grant) bourse f (d'études)

school [skuːl] n (gen) école f; (secondary school) collège m; lycée m; (in university) faculté f; (us: university) université f ▸ cpd scolaire • **schoolbook** n livre m scolaire or de classe • **schoolboy** n écolier m; (at secondary school) collégien m; lycéen m
• **schoolchildren** npl écoliers mpl; (at secondary school) collégiens mpl; lycéens mpl • **schoolgirl** n écolière f; (at secondary school) collégienne f; lycéenne f
• **schooling** n instruction f, études fpl • **schoolteacher** n (primary) instituteur(-trice); (secondary) professeur m

science ['saɪəns] n science f
• **science fiction** n science-fiction f • **scientific** [saɪən'tɪfɪk] adj scientifique • **scientist** n scientifique m/f; (eminent) savant m

sci-fi ['saɪfaɪ] n abbr (inf: = science fiction) SF f

scissors ['sɪzəz] npl ciseaux mpl; **a pair of ~** une paire de ciseaux

scold [skəʊld] vt gronder

scone [skɒn] n sorte de petit pain rond au lait

scoop [skuːp] n pelle f (à main); (for ice cream) boule f à glace; (Press) reportage exclusif or à sensation

scooter ['skuːtər] n (motor cycle) scooter m; (toy) trottinette f

scope [skəup] n (capacity: of plan, undertaking) portée f, envergure f; (: of person) compétence f, capacités fpl; (opportunity) possibilités fpl

scorching ['skɔːtʃɪŋ] adj torride, brûlant(e)

score [skɔːr] n score m, décompte m des points; (Mus) partition f ▶ vt (goal, point) marquer; (success) remporter; (cut: leather, wood, card) entailler, inciser ▶ vi marquer des points; (Football) marquer un but; (keep score) compter les points; **on that ~** sur ce chapitre, à cet égard; **a ~ (of)** (twenty) vingt; **~s of** (fig) des tas de; **to ~ 6 out of 10** obtenir 6 sur 10 • **score out** vt rayer, barrer, biffer • **scoreboard** n tableau m • **scorer** n (Football) auteur m du but; (keeping score) marqueur m

scorn [skɔːn] n mépris m, dédain m

Scorpio ['skɔːpɪəu] n le Scorpion

scorpion ['skɔːpɪən] n scorpion m

Scot [skɔt] n Écossais(e)

Scotch [skɔtʃ] n whisky m, scotch m

Scotch tape® (US) n scotch® m, ruban adhésif

Scotland ['skɔtlənd] n Écosse f

Scots [skɔts] adj écossais(e)
• **Scotsman** (irreg) n Écossais m
• **Scotswoman** (irreg) n Écossaise f • **Scottish** ['skɔtɪʃ] adj écossais(e); **the Scottish Parliament** le Parlement écossais

scout [skaut] n (Mil) éclaireur m; (also: **boy ~**) scout m; **girl ~** (US) guide f

scowl [skaul] vi se renfrogner; **to ~ at** regarder de travers

scramble ['skræmbl] n (rush) bousculade f, ruée f ▶ vi grimper/ descendre tant bien que mal; **to ~ for** se bousculer or se disputer pour (avoir); (Sport) faire du trial • **scrambled eggs** npl œufs brouillés

scrap [skræp] n bout m, morceau m; (fight) bagarre f; (also: **~ iron**) ferraille f ▶ vt jeter, mettre au rebut; (fig) abandonner, laisser tomber ▶ vi se bagarrer; **scraps** npl (waste) déchets mpl
• **scrapbook** n album m

scrape [skreɪp] vt, vi gratter, racler ▶ n: **to get into a ~** s'attirer des ennuis • **scrape through** vi (exam etc) réussir de justesse

scrap paper n papier m brouillon

scratch [skrætʃ] n égratignure f, rayure f; (on paint) éraflure f; (from claw) coup m de griffe ▶ vt (rub) (se) gratter; (paint etc) érafler; (with claw, nail) griffer ▶ vi (se) gratter; **to start from ~** partir de zéro; **to be up to ~** être à la hauteur • **scratch card** n carte f à gratter

scream [skriːm] n cri perçant, hurlement m ▶ vi crier, hurler

screen [skriːn] n écran m; (in room) paravent m; (fig) écran, rideau m ▶ vt masquer, cacher; (from the wind etc) abriter, protéger; (film) projeter; (candidates etc) filtrer
• **screening** n (of film) projection f; (Med) test m (or tests) de dépistage • **screenplay** n scénario m • **screen saver** n (Comput) économiseur m d'écran

• screenshot n (Comput) capture f d'écran

screw [skru:] n vis f ▸ vt (also: **~ up**) visser • **screw up** (paper etc) froisser; **to ~ up one's eyes** se plisser les yeux • **screwdriver** n tournevis m

scribble ['skrɪbl] n gribouillage m ▸ vt gribouiller, griffonner

script [skrɪpt] n (Cine etc) scénario m, texte m; (writing) (écriture f) script m

scroll [skrəʊl] n rouleau m ▸ vt (Comput) faire défiler (sur l'écran)

scrub [skrʌb] n (land) broussailles fpl ▸ vt (floor) nettoyer à la brosse; (pan) récurer; (washing) frotter

scruffy ['skrʌfɪ] adj débraillé(e)

scrum(mage) ['skrʌm(ɪdʒ)] n mêlée f

scrutiny ['skru:tɪnɪ] n examen minutieux

scuba diving ['sku:bə-] n plongée sous-marine

sculptor ['skʌlptə'] n sculpteur m

sculpture ['skʌlptʃə'] n sculpture f

scum [skʌm] n écume f, mousse f; (pej: people) rebut m, lie f

scurry ['skʌrɪ] vi filer à toute allure; **to ~ off** détaler, se sauver

sea [si:] n mer f ▸ cpd marin(e), de (la) mer, maritime; **by** or **beside the ~** (holiday, town) au bord de la mer; **by ~** par mer, en bateau; **out to ~** au large; **(out) at ~** en mer; **to be all at ~** (fig) nager complètement • **seafood** n fruits mpl de mer • **sea front** n bord m de mer • **seagull** n mouette f

seal [si:l] n (animal) phoque m; (stamp) sceau m, cachet m ▸ vt sceller; (envelope) coller; (: with seal) cacheter • **seal off** vt (forbid entry to) interdire l'accès de

sea level n niveau m de la mer

seam [si:m] n couture f; (of coal) veine f, filon m

search [sə:tʃ] n (for person, thing, Comput) recherche(s) f(pl); (of drawer, pockets) fouille f; (Law: at sb's home) perquisition f ▸ vt fouiller; (examine) examiner minutieusement; scruter ▸ vi: **to ~ for** chercher; **in ~ of** à la recherche de • **search engine** n (Comput) moteur m de recherche • **search party** n expédition f de secours

sea~: • seashore n rivage m, plage f, bord m de (la) mer • **seasick** adj: **to be seasick** avoir le mal de mer • **seaside** n bord m de mer • **seaside resort** n station f balnéaire

season ['si:zn] n saison f ▸ vt assaisonner, relever; **to be in/out of ~** être/ne pas être de saison • **seasonal** adj saisonnier(-ière) • **seasoning** n assaisonnement m • **season ticket** n carte f d'abonnement

seat [si:t] n siège m; (in bus, train: place) place f; (buttocks) postérieur m; (of trousers) fond m ▸ vt faire asseoir, placer; (have room for) avoir des places assises pour, pouvoir accueillir; **to be ~ed** être assis • **seat belt** n ceinture f de sécurité • **seating** n sièges fpl, places assises

sea~: • sea water n eau f de mer • **seaweed** n algues fpl

sec. abbr (= second) sec

secluded [sɪ'klu:dɪd] adj retiré(e), à l'écart

second ['sekənd] num deuxième, second(e) ▸ adv (in race etc) en seconde position ▸ n (unit of time)

seconde f; (Aut: also: **~ gear**) seconde; (Comm: imperfect) article m de second choix; (BRIT Scol) ≈ licence f avec mention ▶ vt (motion) appuyer; **seconds** npl (inf: food) rab m (inf) • **secondary** adj secondaire • **secondary school** n (age 11 to 15) collège m; (age 15 to 18) lycée m • **second-class** adj de deuxième classe; (Rail) de seconde (classe); (Post) au tarif réduit, (pej) de qualité inférieure ▶ adv (Rail) en seconde; (Post) au tarif réduit
• **secondhand** adj d'occasion; (information) de seconde main • **secondly** adv deuxièmement
• **second-rate** adj de deuxième ordre, de qualité inférieure
• **second thoughts** npl: **to have second thoughts** changer d'avis; **on second thoughts** or (US) **thought** à la réflexion

secrecy ['si:krəsɪ] n secret m

secret ['si:krɪt] adj secret(-ète) ▶ n secret m; **in ~** adv en secret, secrètement, en cachette

secretary ['sekrətrɪ] n secrétaire m/f; **S~ of State (for)** (Pol) ministre m (de)

secretive ['si:krətɪv] adj réservé(e); (pej) cachottier(-ière), dissimulé(e)

secret service n services secrets

sect [sekt] n secte f

section ['sekʃən] n section f; (Comm) rayon m; (of document) section, article m, paragraphe m; (cut) coupe f

sector ['sektəʳ] n secteur m

secular ['sekjuləʳ] adj laïque

secure [sɪ'kjuəʳ] adj (free from anxiety) sans inquiétude, sécurisé(e); (firmly fixed) solide,

bien attaché(e) (or fermé(e) etc); (in safe place) en lieu sûr, en sûreté ▶ vt (fix) fixer, attacher; (get) obtenir, se procurer

security [sɪ'kjuərɪtɪ] n sécurité f, mesures fpl de sécurité; (for loan) caution f, garantie f; **securities** npl (Stock Exchange) valeurs fpl, titres mpl • **security guard** n garde chargé de la sécurité; (transporting money) convoyeur m de fonds

sedan [sə'dæn] n (US Aut) berline f

sedate [sɪ'deɪt] adj calme; posé(e) ▶ vt donner des sédatifs à

sedative ['sedɪtɪv] n calmant m, sédatif m

seduce [sɪ'dju:s] vt séduire
• **seductive** [sɪ'dʌktɪv] adj séduisant(e); (smile) séducteur(-trice), (fig: offer) alléchant(e)

see [si:] (pt saw, pp seen) vt (gen) voir; (accompany): **to ~ sb to the door** reconduire or raccompagner qn jusqu'à la porte ▶ vi voir; **to ~ that** (ensure) veiller à ce que + sub, faire en sorte que + sub, s'assurer que; • **you soon/later/ tomorrow!** à bientôt/plus tard/ demain! • **see about** vt fus s'occuper de • **see off** vt accompagner (à l'aéroport etc) • **see out** vt (take to door) raccompagner à la porte • **see through** vt mener à bonne fin ▶ vt fus voir clair dans • **see to** vt fus s'occuper de, se charger de

seed [si:d] n graine f; (fig) germe m; (Tennis etc) tête f de série; **to go to ~** (plant) monter en graine; (fig) se laisser aller

seeing ['si:ɪŋ] conj: **~ (that)** vu que, étant donné que

seek [si:k] (pt, pp **sought**) vt chercher, rechercher

S

seem 714

seem [siːm] vi sembler, paraître; **there ~s to be ...** il semble qu'il y a ..., on dirait qu'il y a ...
• **seemingly** adv apparemment
seen [siːn] pp of **see**
seesaw ['siːsɔː] n (jeu m de) bascule f
segment ['sɛgmənt] n segment m; (of orange) quartier m
segregate ['sɛgrɪgeɪt] vt séparer, isoler
Seine [seɪn] n: **the (River) ~** la Seine
seize [siːz] vt (grasp) saisir, attraper; (take possession of) s'emparer de; (opportunity) saisir
seizure ['siːʒə'] n (Med) crise f, attaque f; (of power) prise f
seldom ['sɛldəm] adv rarement
select [sɪ'lɛkt] adj choisi(e), d'élite; (hotel, restaurant, club) chic inv, sélect inv ▶ vt sélectionner, choisir • **selection** n sélection f, choix m • **selective** adj sélectif(-ive); (school) à recrutement sélectif
self (pl selves) [sɛlf, sɛlvz] n: **the ~** le moi m ▶ prefix auto- • **self-assured** adj sûr(e) de soi, plein(e) d'assurance
• **self-catering** adj (BRIT: flat) avec cuisine, où l'on peut faire sa cuisine; (: holiday) indépendant (or chalet etc) loué • **self-centred**
• (US) **self-centered** adj égocentrique • **self-confidence** n confiance f en soi • **self-confident** adj sûr(e) de soi, plein(e) d'assurance
• **self-conscious** adj timide, qui manque d'assurance
• **self-contained** adj (BRIT: flat) avec entrée particulière, indépendant(e) • **self-control** n

maîtrise f de soi • **self-defence**
• (US) **self-defense** n autodéfense f; (Law) légitime défense f
• **self-drive** adj (BRIT): **self-drive car** voiture f de location
• **self-employed** adj qui travaille à son compte • **self-esteem** n amour-propre m • **self-harm** vi s'automutiler • **self-indulgent** adj qui ne se refuse rien
• **self-interest** n intérêt personnel • **selfish** adj égoïste
• **self-pity** n apitoiement m sur soi-même • **self-raising** [sɛlf'reɪzɪŋ] • (US) **self-rising** [sɛlf'raɪzɪŋ] adj: **self-raising flour** farine f pour gâteaux (avec levure incorporée) • **self-respect** n respect m de soi, amour-propre m
• **self-service** adj, n libre-service (m), self-service m
sell [sɛl] (pt, pp **sold**) vt vendre ▶ vi se vendre; **to ~ at** or **for 10 euros** se vendre 10 euros
• **sell off** vt liquider • **sell out** vi: **to ~ out (of sth)** (use up stock) vendre tout son stock (de qch)
• **sell-by date** n date f limite de vente • **seller** n vendeur(-euse), marchand(e)
Sellotape® ['sɛləuteɪp] n (BRIT) scotch® m
selves [sɛlvz] npl of **self**
semester [sɪ'mɛstə'] n (esp US) semestre m
semi... ['sɛmɪ] prefix semi-, demi-; à demi, à moitié • **semicircle** n demi-cercle m • **semidetached (house)** n (BRIT) maison jumelée or jumelle • **semi-final** n demi-finale f
seminar ['sɛmɪnɑː'] n séminaire m
semi-skimmed ['sɛmɪ'skɪmd] adj demi-écrémé(e)

senate ['sɛnɪt] n sénat m; (US):
the S~ le Sénat • **senator** n
sénateur m

send [sɛnd] (pt, pp **sent**) vt
envoyer • **send back** vt renvoyer
• **send for** vt fus (by post) se faire
envoyer, commander par
correspondance • **send in** vt
(report, application, resignation)
remettre • **send off** vt (goods)
envoyer, expédier; (BRIT Sport:
player) expulser or renvoyer du
terrain • **send on** vt (BRIT: letter)
faire suivre; (luggage etc: in
advance) (faire) expédier à l'avance
• **send out** vt (invitation) envoyer
(par la poste); (emit: light, heat,
signal) émettre • **send up** vt
(person, price) faire monter; (BRIT:
parody) mettre en boîte, parodier
• **sender** n expéditeur(-trice)
• **send-off** n: **a good send-off**
des adieux chaleureux

senile ['siːnaɪl] adj sénile

senior ['siːnɪər] adj (high-ranking)
de haut niveau; (of higher rank): **to
be ~ to sb** être le supérieur de qn
• **senior citizen** n personne f du
troisième âge • **senior high
school** n (US) = lycée m

sensation [sɛn'seɪʃən] n
sensation f • **sensational** adj qui
fait sensation; (marvellous)
sensationnel(le)

sense [sɛns] n sens m; (feeling)
sentiment m; (meaning) sens,
signification f; (wisdom) bon sens
▶ vt sentir, pressentir; **it makes ~**
c'est logique • **senseless** adj
insensé(e), stupide; (unconscious)
sans connaissance • **sense of
humour** • (US) **sense of humor** n
sens m de l'humour

sensible ['sɛnsɪbl] adj sensé(e),
raisonnable; (shoes etc) pratique

⚠ Be careful not to translate
sensible by the French word
sensible.

sensitive ['sɛnsɪtɪv] adj: **~ (to)**
sensible (à)

sensual ['sɛnsjuəl] adj
sensuel(le)

sensuous ['sɛnsjuəs] adj
voluptueux(-euse), sensuel(le)

sent [sɛnt] pt, pp of **send**

sentence ['sɛntns] n (Ling)
phrase f; (Law: judgment)
condamnation f, sentence f;
(: punishment) peine f ▶ vt: **to ~ sb
to death/to 5 years** condamner
qn à mort/à 5 ans

sentiment ['sɛntɪmənt] n
sentiment m; (opinion) opinion f,
avis m • **sentimental**
[sɛntɪ'mɛntl] adj sentimental(e)

separate adj ['sɛprɪt] séparé(e);
(organization) indépendant(e);
(day, occasion, issue) différent(e)
▶ vt ['sɛpəreɪt] séparer;
(distinguish) distinguer ▶ vi
['sɛpəreɪt] se séparer
• **separately** adv séparément
• **separates** npl (clothes)
coordonnés mpl • **separation**
[sɛpə'reɪʃən] n séparation f

September [sɛp'tɛmbər] n
septembre m

septic ['sɛptɪk] adj (wound)
infecté(e) • **septic tank** n fosse f
septique

sequel ['siːkwl] n conséquence f,
séquelles fpl; (of story) suite f

sequence ['siːkwəns] n ordre m,
suite f; (in film) séquence f; (dance)
numéro m

sequin ['siːkwɪn] n paillette f

Serb [səːb] adj, n = **Serbian**

Serbia ['səːbɪə] n Serbie f

S

Serbian ['sə:bɪən] adj serbe ▶ n
Serbe m/f; (Ling) serbe m

sergeant ['sɑ:dʒənt] n sergent m;
(Police) brigadier m

serial ['sɪərɪəl] n feuilleton m
• **serial killer** n meurtrier m tuant
en série • **serial number** n
numéro m de série

series ['sɪərɪz] n série f;
(Publishing) collection f

serious ['sɪərɪəs] adj
sérieux(-euse); (accident etc) grave
• **seriously** adv sérieusement;
(hurt) gravement

sermon ['sə:mən] n sermon m

servant ['sə:vənt] n domestique
m/f; (fig) serviteur (servante)

serve [sə:v] vt (employer etc) servir,
être au service de; (purpose) servir
à; (customer, food, meal) servir;
(subj: train) desservir;
(apprenticeship) faire, accomplir;
(prison term) faire; purger ▶ vi
(Tennis) servir; (be useful): **to ~ as/
for/to do** servir de/à/à faire ▶ n
(Tennis) service m; **it ~s him right**
c'est bien fait pour lui • **server** n
(Comput) serveur m

service ['sə:vɪs] n (gen) service m;
(Aut) révision f; (Rel) office m ▶ vt
(car etc) réviser; **services** npl (Econ:
tertiary sector) (secteur m) tertiaire
m, secteur des services; (BRIT: on
motorway) station-service f; (Mil):
the S~s npl les forces armées; **to
be of ~ to sb, to do sb a ~** rendre
service à qn; **~ included/not
included** service compris/non
compris • **service area** n (on
motorway) aire f de services
• **service charge** n (BRIT) service
m • **serviceman** (irreg) n militaire
m • **service station** n
station-service f

serviette [sə:vɪ'ɛt] n (BRIT)
serviette f (de table)

session ['sɛʃən] n (sitting) séance
f; **to be in ~** siéger, être en session
or en séance

set [sɛt] (pt, pp **set**) n série f,
assortiment m; (of tools etc) jeu m;
(Radio, TV) poste m; (Tennis) set m;
(group of people) cercle m, milieu m;
(Cine) plateau m; (Theat: stage)
scène f; (: scenery) décor m; (Math)
ensemble m; (Hairdressing) mise f
en plis ▶ adj (fixed) fixe,
déterminé(e); (ready) prêt(e) ▶ vt
(place) mettre, poser, placer; (fix,
establish) fixer; (: record) établir;
(assign: task, homework) donner;
(exam) composer; (adjust) régler;
(decide: rules etc) fixer, choisir ▶ vi
(sun) se coucher; (jam, jelly, concrete)
prendre; (bone) se ressouder; **to
be ~ on doing** être résolu(e) à
faire; **to ~ to music** mettre en
musique; **to ~ on fire** mettre le
feu à; **to ~ free** libérer; **to ~ sth
going** déclencher qch; **to ~ sail**
partir, prendre la mer • **set aside**
vt mettre de côté; (time) garder
• **set down** vt (subj: bus, train)
déposer • **set in** vi (infection, bad
weather) s'installer; (complications)
survenir, surgir • **set off** vi se
mettre en route, partir ▶ vt (bomb)
faire exploser; (cause to start)
déclencher; (show up well) mettre
en valeur, faire valoir • **set out** vi:
to ~ out (from) partir (de) ▶ vt
(arrange) disposer; (state)
présenter, exposer; **to ~ out to
do** entreprendre de faire; avoir
pour but or intention de faire
• **set up** vt (organization) fonder,
créer • **setback** n (hitch)
revers m, contretemps m
• **set menu** n menu m

settee [sɛ'ti:] n canapé m

setting ['sɛtɪŋ] n cadre m; (of jewel) monture f; (position: of controls) réglage m

settle ['sɛtl] vt (argument, matter, account) régler; (problem) résoudre; (Med: calm) calmer ▶ vi (bird, dust etc) se poser; **to ~ for sth** accepter qch, se contenter de qch; **to ~ on sth** opter or se décider pour qch • **settle down** vi (get comfortable) s'installer; (become calmer) se calmer; **settle in** vi s'installer • **settle up** vi: **to ~ up with sb** régler (ce que l'on doit à) qn • **settlement** n (payment) règlement m; (agreement) accord m; (village etc) village m, hameau m

setup ['sɛtʌp] n (arrangement) manière f dont les choses sont organisées; (situation) situation f, allure f des choses

seven ['sɛvn] num sept • **seventeen** [sɛvn'ti:n] num dix-sept • **seventeenth** [sɛvn'ti:nθ] num dix-septième • **seventh** ['sɛvnθ] num septième • **seventieth** ['sɛvntɪɪθ] num soixante-dixième • **seventy** num soixante-dix

sever ['sɛvə'] vt (cut) couper, trancher; (relations) rompre

several ['sɛvərl] adj, pron plusieurs pl; **~ of us** plusieurs d'entre nous

severe [sɪ'vɪə'] adj (stern) sévère, strict(e); (serious) grave, sérieux(-euse); (plain) sévère, austère

sew (pt **sewed**, pp **sewn**) [səu, səud, səun] vt, vi coudre

sewage ['su:ɪdʒ] n vidange(s) f(pl)

sewer ['su:ə'] n égout m

sewing ['səuɪŋ] n couture f; (item(s)) ouvrage m • **sewing machine** n machine f à coudre

sewn [səun] pp of **sew**

sex [sɛks] n sexe m; **to have ~ with** avoir des rapports (sexuels) avec • **sexism** ['sɛksɪzəm] n sexisme m • **sexist** adj sexiste • **sexual** ['sɛksjuəl] adj sexuel(le) • **sexual intercourse** n rapports sexuels • **sexuality** [sɛksju'ælɪtɪ] n sexualité f • **sexy** adj sexy inv

shabby ['ʃæbɪ] adj miteux(-euse); (behaviour) mesquin(e), méprisable

shack [ʃæk] n cabane f, hutte f

shade [ʃeɪd] n ombre f; (for lamp) abat-jour m inv; (of colour) nuance f, ton m; (us: window shade) store m; (small quantity): **a ~ of** un soupçon de ▶ vt abriter du soleil, ombrager; **shades** npl (us: sunglasses) lunettes fpl de soleil; **in the ~** à l'ombre; **a ~ smaller** un tout petit peu plus petit

shadow ['ʃædəu] n ombre f ▶ vt (follow) filer • **shadow cabinet** n (BRIT Pol) cabinet parallèle formé par le parti qui n'est pas au pouvoir

shady ['ʃeɪdɪ] adj ombragé(e); (fig: dishonest) louche, véreux(-euse)

shaft [ʃɑ:ft] n (of arrow, spear) hampe f; (Aut, Tech) arbre m; (of mine) puits m; (of lift) cage f; (of light) rayon m, trait m

shake [ʃeɪk] (pt **shook**, pp **shaken**) vt secouer; (bottle, cocktail) agiter; (house, confidence) ébranler ▶ vi trembler; **to ~ one's head** (in refusal etc) dire or faire non de la tête; (in dismay) secouer la tête; **to ~ hands with sb** serrer la main à qn • **shake off** vt secouer; (*pursuer*) se débarrasser de • **shake up** *vt* secouer • **shaky** *adj* (*hand, voice*) tremblant(e); (*building*) branlant(e), peu solide

shall [ʃæl] *aux vb*: **I ~ go** j'irai; **~ I open the door?** j'ouvre la porte?; **I'll get the coffee, ~ I?** je vais chercher le café, d'accord?

shallow ['ʃæləʊ] *adj* peu profond(e); (*fig*) superficiel(le), qui manque de profondeur

sham [ʃæm] *n* frime f

shambles ['ʃæmblz] *n* confusion f, pagaïe f, fouillis m

shame [ʃeɪm] *n* honte f ▶ *vt* faire honte à; **it is a ~ (that/to do)** c'est dommage (que + *sub*/de faire); **what a ~!** quel dommage! • **shameful** *adj* honteux(-euse), scandaleux(-euse) • **shameless** *adj* éhonté(e), effronté(e)

shampoo [ʃæm'puː] *n* shampooing m ▶ *vt* faire un shampooing à

shandy ['ʃændɪ] *n* bière panachée

shan't [ʃɑːnt] = **shall not**

shape [ʃeɪp] *n* forme f ▶ *vt* façonner, modeler; (*sb's ideas, character*) former; (*sb's life*) déterminer ▶ *vi* (*also*: **~ up**) (*events*) prendre tournure; (*: person*) faire des progrès, s'en sortir; **to take ~** prendre forme *or* tournure • **shareholder** *n* (*BRIT*) actionnaire m/f

shark [ʃɑːk] *n* requin m

sharp [ʃɑːp] *adj* (*razor, knife*) tranchant(e), bien aiguisé(e); (*point, voice*) aigu(ë); (*nose, chin*)

pointu(e); (*outline, increase*) net(te); (*cold, pain*) vif (vive); (*taste*) piquant(e), âcre; (*Mus*) dièse; (*person: quick-witted*) vif (vive), éveillé(e); (*: unscrupulous*) malhonnête ▶ *n* (*Mus*) dièse m ▶ *adv*: **at 2 o'clock ~** à 2 heures pile *or* tapantes • **sharpen** *vt* aiguiser; (*pencil*) tailler; (*fig*) aviver • **sharpener** *n* (*also*: **pencil sharpener**) taille-crayon(s) m inv • **sharply** *adv* (*turn, stop*) brusquement; (*stand out*) nettement; (*criticize, retort*) sèchement, vertement

shatter ['ʃætəʳ] *vt* briser; (*fig: upset*) bouleverser; (*: ruin*) briser, ruiner ▶ *vi* voler en éclats, se briser • **shattered** *adj* (*overwhelmed, grief-stricken*) bouleversé(e); (*inf: exhausted*) éreinté(e)

shave [ʃeɪv] *vt* raser ▶ *vi* se raser ▶ *n*: **to have a ~** se raser • **shaver** *n* (*also*: **electric shaver**) rasoir m électrique

shaving cream *n* crème f à raser

shaving foam *n* mousse f à raser

shavings ['ʃeɪvɪŋz] *npl* (*of wood etc*) copeaux mpl

shawl [ʃɔːl] *n* châle m

she [ʃiː] *pron* elle

sheath [ʃiːθ] *n* gaine f, fourreau m, étui m; (*contraceptive*) préservatif m

shed [ʃed] *n* remise f, resserre f ▶ *vt* (*pt, pp* **shed**) (*leaves, fur etc*) perdre; (*tears*) verser, répandre; (*workers*) congédier

she'd [ʃiːd] = **she had**; **she would**

sheep [ʃiːp] *n* (*pl inv*) mouton m • **sheepdog** *n* chien m de berger • **sheepskin** *n* peau f de mouton

sheer [ʃɪəʳ] *adj* (*utter*) pur(e), pur et simple; (*steep*) à pic, abrupt(e);

share [ʃɛəʳ] *n* part f; (*Comm*) action f ▶ *vt* partager; (*have in common*) avoir en commun; **to ~ out (among** *or* **between)** partager (entre)

(almost transparent) extrêmement fin(e) ▶ *adv* à pic, abruptement

sheet [ʃiːt] *n (on bed)* drap *m; (of paper)* feuille *f; (of glass, metal etc)* feuille, plaque *f*

sheik(h) [ʃeɪk] *n* cheik *m*

shelf *(pl* **shelves**) [ʃelf, ʃelvz] *n* étagère *f*, rayon *m*

shell [ʃel] *n (on beach)* coquillage *m; (of egg, nut etc)* coquille *f; (explosive)* obus *m; (of building)* carcasse *f* ▶ *vt (peas)* écosser; *(Mil)* bombarder *(d'obus)*

she'll [ʃiːl] = **she will; she shall**

shellfish [ʃelfɪʃ] *n (pl inv:* crab etc*)* crustacé *m; (:* scallop etc*)* coquillage *m* ▶ *npl (as food)* fruits *mpl* de mer

shelter [ˈʃeltəʳ] *n* abri *m*, refuge *m* ▶ *vt* abriter, protéger; *(give lodging to)* donner asile à ▶ *vi* s'abriter, se mettre à l'abri • **sheltered** *adj (life)* retiré(e), à l'abri des soucis; *(spot)* abrité(e)

shelves [ʃelvz] *npl of* **shelf**

shelving [ˈʃelvɪŋ] *n (shelves)* rayonnage(s) *m(pl)*

shepherd [ˈʃepəd] *n* berger *m* ▶ *vt (guide)* guider, escorter • **shepherd's pie** *n* ≈ hachis *m* Parmentier

sheriff [ˈʃerɪf] *(US)* *n* shérif *m*

sherry [ˈʃerɪ] *n* xérès *m*, sherry *m*

she's [ʃiːz] = **she is; she has**

Shetland [ˈʃetlənd] *n (also:* **the ~s, the ~ Isles** *or* **Islands**) les îles *fpl* Shetland

shield [ʃiːld] *n* bouclier *m; (protection)* écran *m* de protection ▶ *vt:* **to ~ (from)** protéger (de or contre)

shift [ʃɪft] *n (change)* changement *m; (work period)* période *f* de travail; *(of workers)* équipe *f*, poste *m* ▶ *vt*

déplacer, changer de place; *(remove)* enlever ▶ *vi* changer de place, bouger

shin [ʃɪn] *n* tibia *m*

shine [ʃaɪn] *n* éclat *m*, brillant *m* ▶ *vi (pt, pp* **shone**) briller ▶ *vt (pt, pp* **shined**) *(polish)* faire briller or reluire; **to ~ sth on sth** *(torch)* braquer qch sur qch

shingles [ˈʃɪŋglz] *n (Med)* zona *m*

shiny [ˈʃaɪnɪ] *adj* brillant(e)

ship [ʃɪp] *n* bateau *m; (large)* navire *m* ▶ *vt* transporter (par mer); *(send)* expédier (par mer)
• **shipment** *n* cargaison *f*
• **shipping** *n (ships)* navires *mpl; (traffic)* navigation *f; (the industry)* industrie navale; *(transport)* transport *m* • **shipwreck** *n* épave *f; (event)* naufrage *m* ▶ *vt:* **to be shipwrecked** faire naufrage
• **shipyard** *n* chantier naval

shirt [ʃəːt] *n* chemise *f; (woman's)* chemisier *m;* **in ~ sleeves** en bras de chemise

shit [ʃɪt] *excl (inf!)* merde (!)

shiver [ˈʃɪvəʳ] *n* frisson *m* ▶ *vi* frissonner

shock [ʃɔk] *n* choc *m; (Elec)* secousse *f*, décharge *f; (Med)* commotion *f*, choc *m* ▶ *vt (scandalize)* choquer, scandaliser; *(upset)* bouleverser • **shocking** *adj (outrageous)* choquant(e), scandaleux(-euse); *(awful)* épouvantable

shoe [ʃuː] *n* chaussure *f*, soulier *m; (also:* **horse~**) fer *m* à cheval ▶ *vt (pt, pp* **shod**) *(horse)* ferrer
• **shoelace** *n* lacet *m* (de soulier)
• **shoe polish** *n* cirage *m*
• **shoeshop** *n* magasin *m* de chaussures

shone [ʃɔn] *pt, pp of* **shine**

shonky ['ʃɒŋkɪ] *adj* (AUST, NZ *inf*: *untrustworthy*) louche

shook [ʃuk] *pt of* **shake**

shoot [ʃuːt] (*pt, pp* **shot**) *n* (*on branch, seedling*) pousse *f* ▶ *vt* (*game*: *hunt*) chasser; (: *aim at*) tirer; (: *kill*) abattre; (*person*) blesser/tuer d'un coup de fusil (or de revolver); (*execute*) fusiller; (*arrow*) tirer; (*gun*) tirer un coup de; (*Cine*) tourner ▶ *vi* (*with gun, bow*): **to ~ (at)** tirer (sur); (*Football*) shooter, tirer • **shoot down** *vt* (*plane*) abattre • **shoot up** *vi* (*fig: prices etc*) monter en flèche • **shooting** *n* (*shots*) coups *mpl* de feu; (*attack*) fusillade *f*; (*murder*) homicide *m* (à l'aide d'une arme à feu); (*Hunting*) chasse *f*

shop [ʃɒp] *n* magasin *m*; (*workshop*) atelier *m* ▶ *vi* (*also*: **go ~ping**) faire ses courses or ses achats • **shop assistant** *n* (BRIT) vendeur(-euse) • **shopkeeper** *n* marchand(e), commerçant(e) • **shoplifting** *n* vol *m* à l'étalage • **shopping** *n* (*goods*) achats *mpl*, provisions *fpl* • **shopping bag** *n* sac *m* (à provisions) • **shopping centre** • (US) **shopping center** *n* centre commercial • **shopping mall** *n* centre commercial • **shopping trolley** *n* (BRIT) Caddie® *m* • **shop window** *n* vitrine *f*

shore [ʃɔːʳ] *n* (*of sea, lake*) rivage *m*, rive *f* ▶ *vt*: **to ~ (up)** étayer; **on ~** à terre

short [ʃɔːt] *adj* (*not long*) court(e); (*soon finished*) court, bref (brève); (*person, step*) petit(e); (*curt*) brusque, sec (sèche); (*insufficient*) insuffisant(e) ▶ *n* (*also*: **~ film**) court métrage *m*; (*Elec*) court-circuit *m*; **to be ~ of sth** être à court de or

manquer de qch; **in ~** bref; en bref; **~ of doing** à moins de faire; **everything ~ of** tout sauf; **it is ~ for** c'est l'abréviation *or* le diminutif de; **to cut ~** (*speech, visit*) abréger, écourter; **to fail ~ of** ne pas être à la hauteur de; **to run ~ of** arriver à court de, venir à manquer de; **to stop ~** s'arrêter net; **to stop ~ of** ne pas aller jusqu'à • **shortage** *n* manque *m*, pénurie *f* • **shortbread** *n* ≈ sablé *m* • **shortcoming** *n* défaut *m* • **shortcrust pastry** • (US) **short pastry** *n* pâte brisée • **shortcut** *n* raccourci *m* • **shorten** *vt* raccourcir; (*text, visit*) abréger • **shortfall** *n* déficit *m* • **shorthand** *n* (BRIT) sténo(graphie) *f* • **shortlist** *n* (BRIT: *for job*) liste *f* des candidats sélectionnés • **short-lived** *adj* de courte durée • **shortly** *adv* bientôt, sous peu • **shorts** *npl*: **(a pair of) shorts** un short • **short-sighted** *adj* (BRIT) myope; (*fig*) qui manque de clairvoyance • **short-sleeved** *adj* à manches courtes • **short story** *n* nouvelle *f* • **short-tempered** *adj* qui s'emporte facilement • **short-term** *adj* (*effect*) à court terme

shot [ʃɒt] *pt, pp of* **shoot** ▶ *n* coup *m* (de feu); (*try*) coup, essai *m*; (*injection*) piqûre *f*; (*Phot*) photo *f*; **to be a good/poor ~** (*person*) tirer bien/mal; **like a ~** comme une flèche; (*very readily*) sans hésiter • **shotgun** *n* fusil *m* de chasse

should [ʃud] *aux vb*: **I ~ go now** je devrais partir maintenant; **he ~ be there now** il devrait être arrivé maintenant; **I ~ go if I were**

you si j'étais vous j'irais; **I ~ like to** volontiers, j'aimerais bien

shoulder [ˈʃəʊldə*] n épaule f ▶ vt (fig) endosser, se charger de • **shoulder blade** n omoplate f

shouldn't [ˈʃʊdnt] = **should not**

shout [ʃaʊt] n cri m ▶ vt crier ▶ vi crier, pousser des cris

shove [ʃʌv] vt pousser; (inf: put): **to ~ sth in** fourrer or ficher qch dans ▶ n poussée f

shovel [ˈʃʌvl] n pelle f ▶ vt pelleter, enlever (or enfourner) à la pelle

show [ʃəʊ] (pt **showed**, pp **shown**) n (of emotion) manifestation f, démonstration f; (semblance) semblant m, apparence f; (exhibition) exposition f, salon m; (Theat, TV) spectacle m; (Cine) séance f ▶ vt montrer; (film) passer; (courage etc) faire preuve de, manifester; (exhibit) exposer ▶ vi se voir, être visible; **can you ~ me where it is, please?** pouvez-vous me montrer où c'est?; **to be on ~** être exposé(e); **it's just for ~** c'est juste pour l'effet • **show in** vt faire entrer • **show off** vi (pej) crâner ▶ vt (display) faire valoir; (pej) faire étalage de • **show out** vt reconduire à la porte • **show up** vi (stand out) ressortir; (inf: turn up) se montrer ▶ vt (unmask) démasquer, dénoncer; (flaw) faire ressortir • **show business** n le monde du spectacle

shower [ˈʃaʊə*] n (for washing) douche f; (rain) averse f; (of stones etc) pluie f, grêle f; (us: party) réunion organisée pour la remise de cadeaux ▶ vi prendre une douche, se doucher ▶ vt: **to ~ sb with** (gifts etc) combler qn de; **to have** or **take a ~** prendre une douche,

se doucher • **shower cap** n bonnet m de douche • **shower gel** n gel m douche

showing [ˈʃəʊɪŋ] n (of film) projection f

show jumping [-dʒʌmpɪŋ] n concours m hippique

shown [ʃəʊn] pp of **show**

show-off n (inf: person) crâneur(-euse), m'as-tu-vu(e) • **showroom** n magasin m or salle f d'exposition

shrank [ʃræŋk] pt of **shrink**

shred [ʃred] n (gen pl) lambeau m, petit morceau m; (fig: of truth, evidence) parcelle f ▶ vt mettre en lambeaux, déchirer; (documents) détruire; (Culin: grate) râper; (: lettuce etc) couper en lanières

shrewd [ʃruːd] adj astucieux(-euse), perspicace; (business person) habile

shriek [ʃriːk] n cri perçant or aigu, hurlement m ▶ vt, vi hurler, crier

shrimp [ʃrɪmp] n crevette grise

shrine [ʃraɪn] n (place) lieu m de pèlerinage

shrink (pt **shrank**, pp **shrunk**) [ʃrɪŋk, ʃræŋk, ʃrʌŋk] vi rétrécir; (fig) diminuer; (also: **~ away**) reculer ▶ vt (wool) (faire) rétrécir ▶ n (inf, pej) psychanalyste m/f; **to ~ from (doing) sth** reculer devant (la pensée de faire) qch

shrivel [ˈʃrɪvl], **shrivel up** vt ratatiner, flétrir ▶ vi se ratatiner, se flétrir

shroud [ʃraʊd] n linceul m ▶ vt: **~ed in mystery** enveloppé(e) de mystère

Shrove Tuesday [ˈʃrəʊv-] n (le) Mardi gras

shrub [ʃrʌb] n arbuste m

shrug [ʃrʌɡ] *n* haussement *m* d'épaules ▶ *vt, vi*: **to ~ (one's shoulders)** hausser les épaules • **shrug off** *vt* faire fi de

shrunk [ʃrʌŋk] *pp of* **shrink**

shudder [ʃʌdəʳ] *n* frisson *m*, frémissement *m* ▶ *vi* frissonner, frémir

shuffle [ʃʌfl] *vt* (cards) battre; **to ~ (one's feet)** traîner les pieds

shun [ʃʌn] *vt* éviter, fuir

shut [ʃʌt] (*pt, pp* **shut**) *vt* fermer ▶ *vi* (se) fermer • **shut down** *vt* fermer définitivement ▶ *vi* fermer définitivement • **shut up** *vi* (inf: keep quiet) se taire ▶ *vt* (close) fermer; (silence) faire taire • **shutter** *n* volet *m*; (Phot) obturateur *m*

shuttle [ʃʌtl] *n* navette *f*; (also: **~ service**) (service *m* de) navette *f* • **shuttlecock** *n* volant *m* (de badminton)

shy [ʃaɪ] *adj* timide

siblings [sɪblɪŋz] *npl* (formal) frères et sœurs *mpl* (de mêmes parents)

Sicily [sɪsɪlɪ] *n* Sicile *f*

sick [sɪk] *adj* (ill) malade; (BRIT: humour) noir(e), macabre; (vomiting): **to be ~** vomir; **to feel ~** avoir envie de vomir, avoir mal au cœur; **to be ~ of** (fig) en avoir assez de • **sickening** *adj* (fig) écœurant(e), révoltant(e), répugnant(e) • **sick leave** *n* congé *m* de maladie • **sickly** *adj* maladif(-ive), souffreteux(-euse); (causing nausea) écœurant(e) • **sickness** *n* maladie *f*; (vomiting) vomissement(s) *m(pl)*

side [saɪd] *n* côté *m*; (of lake, road) bord *m*; (of mountain) versant *m*; (fig: aspect) côté, aspect *m*; (team:

Sport) équipe *f*; (TV: channel) chaîne *f* ▶ *adj* (door, entrance) latéral(e) ▶ *vi*: **to ~ with sb** prendre le parti de qn, se ranger du côté de qn; **by the ~ of** au bord de; **~ by ~** côte à côte; **to rock from ~ to ~** se balancer; **to take ~s (with)** prendre parti (pour) • **sidebar** *n* (on web page) barre *f* latérale • **sideboard** *n* buffet *m* • **sideboards** *n* (us) **sideburns** *npl* (whiskers) pattes *fpl* • **side effect** *n* effet *m* secondaire • **sidelight** *n* (Aut) veilleuse *f* • **sideline** *n* (Sport) (ligne *f* de) touche *f*; (fig) activité *f* secondaire • **side order** *n* garniture *f* • **side road** *n* petite route, route transversale • **side street** *n* rue transversale • **sidetrack** *vt* (fig) faire dévier de son sujet • **sidewalk** *n* (us) trottoir *m* • **sideways** *adv* de côté

siege [siːdʒ] *n* siège *m*

sieve [sɪv] *n* tamis *m*, passoire *f* ▶ *vt* tamiser, passer (au tamis)

sift [sɪft] *vt* passer au tamis or au crible; (fig) passer au crible

sigh [saɪ] *n* soupir *m* ▶ *vi* soupirer, pousser un soupir

sight [saɪt] *n* (faculty) vue *f*; (spectacle) spectacle *m* ▶ *vt* apercevoir; **in ~** visible; (fig) en vue; **out of ~** hors de vue • **sightseeing** *n* tourisme *m*; **to go sightseeing** faire du tourisme

sign [saɪn] *n* (with hand: also) signe, geste *m*; (notice) panneau *m*, écriteau *m*; (also: **road ~**) panneau de signalisation ▶ *vt* signer; **where do I ~?** où dois-je signer? • **sign for** *vt fus* (item) signer le reçu pour • **sign in** *vi* signer le registre (en arrivant) • **sign on** *vi* (BRIT: as unemployed) s'inscrire au chômage; (enrol) s'inscrire ▶ vt (employee) embaucher • **sign over** vt: **to ~ sth over to sb** céder qch par écrit à qn • **sign up** vi (Mil) s'engager; (for course) s'inscrire

signal ['sɪgnl] n signal m ▶ vi (Aut) mettre son clignotant ▶ vt (person) faire signe à; (message) communiquer par signaux

signature ['sɪgnətʃə'] n signature f

significance [sɪg'nɪfɪkəns] n signification f; importance f

significant [sɪg'nɪfɪkənt] adj significatif(-ive); (important) important(e), considérable

signify ['sɪgnɪfaɪ] vt signifier

sign language n langage m par signes

signpost ['saɪnpəust] n poteau indicateur

Sikh [siːk] adj, n Sikh m/f

silence ['saɪlns] n silence m ▶ vt faire taire, réduire au silence

silent ['saɪlnt] adj silencieux(-euse); (film) muet(te); **to keep** or **remain ~** garder le silence, ne rien dire

silhouette [sɪluː'et] n silhouette f

silicon chip ['sɪlɪkən-] n puce f électronique

silk [sɪlk] n soie f ▶ cpd de or en soie

silly ['sɪlɪ] adj stupide, sot(te), bête

silver ['sɪlvə'] n argent m; (money) monnaie f (en pièces d'argent); (also: **~ware**) argenterie f ▶ adj (made of silver) d'argent, en argent; (in colour) argenté(e) • **silver-plated** adj plaqué(e) argent

SIM card ['sɪm-] abbr (Tel) carte f SIM

similar ['sɪmɪlə'] adj: **~ (to)** semblable (à) • **similarity** [sɪmɪ'lærɪtɪ] n ressemblance f, similarité f • **similarly** adv de la même façon, de même

simmer ['sɪmə'] vi cuire à feu doux, mijoter

simple ['sɪmpl] adj simple • **simplicity** [sɪm'plɪsɪtɪ] n simplicité f • **simplify** ['sɪmplɪfaɪ] vt simplifier • **simply** adv simplement; (without fuss) avec simplicité; (absolutely) absolument

simulate ['sɪmjuleɪt] vt simuler, feindre

simultaneous [sɪməl'teɪnɪəs] adj simultané(e) • **simultaneously** adv simultanément

sin [sɪn] n péché m ▶ vi pécher

since [sɪns] adv, prep depuis ▶ conj (time) depuis que; (because) puisque, étant donné que, comme; **~ then, ever ~** depuis ce moment-là

sincere [sɪn'sɪə'] adj sincère • **sincerely** adv sincèrement; **yours sincerely** (at end of letter) veuillez agréer, Monsieur (or Madame) l'expression de mes sentiments distingués or les meilleurs

sing (pt **sang**, pp **sung**) [sɪŋ, sæŋ, sʌŋ] vt, vi chanter

Singapore [sɪŋɡə'pɔː'] n Singapour m

singer ['sɪŋə'] n chanteur(-euse)

singing ['sɪŋɪŋ] n (of person, bird) chant m

single ['sɪŋɡl] adj seul(e), unique; (unmarried) célibataire; (not double) simple ▶ n (BRIT: also: **~ ticket**) aller m (simple); (record) 45 tours m;

singles npl (Tennis) simple m; **every ~ day** chaque jour sans exception • **single out** vt choisir; (distinguish) distinguer • **single bed** n lit m d'une personne or à une place • **single file** n: **in single file** en file indienne • **single-handed** adv tout(e) seul(e), sans (aucune) aide • **single-minded** adj résolu(e), tenace • **single parent** n parent unique (or célibataire); **single-parent family** famille monoparentale • **single room** n chambre f à un lit or pour une personne

singular ['sɪŋɡjʊləʳ] adj singulier(-ière); (odd) singulier, étrange; (outstanding) remarquable; (Ling) (au) singulier, du singulier ▶ n (Ling) singulier m

sinister ['sɪnɪstəʳ] adj sinistre

sink [sɪŋk] (pt **sank**, pp **sunk**) n évier m; (washbasin) lavabo m ▶ vt (ship) (faire) couler, faire sombrer; (foundations) creuser ▶ vi couler, sombrer; (ground etc) s'affaisser; **to ~ into sth** (chair) s'enfoncer dans qch • **sink in** vi (explanation) rentrer (inf), être compris

sinus ['saɪnəs] n (Anat) sinus m inv

sip [sɪp] n petite gorgée ▶ vt boire à petites gorgées

sir [səʳ] n monsieur m; **S~ John Smith** sir John Smith; **yes ~** oui Monsieur

siren ['saɪərn] n sirène f

sirloin ['səːlɔɪn] n (also: **~ steak**) aloyau m

sister ['sɪstəʳ] n sœur f; (nun) religieuse f, (bonne) sœur; (BRIT: nurse) infirmière f en chef • **sister-in-law** n belle-sœur f

sit [sɪt] (pt, pp **sat**) vi s'asseoir; (be sitting) être assis(e); (assembly) être en séance, siéger; (for painter) poser ▶ vt (exam) passer, se présenter à • **sit back** vi (in seat) bien s'installer, se carrer • **sit down** vi s'asseoir • **sit on** vt fus (jury, committee) faire partie de • **sit up** vi s'asseoir; (straight) se redresser; (not go to bed) rester debout, ne pas se coucher

sitcom ['sɪtkɒm] n abbr (TV: = situation comedy) sitcom f, comédie f de situation

site [saɪt] n emplacement m, site m; (also: **building ~**) chantier m; (Internet) site m web ▶ vt placer

sitting ['sɪtɪŋ] n (of assembly etc) séance f; (in canteen) service m • **sitting room** n salon m

situated ['sɪtjʊeɪtɪd] adj situé(e)

situation [sɪtjʊ'eɪʃən] n situation f; **"~s vacant/wanted"** (BRIT) "offres/demandes d'emploi"

six [sɪks] num six • **sixteen** num seize • **sixteenth** [sɪks'tiːnθ] num seizième • **sixth** ['sɪksθ] num sixième • **sixth form** (BRIT) ≈ classes fpl de première et de terminale • **sixth-form college** n lycée n'ayant que des classes de première et de terminale • **sixtieth** ['sɪkstɪɪθ] num soixantième • **sixty** num soixante

size [saɪz] n dimensions fpl; (of person) taille f; (of clothing) taille f; (of shoes) pointure f; (of problem) ampleur f; (glue) colle f • **sizeable** adj assez grand(e); (amount, problem, majority) assez important(e)

sizzle ['sɪzl] vi grésiller

skate [skeɪt] n patin m; (fish: pl inv) raie f ▶ vi patiner • **skateboard** n skateboard m, planche f à roulettes • **skateboarding** n skateboard m • **skatepark** n skate parc m

- **skater** n patineur(-euse)
- **skating** n patinage m • **skating rink** n patinoire f

skeleton ['skɛlɪtn] n squelette m; (outline) schéma m

skeptical ['skɛptɪkl] (US) adj = **sceptical**

sketch [skɛtʃ] n (drawing) croquis m, esquisse f; (outline plan) aperçu m; (Theat) sketch m, saynète f ▶ vt esquisser, faire un croquis or une esquisse de; (plan etc) esquisser

skewer ['skjuːəʳ] n brochette f

ski [skiː] n ski m ▶ vi skier, faire du ski • **ski boot** n chaussure f de ski

skid [skɪd] n dérapage m ▶ vi déraper

ski: • **skier** n skieur(-euse)
- **skiing** n ski m; **to go skiing** (aller) faire du ski

skilful, (US) **skillful** ['skɪlful] adj habile, adroit(e)

ski lift n remonte-pente m inv

skill [skɪl] n (ability) habileté f, adresse f, talent m; (requiring training) compétences fpl
- **skilled** adj habile, adroit(e); (worker) qualifié(e)

skim [skɪm] vt (soup) écumer; (glide over) raser, effleurer ▶ vi: **to ~ through** (fig) parcourir
- **skimmed milk** • (US) **skim milk** n lait écrémé

skin [skɪn] n peau f ▶ vt (fruit etc) éplucher; (animal) écorcher
- **skinhead** n skinhead m
- **skinny** adj maigre, maigrichon(ne)

skip [skɪp] n petit bond or saut; (BRIT: container) benne f ▶ vi gambader, sautiller; (with rope) sauter à la corde ▶ vt (pass over) sauter

ski: • **ski pass** n forfait-skieur(s) m
- **ski pole** n bâton m de ski

skipper ['skɪpəʳ] n (Naut, Sport) capitaine m; (in race) skipper m

skipping rope ['skɪpɪŋ-], (US) **skip rope** n corde f à sauter

skirt [skəːt] n jupe f ▶ vt longer, contourner

skirting board ['skəːtɪŋ-] n (BRIT) plinthe f

ski slope n piste f de ski

ski suit n combinaison f de ski

skull [skʌl] n crâne m

skunk [skʌŋk] n mouffette f

sky [skaɪ] n ciel m • **skyscraper** n gratte-ciel m inv

slab [slæb] n (of stone) dalle f; (of meat, cheese) tranche épaisse

slack [slæk] adj (loose) lâche, desserré(e); (slow) stagnant(e); (careless) négligent(e), peu sérieux(-euse) or consciencieux(-euse) • **slacks** npl pantalon m

slain [sleɪn] pp of **slay**

slam [slæm] vt (door) (faire) claquer; (throw) jeter violemment, flanquer; (inf: criticize) éreinter, démolir ▶ vi claquer

slander ['slɑːndəʳ] n calomnie f; (Law) diffamation f

slang [slæŋ] n argot m

slant [slɑːnt] n inclinaison f; (fig) angle m, point m de vue

slap [slæp] n claque f, gifle f; (on the back) tape f ▶ vt donner une claque or une gifle (or une tape) à ▶ adv (directly) tout droit, en plein; **to ~ on** (paint) appliquer rapidement

slash [slæʃ] vt entailler, taillader; (fig: prices) casser

slate [sleɪt] n ardoise f ▶ vt (fig: criticize) éreinter, démolir

slaughter ['slɔːtəʳ] n carnage m, massacre m; (of animals) abattage m ▸ vt (animal) abattre; (people) massacrer • **slaughterhouse** n abattoir m

Slav [slɑːv] adj slave

slave [sleɪv] n esclave m/f ▸ vi (also: ~ **away**) trimer, travailler comme un forçat • **slavery** n esclavage m

slay (pt **slew**, pp **slain**) [sleɪ, sluː, sleɪn] vt (literary) tuer

sleazy ['sliːzɪ] adj miteux(-euse), minable

sled [slɛd] (US) n = **sledge**

sledge [slɛdʒ] n luge f

sleek [sliːk] adj (hair, fur) brillant(e), luisant(e); (car, boat) aux lignes pures or élégantes

sleep [sliːp] n sommeil m ▸ vi (pt, pp **slept**) dormir; **to go to ~** s'endormir • **sleep in** vi (oversleep) se réveiller trop tard; (on purpose) faire la grasse matinée • **sleep together** vi (have sex) coucher ensemble • **sleeper** n (person) dormeur(-euse); (BRIT Rail: on track) traverse f; (: train) train-couchettes m; (: berth) couchette f • **sleeping bag** ['sliːpɪŋ-] n sac m de couchage • **sleeping car** n wagon-lits m, voiture-lits f • **sleeping pill** n somnifère m • **sleepover** n nuit f chez un copain or une copine; **we're having a sleepover at Jo's** nous allons passer la nuit chez Jo • **sleepwalk** vi marcher en dormant • **sleepy** adj (fig) endormi(e)

sleet [sliːt] n neige fondue

sleeve [sliːv] n manche f; (of record) pochette f • **sleeveless** adj (garment) sans manches

sleigh [sleɪ] n traîneau m

slender ['slɛndəʳ] adj svelte, mince; (fig) faible, ténu(e)

slept [slɛpt] pt, pp of **sleep**

slew [sluː] pt of **slay**

slice [slaɪs] n tranche f; (round) rondelle f; (utensil) spatule f; (also: **fish ~**) pelle f à poisson ▸ vt couper en tranches (or en rondelles)

slick [slɪk] adj (skilful) bien ficelé(e); (salesperson) qui a du bagout ▸ n (also: **oil ~**) nappe f de pétrole, marée noire

slid [slɪd] pt, pp of **slide**

slide [slaɪd] n (pt, pp **slid**) (in playground) toboggan m; (Phot) diapositive f; (BRIT: also: **hair ~**) barrette f; (in prices) chute f, baisse f ▸ vt (faire) glisser ▸ vi glisser • **sliding** adj (door) coulissant(e)

slight [slaɪt] adj (slim) mince, menu(e); (frail) frêle; (trivial) faible, insignifiant(e); (small) petit(e), léger(-ère) before n ▸ n offense f, affront m ▸ vt (offend) blesser, offenser; **not in the ~est** pas le moins du monde, pas du tout • **slightly** adv légèrement, un peu

slim [slɪm] adj mince ▸ vi maigrir; (diet) suivre un régime amaigrissant • **slimming** n amaigrissement m ▸ adj (diet, pills) amaigrissant(e), pour maigrir

slimy ['slaɪmɪ] adj visqueux(-euse), gluant(e)

sling [slɪŋ] n (Med) écharpe f; (for baby) porte-bébé m; (weapon) fronde f, lance-pierre m ▸ vt (pt, pp **slung**) lancer, jeter

slip [slɪp] n faux pas; (mistake) erreur f, bévue f; (underskirt) combinaison f; (of paper) petite feuille, fiche f ▸ vt (slide) glisser ▸ vi (slide) glisser; (decline) baisser;

(*move smoothly*): **to ~ into/out of** se glisser *or* se faufiler dans/hors de; **to ~ sth off/on** enfiler/enlever qch; **to give sb the ~** fausser compagnie à qn; **a ~ of the tongue** un lapsus • **slip up** vi faire une erreur, gaffer

slipped disc [slɪpt-] n déplacement m de vertèbre

slipper ['slɪpə^r] n pantoufle f

slippery ['slɪpərɪ] adj glissant(e)

slip road n (BRIT: *to motorway*) bretelle f d'accès

slit [slɪt] n fente f; (*cut*) incision f ▶ vt (pt, pp **slit**) fendre; couper, inciser

slog [slɒg] n (BRIT: *effort*) gros effort; (*work*) tâche fastidieuse ▶ vi travailler très dur

slogan ['sləugən] n slogan m

slope [sləup] n pente f, côte f; (*side of mountain*) versant m; (*slant*) inclinaison f ▶ vi: **to ~ down** descendre en pente; **to ~ up** monter • **sloping** adj en pente, incliné(e); (*handwriting*) penché(e)

sloppy ['slɒpɪ] adj (*work*) peu soigné(e), bâclé(e); (*appearance*) négligé(e), débraillé(e)

slot [slɒt] n fente f ▶ vt: **to ~ sth into** encastrer *or* insérer qch dans • **slot machine** n (BRIT: *vending machine*) distributeur m (automatique), machine f à sous; (*for gambling*) appareil m *or* machine à sous

Slovak ['sləuvæk] adj slovaque ▶ n Slovaque m/f; (Ling) slovaque m

Slovakia [sləu'vækɪə] n Slovaquie f • **Slovakian** [sləu'vækɪən] adj, n = **Slovak**

Slovene [sləu'viːn] adj slovène ▶ n Slovène m/f; (Ling) slovène m

Slovenia [sləu'viːnɪə] n Slovénie f

• **Slovenian** adj, n = **Slovene**

slow [sləu] adj lent(e); (*watch*): **to be ~** retarder ▶ adv lentement ▶ vt, vi ralentir; **"~"** (*road sign*) "ralentir" • **slow down** vi ralentir • **slowly** adv lentement • **slow motion** n: **in slow motion** au ralenti

slug [slʌg] n limace f; (*bullet*) balle f • **sluggish** adj (*person*) mou (molle), lent(e); (*stream, engine, trading*) lent(e)

slum [slʌm] n (*house*) taudis m; **slums** npl (*area*) quartiers mpl pauvres

slump [slʌmp] n baisse soudaine, effondrement m; (Econ) crise f ▶ vi s'effondrer, s'affaisser

slung [slʌŋ] pt, pp of **sling**

slur [sləː^r] n (*smear*): **~ (on)** atteinte f (à); insinuation f (contre) ▶ vt mal articuler

slush [slʌʃ] n neige fondue

sly [slaɪ] adj (*person*) rusé(e); (*smile, expression, remark*) sournois(e)

smack [smæk] n (*slap*) tape f; (*on face*) gifle f ▶ vt donner une tape à; (*on face*) gifler; (*on bottom*) donner la fessée à ▶ vi: **to ~ of** avoir des relents de, sentir

small [smɔːl] adj petit(e) • **small ads** npl (BRIT) petites annonces • **small change** n petite *or* menue monnaie

smart [smɑːt] adj élégant(e), chic inv; (*clever*) intelligent(e); (*quick*) vif (vive), prompt(e) ▶ vi faire mal, brûler • **smart card** n carte f à puce • **smart phone** n smartphone m

smash [smæʃ] n (*also*: **~-up**) collision f, accident m; (Mus) succès foudroyant ▶ vt casser, briser, fracasser; (*opponent*) écraser; (*Sport: record*) pulvériser ▶ *vi* se briser, se fracasser; s'écraser • **smashing** *adj* (*inf*) formidable

smear [smɪəʳ] *n* (*stain*) tache *f*; (*mark*) trace *f*; (*Med*) frottis *m* ▶ *vt* enduire; (*make dirty*) salir • **smear test** *n* (*BRIT Med*) frottis *m*

smell [smɛl] (*pt, pp* **smelt** *or* **smelled**) *n* odeur *f*; (*sense*) odorat *m* ▶ *vt* sentir ◀ *vi* (*pej*) sentir mauvais • **smelly** *adj* qui sent mauvais, malodorant(e)

smelt [smɛlt] *pt, pp of* **smell**

smile [smaɪl] *n* sourire *m* ▶ *vi* sourire

smirk [smə:k] *n* petit sourire suffisant *or* affecté

smog [smɔg] *n* brouillard mêlé de fumée

smoke [sməʊk] *n* fumée *f* ▶ *vt, vi* fumer; **do you mind if I ~?** ça ne vous dérange pas que je fume? • **smoke alarm** *n* détecteur *m* de fumée • **smoked** *adj* (*bacon, glass*) fumé(e) • **smoker** *n* (*person*) fumeur(-euse); (*Rail*) wagon *m* fumeurs • **smoking** *n*: **"no smoking"** (*sign*) "défense de fumer" • **smoky** *adj* enfumé(e); (*taste*) fumé(e)

smooth [smu:ð] *adj* lisse; (*sauce*) onctueux(-euse); (*flavour, whisky*) moelleux(-euse); (*movement*) régulier(-ière), sans à-coups ou heurts; (*flight*) sans secousses; (*pej: person*) doucereux(-euse), mielleux(-euse) ▶ *vt* (*also:* ~ **out**) lisser, défroisser; (*creases, difficulties*) faire disparaître

smother [ˈsmʌðəʳ] *vt* étouffer

SMS *n abbr* (= *short message service*) SMS *m* • **SMS message** *n* (*message* *m*) SMS *m*

smudge [smʌdʒ] *n* tache *f*,

bavure *f* ▶ *vt* salir, maculer

smug [smʌg] *adj* suffisant(e), content(e) de soi

smuggle [ˈsmʌgl] *vt* passer en contrebande *or* en fraude • **smuggling** *n* contrebande *f*

snack [snæk] *n* casse-croûte *m inv* • **snack bar** *n* snack(-bar) *m*

snag [snæg] *n* inconvénient *m*, difficulté *f*

snail [sneɪl] *n* escargot *m*

snake [sneɪk] *n* serpent *m*

snap [snæp] *n* (*sound*) claquement *m*, bruit sec; (*photograph*) photo *f*, instantané *m* ▶ *adj* subit(e), fait(e) sans réfléchir ▶ *vt* (*fingers*) faire claquer; (*break*) casser net ▶ *vi* se casser net *or* avec un bruit sec; (*speak sharply*) parler d'un ton brusque; **to ~ open/shut** s'ouvrir/se refermer brusquement • **snap at** *vt fus* (*subj: dog*) essayer de mordre • **snap up** *vt* sauter sur, saisir • **snapshot** *n* photo *f*, instantané *m*

snarl [snɑ:l] *vi* gronder

snatch [snætʃ] *vt* saisir (*d'un geste vif*); (*steal*) voler; **to ~ some sleep** arriver à dormir un peu

sneak [sni:k] (*US: pt, pp* **snuck**) *vi*: **to ~ in/out** entrer/sortir furtivement *or* à la dérobée ▶ *n* (*inf: pej: informer*) faux jeton; **to ~ up on sb/sth** s'approcher de qn sans faire de bruit • **sneakers** *npl* tennis *mpl*, baskets *fpl*

sneer [snɪəʳ] *vi* ricaner; **to ~ at sb/sth** se moquer de qn/qch avec mépris

sneeze [sni:z] *vi* éternuer

sniff [snɪf] *vi* renifler ▶ *vt* renifler, flairer; (*glue, drug*) sniffer, respirer

snigger [ˈsnɪgəʳ] *vi* ricaner

snip [snɪp] *n* (*cut*) entaille *f*; (*BRIT inf: bargain*) (bonne) occasion *or*

affaire ▶ vt couper
sniper ['snaɪpə^r] n tireur embusqué
snob [snɔb] n snob m/f
snooker ['snu:kə^r] n sorte de jeu de billard
snoop [snu:p] vi: **to ~ about** fureter
snooze [snu:z] n petit somme ▶ vi faire un petit somme
snore [snɔ:^r] vi ronfler ▶ n ronflement m
snorkel ['snɔːkl] n (of swimmer) tuba m
snort [snɔːt] n grognement m ▶ vi grogner; (horse) renâcler
snow [snəu] n neige f ▶ vi neiger
• **snowball** n boule f de neige
• **snowdrift** n congère f
• **snowman** (irreg) n bonhomme m de neige • **snowplough** • (us) **snowplow** n chasse-neige m inv
• **snowstorm** n tempête f de neige
snub [snʌb] vt repousser, snober ▶ n rebuffade f
snuck [snʌk] (us) pt, pp of **sneak**
snug [snʌg] adj douillet(te), confortable; (person) bien au chaud

SO [səu]

▶ adv 1 (thus, likewise) ainsi, de cette façon; **if so** si oui; **so do** or **have I** moi aussi; **it's 5 o'clock — so it is!** il est 5 heures — en effet! or c'est vrai!; **I hope/think so** je l'espère/le crois; **so far** jusqu'ici, jusqu'à maintenant; (in past) jusque-là
2 (in comparisons etc: to such a degree) si, tellement; **so big (that)** si or tellement grand (que); **she's not so clever as her brother** elle n'est pas aussi

intelligente que son frère
3: **so much** adj, adv tant (de); **I've got so much work** j'ai tant de travail; **I love you so much** je vous aime tant; **so many** tant (de)
4 (phrases): **10 or so** à peu près or environ 10; **so long!** (inf: goodbye) au revoir!, à un de ces jours!; **so (what)?** (inf) (bon) et alors?, et après?
▶ conj 1 (expressing purpose): **so as to do** pour faire, afin de faire; **so (that)** pour que or afin que + sub
2 (expressing result) donc, par conséquent; **so that** si bien que; **so that's the reason!** c'est donc (pour) ça!; **so you see, I could have gone** alors tu vois, j'aurais pu y aller

soak [səuk] vt faire or laisser tremper; (drench) tremper ▶ vi tremper • **soak up** vt absorber
• **soaking** adj (also: **soaking wet**) trempé(e)
so-and-so ['səuənsəu] n (somebody) un(e) tel(le)
soap [səup] n savon m • **soap opera** n feuilleton télévisé (quotidienneté réaliste ou embellie) • **soap powder** n lessive f, détergent m
soar [sɔː^r] vi monter (en flèche), s'élancer; (building) s'élancer
sob [sɔb] n sanglot m ▶ vi sangloter
sober ['səubə^r] adj qui n'est pas (or plus) ivre; (serious) sérieux(-euse), sensé(e); (colour, style) sobre, discret(-ète) • **sober up** vi se dégriser
so-called ['səu'kɔːld] adj soi-disant inv

soccer ['sɔkər] n football m
sociable ['səʊʃəbl] adj sociable
social ['səʊʃl] adj social(e);
(sociable) sociable ▶ n (petite) fête
• **socialism** n socialisme m
• **socialist** adj, n socialiste (m/f)
• **socialize** vi: **to socialize with**
(meet often) fréquenter; (get to know) lier connaissance or parler
avec • **social life** n vie sociale
• **socially** adv socialement, en
société • **social media** npl médias
mpl sociaux • **social networking**
n réseaux mpl sociaux • **social
networking site** n site m de
réseautage • **social security** n
aide sociale • **social services** npl
services sociaux • **social work** n
assistance sociale • **social
worker** n assistant(e) sociale(e)
society [sə'saɪətɪ] n société f;
(club) société, association f; (also:
high ~) (haute) société, grand
monde
sociology [səʊsɪ'ɒlədʒɪ] n
sociologie f
sock [sɔk] n chaussette f
socket ['sɔkɪt] n cavité f; (Elec:
also: **wall ~**) prise f de courant
soda ['səʊdə] n (Chem) soude f;
(also: **~ water**) eau f de Seltz;
(us: also: **~ pop**) soda m
sodium ['səʊdɪəm] n sodium m
sofa ['səʊfə] n sofa m, canapé m
• **sofa bed** n canapé-lit m
soft [sɔft] adj (not hard) doux
(douce); (not hard) doux, mou
(molle); (not loud) doux,
léger(-ère); (kind) doux, gentil(le)
• **soft drink** n boisson non
alcoolisée • **soft drugs** npl
drogues douces • **soften** ['sɔfn]
vt (r)amollir; (fig) adoucir ▶ vi se
ramollir; (fig) s'adoucir • **softly**

adv doucement; (touch)
légèrement; (kiss) tendrement
• **software** n (Comput) logiciel m,
software m
soggy ['sɔgɪ] adj (clothes)
trempé(e); (ground) détrempé(e)
soil [sɔɪl] n (earth) sol m, terre f ▶ vt
salir; (fig) souiller
solar ['səʊlər] adj solaire • **solar
power** n énergie f solaire • **solar
system** n système m solaire
sold [səʊld] pt, pp of **sell**
soldier ['səʊldʒər] n soldat m,
militaire m
sold out adj (Comm) épuisé(e)
sole [səʊl] n (of foot) plante f; (of
shoe) semelle f; (fish: pl inv) sole f
▶ adj seul(e), unique • **solely** adv
seulement, uniquement
solemn ['sɔləm] adj solennel(le);
(person) sérieux(-euse), grave
solicitor [sə'lɪsɪtər] n (BRIT: for
wills etc) ≈ notaire m; (: in court)
≈ avocat m
solid ['sɔlɪd] adj (not liquid) solide;
(not hollow: mass) compact(e);
(: metal, rock, wood) massif(-ive)
▶ n solide m
solitary ['sɔlɪtərɪ] adj solitaire
solitude ['sɔlɪtjuːd] n solitude f
solo ['səʊləʊ] n solo m ▶ adv (fly)
en solitaire • **soloist** n soliste m/f
soluble ['sɔljubl] adj soluble
solution [sə'luːʃən] n solution f
solve [sɔlv] vt résoudre
solvent ['sɔlvənt] adj (Comm)
solvable ▶ n (Chem) (dis)solvant m
sombre, (us) **somber** ['sɔmbər]
adj sombre, morne

some [sʌm]

▶ adj 1 (a certain amount or
number of): **some tea/water/**

ice cream du thé/de l'eau/de la glace; **some children/apples** des enfants/pommes; **I've got some money but not much** j'ai de l'argent mais pas beaucoup 2 (certain: in contrasts): **some people say that ...** il y a des gens qui disent que ...; **some films were excellent, but most were mediocre** certains films étaient excellents, mais la plupart étaient médiocres 3 (unspecified): **some woman was asking for you** il y avait une dame qui vous demandait; **he was asking for some book (or idea)** il demandait un livre quelconque; **some day** un de ces jours; **some day next week** un jour la semaine prochaine ▸ pron 1 (a certain number) quelques-un(e)s, certain(e)s; **I've got some** (books etc) j'en ai (quelques-uns); **some (of them) have been sold** certains ont été vendus 2 (a certain amount) un peu; **I've got some** (money, milk) j'en ai (un peu); **would you like some?** est-ce que vous en voulez?, en voulez-vous?; **could I have some of that cheese?** pourrais-je avoir un peu de ce fromage?; **I've read some of the book** j'ai lu une partie du livre ▸ adv: **some 10 people** quelque 10 personnes, 10 personnes environ

• **somebody** ['sʌmbədɪ] pron = **someone** • **someday** adv d'une façon ou d'une autre; (for some reason) pour une raison ou une autre • **someone** pron quelqu'un • **someplace** adv (us) = **somewhere** • **something** pron quelque chose m; **something interesting** quelque chose d'intéressant; **something to do** quelque chose à faire • **sometime** adv (in future) un de ces jours, un jour ou l'autre; (in past): **sometime last month** au cours du mois dernier • **sometimes** adv quelquefois, parfois • **somewhat** adv quelque peu, un peu • **somewhere** adv quelque part; **somewhere else** ailleurs, autre part

son [sʌn] n fils m
song [sɒŋ] n chanson f; (of bird) chant m
son-in-law ['sʌnɪnlɔ:] n gendre m, beau-fils m
soon [su:n] adv bientôt; (early) tôt; **~ afterwards** peu après; see also **as** • **sooner** adv (time) plus tôt; (preference): **I would sooner do that** j'aimerais autant or je préférerais faire ça; **sooner or later** tôt ou tard
soothe [su:ð] vt calmer, apaiser
sophisticated [sə'fɪstɪkeɪtɪd] adj raffiné(e), sophistiqué(e); (machinery) hautement perfectionné(e), très complexe
sophomore ['sɒfəmɔ:'] n (us) étudiant(e) de seconde année
soprano [sə'prɑ:nəʊ] n (singer) soprano m/f
sorbet ['sɔ:beɪ] n sorbet m
sordid ['sɔ:dɪd] adj sordide
sore [sɔ:'] adj (painful) douloureux(-euse), sensible ▸ n plaie f
sorrow ['sɒrəʊ] n peine f, chagrin m

sorry ['sɒrɪ] *adj* désolé(e); *(condition, excuse, tale)* triste, déplorable; **~!** pardon!, excusez-moi; **~?** pardon?; **to feel ~ for sb** plaindre qn

sort [sɔːt] *n* genre *m*, espèce *f*, sorte *f*; *(make: of coffee, car etc)* marque *f* ▶ *vt* (*also:* **~ out**: *select which to keep*) trier; *(classify)* classer; *(tidy)* ranger ▶ **sort out** *vt* *(problem)* résoudre, régler

SOS *n* SOS *m*

so-so ['səʊsəʊ] *adv* comme ci comme ça

sought [sɔːt] *pt, pp of* **seek**

soul [səʊl] *n* âme *f*

sound [saʊnd] *adj* (*healthy*) en bonne santé, sain(e); (*safe, not damaged*) solide, en bon état; (*reliable, not superficial*) sérieux(-euse), solide; (*sensible*) sensé(e) ▶ *adv*: **~ asleep** profondément endormi(e) ▶ *n* (*noise, volume*) son *m*; (*louder*) bruit *m*; (*Geo*) détroit *m*, bras *m* de mer ▶ *vt* (*alarm*) sonner ▶ *vi* sonner, retentir; (*fig: seem*) sembler (être); **to ~ like** ressembler à • **sound bite** *n* phrase toute faite (*pour être citée dans les médias*) • **soundtrack** *n* (*of film*) bande *f* sonore

soup [suːp] *n* soupe *f*, potage *m*

sour ['saʊər] *adj* aigre; **it's ~ grapes** c'est du dépit

source [sɔːs] *n* source *f*

south [saʊθ] *n* sud *m* ▶ *adj* sud *inv*; (*wind*) du sud ▶ *adv* au sud, vers le sud • **South Africa** *n* Afrique *f* du Sud • **South African** *adj* sud-africain(e) ▶ *n* Sud-Africain(e) • **South America** *n* Amérique *f* du Sud • **South American** *adj* sud-américain(e) ▶ *n* Sud-Américain(e) • **southbound**

adj en direction du sud; (*carriageway*) sud *inv* • **south-east** *n* sud-est *m* • **southern** ['sʌðən] *adj* (*du*) sud; méridional(e) • **South Korea** *n* Corée *f* du Sud; • **South of France** *n*: **the South of France** le Sud de la France, le Midi • **South Pole** *n*: **the South Pole** le Pôle Sud • **southward(s)** *adv* vers le sud • **south-west** *n* sud-ouest *m*

souvenir [suːvə'nɪər] *n* souvenir *m* (*objet*)

sovereign ['sɒvrɪn] *adj, n* souverain(e)

sow¹ [səʊ] (*pt* **sowed**, *pp* **sown**) *vt* semer

sow² *n* [saʊ] truie *f*

soya ['sɔɪə], (*us*) **soy** [sɔɪ] *n*: **~ bean** graine *f* de soja; **~ sauce** sauce *f* au soja

spa [spɑː] *n* (*town*) station thermale; (*us: also:* **health ~**) établissement *m* de cure de rajeunissement

space [speɪs] *n* (*gen*) espace *m*; (*room*) place *f*; espace; (*length of time*) laps *m* de temps ▶ *cpd* spatial(e) ▶ *vt* (*also:* **~ out**) espacer • **spacecraft** *n* engin *or* vaisseau spatial • **spaceship** *n* = **spacecraft**

spacious ['speɪʃəs] *adj* spacieux(-euse), grand(e)

spade [speɪd] *n* (*tool*) bêche *f*, pelle *f*; (*child's*) pelle; **spades** *npl* (*Cards*) pique *m*

spaghetti [spə'gɛtɪ] *n* spaghetti *mpl*

Spain [speɪn] *n* Espagne *f*

spam [spæm] *n* (*Comput*) pourriel *m* • **spamming** *n* (*Comput*) spamming *m*, envoi *m* de pourriels

span [spæn] n (of bird, plane) envergure f; (of arch) portée f; (in time) espace m de temps, durée f ▶ vt enjamber, franchir; (fig) couvrir, embrasser

Spaniard ['spænjəd] n Espagnol m

Spanish ['spænɪʃ] adj espagnol(e), d'Espagne ▶ n (Ling) espagnol m; **the Spanish** npl les Espagnols

spank [spæŋk] vt donner une fessée à

spanner ['spænəʳ] n (BRIT) clé f (de mécanicien)

spare [spɛəʳ] adj de réserve, de rechange; (surplus) de or en trop, de reste ▶ n (part) pièce f de rechange, pièce détachée ▶ vt (do without) se passer de; (afford to give) donner, accorder, passer; (not hurt) épargner; **to ~** (surplus) en surplus, de trop • **spare part** n pièce f de rechange, pièce détachée • **spare room** n chambre f d'ami • **spare time** n moments mpl de loisir • **spare tyre** • (US) **spare tire** n (Aut) pneu m de rechange • **spare wheel** n (Aut) roue f de secours

spark [spɑːk] n étincelle f

sparkle ['spɑːkl] n scintillement m, étincellement m, éclat m ▶ vi étinceler, scintiller

sparkling ['spɑːklɪŋ] adj (wine) mousseux(-euse), pétillant(e); (water) pétillant(e), gazeux(-euse)

spark plug n bougie f

sparrow ['spærəu] n moineau m

sparse [spɑːs] adj clairsemé(e)

spasm ['spæzəm] n (Med) spasme m

spat [spæt] pt, pp of **spit**

spate [speɪt] n (fig): **~ of** avalanche f or torrent m de

spatula ['spætjulə] n spatule f

speak (pt **spoke**, pp **spoken**) [spiːk, spəuk, 'spəukn] vt (language) parler; (truth) dire ▶ vi parler; (make a speech) prendre la parole; **to ~ to sb/of or about sth** parler à qn/de qch; **I don't ~ French** je ne parle pas français; **do you ~ English?** parlez-vous anglais?; **can I ~ to ...?** est-ce que je peux parler à ...? • **speaker** n (in public) orateur m; (also: **loudspeaker**) haut-parleur m; (for stereo etc) baffle m, enceinte f; (Pol): **the Speaker** (BRIT) le président de la Chambre des communes or des représentants; (US) le président de la Chambre

spear [spɪəʳ] n lance f ▶ vt transpercer

special ['spɛʃl] adj spécial(e) • **special delivery** n (Post): **by special delivery** en express • **special effects** npl (Cine) effets spéciaux • **specialist** n spécialiste m/f • **speciality** [spɛʃɪ'ælɪtɪ] n (BRIT) spécialité f • **specialize** vi: **to specialize (in)** se spécialiser (dans) • **specially** adv spécialement, particulièrement • **special needs** npl (BRIT) difficultés fpl d'apprentissage scolaire • **special offer** n (Comm) réclame f • **special school** n (BRIT) établissement m d'enseignement spécialisé • **specialty** n (US) = **speciality**

species ['spiːʃiːz] n (pl inv) espèce f

specific [spə'sɪfɪk] adj (not vague) précis(e), explicite; (particular) particulier(-ière) • **specifically** adv explicitement, précisément; (intend, ask, design) expressément, spécialement

specify ['spɛsɪfaɪ] vt spécifier, préciser

S

specimen [ˈspɛsɪmən] n spécimen m, échantillon m; (Med: of blood) prélèvement m; (: of urine) échantillon m

speck [spɛk] n petite tache, petit point; (particle) grain m

spectacle [ˈspɛktəkl] n spectacle m; **spectacles** npl (BRIT) lunettes fpl • **spectacular** [spɛkˈtækjuləʳ] adj spectaculaire

spectator [spɛkˈteɪtəʳ] n spectateur(-trice)

spectrum (pl **spectra**) [ˈspɛktrəm, -rə] n spectre m; (fig) gamme f

speculate [ˈspɛkjuleɪt] vi spéculer; (ponder): **to ~ about** s'interroger sur

sped [spɛd] pt, pp of **speed**

speech [spiːtʃ] n (faculty) parole f; (talk) discours m, allocution f; (manner of speaking) façon f de parler, langage m; (enunciation) élocution f • **speechless** adj muet(te)

speed [spiːd] n vitesse f, (promptness) rapidité f ▶ vi (pt, pp **sped**) (Aut: exceed speed limit) faire un excès de vitesse; **at full** or **top ~** à toute vitesse or allure • **speed up** (pt, pp **speeded up**) vi aller plus vite, accélérer ▶ vt accélérer • **speedboat** n vedette f, hors-bord m inv • **speed camera** n (Aut) radar m (automatique) • **speeding** n (Aut) excès m de vitesse • **speed limit** n limitation f de vitesse, vitesse maximale permise • **speedometer** [spiˈdɔmɪtəʳ] n compteur m (de vitesse) • **speedy** adj rapide, prompt(e)

spell [spɛl] n (also: **magic ~**) sortilège m, charme m; (period of time) (courte) période ▶ vt (pt, pp **spelled** or **spelt**) (in writing) écrire, orthographier; (aloud) épeler; (fig) signifier; **to cast a ~ on sb** jeter un sort à qn; **he can't ~** il fait des fautes d'orthographe • **spell out** vt (explain): **to ~ sth out for sb** expliquer qch clairement à qn • **spellchecker** [ˈspɛltʃɛkəʳ] n (Comput) correcteur m or vérificateur m orthographique • **spelling** n orthographe f

spelt [spɛlt] pt, pp of **spell**

spend [spɛnd] (pt, pp **spent**) vt (money) dépenser; (time, life) passer; (devote) consacrer • **spending** n: **government spending** les dépenses publiques

spent [spɛnt] pt, pp of **spend** ▶ adj (cartridge, bullets) vide

sperm [spəːm] n spermatozoïde m; (semen) sperme m

sphere [sfɪəʳ] n sphère f; (fig) sphère, domaine m

spice [spaɪs] n épice f ▶ vt épicer

spicy [ˈspaɪsɪ] adj épicé(e), relevé(e); (fig) piquant(e)

spider [ˈspaɪdəʳ] n araignée f

spike [spaɪk] n pointe f; (Bot) épi m

spill [spɪl] (pt, pp **spilt** or **spilled**) vt renverser; répandre ▶ vi se répandre • **spill over** vi déborder

spilt [spɪlt] pt, pp of **spill**

spin [spɪn] (pt, pp **spun**) n (revolution of wheel) tour m; (Aviat) (chute f en) vrille f; (trip in car) petit tour, balade f; (on ball) effet m ▶ vt (wool etc) filer; (wheel) faire tourner ▶ vi (turn) tourner, tournoyer

spinach [ˈspɪnɪtʃ] n épinards mpl

spinal [ˈspaɪnl] adj vertébral(e), spinal(e) • **spinal cord** n moelle épinière

spin doctor n (inf) personne employée pour présenter un parti politique sous un jour favorable

spin-dryer [spɪn'draɪər] n (BRIT) essoreuse f

spine [spaɪn] n colonne vertébrale; (thorn) épine f, piquant m

spiral ['spaɪərl] n spirale f ▶ vi (fig: prices etc) monter en flèche

spire ['spaɪə'] n flèche f, aiguille f

spirit ['spɪrɪt] n (soul) esprit m, âme f; (ghost) esprit, revenant m; (mood) esprit, état m d'esprit; (courage) courage m, énergie f; **spirits** npl (drink) spiritueux mpl, alcool m; **in good ~s** de bonne humeur

spiritual ['spɪrɪtjuəl] adj spirituel(le); (religious) religieux(-euse)

spit [spɪt] n (for roasting) broche f; (spittle) crachat m; (saliva) salive f ▶ vi (pt, pp **spat**) cracher; (sound) crépiter; (rain) crachiner

spite [spaɪt] n rancune f, dépit m ▶ vt contrarier, vexer; **in ~ of** en dépit de, malgré • **spiteful** adj malveillant(e), rancunier(-ière)

splash [splæʃ] n (sound) plouf m; (of colour) tache f ▶ vt éclabousser ▶ vi (also: ~ **about**) barboter, patauger • **splash out** vi (BRIT) faire une folie

splendid ['splendɪd] adj splendide, superbe, magnifique

splinter ['splɪntə'] n (wood) écharde f; (metal) éclat m ▶ vi (wood) se fendre; (glass) se briser

split [splɪt] (pt, pp **split**) n fente f, déchirure f; (fig: Pol) scission f ▶ vt fendre, déchirer; (party) diviser; (work, profits) partager, répartir ▶ vi (break) se fendre, se briser;

(divide) se diviser • **split up** vi (couple) se séparer, rompre; (meeting) se disperser

spoil [spɔɪl] (pt, pp **spoiled** or **spoilt**) vt (damage) abîmer; (mar) gâcher; (child) gâter

spoilt [spɔɪlt] pt, pp of **spoil** ▶ adj (child) gâté(e); (ballot paper) nul(le)

spoke [spəuk] pt of **speak** ▶ n rayon m

spoken ['spəukn] pp of **speak**

spokesman ['spəuksmən] (irreg) n porte-parole m inv

spokesperson ['spəukspɜ:sn] (irreg) n porte-parole m inv

spokeswoman ['spəukswumən] (irreg) n porte-parole m inv

sponge [spʌndʒ] n éponge f; (Culin: also: ~ **cake**) ≈ biscuit m de Savoie ▶ vt éponger ▶ vi: **to ~ off** or **on** vivre aux crochets de • **sponge bag** n (BRIT) trousse f de toilette

sponsor ['spɒnsə'] n (Radio, TV, Sport) sponsor m; (for application) parrain m, marraine f; (BRIT: for fund-raising event) donateur(-trice) ▶ vt sponsoriser; parrainer; faire un don à • **sponsorship** n sponsoring m; parrainage m; dons mpl

spontaneous [spɒn'teɪnɪəs] adj spontané(e)

spooky ['spu:kɪ] adj (inf) qui donne la chair de poule

spoon [spu:n] n cuiller f • **spoonful** n cuillerée f

sport [spɔ:t] n sport m; (person) chic type m/chic fille f ▶ vt (wear) arborer • **sport jacket** n (US) = **sports jacket** • **sports car** n voiture f de sport • **sports centre** (BRIT) n centre sportif • **sports**

jacket n (BRIT) veste f de sport • **sportsman** (irreg) n sportif m • **sports utility vehicle** n véhicule m de loisirs (de type SUV) • **sportswear** n vêtements mpl de sport • **sportswoman** (irreg) n sportive f • **sporty** adj sportif(-ive)

spot [spɔt] n tache f; (dot: on pattern) pois m; (pimple) bouton m; (place) endroit m, coin m ▶ vt (notice) apercevoir, repérer; **on the ~** sur place, sur les lieux; (immediately) sur le champ • **spotless** adj immaculé(e) • **spotlight** n projecteur m; (Aut) phare m auxiliaire

spouse [spauz] n époux (épouse)

sprain [spreɪn] n entorse f, foulure f ▶ vt: **to ~ one's ankle** se fouler or se tordre la cheville

sprang [spræŋ] pt of **spring**

sprawl [sprɔːl] vi s'étaler

spray [spreɪ] n jet m (en fines gouttelettes), (from sea) embruns mpl; (aerosol) vaporisateur m, bombe f; (for garden) pulvérisateur m; (of flowers) petit bouquet ▶ vt vaporiser, pulvériser; (crops) traiter

spread [spred] (pt, pp **spread**) n (distribution) répartition f; (Culin) pâte f à tartiner; (inf: meal) festin m ▶ vt (paste, contents) étendre, étaler; (rumour, disease) répandre, propager; (wealth) répartir ▶ vi s'étendre; se répandre; se propager; (stain) s'étaler • **spread out** vi (people) se disperser • **spreadsheet** n (Comput) tableur m

spree [spriː] n: **to go on a ~** faire la fête

spring [sprɪŋ] (pt **sprang**, pp **sprung**) n (season) printemps m; (leap) bond m, saut m; (coiled metal) ressort m; (of water) source f ▶ vi bondir, sauter • **spring up** vi (problem) se présenter, surgir; (plant, buildings) surgir de terre • **spring onion** n (BRIT) ciboule f, cive f

sprinkle ['sprɪŋkl] vt: **to ~ water** etc **on, ~ with water** etc asperger d'eau etc; **to ~ sugar** etc **on, ~ with sugar** etc saupoudrer de sucre etc

sprint [sprɪnt] n sprint m ▶ vi courir à toute vitesse; (Sport) sprinter

sprung [sprʌŋ] pp of **spring**

spun [spʌn] pt, pp of **spin**

spur [spəːʳ] n éperon m; (fig) aiguillon m ▶ vt (also: **~ on**) éperonner aiguillonner; **on the ~ of the moment** sous l'impulsion du moment

spurt [spəːt] n jet m; (of blood) jaillissement m; (of energy) regain m, sursaut m ▶ vi jaillir, gicler

spy [spaɪ] n espion(ne) ▶ vi: **to ~ on** espionner, épier ▶ vt (see) apercevoir • **spycam** n caméra f de surveillance

Sq. abbr (in address) = **square**

sq. abbr (Math etc) = **square**

squabble ['skwɔbl] vi se chamailler

squad [skwɔd] n (Mil, Police) escouade f, groupe m; (Football) contingent m

squadron ['skwɔdrn] n (Mil) escadron m; (Aviat, Naut) escadrille f

squander ['skwɔndəʳ] vt gaspiller, dilapider

square [skwɛəʳ] n carré m; (in town) place f ▶ adj carré(e)

▶ vt (arrange) régler; arranger; (Math) élever au carré; (reconcile) concilier; **all ~** quitte; à égalité; **a ~ meal** un repas convenable; **2 metres ~ de** (de) 2 mètres sur 2; **1 ~ metre** 1 mètre carré • **square root** n racine carrée

squash [skwɔʃ] n (BRIT Sport) squash m; (US: vegetable) courge f; (drink): **lemon~/orange ~** citronnade f/orangeade f ▶ vt écraser

squat [skwɔt] adj petit(e) et épais(se), ramassé(e) ▶ vi (also: **~ down**) s'accroupir • **squatter** n squatter m

squeak [skwiːk] vi (hinge, wheel) grincer; (mouse) pousser un petit cri

squeal [skwiːl] vi pousser un or des cri(s) aigu(s) or perçant(s); (brakes) grincer

squeeze [skwiːz] n pression f ▶ vt presser; (hand, arm) serrer

squid [skwɪd] n calmar m

squint [skwɪnt] vi loucher

squirm [skwəːm] vi se tortiller

squirrel ['skwɪrəl] n écureuil m

squirt [skwəːt] vi jaillir, gicler ▶ vt faire gicler

Sr abbr = **senior**

Sri Lanka [srɪ'læŋkə] n Sri Lanka m

St abbr = **saint; street**

stab [stæb] n (with knife etc) coup m (de couteau etc); (of pain) lancée f; (inf: try): **to have a ~ at (doing) sth** s'essayer à (faire) qch ▶ vt poignarder

stability [stə'bɪlɪtɪ] n stabilité f

stable ['steɪbl] n écurie f ▶ adj stable

stack [stæk] n tas m, pile f ▶ vt empiler, entasser

stadium ['steɪdɪəm] n stade m

staff [stɑːf] n (work force) personnel m; (BRIT Scol: also: **teaching ~**) professeurs mpl, enseignants mpl, personnel enseignant ▶ vt pourvoir en personnel

stag [stæg] n cerf m

stage [steɪdʒ] n scène f; (platform) estrade f; (point) étape f, stade m; (profession): **the ~** le théâtre ▶ vt (play) monter, mettre en scène; (demonstration) organiser; **in ~s** par étapes, par degrés

⚠ Be careful not to translate stage by the French word stage.

stagger ['stægəʳ] vi chanceler, tituber ▶ vt (person: amaze) stupéfier; (hours, holidays) étaler, échelonner • **staggering** adj (amazing) stupéfiant(e), renversant(e)

stagnant ['stægnənt] adj stagnant(e)

stag night, stag party n enterrement m de vie de garçon

stain [steɪn] n tache f; (colouring) colorant m ▶ vt tacher; (wood) teindre • **stained glass** n (decorative) verre coloré; (in church) vitraux mpl • **stainless steel** n inox m, acier m inoxydable

staircase ['stɛəkeɪs] n = **stairway**

stairs [stɛəz] npl escalier m

stairway ['stɛəweɪ] n escalier m

stake [steɪk] n pieu m, poteau m; (Comm: interest) intérêts mpl; (Betting) enjeu m ▶ vt risquer, jouer; (also: **~ out**: area) marquer, délimiter; **to be at ~** être en jeu

stale [steɪl] adj (bread) rassis(e); (food) pas frais (fraîche); (beer)

stalk

éventé(e); (smell) de renfermé; (air) confiné(e)

stalk [stɔ:k] n tige f ▸ vt traquer

stall [stɔ:l] n (in street, market etc) éventaire m, étal m; (in stable) stalle f ▸ vt (Aut) caler; (fig: delay) retarder ▸ vi (Aut) caler; (fig) essayer de gagner du temps; **stalls** npl (BRIT: in cinema, theatre) orchestre m

stamina ['stæmɪnə] n vigueur f, endurance f

stammer ['stæmə'] n bégaiement m ▸ vi bégayer

stamp [stæmp] n timbre m; (also: **rubber ~**) tampon m; (mark: also fig) empreinte f; (on document) cachet m ▸ vi (also: **~ one's foot**) taper du pied ▸ vt (letter) timbrer; (with rubber stamp) tamponner • **stamp out** vt (fire) piétiner; (crime) éradiquer; (opposition) éliminer • **stamped addressed envelope** n (BRIT) enveloppe affranchie pour la réponse

stampede [stæm'pi:d] n ruée f; (of cattle) débandade f

stance [stæns] n position f

stand [stænd] (pt, pp **stood**) n (position) position f; (for taxis) station f (de taxis); (Comm) étalage m, stand m; (Sport: also: **~s**) tribune f; (also: **music ~**) pupitre m ▸ vi être or se tenir (debout); (rise) se lever, se mettre debout; (be placed) se trouver; (remain: offer etc) rester valable ▸ vt (place) mettre, poser; (tolerate, withstand) supporter; (treat, invite) offrir, payer; **to make a ~** prendre position; **to ~ for parliament** (BRIT) se présenter aux élections (comme candidat à la députation); **I can't ~ him** je ne peux pas le voir • **stand back** vi (move back)

reculer, s'écarter • **stand by** vi (be ready) se tenir prêt(e) ▸ vt fus (opinion) s'en tenir à; (person) ne pas abandonner, soutenir • **stand down** vi (withdraw) se retirer • **stand for** vt fus (signify) représenter, signifier; (tolerate) supporter, tolérer • **stand in for** vt fus remplacer • **stand out** vi (be prominent) ressortir • **stand up** vi (rise) se lever, se mettre debout • **stand up for** vt fus défendre • **stand up to** vt fus tenir tête à, résister à

standard ['stændəd] n (norm) norme f, étalon m; (level) niveau m (voulu); (criterion) critère m; (flag) étendard m ▸ adj (size etc) ordinaire, normal(e); (model, feature) standard inv; (practice) courant(e); (text) de base; **standards** npl (morals) morale f, principes mpl • **standard of living** n niveau m de vie

stand-by ticket n (Aviat) billet m stand-by

standing ['stændɪŋ] adj permanent(e); (permanent) permanent(e) ▸ n réputation f, rang m, standing m; **of many years'** ~ qui dure or existe depuis longtemps • **standing order** n (BRIT: at bank) virement m automatique, prélèvement m bancaire

stand: • **standpoint** n point m de vue • **standstill** n: **at a standstill** (fig) à l'arrêt; (fig) au point mort; **to come to a standstill** s'immobiliser, s'arrêter

stank [stæŋk] pt of **stink**

staple ['steɪpl] n (for papers) agrafe f ▸ adj (food, crop, industry etc) de base principal(e) ▸ vt agrafer

star [stɑ:'] n étoile f; (celebrity) vedette f ▸ vt (Cine) avoir pour vedette; **stars** npl: **the ~s** (Astrology) l'horoscope m

starboard ['stɑːbəd] n tribord m

starch [stɑːtʃ] n amidon m; (in food) fécule f

stardom ['stɑːdəm] n célébrité f

stare [stɛəʳ] n regard m fixe ▶ vi: **to ~ at** regarder fixement

stark [stɑːk] adj (bleak) désolé(e), morne ▶ adv: **~ naked** complètement nu(e)

start [stɑːt] n commencement m, début m; (of race) départ m; (sudden movement) sursaut m; (advantage) avance f, avantage m ▶ vt commencer; (cause: fight) déclencher; (rumour) donner naissance à; (fashion) lancer; (found: business, newspaper) lancer, créer; (engine) mettre en marche ▶ vi (begin) commencer; (begin journey) partir, se mettre en route; (jump) sursauter; **when does the film ~?** à quelle heure est-ce que le film commence?; **to ~ doing** or **to do sth** se mettre à faire qch
• **start off** vi commencer; (leave) partir • **start out** vi (begin) commencer; (set out) partir
• **start up** vi commencer; (car) démarrer ▶ vt (fight) déclencher; (business) créer; (car) mettre en marche • **starter** n (Aut) démarreur m; (Sport: official) starter m; (BRIT Culin) entrée f
• **starting point** n point m de départ

startle ['stɑːtl] vt faire sursauter; donner un choc à • **startling** adj surprenant(e), saisissant(e)

starvation [stɑːˈveɪʃən] n faim f, famine f

starve [stɑːv] vi mourir de faim ▶ vt laisser mourir de faim

state [steɪt] n état m; (Pol) État m ▶ vt (declare) déclarer, affirmer; (specify) indiquer, spécifier; **States** npl: **the S~s** les États-Unis; **to be in a ~** être dans tous ses états
• **stately home** ['steɪtlɪ-] n manoir m or château m (ouvert au public) • **statement** n déclaration f; (Law) déposition f • **state school** n école publique
• **statesman** (irreg) n homme m d'État

static ['stætɪk] n (Radio) parasites mpl; (also: **~ electricity**) électricité f statique ▶ adj statique

station ['steɪʃən] n gare f; (also: **police ~**) poste m or commissariat m (de police) ▶ vt placer, poster

stationary ['steɪʃnərɪ] adj à l'arrêt, immobile

stationer's (shop) n (BRIT) papeterie f

stationery ['steɪʃnərɪ] n papier m à lettres, petit matériel de bureau

station wagon n (US) break m

statistic [stəˈtɪstɪk] n statistique f • **statistics** n (science) statistique f

statue ['stætjuː] n statue f

stature ['stætʃəʳ] n stature f; (fig) envergure f

status ['steɪtəs] n position f, situation f; (prestige) prestige m; (Admin, official position) statut m
• **status quo** [-ˈkwəʊ] n: **the status quo** le statu quo

statutory ['stætjutrɪ] adj statutaire, prévu(e) par un article de loi

staunch [stɔːntʃ] adj sûr(e), loyal(e)

stay [steɪ] n (period of time) séjour m ▶ vi rester; (reside) loger; (spend some time) séjourner; **to ~ put** ne

S

pas bouger; **to ~ the night** passer la nuit • **stay away** vi (from person, building) ne pas s'approcher; (from event) ne pas venir • **stay behind** vi rester en arrière • **stay in** vi (at home) rester à la maison • **stay on** vi rester • **stay out** vi (of house) ne pas rentrer; (strikers) rester en grève • **stay up** vi (at night) ne pas se coucher

steadily ['stɛdɪlɪ] adv (regularly) progressivement; (firmly) fermement; (walk) d'un pas ferme; (fixedly: look) sans détourner les yeux

steady ['stɛdɪ] adj stable, solide, ferme; (regular) constant(e), régulier(-ière); (person) calme, pondéré(e) ▸ vt assurer, stabiliser; (nerves) calmer; **a ~ boyfriend** un petit ami

steak [steɪk] n (meat) bifteck m, steak m; (fish, pork) tranche f

steal (pt **stole**, pp **stolen**) [sti:l, stəul, 'stəuln] vt, vi voler; (move) se faufiler, se déplacer furtivement; **my wallet has been stolen** on m'a volé mon portefeuille

steam [sti:m] n vapeur f ▸ vt (Culin) cuire à la vapeur ▸ vi fumer • **steam up** vi (window) se couvrir de buée; **to get ~ed up about sth** (fig: inf) s'exciter à propos de qch • **steamy** adj humide; (window) embué(e); (sexy) torride

steel [sti:l] n acier m ▸ cpd d'acier

steep [sti:p] adj raide, escarpé(e); (price) très élevé(e), excessif(-ive) ▸ vt (faire) tremper

steeple ['sti:pl] n clocher m

steer [stɪə*] vt diriger; (boat) gouverner; (lead: person) guider, conduire ▸ vi tenir le gouvernail

• **steering** n (Aut) conduite f
• **steering wheel** n volant m

stem [stɛm] n (of plant) tige f; (of glass) pied m ▸ vt contenir, endiguer; (attack, spread of disease) juguler • **stem from** vt fus provenir de, découler de

stench [stɛntʃ] n puanteur f

step [stɛp] n pas m; (stair) marche f; (action) mesure f, disposition f ▸ vi: **to ~ forward/back** faire un pas en avant/arrière, avancer/reculer; **steps** npl (BRIT) = **stepladder**; **to be in/out of ~ (with)** (fig) aller dans le sens (de)/être déphasé(e) (par rapport à) • **step down** vi (fig) se retirer, se désister • **step in** vi (fig) intervenir • **step up** vt (production, sales) augmenter; (campaign, efforts) intensifier • **stepbrother** n demi-frère m • **stepchild** (pl **stepchildren**) n beau-fils m, belle-fille f • **stepdad** n beau-père m • **stepdaughter** n belle-fille f • **stepfather** n beau-père m • **stepladder** n (BRIT) escabeau m • **stepmother** n belle-mère f • **stepmum** n belle-mère f • **stepsister** n demi-sœur f • **stepson** n beau-fils m

stereo ['stɛrɪəu] n (sound) stéréo f; (hi-fi) chaîne f stéréo ▸ adj (also: **~phonic**) stéréo(phonique)

stereotype ['stɪərɪətaɪp] n stéréotype m ▸ vt stéréotyper

sterile ['stɛraɪl] adj stérile • **sterilize** ['stɛrɪlaɪz] vt stériliser

sterling ['stə:lɪŋ] adj (silver) de bon aloi, fin(e) ▸ n (currency) livre f sterling inv

stern [stə:n] adj sévère ▸ n (Naut) arrière m, poupe f

steroid ['stɪərɔɪd] n stéroïde m

stew [stju:] n ragoût m ▸ vt, vi cuire à la casserole

steward ['stjuːəd] n (Aviat, Naut, Rail) steward m • **stewardess** n hôtesse f

stick [stɪk] (pt, pp **stuck**) n bâton m; (for walking) canne f; (of chalk etc) morceau m ▸ vt (glue) coller; (thrust): **to ~ sth into** piquer or planter or enfoncer qch dans; (inf: put) mettre, fourrer; (: tolerate) supporter ▸ vi (adhere) tenir, coller; (remain) rester; (get jammed: door, lift) se bloquer • **stick out** vi dépasser, sortir • **stick up** vi dépasser, sortir • **stick up for** vt fus défendre • **sticker** n auto-collant m • **sticking plaster** n sparadrap m, pansement adhésif • **stick insect** n phasme m • **stick shift** n (US Aut) levier m de vitesses

sticky ['stɪkɪ] adj poisseux(-euse); (label) adhésif(-ive); (fig: situation) délicat(e)

stiff [stɪf] adj (gen) raide, rigide; (door, brush) dur(e); (difficult) difficile, ardu(e); (cold) froid(e); (strong, high) fort(e), élevé(e) ▸ adv: **to be bored/scared/frozen ~** s'ennuyer à mourir/être mort(e) de peur/froid

stifling ['staɪflɪŋ] adj (heat) suffocant(e)

stigma ['stɪgmə] n stigmate m

stiletto [stɪ'letəʊ] n (BRIT: also: **~ heel**) talon m aiguille

still [stɪl] adj immobile ▸ adv (up to this time) encore, toujours; (even) encore; (nonetheless) quand même, tout de même

stimulate ['stɪmjʊleɪt] vt stimuler

stimulus (pl **stimuli**) ['stɪmjʊləs, 'stɪmjʊlaɪ] n stimulant m; (Biol, Psych) stimulus m

sting [stɪŋ] n piqûre f; (organ) dard m ▸ vt, vi (pt, pp **stung**) piquer

stink [stɪŋk] n puanteur f ▸ vi (pt **stank**, pp **stunk**) puer, empester

stir [stəːʳ] n agitation f, sensation f ▸ vt remuer; vi remuer, bouger • **stir up** vt (trouble) fomenter, provoquer • **stir-fry** vt faire sauter ▸ n: **vegetable stir-fry** légumes sautés à la poêle

stitch [stɪtʃ] n (Sewing) point m; (Knitting) maille f; (Med) point de suture; (pain) point de côté ▸ vt coudre, piquer; (Med) suturer

stock [stɒk] n réserve f, provision f; (Comm) stock m; (Agr) cheptel m, bétail m; (Culin) bouillon m; (Finance) valeurs fpl, titres mpl; (descent, origin) souche f ▸ adj (fig: reply etc) classique ▸ vt (have in stock) avoir, vendre; **in ~** en stock, en magasin; **out of ~** épuisé(e); **to take ~** (fig) faire le point; **~s and shares** valeurs (mobilières), titres • **stockbroker** ['stɒkbrəʊkəʳ] n agent m de change • **stock cube** n (BRIT Culin) bouillon-cube m • **stock exchange** n Bourse f (des valeurs) • **stockholder** ['stɒkhəʊldəʳ] n (US) actionnaire m/f

stocking ['stɒkɪŋ] n bas m

stock market n Bourse f, marché financier

stole [stəʊl] pt of **steal** ▸ n étole f

stolen ['stəʊln] pp of **steal**

stomach ['stʌmək] n estomac m; (abdomen) ventre m ▸ vt supporter, digérer • **stomachache** n mal m à l'estomac or au ventre

stone [stəʊn] n pierre f; (pebble) caillou m, galet m; (in fruit) noyau m; (Med) calcul m; (BRIT: weight) = 6.348 kg; 14 pounds ▸ cpd de or en pierre ▶ vt (person) lancer des pierres sur, lapider; (fruit) dénoyauter

stonking ['stɒŋkɪŋ] (BRIT inf) adj, adv super; **a ~ good idea** une super bonne idée

stood [stʊd] pt, pp of **stand**

stool [stuːl] n tabouret m

stoop [stuːp] vi (also: **have a ~**) être voûté(e); (also: **~ down**: bend) se baisser, se courber

stop [stɒp] n arrêt m; (in punctuation) point m ▶ vt arrêter; (break off) interrompre; (also: **put a ~ to**) mettre fin à; (prevent) empêcher ▶ vi s'arrêter; (rain, noise etc) cesser, s'arrêter; **to ~ doing sth** cesser ou arrêter de faire qch; **to ~ sb (from) doing sth** empêcher qn de faire qch; **~ it!** arrête! • **stop by** vi s'arrêter (au passage) • **stop off** vi faire une courte halte • **stopover** n halte f; (Aviat) escale f • **stoppage** n (strike) arrêt m de travail; (obstruction) obstruction f

storage ['stɔːrɪdʒ] n emmagasinage m

store [stɔːʳ] n (stock) provision f, réserve f; (depot) entrepôt m; (BRIT: large shop) grand magasin; (US: shop) magasin m ▶ vt emmagasiner; (information) enregistrer; **stores** npl (food) provisions; **who knows what is in ~ for us?** qui sait ce que l'avenir nous réserve ou ce qui nous attend? • **storekeeper** n (US) commerçant(e)

storey, (US) **story** ['stɔːrɪ] n étage m

storm [stɔːm] n tempête f; (thunderstorm) orage m ▶ vi (fig) fulminer ▶ vt prendre d'assaut • **stormy** adj orageux(-euse)

story ['stɔːrɪ] n histoire f; (Press: article) article m; (US) = **storey**

stout [staut] adj (strong) solide; (fat) gros(se), corpulent(e) ▶ n bière brune

stove [stəʊv] n (for cooking) fourneau m; (: small) réchaud m; (for heating) poêle m

straight [streɪt] adj droit(e); (hair) raide; (frank) honnête, franc (franche); (simple) simple ▶ adv (tout) droit; (drink) sec, sans eau; **to put** ou **get ~** mettre en ordre, mettre de l'ordre dans; (fig) mettre au clair; **~ away, ~ off** (at once) tout de suite • **straighten** vt ajuster; (bed) arranger • **straighten out** vt (fig) débrouiller • **straighten up** vi (stand up) se redresser • **straightforward** adj simple; (frank) honnête, direct(e)

strain [streɪn] n (Tech) tension f; pression f; (physical) effort m; (mental) tension (nerveuse); (Med) entorse f; (breed: of plants) variété f; (: of animals) race f ▶ vt (fig: resources etc) mettre à rude épreuve, grever; (hurt: back etc) se faire mal à; (vegetables) égoutter; **strains** npl (Mus) accords mpl, accents mpl • **strained** adj (muscle) froissé(e); (laugh etc) forcé(e), contraint(e); (relations) tendu(e) • **strainer** n passoire f

strait [streɪt] n (Geo) détroit m; **straits** npl: **to be in dire ~s** (fig) avoir de sérieux ennuis

strand [strænd] n (of thread) fil m, brin m; (of rope) toron m; (of hair) mèche f ▶ vt (boat) échouer • **stranded** adj en rade, en plan

strange [streɪndʒ] adj (not known) inconnu(e); (odd) étrange, bizarre • **strangely** adv étrangement,

bizarrement; *see also* **enough**
• **stranger** *n* (*unknown*)
inconnu(e); (*from somewhere else*)
étranger(-ère)

strangle ['stræŋgl] *vt* étrangler

strap [stræp] *n* lanière *f*, courroie
f, sangle *f*; (*of slip, dress*) bretelle *f*

strategic [strə'tiːdʒɪk] *adj*
stratégique

strategy ['strætɪdʒɪ] *n* stratégie *f*

straw [strɔː] *n* paille *f*; **that's the
last ~!** ça c'est le comble!

strawberry ['strɔːbərɪ] *n* fraise *f*

stray [streɪ] *adj* (*animal*) perdu(e),
errant(e); (*scattered*) isolé(e) ▶ *vi*
s'égarer; **~ bullet** balle perdue

streak [striːk] *n* bande *f*, filet *m*;
(*in hair*) raie *f* ▶ *vt* zébrer, strier

stream [striːm] *n* (*brook*) ruisseau
m; (*current*) courant *m*, flot *m*; (*of
people*) défilé *m* ininterrompu, flot
▶ *vt* (*Scol*) répartir par niveau ▶ *vi*
ruisseler; **to ~ in/out** entrer/
sortir à flots

street [striːt] *n* rue *f* • **streetcar** *n*
(*us*) tramway *m* • **street light** *n*
réverbère *m* • **street map**
• **street plan** *n* plan *m* des rues

strength [streŋθ] *n* force *f*; (*of girder,
knot etc*) solidité *f* • **strengthen** *vt*
renforcer; (*muscle*) fortifier;
(*building, Econ*) consolider

strenuous ['strenjuəs] *adj*
vigoureux(-euse), énergique;
(*tiring*) ardu(e), fatigant(e)

stress [stres] *n* (*force, pressure*)
pression *f*; (*mental strain*) tension
(nerveuse), stress *m*; (*accent*)
accent *m*; (*emphasis*) insistance *f*
▶ *vt* insister sur, souligner;
(*syllable*) accentuer • **stressed**
adj (*tense*) stressé(e); (*syllable*)
accentué(e) • **stressful** *adj*
(*job*) stressant(e)

stretch [stretʃ] *n* (*of sand etc*)
étendue *f* ▶ *vi* s'étirer; (*extend*): **to
~ to** *or* **as far as** s'étendre jusqu'à
▶ *vt* tendre, étirer; (*fig*) pousser (au
maximum); **at a ~** d'affilée
• **stretch out** *vi* s'étendre ▶ *vt*
(*arm etc*) allonger, tendre; (*to
spread*) étendre

stretcher ['stretʃə^r] *n* brancard *m*,
civière *f*

strict [strɪkt] *adj* strict(e)
• **strictly** *adv* strictement

stridden ['strɪdn] *pp of* **stride**

stride [straɪd] *n* grand pas,
enjambée *f* ▶ *vi* (*pt* **strode**, *pp*
stridden) marcher à grands pas

strike [straɪk] *n* (*pt, pp* **struck**) grève
f; (*of oil etc*) découverte *f*; (*attack*) raid
m ▶ *vt* frapper; (*oil etc*) trouver,
découvrir; (*make: agreement, deal*)
conclure; (*match*) faire grève; (*attack*)
attaquer; (*clock*) sonner; **to go on** *or*
come out on ~ se mettre en grève,
faire grève; **to ~ a match** frotter
une allumette • **striker** *n* gréviste
m/f; (*Sport*) buteur *m* • **striking**
adj frappant(e), saisissant(e);
(*attractive*) éblouissant(e)

string [strɪŋ] *n* ficelle *f*, fil *m*;
(*row: of beads*) rang *m*; (*Mus*) corde
f ▶ *vt* (*pt, pp* **strung**): **to ~ out**
échelonner; **to ~ together**
enchaîner; **the strings** *npl* (*Mus*)
les instruments *mpl* à cordes; **to
pull ~s** (*fig*) faire jouer le piston

strip [strɪp] *n* bande *f*; (*Sport*)
tenue *f* ▶ *vt* (*undress*) déshabiller;
(*paint*) décaper; (*fig*) dégarnir,
dépouiller; (*also:* **~ down**
(*machine*) démonter ▶ *vi* se
déshabiller • **strip off** *vt* (*paint etc*)
décaper ▶ *vi* (*person*) se déshabiller

stripe [straɪp] *n* raie *f*, rayure *f*;
(*Mil*) galon *m* • **striped** *adj*
rayé(e), à rayures

S

stripper

stripper ['strɪpə'] n strip-teaseuse f

strip-search ['strɪpsə:tʃ] vt: **to ~ sb** fouiller qn (en le faisant se déshabiller)

strive (pt **strove**, pp **striven**) [straɪv, strəuv, 'strɪvn] vi: **to ~ to do/for** s'efforcer de faire/d'obtenir qch

strode [strəud] pt of **stride**

stroke [strəuk] n coup m; (Med) attaque f; (Swimming: style) (sorte de) nage f ▶ vt caresser; **at a ~** d'un (seul) coup

stroll [strəul] n petite promenade ▶ vi flâner, se promener nonchalamment • **stroller** n (us: for child) poussette f

strong [strɔŋ] adj (gen) fort(e); (healthy) vigoureux(-euse); (heart, nerves) solide; **they are 50 ~** ils sont au nombre de 50 • **stronghold** n forteresse f, fort m; (fig) bastion m • **strongly** adv fortement, avec force; vigoureusement; solidement

strove [strəuv] pt of **strive**

struck [strʌk] pt, pp of **strike**

structure ['strʌktʃə'] n structure f; (building) construction f

struggle ['strʌgl] n lutte f ▶ vi lutter, se battre

strung [strʌŋ] pt, pp of **string**

stub [stʌb] n (of cigarette) bout m, mégot m; (of ticket etc) talon m ▶ vt: **to ~ one's toe (on sth)** se heurter le doigt de pied (contre qch) • **stub out** vt écraser

stubble ['stʌbl] n chaume m; (on chin) barbe f de plusieurs jours

stubborn ['stʌbən] adj têtu(e), obstiné(e), opiniâtre

stuck [stʌk] pt, pp of **stick** ▶ adj (jammed) bloqué(e), coincé(e)

stud [stʌd] n (on boots etc) clou m; (collar stud) bouton m de col; (earring) petite boucle d'oreille; (of horses: also: ~ **farm**) écurie f, haras m; (also: ~ **horse**) étalon m ▶ vt (fig): **~ded with** parsemé(e) or criblé(e) de

student ['stju:dənt] n étudiant(e) ▶ adj (life) estudiantin(e), étudiant(e), d'étudiant; (residence, restaurant) universitaire; (loan, movement) étudiant • **student driver** n (us) (conducteur(-trice)) débutant(e) • **students' union** n (BRIT: association) = union f des étudiants; (: building) = foyer m des étudiants

studio ['stju:dɪəu] n studio m, atelier m; (TV etc) studio • **studio flat** • (us) **studio apartment** n studio m

study ['stʌdɪ] n étude f; (room) bureau m ▶ vt étudier; (examine) examiner ▶ vi étudier, faire ses études

stuff [stʌf] n (gen) chose(s) f(pl), truc m; (belongings) affaires fpl, trucs; (substance) substance f ▶ vt rembourrer; (Culin) farcir; (inf: push) fourrer • **stuffing** n bourre f, rembourrage m; (Culin) farce f • **stuffy** adj (room) mal ventilé(e) or aéré(e); (ideas) vieux jeu inv

stumble ['stʌmbl] vi trébucher; **to ~ across** or **on** (fig) tomber sur

stump [stʌmp] n souche f; (of limb) moignon m ▶ vt: **to be ~ed** sécher, ne pas savoir que répondre

stun [stʌn] vt (blow) étourdir; (news) abasourdir, stupéfier

stung [stʌŋ] pt, pp of **sting**

stunk [stʌŋk] *pp of* **stink**

stunned [stʌnd] *adj* assommé(e); (*fig*) sidéré(e)

stunning ['stʌnɪŋ] *adj* (*beautiful*) étourdissant(e); (*news etc*) stupéfiant(e)

stunt [stʌnt] *n* (*in film*) cascade *f*, acrobatie *f*; (*publicity*) truc *m* publicitaire ▸ *vt* retarder, arrêter

stupid ['stjuːpɪd] *adj* stupide, bête • **stupidity** [stjuːˈpɪdɪtɪ] *n* stupidité *f*, bêtise *f*

sturdy ['stɜːdɪ] *adj* (*person, plant*) robuste, vigoureux(-euse); (*object*) solide

stutter ['stʌtə'] *n* bégaiement *m* ▸ *vi* bégayer

style [staɪl] *n* style *m*; (*distinction*) allure *f*, cachet *m*, style; (*design*) modèle *m* • **stylish** *adj* élégant(e), chic inv • **stylist** *n* (*hair stylist*) coiffeur(-euse)

sub... [sʌb] *prefix* sub..., sous- • **subconscious** *adj* subconscient(e)

subdued [səbˈdjuːd] *adj* (*light*) tamisé(e); (*person*) qui a perdu de son entrain

subject *n* ['sʌbdʒɪkt] sujet *m*; (*Scol*) matière *f* ▸ *vt* [səbˈdʒɛkt]: **to ~ to** soumettre à; **to be ~ to** (*law*) être soumis(e) à • **subjective** [səbˈdʒɛktɪv] *adj* subjectif(-ive) • **subject matter** *n* (*content*) contenu *m*

subjunctive [səbˈdʒʌŋktɪv] *n* subjonctif *m*

submarine [sʌbməˈriːn] *n* sous-marin *m*

submission [səbˈmɪʃən] *n* soumission *f*

submit [səbˈmɪt] *vt* soumettre ▸ *vi* se soumettre

subordinate [səˈbɔːdɪnət] *adj* (*junior*) subalterne; (*Grammar*) subordonné(e) ▸ *n* subordonné(e)

subscribe [səbˈskraɪb] *vi* cotiser; **to ~ to** (*opinion, fund*) souscrire à; (*newspaper*) s'abonner à; être abonné(e) à

subscription [səbˈskrɪpʃən] *n* (*to magazine etc*) abonnement *m*

subsequent ['sʌbsɪkwənt] *adj* ultérieur(e), suivant(e) • **subsequently** *adv* par la suite

subside [səbˈsaɪd] *vi* (*land*) s'affaisser; (*flood*) baisser; (*wind, feelings*) tomber

subsidiary [səbˈsɪdɪərɪ] *adj* subsidiaire; accessoire; (*Brit Scol: subject*) complémentaire ▸ *n* filiale *f*

subsidize ['sʌbsɪdaɪz] *vt* subventionner

subsidy ['sʌbsɪdɪ] *n* subvention *f*

substance ['sʌbstəns] *n* substance *f*

substantial [səbˈstænʃl] *adj* substantiel(le); (*fig*) important(e)

substitute ['sʌbstɪtjuːt] *n* (*person*) remplaçant(e); (*thing*) succédané *m* ▸ *vt*: **to ~ sth/sb for** substituer qch/qn à, remplacer par qch/qn • **substitution** *n* substitution *f*

subtitles ['sʌbtaɪtlz] *npl* (*Cine*) sous-titres *mpl*

subtle ['sʌtl] *adj* subtil(e)

subtract [səbˈtrækt] *vt* soustraire, retrancher

suburb ['sʌbəːb] *n* faubourg *m*; **the ~s** la banlieue • **suburban** [səˈbəːbən] *adj* de banlieue, suburbain(e)

subway ['sʌbweɪ] *n* (*Brit: underpass*) passage souterrain; (*us: railway*) métro *m*

S

succeed

succeed [sək'siːd] vi réussir ▶ vt succéder à; **to ~ in doing** réussir à faire

success [sək'sɛs] n succès m; réussite f • **successful** adj (business) prospère, qui réussit; (attempt) couronné(e) de succès; **to be successful (in doing)** réussir (à faire) • **successfully** adv avec succès

succession [sək'sɛʃən] n succession f

successive [sək'sɛsɪv] adj successif(-ive)

successor [sək'sɛsə'] n successeur m

succumb [sə'kʌm] vi succomber

such [sʌtʃ] adj tel (telle); (of that kind): **~ a book** un livre de ce genre or pareil, un tel livre; (so much): **~ courage** un tel courage ▶ adv si; **~ a long trip** un si long voyage; **~ a lot of** tellement or tant de; **~ as** (like) tel (telle) que, comme; **as ~** adv en tant que tel (telle), à proprement parler • **such-and-such** adj tel ou tel (telle ou telle)

suck [sʌk] vt sucer; (breast, bottle) téter

Sudan [suː'dɑːn] n Soudan m

sudden [sʌdn] adj soudain(e), subit(e); **all of a ~** soudain, tout à coup • **suddenly** adv brusquement, tout à coup, soudain

sudoku [suːˈdəukuː] n sudoku m

sue [suː] vt poursuivre en justice, intenter un procès à

suede [sweɪd] n daim m, cuir suédé

suffer ['sʌfə'] vt souffrir, subir; (bear) tolérer, supporter, subir ▶ vi souffrir; **to ~ from** (illness) souffrir de, avoir • **suffering** n souffrance(s) f(pl)

suffice [sə'faɪs] vi suffire

sufficient [sə'fɪʃənt] adj suffisant(e)

suffocate ['sʌfəkeɪt] vi suffoquer; étouffer

sugar ['ʃugə'] n sucre m ▶ vt sucrer

suggest [sə'dʒɛst] vt suggérer, proposer; (indicate) sembler indiquer • **suggestion** n suggestion f

suicide ['suːɪsaɪd] n suicide m; **~ bombing** attentat m suicide; see also **commit** • **suicide bomber** n kamikaze m/f

suit [suːt] n (man's) costume m, complet m; (woman's) tailleur m, ensemble m; (Cards) couleur f; (lawsuit) procès m ▶ vt (subj: clothes, hairstyle) aller à; (be convenient for) convenir à; (adapt): **to ~ sth to** adapter or approprier qch à; **well ~ed** (couple) faits l'un pour l'autre, très bien assortis • **suitable** adj qui convient; approprié(e), adéquat(e) • **suitcase** n valise f

suite [swiːt] n (of rooms, also Mus) suite f; (furniture): **bedroom/ dining room ~** (ensemble m de) chambre f à coucher/salle f à manger; **a three-piece ~** un salon (canapé et deux fauteuils)

sulfur ['sʌlfə'] (us) n = **sulphur**

sulk [sʌlk] vi bouder

sulphur, (us) **sulfur** ['sʌlfə'] n soufre m

sultana [sʌl'tɑːnə] n (fruit) raisin (sec) de Smyrne

sum [sʌm] n somme f; (Scol etc) calcul m • **sum up** vt résumer ▶ vi résumer

summarize ['sʌməraɪz] vt résumer

summary ['sʌmərɪ] n résumé m

summer ['sʌmə'] n été m ▸ cpd d'été, estival(e); **in (the) ~** en été, pendant l'été • **summer holidays** npl grandes vacances
• **summertime** n (season) été m

summit ['sʌmɪt] n sommet m; (also: **~ conference**) (conférence f au) sommet m

summon ['sʌmən] vt appeler, convoquer; **to ~ a witness** citer or assigner un témoin

sun [sʌn] n soleil m

Sun. abbr (= Sunday) dim

sun: • **sunbathe** vi prendre un bain de soleil • **sunbed** n lit pliant; (with sun lamp) lit à ultra-violets
• **sunblock** n écran m total
• **sunburn** n coup m de soleil
• **sunburned • sunburnt** adj bronzé(e), hâlé(e); (painfully) brûlé(e) par le soleil

Sunday ['sʌndɪ] n dimanche m

sunflower ['sʌnflauə'] n tournesol m

sung [sʌŋ] pp of **sing**

sunglasses ['sʌnglɑːsɪz] npl lunettes fpl de soleil

sunk [sʌŋk] pp of **sink**

sun: • **sunlight** n (lumière f du) soleil m • **sun lounger** n chaise longue • **sunny** adj ensoleillé(e); **it is sunny** il fait (du) soleil, il y a du soleil • **sunrise** n lever m du soleil • **sun roof** n (Aut) toit ouvrant • **sunscreen** n crème f solaire • **sunset** n coucher m du soleil • **sunshade** n (over table) parasol m • **sunshine** n (lumière f du) soleil m • **sunstroke** n insolation f, coup m de soleil
• **suntan** n bronzage m • **suntan lotion** n lotion for lait m solaire
• **suntan oil** n huile f solaire

super ['suːpə'] adj (inf) formidable

superb [suː'pəːb] adj superbe, magnifique

superficial [suːpə'fɪʃəl] adj superficiel(le)

superfood [suː'pəfuːd] n superaliment m

superintendent [suːpərɪn'tendənt] n directeur(-trice); (Police) ≈ commissaire m

superior [suː'pɪərɪə'] adj supérieur(e); (smug) condescendant(e), méprisant(e) ▸ n supérieur(e)

superlative [suː'pəːlətɪv] n (Ling) superlatif m

supermarket ['suːpəmɑːkɪt] n supermarché m

supernatural [suːpə'nætʃərəl] adj surnaturel(le) ▸ n: **the ~** le surnaturel

superpower ['suːpəpauə'] n (Pol) superpuissance f

superstition [suːpə'stɪʃən] n superstition f

superstitious [suːpə'stɪʃəs] adj superstitieux(-euse)

superstore ['suːpəstɔː'] n (Brit) hypermarché m, grande surface

supervise ['suːpəvaɪz] vt surveiller; (organization, work) diriger • **supervision** [suːpə'vɪʒən] n surveillance f; (monitoring) contrôle m; (management) direction f
• **supervisor** n surveillant(e); (in shop) chef m de rayon

supper ['sʌpə'] n dîner m; (late) souper m

supple ['sʌpl] adj souple

supplement n ['sʌplɪmənt] supplément m ▸ vt [sʌplɪ'ment] ajouter à, compléter

supplier [sə'plaɪəʳ] n
fournisseur m

supply [sə'plaɪ] vt (provide)
fournir; (equip): **to ~ (with)**
approvisionner or ravitailler (en);
fournir (en) ▶ n provision f, réserve
f; (supplying) approvisionnement
m; **supplies** npl (food) vivres mpl;
(Mil) subsistances fpl

support [sə'pɔːt] n (moral,
financial etc) soutien m, appui m;
(Tech) support m, soutien ▶ vt
soutenir, supporter; (financially)
subvenir aux besoins de; (uphold)
être pour, être partisan de,
appuyer; (Sport: team) être pour
• **supporter** n (Pol etc)
partisan(e); (Sport) supporter m

suppose [sə'pəuz] vt, vi supposer;
imaginer; **to be ~d to do/be** être
censé(e) faire/être • **supposedly**
[sə'pəuzɪdlɪ] adv soi-disant
• **supposing** conj si, à supposer
que + sub

suppress [sə'prɛs] vt (revolt,
feeling) réprimer; (information)
faire disparaître; (scandal, yawn)
étouffer

supreme [su'priːm] adj suprême

surcharge ['səːtʃɑːdʒ] n
surcharge f

sure [ʃuəʳ] adj (gen) sûr(e); (definite,
convinced) sûr, certain(e); **~!** (of
course) bien sûr!; **~ enough**
effectivement; **to make ~ of sth/
that** s'assurer de qch/que, vérifier
qch/que • **surely** adv sûrement;
certainement

surf [səːf] n (waves) ressac m ▶ vt:
to ~ the Net surfer sur Internet,
surfer sur le Net

surface ['səːfɪs] n surface f ▶ vt
(road) poser un revêtement sur
▶ vi remonter à la surface; (fig)

faire surface; **by ~ mail** par voie
de terre; (by sea) par voie maritime

surfboard ['səːfbɔːd] n planche f
de surf

surfer ['səːfəʳ] n (in sea)
surfeur(-euse); **web** or **Net ~**
internaute m/f

surfing ['səːfɪŋ] n (in sea) surf m

surge [səːdʒ] n (of emotion) vague f
▶ vi déferler

surgeon ['səːdʒən] n chirurgien m

surgery ['səːdʒərɪ] n chirurgie f;
(BRIT: room) cabinet m (de
consultation); (also: **~ hours**)
heures fpl de consultation

surname ['səːneɪm] n nom m de
famille

surpass [səː'pɑːs] vt surpasser,
dépasser

surplus ['səːpləs] n surplus m,
excédent m ▶ adj en surplus, de
trop; (Comm) excédentaire

surprise [sə'praɪz] n (gen)
surprise f; (astonishment)
étonnement m ▶ vt surprendre,
étonner • **surprised** adj (look,
smile) surpris(e), étonné(e); **to be
surprised** être surpris
• **surprising** adj surprenant(e),
étonnant(e) • **surprisingly** adv
(easy, helpful) étonnamment,
étrangement; **(somewhat)
surprisingly, he agreed**
curieusement, il a accepté

surrender [sə'rɛndəʳ] n reddition
f, capitulation f ▶ vi se rendre,
capituler

surround [sə'raund] vt entourer;
(Mil etc) encercler • **surrounding**
adj environnant(e)
• **surroundings** npl environs mpl,
alentours mpl

surveillance [səː'veɪləns] n
surveillance f

survey n ['sɜːveɪ] enquête f, étude f; (in house buying etc) inspection f, (rapport m d')expertise f; (of land) levé m ▶ vt [sɜː'veɪ] (situation) passer en revue; (examine carefully) inspecter; (building) expertiser; (land) faire le levé de; (look at) embrasser du regard • **surveyor** n (of building) expert m; (of land) (arpenteur m) géomètre m

survival [sə'vaɪvl] n survie f

survive [sə'vaɪv] vi survivre; (custom etc) subsister ▶ vt (accident etc) survivre à, réchapper de; (person) survivre à • **survivor** n survivant(e)

suspect adj, n ['sʌspekt] suspect(e) ▶ vt [səs'pekt] soupçonner, suspecter

suspend [səs'pend] vt suspendre • **suspended sentence** n (Law) condamnation f avec sursis • **suspenders** npl (BRIT) jarretelles fpl; (US) bretelles fpl

suspense [səs'pens] n attente f, incertitude f; (in film etc) suspense m; **to keep sb in ~** tenir qn en suspens, laisser qn dans l'incertitude

suspension [səs'penʃən] n (gen, Aut) suspension f; (of driving licence) retrait m provisoire • **suspension bridge** n pont suspendu

suspicion [səs'pɪʃən] n soupçon(s) m(pl) • **suspicious** adj (suspecting) soupçonneux(-euse), méfiant(e); (causing suspicion) suspect(e)

sustain [səs'teɪn] vt soutenir; (subj: food) nourrir, donner des forces à; (damage) subir; (injury) recevoir

SUV n abbr (esp US: = sports utility vehicle) SUV m, véhicule m de loisirs

swallow ['swɔləu] n (bird) hirondelle f ▶ vt avaler; (fig: story) gober

swam [swæm] pt of **swim**

swamp [swɔmp] n marais m, marécage m ▶ vt submerger

swan [swɔn] n cygne m

swap [swɔp] n échange m, troc m ▶ vt: **to ~ (for)** échanger (contre), troquer (contre)

swarm [swɔːm] n essaim m ▶ vi (bees) essaimer; (people) grouiller; **to be ~ing with** grouiller de

sway [sweɪ] vi se balancer, osciller ▶ vt (influence) influencer

swear [sweəʳ] (pt **swore**, pp **sworn**) vt, vi jurer • **swear in** vt assermenter • **swearword** n gros mot, juron m

sweat [swet] n sueur f, transpiration f ▶ vi suer

sweater ['swetəʳ] n tricot m, pull m

sweatshirt ['swetʃəːt] n sweat-shirt m

sweaty ['swetɪ] adj en sueur, moite or mouillé(e) de sueur

Swede [swiːd] n Suédois(e)

swede [swiːd] n (BRIT) rutabaga m

Sweden ['swiːdn] n Suède f • **Swedish** ['swiːdɪʃ] adj suédois(e) ▶ n (Ling) suédois m

sweep [swiːp] (pt, pp **swept**) n (curve) grande courbe; (also: **chimney ~**) ramoneur m ▶ vt balayer; (subj: current) emporter

sweet [swiːt] n (BRIT: pudding) dessert m; (candy) bonbon m ▶ adj doux (douce); (not savoury) sucré(e); (kind) gentil(le); (baby) mignon(ne) • **sweetcorn** n maïs doux • **sweetener** ['swiːtnəʳ] n (Culin) édulcorant m

S

swell

- **sweetheart** *n* amoureux(-euse)
- **sweetshop** *n* (BRIT) confiserie *f*

swell [swɛl] (*pt* **swelled**, *pp* **swollen** *or* **swelled**) *n* (*of sea*) houle *f* ▶ *adj* (*us inf: excellent*) chouette ▶ *vt* (*increase*) grossir, augmenter ▶ *vi* (*increase*) grossir, augmenter; (*sound*) s'enfler; (*Med: also:* **~ up**) enfler • **swelling** *n* (*Med*) enflure *f*; (: *lump*) grosseur *f*

swept [swɛpt] *pt*, *pp of* **sweep**

swerve [swəːv] *vi* (*to avoid obstacle*) faire une embardée *ou* un écart; (*off the road*) dévier

swift [swɪft] *n* (*bird*) martinet *m* ▶ *adj* rapide, prompt(e)

swim [swɪm] (*pt* **swam**, *pp* **swum**) *n*: **to go for a ~** aller nager *ou se* baigner ▶ *vi* nager; (*Sport*) faire de la natation; (*fig: head, room*) tourner ▶ *vt* traverser (à la nage); **to ~ a length** nager une longueur • **swimmer** *n* nageur(-euse) *n* • **swimming** *n* nage *f*, natation *f* • **swimming costume** *n* (BRIT) maillot *m* (de bain) • **swimming pool** *n* piscine *f* • **swimming trunks** *npl* maillot *m* de bain • **swimsuit** *n* maillot *m* (de bain)

swine flu [swaɪn-] *n* grippe *f* A

swing [swɪŋ] (*pt*, *pp* **swung**) *n* (*in playground*) balançoire *f*; (*movement*) balancement *m*, oscillations *fpl*; (*change in opinion etc*) revirement *m* ▶ *vt* balancer, faire osciller; (*also:* **~ round**) tourner, faire virer ▶ *vi se* balancer, osciller; (*also:* **~ round**) virer, tourner; **to be in full ~** battre son plein

swipe card [swaɪp-] *n* carte *f* magnétique

swirl [swəːl] *vi* tourbillonner, tournoyer

Swiss [swɪs] *adj* suisse ▶ *n* (*pl inv*) Suisse(-esse)

switch [swɪtʃ] *n* (*for light, radio etc*) bouton *m*; (*change*) changement *m*, revirement *m* ▶ *vt* (*change*) changer • **switch off** *vt* éteindre; (*engine, machine*) arrêter; **could you ~ off the light?** pouvez-vous éteindre la lumière? • **switch on** *vt* allumer; (*engine, machine*) mettre en marche • **switchboard** *n* (*Tel*) standard *m*

Switzerland ['swɪtsələnd] *n* Suisse *f*

swivel ['swɪvl] *vi* (*also:* **~ round**) pivoter, tourner

swollen ['swəʊlən] *pp of* **swell**

swoop [swuːp] *n* (*by police etc*) rafle *f*, descente *f* ▶ *vi* (*bird: also:* **~ down**) descendre en piqué, piquer

swop [swɒp] *n*, *vt* = **swap**

sword [sɔːd] *n* épée *f* • **swordfish** *n* espadon *m*

swore [swɔːʳ] *pt of* **swear**

sworn [swɔːn] *pp of* **swear** ▶ *adj* (*statement, evidence*) donné(e) sous serment; (*enemy*) juré(e)

swum [swʌm] *pp of* **swim**

swung [swʌŋ] *pt*, *pp of* **swing**

syllable ['sɪləbl] *n* syllabe *f*

syllabus ['sɪləbəs] *n* programme *m*

symbol ['sɪmbl] *n* symbole *m* • **symbolic(al)** [sɪm'bɒlɪk(l)] *adj* symbolique

symmetrical [sɪ'mɛtrɪkl] *adj* symétrique

symmetry ['sɪmɪtrɪ] *n* symétrie *f*

sympathetic [sɪmpə'θɛtɪk] *adj* (*showing pity*) compatissant(e); (*understanding*) bienveillant(e), compréhensif(-ive); **~ towards** bien disposé(e) envers

⚠ Be careful not to translate *sympathetic* by the French word *sympathique*.

sympathize ['sɪmpəθaɪz] *vi*: **to ~ with sb** plaindre qn; (*in grief*) s'associer à la douleur de qn; **to ~ with sth** comprendre qch

sympathy ['sɪmpəθɪ] *n* (*pity*) compassion *f*

symphony ['sɪmfənɪ] *n* symphonie *f*

symptom ['sɪmptəm] *n* symptôme *m*; indice *m*

synagogue ['sɪnəgɔg] *n* synagogue *f*

syndicate ['sɪndɪkɪt] *n* syndicat *m*, coopérative *f*; (*Press*) agence *f* de presse

syndrome ['sɪndrəum] *n* syndrome *m*

synonym ['sɪnənɪm] *n* synonyme *m*

synthetic [sɪn'θetɪk] *adj* synthétique

Syria ['sɪrɪə] *n* Syrie *f*

syringe [sɪ'rɪndʒ] *n* seringue *f*

syrup ['sɪrəp] *n* sirop *m*; (*BRIT: also*: **golden ~**) mélasse raffinée

system ['sɪstəm] *n* système *m*; (*Anat*) organisme *m* • **systematic** [sɪstə'mætɪk] *adj* systématique; méthodique • **systems analyst** *n* analyste-programmeur *m/f*

t

ta [tɑ:] *excl* (*BRIT inf*) merci!

tab [tæb] *n* (*label*) étiquette *f*; (*on drinks can etc*) languette *f*; **to keep ~s on** (*fig*) surveiller

table ['teɪbl] *n* table *f* ▶ *vt* (*BRIT: motion etc*) présenter; **to lay** *or* **set the ~** mettre le couvert *or* la table • **tablecloth** *n* nappe *f* • **table d'hôte** [tɑ:bl'dəut] *adj* (*meal*) à prix fixe • **table lamp** *n* lampe décorative *or* de table • **tablemat** *n* (*for plate*) napperon *m*, set *m*; (*for hot dish*) dessous-de-plat *m inv* • **tablespoon** *n* cuiller *f* de service; (*also*: **tablespoonful**: *as measurement*) cuillerée *f* à soupe

tablet ['tæblɪt] *n* (*Med*) comprimé *m*; (*Comput*) tablette *f* (tactile); (*of stone*) plaque *f*

table tennis *n* ping-pong *m*

tabloid ['tæblɔɪd] *n* (*newspaper*) quotidien *m* populaire

taboo [tə'bu:] *adj*, *n* tabou (*m*)

tack [tæk] *n* (*nail*) petit clou *m*; (*fig*) direction *f* ▶ *vt* (*nail*) clouer; (*sew*) bâtir ▶ *vi* (*Naut*) tirer un *or* des bord(s); **to ~ sth on to (the end of) sth** (*of letter, book*) rajouter qch à la fin de qch

tackle ['tækl] n matériel m, équipement m; (for lifting) appareil m de levage; (for ship, Football, Rugby) plaquage m ▸ vt (difficulty, animal, burglar) s'attaquer à; (person: challenge) s'expliquer avec; (Football, Rugby) plaquer

tacky ['tækɪ] adj collant(e); (paint) pas sec (sèche); (pej: poor-quality) minable; (: showing bad taste) ringard(e)

tact [tækt] n tact m • **tactful** adj plein(e) de tact

tactics ['tæktɪks] npl tactique f

tactless ['tæktlɪs] adj qui manque de tact

tadpole ['tædpəʊl] n têtard m

taffy ['tæfɪ] n (US) (bonbon m au) caramel m

tag [tæg] n étiquette f

tail [teɪl] n queue f; (of shirt) pan m ▸ vt (follow) suivre, filer; **tails** npl (suit) habit m; see also **head**

tailor ['teɪlə*] n tailleur m (artisan)

Taiwan [taɪ'wɑːn] n Taïwan (no article) • **Taiwanese** [taɪwə'niːz] adj taïwanais(e) ▸ n inv Taïwanais(e)

take [teɪk] n took, pp **taken**) vt prendre; (gain: prize) remporter; (require: effort, courage) demander; (tolerate) accepter, supporter; (hold: passengers etc) contenir; (accompany) emmener, accompagner; (bring, carry) apporter, emporter; (exam) passer, se présenter à; **to ~ sth from** (drawer etc) prendre qch dans; (person) prendre qch à; **I ~ it that** je suppose que; **to be ~n ill** tomber malade; **it won't ~ long** ça ne prendra pas longtemps; **I was quite ~n with her/it** elle/cela m'a beaucoup plu • **take after** vt fus ressembler à • **take apart** vt démonter • **take away** vt (carry off) emporter; (remove) enlever; (subtract) soustraire • **take back** vt (return) rendre, rapporter; (one's words) retirer • **take down** vt (building) démolir; (letter etc) prendre, écrire • **take in** vt (deceive) tromper, rouler; (understand) comprendre, saisir; (include) couvrir, inclure; (lodger) prendre; (dress, waistband) reprendre • **take off** vi (Aviat) décoller ▸ vt (remove) enlever • **take on** vt (work) accepter, se charger de; (employee) prendre, embaucher; (opponent) accepter de se battre contre • **take out** vt sortir; (remove) enlever; (invite) sortir avec; **to ~ sth out of** (out of drawer etc) prendre qch dans; **to ~ sb out to a restaurant** emmener qn au restaurant • **take over** vt (business) reprendre ▸ vi: **to ~ over from sb** prendre la relève de qn • **take up** vt (one's story) reprendre; (dress) raccourcir; (occupy: time, space) prendre, occuper; (engage in: hobby etc) se mettre à; (accept: offer, challenge) accepter • **takeaway** (BRIT) adj (food) à emporter ▸ n (shop, restaurant) ≈ magasin m qui vend des plats à emporter • **taken** pp of **take** • **takeoff** n (Aviat) décollage m • **takeout** adj, n (US) = **takeaway** • **takeover** n (Comm) rachat m • **takings** npl (Comm) recette f

talc [tælk] n (also: **~um powder**) talc m

tale [teɪl] n (story) conte m, histoire f; (account) récit m; **to tell ~s** (fig) rapporter

talent ['tælnt] n talent m, don m • **talented** adj doué(e), plein(e) de talent

talk [tɔːk] n (a speech) causerie f, exposé m; (conversation) discussion f; (interview) entretien m; (gossip) racontars mpl (pej) ▶ vi parler; (chatter) bavarder; **talks** npl (Pol etc) entretiens mpl; **to ~ about** parler de; **to ~ sb out of/ into doing** persuader qn de ne pas faire/de faire; **to ~ shop** parler métier or affaires • **talk over** vt discuter (de) • **talk show** n (TV, Radio) émission-débat f

tall [tɔːl] adj (person) grand(e); (building, tree) haut(e); **to be 6 feet ~** = mesurer 1 mètre 80

tambourine [tæmbəˈriːn] n tambourin m

tame [teɪm] adj apprivoisé(e); (fig: story, style) insipide

tamper [ˈtæmpəʳ] vi: **to ~ with** toucher à (en cachette ou sans permission)

tampon [ˈtæmpən] n tampon m hygiénique or périodique

tan [tæn] n (also: **sun-**) bronzage m ▶ vt, vi bronzer, brunir ▶ adj (colour) marron clair inv

tandem [ˈtændəm] n tandem m

tangerine [tændʒəˈriːn] n mandarine f

tangle [ˈtæŋgl] n enchevêtrement m; **to get in(to) a ~** s'emmêler

tank [tæŋk] n réservoir m; (for fish) aquarium m; (Mil) char m d'assaut, tank m

tanker [ˈtæŋkəʳ] n (ship) pétrolier m, tanker m; (truck) camion-citerne m

tanned [tænd] adj bronzé(e)

tantrum [ˈtæntrəm] n accès m de colère

Tanzania [tænzəˈnɪə] n Tanzanie f

tap [tæp] n (on sink etc) robinet m; (gentle blow) petite tape ▶ vt frapper or taper légèrement; (resources) exploiter, utiliser; (telephone) mettre sur écoute; **on ~** (fig: resources) disponible • **tap dancing** n claquettes fpl

tape [teɪp] n (for tying) ruban m; (also: **magnetic ~**) bande f (magnétique); (cassette) cassette f; (sticky) Scotch® m ▶ vt (record) enregistrer (au magnétoscope or sur cassette); (stick) coller avec du Scotch® • **tape measure** n mètre m à ruban • **tape recorder** n magnétophone m

tapestry [ˈtæpɪstrɪ] n tapisserie f

tar [tɑː] n goudron m

target [ˈtɑːgɪt] n cible f; (fig: objective) objectif m

tariff [ˈtærɪf] n (Comm) tarif m; (taxes) tarif douanier

tarmac [ˈtɑːmæk] n (BRIT: on road) macadam m; (Aviat) aire f d'envol

tarpaulin [tɑːˈpɔːlɪn] n bâche goudronnée

tarragon [ˈtærəgən] n estragon m

tart [tɑːt] n (Culin) tarte f; (BRIT inf: pej: prostitute) poule f ▶ adj (flavour) âpre, aigrelet(te)

tartan [ˈtɑːtn] n tartan m ▶ adj écossais(e)

tartar sauce [ˈtɑːtə-] n sauce f tartare

task [tɑːsk] n tâche f; **to take to ~** prendre à partie

taste [teɪst] n goût m; (fig: glimpse, idea) idée f, aperçu m ▶ vt goûter ▶ vi: **to ~ of** (fish etc) avoir le or un goût de; **you can ~ the garlic (in it)** on sent bien l'ail; **to have a ~ of sth** goûter (à) qch; **can I**

t

have a ~? je peux goûter?; **to be in good/bad or poor ~** être de bon/mauvais goût • **tasteful** adj de bon goût • **tasteless** adj (food) insipide; (remark) de mauvais goût • **tasty** adj savoureux(-euse), délicieux(-euse).

tatters ['tætəz] npl: **in ~** (also: **tattered**) en lambeaux

tattoo [tə'tu:] n tatouage m; (spectacle) parade f militaire ▶ vt tatouer

taught [tɔ:t] pt, pp of **teach**

taunt [tɔ:nt] n raillerie f ▶ vt railler

Taurus ['tɔ:rəs] n le Taureau

taut [tɔ:t] adj tendu(e)

tax [tæks] n (on goods etc) taxe f; (on income) impôts mpl, contributions fpl ▶ vt taxer; imposer; (fig: patience etc) mettre à l'épreuve • **tax disc** n (BRIT Aut) vignette f (automobile) • **tax-free** adj exempt(e) d'impôts

taxi ['tæksɪ] n taxi m ▶ vi (Aviat) rouler (lentement) au sol • **taxi driver** n chauffeur m de taxi • **taxi rank** • (US) **taxi stand** n station f de taxis

tax payer [-peɪə'] n contribuable m/f

tax return n déclaration f d'impôts or de revenus

TB n abbr = **tuberculosis**

tbc abbr = **to be confirmed**

tea [ti:] n thé m; (BRIT: snack: for children) goûter m; **high ~** (BRIT) collation combinant goûter et dîner • **tea bag** n sachet m de thé • **tea break** n (BRIT) pause-thé f

teach [ti:tʃ] (pt, pp **taught**) vt: **to ~ sb sth, to ~ sth to sb** apprendre qch à qn; (in school etc) enseigner qch à qn ▶ vi enseigner • **teacher** n (in secondary school)

professeur m; (in primary school) instituteur(-trice) • **teaching** n enseignement m • **teaching assistant** n aide-éducateur(-trice)

tea: • **teacup** n tasse f à thé • **tea leaves** npl feuilles fpl de thé

team [ti:m] n équipe f; (of animals) attelage m • **team up** vi: **to ~ up (with)** faire équipe (avec)

teapot ['ti:pɔt] n théière f

tear[1] ['tɪə'] n larme f; **in ~s** en larmes

tear[2] [tɛə'] (pt **tore**, pp **torn**) n déchirure f ▶ vt déchirer ▶ vi se déchirer • **tear apart** vt (also fig) déchirer • **tear down** vt (building, statue) démolir; (poster, flag) arracher • **tear off** vt (sheet of paper etc) arracher; (one's clothes) enlever à toute vitesse • **tear up** vt (sheet of paper etc) déchirer, mettre en morceaux or pièces

tearful ['tɪəful] adj larmoyant(e)

tear gas ['tɪə-] n gaz m lacrymogène

tearoom ['ti:ru:m] n salon m de thé

tease [ti:z] vt taquiner; (unkindly) tourmenter

tea: • **teaspoon** n petite cuiller; (also: **teaspoonful**: as measurement) ≈ cuillerée f à café • **teatime** n l'heure f du thé • **tea towel** n (BRIT) torchon m (à vaisselle)

technical ['tɛknɪkl] adj technique

technician [tɛk'nɪʃən] n technicien(ne)

technique [tɛk'ni:k] n technique f

technology [tɛk'nɔlədʒɪ] n technologie f

teddy (bear) ['tedɪ-] *n* ours *m* (en peluche)

tedious ['tiːdɪəs] *adj* fastidieux(-euse)

tee [tiː] *n* (Golf) tee *m*

teen [tiːn] *adj* = **teenage** ▶ *n* (US) = **teenager**

teenage ['tiːneɪdʒ] *adj* (fashions etc) pour jeunes, pour adolescents; (child) qui est adolescent(e)
• **teenager** *n* adolescent(e)

teens [tiːnz] *npl*: **to be in one's ~** être adolescent(e)

teeth [tiːθ] *npl of* **tooth**

teetotal ['tiː'təʊtl] *adj* (person) qui ne boit jamais d'alcool

telecommunications ['telɪkəmjuːnɪ'keɪʃənz] *n* télécommunications *fpl*

telegram ['telɪgræm] *n* télégramme *m*

telegraph pole ['telɪgrɑːf-] *n* poteau *m* télégraphique

telephone ['telɪfəʊn] *n* téléphone *m* ▶ *vt* (person) téléphoner à; (message) téléphoner; **to be on the ~** (be speaking) être au téléphone
• **telephone book** *n* = **telephone directory** • **telephone box** • (US) **telephone booth** *n* cabine *f* téléphonique • **telephone call** *n* appel *m* téléphonique
• **telephone directory** *n* annuaire *m* (du téléphone)
• **telephone number** *n* numéro *m* de téléphone

telesales ['telɪseɪlz] *npl* télévente *f*

telescope ['telɪskəʊp] *n* télescope *m*

televise ['telɪvaɪz] *vt* téléviser

television ['telɪvɪʒən] *n* télévision *f*; **on ~** à la télévision

• **television programme** *n* (BRIT) émission *f* de télévision

tell [tel] (*pt, pp* **told**) *vt* dire; (relate: story) raconter; (distinguish): **to ~ sth from** distinguer qch de ▶ *vi* (talk): **to ~ of** parler de; (have effect) se faire sentir, se voir; **to ~ sb to do** dire à qn de faire; **to ~ the time** (know how to) savoir lire l'heure
• **tell off** *vt* réprimander, gronder • **teller** *n* (in bank) caissier(-ière)

telly ['telɪ] *n abbr* (BRIT inf: = television) télé *f*

temp [temp] *n* (BRIT: = temporary worker) intérimaire *m/f* ▶ *vi* travailler comme intérimaire

temper ['tempər] *n* (nature) caractère *m*; (mood) humeur *f*; (fit of anger) colère *f* ▶ *vt* (moderate) tempérer, adoucir; **to be in a ~** être en colère; **to lose one's ~** se mettre en colère

temperament ['temprəmənt] *n* (nature) tempérament *m*
• **temperamental** [temprə'mentl] *adj* capricieux(-euse)

temperature ['temprətʃər] *n* température *f*; **to have** *or* **run a ~** avoir de la fièvre

temple ['templ] *n* (building) temple *m*; (Anat) tempe *f*

temporary ['tempərərɪ] *adj* temporaire, provisoire; (job, worker) temporaire

tempt [tempt] *vt* tenter; **to ~ sb into doing** induire qn à faire
• **temptation** *n* tentation *f*
• **tempting** *adj* tentant(e); (food) appétissant(e)

ten [ten] *num* dix

tenant ['tenənt] *n* locataire *m/f*

tend [tend] *vt* s'occuper de ▶ *vi*: **to ~ to do** avoir tendance à faire

t

• **tendency** ['tɛndənsɪ] n
tendance f

tender ['tɛndə'] adj tendre;
(delicate) délicat(e); (sore) sensible
▶ n (Comm: offer) soumission f;
(money): **legal ~** cours légal ▶ vt
offrir

tendinitis [tɛndə'naɪtɪs] n
tendinite f

tendon ['tɛndən] n tendon m

tendonitis [,tɛndə'naɪtɪs] n
= **tendinitis**

tenner ['tɛnə'] n (BRIT inf) billet m
de dix livres

tennis ['tɛnɪs] n tennis m • **tennis
ball** n balle f de tennis • **tennis
court** n (court m de) tennis m
• **tennis match** n match m de
tennis • **tennis player** n
joueur(-euse) de tennis • **tennis
racket** n raquette f de tennis

tenor ['tɛnə'] n (Mus) ténor m

tenpin bowling ['tɛnpɪn-] n
(BRIT) bowling m (à 10 quilles)

tense [tɛns] adj tendu(e) ▶ n
(Ling) temps m

tension ['tɛnʃən] n tension f

tent [tɛnt] n tente f

tentative ['tɛntətɪv] adj timide,
hésitant(e); (conclusion) provisoire

tenth [tɛnθ] num dixième

tent: • **tent peg** n piquet m de
tente • **tent pole** n montant m de
tente

tepid ['tɛpɪd] adj tiède

term [tə:m] n terme m; (Scol)
trimestre m ▶ vt appeler; **terms**
npl (conditions) conditions fpl;
(Comm) tarif m; **in the short/
long ~** à court/long terme; **to
come to ~s with** (problem) faire
face à; **to be on good ~s with**
bien s'entendre avec, être en bons
termes avec

terminal ['tə:mɪnl] adj (disease)
dans sa phase terminale; (patient)
incurable ▶ n (Elec) borne f; (for oil,
ore etc: also Comput) terminal m;
(also: **air ~**) aérogare f; (BRIT: also:
coach ~) gare routière

terminate ['tə:mɪneɪt] vt mettre
fin à; (pregnancy) interrompre

termini ['tə:mɪnaɪ] npl of
terminus

terminology [tə:mɪ'nɔlədʒɪ] n
terminologie f

terminus (pl **termini**) ['tə:mɪnəs,
'tə:mɪnaɪ] n terminus m inv

terrace ['tɛrəs] n terrasse f; (BRIT:
row of houses) rangée f de maisons
(attenantes les unes aux autres); **the
~s** (BRIT Sport) les gradins mpl
• **terraced** adj (garden) en
terrasses; (in a row: house)
attenant(e) aux maisons voisines

terrain [tɛ'reɪn] n terrain m (sol)

terrestrial [tɪ'rɛstrɪəl] adj
terrestre

terrible ['tɛrɪbl] adj terrible,
atroce; (weather, work)
affreux(-euse), épouvantable
• **terribly** adv terriblement; (very
badly) affreusement mal

terrier ['tɛrɪə'] n terrier m (chien)

terrific [tə'rɪfɪk] adj (very great)
fantastique, incroyable, terrible;
(wonderful) formidable,
sensationnel(le)

terrified ['tɛrɪfaɪd] adj terrifié(e);
to be ~ of sth avoir très peur de
qch

terrify ['tɛrɪfaɪ] vt terrifier
• **terrifying** adj terrifiant(e)

territorial [tɛrɪ'tɔ:rɪəl] adj
territorial(e)

territory ['tɛrɪtərɪ] n territoire m

terror ['tɛrə'] n terreur f
• **terrorism** n terrorisme m

• **terrorist** n terroriste m/f
• **terrorist attack** n attentat m terroriste

test [tɛst] n (trial, check) essai m; (of courage etc) épreuve f; (Med) examen m; (Chem) analyse f; (Scol) interrogation f de contrôle; (also: **driving ~**) (examen du) permis m de conduire ▸ vt essayer; mettre à l'épreuve; examiner; analyser; faire subir une interrogation à

testicle ['tɛstɪkl] n testicule m

testify ['tɛstɪfaɪ] vi (Law) témoigner, déposer; **to ~ to sth** (Law) attester qch

testimony ['tɛstɪmənɪ] n (Law) témoignage m, déposition f

test: • **test match** n (Cricket, Rugby) match international • **test tube** n éprouvette f

tetanus ['tɛtənəs] n tétanos m

text [tɛkst] n texte m; (on mobile phone) SMS m inv, texto® m ▸ vt (inf) envoyer un SMS par texto® à
• **textbook** n manuel m

textile ['tɛkstaɪl] n textile m

text message n SMS m inv, texto® m

text messaging [-'mɛsɪdʒɪŋ] n messagerie textuelle

texture ['tɛkstʃə'] n texture f; (of skin, paper etc) grain m

Thai [taɪ] adj thaïlandais(e) ▸ n Thaïlandais(e)

Thailand ['taɪlænd] n Thaïlande f

Thames [tɛmz] n: **the (River) ~** la Tamise

than [ðæn, ðən] conj que; (with numerals): **more ~ 10/once** plus de 10/d'une fois; **I have more/less ~ you** j'en ai plus/moins que toi; **she has more apples ~ pears** elle a plus de pommes que de poires; **it is better to phone ~ to**

write il vaut mieux téléphoner (plutôt) qu'écrire; **she is older ~ you think** elle est plus âgée que tu le crois

thank [θæŋk] vt remercier, dire merci à; **thanks** npl remerciements mpl; **~s!** merci!; **~ you (very much)** merci (beaucoup); **~ God** Dieu merci; **~s to** prep grâce à • **thankfully** adv (fortunately) heureusement
• **Thanksgiving (Day)** n jour m d'action de grâce

Thanksgiving (Day) est un jour de congé aux États-Unis, le quatrième jeudi du mois de novembre, commémorant la bonne récolte que les Pèlerins venus de Grande-Bretagne ont eue en 1621. Traditionnellement, c'était un jour où l'on remerciait Dieu et où l'on organisait un grand festin. Aujourd'hui, *Thanksgiving* est l'occasion d'un grand repas de famille. Des matchs ont lieu pour l'occasion entre les grandes équipes de football américain du pays, et de nombreuses villes organisent un défilé. Une fête semblable, mais qui n'a aucun rapport avec les Pères Pèlerins, a lieu au Canada le deuxième lundi d'octobre.

t

---

that [ðæt]

▸ adj (demonstrative) ce, cet + vowel or h mute, cette f; **that man/woman/book** cet homme/cette femme/ce livre; (not this) cet homme-là/cette femme-là/ce livre-là; **that one** celui-là (celle-là)

▸ pron 1 (demonstrative) ce; (: not

this one) cela, ça; (: that one) celui
(celle); **who's that?** qui est-ce?;
what's that? qu'est-ce que
c'est?; **is that you?** c'est toi?;
I prefer this to that je préfère
ceci à cela or ça; **that's what he
said** or voilà ce qu'il a dit;
will you eat all that? tu vas
manger tout ça?; **that is** (to
say) c'est-à-dire, à savoir
2 (relative: subject) qui; (: object)
que; (: after prep) lequel
(laquelle), lesquels (lesquelles)
pl; **the book that I read** le livre
que j'ai lu; **the books that are
in the library** les livres qui sont
dans la bibliothèque; **all that I
have** tout ce que j'ai; **the box
that I put it in** la boîte dans
laquelle je l'ai mis; **the people
that I spoke to** les gens
auxquels or à qui j'ai parlé
3 (relative, of time) où; **the day
that he came** le jour où il est
venu
▶ conj que; **he thought that I
was ill** il pensait que j'étais
malade
▶ adv (demonstrative): **I don't like
it that much** ça ne me plaît pas
tant que ça; **I didn't know it
was that bad** je ne savais pas
que c'était si or aussi mauvais;
it's about that high c'est à peu
près de cette hauteur

thatched [θætʃt] adj (roof) de
chaume; **~ cottage** chaumière f
thaw [θɔː] n dégel m ▶ vi (ice)
fondre; (food) dégeler ▶ vt (food)
(faire) dégeler

the [ðiː, ðə]

def art 1 (gen) le, la f, l' + vowel or h
mute, les pl (NB: à + le(s) = **au(x)**;

de + le = **du**; de + les = **des**); **the
boy/girl/ink** le garçon/la
fille/l'encre; **the children** les
enfants; **the history of the
world** l'histoire du monde; **give
it to the postman** donne-le au
facteur; **to play the piano/
flute** jouer du piano/de la flûte
2 (+ adj to form n) le, la f, l' + vowel
or h mute, les pl; **the rich and
the poor** les riches et les
pauvres; **to attempt the
impossible** tenter l'impossible
3 (in titles): **Elizabeth the First**
Elisabeth première; **Peter the
Great** Pierre le Grand
4 (in comparisons): **the more he
works, the more he earns** plus
il travaille, plus il gagne de
l'argent

theatre, (us) **theater** ['θɪətə'] n
théâtre m; (Med: also: **operating ~**)
salle f d'opération
theft [θɛft] n vol m (larcin)
their [ðɛə'] adj leur, leurs pl; see
also **my • theirs** pron le (la) leur,
les leurs; see also **mine**[1]
them [ðɛm, ðəm] pron (direct) les;
(indirect) leur; (stressed, after prep)
eux (elles); **give me a few of ~**
donnez-m'en quelques uns (or
quelques unes); see also **me**
theme [θiːm] n thème m • **theme
park** n parc m à thème
themselves [ðəm'sɛlvz] pl pron
(reflexive) se; (emphatic, after prep)
eux-mêmes (elles-mêmes);
between ~ entre eux (elles); see
also **oneself**
then [ðɛn] adv (at that time) alors,
à ce moment-là; (next) puis,
ensuite; (and also) et puis ▶ conj
(therefore) alors, dans ce cas ▶ adj:
the ~ president le président

d'alors or de l'époque; **by ~** (*past*) à ce moment-là; (*future*) d'ici là; **from ~ on** dès lors; **until ~** jusqu'à ce moment-là, jusque-là

theology [θɪˈɒlədʒɪ] *n* théologie *f*

theory [ˈθɪərɪ] *n* théorie *f*

therapist [ˈθerəpɪst] *n* thérapeute *m/f*

therapy [ˈθerəpɪ] *n* thérapie *f*

---

there [ðɛəˈ]

adv 1: **there is, there are** il y a; **there are 3 of them** (*people, things*) il y en a 3; **there is no-one here/no bread left** il n'y a personne/il n'y a plus de pain; **there has been an accident** il y a eu un accident 2 (*referring to place*) là, là-bas; **it's there** c'est là(-bas); **in/on/up/down there** là-dedans/là-dessus/là-haut/en bas; **he went there on Friday** il y est allé vendredi; **I want that book there** je veux ce livre-là; **there he is!** le voilà!
3: **there, there!** (*esp to child*) allons, allons!

there: • **thereabouts** *adv* (*place*) par là, près de là; (*amount*) environ, à peu près • **thereafter** *adv* par la suite • **thereby** *adv* ainsi • **therefore** *adv* donc, par conséquent

there's [ˈðɛəz] = **there is; there has**

thermal [ˈθəːml] *adj* thermique; **~ underwear** sous-vêtements *mpl* en Thermolactyl®

thermometer [θəˈmɒmɪtəˈ] *n* thermomètre *m*

thermostat [ˈθəːməustæt] *n* thermostat *m*

these [ðiːz] *pl pron* ceux-ci (celles-ci) ▶ *pl adj* ces; (*not those*): **~ books** ces livres-ci

thesis (*pl* **theses**) [ˈθiːsɪs, ˈθiːsiːz] *n* thèse *f*

they [ðeɪ] *pl pron* ils (elles); (*stressed*) eux (elles); **~ say that ...** (*it is said that*) on dit que ...
• **they'd** = **they had; they would**
• **they'll** = **they shall; they will**
• **they're** = **they are** • **they've** = **they have**

thick [θɪk] *adj* épais(se); (*stupid*) bête, borné(e) ▶ *n*: **in the ~ of** au beau milieu de, en plein cœur de; **it's 20 cm ~** ça a 20 cm d'épaisseur • **thicken** *vi* s'épaissir ▶ *vt* (*sauce etc*) épaissir • **thickness** *n* épaisseur *f*

thief (*pl* **thieves**) [θiːf, θiːvz] *n* voleur(-euse)

thigh [θaɪ] *n* cuisse *f*

thin [θɪn] *adj* mince; (*skinny*) maigre; (*soup*) peu épais(se); (*hair, crowd*) clairsemé(e) ▶ *vt* (*also:* **~ down**: *sauce, paint*) délayer

thing [θɪŋ] *n* chose *f*; (*object*) objet *m*; (*contraption*) truc *m*; **things** *npl* (*belongings*) affaires *fpl*; **the ~ is ...** c'est que ...; **the best ~ would be to** le mieux serait de; **how are ~s?** comment ça va?; **to have a ~ about** (*be obsessed by*) être obsédé(e) par; (*hate*) détester; **poor ~!** le (or la) pauvre!

think [θɪŋk] (*pt, pp* **thought**) *vi* penser, réfléchir ▶ *vt* penser, croire; (*imagine*) s'imaginer; **what did you ~ of them?** qu'avez-vous pensé d'eux?; **to ~ about sth/sb** penser à qch/qn; **I'll ~ about it** je vais y réfléchir; **to ~ of doing** avoir l'idée de faire; **I ~ so/not** je crois or pense que oui/non; **to ~ well of** avoir une haute opinion de

t

- **think over** vt bien réfléchir à
- **think up** vt inventer, trouver

third [θəːd] num troisième ▸ n (fraction) tiers m; (Aut) troisième (vitesse); (BRIT Scol: degree) ≈ licence f avec mention passable
- **thirdly** adv troisièmement
- **third party insurance** n (BRIT) assurance f au tiers • **Third World** n: **the Third World** le Tiers-Monde

thirst [θəːst] n soif f • **thirsty** adj qui a soif, assoiffé(e); (work) qui donne soif; **to be thirsty** avoir soif

thirteen [θəː'tiːn] num treize
- **thirteenth** [θəː'tiːnθ] num treizième

thirtieth ['θəːtɪɪθ] num trentième

thirty ['θəːtɪ] num trente

this [ðɪs]

▸ adj (demonstrative) ce, cet + vowel or h mute, cette f; **this man/woman/book** cet homme/cette femme/ce livre; (not that) cet homme-ci/cette femme-ci/ce livre-ci; **this one** celui-ci (celle-ci)

▸ pron (demonstrative) ce; (: not that one) celui-ci (celle-ci), ceci; **who's this?** qui est-ce?; **what's this?** qu'est-ce que c'est?; **I prefer this to that** je préfère ceci à cela; **this is where I live** c'est ici que j'habite; **this is what he said** voici ce qu'il a dit; **this is Mr Brown** (in introductions) je vous présente Mr Brown; (in photo) c'est Mr Brown; (on telephone) ici Mr Brown

▸ adv (demonstrative): **it was about this big** c'était à peu près

de cette grandeur or grand comme ça; **I didn't know it was this bad** je ne savais pas que c'était si or aussi mauvais

thistle ['θɪsl] n chardon m

thorn [θɔːn] n épine f

thorough ['θʌrə] adj (search) minutieux(-euse); (knowledge, research) approfondi(e); (work, person) consciencieux(-euse); (cleaning) à fond • **thoroughly** adv (search) minutieusement; (study) en profondeur; (clean) à fond; (very) tout à fait

those [ðəuz] pl pron ceux-là (celles-là) ▸ pl adj ces; (not these): **~ books** ces livres-là

though [ðəu] conj bien que + sub, quoique + sub ▸ adv pourtant

thought [θɔːt] pt, pp of **think** ▸ n pensée f; (idea) idée f; (opinion) avis m • **thoughtful** adj (deep in thought) pensif(-ive); (serious) réfléchi(e); (considerate) prévenant(e) • **thoughtless** adj qui manque de considération

thousand ['θauzənd] num mille; **one ~** mille; **two ~** deux mille; **~s of** des milliers de • **thousandth** num millième

thrash [θræʃ] vt rouer de coups; (inf: defeat) donner une raclée à (inf)

thread [θrɛd] n fil m; (of screw) pas m, filetage m ▸ vt (needle) enfiler

threat [θrɛt] n menace f
- **threaten** vi (storm) menacer ▸ vt: **to threaten sb with sth/to do** menacer qn de qch/de faire • **threatening** adj menaçant(e)

three [θriː] num trois
- **three-dimensional** adj à trois dimensions • **three-piece suite**

n salon *m* (canapé et deux fauteuils) • **three-quarters** *npl* trois-quarts *mpl*; **three-quarters full** aux trois-quarts plein

threshold ['θrɛʃhəʊld] *n* seuil *m*

threw [θru:] *pt of* **throw**

thrill [θrɪl] *n* (*excitement*) émotion *f*, sensation forte; (*shudder*) frisson *m* ▶ *vt* (*audience*) électriser
• **thrilled** *adj* : **thrilled (with)** ravi(e) de • **thriller** *n* film *m* (*or* roman *m or* pièce *f*) à suspense • **thrilling** *adj* (*book, play etc*) saisissant(e); (*news, discovery*) excitant(e)

thriving ['θraɪvɪŋ] *adj* (*business, community*) prospère

throat [θrəʊt] *n* gorge *f*; **to have a sore ~** avoir mal à la gorge

throb [θrɒb] *vi* (*heart*) palpiter; (*engine*) vibrer; **my head is ~bing** j'ai des élancements dans la tête

throne [θrəʊn] *n* trône *m*

through [θru:] *prep* à travers; (*time*) pendant, durant; (*by means of*) par, par l'intermédiaire de; (*owing to*) à cause de ▶ *adj* (*ticket, train, passage*) direct(e) ▶ *adv* à travers; **(from) Monday ~ Friday** (*US*) de lundi à vendredi; **to put sb ~ to sb** (*Tel*) passer qn à qn; **to be ~** (*BRIT Tel*) avoir la communication; (*esp US: have finished*) avoir fini; **"no ~ traffic"** (*US*) "passage interdit"; **"no ~ road"** (*BRIT*) "impasse"
• **throughout** *prep* (*place*) partout dans; (*time*) durant tout(e) le ▶ *adv* partout

throw [θrəʊ] *n* jet *m*; (*Sport*) lancer *m* ▶ *vt* (*pt* **threw**, *pp* **thrown**) lancer, jeter; (*Sport*) lancer; (*rider*) désarçonner; (*fig*) déconcerter; **to ~ a party** donner une réception • **throw away** *vt* jeter; (*money*) gaspiller
• **throw in** *vt* (*Sport: ball*) remettre en jeu; (*include*) ajouter • **throw off** *vt* se débarrasser de • **throw out** *vt* jeter; (*reject*) rejeter; (*person*) mettre à la porte • **throw up** *vi* vomir

thrown [θrəʊn] *pp of* **throw**

thru [θru:] (*US*) *prep* = **through**

thrush [θrʌʃ] *n* (*Zool*) grive *f*

thrust [θrʌst] *vt* (*pt, pp* **thrust**) pousser brusquement; (*push in*) enfoncer

thud [θʌd] *n* bruit sourd

thug [θʌg] *n* voyou *m*

thumb [θʌm] *n* (*Anat*) pouce *m* ▶ *vt* : **to ~ a lift** faire de l'auto-stop, arrêter une voiture
• **thumbtack** *n* (*US*) punaise *f* (*clou*)

thump [θʌmp] *n* grand coup; (*sound*) bruit sourd ▶ *vt* cogner sur ▶ *vi* cogner, frapper

thunder ['θʌndə'] *n* tonnerre *m* ▶ *vi* tonner; (*train etc*) : **to ~ past** passer dans un grondement *or* un bruit de tonnerre
• **thunderstorm** *n* orage *m*

Thursday ['θə:zdɪ] *n* jeudi *m*

thus [ðʌs] *adv* ainsi

thwart [θwɔ:t] *vt* contrecarrer

thyme [taɪm] *n* thym *m*

Tibet [tɪ'bɛt] *n* Tibet *m*

tick [tɪk] *n* (*sound: of clock*) tic-tac *m*; (*mark*) coche *f*; (*Zool*) tique *f* ▶ *vi* faire tic-tac ▶ *vt* (*item on list*) cocher; **in a ~** (*BRIT inf*) dans un instant • **tick off** *vt* (*item on list*) cocher; (*person*) réprimander, attraper

ticket ['tɪkɪt] *n* billet *m*; (*for bus, tube*) ticket *m*; (*in shop, on goods*) étiquette *f*; (*for library*) carte *f*; (*also:* **parking ~**) contravention *f*, p.-v. *m* • **ticket barrier** *n* (BRIT Rail) portillon *m* automatique • **ticket collector** *n* contrôleur(-euse) *f* • **ticket inspector** *n* contrôleur(-euse) • **ticket machine** *n* billetterie *f* automatique • **ticket office** *n* guichet *m*, bureau *m* de vente des billets

tickle ['tɪkl] *vi* chatouiller ▶ *vt* chatouiller • **ticklish** *adj* (person) chatouilleux(-euse); (problem) épineux(-euse)

tide [taɪd] *n* marée *f*; (fig: of events) cours *m*

tidy ['taɪdɪ] *adj* (room) bien rangé(e); (dress, work) net (nette), soigné(e); (person) ordonné(e), qui a de l'ordre ▶ *vt* (also: ~ **up**) ranger

tie [taɪ] *n* (string etc) cordon *m*; (BRIT: also: **neck~**) cravate *f*; (fig: link) lien *m*; (Sport: draw) égalité *f* de points; match nul ▶ *vt* (parcel) attacher; (ribbon) nouer ▶ *vi* (Sport) faire match nul; finir à égalité de points; **to ~ sth in a bow** faire un nœud à *or* avec qch; **to ~ a knot in sth** faire un nœud à qch • **tie down** *vt*: **to ~ sb down to** (fig) contraindre qn à accepter; **to feel ~d down** (by relationship) se sentir coincé(e) • **tie up** *vt* (parcel) ficeler; (dog, boat) attacher; (prisoner) ligoter; (arrangements) conclure; **to be ~d up** (busy) être pris(e) *or* occupé(e)

tier [tɪə^r] *n* gradin *m*; (of cake) étage *m*

tiger ['taɪgə^r] *n* tigre *m*

tight [taɪt] *adj* (rope) tendu(e), raide; (clothes) étroit(e), très juste; (budget, programme, bend) serré(e); (control) strict(e), sévère; (inf: drunk) ivre, rond(e) ▶ *adv* (squeeze) très fort; (shut) à bloc,

hermétiquement; **hold ~!** accrochez-vous bien! • **tighten** *vt* (rope) tendre; (screw) resserrer; (control) renforcer ▶ *vi* se tendre; se resserrer • **tightly** *adv* (grasp) bien, très fort • **tights** *npl* (BRIT) collant *m*

tile [taɪl] *n* (on roof) tuile *f*; (on wall or floor) carreau *m*

till [tɪl] *n* caisse (enregistreuse) ▶ *prep*, *conj* = **until**

tilt [tɪlt] *vt* pencher, incliner ▶ *vi* pencher, être incliné(e)

timber ['tɪmbə^r] *n* (material) bois *m* de construction

time [taɪm] *n* temps *m*; (epoch: often pl) époque *f*, temps; (by clock) heure *f*; (moment) moment *m*; (occasion, also Math) fois *f*; (Mus) mesure *f* ▶ *vt* (race) chronométrer; (programme) minuter; (visit) fixer; (remark etc) choisir le moment de; **a long ~** un long moment, longtemps; **four at a ~** quatre à la fois; **for the ~ being** pour le moment; **from ~ to ~** de temps en temps; **at ~s** parfois; **in ~** (soon enough) à temps; (after some time) avec le temps, à la longue; (Mus) en mesure; **in a week's ~** dans une semaine; **in no ~** en un rien de temps; **any ~** n'importe quand; **on ~** à l'heure; **5 ~s 5** 5 fois 5; **what ~ is it?** quelle heure est-il?; **what ~ is the museum/ shop open?** à quelle heure ouvre le musée/magasin?; **to have a good ~** bien s'amuser • **time limit** *n* limite *f* de temps, délai *m* • **timely** *adj* opportun(e) • **timer** *n* (in kitchen) compte-minutes *m* *inv*; (Tech) minuteur *m* • **time-share** *n* maison *f*/ appartement *m* en multipropriété • **timetable** *n* (Rail) indicateur *m* horaire m; (Scol) emploi m du temps • **time zone** n fuseau m horaire

timid ['tɪmɪd] adj timide; (easily scared) peureux(-euse)

timing ['taɪmɪŋ] n (Sport) chronométrage m; **the ~ of his resignation** le moment choisi pour sa démission

tin [tɪn] n étain m; (also: **~ plate**) fer-blanc m; (BRIT: can) boîte f (de conserve); (for baking) moule m (à gâteau); (for storage) boîte f • **tinfoil** n papier m d'étain or d'aluminium

tingle ['tɪŋgl] vi picoter; (person) avoir des picotements

tinker ['tɪŋkər] • **tinker with** vt fus bricoler, rafistoler

tinned [tɪnd] adj (BRIT: food) en boîte, en conserve

tin opener [-'əupnər] n (BRIT) ouvre-boîte(s) m

tinsel ['tɪnsl] n guirlandes fpl de Noël (argentées)

tint [tɪnt] n teinte f; (for hair) shampooing colorant • **tinted** adj (hair) teint(e); (spectacles, glass) teinté(e)

tiny ['taɪnɪ] adj minuscule

tip [tɪp] n (end) bout m; (gratuity) pourboire m; (BRIT: for rubbish) décharge f; (advice) tuyau m ▸ vt (waiter) donner un pourboire à; (tilt) incliner; (overturn: also: **~ over**) renverser; (empty: also: **~ out**) déverser; **how much should I ~?** combien de pourboire est-ce qu'il faut laisser? • **tip off** vt prévenir, avertir

tiptoe ['tɪptəu] n: **on ~** sur la pointe des pieds

tire ['taɪər] n (US) = **tyre** ▸ vt fatiguer ▸ vi se fatiguer • **tired** adj

fatigué(e); **to be tired of** en avoir assez de, être las (lasse) de • **tire pressure** (US) n = **tyre pressure** • **tiring** adj fatigant(e)

tissue ['tɪʃuː] n tissu m; (paper handkerchief) mouchoir m en papier, kleenex® m • **tissue paper** n papier m de soie

tit [tɪt] n (bird) mésange f; **to give ~ for tat** rendre coup pour coup

title ['taɪtl] n titre m

T-junction ['tiː'dʒʌŋkʃən] n croisement m en T

TM n abbr = **trademark**

---

to [tuː, tə]

▸ prep (with noun/pronoun)
1 (direction) à; (: towards) vers; envers; **to go to France/ Portugal/London/school** aller en France/au Portugal/à Londres/à l'école; **to go to Claude's/the doctor's** aller chez Claude/le docteur; **the road to Edinburgh** la route d'Édimbourg
2 (as far as) (jusqu')à; **to count to 10** compter jusqu'à 10; **from 40 to 50 people** 40 à 50 personnes
3 (with expressions of time): **a quarter to 5** 5 heures moins le quart; **it's twenty to 3** il est 3 heures moins vingt
4 (for, of) de; **the key to the front door** la clé de la porte d'entrée; **a letter to his wife** une lettre (adressée) à sa femme
5 (expressing indirect object) à; **to give sth to sb** donner qch à qn; **to talk to sb** parler à qn; **to be a danger to sb** être dangereux(-euse) pour qn
6 (in relation to) à; **3 goals to 2** 3 (buts) à 2; **30 miles to the**

gallon ≈ 9,4 litres aux cent (km)
7 (purpose, result): **to come to sb's aid** venir au secours de qn, porter secours à qn; **to sentence sb to death** condamner qn à mort; **to my surprise** à ma grande surprise ▶ prep (with vb) **1** (simple infinitive): **to go/eat** aller/ manger
2 (following another vb): **to want/try/start to do** vouloir/ essayer de/commencer à faire
3 (with vb omitted): **I don't want to** je ne veux pas
4 (purpose, result) pour; **I did it to help you** je l'ai fait pour vous aider
5 (equivalent to relative clause): **I have things to do** j'ai des choses à faire; **the main thing is to try** l'important est d'essayer
6 (after adjective etc): **ready to go** prêt(e) à partir; **too old/ young to ...** trop vieux/jeune pour ...
▶ adv: **push/pull the door to** tirez/poussez la porte

toad [təud] n crapaud m
• **toadstool** n champignon (vénéneux)

toast [təust] n (Culin) pain grillé, toast m; (drink, speech) toast m ▶ vt (Culin) faire griller; (drink to) porter un toast à • **toaster** n grille-pain m inv

tobacco [tə'bækəu] n tabac m

toboggan [tə'bɔgən] n toboggan m; (child's) luge f

today [tə'deɪ] adv, n (also fig) aujourd'hui (m)

toddler ['tɔdlər] n enfant m/f qui commence à marcher, bambin m

toe [təu] n doigt m de pied, orteil m; (of shoe) bout m ▶ vt: **to ~ the line** (fig) obéir, se conformer
• **toenail** n ongle m de l'orteil

toffee ['tɔfɪ] n caramel m

together [tə'gɛðər] adv ensemble; (at same time) en même temps; **~ with** prep avec

toilet ['tɔɪlət] n (BRIT: lavatory) toilettes fpl, cabinets mpl; **to go to the ~** aller aux toilettes; **where's the ~?** où sont les toilettes?
• **toilet bag** n (BRIT) nécessaire m de toilette • **toilet paper** n papier m hygiénique • **toiletries** npl articles mpl de toilette • **toilet roll** n rouleau m de papier hygiénique

token ['təukən] n (sign) marque f, témoignage m; (metal disc) jeton m ▶ adj (fee, strike) symbolique; **book/record ~** (BRIT) chèque-livre/-disque m

Tokyo ['təukjəu] n Tokyo

told [təuld] pt, pp of **tell**

tolerant ['tɔlərnt] adj: **~ (of)** tolérant(e) (à l'égard de)

tolerate ['tɔləreɪt] vt supporter

toll [təul] n (tax, charge) péage m ▶ vi (bell) sonner; **the accident ~ on the roads** le nombre des victimes de la route • **toll call** n (us Tel) appel m (à) longue distance • **toll-free** adj (us) gratuit(e) ▶ adv gratuitement

tomato [tə'mɑːtəu] n (pl **tomatoes**) tomate f • **tomato sauce** n sauce f tomate

tomb [tuːm] n tombe f
• **tombstone** n pierre tombale

tomorrow [tə'mɔrəu] adv, n (also fig) demain (m); **the day after ~** après-demain; **a week ~** demain en huit; **~ morning** demain matin

ton [tʌn] n tonne f (Brit: = 1016 kg; US = 907 kg; metric = 1000 kg); **~s of** (inf) des tas de

tone [təun] n ton m; (of radio, Brit Tel) tonalité f ▶ vi (also: **~ in**) s'harmoniser • **tone down** vt (colour, criticism) adoucir

tongs [tɒŋz] npl pinces fpl; (for coal) pincettes fpl; (for hair) fer m à friser

tongue [tʌŋ] n langue f; **~ in cheek** adv ironiquement

tonic ['tɒnɪk] n (Med) tonique m; (also: **~ water**) Schweppes® m

tonight [tə'naɪt] adv, n cette nuit; (this evening) ce soir

tonne [tʌn] n (Brit: metric ton) tonne f

tonsil ['tɒnsl] n amygdale f • **tonsillitis** [tɒnsɪ'laɪtɪs] n: **to have tonsillitis** avoir une angine or une amygdalite

too [tu:] adv (excessively) trop; (also) aussi; **~ much** (as adv) trop; (as adj) trop de; **~ many** adj trop de

took [tuk] pt of **take**

tool [tu:l] n outil m • **tool box** n boîte f à outils • **tool kit** n trousse f à outils

tooth (pl **teeth**) [tu:θ, ti:θ] n (Anat, Tech) dent f; **to brush one's teeth** se laver les dents • **toothache** n mal m de dents; **to have toothache** avoir mal aux dents • **toothbrush** n brosse f à dents • **toothpaste** n (pâte f) dentifrice m • **toothpick** n cure-dent m

top [tɒp] n (of mountain, head) sommet m; (of page, ladder) haut m; (of box, cupboard, table) dessus m; (lid: of box, jar) couvercle m; (: of bottle) bouchon m; (toy) toupie f; (Dress: blouse etc) haut m; (: of

pyjamas) veste f ▶ adj du haut; (in rank) premier(-ière); (best) meilleur(e) ▶ vt (exceed) dépasser; (be first in) être en tête de; **from ~ to bottom** de fond en comble; **on ~ of** sur; (in addition to) en plus de; **over the ~** (inf) (behaviour etc) qui dépasse les limites • **top up** • (US) **top off** vt (bottle) remplir; (salary) compléter; **to ~ up one's mobile (phone)** recharger son compte • **top floor** n dernier étage • **top hat** n haut-de-forme m

topic ['tɒpɪk] n sujet m, thème m • **topical** adj d'actualité

topless ['tɒplɪs] adj (bather etc) aux seins nus

topping ['tɒpɪŋ] n (Culin) couche de crème, fromage etc qui recouvre un plat

topple ['tɒpl] vt renverser, faire tomber ▶ vi basculer; tomber

top-up ['tɒpʌp] n (for mobile phone) recharge f, minutes fpl • **top-up card** n (for mobile phone) recharge f

torch [tɔ:tʃ] n torche f; (Brit: electric) lampe f de poche

tore [tɔ:ʳ] pt of **tear²**

torment n ['tɔ:mɛnt] tourment m ▶ vt [tɔ:'mɛnt] tourmenter; (fig: annoy) agacer

torn [tɔ:n] pp of **tear²**

tornado [tɔ:'neɪdəu] (pl **tornadoes**) n tornade f

torpedo [tɔ:'pi:dəu] (pl **torpedoes**) n torpille f

torrent ['tɒrnt] n torrent m • **torrential** [tɔ'rɛnʃl] adj torrentiel(le)

tortoise ['tɔ:təs] n tortue f

torture ['tɔ:tʃəʳ] n torture f ▶ vt torturer

t

Tory ['tɔːrɪ] *adj, n* (BRIT Pol) tory *m/f*, conservateur(-trice)

toss [tɒs] *vt* lancer, jeter; (BRIT: *pancake*) faire sauter; (*head*) rejeter en arrière ▶ *vi*: **to ~ up for sth** (BRIT) jouer qch à pile ou face; **to ~ a coin** jouer à pile ou face; **to ~ and turn** (*in bed*) se tourner et se retourner

total ['təutl] *adj* total(e) ▶ *n* total *m* ▶ *vt* (*add up*) faire le total de, additionner; (*amount to*) s'élever à

totalitarian [təutælɪ'tɛərɪən] *adj* totalitaire

totally ['təutəlɪ] *adv* totalement

touch [tʌtʃ] *n* contact *m*, toucher *m*; (*sense, skill: of pianist etc*) toucher ▶ *vt* (*gen*) toucher; (*tamper with*) toucher à; **a ~ of** (*fig*) un petit peu de; une touche de; **to get in ~ with** prendre contact avec; **to lose ~** (*friends*) se perdre de vue • **touch down** *vi* (Aviat) atterrir; (*on sea*) amerrir • **touchdown** *n* (Aviat) atterrissage *m*; (*on sea*) amerrissage *m*; (US Football) essai *m* • **touched** *adj* (*moved*) touché(e) • **touching** *adj* touchant(e), attendrissant(e) • **touchline** *n* (Sport) (ligne *f* de) touche *f* • **touch-sensitive** *adj* (*keypad*) à effleurement; (*screen*) tactile

tough [tʌf] *adj* dur(e); (*resistant*) résistant(e), solide; (*meat*) dur, coriace; (*firm*) inflexible; (*task, problem, situation*) difficile

tour ['tuər] *n* voyage *m*; (*also*: **package ~**) voyage organisé; (*of town, museum*) tour *m*, visite *f*; (*by band*) tournée *f* ▶ *vt* visiter • **tour guide** *n* (*person*) guide *m/f*

tourism ['tuərɪzm] *n* tourisme *m*

tourist ['tuərɪst] *n* touriste *m/f* ▶ *cpd* touristique • **tourist office** *n* syndicat *m* d'initiative

tournament ['tuənəmənt] *n* tournoi *m*

tour operator *n* (BRIT) organisateur *m* de voyages, tour-opérateur *m*

tow [təu] *vt* remorquer; (*caravan, trailer*) tracter; **"on ~"**, (US) **"in ~"** (Aut) "véhicule en remorque" • **tow away** *vt* (*subj: police*) emmener à la fourrière; (*: breakdown service*) remorquer

toward(s) [tə'wɔːd(z)] *prep* vers; (*of attitude*) envers, à l'égard de; (*of purpose*) pour

towel ['tauəl] *n* serviette *f* (de toilette) • **towelling** *n* (*fabric*) tissu-éponge *m*

tower ['tauər] *n* tour *f* • **tower block** *n* (BRIT) tour *f* (d'habitation)

town [taun] *n* ville *f*; **to go to ~** aller en ville; (*fig*) y mettre le paquet • **town centre** *n* (BRIT) centre *m* de la ville, centre-ville *m* • **town hall** *n* mairie *f*

tow truck *n* (US) dépanneuse *f*

toxic ['tɒksɪk] *adj* toxique

toy [tɔɪ] *n* jouet *m* • **toy with** *vt fus* jouer avec; (*idea*) caresser • **toyshop** *n* magasin *m* de jouets

trace [treɪs] *n* trace *f* ▶ *vt* (*draw*) tracer, dessiner; (*follow*) suivre la trace de; (*locate*) retrouver

tracing paper ['treɪsɪŋ-] *n* papier-calque *m*

track [træk] *n* (*mark*) trace *f*; (*path: gen*) chemin *m*, piste *f*; (*: of bullet etc*) trajectoire *f*; (*: of suspect, animal*) piste *f*; (Rail) voie ferrée, rails *mpl*; (Comput, Sport) piste *f*; (*on CD*) piste *f*; (*on record*) plage *f* ▶ *vt* suivre la trace ou la piste de;

to keep ~ of suivre • **track down** vt (prey) trouver et capturer; (sth lost) finir par retrouver • **tracksuit** n survêtement m

tractor ['træktə'] n tracteur m

trade [treɪd] n commerce m; (skill, job) métier m ▶ vi faire du commerce ▶ vt (exchange): **to ~ sth (for sth)** échanger qch (contre qch); **to ~ with/in** faire du commerce avec/le commerce de • **trade in** vt (old car etc) faire reprendre • **trademark** n marque f de fabrique • **trader** n commerçant(e), négociant(e) • **tradesman** (irreg) n (shopkeeper) commerçant m • **trade union** n syndicat m

trading ['treɪdɪŋ] n affaires fpl, commerce m

tradition [trə'dɪʃən] n tradition f • **traditional** adj traditionnel(le)

traffic ['træfɪk] n trafic m; (cars) circulation f ▶ vi: **to ~ in** (pej: liquor, drugs) faire le trafic de • **traffic circle** n (us) rond-point m • **traffic island** n refuge m (pour piétons) • **traffic jam** n embouteillage m • **traffic lights** npl feux mpl (de signalisation) • **traffic warden** n contractuel(le)

tragedy ['trædʒədɪ] n tragédie f

tragic ['trædʒɪk] adj tragique

trail [treɪl] n (tracks) trace f, piste f; (path) chemin m, piste f; (of smoke etc) traînée f ▶ vt (drag) traîner, tirer; (follow) suivre ▶ vi traîner; (in game, contest) être en retard • **trailer** n (Aut) remorque f; (us: caravan) caravane f; (Cine) bande-annonce f

train [treɪn] n train m; (in underground) rame f; (of dress) traîne f; (BRIT: series): **~ of events** série f d'événements ▶ vt (apprentice, doctor etc) former; (Sport) entraîner; (dog) dresser; (memory) exercer; (point: gun etc): **to ~ sth on** braquer qch sur ▶ vi recevoir sa formation; (Sport) s'entraîner; **one's ~ of thought** le fil de sa pensée; **what time does the ~ from Paris get in?** à quelle heure arrive le train de Paris?; **is this the ~ for ...?** c'est bien le train pour ...? • **trainee** [treɪ'niː] n stagiaire m/f; (in trade) apprenti(e) • **trainer** n (Sport) entraîneur(-euse); (of dogs etc) dresseur(-euse); **trainers** npl (shoes) chaussures fpl de sport • **training** n formation f; (Sport) entraînement m; (of dog etc) dressage m; **in training** (Sport) à l'entraînement; (fit) en forme • **training course** n cours m de formation professionnelle • **training shoes** npl chaussures fpl de sport

trait [treɪt] n trait m (de caractère)

traitor ['treɪtə'] n traître m

tram [træm] n (BRIT: also: **~car**) tram(way) m

tramp [træmp] n (person) vagabond(e), clochard(e); (inf, pej: woman): **to be a ~** être coureuse

trample ['træmpl] vt: **to ~ (underfoot)** piétiner

trampoline ['træmpəliːn] n trampoline m

tranquil ['træŋkwɪl] adj tranquille • **tranquillizer** n (us) **tranquilizer** n (Med) tranquillisant m

transaction [træn'zækʃən] n transaction f

transatlantic ['trænzət'læntɪk] adj transatlantique

transcript ['trænskrɪpt] n
transcription f (texte)

transfer n ['trænsfə^r] (gen, also
Sport) transfert m; (Pol: of power)
passation f; (of money) virement m;
(picture, design) décalcomanie f;
(: stick-on) autocollant m ▸ vt
[træns'fə:^r] transférer; passer;
virer; **to ~ the charges** (BRIT Tel)
téléphoner en P.C.V.

transform [træns'fɔ:m] vt
transformer • **transformation** n
transformation f

transfusion [træns'fju:ʒən] n
transfusion f

transit ['trænzɪt] n: **in ~** en transit

transition [træn'zɪʃən] n
transition f

transitive ['trænzɪtɪv] adj (Ling)
transitif(-ive)

translate [trænz'leɪt] vt: **to
~ (from/into)** traduire (du/en);
can you ~ this for me?
pouvez-vous me traduire ceci?
• **translation** n
traduction f; (Scol: as opposed to
prose) version f • **translator** n
traducteur(-trice)

transmission [trænz'mɪʃən] n
transmission f

transmit [trænz'mɪt] vt
transmettre; (Radio, TV) émettre
• **transmitter** n émetteur m

transparent [træns'pærənt] adj
transparent(e)

transplant ['trænsplɑ:nt] n
(Med) transplantation f

transport n ['trænspɔ:t]
transport m ▸ vt [træns'pɔ:t]
transporter • **transportation**
[trænspɔ:'teɪʃən] n (moyen m de)
transport m

transvestite [trænz'vestaɪt] n
travesti(e)

trap [træp] n (snare, trick) piège m;
(carriage) cabriolet m ▸ vt prendre
au piège; (confine) coincer

trash [træʃ] n (inf. pej: goods)
camelote f; (: nonsense) sottises
fpl; (US: rubbish) ordures fpl • **trash
can** n (US) poubelle f

trauma ['trɔ:mə] n traumatisme
m • **traumatic** [trɔ:'mætɪk] adj
traumatisant(e)

travel ['trævl] n voyage(s) m(pl)
▸ vi voyager; (news, sound) se
propager ▸ vt (distance) parcourir
• **travel agency** n agence f de
voyages • **travel agent** n agent m
de voyages • **travel insurance** n
assurance-voyage f • **traveller**
• (US) **traveler** n voyageur(-euse)
• **traveller's cheque** • (US)
traveler's check n chèque m de
voyage • **travelling** • (US)
traveling n voyage(s) m(pl)
• **travel-sick** adj: **to get
travel-sick** avoir le mal de la route
(or de mer ou de l'air) • **travel
sickness** n mal m de la route (or de
mer ou de l'air)

tray [treɪ] n (for carrying) plateau
m; (on desk) corbeille f

treacherous ['tretʃərəs] adj
traître(sse); (ground, tide) dont il
faut se méfier

treacle ['tri:kl] n mélasse f

tread [tred] n (step) pas m; (sound)
bruit m de pas; (of tyre) chape f,
bande f de roulement ▸ vi (pt **trod**,
pp **trodden**) marcher • **tread on**
vt fus marcher sur

treasure ['treʒə^r] n trésor m ▸ vt
(value) tenir beaucoup à
• **treasurer** n trésorier(-ière)

treasury ['treʒərɪ] n: **the T~**,
(US) **the T~ Department**
≈ le ministère des Finances

trombone

treat [tri:t] *n* petit cadeau, petite surprise ▶ *vt* traiter; **to ~ sb to sth** offrir qch à qn • **treatment** *n* traitement *m*

treaty ['tri:tɪ] *n* traité *m*

treble ['trɛbl] *adj* triple ▶ *vt, vi* tripler

tree [tri:] *n* arbre *m*

trek [trɛk] *n* (*long walk*) randonnée *f*; (*tiring walk*) longue marche, trotte *f*

tremble ['trɛmbl] *vi* trembler

tremendous [trɪ'mɛndəs] *adj* (*enormous*) énorme; (*excellent*) formidable, fantastique

trench [trɛntʃ] *n* tranchée *f*

trend [trɛnd] *n* (*tendency*) tendance *f*; (*of events*) cours *m*; (*fashion*) mode *f*; **on ~** tendance *inv*; **to set a ~** lancer une mode • **trendy** *adj* (*idea, person*) dans le vent; (*clothes*) dernier cri *inv*

trespass ['trɛspəs] *vi*: **to ~ on** s'introduire sans permission dans; **"no ~ing"** "propriété privée", "défense d'entrer"

trial ['traɪəl] *n* (*Law*) procès *m*, jugement *m*; (*test: of machine etc*) essai *m*; **trials** *npl* (*unpleasant experiences*) épreuves *fpl* • **trial period** *n* période *f* d'essai

triangle ['traɪæŋgl] *n* (*Math, Mus*) triangle *m*

triangular [traɪ'æŋgjulər] *adj* triangulaire

tribe [traɪb] *n* tribu *f*

tribunal [traɪ'bju:nl] *n* tribunal *m*

tribute ['trɪbju:t] *n* tribut *m*, hommage *m*; **to pay ~ to** rendre hommage à

trick [trɪk] *n* (*magic*) tour *m*; (*joke, prank*) tour, farce *f*; (*skill, knack*) astuce *f*; (*Cards*) levée *f* ▶ *vt* attraper, rouler; **to play a ~ on sb**

jouer un tour à qn; **that should do the ~** (*inf*) ça devrait faire l'affaire

trickle ['trɪkl] *n* (*of water etc*) filet *m* ▶ *vi* couler en un filet *or* goutte à goutte

tricky ['trɪkɪ] *adj* difficile, délicat(e)

tricycle ['traɪsɪkl] *n* tricycle *m*

trifle ['traɪfl] *n* bagatelle *f*; (*Culin*) ≈ diplomate *m* ▶ *adv*: **a ~ long** un peu long

trigger ['trɪgər] *n* (*of gun*) gâchette *f*

trim [trɪm] *adj* (*house, garden*) bien tenu(e); (*figure*) svelte ▶ *n* (*haircut etc*) légère coupe; (*on car*) garnitures *fpl* ▶ *vt* (*cut*) couper légèrement; (*Naut: a sail*) gréer; (*decorate*): **to ~ (with)** décorer (de)

trio ['tri:əu] *n* trio *m*

trip [trɪp] *n* voyage *m*; (*excursion*) excursion *f*; (*stumble*) faux pas ▶ *vi* faire un faux pas, trébucher • **trip up** *vi* trébucher ▶ *vt* faire un croc-en-jambe à

triple ['trɪpl] *adj* triple

triplets ['trɪplɪts] *npl* triplés(-ées)

tripod ['traɪpɔd] *n* trépied *m*

triumph ['traɪʌmf] *n* triomphe *m* ▶ *vi*: **to ~ (over)** triompher (de) • **triumphant** [traɪ'ʌmfənt] *adj* triomphant(e)

trivial ['trɪvɪəl] *adj* insignifiant(e); (*commonplace*) banal(e)

trod [trɔd] *pt of* **tread**

trodden ['trɔdn] *pp of* **tread**

troll [trɔl] *n* (*Internet*) troll *m*, trolleur(-euse) *m/f*

trolley ['trɔlɪ] *n* chariot *m*

trolling ['trɔlɪŋ] *n* (*Internet*) trolling *m*

trombone [trɔm'bəun] *n* trombone *m*

t

troop [truːp] n bande f, groupe m; **troops** npl (Mil) troupes fpl; (: men) hommes mpl, soldats mpl

trophy ['trəufɪ] n trophée m

tropical ['trɒpɪkl] adj tropical(e)

trot [trɒt] n trot m ▸ vi trotter; **on the ~** (BRIT fig) d'affilée

trouble ['trʌbl] n difficulté(s) f(pl), problème(s) m(pl); (worry) ennuis mpl, soucis mpl; (bother, effort) peine f; (Pol) conflit(s) m(pl), troubles mpl; (Med): **stomach** etc ~ troubles gastriques etc ▸ vt (disturb) déranger, gêner; (worry) inquiéter ▸ vi: **to ~ to do** prendre la peine de faire; **troubles** npl (Pol etc) troubles; (personal) ennuis, soucis; **to be in ~** avoir des ennuis; (ship, climber etc) être en difficulté; **to have ~ doing sth** avoir du mal à faire qch; **it's no ~!** je vous en prie!; **the ~ is ...** le problème, c'est que ...; **what's the ~?** qu'est-ce qui ne va pas? • **troubled** adj (person) inquiet(-ète); (times, life) agité(e) • **troublemaker** n élément perturbateur, fauteur m de troubles • **troublesome** adj (child) fatigant(e), difficile; (cough) gênant(e)

trough [trɒf] n (also: **drinking ~**) abreuvoir m; (also: **feeding ~**) auge f; (depression) creux m

trousers ['traʊzəz] npl pantalon m; **short ~** (BRIT) culottes courtes

trout [traʊt] n (pl inv) truite f

truant ['truːənt] n: **to play ~** (BRIT) faire l'école buissonnière

truce [truːs] n trêve f

truck [trʌk] n camion m; (Rail) wagon m à plate-forme • **truck driver** n camionneur m

true [truː] adj vrai(e); (accurate) exact(e); (genuine) vrai, véritable; (faithful) fidèle; **to come ~** se réaliser

truly ['truːlɪ] adv vraiment, réellement; (truthfully) sans mentir; **yours ~** (in letter) je vous prie d'agréer, Monsieur (or Madame etc), l'expression de mes sentiments respectueux

trumpet ['trʌmpɪt] n trompette f

trunk [trʌŋk] n (of tree, person) tronc m; (of elephant) trompe f; (case) malle f; (US Aut) coffre m; **trunks** npl (also: **swimming ~s**) maillot m or slip m de bain

trust [trʌst] n confiance f; (responsibility): **to place sth in sb's ~** confier la responsabilité de qch à qn; (Law) fidéicommis m ▸ vt avoir confiance en; (rely on) avoir confiance en; (entrust): **to ~ sth to sb** confier qch à qn; (hope): **to ~ (that)** espérer (que); **to take sth on ~** accepter qch les yeux fermés • **trusted** adj en qui l'on a confiance • **trustworthy** adj digne de confiance

truth [truːθ, truːðz] n vérité f • **truthful** adj (person) qui dit la vérité; (answer) sincère

try [traɪ] n essai m, tentative f; (Rugby) essai m ▸ vt (attempt) essayer, tenter; (test: sth new: also: ~ out) essayer, tester; (Law: person) juger; (strain) éprouver ▸ vi essayer; **to ~ to do** essayer de faire; (seek) chercher à faire • **try on** vt (clothes) essayer • **trying** adj pénible

T-shirt ['tiːʃəːt] n tee-shirt m

tub [tʌb] n cuve f; (for washing clothes) baquet m; (bath) baignoire f

tube [tjuːb] n tube m; (BRIT: underground) métro m; (for tyre) chambre f à air

tuberculosis [tjubɜːkjuˈləʊsɪs] n tuberculose f

tube station n (BRIT) station f de métro

tuck [tʌk] vt (put) mettre • **tuck away** vt cacher, ranger; (money) mettre de côté; (building): **to be ~ed away** être caché(e) • **tuck in** vt rentrer; (child) border ▸ vi (eat) manger de bon appétit; attaquer le repas

tucker [ˈtʌkə] n (AUST, NZ inf) bouffe f (inf)

tuck shop n (BRIT Scol) boutique f à provisions

Tuesday [ˈtjuːzdɪ] n mardi m

tug [tʌg] n (ship) remorqueur m ▸ vt tirer (sur)

tuition [tjuːˈɪʃən] n (BRIT: lessons) leçons fpl; (: private) cours particuliers; (US: fees) frais mpl de scolarité

tulip [ˈtjuːlɪp] n tulipe f

tumble [ˈtʌmbl] n (fall) chute f, culbute f ▸ vi tomber, dégringoler; **to ~ to sth** (inf) réaliser qch • **tumble dryer** n (BRIT) séchoir m (à linge) à air chaud

tumbler [ˈtʌmblə] n verre (droit), gobelet m

tummy [ˈtʌmɪ] n (inf) ventre m

tumour [ˈtjuːmə], (US) **tumor** [ˈtuːmə] n tumeur f

tuna [ˈtjuːnə] n (pl inv: ~ fish) thon m

tune [tjuːn] n (melody) air m ▸ vt (Mus) accorder; (Radio, TV, Aut) régler, mettre au point; **to be in/out of ~** (instrument) être accordé/désaccordé; (singer) chanter juste/faux • **tune in** vi (Radio, TV):

to ~ in (to) se mettre à l'écoute (de) • **tune up** vi (musician) accorder son instrument

tunic [ˈtjuːnɪk] n tunique f

Tunis [ˈtjuːnɪs] n Tunis

Tunisia [tjuːˈnɪzɪə] n Tunisie f

Tunisian [tjuːˈnɪzɪən] adj tunisien(ne) ▸ n Tunisien(ne)

tunnel [ˈtʌnl] n tunnel m; (in mine) galerie f ▸ vi creuser un tunnel (or une galerie)

turbulence [ˈtɜːbjʊləns] n (Aviat) turbulence f

turf [tɜːf] n gazon m; (clod) motte f (de gazon) ▸ vt gazonner

Turk [tɜːk] n Turc (Turque)

Turkey [ˈtɜːkɪ] n Turquie f

turkey [ˈtɜːkɪ] n dindon m, dinde f

Turkish [ˈtɜːkɪʃ] adj turc (turque) ▸ n (Ling) turc m

turmoil [ˈtɜːmɔɪl] n trouble m, bouleversement m

turn [tɜːn] n tour m; (in road) tournant m; (tendency: of mind, events) tournure f; (performance) numéro m; (Med) crise f, attaque f ▸ vt tourner; (collar, steak) retourner; (age) atteindre; (change): **to ~ sth into** changer qch en ▸ vi (object, wind, milk) tourner; (person: look back) se (re)tourner; (reverse direction) faire demi-tour; (become) devenir; **to ~ into** se changer en, se transformer en; **a good ~** un service; **it gave me quite a ~** ça m'a fait un coup; **"no left ~"** (Aut) "défense de tourner à gauche"; **~ left/right at the next junction** tournez à gauche/droite au prochain carrefour; **it's your ~** c'est (à) votre tour; **in ~** à son tour; à tour de rôle; **to take ~s**

se relayer • **turn around** vi
(person) se retourner ▶ vt (object)
tourner • **turn away** vi se
détourner, tourner la tête ▶ vt
(reject: person) renvoyer;
(: business) refuser • **turn back** vi
revenir, faire demi-tour ▶ vt
(reject: person) refuser • **turn down** vt (refuse) rejeter, refuser;
(reduce) baisser; (fold) rabattre
• **turn in** vi (inf: go to bed) aller se
coucher ▶ vt (fold) rentrer • **turn off** vi (from road) tourner ▶ vt
(light, radio etc) éteindre; (tap)
fermer; (engine) arrêter; **I can't ~ the heating off** je n'arrive pas à
éteindre le chauffage • **turn on** vt
(light, radio etc) allumer; (tap)
ouvrir; (engine) mettre en marche;
I can't ~ the heating on je
n'arrive pas à allumer le chauffage
• **turn out** vt (light, gas) éteindre;
(produce) produire ▶ vi (voters,
troops) se présenter; **~ out to
be …** s'avérer …, se révéler …
• **turn over** vi (person) se
retourner ▶ vt (object) retourner;
(page) tourner • **turn round** vi
faire demi-tour; (rotate) tourner
• **turn to** vt fus: **to ~ to sb**
s'adresser à qn • **turn up** vi
(person) arriver, se pointer (inf);
(lost object) être retrouvé(e) ▶ vt
(collar) remonter; (radio, heater)
mettre plus fort • **turning** n (in
road) tournant m • **turning point** n
(fig) tournant m, moment décisif

turnip ['təːnɪp] n navet m

turn-: • **turnout** n (of voters) taux m
de participation • **turnover** n
(Comm: amount of money) chiffre m
d'affaires; (: of goods) roulement m;
(of staff) renouvellement m,
changement m • **turnstile** n
tourniquet m (d'entrée) • **turn-up** n (BRIT: on trousers) revers m

turquoise ['təːkwɔɪz] n (stone)
turquoise f ▶ adj turquoise inv

turtle ['təːtl] n tortue marine
• **turtleneck (sweater)** n
pullover m à col montant

tusk [tʌsk] n défense f (d'éléphant)

tutor ['tjuːtəʳ] n (BRIT Scol: in
college) directeur(-trice) d'études;
(private teacher) précepteur(-trice)
• **tutorial** [tjuːˈtɔːrɪəl] n (Scol)
(séance f de) travaux mpl
pratiques

tuxedo [tʌkˈsiːdəu] n (US)
smoking m

TV [tiːˈviː] n abbr (= television) télé f,
TV f

tweed [twiːd] n tweed m

tweet [twiːt] (on Twitter) n tweet
m ▶ vt, vi tweeter

tweezers ['twiːzəz] npl pince f à
épiler

twelfth [twelfθ] num douzième

twelve [twelv] num douze; **at
~ (o'clock)** à midi; (midnight) à
minuit

twentieth ['twentɪɪθ] num
vingtième

twenty ['twentɪ] num vingt; **in
~ fourteen** en deux mille
quatorze

twerking ['twəːkɪŋ] n twerking m

twice [twaɪs] adv deux fois; **~ as
much** deux fois plus

twig [twɪg] n brindille f ▶ vt, vi (inf)
piger

twilight ['twaɪlaɪt] n
crépuscule m

twin [twɪn] adj, n jumeau(-elle)
▶ vt jumeler • **twin-bedded room**
n = **twin room** • **twin beds** npl
lits mpl jumeaux

twinkle ['twɪŋkl] vi scintiller;
(eyes) pétiller

twin room n chambre f à deux lits

twist [twɪst] n torsion f, tour m; (in wire, flex) tortillon m; (bend: in road) tournant m; (in story) coup m de théâtre ▸ vt tordre; (weave) entortiller; (roll around) enrouler; (fig) déformer ▸ vi (road, river) serpenter; **to ~ one's ankle/wrist** (Med) se tordre la cheville/le poignet

twit [twɪt] n (inf) crétin(e)

twitch [twɪtʃ] n (pull) coup sec, saccade f; (nervous) tic m ▸ vi se convulser; avoir un tic

Twitter® ['twɪtə'] n Twitter® ▸ vi twitter • **Twittersphere** n (inf): **the ~** la twittosphère

two [tuː] num deux m; **to put ~ and ~ together** (fig) faire le rapprochement

type [taɪp] n (category) genre m, espèce f; (model) modèle m; (example) type m; (Typ) type, caractère m ▸ vt (letter etc) taper (à la machine) • **typewriter** n machine f à écrire

typhoid ['taɪfɔɪd] n typhoïde f

typhoon [taɪ'fuːn] n typhon m

typical ['tɪpɪkl] adj typique, caractéristique • **typically** ['tɪpɪklɪ] adv (as usual) comme d'habitude; (characteristically) typiquement

typing ['taɪpɪŋ] n dactylo(graphie) f

typist ['taɪpɪst] n dactylo m/f

tyre, (US) **tire** ['taɪə'] n pneu m • **tyre pressure** n (BRIT) pression f (de gonflage)

u

UFO ['juːfəu] n abbr (= unidentified flying object) ovni m

Uganda [juː'gændə] n Ouganda m

ugly ['ʌglɪ] adj laid(e), vilain(e); (fig) répugnant(e)

UHT adj abbr (= ultra-heat treated): **~ milk** lait m UHT or longue conservation

UK n abbr = **United Kingdom**

ulcer ['ʌlsə'] n ulcère m; **mouth ~** aphte f

ultimate ['ʌltɪmət] adj ultime, final(e); (authority) suprême • **ultimately** adv (at last) en fin de compte; (fundamentally) finalement; (eventually) à la suite

ultimatum (pl **ultimatums** or **ultimata**) [ʌltɪ'meɪtəm, -tə] n ultimatum m

ultrasound ['ʌltrəsaund] n (Med) ultrason m

ultraviolet ['ʌltrə'vaɪələt] adj ultraviolet(te)

umbrella [ʌm'brelə] n parapluie m; (for sun) parasol m

umpire ['ʌmpaɪə'] n arbitre m; (Tennis) juge m de chaise

u

UN n abbr = United Nations

unable [ʌn'eɪbl] adj: **to be ~ to** ne (pas) pouvoir, être dans l'impossibilité de; (not capable) être incapable de

unacceptable [ʌnək'sɛptəbl] adj (behaviour) inadmissible; (price, proposal) inacceptable

unanimous [juː'nænɪməs] adj unanime

unarmed [ʌn'ɑːmd] adj (person) non armé(e); (combat) sans armes

unattended [ʌnə'tɛndɪd] adj (car, child, luggage) sans surveillance

unattractive [ʌnə'træktɪv] adj peu attrayant(e); (character) peu sympathique

unavailable [ʌnə'veɪləbl] adj (article, room, book) (qui n'est pas) disponible; (person) (qui n'est pas) libre

unavoidable [ʌnə'vɔɪdəbl] adj inévitable

unaware [ʌnə'wɛəʳ] adj: **to be ~ of** ignorer, ne pas savoir, être inconscient(e) de • **unawares** adv à l'improviste, au dépourvu

unbearable [ʌn'bɛərəbl] adj insupportable

unbeatable [ʌn'biːtəbl] adj imbattable

unbelievable [ʌnbɪ'liːvəbl] adj incroyable

unborn [ʌn'bɔːn] adj à naître

unbutton [ʌn'bʌtn] vt déboutonner

uncalled-for [ʌn'kɔːldfɔːʳ] adj déplacé(e), injustifié(e)

uncanny [ʌn'kænɪ] adj étrange, troublant(e)

uncertain [ʌn'sɜːtn] adj incertain(e); (hesitant) hésitant(e) • **uncertainty** n incertitude f, doutes mpl

unchanged [ʌn'tʃeɪndʒd] adj inchangé(e)

uncle ['ʌŋkl] n oncle m

unclear [ʌn'klɪəʳ] adj (qui n'est pas clair(e) or évident(e)); **I'm still ~ about what I'm supposed to do** je ne sais pas encore exactement ce que je dois faire

uncomfortable [ʌn'kʌmfətəbl] adj inconfortable, peu confortable; (uneasy) mal à l'aise, gêné(e); (situation) désagréable

uncommon [ʌn'kɒmən] adj rare, singulier(-ière), peu commun(e)

unconditional [ʌnkən'dɪʃənl] adj sans conditions

unconscious [ʌn'kɒnʃəs] adj sans connaissance, évanoui(e); (unaware): **~ (of)** inconscient(e) (de) ▶ n: **the ~** l'inconscient m

uncontrollable [ʌnkən'trəʊləbl] adj (child, dog) indiscipliné(e); (temper, laughter) irrépressible

unconventional [ʌnkən'vɛnʃənl] adj peu conventionnel(le)

uncover [ʌn'kʌvəʳ] vt découvrir

undecided [ʌndɪ'saɪdɪd] adj indécis(e), irrésolu(e)

undeniable [ʌndɪ'naɪəbl] adj indéniable, incontestable

under ['ʌndəʳ] prep sous; (less than) (de) moins de; au-dessous de; (according to) selon, en vertu de ▶ adv au-dessous; en dessous; **~ there** là-dessous; **~ the circumstances** étant donné les circonstances; **~ repair** en (cours de) réparation • **undercover** adj secret(-ète), clandestin(e) • **underdone** adj (Culin) saignant(e); (: pej) pas assez cuit(e) • **underestimate** vt

sous-estimer, mésestimer
• **undergo** vt (irreg: like **go**) subir; (treatment) suivre
• **undergraduate** n étudiant(e) (qui prépare la licence)
• **underground** adj souterrain(e); (fig) clandestin(e) ▶ n (BRIT: railway) métro m; (Pol) clandestinité f • **undergrowth** n broussailles fpl, sous-bois m
• **underline** vt souligner
• **undermine** vt saper, miner
• **underneath** [ʌndə'niːθ] adv (en) dessous ▶ prep sous, au-dessous de • **underpants** npl caleçon m, slip m • **underpass** n (BRIT: for pedestrians) passage souterrain; (: for cars) passage inférieur • **underprivileged** adj défavorisé(e) • **underscore** vt souligner ▶ prep sous • **undershirt** n (US) tricot m de corps • **underskirt** n (BRIT) jupon m

understand [ʌndə'stænd] vt, vi (irreg: like **stand**) comprendre; **I don't** ~ je ne comprends pas • **understandable** adj compréhensible • **understanding** adj compréhensif(-ive) ▶ n compréhension f; (agreement) accord m

understatement ['ʌndəsteɪtmənt] n: **that's an** ~ c'est (bien) peu dire, le terme est faible

understood [ʌndə'stʊd] pt, pp of **understand** ▶ adj entendu(e); (implied) sous-entendu(e)

undertake [ʌndə'teɪk] vt (irreg: like **take**) (job, task) entreprendre; (duty) se charger de; **to** ~ **to do sth** s'engager à faire qch

undertaker ['ʌndəteɪkə'] n (BRIT) entrepreneur m des pompes funèbres, croque-mort m

undertaking ['ʌndəteɪkɪŋ] n entreprise f; (promise) promesse f

under-: underwater adv sous l'eau ▶ adj sous-marin(e)
• **underway** adj: **to be underway** (meeting, investigation) être en cours • **underwear** n sous-vêtements mpl; (women's only) dessous mpl • **underwent** pt of **undergo** • **underworld** n (of crime) milieu m, pègre f

undesirable [ʌndɪ'zaɪərəbl] adj peu souhaitable; (person, effect) indésirable

undisputed [ʌndɪs'pjuːtɪd] adj incontesté(e)

undo [ʌn'duː] vt (irreg: like **do**) défaire

undone [ʌn'dʌn] pp of **undo** ▶ adj: **to come** ~ se défaire

undoubtedly [ʌn'dautɪdlɪ] adv sans aucun doute

undress [ʌn'drɛs] vi se déshabiller

unearth [ʌn'əːθ] vt déterrer; (fig) dénicher

uneasy [ʌn'iːzɪ] adj mal à l'aise, gêné(e); (worried) inquiet(-ète); (feeling) désagréable; (peace, truce) fragile

unemployed [ʌnɪm'plɔɪd] adj sans travail, au chômage ▶ n: **the** ~ les chômeurs mpl

unemployment [ʌnɪm'plɔɪmənt] n chômage m • **unemployment benefit** • (US) **unemployment compensation** n allocation f de chômage

unequal [ʌn'iːkwəl] adj inégal(e)

uneven [ʌn'iːvn] adj inégal(e); (quality, work) irrégulier(-ière)

unexpected [ʌnɪk'spɛktɪd] adj inattendu(e), imprévu(e)

u

• **unexpectedly** adv (succeed) contre toute attente; (arrive) à l'improviste

unfair [ʌnˈfɛəʳ] adj: ~ **(to)** injuste (envers)

unfaithful [ʌnˈfeɪθful] adj infidèle

unfamiliar [ʌnfəˈmɪlɪəʳ] adj étrange, inconnu(e); **to be ~ with sth** mal connaître qch

unfashionable [ʌnˈfæʃnəbl] adj (clothes) démodé(e); (place) peu chic inv

unfasten [ʌnˈfɑːsn] vt défaire; (belt, necklace) détacher; (open) ouvrir

unfavourable, (US) **unfavorable** [ʌnˈfeɪvrəbl] adj défavorable

unfinished [ʌnˈfɪnɪʃt] adj inachevé(e)

unfit [ʌnˈfɪt] adj (physically: ill) en mauvaise santé; (: out of condition) pas en forme; (incompetent): ~ **(for)** impropre (à); (work, service) inapte (à)

unfold [ʌnˈfəuld] vt déplier ▶ vi se dérouler

unforgettable [ʌnfəˈgetəbl] adj inoubliable

unfortunate [ʌnˈfɔːtʃnət] adj malheureux(-euse); (event, remark) malencontreux(-euse)
• **unfortunately** adv malheureusement

unfriend [ʌnˈfrɛnd] vt (Internet) supprimer de sa liste d'amis

unfriendly [ʌnˈfrɛndlɪ] adj peu aimable, froid(e)

unfurnished [ʌnˈfɜːnɪʃt] adj non meublé(e)

unhappiness [ʌnˈhæpɪnɪs] n tristesse f, peine f

unhappy [ʌnˈhæpɪ] adj triste, malheureux(-euse); (unfortunate:

remark etc) malheureux(-euse); (not pleased): ~ **with** mécontent(e) de, peu satisfait(e) de

unhealthy [ʌnˈhelθɪ] adj (gen) malsain(e); (person) maladif(-ive)

unheard-of [ʌnˈhɜːdɔv] adj inouï(e), sans précédent

unhelpful [ʌnˈhelpful] adj (person) peu serviable; (advice) peu utile

unhurt [ʌnˈhɜːt] adj indemne, sain(e) et sauf

unidentified [ʌnaɪˈdentɪfaɪd] adj non identifié(e); see also **UFO**

uniform [ˈjuːnɪfɔːm] n uniforme m ▶ adj uniforme

unify [ˈjuːnɪfaɪ] vt unifier

unimportant [ʌnɪmˈpɔːtənt] adj sans importance

uninhabited [ʌnɪnˈhæbɪtɪd] adj inhabité(e)

unintentional [ʌnɪnˈtenʃənəl] adj involontaire

union [ˈjuːnjən] n union f; (also: **trade ~**) syndicat m ▶ cpd du syndicat, syndical(e) • **Union Jack** n drapeau du Royaume-Uni

unique [juːˈniːk] adj unique

unisex [ˈjuːnɪseks] adj unisexe

unit [ˈjuːnɪt] n unité f; (section: of furniture etc) élément m, bloc m; (team, squad) groupe m, service m; **kitchen ~** élément de cuisine

unite [juːˈnaɪt] vt unir ▶ vi s'unir
• **united** adj uni(e); (country, party) unifié(e); (efforts) conjugué(e)
• **United Kingdom** n Royaume-Uni m • **United Nations (Organization)** n (Organisation f des) Nations unies
• **United States (of America)** n États-Unis mpl

unity [ˈjuːnɪtɪ] n unité f

universal [juːnɪˈvɜːsl] adj universel(le)

universe ['ju:nɪvɜːs] *n* univers *m*
university [ju:nɪ'vɜːsɪtɪ] *n* université *f* ▸ *cpd* (*student, professor*) d'université; (*education, year, degree*) universitaire
unjust [ʌn'dʒʌst] *adj* injuste
unkind [ʌn'kaɪnd] *adj* peu gentil(le), méchant(e)
unknown [ʌn'nəʊn] *adj* inconnu(e)
unlawful [ʌn'lɔːful] *adj* illégal(e)
unleaded [ʌn'ledɪd] *n* (*also:* **~ petrol**) essence *f* sans plomb
unleash [ʌn'liːʃ] *vt* (*fig*) déchaîner, déclencher
unless [ʌn'les] *conj:* **~ he leaves** à moins qu'il (ne) parte; **~ otherwise stated** sauf indication contraire
unlike [ʌn'laɪk] *adj* dissemblable, différent(e) ▸ *prep* à la différence de, contrairement à
unlikely [ʌn'laɪklɪ] *adj* (*result, event*) improbable; (*explanation*) invraisemblable
unlimited [ʌn'lɪmɪtɪd] *adj* illimité(e)
unlisted ['ʌn'lɪstɪd] *adj* (*US Tel*) sur la liste rouge
unload [ʌn'ləʊd] *vt* décharger
unlock [ʌn'lɔk] *vt* ouvrir
unlucky [ʌn'lʌkɪ] *adj* (*person*) malchanceux(-euse); (*object, number*) qui porte malheur; **to be ~** (*person*) ne pas avoir de chance
unmarried [ʌn'mærɪd] *adj* célibataire
unmistak(e)able [ʌnmɪs'teɪkəbl] *adj* indubitable; qu'on ne peut pas ne pas reconnaître
unnatural [ʌn'nætʃrəl] *adj* non naturel(le); (*perversion*) contre nature

unnecessary [ʌn'nesəsərɪ] *adj* inutile, superflu(e)
UNO ['juːnəʊ] *n abbr* = **United Nations Organization**
unofficial [ʌnə'fɪʃl] *adj* (*news*) officieux(-euse), non officiel(le); (*strike*) ≈ sauvage
unpack [ʌn'pæk] *vi* défaire sa valise ▸ *vt* (*suitcase*) défaire; (*belongings*) déballer
unpaid [ʌn'peɪd] *adj* (*bill*) impayé(e); (*holiday*) non-payé(e), sans salaire; (*work*) non rétribué(e)
unpleasant [ʌn'plɛznt] *adj* déplaisant(e), désagréable
unplug [ʌn'plʌg] *vt* débrancher
unpopular [ʌn'pɔpjulə*] *adj* impopulaire
unprecedented [ʌn'presɪdəntɪd] *adj* sans précédent
unpredictable [ʌnprɪ'dɪktəbl] *adj* imprévisible
unprotected ['ʌnprə'tɛktɪd] *adj* (*sex*) non protégé(e)
unqualified [ʌn'kwɔlɪfaɪd] *adj* (*teacher*) non diplômé(e), sans titres; (*success*) sans réserve, total(e); (*disaster*) total(e)
unravel [ʌn'rævl] *vt* démêler
unreal [ʌn'rɪəl] *adj* irréel(le); (*extraordinary*) incroyable
unrealistic ['ʌnrɪə'lɪstɪk] *adj* (*idea*) irréaliste; (*estimate*) peu réaliste
unreasonable [ʌn'riːznəbl] *adj* qui n'est pas raisonnable
unrelated [ʌnrɪ'leɪtɪd] *adj* sans rapport; (*people*) sans lien de parenté
unreliable [ʌnrɪ'laɪəbl] *adj* sur qui (*or* quoi) on ne peut pas compter, peu fiable

unrest [ʌnˈrɛst] n agitation f, troubles mpl

unroll [ʌnˈrəʊl] vt dérouler

unruly [ʌnˈruːlɪ] adj indiscipliné(e)

unsafe [ʌnˈseɪf] adj (in danger) en danger; (journey, car) dangereux(-euse)

unsatisfactory [ˈʌnsætɪsˈfæktərɪ] adj peu satisfaisant(e)

unscrew [ʌnˈskruː] vt dévisser

unsettled [ʌnˈsɛtld] adj (restless) perturbé(e); (unpredictable) instable; incertain(e); (not finalized) non résolu(e)

unsettling [ʌnˈsɛtlɪŋ] adj qui a un effet perturbateur

unsightly [ʌnˈsaɪtlɪ] adj disgracieux(-euse), laid(e)

unskilled [ʌnˈskɪld] adj: ~ **worker** manœuvre m

unspoiled [ʌnˈspɔɪld], **unspoilt** [ˈʌnˈspɔɪlt] adj (place) non dégradé(e)

unstable [ʌnˈsteɪbl] adj instable

unsteady [ʌnˈstɛdɪ] adj mal assuré(e), chancelant(e), instable

unsuccessful [ʌnsəkˈsɛsful] adj (attempt) infructueux(-euse); (writer, proposal) qui n'a pas de succès; **to be ~** (in attempting sth) ne pas réussir; ne pas avoir de succès; (application) ne pas être retenu(e)

unsuitable [ʌnˈsuːtəbl] adj qui ne convient pas, peu approprié(e); (time) inopportun(e)

unsure [ʌnˈʃuəʳ] adj pas sûr(e); **to be ~ of o.s.** ne pas être sûr de soi, manquer de confiance en soi

untidy [ʌnˈtaɪdɪ] adj (room) en désordre; (appearance, person) débraillé(e); (person: in character)

sans ordre, désordonné(e); (work) peu soigné(e)

untie [ʌnˈtaɪ] vt (knot, parcel) défaire; (prisoner, dog) détacher

until [ənˈtɪl] prep jusqu'à; (after negative) avant ▸ conj jusqu'à ce que + sub; (in past, after negative) avant que + sub; **~ he comes** jusqu'à ce qu'il vienne, jusqu'à son arrivée; **~ now** jusqu'à présent, jusqu'ici; **~ then** jusque-là

untrue [ʌnˈtruː] adj (statement) faux (fausse)

unused¹ [ʌnˈjuːzd] adj (new) neuf (neuve)

unused² [ʌnˈjuːst] adj: **to be ~ to sth/to doing sth** ne pas avoir l'habitude de qch/de faire qch

unusual [ʌnˈjuːʒuəl] adj insolite, exceptionnel(le), rare
• **unusually** adv exceptionnellement, particulièrement

unveil [ʌnˈveɪl] vt dévoiler

unwanted [ʌnˈwɒntɪd] adj (child, pregnancy) non désiré(e); (clothes etc) à donner

unwell [ʌnˈwɛl] adj souffrant(e); **to feel ~** ne pas se sentir bien

unwilling [ʌnˈwɪlɪŋ] adj: **to be ~ to do** ne pas vouloir faire

unwind [ʌnˈwaɪnd] vt (irreg: like **wind²**) dérouler ▸ vi (relax) se détendre

unwise [ʌnˈwaɪz] adj imprudent(e), peu judicieux(-euse)

unwittingly [ʌnˈwɪtɪŋlɪ] adv involontairement

unwrap [ʌnˈræp] vt défaire; ouvrir

unzip [ʌnˈzɪp] vt ouvrir (la fermeture éclair de); (Comput) dézipper

up [ʌp]

▶ *prep*: **he went up the stairs/ the hill** il a monté l'escalier/la colline; **the cat was up a tree** le chat était dans un arbre; **they live further up the street** ils habitent plus haut dans la rue; **go up that road and turn left** remontez la rue et tournez à gauche

▶ *adv* **1** en haut; en l'air; (*upwards, higher*): **up in the sky/ the mountains** (là-haut) dans le ciel/les montagnes; **put it a bit higher up** mettez-le un peu plus haut; **to stand up** (*get up*) se lever, se mettre debout; (*be standing*) être debout; **up there** là-haut; **up above** au-dessus **2**: **to be up** (*out of bed*) être levé(e); (*prices*) avoir augmenté or monté; (*finished*): **when the year was up** à la fin de l'année **3**: **up to** (*as far as*) jusqu'à; **up to now** jusqu'à présent **4**: **to be up to** (*depending on*): **it's up to you** c'est à vous de décider; (*equal to*): **he's not up to it** (*job, task etc*) il n'en est pas capable; (*inf: be doing*): **what is he up to?** qu'est-ce qu'il peut bien faire?

▶ *n*: **ups and downs** hauts et bas *mpl*

up-and-coming [ʌpənd'kʌmɪŋ] *adj* plein(e) d'avenir *or* de promesses

upbringing ['ʌpbrɪŋɪŋ] *n* éducation *f*

upcycle ['ʌpsaɪkl] *vt* surcycler

update [ʌp'deɪt] *vt* mettre à jour

upfront [ʌp'frʌnt] *adj* (*open*) franc (franche) ▶ *adv* (*pay*)

d'avance; **to be ~ about sth** ne rien cacher de qch

upgrade [ʌp'greɪd] *vt* (*person*) promouvoir; (*job*) revaloriser; (*property, equipment*) moderniser

upheaval [ʌp'hiːvl] *n* bouleversement *m*; (*in room*) branle-bas *m*; (*event*) crise *f*

uphill [ʌp'hɪl] *adj* qui monte; (*fig: task*) difficile, pénible ▶ *adv* (*face, look*) en amont, vers l'amont; **to go ~** monter

upholstery [ʌp'həʊlstərɪ] *n* rembourrage *m*; (*cover*) tissu *m* d'ameublement; (*of car*) garniture *f*

upload ['ʌpləʊd] *vt* (*Comput*) télécharger

upmarket [ʌp'mɑːkɪt] *adj* (*product*) haut de gamme *inv*; (*area*) chic *inv*

upon [ə'pɒn] *prep* sur

upper ['ʌpəʳ] *adj* supérieur(e); du dessus ▶ *n* (*of shoe*) empeigne *f*
• **upper-class** *adj* de la haute société, aristocratique; (*district*) élégant(e), huppé(e); (*accent, attitude*) caractéristique des classes supérieures

upright ['ʌpraɪt] *adj* droit(e); (*fig*) droit, honnête

uprising ['ʌpraɪzɪŋ] *n* soulèvement *m*, insurrection *f*

uproar ['ʌprɔːʳ] *n* tumulte *m*, vacarme *m*; (*protests*) protestations *fpl*

upset ['ʌpset] *n* dérangement *m* ▶ *vt* [ʌp'set] (*irreg: like* **set**) (*glass etc*) renverser; (*plan*) déranger; (*person: offend*) contrarier; (: *grieve*) faire de la peine à; bouleverser ▶ *adj* [ʌp'set] contrarié(e), peiné(e); **to have a stomach ~** (*BRIT*) avoir une indigestion

u

upside down [ˈʌpsaɪd-] adv à
l'envers; **to turn sth ~** (fig: place)
mettre sens dessus dessous

upstairs [ʌpˈstɛəz] adv en haut
► adj (room) du dessus, d'en haut
► n: **the ~** l'étage m

up-to-date [ˈʌptəˈdeɪt] adj
moderne; (information) très
récent(e)

upward [ˈʌpwəd] adj
ascendant(e); vers le haut ► adv
= **upwards**

upwards adv vers le haut; (more
than): **~ of** plus de

uranium [juəˈreɪnɪəm] n
uranium m

Uranus [ˈjuərənəs] n Uranus f

urban [ˈəːbən] adj urbain(e)

urge [əːdʒ] n besoin (impératif),
envie (pressante) ► vt (person):
to ~ sb to do exhorter qn à faire,
pousser qn à faire, recommander
vivement à qn de faire

urgency [ˈəːdʒənsɪ] n urgence f;
(of tone) insistance f

urgent [ˈəːdʒənt] adj urgent(e);
(plea, tone) pressant(e)

urinal [ˈjuərɪnl] n (BRIT: place)
urinoir m

urinate [ˈjuərɪneɪt] vi uriner

urine [ˈjuərɪn] n urine f

URL abbr (= uniform resource locator)
URL f

US n abbr = **United States**

us [ʌs] pron nous; see also **me**

USA n abbr = **United States of
America**

USB stick n clé f USB

use n [juːs] emploi m, utilisation f;
(usefulness) utilité f ► vt [juːz] se
servir de, utiliser, employer; **in ~**
en usage; **out of ~** hors d'usage;
to be of ~ servir, être utile; **it's
no ~** ça ne sert à rien; **to have the**

~ of avoir l'usage de; **she ~d to do
it** elle le faisait (autrefois), elle
avait coutume de le faire; **to be
~d to** avoir l'habitude de, être
habitué(e) à **• use up** vt finir,
épuiser; (food) consommer **• used**
[juːzd] adj (car) d'occasion
• useful adj utile **• useless** adj
inutile; (inf: person) nul(le) **• user**
n utilisateur(-trice), usager m
• user-friendly adj convivial(e),
facile d'emploi **• username** n
(Comput) nom m d'utilisateur

usual [ˈjuːʒuəl] adj habituel(le);
as ~ comme d'habitude **• usually**
adv d'habitude, d'ordinaire

ute [juːt] n (AUST, NZ) pick-up m inv

utensil [juːˈtɛnsl] n ustensile m;
kitchen ~s batterie f de cuisine

utility [juːˈtɪlɪtɪ] n utilité f; (also:
public ~) service public

utilize [ˈjuːtɪlaɪz] vt utiliser; (make
good use of) exploiter

utmost [ˈʌtməust] adj extrême,
le plus grand(e) ► n: **to do one's ~**
faire tout son possible

utter [ˈʌtəʳ] adj total(e),
complet(-ète) ► vt prononcer,
proférer; (sounds) émettre
• utterly adv complètement,
totalement

U-turn [ˈjuːˈtəːn] n demi-tour m;
(fig) volte-face f inv

V

v. abbr = **verse** ; (= vide) v. ; (= versus) vs ; (= volt) V

vacancy ['veɪkənsɪ] n (job) poste vacant ; (room) chambre f disponible ; **"no vacancies"** complet

vacant ['veɪkənt] adj (post) vacant(e) ; (seat etc) libre, disponible ; (expression) distrait(e)

vacate [vəˈkeɪt] vt quitter

vacation [vəˈkeɪʃən] n (esp us) vacances fpl • **vacationer** • **vacationist** (us) n vacancier(-ière)

vaccination [væksɪˈneɪʃən] n vaccination f

vaccine ['væksiːn] n vaccin m

vacuum ['vækjuːm] n vide m • **vacuum cleaner** n aspirateur m

vagina [vəˈdʒaɪnə] n vagin m

vague [veɪg] adj vague, imprécis(e) ; (blurred : photo, memory) flou(e)

vain [veɪn] adj (useless) vain(e) ; (conceited) vaniteux(-euse) ; **in ~** en vain

Valentine's Day ['væləntaɪnz-] n Saint-Valentin f

valid ['vælɪd] adj (document) valide, valable ; (excuse) valable

valley ['vælɪ] n vallée f

valuable ['væljuəbl] adj (jewel) de grande valeur ; (time, help) précieux(-euse) • **valuables** npl objets mpl de valeur

value ['væljuː] n valeur f ▶ vt (fix price) évaluer, expertiser ; (appreciate) apprécier ; **values** npl (principles) valeurs fpl

valve [vælv] n (in machine) soupape f ; (on tyre) valve f ; (Med) valve, valvule f

vampire ['væmpaɪəʳ] n vampire m

van [væn] n (Aut) camionnette f

vandal ['vændl] n vandale m/f • **vandalism** n vandalisme m • **vandalize** vt saccager

vanilla [vəˈnɪlə] n vanille f

vanish ['vænɪʃ] vi disparaître

vanity ['vænɪtɪ] n vanité f

vaping ['veɪpɪŋ] n vapotage m, vape f

vapour, **(us) vapor** ['veɪpəʳ] n vapeur f ; (on window) buée f

variable ['vɛərɪəbl] adj variable ; (mood) changeant(e)

variant ['vɛərɪənt] n variante f

variation [vɛərɪˈeɪʃən] n variation f ; (in opinion) changement m

varied ['vɛərɪd] adj varié(e), divers(e)

variety [vəˈraɪətɪ] n variété f ; (quantity) nombre m, quantité f

various ['vɛərɪəs] adj divers(e), différent(e) ; (several) divers, plusieurs

varnish ['vɑːnɪʃ] n vernis m ▶ vt vernir

vary [ˈvɛərɪ] vt, vi varier, changer

vase [vɑːz] n vase m

Vaseline® [ˈvæsɪliːn] n vaseline f

vast [vɑːst] adj vaste, immense; *(amount, success)* énorme

VAT [væt] n abbr (BRIT: = *value added tax*) TVA f

vault [vɔːlt] n *(of roof)* voûte f; *(tomb)* caveau m; *(in bank)* salle f des coffres; chambre forte ▶ vt *(also: ~ over)* sauter (d'un bond)

VCR n abbr = **video cassette recorder**

VDU n abbr = **visual display unit**

veal [viːl] n veau m

veer [vɪə*] vi tourner; *(car, ship)* virer

vegan [ˈviːɡən] n végétalien(ne)

vegetable [ˈvɛdʒtəbl] n légume m ▶ adj végétal(e)

vegetarian [vɛdʒɪˈtɛərɪən] adj, n végétarien(ne); **do you have any ~ dishes?** avez-vous des plats végétariens?

vegetation [vɛdʒɪˈteɪʃən] n végétation f

vehicle [ˈviːɪkl] n véhicule m

veil [veɪl] n voile m

vein [veɪn] n veine f; *(on leaf)* nervure f

Velcro® [ˈvɛlkrəʊ] n velcro® m

velvet [ˈvɛlvɪt] n velours m

vending machine [ˈvɛndɪŋ-] n distributeur m automatique

vendor [ˈvɛndə*] n vendeur(-euse); **street ~** marchand ambulant

Venetian blind [vɪˈniːʃən-] n store vénitien

vengeance [ˈvɛndʒəns] n vengeance f; **with a ~** *(fig)* vraiment, pour de bon

venison [ˈvɛnɪsn] n venaison f

venom [ˈvɛnəm] n venin m

vent [vɛnt] n conduit m d'aération; *(in dress, jacket)* fente f ▶ vt *(fig: one's feelings)* donner libre cours à

ventilation [vɛntɪˈleɪʃən] n ventilation f, aération f

venture [ˈvɛntʃə*] n entreprise f ▶ vt risquer, hasarder ▶ vi s'aventurer, se risquer; **a business ~** une entreprise commerciale

venue [ˈvɛnjuː] n lieu m

Venus [ˈviːnəs] n *(planet)* Vénus f

verb [vəːb] n verbe m • **verbal** adj verbal(e)

verdict [ˈvəːdɪkt] n verdict m

verge [vəːdʒ] n bord m; **"soft ~s"** (BRIT) "accotements non stabilisés"; **on the ~ of doing** sur le point de faire

verify [ˈvɛrɪfaɪ] vt vérifier

versatile [ˈvəːsətaɪl] adj polyvalent(e)

verse [vəːs] n vers mpl; *(stanza)* strophe f; *(in Bible)* verset m

version [ˈvəːʃən] n version f

versus [ˈvəːsəs] prep contre

vertical [ˈvəːtɪkl] adj vertical(e)

very [ˈvɛrɪ] adv très ▶ adj: **the ~ book which** le livre même que; **the ~ last** le tout dernier; **at the ~ least** au moins; **~ much** beaucoup

vessel [ˈvɛsl] n *(Anat, Naut)* vaisseau m; *(container)* récipient m; *see also* **blood vessel**

vest [vɛst] n *(BRIT: underwear)* tricot m de corps; *(US: waistcoat)* gilet m

vet [vɛt] n abbr (BRIT: = *veterinary surgeon*) vétérinaire m/f; (US: = *veteran*) ancien(ne) combattant(e) ▶ vt examiner minutieusement

veteran ['vɛtərn] n vétéran m; (also: **war ~**) ancien combattant

veterinary surgeon ['vɛtrɪnərɪ-] (BRIT) n vétérinaire m/f

veto ['viːtəu] n (pl **vetoes**) veto m ▶ vt opposer son veto à

via ['vaɪə] prep par, via

viable ['vaɪəbl] adj viable

vibrate [vaɪ'breɪt] vi: **to ~ (with)** vibrer (de)

vibration [vaɪ'breɪʃən] n vibration f

vicar ['vɪkər] n pasteur m (de l'Église anglicane)

vice [vaɪs] n (evil) vice m; (Tech) étau m • **vice-chairman** (irreg) n vice-président m

vice versa ['vaɪsɪ'vəːsə] adv vice versa

vicinity [vɪ'sɪnɪtɪ] n environs mpl, alentours mpl

vicious ['vɪʃəs] adj (remark) cruel(le), méchant(e); (blow) brutal(e); (dog) méchant(e), dangereux(-euse); **a ~ circle** un cercle vicieux

victim ['vɪktɪm] n victime f

victor ['vɪktər] n vainqueur m

Victorian [vɪk'tɔːrɪən] adj victorien(ne)

victorious [vɪk'tɔːrɪəs] adj victorieux(-euse)

victory ['vɪktərɪ] n victoire f

video ['vɪdɪəu] n (video film) vidéo f; (also: **~ cassette**) vidéocassette f; (also: **~ cassette recorder**) magnétoscope m ▶ vt (with recorder) enregistrer; (with camera) filmer • **videocam** n caméra f vidéo inv • **video camera** n caméra f vidéo inv • **video game** n jeu m vidéo inv • **video recorder** n magnétoscope m • **video shop** n vidéoclub m • **video tape** n

bande f vidéo inv; (cassette) vidéocassette f

vie [vaɪ] vi: **to ~ with** lutter avec, rivaliser avec

Vienna [vɪ'ɛnə] n Vienne

Vietnam, Viet Nam ['vjɛt'næm] n Viêt-nam or Vietnam m • **Vietnamese** [vjɛtnə'miːz] adj vietnamien(ne) ▶ n (pl inv) Vietnamien(ne)

view [vjuː] n vue f; (opinion) avis m, vue ▶ vt voir, regarder; (situation) considérer; (house) visiter; **on ~** (in museum etc) exposé(e); **in full ~ of sb** sous les yeux de qn; **in my ~** à mon avis; **in ~ of the fact that** étant donné que • **viewer** n (TV) téléspectateur(-trice) • **viewpoint** n point m de vue

vigilant ['vɪdʒɪlənt] adj vigilant(e)

vigorous ['vɪgərəs] adj vigoureux(-euse)

vile [vaɪl] adj (action) vil(e); (smell, food) abominable; (temper) massacrant(e)

villa ['vɪlə] n villa f

village ['vɪlɪdʒ] n village m • **villager** n villageois(e)

villain ['vɪlən] n (scoundrel) scélérat m; (BRIT: criminal) bandit m; (in novel etc) traître m

vinaigrette [vɪneɪ'grɛt] n vinaigrette f

vine [vaɪn] n vigne f

vinegar ['vɪnɪgər] n vinaigre m

vineyard ['vɪnjɑːd] n vignoble m

vintage ['vɪntɪdʒ] n (year) année f, millésime m ▶ cpd (car) d'époque; (wine) de grand cru

vinyl ['vaɪnl] n vinyle m

viola [vɪ'əulə] n alto m

violate ['vaɪəleɪt] vt violer

violation [vaɪə'leɪʃən] n violation f;

V

in ~ of (rule, law) en infraction à, en violation de

violence ['vaɪələns] n violence f

violent ['vaɪələnt] adj violent(e)

violet ['vaɪələt] adj (colour) violet(te); ▶ n (plant) violette f

violin [vaɪə'lɪn] n violon m

VIP n abbr (= very important person) VIP m

viral ['vaɪərəl] adj (also Comput) viral(e)

virgin ['vəːdʒɪn] n vierge f

Virgo ['vəːgəʊ] n la Vierge

virtual ['vəːtjuəl] adj (Comput, Physics) virtuel(le); (in effect): **it's a ~ impossibility** c'est quasiment impossible • **virtually** adv (almost) pratiquement • **virtual reality** n (Comput) réalité virtuelle

virtue ['vəːtjuː] n vertu f; (advantage) mérite m, avantage m; **by ~ of** en vertu or raison de

virus ['vaɪərəs] n virus m

visa ['viːzə] n visa m

vise [vaɪs] n (US Tech) = **vice**

visibility [vɪzɪ'bɪlɪtɪ] n visibilité f

visible ['vɪzəbl] adj visible

vision ['vɪʒən] n (sight) vue f, vision f; (foresight, in dream) vision f

visit ['vɪzɪt] n visite f; (stay) séjour m ▶ vt (person: us: also: **~ with**) rendre visite à; (place) visiter • **visiting hours** npl heures fpl de visite • **visitor** n visiteur(-euse); (to one's house) invité(e) • **visitor centre** • (us) **visitor center** n hall m or centre m d'accueil

visual ['vɪzjuəl] adj visuel(le) • **visualize** vt se représenter

vital ['vaɪtl] adj vital(e); **of ~ importance (to sb/sth)** d'une importance capitale (pour qn/qch)

vitality [vaɪ'tælɪtɪ] n vitalité f

vitamin ['vɪtəmɪn] n vitamine f

vivid ['vɪvɪd] adj (account) frappant(e), vivant(e); (light, imagination) vif (vive)

vlog [vlɒg] n blog m vidéo • **vlogger** n vidéo-blogueur(-euse)

V-neck ['viːnɛk] n décolleté m en V

vocabulary [vəu'kæbjuləɪ] n vocabulaire m

vocal ['vəukl] adj vocal(e); (articulate) qui n'hésite pas à s'exprimer, qui sait faire entendre ses opinions

vocational [vəu'keɪʃənl] adj professionnel(le)

vodka ['vɔdkə] n vodka f

vogue [vəug] n: **to be in ~** être en vogue or à la mode

voice [vɔɪs] n voix f ▶ vt (opinion) exprimer, formuler • **voice mail** n (system) messagerie f vocale, boîte f vocale; (device) répondeur m

void [vɔɪd] n vide m ▶ adj (invalid) nul(le); (empty): **~ of** vide de, dépourvu(e) de

volatile ['vɔlətaɪl] adj volatil(e); (fig: person) versatile; (: situation) explosif(-ive)

volcano [vɔl'keɪnəu] (pl **volcanoes**) n volcan m

volleyball ['vɔlibɔːl] n volley(-ball) m

volt [vəult] n volt m • **voltage** n tension f, voltage m

volume ['vɔljuːm] n volume m; (of tank) capacité f

voluntarily ['vɔləntrɪlɪ] adv volontairement

voluntary ['vɔləntərɪ] adj volontaire; (unpaid) bénévole

volunteer [vɔlən'tɪə*] n volontaire m/f ▶ vt (information) donner spontanément ▶ vi (Mil) s'engager comme volontaire;

to ~ to do se proposer pour faire

vomit ['vɒmɪt] n vomissure f ▶ vt, vi vomir

vote [vəut] n vote m, suffrage m; (votes cast) voix f, vote; (franchise) droit m de vote ▶ vt (chairman) élire; (propose): **to ~ that** proposer que + sub ▶ vi voter; **~ of thanks** discours m de remerciement;
• **voter** n électeur(-trice)
• **voting** n scrutin m, vote m

voucher ['vautʃər] n (for meal, petrol, gift) bon m

vow [vau] n vœu m, serment m ▶ vi jurer

vowel ['vauəl] n voyelle f

voyage ['vɔɪdʒ] n voyage m par mer, traversée f

vulgar ['vʌlgər] adj vulgaire

vulnerable ['vʌlnərəbl] adj vulnérable

vulture ['vʌltʃər] n vautour m

waddle ['wɒdl] vi se dandiner

wade [weɪd] vi: **to ~ through** marcher dans, patauger dans; (fig: book) venir à bout de

wafer ['weɪfər] n (Culin) gaufrette f

waffle ['wɒfl] n (Culin) gaufre f ▶ vi parler pour ne rien dire; faire du remplissage

wag [wæg] vt agiter, remuer ▶ vi remuer

wage [weɪdʒ] n (also: ~s) salaire m, paye f ▶ vt: **to ~ war** faire la guerre

wag(g)on ['wægən] n (horse-drawn) chariot m; (BRIT Rail) wagon m (de marchandises)

wail [weɪl] n gémissement m; (of siren) hurlement m ▶ vi gémir; (siren) hurler

waist [weɪst] n taille f, ceinture f
• **waistcoat** n (BRIT) gilet m

wait [weɪt] n attente f ▶ vi attendre; **to ~ for sb/sth** attendre qn/qch; **to keep sb ~ing** faire attendre qn; **~ for me, please** attendez-moi, s'il vous plaît; **I can't ~ to ...** (fig) je meurs

d'envie de …; **to lie in ~ for**
guetter • **wait on** vt fus servir
• **waiter** n garçon m (de café),
serveur m • **waiting list** n liste f
d'attente • **waiting room** n salle f
d'attente • **waitress** ['weɪtrɪs] n
serveuse f

waive [weɪv] vt renoncer à,
abandonner

wake [weɪk] (pt **woke** or **waked**,
pp **woken** or **waked**) vt (also: **~ up**)
réveiller ▶ vi (also: **~ up**) se réveiller
▶ n (for dead person) veillée f
mortuaire; (Naut) sillage m
• **wakeboard** n wakeboard m ▶ vi
faire du wakeboard

Wales [weɪlz] n pays m de Galles;
the Prince of ~ le prince de Galles

walk [wɔːk] n promenade f; (short)
petit tour; (gait) démarche f;
(path) chemin m; (in park etc) allée f
▶ vi marcher; (for pleasure, exercise)
se promener ▶ vt (distance) faire à
pied; (dog) promener; **10
minutes' ~ from** à 10 minutes de
marche de; **to go for a ~** se
promener; faire un tour; **from all
~s of life** de toutes conditions
sociales • **walk out** vi (go out)
sortir; (as protest) partir (en signe
de protestation); (strike) se mettre
en grève; **to ~ out on sb** quitter
qn • **walker** n (person)
marcheur(-euse) • **walkie-talkie**
['wɔːkɪ'tɔːkɪ] n talkie-walkie m
• **walking** n marche f à pied
• **walking shoes** npl chaussures
fpl de marche • **walking stick** n
canne f • **Walkman®** n
Walkman® m • **walkway** n
promenade f, cheminement
piéton

wall [wɔːl] n mur m; (of tunnel,
cave) paroi f

wallet ['wɔlɪt] n portefeuille m;

I can't find my ~ je ne retrouve
plus mon portefeuille

wallpaper ['wɔːlpeɪpəʳ] n papier
peint ▶ vt tapisser

walnut ['wɔːlnʌt] n noix f; (tree,
wood) noyer m

walrus ['wɔːlrəs] (pl **walrus** or
walruses) n morse m

waltz [wɔːls] n valse f ▶ vi valser

wand [wɒnd] n (also: **magic ~**)
baguette f (magique)

wander ['wɒndəʳ] vi (person)
errer, aller sans but; (thoughts)
vagabonder ▶ vt errer dans

want [wɒnt] vt vouloir; (need)
avoir besoin de ▶ n: **for ~ of** par
manque de, faute de; **to ~ to do**
vouloir faire; **to ~ sb to do** vouloir
que qn fasse; • **wanted** adj
(criminal) recherché(e) par la
police

war [wɔːʳ] n guerre f; **to make
~ (on)** faire la guerre (à)

ward [wɔːd] n (in hospital) salle f;
(Pol) section électorale; (Law:
child: also: **~ of court**) pupille m/f

warden ['wɔːdn] n (Brit: of
institution) directeur(-trice); (of
park, game reserve) gardien(ne);
(Brit: also: **traffic ~**)
contractuel(le)

wardrobe ['wɔːdrəub] n
(cupboard) armoire f; (clothes)
garde-robe f

warehouse ['wɛəhaus] n
entrepôt m

warfare ['wɔːfɛəʳ] n guerre f

warhead ['wɔːhed] n (Mil) ogive f

warm [wɔːm] adj chaud(e);
(person, thanks, welcome, applause)
chaleureux(-euse); **it's ~** il fait
chaud; **I'm ~** j'ai chaud • **warm
up** vi (person, room) se réchauffer;
(athlete, discussion) s'échauffer

▶ vt (food) (faire) réchauffer; (water) (faire) chauffer; (engine) faire chauffer • **warmly** adv (dress) chaudement; (thank, welcome) chaleureusement • **warmth** n chaleur f

warn [wɔːn] vt avertir, prévenir; **to ~ sb (not) to do** conseiller à qn de (ne pas) faire • **warning** n avertissement m; (notice) avis m • **warning light** n avertisseur lumineux

warrant ['wɔrnt] n (guarantee) garantie f; (Law: to arrest) mandat m d'arrêt; (: to search) mandat de perquisition ▶ vt (justify, merit) justifier

warranty ['wɔrɛntɪ] n garantie f

warrior ['wɔrɪə'] n guerrier(-ière)

Warsaw ['wɔːsɔː] n Varsovie

warship ['wɔːʃɪp] n navire m de guerre

wart [wɔːt] n verrue f

wartime ['wɔːtaɪm] n: **in ~** en temps de guerre

wary ['wɛərɪ] adj prudent(e)

was [wɔz] pt of **be**

wash [wɔʃ] vt laver ▶ vi se laver; (sea): **to ~ over/against sth** inonder/baigner qch ▶ n (clothes) lessive f; (washing programme) lavage m; (of ship) sillage m; **to have a ~** se laver, faire sa toilette • **wash up** vi (BRIT) faire la vaisselle; (us: have a wash) se débarbouiller • **washbasin** n lavabo m • **washer** n (Tech) rondelle f, joint m • **washing** n (BRIT: linen etc: dirty) linge m; (: clean) lessive f • **washing line** n (BRIT) corde f à linge • **washing machine** n machine f à laver • **washing powder** n (BRIT) lessive f (en poudre)

Washington ['wɔʃɪŋtən] n Washington m

wash-: • **washing-up** n (BRIT) vaisselle f • **washing-up liquid** n (BRIT) produit m pour la vaisselle • **washroom** n (us) toilettes fpl

wasn't ['wɔznt] = **was not**

wasp [wɔsp] n guêpe f

waste [weɪst] n gaspillage m; (of time) perte f; (rubbish) déchets mpl; (also: **household ~**) ordures fpl ▶ adj (land, ground: in city) à l'abandon; (leftover) ▶ vt gaspiller; (time, opportunity) perdre • **waste ground** n (BRIT) terrain m vague • **wastepaper basket** n corbeille f à papier

watch [wɔtʃ] n montre f; (act of watching) surveillance f; (guard: Mil) sentinelle f; (: Naut) homme m de quart; (Naut: spell of duty) quart m ▶ vt (look at) observer; (: match, programme) regarder; (spy on, guard) surveiller; (be careful of) faire attention à ▶ vi regarder; (keep guard) monter la garde; **to keep ~** faire le guet • **watch out** vi faire attention • **watchdog** n chien m de garde; (fig) gardien(ne) • **watch strap** n bracelet m de montre

water ['wɔːtə'] n eau f ▶ vt (plant, garden) arroser ▶ vi (eyes) larmoyer; **in British ~s** dans les eaux territoriales Britanniques; **to make sb's mouth ~** mettre l'eau à la bouche de qn • **water down** vt (milk etc) couper avec de l'eau; (fig: story) édulcorer • **waterboarding** n torture par simulacre de noyade • **watercolour** • (us) **watercolor** n aquarelle f • **watercress** n cresson m (de fontaine) • **waterfall** n chute f

W

d'eau • **watering can** n arrosoir m • **watermelon** n pastèque f • **waterproof** adj imperméable • **water-skiing** n ski m nautique

watt [wɔt] n watt m

wave [weɪv] n vague f; (of hand) geste m, signe m; (Radio) onde f; (in hair) ondulation f; (fig) vague ▶ vi faire signe de la main; (flag) flotter au vent; (grass) ondoyer ▶ vt (handkerchief) agiter; (stick) brandir • **wavelength** n longueur f d'ondes

waver ['weɪvəʳ] vi vaciller; (voice) trembler; (person) hésiter

wavy ['weɪvɪ] adj (hair, surface) ondulé(e); (line) onduleux(-euse)

wax [wæks] n cire f; (for skis) fart m ▶ vt cirer; (car) lustrer; (skis) farter ▶ vi (moon) croître

way [weɪ] n chemin m, voie f; (distance) distance f; (direction) chemin, direction f; (manner) façon f, manière f; (habit) habitude f, façon; **which ~?** — **this ~/that ~** par où or de quel côté? — par ici/ par là; **to lose one's ~** perdre son chemin; **on the ~ (to)** en route (pour); **to be on one's ~** être en route; **to be in the ~** bloquer le passage; (fig) gêner; **it's a long ~ away** c'est loin d'ici; **to go out of one's ~ to do** (fig) se donner beaucoup de mal pour faire; **to be under ~** (work, project) être en cours; **in a ~** dans un sens; **by the ~** à propos; **"~ in"** (BRIT) "entrée"; **"~ out"** (BRIT) "sortie"; **the ~ back** le chemin du retour; **"give ~"** (BRIT Aut) "cédez la priorité"; **no ~!** (inf) pas question!

W.C. n abbr (BRIT: = water closet) w.-c. mpl, waters mpl

we [wiː] pl pron nous

weak [wiːk] adj faible; (health) fragile; (beam etc) peu solide; (tea, coffee) léger(-ère) • **weaken** vi faiblir ▶ vt affaiblir • **weakness** n faiblesse f; (fault) point m faible

wealth [welθ] n (money, resources) richesse(s) f(pl); (of details) profusion f • **wealthy** adj riche

weapon ['wepən] n arme f; **~s of mass destruction** armes fpl de destruction massive

wear [wɛəʳ] (pt **wore**, pp **worn**) n (use) usage m; (deterioration through use) usure f ▶ vt (clothes) porter; (put on) mettre; (damage: through use) user ▶ vi (last) faire de l'usage; (rub etc through) s'user; **sports/baby~** vêtements mpl de sport/pour bébés; **evening ~** tenue f de soirée • **wear off** vi disparaître • **wear out** vt user; (person, strength) épuiser

weary ['wɪərɪ] adj (tired) épuisé(e); (dispirited) las(lasse), abattu(e) ▶ vi: **to ~ of** se lasser de

weasel ['wiːzl] n (Zool) belette f

weather ['wɛðəʳ] n temps m ▶ vt (storm: lit, fig) essuyer; (crisis) survivre à; **under the ~** (fig: ill) mal fichu(e) • **weather forecast** n prévisions fpl météorologiques, météo f

weave (pt **wove**, pp **woven**) [wiːv, wəuv, 'wəuvn] vt (cloth) tisser; (basket) tresser

web [web] n (of spider) toile f; (on duck's foot) palmure f; (fig) tissu m; (Comput): **the (World-Wide) W~** le Web • **web address** n adresse f Web • **webcam** n webcam f • **webinar** ['webɪnɑːʳ] n (Comput) séminaire m en ligne • **web page** n (Comput) page f Web • **website** n (Comput) site m Web

wed [wɛd] (*pt, pp* **wedded**) *vt* épouser ▶ *vi* se marier

we'd [wiːd] = **we had; we would**

wedding ['wɛdɪŋ] *n* mariage *m*
• **wedding anniversary** *n* anniversaire *m* de mariage;
silver/golden wedding anniversary noces *fpl* d'argent/d'or • **wedding day** *n* jour *m* du mariage • **wedding dress** *n* robe *f* de mariée
• **wedding ring** *n* alliance *f*

wedge [wɛdʒ] *n* (*of wood etc*) coin *m*; (*under door etc*) cale *f*; (*of cake*) part *f* ▶ *vt* (*fix*) caler; (*push*) enfoncer, coincer

Wednesday ['wɛnzdɪ] *n* mercredi *m*

wee [wiː] *adj* (SCOTTISH) petit(e); tout(e) petit(e)

weed [wiːd] *n* mauvaise herbe ▶ *vt* désherber • **weedkiller** *n* désherbant *m*

week [wiːk] *n* semaine *f*; **a ~ today/ on Tuesday** aujourd'hui/mardi en huit • **weekday** *n* jour *m* de semaine; (*Comm*) jour ouvrable • **weekend** *n* week-end *m* • **weekly** *adv* une fois par semaine, chaque semaine ▶ *adj*, *n* hebdomadaire (*m*)

weep [wiːp] (*pt, pp* **wept**) *vi* (*person*) pleurer

weigh [weɪ] *vt, vi* peser; **to ~ anchor** lever l'ancre • **weigh up** *vt* examiner

weight [weɪt] *n* poids *m*; **to put on/lose ~** grossir/maigrir
• **weightlifting** *n* haltérophilie *f*

weir [wɪə^r] *n* barrage *m*

weird [wɪəd] *adj* bizarre; (*eerie*) surnaturel(le)

welcome ['wɛlkəm] *adj* bienvenu(e) ▶ *n* accueil *m* ▶ *vt* accueillir; (*also:* **bid ~**) souhaiter la bienvenue à; (*be glad of*) se réjouir de; **you're ~!** (*after thanks*) de rien, il n'y a pas de quoi

weld [wɛld] *vt* souder

welfare ['wɛlfɛə^r] *n* (*wellbeing*) bien-être *m*; (*social aid*) assistance sociale • **welfare state** *n* État-providence *m*

well [wɛl] *n* puits *m* ▶ *adv* bien ▶ *adj*: **to be ~** aller bien ▶ *excl* eh bien!; (*relief also*) bon!; (*resignation*) enfin!; • **~ done!** bravo!; **get ~ soon!** remets-toi vite!; **to do ~** bien réussir; (*business*) prospérer; **as ~** (*in addition*) aussi, également; **as ~ as** aussi bien que *or* de; en plus de

we'll [wiːl] = **we will; we shall**

well-: **well-behaved** *adj* sage, obéissant(e) • **well-built** *adj* (*person*) bien bâti(e)
• **well-dressed** *adj* bien habillé(e), bien vêtu(e) • **well-groomed** [-'gruːmd] *adj* très soigné(e)

wellies ['wɛlɪz] *npl* (BRIT *inf*) = **wellingtons**

wellingtons ['wɛlɪŋtənz] *npl* (*also:* **wellington boots**) bottes *fpl* en caoutchouc

well-: **well-known** *adj* (*person*) bien connu(e) • **well-off** *adj* aisé(e), assez riche • **well-paid** [wɛl'peɪd] *adj* bien payé(e)

Welsh [wɛlʃ] *adj* gallois(e) ▶ *n* (*Ling*) gallois *m*; **the Welsh** *npl* (*people*) les Gallois • **Welshman** (*irreg*) *n* Gallois *m* • **Welshwoman** (*irreg*) *n* Galloise *f*

went [wɛnt] *pt of* **go**

wept [wɛpt] *pt, pp of* **weep**

were [wəː^r] *pt of* **be**

we're [wɪə^r] = **we are**

weren't [wəːnt] = **were not**

west [wɛst] n ouest m ▸ adj (wind)
d'ouest; (side) ouest inv ▸ adv à or
vers l'ouest; **the W~** l'Occident m,
l'Ouest • **westbound**
['wɛstbaund] adj en direction de
l'ouest; (carriageway) ouest inv
• **western** adj occidental(e), de or
à l'ouest ▸ n (Cine) western m
• **West Indian** adj antillais(e) ▸ n
Antillais(e) • **West Indies**
[-'ɪndɪz] npl Antilles fpl

wet [wɛt] adj mouillé(e); (damp)
humide; (soaked: also: **~ through**)
trempé(e); (rainy) pluvieux(-euse);
to get ~ se mouiller; **"~ paint"**
"attention peinture fraîche"
• **wetsuit** n combinaison f de
plongée

we've [wiːv] = **we have**

whack [wæk] vt donner un grand
coup à

whale [weɪl] n (Zool) baleine f

wharf (pl **wharves**) [wɔːf, wɔːvz]
n quai m

---

what [wɔt]

▸ adj 1 (in questions) quel(le);
what size is he? quelle taille
fait-il?; **what colour is it?** de
quelle couleur est-ce?; **what
books do you need?** quels livres
vous faut-il?

2 (in exclamations): **what a
mess!** quel désordre!; **what a
fool I am!** que je suis bête!

▸ pron 1 (interrogative) que;
de/à/en etc quoi; **what are you
doing?** que faites-vous?,
qu'est-ce que vous faites?; **what
is happening?** qu'est-ce qui se
passe?, que se passe-t-il?; **what
are you talking about?** de quoi
parlez-vous?; **what are you
thinking about?** à quoi

pensez-vous?; **what is it
called?** comment est-ce que ça
s'appelle?; **what about me?** et
moi?; **what about doing …?** et
si on faisait …?

2 (relative: subject) ce qui; (: direct
object) ce que; (: indirect object)
ce à quoi, ce dont; **I saw what you
did/was on the table** j'ai vu ce
que vous avez fait/ce qui était
sur la table; **tell me what you
remember** dites-moi ce dont
vous vous souvenez; **what I
want is a cup of tea** ce que je
veux, c'est une tasse de thé

▸ excl (disbelieving) quoi!,
comment!

whatever [wɔt'ɛvəʳ] adj: **take
~ book you prefer** prenez le livre
que vous préférez, peu importe
lequel; **~ book you take** quel que
soit le livre que vous preniez

▸ pron: **do ~ is necessary** faites
(tout) ce qui est nécessaire;
~ happens quoi qu'il arrive; **no
reason ~** or **whatsoever** pas la
moindre raison; **nothing ~** or
whatsoever rien du tout

whatsoever [wɔtsəu'ɛvəʳ] adj
see **whatever**

wheat [wiːt] n blé m, froment m

wheel [wiːl] n roue f; (Aut: also:
steering ~) volant m; (Naut)
gouvernail m ▸ vt (pram etc)
pousser, rouler ▸ vi (birds)
tournoyer; (also: **~ round**: person)
se retourner, faire volte-face
• **wheelbarrow** n brouette f
• **wheelchair** n fauteuil roulant
• **wheel clamp** n (Aut) sabot m
(de Denver)

wheeze [wiːz] vi respirer
bruyamment

when [wɛn]

▶ *adv* quand; **when did he go?** quand est-ce qu'il est parti?
▶ *conj* 1 (*at, during, after the time that*) quand, lorsque; **she was reading when I came in** elle lisait quand *or* lorsque je suis entré
2 (*on, at which*): **on the day when I met him** le jour où je l'ai rencontré
3 (*whereas*) alors que; **I thought I was wrong when in fact I was right** j'ai cru que j'avais tort alors qu'en fait j'avais raison

whenever [wɛn'ɛvəʳ] *adv* quand donc ▶ *conj* quand; (*every time that*) chaque fois que
where [wɛəʳ] *adv, conj* où; **this is ~** c'est là que • **whereabouts** *adv* où donc ▶ *n*: **nobody knows his whereabouts** personne ne sait où il se trouve • **whereas** *conj* alors que • **whereby** *adv* (*formal*) par lequel (*or* laquelle *etc*) • **wherever** *adv* où donc ▶ *conj* où que + *sub*; **sit wherever you like** asseyez-vous (là) où vous voulez
whether ['wɛðəʳ] *conj* si; **I don't know ~ to accept or not** je ne sais pas si je dois accepter ou non; **it's doubtful ~** il est peu probable que + *sub*; **~ you go or not** que vous y alliez ou non

which [wɪtʃ]

▶ *adj* 1 (*interrogative, direct, indirect*) quel(le); **which picture do you want?** quel tableau voulez-vous?; **which one?** lequel (laquelle) ▶

2; **in which case** auquel cas; **we got there at 8pm, by which time the cinema was full** quand nous sommes arrivés à 20h, le cinéma était complet
▶ *pron* 1 (*interrogative*) lequel (laquelle), lesquels (lesquelles) *pl*; **I don't mind which** peu importe lequel; **which (of these) are yours?** lesquels sont à vous?; **tell me which you want** dites-moi lesquels *or* ceux que vous voulez
2 (*relative: subject*) qui; (: *object*) que; sur/vers *etc* lequel (laquelle) (NB: à + lequel = **auquel**; de + lequel = **duquel**): **the apple which you ate/which is on the table** la pomme que vous avez mangée/qui est sur la table; **the chair on which you are sitting** la chaise sur laquelle vous êtes assis; **the book of which you spoke** le livre dont vous avez parlé; **he said he knew, which is true/I was afraid of** il a dit qu'il le savait, ce qui est vrai/ce que je craignais; **after which** après quoi

whichever [wɪtʃ'ɛvəʳ] *adj*: **take ~ book you prefer** prenez le livre que vous préférez, peu importe lequel; **~ book you take** quel que soit le livre que vous preniez
while [waɪl] *n* moment *m* ▶ *conj* pendant que; (*as long as*) tant que; (*as, whereas*) alors que; (*though*) bien que + *sub*, quoique + *sub*; **for a ~** pendant quelque temps; **in a ~** dans un moment
whilst [waɪlst] *conj* = **while**
whim [wɪm] *n* caprice *m*
whine [waɪn] *n* gémissement *m*; (*of engine, siren*) plainte stridente

W

▶vi gémir, geindre, pleurnicher; (*dog, engine, siren*) gémir
whip [wɪp] *n* fouet *m*; (*for riding*) cravache *f*; (*Pol: person*) chef *m* de file (*assurant la discipline dans son groupe parlementaire*) ▶ *vt* fouetter; (*snatch*) enlever (*or sortir*) brusquement • **whipped cream** *n* crème fouettée
whirl [wə:l] *vi* tourbillonner; (*dancers*) tournoyer ▶ *vt* faire tourbillonner; faire tournoyer
whisk [wɪsk] *n* (*Culin*) fouet *m* ▶ *vt* (*eggs*) fouetter, battre; **to ~ sb away** *or* **off** emmener qn rapidement
whiskers ['wɪskəz] *npl* (*of animal*) moustaches *fpl*; (*of man*) favoris *mpl*
whisky, (*IRISH, US*) **whiskey** ['wɪskɪ] *n* whisky *m*
whisper ['wɪspə'] *n* chuchotement *m* ▶ *vt*, *vi* chuchoter
whistle ['wɪsl] *n* (*sound*) sifflement *m*; (*object*) sifflet *m* ▶ *vi* siffler ▶ *vt* siffler, siffloter • **whistleblower** *n* lanceur(-euse) d'alerte
white [waɪt] *adj* blanc (blanche); (*with fear*) blême ▶ *n* blanc *m*; (*person*) blanc (blanche) • **White House** *n* (*US*): **the White House** la Maison-Blanche • **whitewash** *n* (*paint*) lait *m* de chaux ▶ *vt* blanchir à la chaux; (*fig*) blanchir
whiting ['waɪtɪŋ] *n* (*pl inv: fish*) merlan *m*
Whitsun ['wɪtsn] *n* la Pentecôte
whittle ['wɪtl] *vt*: **to ~ away, to ~ down** (*costs*) réduire, rogner
whizz [wɪz] *vi* aller (*or* passer) à toute vitesse
who [hu:] *pron* qui

whoever [hu:'evə'] *pron*: **~ finds it** celui (celle) qui le trouve (, qui que ce soit), quiconque le trouve; **ask ~ you like** demandez à qui vous voulez; **~ he marries** qui que ce soit *or* quelle que soit la personne qu'il épouse; **~ told you that?** qui a bien pu vous dire ça?, qui donc vous a dit ça?
whole [həʊl] *adj* (*complete*) entier(-ière), tout(e); (*not broken*) intact(e), complet(-ète) ▶ *n* (*entire unit*) tout *m*; (*all*): **the ~ of** la totalité de, tout(e) le; **the ~ of the town** la ville tout entière; **on the ~, as a ~** dans l'ensemble • **wholefood(s)** *n*(*pl*) aliments complets • **wholeheartedly** [həʊl'hɑ:tɪdlɪ] *adv* sans réserve; **to agree wholeheartedly** être entièrement d'accord • **wholemeal** *adj* (*BRIT: flour, bread*) complet(-ète) • **wholesale** *n* (*vente f en*) gros *m* ▶ *adj* (*price*) de gros; (*destruction*) systématique • **wholewheat** *adj* = **wholemeal** • **wholly** *adv* entièrement, tout à fait

whom [hu:m]

pron 1 (*interrogative*) qui; **whom did you see?** qui avez-vous vu?; **to whom did you give it?** à qui l'avez-vous donné?
2 (*relative*) que; à/de *etc* qui; **the man whom I saw/to whom I spoke** l'homme que j'ai vu/à qui j'ai parlé

whore [hɔ:'] *n* (!) putain *f* (!)

whose [hu:z]

▶ *adj* 1 (*possessive, interrogative*): **whose book is this?, whose is**

this book? à qui est ce livre?; **whose pencil have you taken?** à qui est le crayon que vous avez pris?, c'est le crayon de qui que vous avez pris?; **whose daughter are you?** de qui êtes-vous la fille? **2** (*possessive, relative*): **the man whose son you rescued** l'homme dont or de qui vous avez sauvé le fils; **the girl whose sister you were speaking to** la fille à la sœur de qui or de laquelle vous parliez; **the woman whose car was stolen** la femme dont la voiture a été volée

▶ *pron* à qui; **whose is this?** à qui est ceci?; **I know whose it is** je sais à qui c'est

---

why [waɪ]

▶ *adv* pourquoi; **why not?** pourquoi pas?

▶ *conj*: **I wonder why he said that** je me demande pourquoi il a dit ça; **that's not why I'm here** ce n'est pas pour ça que je suis là; **the reason why** la raison pour laquelle

▶ *excl* eh bien!, tiens!; **why, it's you!** tiens, c'est vous!; **why, that's impossible!** voyons, c'est impossible!

---

wicked ['wɪkɪd] *adj* méchant(e); (*mischievous: grin, look*) espiègle, malicieux(-euse); (*crime*) pervers(e); (*inf: very good*) génial(e) (*inf*)

wicket ['wɪkɪt] *n* (*Cricket: stumps*) guichet *m*; (: *grass area*) espace compris entre les deux guichets

wide [waɪd] *adj* large; (*area, knowledge*) vaste, très étendu(e); (*choice*) grand(e) ▶ *adv*: **to open ~** ouvrir tout grand; **to shoot ~** tirer à côté; **it is 3 metres ~** cela fait 3 mètres de large • **widely** *adv* (*different*) radicalement; (*spaced*) sur une grande étendue; (*believed*) généralement; (*travel*) beaucoup • **widen** *vt* élargir ▶ *vi* s'élargir • **wide open** *adj* grand(e) ouvert(e) • **widespread** *adj* (*belief etc*) très répandu(e)

widow ['wɪdəʊ] *n* veuve *f* • **widower** *n* veuf *m*

width [wɪdθ] *n* largeur *f*

wield [wiːld] *vt* (*sword*) manier; (*power*) exercer

wife (*pl* **wives**) [waɪf, waɪvz] *n* femme *f*, épouse *f*

Wi-Fi ['waɪfaɪ] *n* wifi *m*

wig [wɪg] *n* perruque *f*

wild [waɪld] *adj* sauvage; (*sea*) déchaîné(e); (*idea, life*) fou (folle); (*behaviour*) déchaîné(e), extravagant(e); (*inf: angry*) hors de soi, furieux(-euse) ▶ *n*: **the ~** la nature • **wilderness** ['wɪldənɪs] *n* désert *m*, région *f* sauvage • **wildlife** *n* faune *f* (et flore *f*) • **wildly** *adv* (*behave*) de manière déchaînée; (*applaud*) frénétiquement; (*hit, guess*) au hasard; (*happy*) follement

---

will [wɪl]

▶ *aux vb* **1** (*forming future tense*): **I will finish it tomorrow** je le finirai demain; **I will have finished it by tomorrow** je l'aurai fini d'ici demain; **will you do it? — yes I will/no I won't** le ferez-vous? — oui/non **2** (*in conjectures, predictions*): **he**

W

will or **he'll be there by now** il doit être arrivé à l'heure qu'il est; **that will be the postman** ça doit être le facteur

3 (*in commands, requests, offers*): **will you be quiet!** voulez-vous bien vous taire!; **will you help me?** est-ce que vous pouvez m'aider?; **will you have a cup of tea?** voulez-vous une tasse de thé?; **I won't put up with it!** je ne le tolérerai pas!
▶ vt (*pt, pp* **willed**): **to will sb to do** souhaiter ardemment que qn fasse; **he willed himself to go on** par un suprême effort de volonté, il continua
▶ n **1** volonté f; **against one's will** à contre-cœur
2 (*document*) testament m

willing ['wɪlɪŋ] *adj* de bonne volonté, serviable; **he's ~ to do it** il est disposé à le faire, il veut bien le faire • **willingly** *adv* volontiers

willow ['wɪləʊ] n saule m

willpower ['wɪl'paʊə'] n volonté f

wilt [wɪlt] vi dépérir

win [wɪn] (*pt, pp* **won**) n (*in sports etc*) victoire f ▶ vt (*battle, money*) gagner; (*prize, contract*) remporter; (*popularity*) acquérir
▶ vi gagner • **win over** vt convaincre

wince [wɪns] vi tressaillir

wind[1] [wɪnd] n (*also Med*) vent m; (*breath*) souffle m ▶ vt (*take breath away*) couper le souffle à; **the ~(s)** (*Mus*) les instruments mpl à vent

wind[2] [waɪnd] (*pt, pp* **wound**) vt enrouler; (*wrap*) envelopper; (*clock, toy*) remonter ▶ vi (*road, river*) serpenter • **wind down** vt (*car window*) baisser; (*fig: production, business*) réduire

progressivement • **wind up** vt (*clock*) remonter; (*debate*) terminer, clôturer

windfall ['wɪndfɔːl] n coup m de chance

wind farm n ferme f éolienne

winding ['waɪndɪŋ] *adj* (*road*) sinueux(-euse); (*staircase*) tournant(e)

windmill ['wɪndmɪl] n moulin m à vent

window ['wɪndəʊ] n fenêtre f; (*in car, train; also:* **~ pane**) vitre f; (*in shop etc*) vitrine f • **window box** n jardinière f • **window cleaner** n (*person*) laveur(-euse) de vitres • **window pane** n vitre f, carreau m • **window seat** n (*on plane*) place f côté hublot • **windowsill** n (*inside*) appui m de la fenêtre; (*outside*) rebord m de la fenêtre

windscreen ['wɪndskriːn] n pare-brise m inv • **windscreen wiper** n essuie-glace m inv

windshield ['wɪndʃiːld] (*US*) n = **windscreen**

windsurfing ['wɪndsɜːfɪŋ] n planche f à voile

wind turbine [-tɜːbaɪn] n éolienne f

windy ['wɪndɪ] *adj* (*day*) de vent, venteux(-euse); (*place, weather*) venteux; **it's ~** il y a du vent

wine [waɪn] n vin m • **wine bar** n bar m à vin • **wine glass** n verre m à vin • **wine list** n carte f des vins • **wine tasting** n dégustation f (de vins)

wing [wɪŋ] n aile f; **wings** npl (*Theat*) coulisses fpl • **wing mirror** n (*BRIT*) rétroviseur m latéral

wink [wɪŋk] n clin m d'œil ▶ vi faire un clin d'œil; (*blink*) cligner des yeux

winner ['wɪnə^r] n gagnant(e)
winning ['wɪnɪŋ] adj (team) gagnant(e); (goal) décisif(-ive); (charming) charmeur(-euse)
winter ['wɪntə^r] n hiver m ▶ vi hiverner; **in ~** en hiver • **winter sports** npl sports mpl d'hiver • **wintertime** n hiver m
wipe [waɪp] n: **to give sth a ~** donner un coup de torchon/de chiffon/d'éponge à qch ▶ vt essuyer; (erase: tape) effacer; **to ~ one's nose** se moucher • **wipe out** vt (debt) éteindre, amortir; (memory) effacer; (destroy) anéantir • **wipe up** vt essuyer
wire ['waɪə^r] n fil m (de fer); (Elec) fil électrique; (Tel) télégramme m ▶ vt (house) faire l'installation électrique de; (also: ~ **up**) brancher; (person: send telegram to) télégraphier à
wireless ['waɪəlɪs] adj sans fil • **wireless technology** n technologie f sans fil
wiring ['waɪərɪŋ] n (Elec) installation f électrique
wisdom ['wɪzdəm] n sagesse f; (of action) prudence f • **wisdom tooth** n dent f de sagesse
wise [waɪz] adj sage, prudent(e); (remark) judicieux(-euse)
wish [wɪʃ] n (desire) désir m; (specific desire) souhait m, vœu m ▶ vt souhaiter, désirer, vouloir; **best ~es** (on birthday etc) meilleurs vœux; **with best ~es** (in letter) bien amicalement; **to ~ sb goodbye** dire au revoir à qn; **he ~ed me well** il m'a souhaité bonne chance; **to ~ to do/sb to do** désirer or vouloir faire/que qn fasse; **to ~ for** souhaiter

wistful ['wɪstful] adj mélancolique
wit [wɪt] n (also: **~s**: intelligence) intelligence f, esprit m; (presence of mind) présence f d'esprit; (wittiness) esprit; (person) homme/femme d'esprit
witch [wɪtʃ] n sorcière f

---

with [wɪð, wɪθ]

prep **1** (in the company of) avec; (at the home of) chez; **we stayed with friends** nous avons logé chez des amis; **I'll be with you in a minute** je suis à vous dans un instant
2 (descriptive): **a room with a view** une chambre avec vue; **the man with the grey hair/blue eyes** l'homme au chapeau gris/aux yeux bleus
3 (indicating manner, means, cause): **with tears in her eyes** les larmes aux yeux; **to walk with a stick** marcher avec une canne; **red with anger** rouge de colère; **to shake with fear** trembler de peur; **to fill sth with water** remplir qch d'eau
4 (in phrases): **I'm with you** (I understand) je vous suis; **to be with it** (inf: up-to-date) être dans le vent

---

withdraw [wɪθ'drɔː] vt (irreg: like **draw**) retirer ▶ vi se retirer • **withdrawal** n retrait m; (Med) état m de manque • **withdrawn** pp of **withdraw** ▶ adj (person) renfermé(e)
withdrew [wɪθ'druː] pt of **withdraw**
wither ['wɪðə^r] vi se faner
withhold [wɪθ'həuld] vt (irreg: like **hold**) (money) retenir; (decision)

remettre; **to ~ (from)** (permission) refuser (à); (information) cacher (à)

within ['wɪð'ɪn] prep à l'intérieur de ▶ adv à l'intérieur de; **~ his reach** à sa portée; **~ sight of** en vue de; **~ a mile of** à moins d'un mille de; **~ the week** avant la fin de la semaine

without ['wɪð'aut] prep sans; **~ a coat** sans manteau; **~ speaking** sans parler; **to go** or **do ~ sth** se passer de qch

withstand [wɪθ'stænd] vt (irreg: like **stand**) résister à

witness ['wɪtnɪs] n (person) témoin m ▶ vt (event) être témoin de; (document) attester l'authenticité de; **to bear ~ to sth** témoigner de qch

witty ['wɪtɪ] adj spirituel(le), plein(e) d'esprit

wives [waɪvz] npl of **wife**

wizard ['wɪzəd] n magicien m

wk abbr = **week**

wobble ['wɔbl] vi trembler; (chair) branler

woe [wəu] n malheur m

woke [wəuk] pt of **wake**

woken ['wəukn] pp of **wake**

wolf (pl **wolves**) [wulf, wulvz] n loup m

woman (pl **women**) ['wumən, 'wɪmɪn] n femme f ▶ cpd: **~ doctor** femme f médecin; **~ teacher** professeur m femme

womb [wu:m] n (Anat) utérus m

women ['wɪmɪn] npl of **woman**

won [wʌn] pt, pp of **win**

wonder ['wʌndəʳ] n merveille f, miracle m; (feeling) émerveillement m ▶ vi: **to ~ whether/why** se demander si/pourquoi; **to ~ at** (surprise) s'étonner de; (admiration)

s'émerveiller de; **to ~ about** songer à; **it's no ~ that** il n'est pas étonnant que **+ sub • wonderful** adj merveilleux(-euse)

won't [wəunt] = **will not**

wood [wud] n (timber, forest) bois m **• wooden** adj en bois; (fig: actor) raide; (: performance) qui manque de naturel **• woodwind** n: **the woodwind** les bois mpl **• woodwork** n menuiserie f

wool [wul] n laine f; **to pull the ~ over sb's eyes** (fig) en faire accroire à qn **• woollen •** (us) **woolen** adj de or en laine **• woolly •** (us) **wooly** adj laineux(-euse); (fig: ideas) confus(e)

word [wə:d] n mot m; (spoken) mot, parole f; (promise) parole; (news) nouvelles fpl ▶ vt rédiger, formuler; **in other ~s** en d'autres termes; **to have a ~ with sb** toucher un mot à qn; **to break/keep one's ~** manquer à sa parole/tenir (sa) parole **• wording** n termes mpl, langage m; (of document) libellé m **• word processing** n traitement m de texte **• word processor** n machine f de traitement de texte

wore [wɔ:ʳ] pt of **wear**

work [wə:k] n travail m; (Art, Literature) œuvre f ▶ vi travailler; (mechanism) marcher, fonctionner; (plan etc) marcher; (medicine) agir ▶ vt (clay, wood etc) travailler; (mine etc) exploiter; (machine) faire marcher or fonctionner; (miracles etc) faire; **works** n (BRIT: factory) usine f; **how does this ~?** comment est-ce que ça marche?; **the TV isn't ~ing** la télévision est en panne or ne marche pas; **to be**

would

out of ~ être au chômage or sans
emploi; **to ~ loose** se défaire, se
desserrer • **work out** vi (plans etc)
marcher; (Sport) s'entraîner ▶ vt
(problem) résoudre; (plan)
élaborer; **it ~s out at £100** ça fait
100 livres • **worker** n
travailleur(-euse), ouvrier(-ière)
• **work experience** n stage m
• **workforce** n main-d'œuvre f
• **working class** n classe ouvrière
▶ adj: **working-class**
ouvrier(-ière), de la classe ouvrière
• **working week** n semaine f de
travail • **workman** (irreg) n
ouvrier m • **work of art** n œuvre f
d'art • **workout** n (Sport) séance f
d'entraînement • **work permit** n
permis m de travail • **workplace** n
lieu m de travail • **worksheet** n
(Scol) feuille f d'exercices
• **workshop** n atelier m • **work
station** n poste m de travail
• **work surface** n plan m de
travail • **worktop** n plan m de
travail • **workwear** n vêtements
mpl professionnels or de travail
world [wəːld] n monde m ▶ cpd
(champion) du monde; (power, war)
mondial(e); **to think the ~ of sb**
(fig) ne jurer que par qn • **World
Cup** n: **the World Cup** (Football)
la Coupe du monde • **world-wide**
adj universel(le) • **World-Wide
Web** n: **the World-Wide Web**
le Web
worm [wəːm] n (also: **earth~**)
ver m
worn [wɔːn] pp of **wear** ▶ adj
usé(e) • **worn-out** adj (object)
complètement usé(e); (person)
épuisé(e)
worried ['wʌrɪd] adj
inquiet(-ète); **to be ~ about sth**
être inquiet au sujet de qch

worry ['wʌrɪ] n souci m ▶ vt
inquiéter ▶ vi s'inquiéter, se faire
du souci • **worrying** adj
inquiétant(e)
worse [wəːs] adj pire, plus
mauvais(e) ▶ adv plus mal ▶ n pire
m; **to get ~** (condition, situation)
empirer, se dégrader; **a change
for the ~** une détérioration •
worsen vt, vi empirer • **worse
off** adj moins à l'aise
financièrement; (fig): **you'll be
worse off this way** ça ira moins
bien de cette façon
worship ['wəːʃɪp] n culte m ▶ vt
(God) rendre un culte à; (person)
adorer
worst [wəːst] adj le (la) pire, le (la)
plus mauvais(e) ▶ adv le plus mal
▶ n pire m; **at ~** au pis aller
worth [wəːθ] n valeur f ▶ adj: **to
be ~** valoir; **it's ~** it cela en vaut la
peine, ça vaut la peine; **it is ~ one's
while (to do)** ça vaut le coup (inf)
(de faire) • **worthless** adj qui ne
vaut rien • **worthwhile** adj (activity)
qui en vaut la peine; (cause) louable
worthy ['wəːðɪ] adj (person)
digne; (motive) louable; **~ of**
digne de

---

would [wʊd]

aux vb 1 (conditional tense): **if you
asked him he would do it** si
vous le lui demandiez, il le ferait;
**if you had asked him he
would have done it** si vous le
lui aviez demandé, il l'aurait fait
2 (in offers, invitations, requests):
would you like a biscuit?
voulez-vous un biscuit?; **would
you close the door please?**
voulez-vous fermer la porte, s'il
vous plaît?

3 (*in indirect speech*): **I said I would do it** j'ai dit que je le ferais
4 (*emphatic*): **it would have to snow today!** naturellement il neige aujourd'hui, il fallait qu'il neige aujourd'hui!
5 (*insistence*): **she wouldn't do it** elle n'a pas voulu *or* elle a refusé de le faire
6 (*conjecture*): **it would have been midnight** il devait être minuit; **it would seem so** on dirait bien
7 (*indicating habit*): **he would go there on Mondays** il y allait le lundi

wouldn't ['wudnt] = **would not**
wound¹ [wu:nd] *n* blessure *f* ▶ *vt* blesser
wound² [waund] *pt, pp of* **wind²**
wove [wauv] *pt of* **weave**
woven ['wauvn] *pp of* **weave**
wrap [ræp] *vt* (*also:* ~ **up**) envelopper; (*parcel*) emballer; (*wind*) enrouler • **wrapper** *n* (*on chocolate etc*) papier *m*; (BRIT: *of book*) couverture *f* • **wrapping paper** *n* papier *m* d'emballage; (*for gift*) papier cadeau
wreath [ri:θ] *n* couronne *f*
wreck [rɛk] *n* (*sea disaster*) naufrage *m*; (*ship*) épave *f*; (*vehicle*) véhicule accidentée; (*pej: person*) loque (humaine) ▶ *vt* démolir; (*fig*) briser, ruiner • **wreckage** *n* débris *mpl*; (*of building*) décombres *mpl*; (*of ship*) naufrage *m*
wren [rɛn] *n* (*Zool*) troglodyte *m*
wrench [rɛntʃ] *n* (*Tech*) clé *f* (à écrous); (*tug*) violent mouvement de torsion; (*fig*) déchirement *m*

▶ *vt* tirer violemment sur, tordre; **to ~ sth from** arracher qch (violemment) à *or* de
wrestle ['rɛsl] *vi*: **to ~ (with sb)** lutter (avec qn) • **wrestler** *n* lutteur(-euse) • **wrestling** *n* lutte *f*; (BRIT: *also:* **all-in wrestling**) catch *m*
wretched ['rɛtʃid] *adj* misérable
wriggle ['rɪgl] *vi* (*also:* ~ **about**) se tortiller
wring [rɪŋ] (*pt, pp* **wrung**) *vt* tordre; (*wet clothes*) essorer; (*fig*): **to ~ sth out of** arracher qch à
wrinkle ['rɪŋkl] *n* (*on skin*) ride *f*; (*on paper etc*) pli *m* ▶ *vt* rider, plisser ▶ *vi* se plisser
wrist [rɪst] *n* poignet *m*
write (*pt* **wrote**, *pp* **written**) [raɪt, rəut, 'rɪtn] *vt, vi* écrire; (*prescription*) rédiger • **write down** *vt* noter; (*put in writing*) mettre par écrit • **write off** *vt* (*debt*) passer aux profits et pertes; (*project*) mettre une croix sur; (*smash up: car etc*) démolir complètement • **write out** *vt* écrire; (*copy*) recopier • **write-off** *n* perte totale; **the car is a write-off** la voiture est bonne pour la casse • **writer** *n* auteur *m*, écrivain *m*
writing ['raɪtɪŋ] *n* écriture *f*; (*of author*) œuvres *fpl*; **in ~** par écrit • **writing paper** *n* papier *m* à lettres
written ['rɪtn] *pp of* **write**
wrong [rɔŋ] *adj* (*incorrect*) faux (fausse); (*incorrectly chosen: number, road etc*) mauvais(e); (*not suitable*) qui ne convient pas; (*wicked*) mal; (*unfair*) injuste ▶ *adv* mal ▶ *n* tort *m* ▶ *vt* faire du tort à, léser; **you are ~ to do it** tu as tort

de le faire; **you are ~ about that, you've got it ~** tu te trompes; **what's ~?** qu'est-ce qui ne va pas?; **what's ~ with the car?** qu'est-ce qu'elle a, la voiture?; **to go ~** *(person)* se tromper; *(plan)* mal tourner; *(machine)* se détraquer; **I took a ~ turning** je me suis trompé de route • **wrongly** *adv* à tort; *(answer, do, count)* mal, incorrectement • **wrong number** *n (Tel)*: **you have the wrong number** vous vous êtes trompé de numéro

wrote [rəut] *pt of* **write**

wrung [rʌŋ] *pt, pp of* **wring**

WWW *n abbr* = **World-Wide Web**

XL *abbr* (= extra large) XL

Xmas ['ɛksməs] *n abbr* = **Christmas**

X-ray ['ɛksreɪ] *n (ray)* rayon *m* X; *(photograph)* radio(graphie) *f* ▸ *vt* radiographier

xylophone ['zaɪləfəun] *n* xylophone *m*

y

yacht [jɔt] n voilier m; (motor, luxury yacht) yacht m • **yachting** n yachting m, navigation f de plaisance

yard [jɑːd] n (of house etc) cour f; (US: garden) jardin m; (measure) yard m (= 914 mm; 3 feet) • **yard sale** n (US) brocante f (dans son propre jardin)

yarn [jɑːn] n fil m; (tale) longue histoire

yawn [jɔːn] n bâillement m ▶ vi bâiller

yd. abbr = **yard; yards**

yeah [jɛə] adv (inf) ouais

year [jɪəʳ] n an m, année f; (Scol etc) année; **to be 8 ~s old** avoir 8 ans; **an eight-~-old child** un enfant de huit ans • **yearly** adj annuel(le) ▶ adv annuellement; **twice yearly** deux fois par an

yearn [jɜːn] vi: **to ~ for sth/to do** aspirer à qch/à faire

yeast [jiːst] n levure f

yell [jɛl] n hurlement m, cri m ▶ vi hurler

yellow ['jɛləʊ] adj, n jaune (m) • **Yellow Pages®** npl (Tel) pages fpl jaunes

yes [jɛs] adv oui; (answering negative question) si ▶ n oui m; **to say ~ (to)** dire oui (à)

yesterday ['jɛstədɪ] adv, n hier (m); **~ morning/evening** hier matin/soir; **all day ~** toute la journée d'hier

yet [jɛt] adv encore; (in questions) déjà ▶ conj pourtant, néanmoins; **it is not finished ~** ce n'est pas encore fini or toujours pas fini; **have you eaten ~?** vous avez déjà mangé?; **the best ~** le meilleur jusqu'ici or jusque-là; **as ~** jusqu'ici, encore

yew [juː] n if m

Yiddish ['jɪdɪʃ] n yiddish m

yield [jiːld] n production f, rendement m; (Finance) rapport m ▶ vt produire, rendre, rapporter; (surrender) céder ▶ vi céder; (US Aut) céder la priorité

yikes ['jaɪks] EXCL (inf: esp hum) la vache!

yob(bo) ['jɔb(əʊ)] n (BRIT inf) loubar(d) m

yoga ['jəʊɡə] n yoga m

yog(h)urt ['jɒɡət] n yaourt m

yolk [jəʊk] n jaune m (d'œuf)

---

you [juː]

pron **1** (subject) tu; (: polite form) vous; (: plural) vous; **you are very kind** vous êtes très gentil; **you French enjoy your food** vous autres Français, vous aimez bien manger; **you and I will go** toi et moi or vous et moi, nous irons; **there you are!** vous voilà!

2 (object: direct, indirect) te, t' + vowel; vous; **I know you** je te or vous connais; **I gave it to you** je te l'ai donné, je vous l'ai donné

3 (*stressed*) toi; vous; **I told you to do it** c'est à toi *or* vous que j'ai dit de le faire
4 (*after prep, in comparisons*) toi; vous; **it's for you** c'est pour toi *or* vous; **she's younger than you** elle est plus jeune que toi *or* vous
5 (*impersonal: one*) on; **fresh air does you good** l'air frais fait du bien; **you never know** on ne sait jamais; **you can't do that!** ça ne se fait pas!

you'd [juːd] = **you had; you would**
you'll [juːl] = **you will; you shall**
young [jʌŋ] *adj* jeune ▶ *npl* (*of animal*) petits *mpl*; **the ~** (*people*) les jeunes, la jeunesse; **my ~er brother** mon frère cadet
• **youngster** *n* jeune *m/f*; (*child*) enfant *m/f*
your [jɔːʳ] *adj* ton *m*, tes *pl*; (*polite form, pl*) votre, vos *pl*; *see also* **my**
you're [juəʳ] = **you are**
yours [jɔːz] *pron* le (la) tien(ne), les tiens (tiennes); (*polite form, pl*) le (la) vôtre, les vôtres; **is it ~?** c'est à toi (*or* à vous)?; **a friend of ~** un(e) de tes (*or* de vos) ami(e)s; *see also* **faithfully; mine¹; sincerely**
yourself [jɔːˈself] *pron* (*reflexive*) te; (: *polite form*) vous; (*after prep*) toi; vous; (*emphatic*) toi-même; vous-même; *see also* **oneself**
• **yourselves** *pl pron* vous; (*emphatic*) vous-mêmes; *see also* **oneself**
youth [juːθ] *n* jeunesse *f*; (*young man*) jeune homme *m* • **youth club** *n* centre *m* de jeunes
• **youthful** *adj* jeune; (*enthusiasm etc*) juvénile • **youth hostel** *n* auberge *f* de jeunesse

you've [juːv] = **you have**
Yugoslav [ˈjuːɡəʊslɑːv] *adj* (*Hist*) yougoslave ▶ *n* Yougoslave *m/f*
Yugoslavia [juːɡəʊˈslɑːvɪə] *n* (*Hist*) Yougoslavie *f*

y

zucchini [zuːˈkiːnɪ] n (US)
courgette f
Zumba® [ˈzumbə] n zumba® f

Z

zeal [ziːl] n (revolutionary etc)
ferveur f; (keenness) ardeur f,
zèle m
zebra [ˈziːbrə] n zèbre m • **zebra
crossing** n (BRIT) passage clouté
or pour piétons
zero [ˈzɪərəu] n zéro m
zest [zɛst] n entrain m, élan m; (of
lemon etc) zeste m
zigzag [ˈzɪgzæg] n zigzag m ▶ vi
zigzaguer, faire des zigzags
Zimbabwe [zɪmˈbɑːbwɪ] n
Zimbabwe m
zinc [zɪŋk] n zinc m
zip [zɪp] n (also: ~ **fastener**)
fermeture f éclair® or à glissière
▶ vt (file) zipper; (also: ~ **up**) fermer
(avec une fermeture éclair®) • **zip
code** n (US) code postal • **zip file**
n (Comput) fichier m zip inv
• **zipper** n (US) = **zip**
zit [zɪt] (inf) n bouton m
zodiac [ˈzəudɪæk] n zodiaque m
zone [zəun] n zone f
zoo [zuː] n zoo m
zoology [zuːˈɔlədʒɪ] n zoologie f
zoom [zuːm] vi: **to ~ past** passer
en trombe • **zoom lens** n zoom m

le Robert & Collins

LES EXPERTS DE LA LANGUE VIVANTE

POUR L'APPRENTISSAGE DES LANGUES

dictionnaires

grammaire

vocabulaire

guides de conversation

LE ROBERT, L'EXPERT DE LA LANGUE FRANÇAISE
& COLLINS, L'EXPERT DE LA LANGUE ANGLAISE